DATE DUE

SV

Hans Ulrich Gumbrecht
Eine Geschichte
der spanischen Literatur

I

Suhrkamp

CIP-Titelaufnahme der Deutschen Bibliothek
Gumbrecht, Hans Ulrich:
Eine Geschichte der spanischen Literatur / Hans Ulrich
Gumbrecht. – Frankfurt am Main : Suhrkamp.
ISBN 3-518-58062-0
[Hauptbd.]. – 1. Aufl. – 1990

Erste Auflage 1990
© Suhrkamp Verlag Frankfurt am Main 1990
Alle Rechte vorbehalten
Druck: Wagner GmbH, Nördlingen
Printed in Germany

Inhalt

Dieses Buch hätte ich ohne die Gespräche
mit meinem Freund Juan-José Sánchez
nicht schreiben können

Es ist
Marco, Sara und Christopher
gewidmet

Noch eine Geschichte
der spanischen Literatur?

(1)

Es gibt Bücher, die geschrieben werden, weil potentielle Leser sie brauchen, weil sie ›einen Markt‹ haben. Handbücher zum Beispiel, mit denen man sich Prüfungswissen aneignen kann, Reiseführer oder Anleitungen zum Ausfüllen von Steuerformularen. Ihre Autoren wissen sehr genau, *zu welchen Zwecken* sie sich an die Arbeit machen. Andere Bücher entstehen, ohne daß den Autoren solch prägnante Motive bewußt wären. Sie arbeiten aus dem *Gefühl*, dieses oder jenes Buch eben schreiben zu müssen, aber sie könnten nicht sagen, welcher Grund hinter solchem ›Müssen‹ steht, und noch viel weniger, wer ihre Bücher warum lesen sollte. Die letztere Situation ist – unter anderem – die der Literatur. Vor inzwischen vierzig Jahren hat Jean-Paul Sartre erklärt, warum literarische Autoren mit der ›Großherzigkeit‹ ihrer Leser und literarische Leser mit der ›Großherzigkeit‹ der Autoren zu rechnen haben – denn es gibt (wie wir heute sagen würden) keinen guten alltagspraktischen Grund zum Schreiben oder zum Lesen von ›Literatur‹.

Wenn sich ein Literaturwissenschaftler ans Schreiben macht, befindet er sich in einer seltsamen Zwischenlage. Denn auf der einen Seite wird von ihm erwartet, daß er Bücher schreibt; die üblichen ›Dienstverträge‹ auslegend könnte man sogar sagen, daß er nicht zuletzt dafür bezahlt wird. Aber auf der anderen Seite passiert ihm – zumindest unter deutschen Verhältnissen – nichts, wenn er nicht schreibt. Seine Kollegen sind in den meisten solchen Fällen froh, einen Konkurrenten weniger zu haben, und man kann sich nur schwer ein außerakademisches Publikum vorstellen, das irgend etwas vermissen würde, wenn keine literaturwissenschaftlichen Bücher mehr erschienen. Ich glaube deshalb, daß literaturwissenschaftliche Bücher zumindest insofern der Literatur ähnlich sind, als die meisten ihrer Autoren jenes Gefühl des Einfach-schreiben-Müssens kennen, als sie von einem zur Aufgabe gewordenen Thema oder von einer Frage fasziniert sind, ohne genau zu wissen, warum.

Doch weil die Nähe zur Literatur nur die *eine* Seite der literaturwissenschaftlichen Schreib-Situation ist, während auf der anderen Seite nicht ganz unerhebliche Summen öffentlichen Geldes für die pure Existenz eines akademischen Fachs wie der Literaturwissenschaft ausgegeben werden, fühlen sich die Literaturwissenschaftler seit jeher – in bestimmten Phasen der Geschichte ihres Faches mit größerer Intensität als in anderen – verpflichtet, ihren Diskursen (nicht selten) anspruchsvolle ›gesellschaftliche Funktionen‹ zuzuschreiben. Die Suche nach solchen ›Funktionen‹ nahm einen gehörigen Teil meiner Arbeit an diesem Buch unter dem Titel ›*Eine* Geschichte der spanischen Literatur‹ in Anspruch – aber am Ende, während ich die Sätze der Einleitung auf Band spreche, ist eigentlich nur Skepsis geblieben. Ein literaturhistorisches Kompendium für Hispanistik-Studenten hatte ich zunächst schreiben wollen – aber die Zahl solcher Kompendien hatte den Grenzwert des studientechnisch Notwendigen schon lange überschritten, bevor ich mit meinem Buch begann; und wo hätte ich ohne Arroganz und Naivität die Kriterien finden können, welche wenigstens mich selbst davon überzeugt hätten, daß mein Handbuch besser als die anderen sei? Ich hatte später daran gedacht, diese Literaturgeschichte als Paradigma einer ›Applikation‹ bestimmter literatur- und kommunikationstheoretischer Konzeptionen zu verfassen – aber im Lauf der Arbeits-Jahre veränderten sich meine Theorie-Präferenzen so rasch, daß für ein unter dieser Prämisse geschriebenes Buch nun die Kohärenz fehlt. Außerdem frage ich mich mittlerweile, ob die Existenzberechtigung geisteswissenschaftlicher Theorie-Arbeit tatsächlich von den Beweisen ihrer Effizienz ›am Text‹ abhängt. Fast grotesk erscheint mir schließlich mittlerweile jene Funktionszuschreibung, unter der ich Mitte der siebziger Jahre in einigen Veröffentlichungen[1] auf mein Projekt hatte aufmerksam machen wollen. Das waren – in Spanien – die Jahre des ›Übergangs‹ vom Spätfrankismus zu dem, was man damals pathetisch ›die Demokratie‹ nannte; und das waren auch – für die kleine Welt der geschichtswissenschaftlichen Disziplinen in der Bundesrepublik Deutschland – jene Jahre, in denen die Geschichtstheoretiker sich und ihren Kollegen mit der Anmutung schmeichelten, daß Historiographie die historisch gewachsene Identität von Gesellschaften zu vergegenwärtigen und mithin politisch höchst wichtige ›Zukunfts-Orientierungsfunktionen‹ zu leisten habe. Was lag also für den deutschen Autor einer Geschichte der spanischen Literatur näher als das großherzige Projekt, den Spaniern ihren Weg in die Zukunft zu weisen? Harmlose Spuren solcher Überheblichkeit trägt mein Buch übrigens auch noch in seiner definitiven Version überall dort, wo ich gegen den literaturhistoriographischen Habitus polemisiere, die Darstellung verschiedener Epochen der spanischen Literatur am Muster der französischen, englischen oder deutschen Literatur auszurichten. Ganz ungerührt von solchen Bemühungen aber hat die spanische Gesellschaft ihren Weg in die (vergangene) Zukunft und (heutige) Gegenwart gefunden, noch bevor auch nur die Hälfte meines Buches geschrieben war.

Was mir angesichts solchen Undanks als Legitimation für das (nach der Zahl seiner Seiten) große Projekt noch blieb – und bleibt –, ist eine ganz bescheidene Frage, welche den ehrgeizigen Funktionszuschreibungen der Literaturhistoriker immer schon als positiv beantwortet gilt. Die Frage nämlich, ob es für eine Literaturgeschichte (die natürlich nicht unbedingt eine Geschichte der *spanischen* Literatur sein muß) überhaupt noch Leser gibt, welche weder Fach-Studenten noch Fach-Spezialisten sind. Denn für den einführenden Gebrauch der Fach-Studenten ist dieses Buch zu lang, zu unübersichtlich und wohl auch zu wenig ›objektivistisch‹ geraten. Spezialisten auf dem einen oder dem anderen Gebiet der spanischen Literaturgeschichte aber werden sofort bemerken, daß ich längst nicht alle zur Verfügung stehenden Publikationen der Sekundärliteratur berücksichtigt habe und daß für die meisten Etappen einer Geschichte der spanischen Literatur berufenere (oder mindestens: ausgewiesenere) Spezialisten zur Verfügung gestanden hätten. Genau deshalb bevorzugen die Spezialisten ja schon seit Jahrzehnten literarhistorische Darstellungen, deren einzelne Kapitel von verschiedenen Autoren verfaßt sind. Für meinen Teil freilich bin ich gerade als Herausgeber eines so strukturierten Handbuchs zu der Überzeugung gekommen, daß der von dieser Gattung verlangte Aufwand an Koordination zwischen den einzelnen Autoren am Ende nicht durch ein ausgewogenes Verhältnis zwischen Darstellungsintensität *und* Kohärenz der Gesamtdarstellung belohnt wird.[2]

(3)

Die Ernüchterung der hochfliegenden Träume von der gesellschaftlichen oder gar ›politischen‹ Wichtigkeit der Literaturgeschichtsschreibung legt es nahe, von jener Ebene sozialer Funktionen, über die wir so wenig Gewisses sagen können, eine Ebene der *Faszinationen* zu unterscheiden, auf der man jenes ›Schreiben-Müssen‹ (und vielleicht auch ›Lesen-Müssen‹) thematisieren kann, welches Bücher ohne Markt und ohne evidenten Zweck entstehen läßt. Geschichte und Geschichtsschreibung, vermute ich, sind faszinierend, weil sie etwas in Aussicht stellen, das der menschlichen Existenz unmöglich ist: nämlich das Gegenwärtig-Werden einer Zeit, die vergangen war, bevor das eigene Leben begann.[3] Dieser Wunsch ist in sich so paradox wie vielleicht alle anderen Wünsche, denn er bezieht seine affektive Kraft ja aus einer Ahnung von der Unmöglichkeit seiner Erfüllung. Und er objektiviert sich in Museen und Geschichtsbüchern, in Bildungsreisen und ›antiken‹ Wohnungseinrichtungen ganz unabhängig von den Legitimationen und Funktionszuschreibungen, die gerade Konjunktur haben. So gesehen unterscheiden sich die verschiedenen historiographischen Teildiskurse kaum. Es gibt jedoch so etwas wie eine ›Zusatz-Faszination‹, welche unter anderem die Literaturgeschichtsschreibung in den Fremdsprachenphilologien kennzeichnet. Denn wenn etwa ein Autor deutscher Herkunft eine Geschichte der spanischen Literatur schreibt, dann versucht er nicht allein, die lebensweltliche Grenze hin zu der Zeit vor seiner eigenen Geburt zu überschreiten, er überschreitet auch die alltagsweltliche Grenze hin zu einer anderen Kultur. Im Gegensatz zu der Überschreitung der zeitlichen Grenze ist diese zweite Transgression nicht paradoxal, weil es ja nicht wirklich unmöglich ist, sich in eine primär fremde Kultur einzuleben. Eher könnte man sagen, daß die intellektuelle und im akademischen Leben professionalisierte Beschäftigung mit anderen Kulturen solches

Einleben ersetzt. Ich vermute, daß in dem prononcierten Interesse der deutschen Romantiker für die Geschichte der spanischen Literatur jene beiden Transgressionen auf spezifische Weise zusammenwirkten. Weil sie glaubten, daß die in Mitteleuropa unwiederbringlich vergangene Epoche des Mittelalters in Spanien noch Gegenwart war, bedeutete die Überschreitung der kulturellen Grenze hin nach Spanien für die Romantiker *zugleich* ein Eintreten in die ersehnte Vergangenheit.[4] Hier lag der Beginn einer eigenen Tradition in der Geschichte der Darstellung der spanischen Literatur – und vielleicht auch jene Faszination, aus der das Fach ›Romanistik‹ als eine deutsche Erfindung entstand.

Wenn ich versuche zu verstehen, warum 1968, im zweiten oder dritten Studiensemester, meine Wahl für ein einjähriges Auslandsstipendium auf Salamanca fiel – und *nicht* auf Paris, Pavia oder Oxford –, obwohl ich mit Beschämung gestehen muß, daß ich damals zunächst glaubte, Salamanca sei das Universitätsviertel von Madrid, dann macht mich die einzige verfügbare Antwort zu einem traurig späten Repräsentanten jener deutsch-romantisch-romanistischen Tradition. Viele Jahre nach der Auslandsstipendienwahl, als ich schon an diesem Buch arbeitete, erfuhr ich von Karl Riedl, dem vor allem ich das Studienjahr 1969/70 in Salamanca verdanke, daß ich während meiner Münchener Studiensemester in einem Raum wohnte, der dem großen Hispanisten Karl Vossler in seinen letzten Lebensjahren nach dem Ende des Zweiten Weltkriegs als Küche gedient hatte. Die unverdient ehrenvolle anekdotisch-räumliche Nähe ließ mich fragen, woher Vosslers Faszination durch die Geschichte der spanischen Literatur – übrigens spät in seinem akademischen Leben – gekommen war.[5] Und ich stieß auf das fast schon vertraute Gemenge von expliziten Begründungen auf der einen und affektiven Kräften auf der anderen Seite. Seine Konzentration auf die Geschichte der spanischen Literatur hatte Vossler in den frühen zwanziger Jahren mit dem Entschluß begründet, als deutscher Gelehrter nicht weiter die internationale Dominanz der französischen Sprache und Kultur fördern zu wollen. Doch sein letztes großes Buch, das er 1940 der ›Spanischen Einsamkeitsdichtung‹ widmete, zeigt, daß auch für Vossler der Schritt in die Welt Spaniens von dem Wunsch getragen war, in einer anderen historischen Zeit und Welt zu leben. Und ich vermute – oder hoffe? –, daß dies auch bei einem anderen großen Hispanisten der deutschen Tradition, bei Werner Krauss, Vosslers bedeutendstem Schüler, der Fall war, als er – dies ist wenigstens der Stand der Vermutungen seiner Biographen – in den zwanziger Jahren ein Jurastudium abbrach, um für mehrere Jahre in Madrid zu leben. Auch die erwünschte Nähe zu Karl Vossler und Werner Krauss hat mein Buch geprägt.

Die ›romantische‹ Spanien-Faszination überdauerte jedenfalls das Ende meines Auslandsjahrs in Salamanca. Vielleicht ist es in dieser Hinsicht typisch, daß ich heute (wenigstens von Nicht-Hispanisten) ziemlich problemlos als Hispanist identifiziert werde, obwohl ich weder ein Studium der Hispanistik hinter mich gebracht habe, noch während meiner Zeit als Wissenschaftlicher Assistent an der Universität Konstanz – um es vorsichtig zu sagen – sonderlich angeregt oder ermutigt wurde, mich mit der Geschichte der spanischen Literatur zu beschäfgen. Umso wichtiger war die Erfahrung, die vor-professionelle Spanien-Faszination mit Kollegen teilen zu können, die mir – auch und gerade außerhalb des Berufs – schwierige gute Freunde waren und sind: mit Karlheinz Barck aus (damals: DDR-)Berlin, der mir nicht nur um die Auszeichnung überlegen ist, ein Meisterschüler von Werner Krauss zu sein, sondern Spanien auch besser kennt als ich, obwohl er von dem Land bis heute nicht viel mehr als den Flughafen Madrid-Barajas gesehen hat; mit Ulrich Schulz-Buschhaus, dem exzentrischen Sauerländer in Klagenfurt und Graz, dessen freundlich-fordernde Reaktionen auf die Manuskripte zu den einzelnen Kapiteln dieses Buchs mir die Angst nahmen, es abzuschließen; mit Juanjo Sánchez, dem *manchego* aus Essen und Siegen mit dem wahrhaft kritischen Blick, dessen Intuitionen und Fragen für das Buch so wichtig waren wie mein Schreiben.

Aber die unverstellte Antwort auf die Frage, warum meine Geschichte der spanischen Literatur entstanden ist, brächte ein Stück biographischer Privatheit in die Öffentlichkeit der Buchseiten, das einen Leser nicht interessieren kann, der diese Bände in die Hand genommen (oder gar gekauft) hat, um etwas eben über die Geschichte der spanischen Literatur zu erfahren – und

das in der Privatheit bleiben soll. Es genügt, denke ich, mit dieser Andeutung gegen den hochtrabenden Legitimations-Diskurs vieler literaturwissenschaftlicher Publikationen polemisiert zu haben.

(4)

Eine viel konventionellere und wichtigere Pflicht ist es hingegen, Rechenschaft über jene – im weiteren Sinn: literaturwissenschaftlichen – Regeln abzulegen, an die ich mich beim Schreiben halten wollte. Hier stand an erster Stelle der Vorsatz, keinen Kanon-Autor und keinen (im unter Hispanisten üblichen Verständnis) kanonisierten Text der spanischen Literaturgeschichte unberücksichtigt zu lassen – auch wenn mir solche Lücken aus den verschiedensten Gründen oft sehr gelegen und vergleichsweise leicht begründbar gewesen wären. Unter dieser einen Perspektive hat meine Geschichte der spanischen Literatur vielleicht doch eine Handbuch-Funktion bewahrt. Hingegen ist mir durchaus bewußt, daß in den allermeisten Passagen die Berücksichtigung der einschlägigen literaturwissenschaftlichen Publikationen nicht den durchaus berechtigten professionellen Standards genügt. Dieser Mangel kann auch nicht im Ernst mit besonderen Relevanzkriterien oder mit einer zeitlichen Limitierung der verarbeiteten Sekundärliteratur gerechtfertigt werden – aber er ist leicht zu erklären. Die Konzeptionen zu allen Teilen dieses Buchs sind in Lehrveranstaltungen an der Ruhr-Universität Bochum und an der Universität-Gesamthochschule Siegen zwischen 1975 und 1987 entstanden, und in seiner Endversion sind manche (meist zufälligen) Lücken unausgefüllt geblieben – so wie ich andererseits von jenen Anregungen profitiert habe, welche die Seminare und Vorlesungen den Beiträgen studentischer Arbeitsgruppen verdankten.

Daß allen Zitaten in spanischer Sprache eine deutsche Übersetzung hinzugefügt wurde, geht auf den bereits umständlich begründeten Vorsatz zurück, mein Buch auch für Nicht-Hispanisten lesbar zu machen. Dabei halten sich die deutschen Wiedergaben möglichst eng an die Originaltexte, weil zahlreiche stil- und formgeschichtliche Kommentare nur unter dieser

Bedingung nachvollzogen werden können. Die Übersetzungen stammen – mit Ausnahme der ersten beiden Kapitel – von Claudia Krülls-Hepermann, Ute Schuller und Barbara Ullrich; sie wurden jedoch alle von mir überarbeitet, so daß Lücken, Fehler und mangelnde sprachliche Eleganz auch von mir allein zu verantworten sind. Schließlich bedürfen die kommentar-losen Bilder, die Juan-José Sánchez und ich dem literaturhistorio-graphischen Text beigegeben haben, einer kurzen Erklärung. Vielleicht wird und muß sich ihre Wirkung darauf beschränken, an die letztlich uneinlösbare Absicht zu erinnern, daß dieses Buch Vergangenheit vergegenwärtigen soll. Zu ›Vergegenwärtigung‹ im (anspruchs)vollen Sinn des Begriffs würde auch die räumliche Nähe der zu vergegenwärtigenden Phänomene gehören – und die Suggestion räumlicher Nähe können in einem Buch nur Bilder vermitteln.

(5)

Wenn ich am Ende gestehe (oder vielleicht besser: behaupte), daß es mir ganz unmöglich ist abzuschätzen, was sich nun als Ergebnis *meiner* Geschichte der spanischen Literatur konkretisiert hat, so ist das keine Arabeske aus dem Zauberkasten der Exordialtopik. Denn auf der einen Seite fehlt mir, was die seit dem Ende der Arbeit an den historischen Kapiteln verstrichene Zeit angeht, wirklich die anscheinend oft zu Objektivität und Selbstkritik verhelfende Distanz; auf der anderen Seite sind mir die professionellen und persönlichen Motivationen aus den Händen geglitten, unter denen mein Projekt entstanden war. Deshalb kann ich statt einer im Optativ gehaltenen Selbsteinschätzung nur kurze Kommentare zu einigen Entscheidungen und Thesen liefern, die mir derzeit im Vergleich zu anderen Geschichten der (spanischen) Literatur als Besonderheiten meines Buches auffallen.

Für eine in den 1970er und 1980er Jahren geschriebene Geschichte der spanischen Literatur habe ich der Abgrenzung des kulturgeographischen und kulturhistorischen Begriffs ›Spanien‹ erstaunlich wenig Aufmerksamkeit gewidmet. Wahrscheinlich habe ich sogar eine schlechte Tradition fortgesetzt, welche den heute auf ihre Eigenständigkeit pochenden Kulturen am (geographischen!) Rand Spaniens die gerechte Beachtung versagt. Das hat zum einen zu tun mit den bereits erwähnten Umständen, unter denen die spanische Kultur für mich wichtig geworden ist – vielleicht war es ja nicht nur Ironie, als mir mein Freund José Taberner einmal sagte, ich sei dabei, ›eine Geschichte der spanischen Literatur *aus salmantinischer Perspektive*‹ zu schreiben. Allerdings hat für mich die heute wohl schon abklingende Beflissenheit immer etwas unfreiwillig Komisches gehabt, mit der in den letzten zwei Jahrzehnten viele Hispanisten außerhalb Spaniens auf die Differenzierungs-Wünsche der spanischen ›Regionen‹ eingegangen sind. Wenn man das Verwobensein regionaler Eigenständigkeiten nicht mit ihrer Verdrängung oder gar Zerstörung verwechselt, dann läßt sich die spanische Kultur aus der Außenperspektive wohl trotz allem als eine Kultur von erstaunlicher Geschlossenheit wahrnehmen.

Diese Wahrnehmung mag – fatal? – an jene institutionellen Rahmenbedingungen erinnern, aus denen ›Literaturgeschichte‹ als akademische Gattung im vorigen Jahrhundert entstanden ist. Sie galt – und verstand sich ebenso gerne wie häufig – als ein Königsweg zur Erfahrung dessen, was man ›den Geist einer Nation‹ nannte. So daß heute die Frage unvermeidlich wird, ob man sich (wenn das Projekt ›Literaturgeschichte‹ nicht überhaupt aufgegeben wird) an der Geschichte einer *National*literatur versuchen kann und soll. Etwas Entlastung verschafft das anhand der Geschichte der ›Romanistik‹ als deutscher Erfindung illustrierbare Argument, daß die von einem Deutschen geschriebene Geschichte der spanischen Literatur den Vorwurf nationalistischer Motive ja wohl ausschließt. Aber was spricht *für* die National-Literaturgeschichte als Form? Bevor ich zwei Antworten gebe, will ich eingestehen, daß eine problematische Portion an Arbitrarität in dieser Wahl nicht weggeredet werden kann. Ein Argument liegt dann jedenfalls im Verweis auf die Notwendigkeit, sich überhaupt auf ein Kriterium für die Auswahl der Gegenstände festzulegen, die in einem solchen Buch traktiert werden sollen. Natürlich *muß* dieses Kriterium nicht eine kulturelle National-Tradition sein. Aber wer bereit ist zu akzeptieren, daß eine solche kulturelle National-Tradition andererseits nicht per se zum Nationalismus verdammt ist, der ist vielleicht auch bereit zu sehen, daß die Spanien-Faszination deutscher Leser und Autoren oft eine Tradition gewesen ist, die ihren Nationalismus aufgelöst und in ein ironisches Licht gesetzt hat. Denn in ihr war die Sehnsucht lebendig, innerhalb der europäischen Kultur etwas zu verkörpern und zu sein, das jedenfalls verschieden war von dem, was der eigene Nationalismus zelebrierte. Daher vielleicht rührt die eher leise Befürchtung, daß der laute Euro-Enthusiasmus und der zum Politikum inszenierte Multikulturalismus, indem sie Differenzen einebnen, Sehnsucht versiegen lassen.

Hoffentlich unübersehbar in meinem Buch ist die historiographische Hauptthese, daß die Besonderheit (geschichtstheoretisch formuliert: ›Identität‹) der spanischen Kultur und Literatur Teil einer Sonderentwicklung der mentalen Figur ›Subjektivität‹ in der spanischen Geschichte sei. Im europäischen Vergleich sehr früh entwickelte Grundzüge von ›Subjektivität‹ sind von der sich in der Gegenreformation formierenden staatlichen Macht unterdrückt worden, und aus diesem Spannungsverhältnis hat sich über Jahrhunderte die Möglichkeit einer wechselseitigen Ausblendung von ›Subjektivität‹ und einem kosmologisch fundierten Weltbild ergeben. So sehr mir an dieser These liegt, so wenig möchte ich heute noch behaupten, daß sie *die* Formel oder gar *die* Wahrheit über die spanische Literaturgeschichte entdeckt. Zweifellos hat die zentrale Bedeutung des Begriffs ›Subjektivität‹ in meinem Buch mit seiner Aktualität in den geisteswissenschaftlichen Diskussionen der siebziger und achtziger Jahre in der Bundesrepublik zu tun. Weshalb ich ohne Schwierigkeiten einräume, daß man eine Geschichte der spanischen Literatur ebenso überzeugend (oder überzeugender) *auch anders* hätte schreiben können.

Ähnliches gilt für den zugrundegelegten ›Literatur‹-Begriff. Daß er überhaupt zu einem – höchst interessanten – literaturhistorischen Thema werden konnte, rührt von jenem disziplinengeschichtlichen Zeitpunkt um die Jahrhundertwende her, als die Diskurse der ›Literaturgeschichte‹ ihre bis dahin selbstverständliche Funktion im Kontext der Nationalgeschichten verloren.[6] Im Rahmen der während der Jahre meiner Arbeit an diesem Buch besonders intensiven Diskussion über die historische

Differenzierung des Literaturbegriffs habe ich dann mehrfach die Position zu begründen versucht, daß von ›Literatur‹ in einem der heutigen Wortbedeutung nahen Sinn erst ab dem Zeitalter des gedruckten Buchs gesprochen werden könne.[7] Damit aber hatte ich mich selbst vor die Alternative gebracht, entweder die Mittelalter-Kapitel dieses Buchs, an denen mir besonders gelegen war, auszusparen oder seine Kontinuität auf einem anderen, weiteren Begriff als den der ›Literatur‹ zu fundieren. Eben in diesem Zusammenhang habe ich ein von Johan Huizinga und Gregory Bateson angeregtes Konzept des ›Spiels‹ benutzt, das es mir auf der einen Seite ermöglichte, jene Kommunikationsformen mitzuberücksichtigen, welche wir ›mittelalterliche Literatur‹ zu nennen gewohnt sind, das aber auf der anderen Seite auch die Möglichkeit eröffnete, in den Kapiteln über die Epochen seit Beginn der Neuzeit kulturelle Phänomene zu berücksichtigen, die von unserem Literaturbegriff nicht abgedeckt werden.

Mit leichter Beschämung allerdings muß ich gestehen, daß die pathetische These vom ›Ende der Literatur‹ am Abschluß des vorletzten Kapitels noch einen anderen Literaturbegriff impliziert. Denn wie alle Thesen vom ›Tod‹ bestimmter kultureller Phänomene bezieht sich auch die meine im Ernst nur auf einen spezifischen Aspekt der Literatur – und dies ist ihr vor allem in der Aufklärung entstandener und von den spanischen Autoren erst im 19. Jahrhundert übernommener Anspruch auf ›politische Wirksamkeit‹. So gesehen war das Scheitern der Zweiten spanischen Republik als einer Republik der Intellektuellen – nicht zuletzt aufgrund der Faszination, welche der spanische Bürgerkrieg eben unter Intellektuellen weit außerhalb Spaniens ausübte – tatsächlich die machtpolitische Widerlegung bestimmter Hoffnungen, die sich über zwei Jahrhunderte an die Literatur geknüpft hatten. Aber vielleicht könnte man – gegen den Wortlaut dieser These – behaupten, daß gerade durch den ›Tod der Literatur‹ Literatur als Kommunikationsform Prägnanz und Identitätsprofil (wieder-)gewonnen hat.

Eine andere Diskontinuität meines Buchs, die vielleicht weniger offensichtlich, aber für mich selbst bedeutsamer ist, läßt sich ebenso als ein Reflex jener akademischen Diskussionen erklären, welche die ›Umwelt‹ für meine Arbeit an diesem Buch waren. Denn als Ausläufer der literaturwissenschaftlichen Hermeneutik sind die ›funktionsgeschichtlichen‹ Prämissen, an die ich mich vor allem in den ersten Kapiteln zu halten versuchte, durch eine wahre Überproduktion an Erklärungen und Hypothesen gekennzeichnet. Oft werden Fragen eigentlich nur gestellt, um eine Vielfalt von ohnehin verfügbaren Thesen als ›Antworten‹ zu inszenieren. Die Welt der Funktionsgeschichte ist eine Welt des schon vielfach gegebenen und stets mehr oder weniger problemlos auffindbaren Sinns. Diese Sinn-Proliferation macht in den späteren Kapiteln einem häufigeren Gebrauch der Kategorie ›Kontingenz‹ Platz, mit anderen Worten: einem Insistieren auf der Unbeantwortbarkeit vielfacher historischer Fragen, einem wachsenden Interesse an den Interferenzen der Technik- und Medien-Geschichte in scheinbar kontinuierlichen Entwicklungsbögen der Literatur- und Kulturgeschichte, einer Faszination durch die Intransparenz und Trägheit des menschlichen Körpers gegenüber der Leichtigkeit in den Flügen des sogenannten ›Geistes‹. Man sollte diese Verschiebungen in meinem Buch nicht als Teil der Geschichte der spanischen Literatur mißverstehen, denn sie sind bloß Symptome der Diskontinuität meines Diskurses.

Vieles von dem, was ich auf den vorausgehenden Seiten dieser Einleitung zu Band und Papier gebracht habe, zeichnete sich zum ersten Mal in einer Diskussion ab, die ich an einem frühen Siegener Frühjahrsmorgen im Jahr 1988 – nach dem Abschluß des letzten Kapitels – mit Claudia Krülls-Hepermann, Juan-José Sánchez und Peter-Michael Spangenberg führte. Juanjo vor allem bemerkte, daß das Buch durch eine flexible und irritierbare Beobachter-Position gekennzeichnet sei (›por un observador nervioso‹, sagte er auf Spanisch). Das war eine erste, betont freundliche und für mich tröstliche Bilanz angesichts der Erfahrung, daß ich in meinem Buch keines der hochfliegenden Funktions-Projekte und keine der anspruchsvollen Theorie-Perspektiven durchgehalten hatte. Wenn man dies als einen Mangel ansehen will, so ist er gewiß eine Folge der Tatsache, daß ich zu lange und doch zugleich zu hektisch, mit wachsender Distanz und doch zugleich wachsenden Affekten an meinem Buch geschrieben habe: von Anfang 1984 bis Ende 1988 (was das bloße ›Schreiben‹ der historischen

Kapitel betrifft, und ohne gute acht Jahre der Vorbereitung in Lehrveranstaltungen zu berücksichtigen). Vielleicht hatte die Diskontinuität als ein Exzeß an Perspektiven-Pluralität auch mit jenem Exzeß im ›guten Willen des Verstehens‹ zu tun, wie er das wohl zur Neige gehende hermeneutische Zeitalter kennzeichnete. Zu meinem Glück jedenfalls haben mittlerweile der Konstruktivismus und die Systemtheorie (›Systemtheorie‹ ist hier nichts anderes als die übliche unpersönliche Substitution des Namens ›Niklas Luhmann‹) gerade den ›beweglichen Beobachter‹ nicht nur hoffähig, sondern geradezu zur zentralen Heldenfigur der Wissenschaftstheorie gemacht. ›Flexibel‹ im Sinn von ›wissenschaftlich‹, könnte man nach diesem Verständnis sagen, wird ein Beobachter dann, wenn ihm bewußt wird, daß er zugleich Beobachter und Teil des zu beobachtenden Gegenstandes ist, obwohl er doch ›eigentlich‹ nur eines von beidem sein dürfte. Man könnte diesen – erst heute als Helden entdeckten – Beobachter als eine Spätfolge der (nach der These von Michel Foucault) an der Wende vom 18. zum 19. Jahrhundert entstandenen *Sciences humaines* ansehen, die ja gerade dadurch charakterisiert sind, daß ihnen ›der Mensch‹ zugleich Beobachter und Objekt der Beobachtung ist. Und man könnte eine Geschichte jener Entparadoxierungs-Strategien schreiben, die seit dem frühen 19. Jahrhundert bis (fast) heute das Beobachter-Paradox unsichtbar gemacht haben. Der Titel dieses Buchs – ›*Eine* Geschichte der spanischen Literatur‹ – unterstreicht zum einen also nur, was mittlerweile ohnehin klar sein sollte – ist also fast eine Tautologie: daß es beobachterunabhängige Beobachtungen oder autorenunabhängige Geschichten nicht geben kann. Aber neben dieser klaren, *coolen* und wohl auch schon etwas trivialen Position gesteht der Titel zum anderen ein, daß in *meiner* Geschichte der spanischen Literatur ein Stück Biographie auftaucht und verschwindet, das, wenn es anders verlaufen wäre, das Buch vielleicht besser und sicher anders hätte werden lassen.

Würzburg und Stanford, August/September 1989　　　H.U.G.

Inhaltsübersicht

~1100-1284

Das Zusammenleben von Christen, Muslimen und Juden machte auf der Iberischen Halbinsel – in sozial deutlich begrenzten
Räumen der Kommunikation – vielfältige Alteritätserfahrungen
gegenüber den je fremden Kulturen und Distanznahmen von
den je eigenen Welten möglich. Darüber hinaus führte es zu
einer gesellschaftsstrukturellen Entwicklung, die uns heute als
›dezentriert‹ gegenüber den Kategorien zur Beschreibung mittelalterlicher Feudalität erscheinen will. Vor diesem Hintergrund werden zwei Tendenzen aus der seit dem XIII. Jahrhundert einsetzenden Textüberlieferung in den iberoromanischen
Volkssprachen verständlich: einerseits der missionarische Gestus der Vermittlung christlich-feudaler Verhaltensnormen und
andererseits das intellektuelle Spiel mit Strukturen kosmologischen Wissens, wie es am Hof Alfons' des Weisen von Kastilien
gepflegt wurde.

1284-1474

An den Auswirkungen der Krise des Spätmittelalters auf der
Iberischen Halbinsel erweist sich, wie labil die dort unter
Sonderbedingungen etablierte christlich-feudale Welt geblieben
war: Nirgends vollzog sich mit gleicher Intensität der Zusammenbruch königlicher Herrschaft und kollektiver Sinnhorizonte. Als Reaktion auf das entstehende Chaos scheinen in
Spanien besonders früh subjektzentrierte Rollen der Sinnbildung entstanden zu sein. Sie erfuhren während des XV. Jahrhunderts erste Umformungen hin zum Stil neuzeitlichen Denkens und Handelns – jedoch im wesentlichen außerhalb der
Höfe. Das Leben der Könige erfüllte sich, zumal in Kastilien,
mehr und mehr in esoterisch gewordenen Formen eines ritterlichen Spiels, dessen Teilnehmer Krise und Veränderung des Alltags kaum wahrnahmen.

Die im frühen XV. Jahrhundert – außerhalb der Höfe – entstandenen Schreib- und Leserollen waren von frühneuzeitlicher Subjektivität geprägt. Deshalb konnte sich aus ihnen eine Kommunikationsform entwickeln, die in ihren Umrissen bereits dem bis heute vertrauten Begriff von ›Literatur‹ entsprach. Ihre Differenzierung und Verbreitung wurde durch die Einführung der Druckkunst erheblich gefördert und beschleunigt. Zur gleichen Zeit machten Fernando von Aragón und Isabel von Kastilien, die ›katholischen Könige‹, aus ihrem Hof das Funktionszentrum und aus der spanischen Kirche das wichtigste Instrument für einen neuen Stil politischen Handelns, mit dem sie ihrem Reich eine Vormachtstellung in der europäischen Expansionsbewegung erwarben. Dieses Weltreich wurde im beginnenden Zeitalter der Reformation und der Religionskriege zu jener Instanz, die den alten Glauben erneuerte und verteidigte. Zwischen der zu erhaltenden christlichen Kosmologie und der bereits entfalteten Subjektivität aber lud sich eine Spannung in den Strukturen des Alltags auf, aus deren Verdichtung die spanische Literatur des ›Goldenen Zeitalters‹ entstehen sollte.

1556-1700

Während religiös motivierte Sinnvorgaben in vielen Situationen nun wieder absolute Verbindlichkeit erlangten, ersetzten neue Formen des Erzählens jene Möglichkeiten der subjektiven Erfahrungsbildung, die aus dem Alltag verschwanden: Sie führten die Leser in frühen Formen des Romans zu imaginären Fernwelten und in der Sprache der Mystik zur ›Innenwelt der Seele‹, dem Ort intimer Begegnung mit Gott. Schon bald wurde die politische und militärische Sicherung des spanischen Weltreichs freilich auch von den Untertanen als eine schwere Last empfunden – und eben seit jener Zeit, seit dem späten XVI. Jahrhundert scheinen sie begonnen zu haben, die wiederhergestellte religiöse Kosmologie wie ein Spiel, wie eine gigantische ›Theatralisierung des Alltags‹ zu erleben. In solcher Umwelt entwickelte sich vor allem in Madrid das Theater zum Mittelpunkt des gesellschaftlichen Lebens und setzte doch zugleich den Prozeß der Ausgrenzung von ›Literatur‹ zu einem eigenständigen sozialen Teilsystem fort. Nur für eine kurze Spanne konnten auf der Bühne – aber auch im Roman und in der Poesie – alltägliche und imaginäre Welten in vielfache Beziehungen wechselseitiger Relativierung rücken, um dann bald in einer epochalen Umkehrungsbewegung wieder auseinanderzutreten. Denn vor allem in Spanien vollzog sich der Barock als Entwirklichung alltäglicher und als Ontologisierung imaginärer Welten. Wo immer man von dem so entwirklichten Alltag Distanz nahm, wurde aus Subjektivität eine gesellschaftsferne Individualität. Die für solch frühe Individualität charakteristische Haltung der Weltverachtung fand freilich im Spanien des späten XVII. Jahrhunderts kein Publikum mehr, durch dessen Reaktionen sie zu einer Vorform von ›Kritik‹ und ›Aufklärung‹ hätte werden können.

1700-1833

Das Äquivalent zum historischen Prozeß der Aufklärung war in Spanien eine Reformbewegung, welche von der seit 1700 regierenden bourbonischen Monarchie eingeleitet und bis kurz vor das Jahrhundertende entscheidend gestaltet wurde. Sie stand unter dem Ziel, das wirtschaftlich ruinierte und intellektuell erschöpfte Land aus der Lethargie zu führen. Als Ergebnis dieser Bewegung bildeten sich gewandelte Strukturen kollektiven Sinns heraus, die von Tabuzonen des Wissens umgeben und um spezifische Faszinationen zentriert waren. Neben den Ergebnissen der Reform bestanden freilich Traditionen aus den vorausgehenden Jahrhunderten fort – und traten immer wieder in Spannung zu den neuen Sinnschichten. Bevorzugter Ort solcher Konfrontation waren Debatten über den Rang der intellektuellen Traditionen Spaniens. In der zeitgenössischen Literatur und Kunst hingegen zeichneten sich neue Ausdrucksformen erst ab, als die Reformer unter den wachsenden Druck der durch die französische Revolution verängstigten Machthaber gerieten: Es entstanden Werke, an denen bis heute Begrenzungen und Ambivalenzen der Vernunftkultur exemplarisch erfahrbar werden. Diese Ambivalenzen ihrer Handlungsformen zwischen Reformgeist und Traditionalismus erwiesen in einer von politischen Umbrüchen erfüllten Phase der spanischen Geschichte nach 1800 erstaunliche Konstanz. Literarische Gattungen leisteten dazu ihren Beitrag, indem sie in allegorischem Gestus Vorgaben für die Strukturierung des immer komplexer werdenden Alltagslebens stifteten. Erst ab etwa 1830 entstanden wieder Räume der Kommunikation, neue Themen, Formen und Funktionen der Literatur, die nicht mehr vom Reformgeist des XVIII. Jahrhunderts geprägt waren. Ihre historische Voraussetzung scheint das Bewußtwerden einer nationalen Polarisierung gewesen zu sein, die im nun entstehenden Mythos von den ›zwei Spanien‹ eine bis heute gängige Gestalt fand.

1833-1939

Mit dem Ende der Restaurationsepoche eröffnete sich ein begrenzter Freiraum für die Aneignung romantischer Sinnhorizonte, vor allem für das vielfach variierte Motiv von der Konfrontation des großen Individuums mit der Gesellschaft, dessen Struktur auch ein literarisches Weiterspielen des Mythos von den ›zwei Spanien‹ ermöglichte. Doch die Leiden des Individuums erschienen gemildert durch ein literarisches Jenseits, das alle Spannungen zwischen Norm und Bedürfnis neutralisierte. Dieselbe Weltbild-Harmonie konstituierte aber auch eine Grenze für die politische Liberalisierung, an der in den siebziger Jahren des XIX. Jahrhunderts die erste spanische Republik scheiterte. An ihre Stelle trat seit 1875 eine erneut restaurative Wirklichkeitskonzeption, in der die – nicht zuletzt von der Literatur beförderte – Oberschichten-Illusion von nationaler Modernität eine eklatante Unbeweglichkeit der Machtstrukturen kaschierte. Erst mit dem Verlust der letzten überseeischen Kolonien Spaniens im Jahr 1898 kondensierten sich die bis dahin vereinzelten und vagen Stimmen des Protests im Diskurs einer neuen Intellektuellengeneration. Er war durch exaltierte Individualitätsstilisierungen gekennzeichnet, vor allem aber von dem aufklärerischen Anspruch, aus der Kritik kollektiver

Illusionen zukunftsbezogene Orientierungen für die Nation zu entwickeln, und schließlich von der romantischen Hoffnung, solche Orientierungen in vergessenen Aspekten der Nationalidentität entdecken zu können. Die Wirkung dieses Diskurses profitierte von der Krise des monarchistisch-restaurativen Staats, dessen Überleben seit 1923 eine Militärdiktatur sichern mußte. Gerade die erneute Repression freilich steigerte ihrerseits wieder das Engagement und das Selbstbewußtsein der Intellektuellen – bis hin zum flagranten Erfahrungsverlust gegenüber einem Alltag, in dem die tradierten Rollen der Individualität längst angesichts eines Prozesses der Dichotomisierung von menschlichem Intellekt und menschlicher Physis in einen Prozeß der Auflösung eingetreten waren. Die Illusionen der Literaten hinsichtlich ihres politischen Einflusses wurden im spanischen Bürgerkrieg zu tödlichen Illusionen. Weil der Tod der Literaten in seiner Trivialität ein Symptom für den bis dahin kaum wahrgenommenen Funktionswandel ihrer Diskurse war, starb mit den Literaten auch ein seit der frühen Neuzeit in Europa dominierender Begriff von ›Literatur‹.

1939-1987

Das Bürgerkriegsende führte zur räumlichen Trennung zwischen den zwei Gruppen der überlebenden spanischen Intellektuellen. Vor allem in Frankreich und Lateinamerika lebten die Anhänger der Republik von der Hoffnung auf internationale ›humanistische Solidarität‹ und von dem (sich nach 1945 ein letztes Mal intensivierenden) Glauben an baldige Rückkehr. Währenddessen fühlte sich in Francos ›neuem Staat‹ eine junge Garde von Falangisten zur Aufgabe einer geistigen Erneuerung der Nation berufen. Auf beiden Seiten stellte sich erst gegen Ende der vierziger Jahre die Erfahrung ein, daß der Bürgerkrieg den Führungsansprüchen aller Intellektuellen – unabhängig von ihrer politischen Orientierung – ein Ende gesetzt hatte. Die Exilanten mußten erleben, daß ihr Schicksal nur noch als ein Appendix der zum ›Nebenschauplatz‹ reduzierten spanischen Nation angesehen wurde, und erfuhren, wie schwer es war, unter dem Banner ihres ›Humanismus‹ nationalkulturelle Identität zu wahren. Auch die falangistischen Intellektuellen wurden in einer Sphäre neu-ultramontaner Gleichgültigkeit, wie sie von der sich konsolidierenden frankistischen Macht ausging, zu einem bloßen Relikt der Vergangenheit. Als Phase selbstgewisser Unangefochtenheit in der Innenpolitik und einsetzender außenpolitischer Rehabilitierung markierte die Wende zu den fünfziger Jahren den Höhepunkt von Francos Herrschaft – und angesichts des Schweigens von Exil und Falange-Intelligenz – einen kulturellen Tiefpunkt in der spanischen Geschichte. Jenes ›Spanien ohne Probleme‹ war ein Spanien der ruhenden Diskurse. Während die spärlich werdende National-Literatur innerhalb und außerhalb des Landes immer noch den Bürgerkrieg mit zahllosen Facetten in der kollektiven Erinnerung hielt und manche Autoren begannen, sich sogar auf die eben mit Mühe überwundene Nachkriegszeit nostalgisch zurückzuwenden, erschienen erste Manifestationen einer neuen, religiös motivierten und technologisch orientierten ›individuellen Tüchtigkeit‹. Zeitgleich mit ihnen trat eine Generation des politischen Protests auf die – offiziell geschlossene – politische Bühne. Für keine dieser Positionen war das Fortleben der Bürgerkriegsfronten mehr ein Ziel: Von der Staatsmacht (in Maßen) unterstützt und (in Maßen) toleriert, entwickelte sich vielmehr aus beiden Tendenzen, die untereinander in scharfer Opposition stehen wollten und doch konvergierende Wirkungen hatten, jene ›andere‹ spanische Gesellschaft, die zum Erstaunen der Weltöffentlichkeit nach Francos Tod im Jahr 1975 reibungslos in die westlichen Systeme der Politik und der Wirtschaft eintreten konnte. In Jahrzehnten ›ohne Ereignisse‹ hatte sich ein säkularer Einstellungs-Wandel vollzogen: Auch in Spanien waren nun Individualität und Gesellschaft in ein Verhältnis produktiver Spannung getreten. ›Literatur‹ freilich hat für die Welt des späten XX. Jahrhunderts, in der Spanien längst eine ›normale Nation‹ geworden ist, nur noch eine sehr diffuse mediale und funktionale Identität. Sie ist Teil (längst nicht mehr ›Gegenüber‹) eines Geflechts aus vielfältigen Alltagswelten, für deren Wirklichkeitsstatus wir noch keine Konzepte haben und dessen Zeithorizonte kaum mehr mit den Erfahrungsmustern aus der ›literarischen Tradition‹ in Einklang zu bringen sind.

*Das Zusammenleben von Christen, Muslimen und Juden
machte auf der Iberischen Halbinsel – in sozial deutlich begrenzten Räumen der Kommunikation – vielfältige Alteritätserfahrungen gegenüber den je fremden Kulturen und Distanznahmen von den je eigenen Welten möglich. Darüber hinaus
führte es zu einer gesellschaftsstrukturellen Entwicklung, die uns
heute als ›dezentriert‹ gegenüber den Kategorien zur Beschreibung mittelalterlicher Feudalität erscheinen will. Vor diesem
Hintergrund werden zwei Tendenzen aus der seit dem XIII.
Jahrhundert einsetzenden Textüberlieferung in den iberoromanischen Volkssprachen verständlich: einerseits der missionarische
Gestus der Vermittlung christlich-feudaler Verhaltensnormen
und andererseits das intellektuelle Spiel mit Strukturen kosmologischen Wissens, wie es am Hof Alfons' des Weisen von Kastilien
gepflegt wurde.*

Alteritätserfahrung

o

Wa-lailin ṭaraqnā daira jammāri,

fa-min baina ḥurrāsin wa-sum-
māri.

o

Con los nocherniegos * y los
guardinaes
a un figón cristiano * vine a
llegarme.

1

Fa-'atat la-na l-jamru bi-ta ʿŷili.

Wa-qāmat bi-tarhībin wa-tabŷīli,

wa-qad aqsamat bi-mā fī l-inŷīli:

»Mā labbastu-hā ṭawban siwà l-
qāri,
wa-mā ʿuriḍat yauman ʿalà n-
nāri«.

1

Rápida una moza * nos trajo el
vino
cortés musitando *: »Sed bienve-
nidos«.
Por el Evangelio * juró y nos
dijo:
»Nunca lo he vestido * sino de
lacre,
y del fuego nunca * sufrió el em-
bate«.

29

2

Fa-qultu la-hā: »¡Yā 'amlaḥa n-
nāsi!
fa-¿ma ʿinda-kum fī š-šarbi bi-l-
kaʾsi?«
Qālat: »Mā ʿalai-nā fī-hī min
baʾsi:
»kaḏā qad rawainā-hu fī l-ajbāri

ʿan ŷumlati ruhbānin wa-ʾah-
bāri«.

2

»Tabernera amable * – dije a la
hermosa –,
¿entra en vuestros usos * beber en
copa?«
»Mal no veo en ello * – me dijo –.
Es cosa
que por tradiciones * muy
venerables
hicieron prelados * y sabios
graves«.

3

Uqirru la-kum, yā qaumiya l-
amŷad,
annī mustahāmun fī hawà ʾAḥ-
mad.
La-hu muqalun taqtulu-nī bi-ṣ-
ṣad [d].
Katamtu l-hawà sirran bi-miḏ-
mārī,
lākinna damʿi bāḥat bi-ʾasrārī.

Bien debo deciros, * gentes
honradas,
que he perdido el juicio * por ese
Ahmad,
quien con su desvío * de amor me
mata.
Guardo este secreto * con mil
afanes,
pero cuando lloro * fuera me sale.

4

Bāhat admuʿu l-ʿāšiqu bi-l-ʿišqi

fī man waŷhu-hu ka-l-badri fīl-
ufqi.
la-hu muqalun taftiku fī l-jalqi,
fa-¡kam qatalat min asadin ḏāri,

wa-mā li-qatīli l-ḥubbi min ta'ri!

Que al secreto faltan * llantos de
quienes
amor a esa cara * de luna tienen,

cuyos ojos matan * a tanta gente.
¡Cuánto león fiero * mató
implacable,
sin que en amor haya * deuda de
sangre!

5

Wa-rubba fatātin futinat fī-hi,
yu ʿallilu-hā bi-ṣ-ṣaddi wa-t-tīhi,
fa-qad anšadat, wa-hiya ta ʿnī-hi:
AMĀNᵘ AMĀNᵘ YĀ L-MALĪḤ
G'R
BRKY TW [MY] QRŠ YĀ-
LLĀH MT'R

Por él como loca, * la doncellita,
que sufre desdenes * y altanerías,
cántale y le dice * su cancioncilla:
¡AMĀNU, AMĀNU! * YĀ L-
MALĪḤ GĀRE:
¿BORKĒ TŪ [MĒ] QÉREŠ,
* YĀ-LLĀH, MATĀRE?[1]

Der Text gehört der Gattung der *muwaššaḥa* an, die wahrscheinlich in der nachklassischen Phase der arabischen Dichtung während des IX. Jahrhunderts auf der Iberischen Halbinsel entstanden ist,[2] und er veranschaulicht auf verschiedenen Ebenen die für die *muwaššaḥa* typische Technik der Kontrastierung. Ins Auge springt zunächst der Kontrast zwischen dem elaborierten Sprachduktus des lyrischen Ich und der einem Schankmädchen in den Mund gelegten Mischung von vulgärarabischen und ›romanischen‹ Wörtern, wie er offenbar für die im islamischen Kulturraum von Al-Andalus lebenden Christen, die Mozaraber, charakteristisch war (ins Neuspanische übertragen bedeuten die beiden letzten Zeilen: »*¡Oh, hermoso, di:/ ¿Por qué tú me quieres, ay Dios, matar?*«). Der einfache Paarreim dieser letzten Verse hebt sich zum zweiten von der höchst komplexen Reim- und Strophen-Struktur der *muwaššaḥa* ab, bildet hier aber zugleich deren zentrales Konstruktionselement: denn der Reim der Einleitungsverse des gesamten Gedichts ist wie jener der beiden Schlußverse in allen Strophen an den mozarabischen Reim des Gedichtendes angepaßt, während der Reim der drei ersten Verse von Strophe zu Strophe variiert. Im Kontrast stehen drittens der – freilich vergebliche – Wunsch des lyrischen Ich, seine Liebe zu dem jungen Ahmad zu verbergen und die offen werbende Klage des Schankmädchens; viertens der homosexuelle und der heterosexuelle Liebeswunsch, welchen auf das gleiche Liebesobjekt zu beziehen die Semantik des Textes nahelegt. Der Gegensatz zwischen der weiblichen Sprechrolle in der *Jarcha* (wie die häufig zu findenden mozarabischen Schlußzeilen von *muwaššaḥas* genannt werden) und der männlichen Besetzung des lyrischen Ich ist ein Gattungsmerkmal; die Diskrepanz zwischen dessen Diskretion und der Offenheit des Mächens hingegen tritt in anderen Texten noch weit deutlicher hervor. So kann es in der *Jarcha* etwa heißen: »*Dueño mío Ibrahim, / oh nombre dulce, / vente a mí / de noche. / Si no, si no quieres, / iréme a tí / – ¡dime adónde! – / a verte*«.[3] Schließlich wird in der vom Gedicht evozierten fiktionalen Situation metonymisch – durch das Thema des Weintrinkens – auch der Kontrast zwischen islamischer und christlicher Lebensform thematisiert. Die junge Schankwirtin schwört »beim Evangelium« auf die Reinheit des Weins, und aus interessierter Distanz erkundigt sich ihr islamischer Gast nach christlichen Trinkgewohnheiten.

Wenn auch nicht alle *muwaššaḥas* den Kontrast zwischen der verfeinerten islamischen Kultur und der – durch diesen Kontrast uns geradezu ›romantisch‹ verklärt erscheinenden – Schlichtheit der Mozaraber auf so zahlreichen textuellen Ebenen inszenieren, so täuscht doch der Eindruck nicht, daß die Gattung in Situationen virtuoser Kunstübung entstanden ist, wie sie arabische Lyrik übergreifend kennzeichnen. Deshalb überrascht es auch nicht, daß Name und biographische Daten des Autors zu dem zitierten Text überliefert sind: es handelt sich um den berühmten Dichter Abū-l-ʿAbbās Aḥmad ibn ʿAbd Allāh ibn Huraira al-ʿAbsī Al-AʿMàat-Tuṭīlī, der in der spanischen Tradition ›der Blinde von Tudela‹ genannt wird (nicht selten hat ja die Nachwelt die erfahrene Imaginationskraft eines Autors mit dessen physischer Blindheit assoziiert), in Sevilla als Poet am Hof lebte und 1126 starb.[4] Seine Lebenszeit fällt in die nachklassische Phase der arabischen Literatur und – spezifischer – in eine Epoche aus der Geschichte des westlichen Islam, als das Kalifat von Córdoba in eine Fülle kleiner Königtümer zerfallen war, die ihre politische Ohnmacht anscheinend durch epigonale Kunstbesessenheit zu verdrängen suchten. Der Sachverhalt, daß zahlreiche *muwaššaḥa*-Autoren einen ministerähnlichen Rang bekleideten, legt es nahe, einen Zusammenhang zwischen dieser Situation und der artistischen Verknüpfung einer klassisch-literarischen Form der Liebesklage mit mozarabischer Folklore zu vermuten. Für die Intensität wie die Liberalität ihrer Kunstförderung spricht jedenfalls die breit überlieferte Anekdote von einem poetisch begabten Metzger aus Zaragoza, Abū-l bakr Yaḥyà al-Sarakustī al-Ŷazzār, der trotz aller Überredungsversuche nicht das Amt eines Hofdichters übernahm, sondern in seinem angestammten Beruf verblieb.[5]

Da die Gattung der *muwaššaḥa* also gelehrten Poeten und ihren Mäzenen zuzuschreiben ist, möchte man annehmen, daß vor dem Hintergrund ihres eminenten Bildungshorizonts die Kultur der Mozaraber einen geradezu exotischen Kontrast abgegeben hätte. Genau dies kann aber nicht der Fall gewesen sein: denn bis ins XII. Jahrhundert stammte die überwiegende

Mehrheit der islamischen *und* christlichen Bewohner von Al-Andalus aus Familien, die schon vor der arabischen Invasion auf der Iberischen Halbinsel gelebt hatten. Zweisprachigkeit war die normale Lebensform für Muslime *und* Mozaraber in Al Andalus, und der Kontakt mit der je anderen Kultur gehörte zu sehr zum Alltag, als daß er ein Faszinosum hätte sein können. Wenn in früh- und hochmittelalterlichen Chroniken aus Spanien Christen über Muslime oder Muslime über Christen schreiben, so lesen sich diese Passagen nicht anders, als wenn Christen über Christen und Muslime über Muslime berichten. Zum Beleg zitieren wir aus jener Passage einer islamischen Chronik, in der über den Feldzug des berühmten Heerführers Al-Manṣūr und die Plünderung von Santiago de Compostela berichtet wird:

Auf der Rückkehr nach Córdoba ließ sich Al-Manṣūr von Königen und Königssöhnen begleiten. Zu seinem Empfang stauten sich die Massen – (Gott) allein, ihr Ernährer und Erhalter, hat sie gezählt! Den Christen gewährte er am 1. šawwāl des nämlichen Jahres mehrere Audienzen und diktierte den von ihnen erbetenen Frieden. Sodann entsandte er seinen Richter Muhammad bʻUmar al-Bakrī mit ihnen zu König García (Sánchez II. Abarca von Pamplona), um diesen auf die diktierten Artikel vereidigen zu lassen. García mußte sich in Anwesenheit von Vertretern seiner Religion und Regierung zur Herausgabe muslimischer Kriegsgefangener verpflichten; alles und jedes war so durchgesetzt und entschieden.[6]

Von *Alteritätserfahrung* – im Sinn einer bewußt thematisierten Erfahrung – kann hier gewiß nicht die Rede sein.

Warum aber thematisierte man in den *Jarchas* einen Kulturkontrast, der, obwohl alltäglich erlebbar, noch nicht als Alterität erfahren wurde? Eine Anekdote, die Ramón Menéndez Pidal in seinem monumentalen sprachgeschichtlichen Werk *Orígenes del español* erzählt,[7] suggeriert eine erste Antwort-Hypothese. Bei einem von seinen Ministern bestrittenen Dichterspiel vor dem Kalifen Abderrahman III. verstand es einer der Minister, eine Form der arabischen Wurzel ›qwl‹ (›sagen‹) so am Versende zu plazieren, daß der folgende Vers nur mit der Phonem-Sequenz ›su culo‹ (auf Spanisch: ›sein/ihr Arsch‹) beendet werden konnte. Er sprach jedoch dieses letzte Wort nicht aus – und ermöglichte es dem Kalifen, unter allgemeinem Beifall und Gelächter mit dem mild-obszönen sprachlichen Versatzstück die Lücke zu schließen. Der Mechanismus dieses Sprachspiels hat gewiß nichts kulturell Spezifisches. Sein Symptom-Wert liegt für uns in der Vermutung, daß erst der Kontext des Dichterspiels am Hof des Kalifen jene Zweisprachigkeit als Kontrast bewußt und als wechselseitige Alterität erfahrbar machte, die man alltäglich erlebte und beherrschte, ohne sie je zu thematisieren.

Der situationale Rahmen des Dichterspiels und seine spezifischen Relevanzstrukturen hatten sich während der klassischen Epoche der arabischen Dichtung, also zwischen dem IX. und X. Jahrhundert, im Orient ausgebildet.[8] Islamische Herrscher, hohe Regierungsbeamte und reiche Kaufleute luden einen exklusiven Kreis von Freunden zum abendlichen Trinkgelage, zum *maglis*, das meist in Häusern außerhalb der Städte aufs prächtigste vorbereitet wurde. Die Natur pflegte man als Umwelt des Festes so zu stilisieren, daß sie die Gäste als Kontrast zur Geschäftigkeit der Stadt erfahren konnten: »(...)al-Muqtadir (908-932) wollte einmal ein Trinkgelage auf einem Narzissenbeet in einem hübschen Garten, der sich in einem der kleinen Höfe des Palastes befand, abhalten. Einer der Gärtner bemerkte, es wäre angezeigt, die Narzissen einige Tage bevor der Chalif auf ihnen trinken wolle, zu düngen, so daß sie schöner und kräftiger würden. Darauf sagte der Chalif: ›Wehe dir! soll Dünger auf etwas verwendet werden, das in meine Gegenwart kommen soll und das ich zu riechen beabsichtige!‹ Als ihm aber der Grund für die geplante Düngung erklärt worden war, da ließ der Chalif eine Quantität Moschus mahlen, die der Quantität des benötigten Düngers gleichkam, und den Garten damit düngen«.[9] Solche kontraststiftende Stilisierung gestaltete nicht allein den Rahmen, sondern auch den Inhalt der Feste. Weingenuß und Sexualität wurden zum Exzeß gesteigert, um ein Gegenbild zu religiösen Dispositiven der Genuß-Einschränkung abzugeben. Ebenso war es die Aufgabe des Gastgebers, Konversationen von Gelehrten und Poeten vor dem Publikum der Geladenen so zu inszenieren, daß sie ihre Geistesgegenwart beweisen konnten, indem sie noch den gängigsten Themen immer neue Pointen abgewannen.

Auch aus Al-Andalus sind uns Berichte über solche Gelage

überliefert. Der berühmte (und ebenfalls: blinde) Satiriker Al-Maḫzūmī war aus seiner ›Rundburg‹ genannten Heimatstadt in der Provinz nach Granada gekommen. Dort hatte ihn der Wesir Ibn Saʾīd zu einer weinseligen Festversammlung eingeladen und von einem schönen Negerknaben abholen lassen. Der blinde Dichter wartete zunächst mit einem Huldigungsgedicht für den Gastgeber auf. Das gab diesem die Gelegenheit, selbst die Rolle des Satirikers zu übernehmen: er deutete zunächst einen Vers des Lobgedichts gegen den Strich als spöttische Anspielung auf die Blindheit Al-Maḫzūmīs und zog, als der Gast hinreichend gereizt reagiert hatte, die Satirikerin Nazhūn in das spielerische Streitgespräch mit hinein:

»Wer ist diese Dirne«, keuchte Al-Maḫzūmī. »Ich bin«, erwiderte sie, »deine mütterliche Matrone.« – »Du lügst«, schrie er, »das ist nicht die Stimme einer Matrone, das ist vielmehr der Ton einer tollen Dirne, deren Soundso meilenweit riecht!«
Hier schaltete sich der Wezir Ibn Saʾīd ein: »Meister, du sprichst mit der geschulten Dichterin Nazhūn.« – »Ich habe wohl von ihr gehört«, erwiderte Al-Maḫzūmī, »sie höre nur Schlechtes und sehe nur Geschlechtliches, das walte Gott!« – »Dummer šaiḫ«, sagte Nazhūn, »du widersprichst Dir selbst. Was könnte besser für ein Weib sein als das?« – Da dachte er eine Weile nach und sprach dann in Versen:

> Der Nazhūn Wange hat noch einen Schönheitsschein,
> mag sie inzwischen auch von Glanze nackend sein!
> Und wer sie will, der kommt von andren (Mädchen) her;
> gern tauscht man Wasserrinnen für das weite Meer!

Worauf sie, ebenfalls nach einigem Nachdenken, erwiderte:

> Dem Flegelhaften sag ein Wort,
> das bis zum Jüngsten Tag lebt fort.
> Du kommst aus dieser ›Rundburg‹ her,
> die ist wie Mist, nur stinkt sie mehr,
> wo Bauerntölpelei sich regt
> und stolz den (runden) Steiß bewegt!
> Und du, mein Freund, aus diesem Grunde
> begehrst Du auch das Kugelrunde.
> Du kamst als Blindekuh zur Welt,
> ein jedes Einaug dir gefällt.
> An dein Lied häng ich meines an.

Nun sage, wer es besser kann.
Bin ich dem Leibe nach ein Weib,
so bin ich doch im Dichten Mann!

»Höre«, sagte nun der šaiḫ:

Zu Nazḥūn sprich: Was ist ihr bloß?
Vor Stolz hängt sie die Schleppe los!
Doch wenn sie einen ... sieht,
entblößt sie – wie bei mir! – den Schoß!

Der Wezir Ibn Saʿīd schwor, die Beschimpfung müsse nun beiderseits
ein Ende haben. »Bin ich«, rief Al-Maḫzūmī aus, »der Satiriker des
Andalus und verschone sie so ohne weiteres?« – Ibn Saʿīd sagte: »Ich
kaufe dir ihre Ehre ab. Was willst du dafür haben?« – »Den Negerjun-
gen will ich haben, den du mir als Führer zugeschickt hast. Er hat eine
zarte Hand und faßt weich an.« – »Wäre er nicht so jung, so würde ich
dir diesen Wunsch erfüllen und den Knaben schenken.« Al-Maḫzūmī,
der den andern durchschaute, antwortete: »So warte nur, bis er groß
ist; wäre er schon groß, so würde das keinen Verzicht zu meinen
Gunsten bedeuten.« – Da lachte der Wezir und sagte: »Wenn deine
Satire einmal nicht in Versen spricht, so spricht sie in Prosa.« – »O
Wezir, Gottes Geschöpfe müssen so sein, wie sie eben sind.« Und
nachdem der Wezir den Streit zwischen Nazḥūn und Al-Maḫzūmī
geschlichtet hatte, verschwand letzterer mit dem Negerknaben.[10]

Die Stilisierung der Kontraste zwischen der Grobheit Al-Maḫzūmīs und der Arroganz der Dichterin Nazḥūn, zwischen homosexueller Begierde und heterosexueller Geilheit war vom
Gastgeber inszeniert und von den beiden Satirikern virtuos ausgespielt worden. Es bedarf keines Übermaßes an historischer
Imagination mehr, um in den Rahmen einer solchen Spiel-Si-
tuation die Gattung *muwaššaḥa* einzubetten. Im Rückbezug
auf den Text, der am Anfang dieses Kapitels steht, fällt das
umso leichter, als man weiß, daß bei Festen in Al-Andalus
häufig christliche Sklavinnen als Sängerinnen auftraten. Er
könnte also durchaus etwa ein Zwiegespräch zwischen einem
Dichter wie dem Blinden von Tudela und einer solchen Sklavin
inszeniert haben. Erst der situationale Rahmen des Spiels jedenfalls aktualisierte das Potential wechselseitiger kultureller Alterität zum Erfahrungsgegenstand.

Eine Geschichte der spanischen Literatur mit der Analyse

einer *muwaššaḥa* zu beginnen, ist heute fast schon die konventionellste aller denkbaren Ouvertüren. Denn seit ihrer sprachlichen Erschließung in den späten vierziger Jahren gelten die *Jarchas* als die ältesten Belege für eine romanische ›Volksdichtung‹, deren Existenz man allerdings schon – ohne Belege – seit den Anfängen der Hispanistik postuliert hatte. Wer die *Jarchas* aber als ›romanische Volksdichtung‹ liest, der wird – wie S. N. Stern, ihr Entdecker und erster Herausgeber – von ihrem arabischen Sprach- und Situationsumfeld absehen wollen. Dagegen sollte unsere Perspektive auf die zum Ursprung der spanischen Literatur kanonisierten Texte an die These heranführen, daß das von Anfang gegebene Potential an Alteritätserfahrung eine Vorbedingung für die Konstitution der spanischen Kultur und ihre Geschichte ausmachte. Den Spiel-Situationen, die wir ›Literatur‹ nennen, kam dabei deshalb besondere Bedeutung zu, weil zunächst sie allein das Alteritäts-Potential zur Erfahrung aktualisierten. So gesehen sind die *muwaššaḥas* – nicht allein die *Jarchas* – also Teil einer Geschichte der spanischen Literatur – und darüber hinaus kann man sie als ein Emblem für ihre interkulturelle Besonderheit verstehen.

Dezentrierte Selbstdarstellung

Als der Blinde von Tudela im Jahre 1126 starb, regierten in Al-Andalus die Almoraviden, kriegserfahrene Berberstämme, welche die iberischen Muslime gegen Ende des XI. Jahrhunderts in höchster Not zur Verteidigung gegen die nach Süden drängenden christlichen Heere zu Hilfe gerufen hatten. Der Almoravidenherrschaft waren Ereignisse vorausgegangen, die man als den Anfang vom Ende der islamischen Kultur auf der Iberischen Halbinsel identifizieren kann. Nachdem der – rasch zur mythischen Gestalt verklärte – Feldherr Al-Manṣūr bei einer Schlacht gegen die Christen im Jahre 1002 gefallen war, trat das Kalifat von Córdoba in die Phase seiner Agonie ein: schon das Jahr 1027 markiert seinen Zerfall in eine Vielzahl machtloser Teilreiche. In der Folge nahm nicht nur der militärische Druck aus dem Norden zu, die Eroberungszüge der Christen wurden nun auch von einem neuen Bewußtsein getragen. Sancho el

Mayor, zwischen 1004 und 1035 König von Pamplona, hatte die seit dem VIII. Jahrhundert ruhenden Beziehungen zwischen den spanischen Königreichen und dem Heiligen Stuhl wieder aufgenommen und brachte so einen Prozeß in Gang, durch den Spanien seinen marginalen Status an der westlichen Peripherie der mittelalterlichen Christenheit langsam überwand. Daher wurde etwa 1066 der von den Westgoten eingeführte und bis dahin tradierte spezifisch hispanische Meßritus von Rom anerkannt (was übrigens zugleich der Beginn seiner Verdrängung durch den römischen Ritus war).

Aufgrund dieser Umstellung mußten die in westgotischen Lettern geschriebenen Codices durch solche in karolingischer Schrift ersetzt werden (für die man Schreiber aus Frankreich holte) – und galten bald als unlesbar. So wanderte seit 1079 – und über das ganze XII. Jahrhundert – eine große Zahl zisterziensischer Mönche in die spanischen Königreiche ein, welche schon wenig später die Geschichte eines Großteils der Diözesen in – zuvor undenkbar engem – Kontakt mit der römischen Kurie lenkten. Erst jetzt begann man, die Eroberung der islamischen Reiche als *Re-Conquista*, als Kreuzzug, als gemeinsame Aufgabe der verschiedenen christlichen Königreiche zu erleben. Das mittlere Drittel des XI. Jahrhunderts – bis hin zur Einnahme von Toledo im Jahr 1085, dessen erster Bischof aus Frankreich stammte – war gekennzeichnet durch ungeahnten Landgewinn (ein Ergebnis wohlgeplanter militärischer Aktionen) und durch die ersten Anläufe zur Einigung der Königreiche von León und Kastilien. Doch erst das Ereignis der Besetzung von Toledo durch Alfons VI. von Kastilien im Jahr 1085 wurde für den islamischen Herrscher von Sevilla zum Anlaß, die nordafrikanischen Almoraviden auf die Iberische Halbinsel zu rufen. Schon im Herbst 1086 brachten sie den christlichen Eroberern die erste empfindliche Niederlage bei. Dies war das Szenario für die Taten des *historischen* Rodrigo Díaz de Vivar, aus dem *im Epos* die Heldengestalt des Cid Campeador wurde. Er war zunächst Vasall Alfons VI. gewesen und diente nach seiner Verbannung aus Kastilien verschiedenen christlichen und islamischen Herren (zu denen für eine Zeit sogar wieder Alfons VI. gehörte), um schließlich zwischen 1094 und 1099 die Stadt Valencia besetzt zu halten.

Der *Cantar de Mío Cid*, das spanische Nationalepos, ist in einem einzigen Manuskript aus dem XIV. Jahrhundert überliefert, und der dort fixierte Text scheint auf eine um 1140 entstandene Version zurückzugehen. Man hat durch die für ein Epos außergewöhnliche chronologische Nähe zwischen den historischen Ereignissen, auf die der *Cantar* Bezug nimmt, und seiner frühesten bekannten Form den ›historischen Verismus‹, den erstaunlich ›realistischen Charakter‹ der Cid-Sage zu erklären versucht. Aber diesen Aspekt wollen wir zunächst zurückstellen. Bedeutsamer scheint uns der Sachverhalt, daß der *Cantar de Mío Cid* zwar das Verhältnis zwischen Alfons VI. und Rodrigo Díaz de Vivar nach dem Muster des feudalen Rollenpaars ›König und Vasall‹ konfiguriert, wie es den Konventionen des mittelalterlichen Epos entspricht, diese Beziehung aber weder glorifiziert noch als gescheitert dramatisiert, wie das etwa im französischen Karls-Zyklus oder den sogenannten ›Empörer-Gesten‹ der Fall ist. Vielmehr kann man den *Cantar de Mío Cid* – wenigstens unter einem bestimmten Erkenntnisinteresse unserer Gegenwart – durchaus (mit Hans-Jörg Neuschäfer) als einen *Kasus* lesen. Denn der epische Cid wird vom epischen König auf Grund des ungerechtfertigten Verdachtes verbannt, der Krone ihren zustehenden Anteil aus seinen Beutezügen vorenthalten zu haben. Dennoch fügt er sich dem Gebot der Verbannung. Im Kampf mit den Muslimen erwirbt der Cid nun Reichtümer und Macht, welche ihn zu einem potentiellen Rivalen des Königs machen; trotzdem bemüht er sich weiter, als treuer Vasall – und nicht als ›Empörer‹ – die Gnade seines Herrn wiederzugewinnen. Eben diese Spannung zwischen dem gesellschaftlich-symbolischen Rang des Königs und moralischem Recht, Macht und Reichtum auf der Seite des Cid wird durch eine Episode verdoppelt, für die auch die leidenschaftlichsten Verfechter der These vom ›epischen Verismus‹ in der mittelalterlichen spanischen Geschichte keinen Bezugspunkt gefunden haben. Als Herrscher von Valencia verheiratet der Cid seine beiden Töchter mit den Infanten von Carrión, die in der Hierarchie der feudalen Gesellschaft über ihn gestellt sind. Dieses Verhältnis wird zunächst durch ihre Feigheit – etwa vor dem islamischen Feind nicht beeinträchtigt. Doch als die Infanten von Carrión nach dem glanzvollen Hochzeitsfest in

Valencia (dessen Darstellung eher den Gattungskonventionen des höfischen Romans als denen des Epos entspricht) mit den jung vermählten Gattinnen in ihre Stammlande zurückreiten, schlägt ihre Scham über die eigene Feigheit um in eine grausame Schändung der Töchter des Cid, mit der sie das Fortbestehen ihrer gesellschaftlich-symbolischen Überlegenheit manifestieren wollen:

Lo que ruegan las dueñas non les ha ningún pro.
Essora les conpieçan a dar ifantes de Carrión;
con las çinchas corredizas májanlas tan sin sabor;
con las espuelas agudas, don ellas an mal sabor,
ronpien las camisas e las carnes a ellas amas a dos;
linpia salie la sangre sobre los çiclatones.
Ya lo sienten ellas en los sos coraçones.
¡Qual ventura serie esta, si ploguiesse al Criador,
que assomasse essora el Çid Campeador!
    Tanto las majaron que sin cosimente son;
sangrientas en las camisas e todos los ciclatones.
Canssados son de ferir ellos amos a dos.
Ensayandos amos quál dará mejores colpes.
Ya non pueden fablar don Elvira e doña Sol,
por muertas las dexaron en el robredo de Corpes.

    Leváronles los mantos e las pieles armiñas,
mas déxanlas marridas en briales y en camisas,
e a las aves del monte e a las bestias de la fiera guisa.
Por muertas las dexaron, sabed, que non por bivas.
¡Qual ventura serie si assomas essora el Çid Roy Díaz!

Ifantes de Carrión por muertas las dexaron,
que el una al otra nol torna recabdo.
Por los montes do ivan, ellos ívanse alabando:
»De nuestros casamientos agora somos vengados.
»Non las deviemos tomar por varraganas, si non fossemos
                                        rogados,
»pues nuestras parejas non eran para en braços
»La desondra del león assís irá vengando.«[11]

Natürlich werden die Töchter des Cid von einem getreuen Gefolgsmann ihres Vaters gerettet. Selbst im Epos ist es aber erstaunlich, daß der durch ihre Schändung entehrte Vater auch jetzt nicht zum Empörer wird. Vielmehr bittet er – als nun auch normentreuer Vasall – Alfonso, ihm zu seinem Recht zu verhelfen. Da wird endlich auch der König seinen feudalen Rollenpflichten gerecht und läßt dem Cid durch Boten sagen:

> »Entre yo y mio Çid pésanos de coraçón.
> »Ayudar lê a derecho, sín salve el Criador!
> »Lo que non cuydava fer de toda esta sazón,
> »andarán mios porteros por todo el reyno mio,
> »pora dentro en Toledo pregonarán mie cort.
> »que allá me vayan cue*m*des e iffançones;
> »Mandaré commo i vayan ifantes de Carrión,
> »e commo den derecho a mio Çid el Campeador,
> »e que non aya rencura podiéndolo vedar yo.[12]

Der Hoftag stellt die Schuld der Infanten von Carrión fest, verpflichtet sie zu Zweikämpfen mit den Getreuen des Cid, in denen sie unterliegen und ächtet sie als Verräter.

Nicht zufällig hat sich kein geringerer als Leo Spitzer bemüht, den *Cantar de Mío Cid* durch das gattungstypologische Prädikat ›episierte Biographie‹ in Distanz zur *Chanson de geste* zu setzen und dem Roman anzunähern.[13] Ohne eine unweigerlich in den banalen Gattungs-Nominalismus mündende Diskussion wieder aufnehmen zu wollen, interessiert uns Spitzers Vorschlag deshalb, weil er implizit den Eindruck bestätigt, daß der Cid ein gegenüber dem sonst im Epos gesetzten gesellschaftlichen Rahmen dezentrierter Protagonist ist. Anders gesagt: das Schema der Feudalbeziehung ›König/Vasall‹ setzt hier zwar den König nicht gänzlich ins Unrecht, weist jedoch ebensowenig die Frage ab, ob der Cid nicht ein *allzu* geduldiger Vasall war. Aus der Perspektive des Helden jedenfalls, der die Hörer über Jahrhunderte faszinierte, erscheint das *Feudalsystem* – und nicht er: der Held selbst – *dezentralisiert*.

Wir haben hier eine zweite Sonderperspektive am Ursprung der spanischen Literatur ausgemacht, welche sich von der Alteritätserfahrung, wie sie die *muwaššaḥas* ermöglichten, nicht nur dadurch unterscheidet, daß der *Cid* aus der Perspektive einer Kultur auf sich selbst konstituiert ist, sondern auch deshalb, weil man hier *nicht* mit einer reflektierten Darstellungsstrategie rechnen kann. Konstatieren läßt sich bloß eine generelle Spannung zwischen überkommenen Sinnschemata zur Erfahrungsbildung im sozialen Raum und der Spezifik der aktuellen politisch-gesellschaftlichen Situation in den Jahrhunderten der christlichen Expansion auf der Iberischen Halbinsel. Vor diesem Hintergrund faszinierte die Rezipienten ein Helden-ideal, das nicht mehr ohne weiteres dem Bild des christlichen Vasallen entsprach. Man hat das Fortbestehen römischer Ver-waltungsstrukturen in der Zeit der Westgotenherrschaft als Grund dafür angeführt, daß auf der Iberischen Halbinsel im VIII. Jahrhundert noch keine neue Gesellschaftsform entstan-den war, die der islamischen Invasion hinreichenden Wider-stand hätte entgegensetzen können. Genau das war aber den fränkischen Reiterheeren bei Tours und Poitier gelungen – wohl weil der frühe Kollaps der römischen Institutionen im einstigen Gallien einen Spielraum für die Entstehung der neuen, feudalen Gesellschaftsform gelassen hatte. Hingegen hatten sich während der folgenden Jahrhunderte nicht einmal im nördlichen, von den Muslimen unabhängigen Spanien mehr als punktuelle Feudal-Beziehungen ausgebildet. Ein durchgängig hierarchisiertes gesellschaftliches ›System‹ existierte jedenfalls nicht. So wird verständlich, warum sich ein erfolgreicher Feld-herr wie der historische Cid weder gegenüber ›seinem‹ König noch gegenüber der Christenheit durch eine Ethik verpflichtet fühlte, die ihn davon abgehalten hätte, seine Fähigkeiten in den Dienst islamischer Herrscher zu stellen oder als unabhängiger Herr von Valencia zu agieren. Für ihn waren feudale Beziehun-gen gewiß nicht der alternativenlose Orientierungsrahmen des eigenen Handelns.

Bei unserem Versuch, die dezentrierte Selbstdarstellung der feudalen Gesellschaft im *Cantar de Mío Cid* historisch zu erklä-ren, haben wir uns der Argumentation angenähert, die der Hi-storiker Claudio Sánchez Albornoz seit den zwanziger Jahren als Vorgabe für das Verstehen der spanischen Geschichte – mit spürbarem Einfluß auf das Geschichtsbewußtsein der Spanier – entwickelt hat.[14] Vorher hatten wir allerdings die langfristig fort-wirkende Bedeutung der Koexistenz *verschiedener* Kulturen auf der Iberischen Halbinsel während des Mittelalters hervorgeho-ben – und damit die hermeneutische Vorgabe des National-Ge-schichtskonzepts von Américo Castro aufgegriffen,[15] dessen Widerlegung über Jahrzehnte der Hauptstimulus für die histori-schen Forschungen und die historiographischen Darstellungen von Sánchez Albornoz gewesen war. Zwischen den Positionen vermitteln wollen wir jedoch nicht – und zwar aus zwei Gründen. Einmal weil wir die auf komplexe Sachverhalte gerichtete Frageperspektive von Sánchez Albornoz, der versucht, das (mittelbare) Fortwirken von Initial-Impulsen und Ausgangs-Bedingungen durch die spanische Geschichte zu verfolgen, der schlichteren These von Américo Castro vorziehen, nach welcher es der Sachverhalt einer Kopräsenz von drei Kulturen im iberischen Mittelalter erlaubt, alle Sonderphänomene der späteren spanischen Geschichte als Manifestationen von arabischen oder jüdischen ›Einflüssen‹ zu bewerten. Zum anderen – und vor allem – visieren wir eine solche Synthese aber auch deshalb nicht an, weil wir nicht pauschal an ›der historischen Wirklichkeit von Spanien‹ (wie Castro) oder dem ›historischen Rätsel Spanien‹ (wie Sánchez Albornoz) interessiert sind, sondern – spezieller – an den spezifischen Erfahrungschancen, welche vom gesellschaftlichen Alltag abgesetzte Interaktions- und Kommunikationsform ›Literatur‹ für jeweilige Epochen und ihre Nachwelten eröffneten.

Kehren wir jedoch noch einmal zum *Cantar de Mío Cid* zurück, um uns nun auf seine Überlieferungsgeschichte zu konzentrieren. Erstaunlich ist nämlich die Tatsache, daß von diesem und anderen *Cantares de gesta* – trotz ihrer vielfach belegten Popularität – kein Manuskript aus dem XII. oder wenigstens aus dem XIII. Jahrhundert erhalten geblieben ist. Die Frage nach den Gründen für eine so spärliche Überlieferung wird umso dringender, wenn man weiß, daß neben dem *Cantar de Mío Cid* in einer als ›mittelalterlich‹ identifizierbaren Form überhaupt nur noch zwei weitere Epen, nämlich der *Cantar de Rodrigo* und das *Poema de Fernán González*, vorliegen (darüber hinaus ein Fragment zum Rolandsstoff – während die erhaltenen Manuskripte und Manuskript-Fragmente von französischen *Chansons de geste* nach Hunderten zählen. Wollen wir diesen Befund verstehen, so müssen wir auf einige jener kommunikativen Rahmenbedingungen eingehen, in die volkssprachliche Texte über das XII. und XIII. Jahrhundert – nicht nur in Spanien – eingebettet waren. Hier ist zunächst daran zu erinnern, daß *Verschriftlichung der Volkssprache stets ein Ausnahmefall* war. Denn Pergament, die materielle Grundlage solcher Fixierung, war ebenso kostspielig wie der langwierige Arbeitsprozeß der Kopisten, da Schreib- und Lesefähigkeit eine teure Spezialistenkompetenz war. So war denn auch für diese schreibenden Kleriker das Lateinische – beinahe – identisch mit der Schriftsprache. Daß aber die Fixierung von volkssprachlichen Texten auf der Iberischen Halbinsel bis ins XIII. Jahrhundert noch rarer blieb als in anderen Teilen des christlichen Europa, mag man zunächst mit der besonderen Distanz der meist aus Frankreich eingewanderten Schreiber gegenüber den dortigen Volkssprachen erklären. Nicht zu unterschätzen ist aber auch der Umstand, daß die Kleriker nach der Reintegration der spanischen Königreiche in das christliche Europa seit dem XI. Jahrhundert und im Verlauf der Eroberung islamischer Kulturlandschaften zunächst mit der gleichsam ›missionarischen‹ Verbreitung christlich-feudaler Wissensbestände durch Predigten vollauf beschäftigt gewesen sein müssen. Für Ausnahmen mag wenig Zeit geblieben sein und kaum dringender Anlaß bestanden haben. Hier kann man durchaus eine frühe ›Weichenstellung‹ hin zu jenem besonders *prägnanten Gegenüber zwischen Schriftkultur* (später: ›hoher Literatur‹) und *Populär-Kultur* vermuten, wie es Spanien bis in die Neuzeit charakterisiert. Solche aus historischen Gründen spezifische Selektionskriterien für die Verschriftlichung der Volkssprache haben dazu geführt, daß unser Bild von der spanischen ›Literatur‹ des Mittelalters zu einem gewichtigen Teil auf Rekonstruktionen beruht, die Ramón Menéndez Pidal und seine Schüler ausgehend von gedruckten Texten aus der Populär-Kultur der Frühen Neuzeit herstellten.

Wo Volkssprache denn im Mittelalter einmal schriftlich fixiert wurde, erscheint ihre Form meist von der Funktion geprägt, *mündlichen Vortrag und auditive Rezeption zu ermöglichen* – und nicht etwa Sprechen und Hören durch Schreiben und Lesen zu ersetzen. Da schriftliche Fixierung also auf eine Vielzahl mündlicher Realisierungen zugeschnitten war, welche natürlich nie vollständig deckungsgleich sein konnten, sollte man sich davor hüten, die *mouvance* zwischen den auf je besondere Situationen mündlichen Vortrags zuzuordnenden Belegen etwa durch ›kritische Ausgaben‹ auf je *eine* Textform zu reduzieren. Denn keine unter den verschiedenen schriftlichen

Fixierungen einer mündlichen Tradition kann den Anspruch erheben, ›das Original‹ zu sein; sie sind alle nur ›Momentaufnahmen‹ zu einem meist sehr komplexen Überlieferungsgeschehen. Ist man einmal auf den konstitutiven Gegensatz zwischen einer Schriftlichkeit, die mündliche Kommunikation ermöglichen soll, und einer Schriftlichkeit, die mündliche Kommunikation ersetzt, aufmerksam geworden, muß man auch für uns selbstverständliche Annahmen hinsichtlich der textstrukturierenden *Metrik* überdenken. Für volkssprachliche Texte des Mittelalters war sie weder bloßer Zierrat noch (wie man es für Texte der Moderne behauptet hat) ein Dispositiv zum Zweck semantischer Prägnanzstiftung. Die Metren in den schriftlich überlieferten volkssprachlichen Texten des Mittelalters müssen gleichsam als ›*Instruktionen*‹ *an die Stimmbänder und an den ganzen Körper* der Vortragenden fungiert haben, welche auf ein Weiterwirken auf die Körper der Hörer angelegt waren.

Weil Schriftlichkeit also vor allem dem Neuvollzug eines schon stattgehabten Vortrags als Orientierung diente, konnten ›Originalität‹ oder ›Erfindung‹ keine Motive für das Schreiben in mittelalterlichen Volkssprachen sein. Eben deshalb tauchen *Autorennamen* in der Überlieferung sehr selten auf, und wo man sie findet, wird rasch deutlich, daß es schwer fällt zu entscheiden, ob der ›Text-Erfinder‹, der ›Kopist‹ oder der ›Auftraggeber der Textherstellung‹ gemeint sind. Dieser für uns fremde Zusammenhang zwischen mündlichem Vollzug der Kommunikation, schriftlicher Fixierung und den beide konstituierenden Handlungsrollen fügt sich nun ein in eine ebenso schwer nachvollziehbare Grundprämisse über die Stellung der einzelnen Person in dem von Gott geschaffenen Kosmos. Die Menschen des Mittelalters scheinen sich eher als Teil der Schöpfung denn als ihr Gegenüber, ihre Bewohner erfahren zu haben. Sprechen, Schreiben und jegliches andere Handeln waren weniger Möglichkeiten, sich in eine Position zur Welt zu bringen, als Modi, in der Welt zu sein. Deshalb wurden Sprechen und Schreiben – selbst dort, wo uns heute ihre Spuren besonders ›kreativ‹ erscheinen wollen – kaum je als Handlungen der Wissensproduktion erfahren, sondern als Handlungen der Wissensvermittlung *(translatio studii)*; deshalb auch trennte keine markante Grenzlinie des Bewußtseins die ›Lüge‹ vom ›unverschuldeten Irrtum‹ – Lügen und Irrtum waren zweierlei Weisen, seinen vorbestimmten Ort in der Welt zu verfehlen.

Ausgehend von spezifisch mittelalterlichen Bedingungen des Verschriftlichungs-Prozesses sind wir zu Beobachtungen über seine – mittelbaren – mentalen Voraussetzungen gelangt, und wir haben dabei in Ansätzen das ›rechtgläubige‹ Weltbild der Epoche beschrieben. Diese Annäherung führt uns deshalb von einem allgemein-mediävistischen Thema zur spanischen Kulturgeschichte zurück, weil sich auf der Iberischen Halbinsel während des XII. Jahrhunderts ein kommunikatives Milieu institutionalisierte, das im Vergleich zu anderen Regionen der mittelalterlichen Christenheit besonders streng über die Durchhaltung solcher Orthodoxie im Alltag wachte. Dieser Sachverhalt erklärt, warum unter den aus dem XII. und frühen XIII. Jahrhundert überlieferten spanischen Texten religiöse Instruktionen dominieren. So steht in einer aus der zweiten Hälfte des XII. Jahrhunderts stammenden *Disputa del alma y el cuerpo* im Vordergrund der Invektive, welche die Seele als allegorischer Dialogpartner an den Körper richtet, der Vorwurf, daß dieser die Festtage nicht ausschließlich zur religiösen Erbauung nutzen wolle:

> Nunca fust á altar,
> por í buena oferda dar;
> ni die*zmo* ni primicia,
> ni buena penitencia:
> ni fecist oracion
> nunca de corazo*n*.
> Cuando ibas all eclesi*a*(?)
> asentávaste á conseio,
> i fazies tos conseios
> e todos tos trebe*i*os.
> Apostol ni martir
> *non* quisiste servir:
> juraste par la tu tiesta
> que no curaries fiesta;
> nunca de nigun santo
> no *guardast* so disanto,
> mas non t*e* faran los santos aiuda
> mas que á una bestia muda.[16]

Situationen des Spiels standen der Welt der Kleriker – und mithin der Verschriftlichung – noch fern. Das bestätigen auch zahlreiche Passagen aus einer Beichtanweisung, die gegen 1205 in kastilischer Sprache an den Rand der Seiten eines Codex geschrieben wurde, der lateinische Predigten enthielt (er stammte bezeichnenderweise aus Südfrankreich):

[...] puede preguntar el preste al que se confiesa, catando el homne e la persona que es, e demande si canto cantares luxuriosos en vigilias, porque es grant pecado e, en domingo, si fiço alguna obra servil.
[...] demandel si va veder lo(s) juegos los dias domingos o de las fiestas; [...] si ode de buena mientre cantares o otros omnes que diçen paraulas feas, que los pecadores enujan se de odir la misa e las paraulas de Dios, e de los cantares de la(s) caçurias non se enujan e beven el vino puro e las carnes calentes e muytas por raçon de luxuria [...]
E demande si peco con sa muller velada, que muitas veçes los maridos pecan con sos mulleres si con elas jaçen dia de fista o en logar santo o dia de jejunio [...] o, quando jaçe con ela, si de luxuria o de façer generaçion o en que logar, que muitos y a que en las vinnas o en los campos; o en qual condiçion jaçe con ela o en que manera.[17]

Kein Zweifel, in diesem Text gibt ein Kleriker anderen Klerikern Orientierungen für ihre austere Rolle als Hüter eines ganz auf das Ideal des universalen Gottesdienstes gerichteten Alltags. Auf den zwei vorausgehenden Seiten desselben Codex' jedoch hat sich – offenbar – derselbe Kleriker ganz anders inszeniert. In einem Gedicht von 162 Versen übernimmt er die Rolle des welterfahrenen Liebhabers, der in seiner Kompetenz als Liebesdichter ein Zeichen sozialer Distinktion sieht. Interessant ist des weiteren die mehrfach wiederholte Beteuerung, daß er solche Kompetenz außerhalb Spaniens erworben habe:

> Qui triste tiene su coraçon
> Benga oyr esta razon;
> Odra razon acabada,
> Feyta d'amor e bien rymada.
> Un escolar la rrimo
> Que sie(m)pre duenas amo,
> Mas sie(m)pre ovo cryança,
> En Alemania y en Fra(n)çia;
> Moro mucho en Lombardia
> Por aprender cortesia.

> En el mes d'abril, despues yantar,
> Estava so un olivar;
> ...
> Sobre un prado pus mi tiesta
> Que nom fiziese mal la siesta;
> Parti de mi las vistiduras
> Que nom fizies mal la calentura.

Bald erscheint denn schon auf dem amönen Plan die schönste aller Damen, welche nicht nur besonders für Kleriker schwärmt (vv. 82, 111) und dem lyrischen Ich seine Dicht-, Lese- und Gesangeskunst bestätigt (vv. 112 ff.), sondern auch galizisch-portugiesische Wörter in ihre Rede mischt und sie im *cosante*, einem für jenen Sprachraum typischen Metrum, artikuliert:

> »Ay, meu amigo,
> Si me vere yamas contigo!
> A oy et sempre aamare
> Quanto que biva sere!
> Porque eres escolar
> Quisquiere te devria mas amar.
> Nunqua odi de homne deçir
> Que tanta bona manera ovo en si;
> Mas amaria contigo estar
> Que toda España mandar; [...][18]

Diese Zeilen sind ein früher Beleg für die wohl wichtigste Gattung mittelalterlicher Liebespoesie auf der Iberischen Halbinsel, für den *Cantar do amigo*, dessen Einzeltexte auch dann, wenn ihre Herkunft aus dem Raum des Kastilischen oder Katalanischen gesichert ist, beinahe immer in galizisch-portugiesischer Sprache verfaßt sind. Jener Kleriker jedenfalls, der mit seinen Glossen die Ränder des lateinischen Predigt-Codex aus dem frühen XIII. Jahrhundert gefüllt hat, war ganz offenbar ein guter Kenner höfischer Sprachspiele, doch er assoziierte deren Welt nicht mit der Iberischen Halbinsel. Wahrscheinlich war es eher seine Absicht, dort zur Institutionalisierung eines kommunikativen Milieus von besonders ernster Religiosität beizutragen. Jedenfalls ist sein Text für die Situation der ›Literatur‹ in Spanien um die Wende vom XII. zum XIII. Jahrhundert ebenso atypisch wie symptomatisch. Atypisch, weil profane, zumal höfische Themen und Formen sonst kaum der schriftlichen Fixierung für würdig befunden wurden. Symptomatisch, weil seine Nähe zu den strengen Beichtanweisungen aus derselben Hand unsere Vermutung bestärkt, daß diese normale Selektionspraxis motiviert war von der Aufgabe, welche die Kleriker bei der Eroberung des islamischen Spanien erfüllten.

Ähnlich atypisch und symptomatisch ist – freilich aus anderen Gründen – ein *Auto de los Reyes Magos* (das in der zweiten Hälfte des XII. Jahrhunderts entstanden sein muß, zu Beginn des XIII. Jahrhunderts in der uns überlieferten Form schriftlich fixiert wurde und als der einzige zur szenischen Aufführung geeignete Text aus dem spanischen Mittelalter gilt), sowie das um 1230 entstandene Epen-Fragment *Rencesvalles* (das dem Umkreis der französischen Rolandssage angehört). Beide Texte sind im nordöstlichen Spanien entstanden, in einer Region, deren Beziehungen zur übrigen Christenheit nie unterbrochen gewesen waren und die deshalb auch nie Schauplatz einer Neu-Missionierung wurde. Man hat sogar vermutet, daß der Verfasser der überlieferten Version des *Auto des los Reyes Magos* aus der Gascogne stammte.[19] Die kulturelle Randlage der Herkunftsregion beider Texte mag ihre Einmaligkeit in der Literatur des spanischen Hochmittelalters – als ›Aufführungs‹-Text und Rekurs auf die Rolandssage – erklären. Aber gerade dieser Sachverhalt bestätigt auch e negativo unsere Vermutung, daß die Besonderheit der kommunikativen Milieus in den anderen Regionen, in Aragón, Kastilien und León tatsächlich mit der Situation der *Reconquista* zu tun haben mußte.

Doch betonen wir noch einmal: zu beobachten sind hier eine besondere Distanz der Kleriker-Schriftkompetenz gegenüber einer ›anderen‹, rein mündlichen Kultur und die Bemühung, jener ›anderen‹ Kultur einen abgegrenzten Sitz im Leben, fern von Schriftlichkeit, zuzuweisen. Selbstverständlich gab es auch während des XII. und XIII. Jahrhunderts in den iberischen Königreichen *juglares*, Spielleute, die in den eben eroberten Siedlungen Epen (und vielleicht auch andere Arten von Texten) vortrugen und sich dazu musikalisch begleiteten, ohne daß man einen Anlaß zur Fixierung ihrer Texte sah. Daß sie mit begeisterten Zuhörern rechnen konnten, belegt ein Absatz aus der Sammlung von Rechtsverordnungen (›fueros‹) für das kleine

Dorf Madrid, die kurz vor 1202 entstanden sein muß. Denn er droht denjenigen eine empfindliche Strafe an, die an Leierspieler (›cedreros‹) mehr als die festgesetzte Höchstsumme von dreieinhalb *maravedís* zahlen wollten: *Todo cedrero quod uenerit a Madrid caualero τ in conzeio cantare, ... non donent illi mais de III morabetinoſ τ medio; τ ſi per mais apretaren loſſiadoreſ, cadat illis in peri*urio. *Etſi alguno homine de conzeio dixerit:* »*mais le demos*«, *pectet II morabetinoſ ...*[20]

Institutionalisierung des Alltags

Das christliche Spanien war zwar seit der Mitte des XI. Jahrhunderts in einen grundlegenden Wandlungsprozeß eingetreten, doch seine Expansion nach Süden und die Einigung seiner verschiedenen Königreiche verliefen im XII. Jahrhundert keineswegs problemlos und geradlinig: noch 1195 mußte Alfons VIII. von Kastilien bei Alarcos (südlich von Toledo) eine schwere Niederlage hinnehmen, und kaum je zuvor war die Situation im Norden der Halbinsel so sehr von Familienfehden und Erbstreitigkeiten überschattet gewesen wie während der zweiten Hälfte des XII. Jahrhunderts. Doch schon die Schlacht von Navas de Tolosa im Jahr 1212 markiert dann in der spanischen Nationalgeschichte den Beginn einer glorreichen Phase der *Reconquista*. Zwei Jahre vor seinem Tod gelang es Alfons VIII., das islamische Heer aufzureiben und eine so bedeutende Menge Goldes zu erbeuten, daß die Folgen dieses Ereignisses bald bis auf die Wechselkurse der französischen Geldmärkte durchschlugen. Ferdinand III. und Alfons X., sein Nachfolger, konnten endlich ohne nennenswerte Rückschläge Zug um Zug die Landschaften und Städte Andalusiens erobern. Daß sie dabei am Ende das Königreich Granada bestehen ließen, war wohl kaum ein Zeichen militärischer Schwäche, sondern eher eine Maßnahme, der ein ökonomisches Kalkül zugrundelag: bis ins späte XV. Jahrhundert sicherte sich Kastilien so erhebliche jährliche Tribute, ohne selbst zu irgendwelchen Aufwendungen verpflichtet zu sein.

Mit dem Ende der militärischen Anspannung und dem neuen Reichtum der christlichen Königreiche änderten sich nun aber merklich die Rahmenbedingungen für die Rezeption und ebenso für die Produktion von Schriftkultur auf der Iberischen Halbinsel. Es bestanden stabile, vertraglich geregelte Beziehungen zwischen Kastilien und dem Königreich Granada, die – zumindest während des XIII. Jahrhunderts – fast im modernen Sinn des Begriffs einen ›kulturellen Austausch‹ ermöglichten. Aber Kastilien entfaltete jetzt auch selbst kulturelle Impulse. Denn was christliche Kleriker während des XII. Jahrhunderts geleistet hatten, die Vermittlung griechisch-antiker und arabischer Philosophie durch vor allem in Toledo angefertigte Übersetzungen, war durch ein Rezeptionsbedürfnis der im Bann der École de Chartres stehenden mitteleuropäischen ›Intellektuellen‹ motiviert gewesen.[21] Eine eigenständige lateinische Kultur hatte es auf der Iberischen Halbinsel während dieser Zeit noch nicht gegeben. Um 1210 jedoch richtete Alfons VIII. in Palencia eine ›Universität‹ ein: *sorpientes Galliis et Italia convocavit ... et magistros omnium facultatum Palentiae congregavit, quibus et magna stipendia est largitus.*[22] Nur wenige Jahre später gründete Ferdinand III. ein *Studium grande y generale* in Salamanca. Man hat diese kulturellen Initiativen der Könige auf eine ›politische‹ Motivation zurückgeführt: als Institutionen der Latein-Kultur sorgten die Universitäten für die Verbreitung des römischen Rechts, das den Regenten eine weit unanfechtbarere Position einräumte als die feudale Tradition. Tatsächlich blieben die Beiträge der kastilischen Kleriker zur lateinischen Kultur des Mittelalters zunächst epigonal: sie bewahrten jenen – für uns: obsessiv – allegorischen Blick auf die Welt, der die Intellektualität und die Diskurse an den französischen Kathedralenschulen während des XII. Jahrhunderts gekennzeichnet hatte. Dennoch war mit der Einrichtung der ›Universitäten‹ in Palencia und in Salamanca ein gesellschaftlicher Freiraum geschaffen, in dem sich Kultur produktiv entfalten konnte. Daß es nicht anachronistisch ist, sich diesen Freiraum als eine gegenüber dem Alltag ›entlastete Situation‹ vorzustellen, belegt eine Passage aus den *Siete Partidas*, der monumentalen, von Alfons X. angeregten Rechtssammlung:

De buẽ ayre, e de fermoſaſſ ſalidas, deue ſer la villa, do qui ſierẽ eſtableſcer el eſtudio por que los maeſtros, q̃ mueſtran los ſaberes, e los eſcolares, q̃ los aprẽden, biuã ſanos en el: e puedan folgar, e recebir plazer, en la tarde, quãdo ſe leuantarẽ canſados del eſtudio. Otroſi, deue ſer abõdada de pã, e de vino, e de buenas poſadas, en q̃ puedan morar, e paſſar ſu tiempo, ſin grand coſta. Otroſi dezimos, q̃ los cibdadanos de aquel logar dofuere fecho el eſtudio, deuẽ mucho guardar, e hõrrar, a los maeſtros e a los eſcolares, e a todas ſus coſas. E los mẽſajeros queviene a ellos, de ſus lugares, e nõ les deue ninguno prendar, nin emargar, por debda que ſus padres deuieſſen, ni los otros de las tierras, donde ellos fueſſen naturales. E avn dezimos, que por enemiſtad nin por mal querẽcia, q̃ algun ome ouieſſe contra los eſcolares, o a ſus padres: nõ les deuẽ fazer deshõrra, nin tuerto, nin fuerça. E porende mandamos, q̃ los maeſtros, e los eſcolares, e ſus menſajeros, e todas ſus coſas ſean ſeguras, e atreguadas, en viniendo a las eſcuelas, e eſtando enellas, e yendo a ſus tierras. E eſta ſegurança les otorgamos, por todos los logares, de nueſtro ſenorio.[23]

Eine Reihe gemeinsamer Merkmale kennzeichnet den Großteil der volkssprachlichen Texte, welche nun im gewandelten kulturellen Milieu Kastiliens bis zur Mitte des XIII. Jahrhunderts entstanden. Ihre *dominante Funktion* war die Vermittlung von religiösem Wissen und ständespezifischen Verhaltensnormen. Neben ihrem Inhalt erscheinen auch ihre *Formen* durch die jeweiligen Publikumsgruppen geprägt, an die sie sich wandten: ihre lateingelehrten Autoren suchten sich noch in der Hinwendung an ungebildete Hörer *von der mündlichen Kultur abzusetzen*. Das vermittelte religiöse Wissen wurde oft *in markanten Kontrast* zum Judentum und zum Islam gesetzt. Insgesamt gewinnt man den Eindruck, daß hier zwar ähnliche Wissensinhalte vermittelt und ähnliche Strukturen des Wissenstransfers institutionalisiert wurden wie in anderen europäischen Kulturregionen, doch deren Besonderheit scheint – zumindest – den Autoren prägnanter bewußt gewesen zu sein, als es andernorts der Fall war. So wird an einer um 1220 entstandenen *Disputa entre un cristiano y un judío* exemplarisch deutlich, daß die christliche Doktrin für die Gelehrten auf der Iberischen Halbinsel nicht die einzig denkbare Wirklichkeitssicht war, sondern gegenüber dem Islam und dem Judentum in ihrer Identität gesehen und als Resultat einer partikularen Lektüre von gemeinsamen Bezugstexten verstanden wurde – als Ergebnis einer *Selektion*. Unser Zitat setzt ein mit dem Spott des Juden über die christliche Gewohnheit, Gott gestalthaft zu denken (und ihn bildlich darzustellen), und setzt dagegen eine dem Text des Alten Testaments abgewonnene Replik des Christen.

O a quel Dioſ que uoſ creedeſ, que me digadeſ que ſimiliaſ ha; si a ſimiliaſ de omne o de que.

– Yo prouare que nueſtro Dioſ, que noſ creemoſ τ adoramoſ, que aquel fizo el cielo τ la tierra, τ fizoſe omne τ fablo τ dixo: »Yo ſo, τ otro non maior nj egual de mj; que yo ſo primero τ ſere poſtremero. E yo ſo conpeçamiento τ ſere fin del mundo; yo ferre τ ſanare τ yo matare τ reſucitare. E ninguno de mi mano non podra foyr ...« – Ond euaſ ſana prueua que el dixo que auia mano. Onde tu fazeſ grand coſa contra tu Dioſ, τ dizes que non aſimilia. Onde te prouare por Dauid que diz que a oioſ τ oreias aſi cuemo diz ...[24]

Für die These vom Zusammenhang zwischen Funktionen und Strukturen der spanischen Kultur in der ersten Hälfte des XIII. Jahrhunderts und dem militärischen wie wirtschaftlichen Aufschwung des Königreichs Kastilien (zumal der Gründung von ›Universitäten‹) bieten Leben und Werk von Gonzalo de Berceo einen idealen Beleg[25] (bezeichnenderweise ist Berceo der erste Autor der kastilischen Sprache, dessen Name uns überliefert ist). Er stammte aus Berceo, einem Dorf in der Provinz Rioja, nahe bei dem bedeutenden, am Santiago-Weg gelegenen Kloster San Millán de Cogolla. In der Spanne zwischen 1220 und 1246 taucht sein Name mehrfach in Dokumenten auf, die aus diesem Kloster stammen. Man vermutet, daß Gonzalo de Berceo zwischen 1223 und 1236 in Palencia den Titel eines ›Magister‹ erwarb, und man weiß, daß er in Verbindung mit dem Bischof Tello von Toledo stand, der als wichtigster Anreger für die Einrichtung des *Studium generale* in Palencia gilt. In einer Vielzahl der unter seinem Namen überlieferten Texte nennt sich Gonzalo de Berceo selbst als Autor, und all diese Texte sind in ein- und derselben Form gestaltet: sie heißt *cuaderna vía*. Die *cuaderna vía* ist eine Strophe aus vier Zeilen zu je vierzehn Silben (mit einem Hiat nach der siebten Silbe), die durch Reime verbunden sind. Mit ihrem langen Vers und ihrer kompakten Stropheneinheit eignete sich die *cuaderna vía* gewiß besonders für die Situation des mündlichen Erzählens. Aber dennoch bleibt zunächst die Frage offen, warum Gonzalo de Berceo nicht auf ein anderes (vielleicht schon institutionalisiertes) Metrum zurückgriff. Eine markante Antwort finden wir in der zweiten Strophe des altspanischen *Libro de Aleixandre*, das gegen 1249 entstand und – auch wenn die Autorschaft bis heute ungeklärt blieb – in Form, Inhalt und Funktion dem Werk Berceos sehr nahe steht:

> Mester trago fermoso, non es de ioglaria,
> Mester es sen peccado, ca es de clerezia,
> Fablar curso rimado per la quaderna uia,
> A sillauas cuntadas, ca es grant maestria.[26]

Mit der genauen Einhaltung einer relativ komplizierten Formkonvention (›*maestria*‹) glaubten die Kleriker-Autoren, sich von den *juglares* als den Vertretern der mündlichen Kultur absetzen zu können – und sie wahrten damit zugleich eine Distanz zu jenem Laienpublikum, an das sich ihre Belehrung wandte. Sprachformen, die geeignet waren, ein solches *didaktisches Gefälle* zu installieren, und Berufungen auf *Bücher*, mit denen sich die Autoren des *mester de clerecía* in die Gelehrtenkultur eingeschrieben hatten, findet man in den Anfangsstrophen aller Texte von Gonzalo de Berceo. Wir führen nur zwei Beispiele an:

> Sennores, si quisiéredes attender un poquiello,
> querríavos contar, en poco de ratiello,
> un sermón que fue preso de un santo libriello,
> que fizo sant Jherónimo, un precioso cabdiello.
>
> (*De los signos que aparecerán antes del juicio*)
>
> En el nomne precioso del Rey omnipotent,
> qe faze sol e luna nacer en orïent,
> quiero per la passión de sennor sant Laurent,
> en romanz, qe la pueda saber toda la gent.
>
> Vincencio e Laurencio omnes sin depresura,
> ambos de Uesca fueron, dizlo la escriptura;
>
> (*Martirio de San Lorenzo*)[27]

Eher denn als ›Gattung‹ sollte man den *mester de clerecía* wohl als einen ›Inszenierungstyp‹ ansehen. Dadurch würde betont, daß seine äußerst stabile – auf einen bestimmten Situationstyp verweisende und dessen Institutionalisierung fördernde – Form zur Artikulation verschiedenster Inhalte verwendbar war. Gonzalo de Berceo etwa hat eine Reihe von Heiligenviten, den bereits zitierten Text über die Zeichen des Weltendes, Marienmirakel, ein Gedicht auf die Schmerzen der Gottesmutter, ein Marienlob, verschiedene Hymnen und einen Text zur Erklärung der Symbolgehalte der Messe im *mester de clerecía* verfaßt. Von unbekannten Autoren sind uns – unter anderem – das Epos über den mythischen ersten Herrscher von Kastilien, Fernán González, ein Alexanderroman und ein Apolloniusroman überliefert. Bei aller Pluralität der vom *mester de clerecía* assimilierten Inhalte und Gattungen treten dennoch zwei Relevanzstrukturen der Stoffauswahl besonders hervor: alle von diesem Inszenierungstyp adaptierten Vorgaben bieten *kosmologisches Wissen* (das heißt: Wissen aus den Sinnwelten der Religion, der Geographie, der Geschichte, welche freilich vor dem Hintergrund eines noch theozentrischen Weltbilds untereinander nicht im neuzeitlichen Sinn geschieden sind). Der Blick der Autoren des *mester de clerecía* muß des weiteren – und das ist kulturgeschichtlich ja durchaus plausibel – auf die in den hundert vorausgehenden Jahren von *französischen* Klerikern in lateinischer Sprache und in Volkssprache geschriebenen Texte konzentriert gewesen sein. Diese Rezeptionsschneise läßt sich in vielen Fällen bis hin zu filiationsgeschichtlichen Details belegen, und sie gerät besonders im Bezug auf die marianischen Gattungen zu einem Symptom für die beginnende kulturelle Unabhängigkeit Kastiliens. Denn erst die spätmittelalterliche Konjunktur der Marienfrömmigkeit weist auf ein gesellschaftliches Bedürfnis hin, das aus einer Krise des Prinzips ›Werkgerechtigkeit‹ als Prämisse alltäglicher Frömmigkeit entstand. Mit dieser Krise kann man in der kastilischen Gesellschaft des frühen XIII. Jahrhunderts gewiß noch nicht rechnen. Deshalb ist für die Rezeption der Marienstoffe ein spezifischer ›Sitz im Leben‹ anzunehmen, auf den wir anläßlich des Umgangs Alfons' des Weisen mit Mirakeln noch zurückkommen werden.

Die ›Assimilation‹ lateinischer, französischer und epischer Vorgaben aus der kastilischen Tradition durch den *mester de clerecía* ging nun aber nicht in ihrer Artikulation durch die Form der *cuaderna vía* auf, sondern wurde zu einer der Vorbedingungen für die *funktionsgeschichtliche Polarisierung zwi-*

schen missionarischem Ernst und höfisch-intellektuellem Spiel.
Alles übernommene religiöse, historische und geographische
Wissen, so partikular es auch sein mochte, geriet im Kontext
dieses Inszenierungstyps zum *enxemplo*, zur Metonymie kosmologischer Grundstrukturen.[28] So mutet der epische Fernán
González – zumal im Vergleich zu dem oft rauhbeinigen Cid –
fast wie ein kampfesscheuer Kleriker an, wenn er vor seinem
Kampf mit Al-Manṣūr ein mit Bibelzitaten angereichertes Gebet gen Himmel schickt:

> Por las escrituras que dixo Ysayas,
> Que a los tus vasallos nunca falesçerias,
> Sennor, tu syervo so con mis cavalleryas,
> Non me partyré de ty en todos los mis dias,
> Mas he menester, Sennor, la tu ayuda,
> Sennor, sea por ty Castylla defendida,
> Toda tierra de Afrryca sobre mí es venida,
> Anparar non la podrrya, Sennor, syn la tu ayuda,
> Por fuerça nin por seso que yo podiese aver,
> Non la podrrya por ninguna guisa defender,
> Sennor, dame esfuerço, seso e poder,
> Qua pueda al rrey Almoçorre o matar o vençer.[29]

So erfährt der Titelheld im altspanischen Alexanderroman eine
– auch für die französische Literatur des XIII. Jahrhunderts
charakteristische – Verschiebung, wenn er als exemplarischer
Held weniger durch seine Taten als durch seine Interpretations-
kompetenz hervortritt, die ihn befähigt, jegliches Geschehen
eben als Exempel zu deuten. Ganz in der Manier eines Klerikers erzählt er seinen Soldaten vor den Ruinen Trojas die Geschichten vom Trojanischen Krieg und den Irrfahrten des
Odysseus:

> Por, commo es costunbre de los predicadores
> En cabo del sermon aguisar sus razones,
> Fue él aduziendo unas estranas conclusiones
> Con que les maduró todos los coraçones.
>
> Amigos, diz, las gestas que los bonos fezioron,
> Los que saben la leenda en escripto las posioron:
> Algun proe entienden porque las escrevioron,
> Cada unos quales fueron o qual precio ovioron.

> Ulixes y los otros que fueron tan lazdrados,
> Se tanto non lazdrassen non se vieran ueengados.
> Mas por end fueron firmes e denodados,
> Fizioron tales fechos que siempre serán contados;
>
> Siempre quien la grant cosa quisier acabeçer
> Por pierda quel venga non deue recreer:
> El omne que es firme todo lo puede vençer:
> Podemos esta cosa por muchos exemplos aver.[30]

Solche Umakzentuierung inhaltlicher Vorgaben auf didaktische Funktionen hin kann im *mester de clerecía* bis zur Ausblendung ganzer Versatzstücke der Erzählhandlung führen. In der altspanischen Version des Apollonius-Romans sind alle Zweideutigkeiten jener Passagen, wo die Fährnisse der Protagonisten in einem Bordell ihren Höhepunkt erreichen, getilgt.[31] Die laiendidaktische Monomanie wird freilich zuweilen durch eine gewisse Flexibilität des *mester de clerecía* ausgependelt. Bei der dem Patron des Klosters San Millán de la Cogolla gewidmeten Vita etwa fällt im Vergleich zu den anderen hagiographischen Texten Berceos die Betonung eines gattungskonstitutiven Aspekts auf, der den Heiligen als ›magischen Helfer‹ präsentiert, obwohl das didaktische Potential dieser Sehweise gewiß geringer zu veranschlagen ist als die sonst dominierende Hervorhebung der vom Heiligen exemplarisch verwirklichten Tugenden. Der Grund für eine solche Umakzentuierung liegt auf der Hand: Details über Wunder am Grab des heiligen Millán mochten Santiago-Pilger bewegen, in ›sein‹ Kloster einzukehren:

> El Rey de los çielos al so siervo leal
> Dioli grant privilegio, un dono speçial;
> Quando faze grant seca, tuerçe el temporal,
> Todos por ganar pluia vienen al su corral.
> Quando devota-mientre van al su oradero,
> E lievan el so cuerpo do iogó de primero,
> esto vid por mis oios e so ende çertero,
> Luego da Dios pluia e sabroso tempero.
> Dues campaniellas pienden sobre el so altar
> De la soga que suele la corona colgar:

57

Pueden commo dos uevos, non mayores estar,
Si omne bien non cata, non las podrie asmar.
Aven una vertut grant e maravillosa:
Quando de venir ave alguna brava cosa,
O muerte de grant omne o muerte periglosa,
Tannense por si mismas por suerte miraclosa.[32]

Trotz einer deutlichen funktionsgeschichtlichen Affinität vom *mester de clerecía* abgesetzt erscheint eine zweite volkssprachliche Textgruppe aus der ersten Hälfte des XIII. Jahrhunderts, welche als ›Inszenierungstyp‹ nicht allein durch die – auf Lektüre statt mündlichen Vortrag verweisende – Prosaform gekennzeichnet ist, sondern ebenso durch ihre rekurrente Gestaltung im fiktionalen Dialog zwischen einem Herrscher und seinem Ratgeber. Auf die seine Regierungsgeschäfte betreffenden Fragen des Herrschers antwortet der Ratgeber dann mit Exempeln (die überwiegend aus der antiken Tradition stammen) oder mit Sentenzen antiker Philosophen (wie Sokrates, Plato, Aristoteles oder Cato[33]). Wir haben es hier mit dem Inszenierungstyp des ›Fürstenspiegels‹ zu tun, dem Texte wie *Poridat de Poridades, Libro de los Buenos Proverbios, Bocados de Oro* und *Flores de Filosofía* zuzuordnen sind. Daß auch sie sich durch textimmanente Hinweise einem bestimmten sozialen Niveau der Kommunikation zuschreiben, wird besonders deutlich in *Poridat de Poridades*, wo die Rolle des impliziten Autors von einem (fiktionalen) Aristoteles und die Rolle des impliziten Lesers – Hörers? – von einem (fiktionalen) Alexander besetzt sind. Anders als im *mester de clerecía* allerdings kann es den Autoren und Schreibern hier nicht um die Aufrechterhaltung einer gesellschaftlich-hierarchischen Distanz zu dem Rezipienten gegangen sein, sondern gerade um ihre Minimierung (oder gar Aufhebung) im Umgang mit adligen Adressaten. Die zweite der *Siete Partidas* Alfons' X. macht im übrigen deutlich, daß man dem von den Fürstenspiegeln vermittelten Wissen tatsächlich handlungs- und verhaltensnormierende Wirkung zutraute. Dort wird nämlich ein gesetzlicher Rahmen von den Pflichten und Rechten des Königs und der königlichen Familie unter explizitem Rückbezug auf die antiken Exempel-Autoritäten entworfen: die am häufigsten erwähnten Namen sind Aristoteles und Alexander, David und Salomon.

Kein Zweifel – diese Fürstenspiegel hatten einen wohlumschriebenen Sitz im Leben. Aber wir sollten dennoch nicht übersehen, daß einige von ihnen – neben dem vermittelten Wissen – ein ›Lob der Weisheit‹ artikulierten, das seine Berechtigung nicht mehr allein über die Funktion der Handlungsorientierung oder aus antiken Topoi der stoischen Tradition gewann. In den *Bocados de Oro*, die um die Mitte des XIII. Jahrhunderts entstanden sind, fragt der König seinen Ratgeber Juançio, was denn das Wesen des Wissens sei. Daraufhin schlägt Juançio vor, fünf Weise zu konsultieren, ›die entfernt von den anderen Menschen am Ende des Palastes wohnen‹. Der erste Weise gibt folgende Definition der *sapiençia*:

»Sepas, amigo, que fapiençia es vida del alma, τ fienbra todo bien en los coraçones de los omnes τ da fruto de graçia, τ es allegamiento de toda alegria, τ nunca e amata la lunbre de la fu candela.«[34]

Weisheit gilt hier nicht nur als Orientierung des rechten Handelns – sie soll darüber hinaus auch Freude spenden. Noch deutlicher sprechen der zweite und der vierte Weise, denen *sapiençia* als *huerta en que se deportan las almas* und als *folgamiento de los cuerpos y de los coraçones* gilt. Der gesellschaftliche Rahmen der von den Fürstenspiegeln ermöglichten Kommunikation war also nicht nur durch die (vermeintlich) antike Herkunft markiert, die das vermittelte Wissen konnotierte, sondern vor allem durch den häufigen Verweis auf das Spiel (›deportan‹ / ›folgamiento‹) als situationalen Horizont des Weisheitserwerbs. Die so gewährte Freiheit von der Verpflichtung zur Umsetzung des erworbenen Wissens im Alltagshandeln aber hatten die Autoren des *mester de clerecía* explizit nicht einmal dort einräumen wollen, wo der Inhalt ihrer Vorgaben eindeutig auf Unterhaltung des Publikums zugeschnitten war. Dennoch bleibt es in den *Flores de Filosofía* am Ende nicht bei einer bloßen Erwähnung der Möglichkeit eines Spiels mit dem Wissen. Die Textform selbst wird Ermöglichungsstruktur eines Spiels:

De la Reçebta
Toma de la Rayz del eftudiar, e laf Rayzes de aturar en ello, e la corteza de fegujllo, e lof mjrabolanos de la vmjldad, e los mjrabolanos de la caridad, e los mjrabolanos del mjedo de Dios, e la simjente de la

verguença, e la ſymjente de la obediençia, e la simjente de la eſperança de Dios; e metelo a cozer en vna caldera de meſura, e ponle fuego de amor verdadero, e ſoplalo con viento de perdon, e cuega faſta que ſe alçe el eſpuma del ſaber, e eſfrialo al ayre del vençer tu voluntad, τ beuelo con deuoçion de buenaſ obras; e ſigue eſto, e ſanaras de loſ pecados.[35]

Geordnete Spielwelten

Daß die Teilhabe am Freiraum des Spiels in Kastilien während des XIII. Jahrhunderts als soziales Privileg des Hofes und des Hochadels erfahren wurde, während man zugleich bestrebt war, die Vergnügungen der anderen Stände stets an die Komponente religiöser Belehrung zu binden, muß nicht eine bloß interpretationsgestützte Vermutung bleiben. Einschlägige Verordnungen aus den *Siete Partidas* zeigen einerseits, daß das königliche und adlige Vorrecht des Spiels nicht uneingeschränkt galt: denn es wurde als Ausgleich für die Erfüllung standesspezifischer Aufgaben legitimiert und darüber hinaus auf besondere Gelegenheiten begrenzt. Zum andern wird aber deutlich, daß der legale Spielraum des Vergnügens für die anderen Stände auf ein Minimum reduziert war – was über die Jahrhunderte auch zu einer wachsenden Distanzierung zwischen der in den Raum der Schriftlichkeit ragenden Privilegierten-Kultur und zunächst ausschließlich mündlichen Kommunikationsformen beitragen sollte:

Hof / Adel

Alegrias y ha otras ſin las que diximos enlas leyes ante deſta, (sc. der Jagd) que fueron falladas, para tomar ome conorte enlos cuydados, e enlos peſares, quando los ouieſſe. E eſtas ſon oyr cantares, e ſones, de eſtrumētos, e jugar axedrez, o tablas, o otros juegos ſemejantes deſtos. E eſſo miſmo dezimos de las eſtorias, e delos romances, e delos otros libros, q̃ fablā de aq̃llas coſas, de que omes reciben alegria, e plazer. E maguer q̃ cada vna deſ tas fueſſe fallada para bien, con todo eſſo, non deue ome dellas vſar, ſi non enel tiempo q̃ cōuiene, e de manera que aya pro, e nõ daño. E mas conuiene eſto a los Reyes, q̃ alos otros omes. Ca ellos deuen fazer las coſas muy ordenadamente e con razon.

E ſobre eſto dixo el Rey Salomon, que tiempos ſeñalados ſon ſobre
cada coſa, q̃ conuiene a aquella e non a otra: aſsi como cantar alas
bodas, e llantear alos duelos. Ca los cantares nõ fueron fechos ſi non
por alegria, de manera que reſciban dellos plazer, e pierdã los cuydados. Onde quien vſaſſe dellos ademas, ſacaria el alegria de ſu lugar, e
tornarla ya, en manera de locura. E eſſo miſmo dezimos de los ſones e
de los inſtrumentos. mas delos otros juegos que deſuſo moſtramos:
non deuen dellos vſar, ſi non para poder perder cuydado, e reſcebir
dellos alegria, e non para cobdicia de ganar por ellos.

Geistliche

... e non deuẽ jugar dados, nin tablas, nin emboluerſe con tafures, nin
a tenerſe cõ ellos: nin deuẽ entrar en tavernas a bever, fueras ende ſi lo
fizieſſen por premia andãdo camino, nin deuẽ ſer fazedores de juegos
deſcarnios: porq̃ los vẽgan auer gẽtes: como ſe fazẽ. E ſi otros omes los
fizierẽ, non deuẽ los clerigos y venir, porq̃ fazen y muchas villanias, e
deſapoſturas. Nin deuen otro ſi eſtas coſas fazer, enlas egleſias ... Pero
repreſentaciõ ay q̃ puedẽ los clerigos fazer: aſsi como dela naſcẽcia de
nueſtro ſeñor Ieſu Chr̃o, en q̃ mueſtra como el angel vino alos paſt-
ores, e como les dixo, como era Ieſu Chr̃o nacido. E otroſi de ſu
aprariciõ como los tres Reyes magos lo vienieron adorar. E de ſu
reſurrecion, q̃ mueſtrã q̃ fue crucificado e reſuſcito al tercero dia, tales
coſas como eſtas, que mueuen al ome a fazer bien, e a auer deuocion en
la fe, pueden las fazer e demas por que los omes ayan remembrança,
que ſegund aquellas, fueronlas otras fechas de verdad. Mas eſto deuen
fazer apueſtamente, e con muy grand deuocion: en las cibdades grandes donde ouieren Arçobiſpos, o Obiſpos, e con ſu mãdado dellos, o
de los otros, que touierẽ ſus vezes e non lo deuen fazer en las aldeas,
nin los logares viles, ni por ganar dineros con ellas.

Dritter Stand

Infaman, e deshonrran vnos a otros non tan ſolamẽte por palabras:
mas aun por eſcrituras, faziendo cantigas, o rimos, o devtados malos,
de los que han ſabor de infamar. Eſto fazen a las vegadas paladina-
mente, e las vegadas encubiertamẽte echando aquellos eſcritos malos
en las caſas de los grãdes ſeñores, o en las egleſias, o en las plaças
comunales de las ciudades, e delas villas: porque cada vno lo pueda
leer ... E otroſi fazen muy grã tuerto al Rey los q̃ han tan gran
atreuimiento como esſte. ...[36]

Um es noch einmal zu betonen: es liegt uns weniger an der Aufzählung von erlaubten und verbotenen Spielen in ihrer sozialen Distribution als an dem in dieser Passage artikulierten *Bewußtsein, daß Spielwelten ein Element sozialer Distinktion sind* – aber dennoch auch am Hof in *locura* umschlagen können. Sehen wir nun, wie die von solchen geregelten Spielwelten eröffneten Erfahrungschancen am Hof Alfons' X. genutzt wurden.

Was diesen König kulturhistorisch wohl am meisten kennzeichnete, war der Mut, sich neben Belehrung und intellektuellem Vergnügen auch Alteritätserfahrungen zu gestatten und den Blick über die Grenzen der geistigen Welt des Christentums zu genießen. Neben der räumlichen Nähe zur orientalischen Kultur mag eine Voraussetzung für diese erstaunliche Offenheit des Hofes die Gewißheit gewesen sein, daß angesichts einer vom *mester de clerecía* sicher kontrollierten Praxis der Laienbelehrung die Gefahr einer Verbreitung heterodoxer Sinngehalte über die Grenzen der Hofwelt hinaus gering war. Jedenfalls konnte Alfons, der spätere ›Weise‹, noch als Infant im Jahr 1251 die Übersetzung der auf indische Ursprünge zurückgehenden Fabel- und Exempelsammlung ›Calila und Dymna‹ aus dem Arabischen in Auftrag geben, und nur zwei Jahre später entstand eine kastilische Version des ebenfalls indischen *Sendebar*-Stoffes für seinen Bruder Fadrique als eine weitere Übersetzung aus dem Arabischen. Sie ist in die Tradition der spanischen Literaturgeschichten unter dem Titel ›Libro de los engaños‹ eingegangen und erzählt die Geschichte von einem dem König der Juden (jüdisch ist er nur in der spanischen Fassung) nach langer Kinderlosigkeit geborenen Sohn, dem eine große Gefahr für sein zwanzigstes Lebensjahr geweissagt wird. So gibt der Vater, als die Zeit der Bedrohung naht, den Sohn in die Obhut des weisen Sendebar, der ihn jedoch bald mit der Auflage entläßt, sieben Tage lang nicht zu sprechen. Und schon tritt auch die in allen Verführungskünsten versierte Stiefmutter auf den Plan, die, da ihre Bemühungen um den Prinzen fehlschlagen, diesen beim König der unsittlichen Annäherung und sogar eines Mordkomplotts bezichtigt. Der Sohn wird zum Tode verurteilt, doch wie es der Gattungskonvention entspricht, beruft der König zuletzt noch eine Gruppe von weisen Ratgebern ein, die im Disput mit seiner jungen Frau (zugleich: der bösen Stiefmutter) durch das Erzählen von Exempeln über das trügerische Wesen der Frauen (so erklärt sich der Titel des Buchs) die Zeit des dem Prinzen auferlegten Schweigegebots und seiner Lebensbedrohung solange überbrücken, bis er wieder reden und sich – erfolgreich – verteidigen darf. Was den Infanten Fadrique an diesem Stoff faszinierte, so erfährt man aus dem Prolog, war das uns vielleicht gar nicht so wesentlich erscheinende narrative Element der Weissagung – bezeichnenderweise also eine Form der Weltdeutung, welche von der christlichen Theologie (und etwa auch den *Siete Partidas*) als Heterodoxie stigmatisiert wurde:

El ynfante don Fadrique, fijo del muy noble aventurado e muy noble rrey, don Ferrnando, de la muy santa rreyna conplida de todo bien, doña Beatriz ... oyendo las rrazones de los sabios, ... que ninguna cosa non es por aver ganar la vida perdurable sinon profeçia, ... tovo por bien que aqueste libro (fuese trasladado) de aravigo en castellano ...[37]

Noch eindrucksvoller ist der Prolog zu *Calila é Dymna*. Zwar wissen wir, daß er aus der arabischen Vorlage übernommen wurde, doch wir dürfen ihn wohl dennoch als ein Zeugnis für die am Hof Alfons' des Weisen herrschende Mentalität ansehen, da ›Übersetzungen‹ im XIII. Jahrhundert durchaus noch als modifizierende Aneignung vollzogen wurden und folglich problemlos Passagen hätten übergehen können, wenn ihr Gehalt anstößig erschienen wäre. In diesem Prolog jedenfalls erfahren wir nicht allein, daß die ›Darstellung‹ und das ›Ordnen‹ von Weisheitslehren ein Vergnügen bot, wie es die *juglaría* nicht gewähren konnte, darüber hinaus wurde den Lesern eine Einstellung gegenüber überliefertem Sinn nahegelegt, die von der einschlägigen Position im Rahmen religiöser Orthodoxie denkbar weit entfernt war: *Et el home entendudo debe siempre sospechar en su asnamiento é non creer á ninguno, maguer verdadero sea é de buena fama, salvo de cosa que le semeje verdat; et cuando alguna cosa dudare porfie et non otorgue fasta que sepa bien la verdad;*[38] Sinnproduktion wird hier – wie man es mit ähnlicher Insistenz sonst erst seit der frühen Neuzeit kennt – den intellektuellen Fähigkeiten und der Verantwortung des *Subjekts* zugewiesen. Nun kann man zwar vermuten, daß eine solche Passage ohne die arabische Vorlage für *Calila é Dymna* nicht aufs Pergament gekommen wäre; symptomatisch für den Stil eines Monarchen, der in der arabischen, der jüdischen, der lateinischen Gelehrtenkultur gleich gut wie in den volkssprachlichen Traditionen seines Reiches bewandert war, ist es aber allemal, die dazu notwendige Lizenz eines intellektuellen Freiraums gewährt zu haben. Nicht zufällig hatte eben Alfons X. in Murcia eine universitätsähnliche Schule gegründet, an der gemeinsam islamische, jüdische und christliche Lehrer unterrichteten.

Angesichts der damit im begrenzten Raum der Hofwelt institutionalisierten Möglichkeit von Sinnpluralität und Alteritätserfahrung mußten die Kompilation, die Verschriftlichung und vor allem die Strukturierung des erreichbaren Wissens als subjektzentrierte Akte der Selektion ins Bewußtsein rücken – sie konnten hier nicht als bloße Übernahme eines homogenen Traditionsbestands im Sinne des Konzepts der *translatio studii* erfahren werden. So gesehen hat es durchaus seine Berechtigung, Alfons den Weisen als den *Autor* eines eindrucksvollen Corpus gelehrter Texte anzusehen, das während seiner Regierungszeit in Toledo entstand – obwohl wir wissen, daß er diese Texte nicht selbst diktiert und schon gar nicht selbst aufs Pergament geschrieben hat.

Nach seiner Form, seiner Funktion und seinem sozialen Ort war dieser Modus des Umgangs mit Wissen abgesetzt vom *mester de clerecía* wie von den Fürstenspiegeln. Alfons der Weise bewegte sich in einer exzentrischen Variante der mittelalterlichen Gelehrtenkultur, deren Medium nicht allein das Lateinische (mit seiner Distanz zu den iberoromanischen Volkssprachen) war, sondern auch das Arabische und das Hebräische als Gelehrtensprachen. Dieser Sachverhalt macht noch am ehesten das überragende intellektuelle Niveau des *Corpus Alfonsinum* im Kontext der gesamteuropäischen volkssprachlichen Überlieferung verständlich – doch er wirft auch die wirklich schwierige Frage auf, warum die diesem Corpus zugehörigen Texte überhaupt in der kastilischen Volkssprache niedergeschrieben wurden. Das Problem wird noch vertrackter durch Textbeobachtungen, die uns mit Sicherheit annehmen lassen, daß die ›Mitarbeiter‹ Alfons' X. mit der Volkssprache als Medium der Schriftlichkeit weit mehr Schwierigkeiten hatten als – etwa – mit dem Lateinischen. So wurden einige Passagen aus dem lateinischen Widmungsgedicht der *Crónica general de España* fehlerhaft in den ihm folgenden kastilischen Text übersetzt: aus dem lateinischen Syntagma ›*qui uindice fraudes / Ferro condempnat*‹ wurde die kaum in eine verstehbare Sinngestalt überführbare kastilische Formulierung *el qual a la vengança los engannos con fierro condena*.[39]

Dennoch läßt sich eine nach ihrem historischen Gewicht gestaffelte Serie von Antworten auf unsere Frage entwickeln. Zum ersten: da man davon ausgehen kann, daß sich in der kastilischen Gelehrtenkultur Textherstellung häufig als Sequenz aus einer ersten Übersetzung vom Arabischen ins Kastilische und einer folgenden Übersetzung vom Kastilischen ins Lateinische vollzog, könnte die Fixierung und Erhaltung der kastilischen Textstufe für die an diesem Prozeß beteiligten jüdischen Gelehrten von Belang gewesen sein, weil offenbar viele unter ihnen kaum mit dem Lateinischen vertraut waren. Zweitens: von der Vermittlung des kompilierten, strukturierten und manchmal sogar neuproduzierten Wissens scheinen sich Alfons X. und seine Berater eine ›kulturpolitische‹ Funktion bei der Konsolidierung des vereinten kastilisch-leonesischen Königreichs – und möglicherweise darüber hinaus auch bei weiteren Schritten auf dem Weg zur Einigung der spanischen Christenheit – versprochen zu haben. Deshalb wohl betont der *Prólogo* zur *Crónica general de España*, wie wichtig es sei, die Entstehung Spaniens gleichsam aus ›weltgeschichtlichen Zusammenhängen‹ kennenzulernen – und einheitsstiftende Wirkung hat man sich wohl auch von der Übersetzung und Integration zweier im Lateinischen vielfach belegter Diskurse, dem Loblied ›*Laus Hispaniae*‹ sowie der Klage ›*duello de los godos de Espanna*‹ in die *Crónica* erhofft (cap. 558 f.). Drittens: möglicherweise hielt Alfons X. die schriftliche Fixierung der von ihm angeregten enzyklopädischen Kulturleistung in der Sprache seines Königreichs auch für einen Prestigegewinn im Hinblick auf seine lange gehegte, mit schwachen genealogischen Argumenten vertretene und für Kastilien in ihren ›politischen‹ Folgen fatale Illusion, zum Kaiser des Heiligen Römischen Reiches avancieren zu können.

Von einer ›enzyklopädischen Dimension‹ des volkssprachlichen *Corpus Alfonsinum* zu sprechen, ist jedenfalls keine Übertreibung. Denn die Vielzahl seiner Einzeltexte[40] läßt sich in drei Blöcke gruppieren, welche tatsächlich die Grenzen der epochentypischen Wissenshorizonte ausmessen und erfüllen: astronomischen, astrologischen Traktaten und Lapidarien (Kosmologie) stehen Schriften über spezielle Bereiche der Rechtspflege und ihre Summe, die *Siete Partidas* (Alltag), gegenüber. Die astrologischen Texte (Zukunftsdimension) lassen sich mit den Chroniken (Vergangenheitsdimension) korrelieren. Ähnlich die Gesetzessammlungen (Alltag) mit den Traktaten über Jagd und Brettspiele (Spiel). Als eine Ebene der Konvergenz in solcher Multidimensionalität kann man das aus zwei Texten, der *Crónica general de España* und der (nur bis zur christlichen Zeitenwende geführten) *General Estoria* bestehende alfonsinische Geschichtswerk ansehen – und die kaum übersehbare Vielfalt der an diese Chroniken während der folgenden Jahrhunderte anschließenden Diskurse und Überlieferungsstränge zeigt, daß in einer solchen Bewertung keine illegitime Projektion neuzeitlichen Verständnisses auf das Mittelalter liegt. Wir wollen uns deshalb bei der Weiterführung unserer Betrachtung des *Corpus Alfonsinum* auf die beiden Chroniken konzentrieren, ohne die um sie gestaffelten enzyklopädischen Horizonte aus dem Blick zu verlieren.

Die Frage nach den Gründen für die Wahl der kastilischen Volkssprache als Medium des *Corpus Alfonsinum* haben wir zwar – im Rahmen des Möglichen – zu beantworten versucht, doch anhand der drei Antworten ist noch längst nicht klargeworden, welche Ziele und – vorbewußten – Einstellungen zur Entstehung dieses Werks führten. Wenn wir nach einschlägigen Stellen in den Chroniken suchen, finden wir eine Fülle von Anhaltspunkten, ja eigentlich die Gesamtheit der mittelalterlichen Topoi über Funktionen der Historiographie: sie sichere die *translatio studii*, ermögliche Handlungsorientierung durch den exemplarischen Charakter vieler Einzelgeschichten, diene kollektiver Identitätsstiftung im christlichen Spanien, ermögliche Zukunftsprognosen, vergegenwärtige Vergangenheit auf anschauliche Weise. So wird nun gerade die Fülle der Auskünfte zum Problem. Denn man stößt ja auch hier eher auf eine

Kompilation historiographischer Exordialtopoi als auf spezifizierende Überlegungen. Analoges gilt für die übrigen Textgruppen des alfonsinischen Corpus. Wir müssen also mangels textueller Evidenz versuchen, auf induktivem Weg Antworten auf unsere funktionsgeschichtliche Hauptfrage zu finden.

Wenn sich überhaupt ein dominanter Gestus dieses gigantischen Gesamtwerks ausmachen läßt, dann liegt er gewiß im Zusammenspiel zwischen einer am Grenzwert der Wissenstotalität orientierten Kompilation und einer auf Kosmologie ausgerichteten taxonomischen Strukturierung dieser Materialien. *E por ende Nos don Alfonsso ... mandamos ayuntar quantos libros pudimos auer de istorias en que alguna cosa contassen de los fechos d'Espanna*, heißt es am Beginn der *Crónica General*, und eine (übrigens bei weitem nicht vollständige) Liste von fünfzehn benutzten Quellen schließt sich an. Der *Lapidario* umfaßt vier Teile (elf weitere Lapidarien sind im überlieferten Text unter teilweise unbekannten Autorennamen angekündigt), in den *Libros de saber de astronomía* wird in zwölf Teilen Wissen zu je verschiedenen Gegenstandsbereichen präsentiert. Im Kontext des XIII. Jahrhunderts erstaunlich ist aber der Sachverhalt, daß die Fülle des kompilierten Materials zu einem *Bewußtsein des Selektionsdrucks* führte, dem die Bearbeiter argumentativ gerecht zu werden suchten. Wo solche Komplexitätsreduktion ansteht, führt sie stets zu einem charakteristischen Zusammenspiel von Zitieren und Argumentieren: *Mas lo que dizen algunos que ..., esto non podrie seer, ca ... et entendetlo en aquesta manera: ... otrossi algunos dizen que ...; et esto otrossi non puede seer, ca ...* (cap. 571). Diese für das Mittelalter wirklich ungewöhnliche ›quellenkritische‹ Einstellung führte manchmal bis zu dem Eingeständnis, daß man über keine hinreichend prägnanten Relevanzkriterien zur Selektion verfügte: *Pero dize aqui en esta razon ell arçobispo don Rodrigo que ...; et cuentalo meior et dize que ... Mas pero esto non sabemos ciertamientre si fue assi, et lo que non sabemos non lo queremos afirmar* (cap. 840).[41] Solches Spiel mit den Quellenmaterialien konnte bizarre Resultate haben: in der Auseinandersetzung mit verschiedenen Überlieferungssträngen der Heraklessage etwa führte es zur Unterscheidung von drei, angeblich je verschiedenen Zeiträumen angehörenden Trägern des Namens ›Herkules‹, von denen nach Auskunft der *Crónica* nur der letzte dem mythischen Heros entsprechen sollte (cap. 4). Das Selektionsbewußtsein bezog sich aber nicht nur auf die Ebene historischer Fakten, sondern schloß den Horizont historiographischer Erklärungen und Deutungen mit ein: so werden als Gründe für die Invasion der Iberischen Halbinsel durch die Muslime die angebliche Schwächung der Westgoten unter Hungersnot und Pest, ihr überzogenes Selbstvertrauen und Gottes Zorn über ihren Abfall zur arianischen Glaubensrichtung gegeneinander abgewogen (cap. 557ff.). Insgesamt jedenfalls sind die Dimensionen der geleisteten Komplexitätsreduktion – zumal in der *General Estoria* – angesichts der zur Verfügung stehenden Instrumente der Strukturierung wirklich eindrucksvoll. Das gilt vor allem für den Versuch, die Distribution von Ländernamen und Völkernamen auf der Weltkarte zugleich etymologisch und unter Rückgriff auf die Wanderungen der Völker seit dem Turmbau von Babel zu erklären, und für das Bemühen, die verschiedenen, im Mittelalter konkurrierenden Systeme der Zeitrechnung zu kompatibilisieren:

Sabed que nin Moysen nin Jheronimo, como quier que lieuen la estoria dela Biblia por annos, non la lieuan por la cuenta dellos departiendo las estorias diziendo: esto contescio en tal anno *e* esto en tal (...) Mas nos, lo uno por que auemos mester estos departimientos por los fechos, et por las estorias *e* por las razones delos gentiles que enxerimos en la estoria dela Biblia, *e* auemos otrossi mester annos sennalados de la linna que nombremos en que contescieron aquellas cosas delos fechos delos gentiles *e* los metamos alli enla estoria, lo al otrossi por que fallamos estos departimientos fechos, que los fizieron los sabios en sus estorias, *e* pero aun esto quelo fazen sobre las razones delos gentiles mas non sobre las dela Biblia, si non como auemos dicho, conuienen nos aqui a departir los annos del cabdellado de Moysen poe que ueades meior poro se ensiren los fechos delos gentiles en las estorias destos libros de Moysen.[42]

Nicht nur in den Geschichtswerken des *Corpus Alfonsinum* dominieren solche Reflexionen und Entscheidungen, deren Notwendigkeit explizit durch den Verweis auf die Existenz einer letzten, kosmologischen Wirklichkeitsschicht begründet wird: *todas las cosas del mundo son como trauadas, et reciben uuertud unas dotras; las mas uiles, delas mas nobles. Et esta uertud paresce en unas mas manifista, ... et en otras mas ascon-duda.*[43] Ihre Allgegenwart in diesem Werk läßt uns vermuten, daß eine Motivation in der Faszination durch die *spielerische* Auseinandersetzung mit Sinnkomplexität gelegen haben muß. Diesem Spiel konnte man nur in einem Freiraum an der Spitze der Gesellschaft frönen, wo die Verpflichtung zur Durchsetzung christlicher Orthodoxie gemildert war, und das Bewußtsein solcher Privilegierung selbst mochte einen weiteren Anreiz ausmachen: den Wert des Wissens als Kriterium sozialer Distinktion. Gegen Ende des *Lapidario*-Codex lesen wir:

Et este Libro es muy noble et muy preciado. Et qui del se quisiere aprouechar conuiene que pare mientes en tres cosas. La primera, que sea sabidor de astronomia, por que sepa connoscer las estrellas ... La segunda cosa es que sepan connosçer las piedras et las colores, et las faiçiones dellas ... La tercera cosa es que sea sabidor dela arte de fisica ... Et que sea de bon seso por que se sepa ayudar delas cosas que fazen pro, et se guarde delas que tienen danno. Et obrando desta guisa llegara alo que quisier fazer por ellas, et uera cosas marauillosas dela su uertud, que recibe de Dios, porque aura a loar et bendezir el su nombre que sea benido por siempre iamas, amen.[44]

Indem diese Worte den vom *Corpus Alfonsinum* erschlossenen Blick über die Horizonte des mittelalterlichen Wissens und das Spiel mit seinen konkurrierenden wie komplementären Elementen explizit zurückbinden an die Schau und an das Lob des *einen* Gottes, veranschaulichen sie unsere Formel von den *geregelten* Spielwelten am Hof Alfons' des Weisen. Dieselbe Struktur kennzeichnete auch einen dritten – und in dieser Darstellung letzten – Raum der Kommunikation, durch den sich die kastilische Kultur der mitteleuropäischen höfischen Kultur ein Stück weit öffnete. Dort scheinen die Texte freilich unter der Dominanz des Gesangs und der Instrumente gestanden zu haben. Der Hof Alfons' des Weisen war nämlich auch ein Treffpunkt der *trobadores* – wenn auch wohl ein eher marginaler. Jedenfalls bezeichnete der Name des Königs auch die Autorschaft zahlreicher *cantigas* (wie man verschiedene Formen der für musikalische Aufführung bestimmten Texte in der mittelalterlichen kastilischen Sprache nannte). Dieses Corpus weist die erwartbar deutlichen Filiationsspuren und eine Reihe interessanter Parallelen zur altprovenzalischen Poesie auf. Hervorzuheben ist vor allem der Sachverhalt, daß die überwiegende Mehrzahl der Lieder in galizisch-portugiesischer Sprache verfaßt wurden – also wie auch die altprovenzalischen Texte des XIII. Jahrhunderts nicht in der Sprache des Hofs und der meisten Hörer. Man hat dies durch die Tatsache erklären wollen, daß mannigfache kulturelle Anregungen aus Frankreich über den Santiago-Weg auf die Iberische Halbinsel gelangten, der im galizischen Sprachgebiet endete; mit der Vermutung auch, daß Galizien und seine Sprache die Konnotation eines bukolischen Milieus mit sich führten, wie es der Semantik von Minnedichtung angemessen gewesen sei; mit der (letztlich tautologischen) These schließlich, daß das Galizische – wie das Provenzalische – den Stellenwert einer poetischen Koiné für *trobadores* verschiedenster regionaler Herkunft gehabt habe. Diesen Überlegungen läßt sich die – natürlich nicht allein für das Mittelalter zutreffende – Erfahrung hinzufügen, daß der Wechsel auf eine im Alltag nicht verwendete Sprache als ein Signal auf Rezipienten wirken konnte, ihre Aufmerksamkeit vor allem den musikalischen Aspekten des Vortrags zuzuwenden. In dieselbe Richtung weist wohl die geringe Bandbreite der von mittelalterlich-volkssprachlicher Poesie evozierten Situationen – die sogar in den *cantigas* gegenüber dem provenzalischen Repertoire noch einmal deutlich reduziert erscheint. Neben den *cantigas d'amor*, in denen sich ein Verliebter oder ein Liebhaber an die von ihm Geliebte wendet, findet man in der iberoromanischen Überlieferung – proportional besonders häufig – *cantigas d'amigo*, deren textimmanente Sprecherrolle von einer jungen Frau besetzt ist, und schließlich die aggressiven *cantigas d'escarnho e de maldizer*, die sich als Spottgedichte anläßlich von Verstößen gegen poetologische Regeln oder gegen Konventionen höfischer Liebe inszenieren. So wirft ein Gedicht unter dem Autorennamen Alfons' X. dem *trobador* Pero Da Ponte vor, daß seine Lieder denen eines offenbar bekannten *juglars* ähneln:

> Vós non trobades come proençal
> mais come Bernaldo de Bonaval,
> et por én non é trobar natural ...[45]

Nun kann man die geringe Variationsbreite der Themen und Formen in dieser Poesie gewiß nicht auf eine für den kastilischen Hof spezifische Einstellung oder gar eine Intention zurückführen. Vielmehr muß sie eine Folge des Umstands sein, daß sich solche Poesie auf der Iberischen Halbinsel in kürzerer Zeit und an weniger Orten entfaltete als in Südfrankreich. Interessant erscheint es deshalb noch einmal, Anhaltspunkte für die Tendenz auszumachen, auch diese Spielwelt in ihren Innenstrukturen zu reglementieren und nach außen abzugrenzen. Zu ihnen gehört ein Erlaß des Königs aus dem Jahr 1258, durch den die Zahl der Sänger am Hof und die Zeit ihres Aufenthalts begrenzt werden sollten: *Tienen por bien que a los joglares e a las soldaderas que les faga el rey algo una vez en el año, e que non anden en su casa sinon aquellos que él tovier por bien.*[46] Für die Welt des kastilischen Hofs symptomatischer ist die Beobachtung, daß Alfons X. die inhaltliche Überschneidung zwischen den der Jungfrau Maria gewidmeten Gattungen und der Minnepoesie – beide haben verehrte Frauen als Adressatinnen – nutzte, um *cantigas* in der Tradition der marianischen Diskurse zu schreiben. In den vier erhaltenen Codices der *Cantigas de Santa Maria* sind insgesamt 429 Texte überliefert, von denen über dreihundert nach ihrem Inhalt als Marienmirakel und zweiundsechzig als Lobgedichte auf die Gottesmutter identifiziert werden können. Da diese vier Codices durch die Qualität ihrer Ausstattung hervorragen, zwei von ihnen sogar derart reichhaltig mit Miniaturen gefüllt sind, daß sie aufgrund ihrer Darstellungsvielfalt und Detailgenauigkeit zu den wichtigsten Quellen für die Erforschung der mittelalterlichen Musik gehören und die Marienthemen sonst keine Affinität zu den hier nun doch variierenden Textformen aufweisen, liegt die Vermutung nahe, daß beim Gebrauch dieser Manuskripte nicht religiöse Belehrung, sondern die Artistik der poetischen und musikalischen Aufführung im Vordergrund gestanden haben muß. Die Dominanz von Musik und sprachlicher Form über den Inhalt wird denn auch durch die Akzentuierung dieser Komponenten in den Prologen der *Cantigas de Santa Maria* bestätigt:

Don Affonso de Castela,
de Toledo, de Leon
Rey de ben des Conpostela
ta o reyno d'Aragon,

...

Fezo cantares e sões,
saborosos de cantar,
todos de sennas razões,
com' y podedes achar.

Porque trobar é cousa en que jaz
entendimento, poren queno faz
á-o d'aver e de razon assaz,
per que entenda e sábia dizer
o que entend' e de dizer lle praz,
ca ben trobar assi s'a de ffazer.

...

E o que quero é dizer loor
da Virgen, Madre de nostro Sennor,
Santa Maria, que ést'a mellor
cousa que el fez; e por aquest'eu
quero seer oy mais seu trobador,
e rogo-lle que me queira por seu.

Trobador e que queira meu trobar
reçeber, ca per el quer' eu mostrar
dos miragres que ela fez; e ar
querrei-me leixar de trobar des i
por outra dona, e cuid'a cobrar
per esta quant' enas outras perdi.[47]

Man nimmt an, daß der *Cancioneiro de Ajuda*, die älteste bekannte Sammelhandschrift höfischer Poesie aus dem Bereich
der Iberischen Halbinsel, während der letzten Lebensjahre Alfons' X. in der königlichen Schreibstube als ein Geschenk für
seinen Enkel, den späteren portugiesischen König Don Dinis
(einen zweiten bedeutenden Dichter-Monarchen seines Geschlechts) hergestellt wurde. Mit diesem Manuskript endete

vorerst die kurze – und wie wir gesehen haben – spezifisch begrenzte Enklave höfischer Literatur des Mittelalters in Kastilien.

Nur zwei offenbar nicht am Hof entstandene Texte aus der Regierungszeit Alfons' des Weisen, die dennoch beide noch einmal hinsichtlich der Grenzen jener Spielwelt typisch sind, bleiben uns zu erwähnen. Aus den sechziger Jahren des XIII. Jahrhunderts ist eine auf der altfranzösischen Fassung von Bénoît de Saint-Maure beruhende Version der *Trojageschichte* überliefert, welche in besonderer Weise die sprachlichen Gesten von zwei kommunikativen Situationen am Königshof kombiniert. Der Großteil des langen französischen Verstextes ist in kastilischer Prosa wiedergegeben. Doch gegenüber der Vorlage fällt darüber hinaus auch eine Strukturierung in Kapitel auf, welche in ihren das Resümee und den Vorgriff vereinigenden Schlußsätzen an die alfonsinische Historiographie erinnert: *aquel dia ouiera cabo la batalla, sy fuese la ventura de Troya; mas lo que es puesto e ha de ser, nunca se puede desuiar en ninguna guisa. E por ende oyt agora e contrar vos hemos por qual rrazon se desuio aquella vegada aqeusta batalla, e que non ouo fin aquel fecho.*[48] An elf Stellen jedoch ist die Geschichtsprosa von Passagen in metrischer Form unterbrochen. Zu diesen Wechseln in der Textform scheint in mindestens neun der elf Fälle die Einblendung von zwei spezifischen Themenhorizonten Anlaß gegeben zu haben: die Versatzstücke in Versform evozieren nämlich entweder Motive der Liebe oder das von ihrem Schicksal vorherbestimmte Leid der Protagonisten im Trojakrieg. Da nun in den elf Verspassagen der *Historia troiana* nicht weniger als sechs Metren auftauchen, repräsentieren sie genau jene Artistik der sprachlichen Form, deren Dominanz eine der Spielwelten am Hof Alfons' des Weisen kennzeichnete – zumal alle sechs Metren dem gelehrten, meist sogar dem Register der mittellateinischen Poesie angehören.

Etwa zehn Jahre nach der *Historia troiana* muß ein Text entstanden sein, den die spanischen Literarhistoriker ›*Elena y María*‹ nennen. Er gehört jener – in Frankreich häufig belegten – Gruppe von fiktionalen Disputen an, in denen die Geliebte eines Klerikers im Streit mit der Geliebten eines Ritters die Überlegenheit des Ritters als Liebhaber in Frage stellt. Man wird sich an das Gedicht erinnern, welches fast hundert Jahre zuvor ein Kleriker an den Rand der Seiten einer lateinischen Predigtsammlung geschrieben hatte, denn auch dort waren ja das Klerikeramt, die mit ihm verbundene Bildung und die Feinheit des Benehmens als wichtigste Voraussetzungen für die Rolle des Liebhabers erschienen. Und eben darin scheint der Grund für die Tatsache zu liegen, daß die *höfische* Literatur des Mittelalters in Kastilien marginal und die kastilische Hof-Literatur im europäischen Kontext epigonal blieb. Was wir ›höfische Literatur‹ nennen, war in Frankreich und England während des XII. Jahrhunderts aus Spannungen zwischen Hof und Kirche entstanden.[49] Die sozialhistorische Identität des kastilischen Hofs im XIII. Jahrhundert als Milieu der Rezeption höfischer Literatur aber beruhte gerade auf der *Verschränkung von Hof und Kirche* und ihrer wechselseitigen Potenzierung im kulturellen Bereich. Die Marginalität der höfischen Literatur und der im Rahmen der mittelalterlichen Volkssprachen-Welten einmalige Rang der Wissensvermittlung während der Zeit Alfons' X. verweisen also auf ein und denselben Bedingungshorizont.

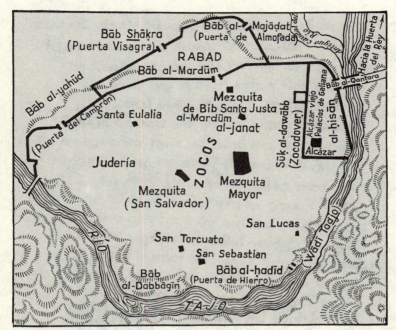

Plan der Stadt Toledo im 10. Jahrhundert.

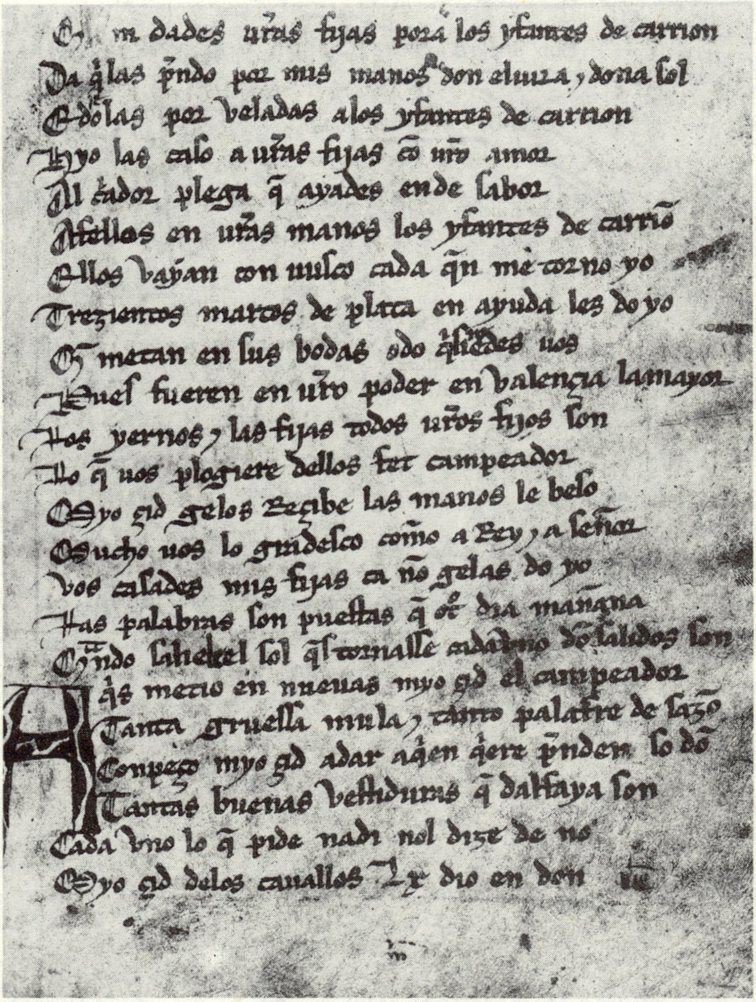

Reproduktion einer Manuskript-Seite des: Poema de Mío Cid

Reproduktion einer Manuskript-Seite aus der Crónica General Alfons' X.

Innenansicht der Kirche San Millán de la Cogolla

Szene am kastilischen Königshof. Alfons X. umgeben von Spielleuten und Kopisten

Schachspielende Araber (Miniatur aus dem Libro de los juegos)

An den Auswirkungen der Krise des Spätmittelalters auf der Iberischen Halbinsel erweist sich, wie labil die dort unter Sonderbedingungen etablierte christlich-feudale Welt geblieben war: nirgends vollzog sich mit gleicher Intensität der Zusammenbruch königlicher Herrschaft und kollektiver Sinnhorizonte. Als Reaktion auf das entstehende Chaos scheinen in Spanien besonders früh subjektzentrierte Rollen der Sinnbildung entstanden zu sein. Sie erfuhren während des XV. Jahrhunderts erste Umformungen hin zum Stil neuzeitlichen Denkens und Handels – jedoch im wesentlichen außerhalb der Höfe. Das Leben der Könige erfüllte sich, zumal in Kastilien, mehr und mehr in esoterisch gewordenen Formen eines ritterlichen Spiels, dessen Teilnehmer Krise und Veränderung des Alltags kaum wahrnahmen.

Krise der Herrschaft und Chaos des Sinns

Sancho IV., der Sohn Alfons' X. und sein Nachfolger auf dem kastilischen Thron, starb 1296, zwölf Jahre nach seinem Vater, in Madrid (das bis ins XVI. Jahrhundert ein unbedeutender Marktflecken bleiben sollte) an Tuberkulose. Als er den Tod herannahen fühlte, ließ der König Don Juan Manuel, der als Sohn des jüngsten Bruders Alfons' des Weisen sein Vetter war, zu sich rufen. In einem Traktat über das Wappen und die besonderen Privilegien seines Hauses hat Don Juan Manuel später dem sterbenden Sancho IV. die folgenden Worte in den Mund gelegt:

... vos ruego que vos dolades é vos pese de la mi muerte; et debedes lo facer por muchas razones. Lo primero, porque perdedes en mí un rey et un señor, vuestro primo cormano, que vos crió et que vos amaba muy verdaderamente ... La otra es, que me vedes morir ante vos et non me podedes acorrer, et bien cierto só que como quier que vos sodes muy mozo, que tan leales fueron vuestro padre et vuestra madre, et tan leales seredes vos que, si vierdes venir cient lanzas por me ferir, que vos metredes entre mí et ellas, porque feriesen ante á vos que á mí, et querrides morir ante que yo muriese. Et agora vedes que estades vos vivo et sano, et que me matan ante vos, et non me podedes defender nin acorrer; ca bien creed que esta muerte que yo muero non es muerte de dolencia, mas es muerte que me dan mios pecados, et señaladamente por la maldicion que me dió mio padre por muchos merescimientos que le yo merescí.

La otra razon porque vos debe pensar de la mi muerte, es porque yo fío por Dios que vos vivredes mucho, et veredes muchos reyes en Castiella, mas nunca y rey habrá que tanto vos ame et tanto vos recele, et tanto vos tema como yo. Et diciendo esto tomól' una tos tan fuerte, non podiendo echar aquello que arrancaba de los pechos, que bien otras dos veces lo toviemos por muerto, et lo uno por como veyemos quél estaba, et lo ál por las palabras que me decia, bien podedes entender el quebranto et el duelo que teniemos en los corazones ... Agora, don Johan, pues ... quiero me espedir de vos et querervos-y-a dar la mi bendicion; mas, ¡mal pecado! non la puedo dar á vos nin á ninguno; ca ninguno non puede dar lo que non ha ... Yo non vos puedo dar bendicion, que la non he de mio padre, ante por mios pecados et por mios malos merescimientos que le yo fiz hobe la su maldicion, et dióme la su maldicion en su vida muchas veces, seyendo vivo et sano, et diómela cuando se moria.[1]

Die späte Reue des sterbenden Sancho IV. hatte zum Anlaß eine über Jahre andauernde Fehde mit seinem Vater, Alfons dem Weisen, welche am Anfang einer beinahe zweihundert Jahre währende Krise der kastilischen Monarchie stand. Sancho war der zweite Sohn des weisen Königs. Der Thronfolger, Fernando de la Cerda, war 1275 auf einem Feldzug gegen die Mauren gefallen, und nach den gültigen Erbfolgeregeln hatte der König dessen Sohn zu seinem Nachfolger ernannt. Diese Situation war von kastilischen Adelsgruppen genutzt worden, um die Macht des oft gegen ihre Interessen regierenden Herrschers zu brechen. Sie kürten den späteren Sancho IV. zum Thronfolger, und so mußte Alfons X. in seinen letzten Lebensjahren den französischen König, ja sogar die Mauren um Unterstützung im Kampf gegen die eigenen Vasallen und den eigenen Sohn ersuchen.

Mit dieser Intervention des Adels endete abrupt eine Zeit, die dem Hof und der Kirche Raum gelassen hatte, gemeinsam ihre Kräfte auf kulturelle Aufgaben zu konzentrieren. Im Verlauf weniger Jahre zog der – uns aus der Geschichtsschreibung vertraute – Horizont des *dunklen Spätmittelalters* herauf. An die Stelle der das *Corpus Alfonsinum* tragenden Zuversicht, man könne mit den Mitteln des menschlichen Intellekts die Strukturen der göttlichen Schöpfung erfahren, trat die in der Sterbeszene von Sancho IV. spürbare Angst vor einer nun nicht mehr allein von den Heiden, sondern auch von Teufeln bewohnten Welt, gegen die allein zum ›magischen Gegenzauber‹ degenerierter Sakramentenempfang Schutz zu bieten schien. Daß die Frömmigkeitspraxis in der Tat magische Züge annahm, zeigt die Hervorhebung ritueller Formalitäten in den *Castigos e documentos del Rey Don Sancho*, die der König in den Jahren 1292 und 1293 für seinen Sohn aufschreiben ließ:

Mio fijo: debes saber que estos sacramentos nos dió el nuestro físico, é nuestro Señor Jesucristo, así como melecinas de salud verdadera para las enfermedades de las nuestras almas guarescer. Estas santas melecinas salieron del cuerpo del mesmo Jesucristo, é confacionadas de la su propia sangre. Ca de la pasion de Jesucristo han todos los sacramento las sus virtudes ... E por ella fué el poder de los diablos, con que vencian los homes enflaquecido (sic), é por ella rescebimos estas santas melecinas de los sacramentos ... son otrosí melecinas é salud para el alma, para lidiar con los pecados é para defender la fe de los enemigos herejes, judíos, gentiles, paganos. El santo sacramento del altar es manjar é gobierno del alma para vivir é crescer en caridat ... E si comulgó alguna vegada sin devocion, como algunos locos que van riendo é empujándose, é tornan luego á finchir los vientres de viandas que debian excusar, é debrian estar primeramente en oracion, é aquel dia comer poco por temor del volvimiento; é amonesta á los locos é á los otros simples que non masquen el cuerpo de Dios con las muelas nin con las quijadas, así como otro manjar, mas con los dientes de delante muy honestamente.[2]

Wie die *Castigos e documentos* zeigt auch der *Lucidario*, ein Text zur religiösen Belehrung aus der Schreibstube Sanchos IV., nicht nur eine ganz neue Faszination, die von Teufeln und den Schreckensvisionen des Jüngsten Gerichts, von Engeln und der den Menschen Schutz gewährenden Jungfrau Maria ausging, er erweist auch eine für magisches Denken charakteristische Unfähigkeit, die materielle und die geistige Welt, die diesseitigen Erfahrungen und die göttliche Offenbarung im Denken auseinander zu halten. Der *Lucidario* bietet Antworten auf Fragen, wie *XIII. En que logar está el anima del ome. XIV.*

Quando tajan al ome el pie ó la mano, si tajan y la vertud del anima ... XIX. Como pudo santa Maria fincar virgen despues del parto ... XXVI. Como puede entrar la anima de la criatura en el vientre de su madre ... XCVII. En que manera tragó la ballena á Jonas, habiendo la boca tan pequeña.[3] Wie kann man nun diesen Umschlag des intellektuellen Horizonts Kastiliens ins ›dunkle Mittelalter‹ mit seinen kollektiven Schreckensvisionen historisch verstehen? Wenn man davon ausgeht, daß Gesellschaften Gruppen von Menschen sind, die eine Anzahl grundlegender Sinnstrukturen teilen und deshalb im Alltag nach gemeinsamen Konventionen Sinn bilden, kann man als Funktion von Gesellschaften die Reduktion eines für den Einzelnen überkomplexen Angebots an Wahrnehmungs-, Erlebnis- und Erfahrungsmöglichkeiten ansehen, aus der wiederum Handlungs- und Verhaltensorientierungen hervorgehen. Gesellschaftliche Krisensituationen sind dann Momente, in denen diese Reduktionsleistungen defizient werden. Die auf den einzelnen treffende, unstrukturierte Umweltkomplexität wird als bedrohend erfahren und kann in kollektive Angst münden. So begreifen wir, wie wichtig die im Zusammenspiel von Hof und Kirche erbrachten Leistungen der Selektion und Sinnkonstitution gerade in den iberischen Königreichen gewesen sein müssen, die sich ja unter einem dreifach gestaffelten kulturellen Horizont etablierten. Sobald diese Leistungen prekär wurden, war es notwendig, jegliche Repräsentationsformen des erlebten Chaos – und diese Repräsentationsformen scheinen vor allem der ›Teufel‹ und die ›Heiden‹ gewesen zu sein – durch die nun als Instrumente magischen Zaubers benutzten Sakramente auf Distanz zu halten. Komplementär dazu läßt sich natürlich auf der Ebene kirchlicher Belehrung eine Tendenz beobachten, magische Praxis den Heiden zuzuschreiben und zugleich mit orthodox-theologischen Argumenten die Existenz jeglichen Anlasses für die neue kollektive Angst zu leugnen. In seinem Traktat *Contra la secta Mahometana* schrieb San Pedro Pascal gegen 1290:

... una heregia nesçia e bil que fazen todos los moros en esta manera que se sigue: en el setimo dia despues que pare una mora fijo o fija, çerçenan esa criatura al derredor, ... e en la noche que se sigue ponen una mesa, e sobrella una sauana blanca, e de suso otra como cortina, e

ponen un cabeçal de la una parte e otro de la otra, e ponen en la dicha
mesa pan e un terrazo nuebo con agua; e ponen figos pasados, si es
hembra, e si es macho, ponen datiles e almendras, e un espejo, e un
peyne, e greda, e alfeña, e alcohol ...

E esto fazen porque dizen que en esa noche vienen las hadas e que
posan en esos cabeçales e que toman la criatura en sus braços, e que
fadan esa criatura e dizen que todo lo que esas fadas dicen a esa
criatura, que le contecera e que por todo a de pasar sin falta ninguna;
...

E yo demande a algunos sabios de los viejos como avian nombre esas
fadas e no me lo sopieron decir, e si eran mugeres o varones, dixeron
que non sabian; mas que eran angeles. E demand[e]les si veian nunca
esas fadas, e dixieronme que non; e demand[e]les si dexaban alguna
señal, o en que sabian si esa criatura era bien fadada o mal, e dixeron
que non sabian ende nada, e yo díxeles que no era maravilla en no lo
saber, ca no era nada, e lo que no es, no se puede saber.[4]

Gegenüber der Zeit Alfons' des Weisen war die Perspektive
umgeschlagen, unter der sich die Auseinandersetzung mit fremden Kulturen vollzog: Alteritätserfahrung führte nun kaum
mehr zu Bereicherung und Relativierung des eigenen Wissens,
sie war nur noch ein Motiv zur Bannung immer neuer Ängste.
Vor dem Hintergrund dieser Entwicklung erscheint Ramón
Llulls Werk *Libre del gentil e les tres savis*, das etwa zur gleichen Zeit im östlichen Teil der Iberischen Halbinsel entstand
und fern aller dunklen Magie »erfüllt« ist »vom Geiste der
Achtung vor den beiden großen nichtchristlichen Bekenntnis-
sen«,[5] wie ein tragisch-anachronistischer Nachklang des – in
Kastilien bereits abrupt zu Ende gegangenen – hohen Mittelalters.

Weil im Lauf des XIV. Jahrhunderts Papier mehr und mehr
das weit teurere Pergament als materielle Grundlage der
Schriftlichkeit ersetzte, müssen wir uns hüten, jegliches Erscheinen neuer Themenbereiche in der Überlieferung als Symptom für die Orientierungslosigkeit, die ›Selektionsschwäche‹
einer in die Krise geratenen Gesellschaft zu sehen. Die nun
entstehenden kastilischen Versionen französischer Prosaro-
mane aus der höfischen Tradition jedoch verweisen gewiß auf
die Auflösung jener Selektionskriterien, welche der Kultur am
Hof Alfons' des Weisen ihre Gestalt gegeben hatten. Übertragen wurden im einzelnen eine Prosaversion des *Tristan,* die

Schwanenritterlegende (die als Genealogie Gottfrieds von Bouillon in eine Kompilation aus lateinischen und französischen Vorgaben der Kreuzzugshistoriographie, die *Gran Conquista de Ultramar*[6] eingepaßt war) sowie Teile der *Gralslegende:* daraus entstanden der *Libro de Josepe Abarimatía,* die *Estoria de Merlín* und der *Lançarote.*

Man hat diese Textgruppe gewöhnlich als ›filiationsgeschichtliche Vorbedingung‹ für die *Libros de caballería* präsentiert, die nach der Einführung des gedruckten Buches die bekannt große Bedeutung in der spanischen Literatur gewinnen sollten. In solcher Perspektivierung hin auf das *Siglo de Oro* wurde aber versäumt, die Prosaübertragungen höfischer Romane als Teil jenes mentalen Klimas zu deuten, das die kastilische Kultur im frühen XIII. Jahrhundert beherrschte. Bemerkenswert ist nicht nur der Sachverhalt, daß die ebenso dichte wie dunkle Symbolwelt der Gralslegende anschließbar war an das magische Weltbild eines Sancho IV., sondern darüber hinaus ein gattungspragmatisches Selektionskriterium: es wurden allein solche Texte aus der französischen Überlieferung assimiliert, welche sich mit der einsetzenden Tradition der Prosahistoriographie in den spanischen Königreichen vermitteln ließen. Die *Schwanenritterlegende* gehörte zum populären Horizont der gelehrten Kreuzzugsgeschichtsschreibung, die *Gralslegende* hatte sich aus Elementen der apokryphen Schriften am Rand des Evangelien-Kanons konstituiert. Wenn man diese Beobachtung in Zusammenhang mit der Tatsache bringt, daß während der folgenden Jahrhunderte aus dem gesamten *Corpus Alfonsinum* allein die Chroniken immer wieder kopiert und beständig fortgeschrieben wurden, dann ist die These kaum mehr gewagt, daß Geschichtsschreibung in den iberischen Königreichen des Spätmittelalters zur zentralen Achse der volkssprachlichen Überlieferung und zum dominanten Medium kollektiver Sinnbildung wurde. Unsere Vermutung wird im übrigen durch die quantitative Breite der Überlieferung bestätigt.[7]

Es liegt nun nahe, die herausragende Bedeutung der Historiographie im spanischen Spätmittelalter zu assoziieren mit unserer These von einer ›dezentrierten Selbstdarstellung‹ in der kastilischen Epen-Tradition. Denn so wie wir die ›dezentrierte Gesellschaftsdarstellung‹ der Epen zurückführten auf eine Inkongruenz zwischen den Sozialstrukturen der iberischen Gesellschaften und einem übernommenen Bild von der christlich-feudalen Gesellschaft, auf eine Inkongruenz, welche ihrerseits eine Folge der christlichen *Conquista* und der islamischen Herrschaft im frühen Mittelalter war, können wir nun hinter der Dominanz der Geschichtsschreibung im XIV. und XV. Jahrhundert das doppelte Bedürfnis vermuten, scheinbar ungebrochene römisch-christliche Traditionen in eine nicht-christliche Vergangenheit zu projizieren und diese Traditionen als Rahmen je gegenwärtiger Weltdeutung zu befestigen. Allerdings hat die Historiographie – bei ähnlicher Dichte der Manuskripte im kastilischen, im portugiesischen und im aragonesisch-katalanischen Kulturraum – je spezifische Ausprägungen erfahren. In Portugal wie natürlich in Kastilien schließen die Geschichtsschreiber des XIV. Jahrhunderts an die alfonsinischen Chroniken an, während die aragonesisch-katalanische Historiographie einen Sonderstatus durch die schon Ende des XIII. Jahrhunderts einsetzende Subgattung der Herrschermemoiren wie durch besonders frühe Übertragungen aus der klassisch-lateinischen und der patristischen Geschichtsschreibung entfaltet. Um die Mitte des XIV. Jahrhunderts schrieb Juan Fernández de Heredia volkssprachliche Versionen von Texten des Paulus Orosorius, des Eutrop und des Plutarch. Im Vergleich zur aragonesisch-katalanischen Geschichtsschreibung fällt eine Verflechtung zwischen der kastilischen und der portugiesischen Historiographie auf, welche vor allem auf Übersetzungen und Rückübersetzungen der alfonsinischen Chroniken und ihrer Fortsetzungen beruht. Portugiesische Sonderphänomene sind die sehr früh und sehr breit überlieferten Ordens- und Klosterchroniken, vor allem aber die *Livros de linhagem,* in denen die Genealogien einzelner Adelsfamilien schriftlich fixiert (oder besser: konstruiert) wurden. Ihre Bedeutung im Königreich Portugal scheint dadurch vorgegeben gewesen zu sein, daß hier die Feststellung von Landbesitz-Ansprüchen aufgrund von Ancienität nicht allein durch die Jahrhunderte islamischer Herrschaft erschwert war, sondern gegen die interferierenden Ansprüche kastilischer Adelshäuser geschützt werden mußte. Kennzeichnend für die kastilische Geschichtsschreibung der Epoche ist hingegen eine besonders frühe Tendenz, die Wissensfülle aus verschiedenen Überlieferungssträngen in ›abgekürzten‹ oder kondensierten Fassungen (›*crónicas abreviadas*‹) zu überliefern – und darüber hinaus eine rasche Ausdifferenzierung der Herrscherbiographie, aus der dann früh individualisierende Herrscherporträts entstanden.

Einen Sonderfall markiert in diesem Rahmen das um 1348 entstandene *Poema de Alfonso XI*. Nicht allein deshalb, weil der Autor (oder Schreiber?), Rodrigo Yañez, seinen Namen nennt und auch nicht nur wegen gewisser sprachlicher Merkmale, welche auf seine Herkunft aus dem ehemaligen Königreich Léon schließen lassen. Außergewöhnlich ist vor allem die Tatsache, daß dieser Text nicht in Prosa, sondern in *redondillas* verfaßt ist, vierzeiligen Strophen mit achtsilbigen Versen und dem Reimschema a b a b, in einem Metrum, das wir sonst nur noch aus einigen Verspassagen der *Crónica troyana polimétrica* kennen, aus *Cantigas,* die auf Alfons XI. als Autor verweisen, und aus der Exempelsammlung *Conde Lucanor* von Don Juan Manuel. Im Gegensatz zu der wenige Jahre vorher entstandenen Prosa-Chronik über die Herrschaft desselben Königs scheint das *Poema de Alfonso XI* für den mündlichen Vortrag bestimmt gewesen zu sein, was die Vermutung nahelegt, daß dieser Text die Popularität Alfons' XI. bei seinen nicht-lesekundigen Untertanen befördern sollte. Die Regierungszeit Alfons XI. bot hinreichend Anlaß für solches Bemühen: denn nach dem frühen Tod seines Vaters, Fernando IV., der Sancho IV. auf dem kastilischen Thron gefolgt war, hatten seit 1312 verschiedene – stets an eigenen Interessen orientierte – Tutoren für Alfons XI. regiert, und so gingen der Krone bald strategisch wichtige Positionen in Südspanien verloren, welche erst im vorausgehenden Jahrhundert den Muslimen abgerungen worden waren. So verwendet das *Poema de Alfonso XI* Darstellungskonventionen des höfischen Romans, um den König in einer Rolle erscheinen zu lassen, welche seine Hörer faszinieren mochte – jedoch in seiner Regierungszeit bereits überlebt war:

> El muy noble rey aquel día
> su corona fué tomar,
> la reyna doña María
> i la fizo coronar.

Ricos omnes que llegavan
e omnes de gran valor
cavalleros sse armavan
por mano deste sseñor;

…

Nunca fué omne que *viesse*
de tales cavallerías
nin lengua que departiesse
de tan nobles cortesías

qual sse fizo en verdat
en junio, mes falaguero,
en Burgos, noble çiudat,
quando el rey fué cavallero.

Quien fuera aquel día
galeas viera andar
en seco por maestría
e cavalleros justar.

Viera otros juegos estraños
cantar con alegria
e vino andar por caños
tomávalo quien quería.

…

Cantando a gran ssabor
dez*ían* en ssu cantar:
»¡Loado el Gran Sseñor,
que tan buen rey nos fué dar!

Rey alto, de gran nobleza,
señor real, entendido.
¡Castilla cobró alteza
el día que fué nasçido!

Noble escudo sin pavor,
Dios mantenga la ssu vida,
e cassó con la mejor
reína que fué nasçida.«[8]

Während es aber leicht fällt, solche für die spätmittelalterliche kastilische Historiographie atypischen Passagen im Blick auf die wahrscheinlich intendierte Funktion des *Poema* zu verstehen, gibt es für das Auftauchen eines anderen Elements aus dem Gattungsrepertoire der höfischen Literatur wohl keine funktionsgeschichtliche Erklärung. Daß die auf Befehl des Königs vollzogene Enthauptung von Don Juan el Tuerto, seinem ehemaligen Tutor, als Erfüllung einer ausgerechnet dem Zauberer Merlin zugeschriebenen Weissagung präsentiert wird, ist vielleicht nicht mehr als ein weiteres Anzeichen für die bald ins Sinn-Chaos übergehende Selektionsschwäche der kastilischen Kultur im XIV. Jahrhundert:

> En aquesto otorgaron,
> el buen rey dío sentençia,
> a don Iohan luego mataron
> que fué sseñor de Valençia.
>
> En Toro conplió ssu fin
> e derramó la ssu gente.
> Aquesto dixo Melrin,
> el profeta de Oriente.
>
> Dixo: »El león d'España
> de ssangre fará camino,
> matará el lobo de la montaña
> dentro en la fuente del vino.
>
> Non lo quiso más declarar
> Melrin, el de gran ssaber;
> yo lo quiero apaladinar
> cómmo lo puedan entender:
>
> El león de la España
> fué el buen rey çiertamente;
> el lobo de la montaña
> fué do Iohan, el ssu pariente,
>
> e el rey quando era niño
> mató a don Iohan el tuerto;
> Toro es la fuente del vino
> ado don Juan fué muerto.[9]

Daß im *Poema de Alfonso XI* hingegen die Aktantenstelle der Königin doppelt besetzt ist, nämlich mit Doña María de Portugal *und* Doña Leonor de Guzmán, lag nicht etwa an einer Vermischung von Überlieferungen und Diskursen, sondern gibt – schlicht – eine biographische Tatsache wieder. Natürlich war Polygamie als Lebensform mittelalterlicher Könige (und nicht allein in Spanien) der Normalfall; vielleicht charakteristisch für das XIV. Jahrhundert – und gewiß folgenreich für die Geschichte Kastiliens – war aber die Unfähigkeit Alfons' XI., seiner Umwelt die legitime und nach genealogischen Zwecken eingegangene Ehe mit María von Portugal als *einzige* ›monarchische Wirklichkeit‹, zumal als einzige für die Thronfolge relevante Beziehung zu präsentieren.

Solche Sinn-Entropie scheint nach 1350 ihren Höhepunkt erreicht zu haben. Fünf Jahrzehnte zuvor hatte man neu rezipierte Sinn-Gestalten durchaus noch zur Strukturierung des Wissens genutzt – statt sie bloß in vorhandenes Wissen einzureihen. In dem zwischen 1300 und 1305 geschriebenen *Libro del Caballero Zifar* etwa stoßen wir auf jenes Repertoire von Exempelgeschichten und Sentenzen, das schon die Weisheitsliteratur des frühen und mittleren XIII. Jahrhunderts vermittelt hatte. Doch da sich der dominante Inszenierungstyp offenbar vom Lehrgespräch eines Fürsten mit seinem weisen Berater hin zum Erziehungsgespräch adliger Väter mit ihren Söhnen verschob – die bereits erwähnten *Castigos y documentos* des Königs Sancho IV. sind dafür ein Beleg – bedurfte es auch einer neuen narrativen Motivierung. Als Rahmengeschichte im *Caballero Zifar* fungiert die aus der spätantiken und der höfischen Literatur bekannte Fabel von der Reise übers Meer, in deren Verlauf die Mitglieder einer Familie ›in alle Winde‹ zerstreut werden, bis es – im unwahrscheinlichsten Moment – zur glücklichen Vereinigung kommt. In unserem Fall bringt es der Titelheld nach der ›glücklichen Vereinigung‹ zum Rang eines Königs von Mentón, und die Belehrung, welche er aus der Höhe dieser Position seinen Söhnen zuteil werden läßt, schlägt so gut an, daß Roboán – rechtzeitig vor Ende des Romans – sogar Kaiser werden kann.

Stolz stellt der uns unbekannt gebliebene Autor seinen Status als Gelehrter heraus, wenn er im Prolog betont, daß solche *manera de fablillas*[10] bloßes Mittel zum didaktischen Zweck sei, dem nur unerfahrene Leser ihre Aufmerksamkeit widmen könnten. Und der *Caballero Zifar* stünde wie ein Fremdkörper in der kastilischen Literatur des frühen XIV. Jahrhunderts, wenn nicht selbst den Geschichten von Teufelserscheinungen didaktischer Gewinn abgepreßt würde. In dem Kapitel ›*De comon aparescio el diablo al enperador e al ynfante Roboan en un vergel en figura de donsella*‹ nimmt der Satan die Gestalt einer nacktbadenden Jungfrau an, die sich den Blicken der Männer in der klaren Quelle aus dem Fundus höfischer *loci amoeni* präsentiert, und gibt so Anlaß zu folgendem erbaulichen Gespräch:

»Amigo, conoscedes alli alguna cosa? – Conosco, dixo el infante Roboan, por la mi desaventura, ca aquella es la dueña que con muy grande engaño me saco de seso e de entendimiento, e me fiso perder todo quanto bien e quanto plaser e quanta honrra avia; e confondala Dios por ello. – Amen, dixo el enperador.« E ella començose luego a reyr e a faser grand escarnio dellos, e finco la cabeça en medio del suelo de la fuente, e començo de tunbar por el agua, de guisa que no pudieron estar que non ryesen; peroque el ynfante Roboan non podia reyr de coraçon, mas de alli adelante reyeron e tomaron grand plaser e grand solas en uno. »Bien aya, maldixo el enperador, que trae tan gran virtud consigo, que de los tristes fase alegres e da entendimiento a los omes, para se saber mejor guardar en las cosas que le acaescieren; ca este diablo maldito nos fiso sabidores para nos saber guardar de yerro, e de non creer por todas cosas que nos acometan nin por palabras falagueras e engañosas, asy comon este fiso a mi e a vos. Pero sy a mi non oviera engañado primaramente, non pudiera a vos engañar en este logar; e asy yo non oviera conpañero con quien departir el pesar, sy en mi cabo fuese; mas pues conpañeros fuemos en la desaventura, seamos conpañeros en el conorte, e conortemonos lo mejor que podamos; ca el buen conorte vence a la mala ventura; ca non ay omne por de mala ventura que sea, que pueda sofrir la fortalesa de la desaventura, sy solo es en ella, que sy conpañero ha, espera e suffre mejor la su fortalesa. E por ende disen que el mal de muchons alegria es«.[11]

Was im *Libro del Cavallero Zifar* Fiktion bleibt, nämlich die Vermittlung fürstlicher Erfahrung an fürstliche Nachkommen, war wohl das wichtigste unter den Motiven, die zur Entstehung des breiten schriftstellerischen Werks von Don Juan Manuel führten, jenem kastilischen Feudalherren des frühen XIV. Jahrhunderts, aus dessen Erinnerung an die Sterbestunde des Königs Sancho IV. wir am Anfang dieses Kapitels eine Passage zitiert hatten. Zwar griff auch Don Juan Manuel auf die überkommenen Inszenierungstypen bestimmter fiktionaler Rahmensituationen zurück (so im *Conde Lucanor* auf die ratsuchenden Fragen eines jungen Adligen an seinen weisen Ratgeber Patronio, so im *Libro del caballero e del escudero* auf das Lehrgespräch zwischen einem Knappen und dem ihn unterweisenden Ritter); doch im Prolog des *Libro de castigos ó consejos que fizo don Johan Manuel para su hijo* heißt es: *Tracta de cosas que yo mismo probé en mí mismo et en mi facienda, et ví que aconteció á otros de las que fiz et vi facer, et me fallé dellas bien yo et los otros.*[12] Die Überlieferung hat diesem Text einen zweiten Titel gegeben: *El libro infinido.* Er spielt offenbar auf den Sachverhalt an, daß Don Juan Manuel dem *Libro de los castigos* keine geschlossene Struktur gab, sondern – in an die neuzeitliche Form des Tagebuchs erinnernder Weise – immer neue Erfahrungen notierte.

Wenn hier der Autor seiner eigenen Erfahrung einen so wichtigen Stellenwert einräumt, dann sind wir geneigt, dies als einen ›Fortschritt‹ gegenüber der bis dahin dominierenden Vermittlung von bewährtem, kanonisiertem Wissen zu bewerten. Don Juan Manuel selbst schätzte seine Leistung weit ›mittelalterlicher‹ – weil traditionsbezogener – ein. Er wollte in der unübersichtlich gewordenen Gegenwart Orientierung gewinnen und weitergeben durch die Fortführung des Werks von Alfons X., seinem bewunderten Onkel: *Don Alfonso puso en el su talante de acresçentar el saber quanto pudo, et fizo por ello mucho ... Et tanto cobdiçio que los de los sus regnos fuessen muy sabidores, que fizo transladar en este lenguaje de Castiella todas las sçiençias ... Et por que don Iohan, su sobrino ... se paga mucho de leer en los libros que falla que conpuso el dicho rey, fizo escriuir algunas cosas que entendia que cunplia para el de los libros que fallo que el dicho rey abia conpuesto, sennalada mente en las* Cronicas *de* Espanna *et en otro libro que fabla de lo que pertenesçe al estado de caualleria ...*[13] Gerade die Verwirklichung dieses ehrgeizigen Projekts aber, Fortsetzer des alfonsinischen Werkes zu sein, können wir Don Juan Manuel aus unserer Retrospektive nicht attestieren. Denn uns erscheint dieses Werk, das neben Minnedichtung (die, wie für Kastilien typisch, nicht überliefert ist) und den bereits genannten didaktischen Traktaten in Vers und Prosa einen Ständespiegel *(Libro de los Estados)*, eine theologische Abhandlung über die leibliche Aufnahme der Jungfrau Maria in den Himmel, einen Text über die Aufgaben des Dominikaner-Ordens und eine Kurzfassung der *Primera Crónica general de España* umfaßt haben muß, gegenüber dem *Corpus Alfonsinum* epigonal. Weil es dessen spielerische Spekulationen im Umgang mit kosmologischem Wissen gänzlich vermissen läßt, könnten wir es sogar als ein Symptom mentalitätsgeschichtlicher Involution[14] deuten, als ein durch Krisen-Erfahrung motiviertes Insistieren auf bewährten Strukturen des Wissens und Denkens.

Doch wir wollen auch einen gegenläufigen Aspekt berücksichtigen. Abweichend von Alfons X. spricht Don Juan Manuel nicht nur von der Überlieferung, sondern auch von der Mehrung des Wissens und rückt so in Distanz zu jener Prämisse hochmittelalterlichen Denkens, der zufolge einzelne Gelehrte sich immer nur als Glieder in der genealogischen Kette[15] der *translatio studii* verstanden. Neben der Struktur des *Libro infinido* sprachen für solche Urformen der mentalen Figur vom ›*Subjekt als Instanz der Sinnbildung*‹ und des Autorenbewußtseins bei Don Juan Manuel die je variierte Präsentation einer Liste seiner Werke in mehreren sukzessiven Prologen sowie die folgende, besonders markante Differenzierung zwischen der geistigen Autoren-Verantwortung und der Arbeit der Manuskript-Kopisten aus dem Vorwort zum *Conde Lucanor*:

Et porque don Johan vió et sabe que en los libros acontescen muchos yerros en los trasladar, porque las letras semejan unas á otras, cuidando por la una letra que es la otra, et escribiendo múdase toda la razon, et por ventura confóndense; et los que despues fallan aquello scripto ponen la culpa al que fizo el libro. Et porque don Johan se recela desto, ruega á los que leyeren cualquier libro que fuere trasladado del que él compuso ó de los libros que él face, que si fallaren alguna palabra mal puesta, que non pongan la culpa á él fasta que vean el libro mesmo que don Johan fizo, que es emendado en muchos logares de su letra.[16]

Umrisse von Subjektivität
und kommunikative Rollen

Es gibt wohl nur wenige Autoren in der europäischen – und gewiß keinen Autor in der spanischen – Literatur des Mittelalters, dessen Biographie uns in ähnlicher Detaildichte rekonstruierbar ist wie das Leben von Don Juan Manuel. Das liegt natürlich vor allem an seiner herausragenden Stellung in der kastilischen Adelshierarchie und an der bemerkenswerten Rolle, welche er in der Geschichte seiner Gegenwart spielte. Aber manche dieser biographischen Tatsachen wären uns wohl ohne die Aufwertung der persönlichen Erfahrung im Werk Don Juan Manuels unbekannt geblieben.[17] Am 5. Mai 1282 in Escalona als Sohn von Don Manuel, dem jüngsten Bruder Alfons' X., und Béatrice von Savoyen geboren, sorgte nach dem frühen Tod des Vaters (1284) ein gewisser Martín Fernández Pantoja für seine Erziehung. Schon mit zwölf Jahren nahm Don Juan Manuel bei Murcia an einer Schlacht gegen die Mauren teil, und eben in das Jahr 1294 fiel das von ihm später aufgezeichnete (oben zitierte) Gespräch am Totenbett Sanchos IV. Das Vertrauen des sterbenden Königs in seine Vasallentreue rechtfertigte Don Juan Manuel freilich nicht, wie die wechselnden Bündnisse – auch mit der aragonesischen Krone – beweisen, die er während der Thronstreitigkeiten der folgenden Jahre einging. 1299 heiratete er Doña Isabel, die Infantin von Mallorca, die 1301 starb; 1306 schloß er einen Vertrag zur Heirat mit der damals sechsjährigen Infantin von Aragón, Doña Constanza, in dem er sich verpflichtete, die Ehe nicht zu vollziehen, bevor die Braut das zwölfte Lebensjahr erreicht hätte. Trotz seiner Vasallenpflicht unterstützte Don Juan Manuel in jenen Jahren nicht die Feldzüge des kastilischen Königs Fernando IV. gegen die Mauren, was nach dem Tod Fernandos zu erheblichen Spannungen mit den Tutoren des Thronfolgers Alfonso XI. führte. Dennoch wurde Don Juan Manuel 1319 selbst zum Regenten berufen, ohne daß freilich sein Konflikt mit dem Königshaus dadurch definitiv beigelegt wurde. Denn schon vor Erreichung der Volljährigkeit übernahm Alfonso XI. eigenmächtig die Regierungsgeschäfte – und er ging auch nicht auf Don Juan Manuels Angebot ein, einen Ehevertrag mit seiner Tochter Constanza zu schließen. Die Auseinandersetzung ruhte seit dem Jahr 1327, als sich Don Juan Manuel in dritter Ehe mit Doña Blanca Núñez de Lara verband. Auf die folgende Zeitspanne – bis 1335 – ist die Entstehung seiner didaktischen, historiographischen und literarischen Werke zu datieren. Das letzte Jahrzehnt seines Lebens schließlich – Don Juan Manuel starb am 13. Juli 1348 in Murcia – stand neuerlich im Zeichen der Auseinandersetzung mit Alfonso XI. Don Juan Manuel suchte sich wieder seiner Vasallenpflicht zu entziehen, während der König nun seinerseits bemüht war, dessen ehrgeizige Pläne bei der Verheiratung seiner Kinder zu durchkreuzen. Aus dieser Zeit ist ein handschriftlicher Brief von Don Juan Manuel an den König von Aragón überliefert, in dem er mit der Rhetorik vollkommener Höflichkeit einen Freundschaftsbesuch in Valencia ankündigt:

Señor, vj la carta de respuesta que me troxo Sancho Sanchez et dixo me commo, loado a Dios, sodes ya bjen sano ... Pero tan grand cueyta oue delas nueuas que aca sope dela vuestra dolençia & tan grand plazer he dela vuestra salut, que njn lo puedo creer njn puedo bjen folgar fasta que vos vea ... Pero si vos queredes que vaya a uos, sabet que auedes a me fazer dos cosas: la vna, por que yo se que el cuydado enbarga mucho ala salut, que en quanto yo fuere con vusco que non fablemos en njngun seso njn en cosa que podades tomar cuydado njn enojo; la otra, que me dexedes comer mjs djneros en vuestra tierra. Et enbjo uos esto dezir desde aca por que, si melo non otorgardes, que sepades que non vos yre ver; & fazer medes en ello muy grand pesar. Señor, si esto me otorgades, luego sere con vusco & set seguro que vos & todos vuestros caçadores de aues & canes vos veredes en rroydo con el recabdo que yo uos leuare para todas las caças ...[18]

Wir könnten die Präsentation von Daten und Materialien zum Leben des Don Juan Manuel noch lange fortsetzen – *ein* spontanes Interesse (vielleicht nicht unbedingt: *das* Interesse der Fachhistoriker) müßte unbefriedigt bleiben: nirgends – nicht einmal in dem Brief von Don Juan Manuels eigener Hand – stoßen wir vor zu einer ›Innenseite‹ seines Lebens; kein Text führt zu dem ›Bewußtsein‹, aus dem doch die stets standesgemäßen Taten und Pläne hervorgegangen sein müssen, die Don Juan Manuel so gerne beschrieb.

Solche Enttäuschung ergibt sich aus unserer Erwartung, daß ›Autorenbewußtsein‹ – die Selbsterfahrung eines Schreibers als

Subjekt der Sinngebung – notwendig zum kommunikativen Gestus der ›Konfession‹ führen müsse. Diese Vermutung führt dann zwangsläufig zu der Frage, wie es kommt, daß wir im Werk Don Juan Manuels allerorten Spuren von Autorenbewußtsein ausmachen können, ohne daß diese je in eine Sprachhandlung des ›Bekenntnisses‹ umschlagen. Zum Zweck ihrer Beantwortung erinnern wir an zwei für die spanische Kulturgeschichte besonders bedeutsame Sachverhalte: zum einen an die Pluralität der (islamischen, jüdischen, christlichen) Welten, welche Sinnbildung zu bewußter Selektion und Kombination werden ließ. Zweitens an die im späten XIII. Jahrhundert einsetzende Krise der kastilischen Gesellschaft und das aus ihr entstehende Sinn-Chaos. Keine Haltung und keine Handlung konnten in diesem kommunikativen Milieu mehr als selbstverständlich gelten – nicht einmal das vor allem im *Libro de los Estados* deutliche Beharren Don Juan Manuels auf der Orthodoxie feudaler Verhaltensregeln. Stets mußte man *sich entscheiden, wählen.* Deshalb wohl zeichnete sich in der kastilischen Literatur schon sehr früh – jedenfalls lange vor dem Einsetzen anderer Merkmale der Neuzeit – die Figur einer Selbsterfahrung von Autoren als Subjekten der Sinngebung ab.

Schon in dieser Vorform von ›Subjektivität‹ war die Möglichkeit intentionaler *Selbstzuwendung* implizit gegeben, die aber vorerst in Kastilien nicht realisiert wurde – so sehr wir sie heute auch als ein notwendiges Element von Subjektivität ansehen. Von der bei Don Juan Manuel beobachtbaren Selbsterfahrung (als Subjekt der Sinngebung) ist es aber noch ein Schritt bis hin zu jener Grundstruktur des Wissens, in der ›Welt‹ und ›Selbst‹ (als Rolle der Wahrnehmung/Deutung von ›Welt‹) in ein polares Verhältnis auseinandertreten. Erst wenn das ›Selbst‹ so aus der Welt herausgenommen ist, kann es für sich selbst zu einem Gegenstand der Erfahrung werden – könnten Introspektion und Autoreflexivität im neuzeitlichen Sinn vollzogen werden. Da nun dieses ›Selbst‹, welches sich zum Objekt der Erfahrung wird – nicht mit anthropologischer Notwendigkeit, aber immerhin auf der dominanten Linie der europäischen Tradition – als eine rein intellektuelle Instanz der Weltdeutung konstituiert ist, geht mit seiner Entfaltung die Tendenz einer *Dichotomisierung zwischen dem ›Körper‹ und dem ›Geist‹* (jetzt der alleinigen Instanz des Selbst) einher. Für die entwickelte Subjektivität wird der Körper der primäre Wahrnehmungsgegenstand *in der Umwelt*. Man konnte ihn daher auch benutzen, um Intentionen zu kaschieren oder zu fingieren, (womit der für das Mittelalter charakteristische Synkretismus von ›Irrtum‹ und ›Lüge‹ aufgehoben ist)[19] oder um im Rechtsdenken eine Unterscheidung zwischen intendierten und nicht-intendierten Handlungsfolgen einzuführen.[20] Da der Körper nun als ein den Intentionen des Subjekts weitgehend verfügbares Instrument erschien, war sein Stellenwert im Rahmen von Interaktion und Kommunikation zunächst ein sekundärer. Im Rahmen einer Geschichte der Kommunikationsformen haben solche Folgen neuzeitlich sich entfaltender Subjektivität eine enorme Bedeutung, die allerdings bisher von den (Literar)Historikern noch zu wenig – und vor allem ohne die notwendige – Prägnanz dargestellt wurde. Für uns geht es nun zunächst darum, in der kastilischen Literatur des XIV. Jahrhunderts eine Reihe von Gattungen und Texten zu analysieren, in welche sich *Subjektivität als kommunikative Rolle* eingeschrieben hatte – sozusagen ›zwischen‹ der Erfahrung von Sinnpluralität als Selektion und der Entwicklung hin zur Autoreflexivität.

Um 1330 entstand in Kastilien ein Text, der auf den ersten Blick ohne Beziehung zur kulturellen Umwelt zu sein scheint, zumal wir – anders als beim Werk des Don Juan Manuel – kaum Anhaltspunkte bezüglich der konkreten Bedingungen seiner Entstehung haben. Der Text bezeichnet sich selbst als *Libro de buen amor* und nennt als Autor einen *Juan Ruiz*, der *Arcipreste de Hita* gewesen sein soll. Mit Recht hat man behauptet, daß das Mittelalter ›Thema, nicht aber Stil‹[21] des *Libro de buen amor* sei, denn der Text konzentriert einerseits eine kaum übersehbare Fülle heterogener Sinnstrukturen aus mittelalterlicher Tradition und strukturiert sie andererseits durch die textimmanente Rolle eines stets gegenwärtigen Autoren-Subjekts. Nun verfehlen freilich gerade so abstrakte Begriffe wie ›Sinnfülle‹ und ›Strukturierung‹ die verwirrend grelle Vielfalt der Inhalte und Formen, die den *Libro de buen amor* charakterisiert. Wir können auf eine Inhaltsangabe nicht verzichten, wenn die Genese, die Funktion und der prekäre Status der Rolle des Autoren-Subjekts verständlich werden sollen.[22]

Der Text setzt ein mit dem Klagegebet eines Gefangenen. Den Ort seines (allegorischen oder wirklichen?) Gefängnisses gibt er nicht an, und der Kopist des wichtigsten Manuskripts identifiziert ihn mit jenem textimmanenten Erzähler und Ich-Protagonisten, der sich in späteren Passagen des öfteren ›Juan Ruiz, Arcipreste de Hita‹ nennt. Auf die zehn, in *cuaderna via* artikulierten Strophen seiner Klage folgt ein Prosa-Prolog, in dem ausgehend von Bibelzitaten und den Verfahren theologischer Exegese Reflexionen über Intention und mögliche Rezeptionsweisen des Buches entwickelt werden. Wieder in der *cuaderna via* bittet das textimmanente Ich Gott um Hilfe bei der Vollendung des begonnenen Werkes, und auf diesen Anhang zum Prolog folgen zwei *Cantigas* über die sieben Freuden Mariä. Sie sind in Metren geschrieben, die auch Alfons der Weise bei seinen Mariendichtungen benutzt hatte. Anschließend wird das schon im Prosa-Prolog präludierte Leitthema vom mehrfachen Textsinn erneut – wieder in *cuaderna via* – artikuliert; nun allerdings nicht unter theologischen Vorzeichen, sondern im Rahmen einer burlesken Exempel-Erzählung vom wechselseitigen Mißverstehen im Zweikampf zwischen einem Griechen und einem Römer.

Erst von dieser Stelle an (genauer: nach der siebzigsten Strophe/*copla*) wird das textimmanente Ich identisch mit dem Rollen-Ich des zentralen Protagonisten. Bis hin zur *copla* 949 dominiert dann die Schilderung von Liebesabenteuern des sündigen *Arcipreste de Hita,* die meist durch die Kupplerin *Trotaconventos* befördert werden. Die Einheit dieses zweiten Textteils liegt weniger in seinem Thema (das er mit den folgenden Passagen teilt) als in der Zugehörigkeit seiner Darstellungsformen zur Gelehrtenkultur des Mittelalters: der Sinn der Einzelepisoden wird entweder durch einzelne Exempla fixiert oder durch Exempel-Serien in eine Dimension der Deutungs-Pluralität überführt. Der Protagonist selbst zieht dort widersprüchliche Lehren aus seinen Liebesabenteuern – und zwar sowohl im Rückgriff auf den Sinnhorizont der Astrologie als auch in nächtlichen Dialogen mit den allegorischen Protagonisten Amor und Venus. Eine Episode läßt sich sogar als Übersetzung (freilich im mittelalterlichen Sinn) der mittellateinischen *Pamphilus*-Komödie identifizieren.

Den Rahmen für den dritten Textteil gibt eine Reiseerzählung ab. Nach einem letzten Treffen mit der Kupplerin bricht der *Arcipreste* zu einer Wanderung ins Gebirge (*›sierra‹*) auf, welche ihn zunächst in die Arme von vier Gebirgsbäuerinnen (*›serranas‹*) führt. Hier stehen das Kolorit der Erzählung und die variierenden Metren (vor allem jene der *cantigas*, mit denen die *serranas* den *Arcipreste* begrüßen) zunächst in der Tradition der Pastorellen-Poesie, während die Gestalt der vierten *serrana* den Quellenungeheuern ähnelt, wie man sie aus der bretonischen Tradition des höfischen Romans kennt, – eine Differenz, welche auch durch das besondere, aus der galizischen Tradition stammende Metrum ihrer Rede (sechssilbige Verse in fünfzeiligen Strophen und mit dem Reimschema aabbc ddeec) unterstrichen wird. Auf dem Heimweg kehrt der Erzpriester dann in einem Marien-Wallfahrtsort ein und widmet der Gottesmutter zwei *Pasiones de nuestro Señor Jesu Cristo* in der arabischen Form des *Zejel*.

Mit dem Thema der Passion ist eine Brücke der Semantik und der fiktionalen Zeit zum vierten Textteil geschlagen. Am Donnerstag vor Aschermittwoch empfängt der Protagonist (er heißt nun vorübergehend nicht mehr *Juan Ruiz, Arcipreste de Hita‹*, sondern *›Don Carnal‹*) beim Essen einen Herausforderungsbrief von *›Doña Quaresma‹* zum Kampf. Der Aufmarsch des aus Fleischspeisen aller Art rekrutierten Heers von *Don Carnal* – eine Metonymie der Sinnenlust des Karnevals –, seine Niederlage gegen das Heer der die Fastenzeit konnotierenden Fischgerichte, die sich just am Aschermittwoch vollzieht, die Gefangennahme von *Don Carnal*, seine Flucht und schließlich die Vertreibung von *Doña Quaresma* folgen weitgehend einer allegorischen Erzählung aus der französischen Literatur.[23] Freilich gehört zur mittelalterlichen Praxis solcher Adaptionen die Anpassung von Namen und Herkunftsorten der militärisch-metaphorischen Speisekarten an regionale Besonderheiten – ebenso wie die Transposition der Fluchtroute von *Don Carnal* in die Geographie der Iberischen Halbinsel. Sie führt ihn durch Regionen, die durch ihre Viehzucht berühmt sind, und in Städte mit großen jüdischen Gemeinden: nur hier kann er während der Fastenzeit Fleisch essen – und überleben.

Der Ostermorgen ist die Szenerie des triumphalen Auftritts

von *Don Amor,* der in den *coplas* 1210 ff. die zuvor vom *Arcipreste* und von *Don Carnal* besetzte Protagonistenrolle einnimmt. Die hier evozierte Stimmung erinnert an höfische Gedichte zum Fest des Frühlingsbeginns, der Aufmarsch der verschiedensten gesellschaftlichen Gruppen im Gefolge von *Don Amor* konnotiert das spätmittelalterliche Situationsmuster der ›Entrée‹ eines Königs in gastliche Städte. Doch schon bald markiert das Wiedererscheinen des Protagonistennamens ›Arcipreste‹ und seiner Kupplerin den Beginn eines fünften Textteils, der als Reihung von Liebesabenteuern deutlich dem zweiten Textteil ähnelt. Seine Einheit ist diesmal aber nicht durch Vorgaben aus der Gelehrtenkultur fundiert, sondern durch den Bezug auf Sujets, welche man teils als ›volkssprachlich-gegenkulturell‹,[24] teils als der Tradition der Spielleute *(›juglares‹)* zugehörig charakterisieren könnte. Wir finden auf der einen – ›gegenkulturellen‹ – Seite die Motive von der Meßgemeinde als Liebesmarkt, von der Liebe des Klerikers zu einer Nonne und des Christen zu einer Araberin. Diesen Episoden stehen gegenüber ein Katalog der idealen weiblichen Schönheitsattribute, ein Repertoire von mehr als vierzig Aphrodisiaka, eine Gegenüberstellung christlicher und arabischer Musikinstrumente. Mit dem Tod der Kupplerin finden die im zweiten Teil des *Libro de buen amor* aufgenommenen Variationen über das Liebesthema ein vorläufiges Ende. In seiner Doppelrolle als Sprachhandlungs-Subjekt und Protagonist der Erzählung widmet ihr der *Arcipreste* zwei Grabinschriften, in denen die beiden mittelalterlichen Erfahrungsweisen des *Memento mori* entfaltet werden: das für die Menschen unausweichliche Schicksal des Todes kann sowohl eine frenetische Steigerung des Diesseits-Genusses als auch eine (an den Erwartungen des jenseitigen Schicksals orientierte) Askese motivieren.

Ähnlich heterogen wie der Einleitungsteil wirkt das Ende des *Libro.* Einer Aufzählung vielfacher Eigenschaften, welche ›Frauen von kleiner Gestalt‹ für die Liebe prädestinieren sollen, folgt der Lasterkatalog des tolpatschigen Dieners, der die Rolle von *Trotaconventos* übernommen hat – ein weiteres, aus der populären Literatur vertrautes Motiv. An neuerliche Anweisungen zur Rezeption, auf die wir noch zurückkommen werden, schließt sich eine Textserie aus Marienliedern, Blindengesängen und Goliarden-Chorälen an. Die Form-Variationen in diesen vierundfünfzig Strophen sind so zahlreich, daß sie zu einem Paradefeld der hispanistischen Vers- und Strophenforschung geworden sind. In die ruhigeren strukturellen Bahnen der *cuaderna via* zurückgekehrt, endet dann der narrative Bogen des *Libro de buen amor* mit einer in ihrer Direktheit überraschenden Referenz aus der kastilischen Sittengeschichte des XIV. Jahrhunderts: in der *Cántica de los clérigos de Talauera* beklagen sich die Geistlichen über ein durch den Erzbischof von Toledo verhängtes Konkubinatsverbot. Tatsächlich ist ein solches Verbot auf einer in Toledo während der zwanziger Jahre des XIV. Jahrhunderts abgehaltenen Synode ausgesprochen worden – es war in Kastilien eine der ersten Maßnahmen zur Eindämmung des im Spätmittelalter sprichwörtlichen ›Sittenverfalls‹ der Priester.

Die Struktur des *Libro de buen amor* weckt bei heutigen Rezipienten einen ambivalenten Eindruck (wie er sich auch bei der Lektüre anderer Sammelhandschriften aus dem XIV. und dem XV. Jahrhundert einstellen kann). Denn diese Struktur ist einerseits zu kohärent, als daß man den *Libro* als eine Textsammlung ohne intendierte Gestalt ansehen könnte; auf der anderen Seite machen es uns die erwähnten Inkonsistenzen schwer, Vorstellungen über eine Autor-Intention, auf die der Gesamttext zurückgehen könnte, und über Situationen seines Gebrauchs zu entwickeln. Solche Unsicherheit des modernen Lesers betrifft vor allem die Doppelrolle des Sprachhandlungs-Subjekts und zentralen Protagonisten. Ist der *Libro de buen amor* die ›Lebensbeichte‹ eines ›historischen‹ Erzpriesters von Hita namens Juan Ruiz? Die Überlieferung gestattet es uns nicht – wie im Fall von Don Juan Manuel – im Werk artikulierte (Selbst-?)Erfahrung mit biographischen Daten zu konfrontieren. Doch vor dem Hintergrund unserer einleitenden Überlegungen zu Struktur und Geschichte der mentalen Figur ›Subjektivität‹ machen es die wechselnden Besetzungen der Protagonisten-Rolle (*Arcipreste, Don Carnal, Don Amor* und *Don Melón* in der *Pamphilus*-Passage) sehr unwahrscheinlich, daß der *Libro de buen amor* die ›Innenperspektive‹ des Lebens eines sündigen Priesters aus dem XIV. Jahrhundert erschließt. Unser Wissen über die Praxis spätmittelalterlicher Textproduktion legt eher die Vermutung nahe, daß zwar alle im *Libro* präsentierten Texte auf *einen* Kopisten oder Sammler verweisen, dessen Name durchaus ›Juan Ruiz‹ gewesen sein mochte; daß aber ein solcher ›Juan Ruiz‹ erst durch eine Reihe von Modifikationen an Einzeltexten dem *Libro de buen amor* jene – vage – doppelte Subjekt-Rolle eingeschrieben haben wird, welche ausreichend war, um der Kompilation im Rahmen des epochentypischen kommunikativen Milieus Sinn-Gestalt und Sinn-Identität zu geben.

Wenn der Kopist, Sammler – Autor? – den Lesern und Hörern des *Libro* überhaupt eine Facette seines ›wirklichen Ich‹ präsentieren wollte, dann war dies gewiß die Gelehrsamkeit und – vor allem – die artistische Beherrschung der verschiedensten poetischen Formregister: *E conposelo otrosi, a dar algunos leçion e muestra de metrificar e rimar e de trobar, ca trobas e notas e rimas de ditados e uersos que fiz conplida mente, segund que esta çiença requiere.*[25] Natürlich können wir nicht mit letzter Gewißheit ausschließen, daß jener Sprachartist der ›Erzpriester von Hita‹, ja vielleicht sogar ›der für sein Lotterleben berühmte Erzpriester von Hita‹ war. Doch wir brauchen auch gar keine historisch-biographischen Details, um erklären zu können, warum die doppelte textimmanente Subjekt-Rolle (meist) von einem *arcipreste* besetzt wird. Was Paul Zumthor über die Genese der provenzalischen Trobadour-Viten gesagt hat, trifft auch auf den *Libro* zu.[26] Die Rolle des ›sündigen Erzpriesters‹ bezeichnet den gemeinsamen semantischen Nenner der Sprech- und Protagonisten-Rolle aus den im *Libro de buen amor* versammelten Einzeltexten, und dieser ›gemeinsame semantische Nenner‹ mag entstanden sein durch eine Präferenz für Texte aus dem Bereich der Kleriker-Satire. Daß die Rolle des ›sündigen Klerikers‹ als einheitsstiftendes Strukturelement näher lag als die in den provenzalischen Viten dominierende Rolle des ›Ritters‹, wird auch vor dem Hintergrund der im vorausgehenden Kapitel beleuchteten Besonderheiten der kastilischen Gesellschaft des Mittelalters verständlich.

Aber welche Gebrauchssituation mochte der – unbekannte – ›historische‹ Autor des *Libro de buen amor* anvisiert haben? So sehr wir auch bisher die Distanz zwischen (nicht artikulierter) biographischer Erfahrung und den Inhalten des *Libro* hervorgehoben haben – bestimmte vom Text evozierte Szenen machen die Vermutung kaum abweisbar, daß es sich um ein *städtisches Milieu* gehandelt haben muß. Da ist das schon erwähnte Situationsmuster der triumphalen *entrée* in die Stadt als einen aus vielen verschiedenen Gruppen konstituierten gesellschaftlichen Raum; da ist die Rolle der Kupplerin, welche die Stadt als vielschichtiges Aktionsfeld und das eben für Bedingungen städtischen Zusammenlebens typische Anonymitätsbedürfnis ihrer Kunden voraussetzt; da ist die für die *Don-Carnal*-Episode grundlegende Zeit- und Institutionen-Struktur des Karneval, welche in den Städten Prägnanz gewann und ihren verschiedenen sozialen Gruppen eine kontrollierbare Sphäre kollektiver Entlastung bot. Die Tatsachen nun, daß die drei ältesten, an der Wende vom XIV. zum XV. Jahrhundert entstandenen Manuskripte des *Libro de buen amor* auf ein gebildetes Milieu als Überlieferungskontext schließen lassen und daß (der Kopist) Alfonso de Paradinas als Student im Colegio de San Bartolomé der Universitätsstadt Salamanca wohnte, als er die wichtigste Text-Version aufs Pergament brachte, ermöglichten eine Spezifizierung unserer Hypothese über den städtischen Gebrauchskontext. Der Autor muß an gebildete, schrift- und vielleicht sogar dichtungskundige Rezipienten gedacht haben, denn nur bei ihnen konnte er jene Disposition erhoffen, welche nötig war, um die von ihm unter Beweis gestellte Wissensfülle und Sprachartistik wirklich schätzen zu können. Allein Kleriker (im mittelalterlichen Sinn des Begriffs) waren wohl auch imstande, das Sinn- und Formangebot des *Libro de buen amor* als *Einladung zu einem gemeinsamen Dichtungsspiel*, als Impuls zur Fortsetzung der textuellen ›mouvance‹ aufzunehmen – und dies in einer vom Ernst der auf Eindeutigkeit konzentrierten Lektüre abgesetzten Einstellung, auf die je eine *copla* am Anfang und am Ende des Texts Bezug nehmen:

> De todos instr*u*men*t*os yo libro so pariente;
> bie*n* o mal, q*u*al puntares, tal te dira çiertame*n*te;
> q*u*al tu dezir q*u*isieres, y faz p*u*nto, y tente;
> sy me pu*n*tar sopieres, sienpre me avras en miente.

...

Qual quier omne que lo oya, sy byen trobar sopiere,
mas ay añadir e emendar si quisiere;
ande de mano en mano a quien quier quel pydiere,
como pella a las dueñas, tomelo quien podiere.[27]

Die Gebrauchssituation des *Libro de buen amor* muß jener der hundert Jahre eher im deutschen Sprachgebiet entstandenen, aber im Medium der lateinischen Sprache artikulierten *Carmina Burana* geähnelt haben, die man als ein »Liederbuch aus Scholarenkreisen«[28] charakterisiert hat: dafür sprechen neben dem Überlieferungsbefund der gemeinsame Themenhorizont und die in beiden Fällen zu beobachtende Vielfalt und Variationsbreite poetischer Formen. Warum in Kastilien – im Gegensatz zu den mitteleuropäischen Königreichen – seit der Zeit Alfons' des Weisen auch die Volkssprache Medium der Kommunikation unter Gelehrten sein konnte, haben wir bei der Darstellung der spanischen Literatur des XIII. Jahrhunderts zu erklären versucht. Daß bloße thematische Assoziationen, wie sie das strukturierende Grundprinzip in den *Carmina Burana* bilden, dem Autor des *Libro de buen amor* offenbar unzureichend erschienen, so daß er sie durch eine textimmanente Subjekt-Rolle verstärkte, kann man der kommunikativen Rahmenbedingung des spätmittelalterlichen Sinnchaos und seiner für die Kultur der iberischen Halbinsel spezifischen Potenzierung zuschreiben. Unter dieser Perspektive ist die von María Rosa Lida de Malkiel nachgewiesene Entwicklung der arabischen Gattung ›maqualat‹ in der hispano-jüdischen Literatur des Mittelalters zu einem Strukturtyp, welcher erstaunliche Parallelen mit dem *Libro de buen amor* aufweist, ein funktionsgeschichtlich höchst relevantes Deutungsangebot.[29]

Die textimmanente Figur des Sprachhandlungs-Subjekts war freilich in der *jüdischen Tradition* schon lange vor dem Spätmittelalter institutionalisiert. Wo immer die – nie als Kanon abgegrenzten – Weisheitslehren der *Thora* in neue Gebrauchskontexte, neue Zeigfelder integriert wurden, findet man die Einleitungsformel ›Rabbi N. N. sagte ...‹, deren jeweilige konkreten Besetzungen solchen Akten der Transposition Autorität verleihen sollte.[30] Wir sehen, daß hier nicht die wachsende Komplexität und Heterogenität gesellschaftlicher Sinnstrukturen Anlaß für die Genese der Subjekt-Rolle waren, daß sie nicht als textinterne Instanz primär auf die Leistung der Komplexitätsreduktion bezogen werden kann; vielmehr entstand aus dem Transfer der Elemente gemeinsamen Wissens zwischen den verschiedenen Orten jüdischer Diaspora ein frühes Bewußtsein von der kontextabhängigen Polyvalenz der Erfahrungsgegenstände und Wissensstrukturen – ein Bewußtsein, wie es sich im christlichen Bereich seit dem XIV. Jahrhundert erst langsam ausbilden sollte. Die Handhabung solcher Sinn-Polyvalenz ohne Verletzung der religiösen Orthodoxie war eine jener Kompetenzen, welche das Amt des Rabbiners ausmachten.

Eben diese institutionalisierte Sprechsituation repräsentieren die *Proverbios morales* des Rabbiners Sem Tob aus der kastilischen Stadt Carrión, einer der Hochburgen des mittelalterlicheuropäischen Judentums. Sie wurden 1351, im ersten Jahr der Regierung von Pedro I., dem Sohn Alfons' XI., geschrieben und belegen, daß ein Wissen um die Polyvalenz – heute würden wir vielleicht sagen: die ›Dialektik‹ – der Phänomene zu den Grundelementen der jüdischen Kultur gehörte:

> Quiero dezir del mundo
> Sus diversas maneras,
> Que apenas del fondo
> Palabras verdaderas.
> Non se enel tomar tiento,
> Nin fallo çierta via:
> De acuerdo mas de çiento
> Me torno cada dia.
> La vara que menguada
> Dize el conprador,
> Esa mesma sobrada
> Llama el vendedor ...
> Con lo que a mi plaze,
> otro mucho se quexa.
> El sol la sal aprieta,
> Ala pez enblandeçe,
> La mexilla faz prieta,
> El lienço enblanqueçe.
>
> ...
>
> Ansí non oso cosa
> Loar nin denostarla,

Nin dezirla fermosa,
Nin por fea tacharla.
Segunt es el lugar,
Y el tienpo cual es,
Fazen priesa vagar,
Y faz tornar enves.
Yo nunca he querella
Del mundo y de sus fechos,
Aun que muchos de aquella
Se tienen por mal trechos.[31]

Was die Sprechrolle des Rabbiners Sem Tob mit der Sprechrolle des Erzpriesters Juan Ruiz gemeinsam hat, ist die Ausblendung einer Innenperspektive von persönlicher Erfahrung – und was den *Libro de buen amor* in unseren Augen ›mittelalterlicher‹ als die *Proverbios morales* erscheinen läßt, ist das dem jüdischen Denken fremde Deutungsschema von ›Schein und Sein‹, welches Ambivalenzerfahrungen stets bewertet und hierarchisiert.

Non tengades que es libro neçio de devaneo,
nin creades que es chufa algo que en el leo;
ca segund buen dinero yaze en vil correo,
ansi en feo libro esta saber non feo.

El axenuz de fuera mas negro es que caldera,
es de dentro muy blanco mas que la peña vera;
blanca farina esta so negra cobertera;
açucar negro e blanco esta en vil caña vera.[32]

Von herausragender Bedeutung für die Rekonstruktion der Genese von Subjektivität als kommunikativer Rolle ist nun eine Passage aus den *Proverbios morales,* in der explizit gemacht wird, was man im Rahmen der christlich-europäischen Tradition nur mühsam aus Indizien rekonstruieren kann: die Tendenz zur *Ausblendung und Abwertung von Körperbewußtsein* in Situationen des Wissensaustausches. Für den Rabbiner Sem Tob ist solche Entlastung der zentrale Anlaß zum Lob des ›Buches‹:

Enel mundo tal cabdal
Non ay como el saber;
Mas que heredad val
Nin thesoro nin aver.

El saber es la gloria
De Dios y donadio;
Non se fallara en estoria
Tal joya nin averio;
Nin mejor conpañia
Que el libro, nin tal:
Tomar grande porfia
Con el, mas que paz val.
Quanto mas va tomando
Con el libro porfia,
Tanto ira ganando
Buen saber toda via.
Los sabios que querria
Ver, ay los fallara
Enel, y toda via
Conellos fablara;
Los sabios muy loados
Que onbre deseava,
Philosophos honrrados,
Que ver los cobdiçiava;
Lo que de aquellos sabios
El cobdiçia avia,
E delos sus labrios
Oir sabiduria,
Alli lo fallara
Enel libro signado,
Y rrespuesta avera
Dellos por su dictado.
. . .
Si quiero en leer
Sus letras y sus versos,
Mas se que non por ver
Sus carnes y sus huesos.
La su çiençia muy pura
Escrita la dexaron,
Sin ninguna boltura
Corporal la sumaron,
Sin mescla therrenal
De ningun elemento:
Saber çelestial
Claro de entendimiento.
Por esto solo quier

Todo onbre de cordura
Alos sabios ver,
Non por la su figura.
Por ende tal amigo
Non ay commo el libro: ...[33]

Wenn nun aber die Genese von Subjektivität und die ihr spezifische Bewertung der Schriftlichkeit in der jüdischen Tradition nicht eine Errungenschaft des Spätmittelalters sind, dann müssen wir uns fragen, warum sie von den spanischen Juden erst so spät in der Volkssprache (mittels der auf die lateinische Tradition der Weisheitslehre zurückgehenden Form der *redondilla*) artikuliert wurden. Denn obwohl die *Proverbios morales* in verschiedenen Manuskripten Alfonso XI. und Pedro I. gewidmet sind, zwei kastilischen Königen, die – anders als ihre Nachfolger – gerne auf die Dienste jüdischer Gelehrter zurückgriffen, ist die schriftliche Fixierung allein gewiß noch kein Indiz für ein wachsendes Ansehen der Juden in der kastilischen Gesellschaft des Spätmittelalters. Im Gegenteil, der Rabbi Sem Tob hielt es für nötig, den Wert des von ihm vermittelten Wissens gegen seine Herkunft aus der jüdischen Kultur zu verteidigen:

Nin vale el açor menos
Por que en vil nido siga,
Ni los enxenplos buenos
Por que judio los diga.[34]

Da sich offenbar der von den *Proverbios morales* markierte Eingang – explizit – jüdischen Denkens in die kastilische Literatur durch sozialgeschichtliche Fakten nicht erklären läßt, müssen wir diesen Sachverhalt in Zusammenhang mit jenem neuen Milieu der Kommunikation bringen, das während der ersten Hälfte des XIV. Jahrhunderts in Kastilien entstanden war. Vielleicht war erst nach einer ersten Phase der Konstitution kommunikativer Subjektivität jüdisches mit christlichem Denken kompatibel und für christliche Leser verständlich geworden.

Doch die *Proverbios morales* des Rabbi Sem Tob blieben ein Einzelfall. Im folgenden Kapitel werden wir zu erklären versuchen, warum die Entwicklung der mentalen Gestalt der ›Subjektivität‹ in der christlichen Welt einherging mit der Ausbildung eines geradezu zwanghaften Bedürfnisses und einer in ihrer Penetranz immer grausameren Praxis der Bewußtseinskontrolle über die Angehörigen der ›anderen‹ Kulturen, der jüdischen und der islamischen Religionsgemeinschaften. Deshalb ist es gewiß kein Zufall, daß unter den *moriscos,* den im christlichen Herrschaftsbereich lebenden Muslimen, erst seit dem Ende des XIII. Jahrhunderts die Überlieferungsform der *Aljamiado*-Literatur entstand, die ein Symptom ihrer Abdrängung in ein gesellschaftliches Ghetto ist.[35] In den *Aljamiado*-Texten wurde romanische Sprache (im Soziolekt der Morisken) durch arabische Graphie fixiert. Eines von den vier erhaltenen Manuskripten der *Proverbios morales* gehört der *Aljamiado*-Literatur an.

Pedro I. von Kastilien, einer der beiden Adressaten der *Proverbios morales,* regierte zwischen 1350 und 1369 und war der Sohn von Alfonso XI. und María de Portugal, seiner legitimen Gattin. Pedros Nachfolger, Enrique II. de Trastámara, war sein von Doña Leonor de Guzmán (welche die zeitgenössische Prosahistoriographie wie selbstverständlich als ›offizielle‹ Geliebte des Königs führt) geborener Halbbruder. Dem Thronwechsel ging ein Brudermord voraus, der den Tiefpunkt in der spätmittelalterlichen Dekadenzgeschichte der kastilischen Herrschaft symbolisiert. Die Frage, ob Pedro I. zu Recht als ›Pedro *el Cruel*‹ ins Geschichtsbewußtsein der Spanier eingegangen ist, läßt sich – aus einem spezifischen Grund – kaum beantworten. Der Autor der in diesem Zusammenhang wichtigsten Quelle, Pero López de Ayala, war mit dem späteren Pedro I. als dessen Gespiele (*›doncel‹*) aufgewachsen, hatte sich aber dann auf die Seite Enriques, des ›Bastarden‹, geschlagen, um schließlich vom dritten König der Trastámara-Linie, von Enrique III., dem Enkel Enriques II., zum Kanzler von Kastilien ernannt zu werden. López de Ayala hatte also ein starkes Motiv, Pedro I. als grausamen Herrscher darzustellen, – wie wir heute sagen würden: als einen sadistischen Psychopathen. Aber andererseits kennzeichnet seine Texte ein Streben nach ›historiographischer Objektivität‹, welches Pero López de Ayala im Umgang mit römisch-antiker Historiographie schätzen gelernt haben mag. Sein Biograph und Neffe Fernán Pérez de Guzmán, einer der bedeutendsten kastilischen Geschichtsschreiber des XV. Jahrhunderts, gab jedenfalls der von einem Onkel im Umgang mit lateinischen Texten erworbenen Erfahrung besonderes Gewicht, während er den – für den Zeitgenossen gewiß unerhörten – ›Parteienwechsel‹ von Pero López de Ayala nicht ausdrücklich erwähnte:

Fue este don Pero López de Ayala alto de cuerpo, e delgado, e de buena presona; onbre de grant discriçion e abtoridad e de grand conseio, asi de paz commo de guerra. Ouo grant lugar açerca de los reyes en cuyo tienpo fue, ca, seyendo, moço, fue bien quisto del rey don Pedro, e, despues, del rey don Enrique el segundo fue de su conseio e amado del. El rey don Iohan e el rey don Enrique su fijo fizieron del grande mençion e gran fiança; paso por grandes fechos de guerra e de paz; fue preso dos uezes, una en la batalla de Najara, otra en Aljubarrota. Fue de muy dulce condiçion, e de buena conuersaçion, e de gran conçiençia, e que temia mucho a Dios. Amo mucho las çiençias, diose mucho a los libros e estorias, tanto que como quier que el fuese asaz cauallero e de gran discriçion en la platica del mundo, pero naturalmente fue muy inclinado a las çiencias, e con esto grant parte del tiempo ocupaua en el leer e estudiar, non en obras de derecho sinon filosofia e estorias. Por causa del son conoçidos algunos libros en Castilla que antes non lo eran, ansi como el Tito Libio, que es la mas notable estoria romana, los Casos de los Prinçipes, los Morales de Sant Gregorio, Esidro de Sumo Bono, el Boeçio, la Estoria de Troya. El ordeno la estoria de Castilla desde el rey don Pedro fasta el rey don Enrique el terçero. Fizo un buen libro de la caça, que el fue muy caçador, e otro libro Rimado del Palaçio. Amo mucho mugeres, mas que a tan sabio cauallero como el se conuenia.[36]

Daß auf die historiographischen Aktivitäten von Pero López de Ayala bezogene Verb ›ordenar‹ mag ein Indiz dafür sein, daß Geschichtsschreibung tatsächlich – wie wir zu Beginn dieses Kapitels vermutet haben – als eine Leistung der Sinnkonstitution angesehen wurde, nicht als bloßes ›Aufschreiben‹ von Handlungen.

Wer die *Crónica del Rey Don Pedro* liest, dem fällt – zumal vor dem Hintergrund der Gattungsvorgeschichte – zunächst eine Rückkehr zu streng annalistischer Form auf: ihre wesentlichen Struktureinheiten sind vorgegeben durch die Regierungsjahre von Pedro I., deren Darstellung ihrerseits in eine Sequenz chronologisch gestaffelter Kapitel gegliedert ist. Gewiß konnotiert dieses Verfahren einen Anspruch auf historiographische Objektivität. Die narrative Entfaltung des Herrscherbildes scheint dann aber die Vermutung zu bestätigen, daß die Darstellung an die Rechtfertigungsinteressen von Pero López de Ayala angepaßt ist: von anfänglichen positiven Bewertungen der Handlungen Pedros I., aus denen die Bereitschaft spricht, seine Normverstöße und Fehleinschätzungen einem entschuldbaren Mangel an Erfahrung zuzuschreiben, geht die auktoriale Kommentierung Schritt für Schritt in explizite Verurteilung über.[37] Was der konkrete Anlaß oder die ausschlaggebende Überlegung für die Entscheidung López de Ayalas gewesen sein mag, Pedro I. die Gefolgschaft aufzukündigen, erfährt man freilich nicht. Der Autor nimmt auf sich selbst als Protagonisten in der dritten Person Bezug und hält diesen Protagonisten – scheinbar bescheiden – im Hintergrund. Weder zur Artikulation des auktorialen Kommentars noch zur Selbstdarstellung als historischem Akteur konstituiert er eine Rolle mit markanter expliziter Subjektstruktur.

Dennoch gibt es in dieser Chronik – freilich auf ganz anderer Ebene – einen Ort der Subjektivität. Manche Handlungen Pedros I. – und das sind durchaus nicht immer die historisch folgenreichsten – werden mit erstaunlicher Detailfülle und enormer Perspektivenvielfalt geschildert, ohne daß sich die Summe solcher Darstellungselemente zu einem geschlossenen Bild von der jeweils thematisierten Handlung und ihrer Motivationen zusammenfügte. Der Leser (unserer Gegenwart jedenfalls) fühlt sich zum Weiterdenken, zum Vollzug eines eigenständigen Urteils aufgefordert und ist dann geneigt, Subjektivität in der textimmanenten Rezipientenrolle zu konstituieren. Doch man zögert, die Besonderheit dieser textimmanenten Rezipientenrolle als Resultat einer bewußten Strategie von Pero López de Ayala zu deuten. Sehen wir uns zwei Passagen der *Crónica* als Beispiele an.

Daß Pedro I. seit seiner Jugend mit einer ›offiziellen‹ Geliebten aus dem Adel, Doña María de Padilla, zusammenlebte, können wir beinahe als ein Zeichen der Konformität mit Rollen- und Familienkonventionen ansehen. Bemerkenswert war für López de Ayala aber das Widerstreben, mit dem Pedro erst während des vierten Jahres seiner Regierung dem seit langem gehegten Projekt seiner Verheiratung mit Blanche de Bourbon, der Nichte des französischen Königs, zustimmte, obwohl dieses Projekt glänzende Perspektiven der Herrschaftskonsolidierung und der Machterweiterung bot:

É otrosi ya sabia el Rey como el Obispo de Burgos, Don Juan de las Roelas, é Don Alvar Garcia de Albornoz, que él avia enviado por mensageros al Rey Don Juan de Francia á le demandar que le diese por muger á Doña Blanca, su sobrina, fija del Duque de Borbon, ya venian é traían la dicha Doña Blanca ... é el Rey tenía estonce consigo en Torrijos á Doña Maria de Padilla, ... é el Rey amaba mucho á la dicha Doña Maria de Padilla, tanto que ya non avia voluntad de casar con la dicha Doña Blanca de Borbon su esposa, ca sabed que era Doña Maria muy fermosa, é de buen entendimiento, é pequeña de cuerpo *(Año cuarto/capítulo III)*.

É despues que Don Juan Alfonso vino de Portogal llegó al Rey á Torrijos: é por quanto sabia que Doña Blanca de Borbon, sobrina del Rey de Francia, muger que avia de ser del Rey, era ya en Valladolid, é entendiera que el Rey non avia grand voluntad de ir facer sus bodas, fabló con el Rey, é dixole que fuese para Valladolid, é tomase á la dicha Doña Blanca su esposa por su muger ... diciendole que en esto faria su servicio; ca bien sabia que estos Regnos de Castilla é de Leon estovieran en grand aventura á quien tomarian por Rey é por su Señor en el primer año que él regnára, quando oviera de morir de la grand dolencia que ovo en Sevilla; é que él aviendo fijos de su muger todas estas cosas cesari an *(Año cuarto/capítulo IV)*.

El Rey Don Pedro, caso que no de buena voluntad, fizolo asi segund que Don Juan Alfonso le aconsejaba, é dexó á Doña Maria de Padilla en el castillo de Montalvan cerca de Toledo, que es un castillo muy fuerte; é dexó con ella á un su hermano bastardo ... se rescelaba de Don Juan Alfonso, que le pesaba porque la él tanto amaba; como quier que al comienzo él fué en el consejo que la tomase el Rey, por quanto la dicha Doña Maria andaba doncella en casa de Doña Isabel, muger de Don Juan Alfonso ... *(Año cuarto/capítulo V)*.[38]

Kaum zwei Tage nach der feierlichen Hochzeit in Valladolid kam in der Umgebung des Königs das Gerücht auf, Pedro plane den Aufbruch nach Montalván, wo er Doña María de Padilla zurückgelassen hatte. Pedros Mutter und seine Tante versuchten den drohenden Skandal abzuwenden:

E el Rey les respondió, que se maravillaba mucho en ellas creer que él se partiria asi de Valladolid nin de su muger, é que lo non creyesen. É las Reynas le dixeron, que por cierto les era dicho que él se queria ir luego dó estaba Doña Maria de Padilla. É el Rey las aseguró dello que lo non faria, nin lo tenia en voluntad de facer, é que lo non creyesen. É las Reynas con tanto se partieron dél, como quier que lo sabian de cierto que el Rey se partia luego; pero non pudieron al facer. É luego á una hora despues desto el Rey dixo que le traxiesen las mulas que queria ir ver la Reyna Doña Maria su madre: é luego que ge las traxieron partió de Valladolid, ... é otro dia fué á la Puebla de Montalvan do estaba Doña Maria de Padilla; ca como quier que él la dexára en el castillo de Montalvan, ya la avia enviado decir que se veniese á la Puebla de Montalvan, que es dos leguas aquende, é alli la falló.[39]

Für seine mittelalterliche Umwelt hatte Pedro I. nichts von jener tragischen Aura, die man seit der Romantik gerne den Liebhabern aus Königshäusern konzediert. Er erscheint im Text als eine Instanz, deren Entscheidungen man sich – vorerst – zu beugen hatte, auch wenn sie immer wieder den Horizont des Akzeptablen und des Verstehbaren überschritten.

Eben diese Grenze des Verstehens muß den Historiographen Pero López de Ayala fasziniert haben. Denn zum einen nutzte er nicht die Erklärungschance, welche sich mit einer Darstellung der María de Padilla als gewissenloser Konkubine geboten hätte: vielmehr wird stets hervorgehoben, daß sie einen mildernden Einfluß auf Pedro I. ausübte. Zum anderen berichtete er von den Visionen eines Dominikanermönchs und eines Schäfers,[40] die dem König die schlimmsten göttlichen Strafen für den Fall prophezeiten, daß er seinen Plan verwirklichte, die – gegen alle Interessen seiner Herrschaft – in Medina Sidonia in Gefangenschaft gehaltene Königin durch seinen Leibarzt vergiften zu lassen. Doch Pedro I. ignorierte – zumindest als Protagonist der von López de Ayala geschriebenen *Crónica* – alle Widerstände:

É el Rey mandó á un ome que decian Alfonso Martinez de Orueña, que era criado de Maestre Pablo de Perosa, Fisico é Contador mayor del Rey, que diese hierbas á la Reyna con que moriese. É el dicho Alfonso Martinez fué á Medina, é fabló por mandado del Rey con Iñigo Ortiz. É Iñigo Ortiz fuese luego para el Rey, é dixole, que él nunca seria en tal consejo; mas que el Rey la mandase tirar de su poder, é estonce ficiese lo que su merced fuese: ca ella era su señora, é en consentir la matar asi, faría en ello traycion. É el Rey fué muy sañudo contra Iñigo Ortiz por esta razon, é mandóle que la entregase á

Juan Perez de Rebolledo, vecino de Xeréz, su Ballestero. É Iñigo Ortiz fizolo asi: é despues que fué en poder del Ballestero mandola mantar. É pesó mucho dello á todos los del Regno despues que lo sopieron, é vino por ende mucho mal á Castilla.[41]

Der Vielzahl von Gründen, die gegen diesen Mord gesprochen hätten, fügte der Autor, Pero López de Ayala, keine moralisierenden Kommentare hinzu, aber er stellte ihnen eben auch keine – wenigstens keine nachvollziehbaren – Motive gegenüber.

Ähnlich liest sich der Bericht über die Ermordung von Don Fadrique, dem Halbbruder des Königs (und dem Zwillingsbruder von Enrique II. de Trastámara). Als Großmeister des Ritterordens von Santiago war Don Fadrique, wie López de Ayala einleitend betont, im Jahr 1358 nach Sevilla gekommen, wo der König die Herbst- und Wintermonate zu verbringen pflegte, um ihn bei der Durchsetzung von Besitzansprüchen gegen einen Vasallen zu unterstützen: *ca el Maestre Don Fadrique avia voluntad de servir al Rey, é de le facer placer.*[42] Don Fadrique suchte Pedro I. im *Alcazar* auf, wo er ihn vertieft in ein Brettspiel antraf. Er küßte seinem Halbbruder die Hand, *é el Rey le rescivió con buena voluntad que le mostró (...).* Während der König sich also verstellte, versuchte Doña María de Padilla, welcher Don Fadrique anschließend seine Aufwartung machte, diesen zu warnen, ohne ein zuvor von Pedro auferlegtes Schweigegebot zu brechen: *é quando le vió fizo tan triste cara, que todos lo podrian entender, ca ella era dueña muy buena, é de buen seso, é non se pagaba de las cosas que el Rey facia (...).* Als Don Fadrique und sein Gefolge im *Alcazar* Quartier bezogen hatten, richteten die Vasallen und Diener des Königs unter den Gästen ein Blutbad an, das Pedro aus sicherem Versteck beobachtete. Erst als er seinen Befehl ausgeführt glaubte, nahm er selbst die Leichen in Augenschein:

É desque fué muerto Sancho Ruiz de Villegas, tornóse el Rey dó yacia el Maestre, é fallóle que aún non era muerto; é sacó el Rey una broncha que tenia en la cinta, é diola á un mozo de su cámara, é fizole matar. É desque esto fué fecho, asentóse el Rey á comer donde el Maestre yacia muerto en una quadra que dicen de los Azulejos, que es en el Alcazar.[43]

Wir erfahren nicht, warum sich Pedro I. scheute, die von ihm minutiös geplanten Mordtaten selbst zu vollenden, und ebenso unkommentiert läßt Pero López de Ayala jenes grausige Detail, nach dem der König sein Essen gleichsam ›in der Gegenwart‹ des noch warmen Leichnams von Don Fadrique einnahm.

Gewiß ist es kein Zufall, daß die spanische Romanzentradition unter der langen Serie der Untaten von Pedro I., wie sie die gelehrte Historiographie fixierte, gerade die Morde an Doña Blanca und Don Fadrique aufgriff. Denn das Fehlen eines dem König unterstellten Handlungsmotivs muß auf die Nachwelt wie ein Impuls zur Auffüllung dieser narrativen Leerstelle gewirkt haben. Aber auch die Phantasie gelehrter Zeitgenossen wurde von den Berichten über das unverstehbare Handeln Pedros I. in den Bann geschlagen. So will der Autor der lateinischen Vita des Papstes Innozenz IV. wissen, daß Pedro I. seine junge Gattin, Blanche de Bourbon, zunächst ›zärtlich geliebt habe‹ (›quam a principio tenerrime dilexit‹). Der Teufel jedoch, so fährt der Papst-Chronist fort, habe es bewirkt, daß eine eifersüchtige ehemalige Geliebte des Königs (natürlich kann nur Doña María de Padilla gemeint sein) einen Juden überredete, jenen prunkvollen Gürtel, den Blanche de Bourbon ihrem Gatten geschenkt hatte, zu verzaubern:

... et arte magica sic fecerunt, quod una die festiva et solemni, dum Rex ipsa zona praecinctus esse crederetur, quasi tota sua praesente curia visus est tam ab ipso, quam ab omnibus loco zonae uno serpente magno et terribili praecintus et circundatus. Qui hoc aspiciens, nec immerito, fuit admodum territus et conturbatus. Dumque quaereret quid hoc erat, fuit sibi responsum per circunstantes, inter quos eran (sic) forsitan aliqui consentientes in praemissis, quod hoc erat zona sibi pro munere et jocali data per Reginam conjugem suam. Propter quod ipsam ab illa hora in antea sic exosam habuit, quod noluit eam ulterius videre, aut secum conversari ...[45]

Es bleibt die Frage, ob sich die ›narrativen Leerstellen‹ – und damit auch die wesentliche Linie in der Wirkungsgeschichte der *Crónica del Rey Don Pedro* – aus einer Absicht des Historiographen Pero López de Ayala ergeben haben konnten. Wenn wir dem Autor ein Bedürfnis nach Rechtfertigung seines Treuebruchs gegenüber Pedro I. unterstellen, dann kann die Antwort nur negativ sein: denn ohne die narrativen und deskriptiven Details, welche Handlungen und Charakter seines königlichen Protagonisten allererst unverständlich machen, weil sie beständig die Möglichkeit des Verstehens in Aussicht stellen (ohne sie dann zu erfüllen), hätte der Autor seine eigenen Interessen besser befördert. Wir vermuten deshalb in solchen Passagen Spuren einer Faszination, welche die Subjektivität Pedros I. auf López de Ayala vielleicht auch noch dann ausübte, als dieser längst im Dienst der Trastámaras stand. Solche Faszination des Autors im Text der Chronik explizit zu machen, verbot schon allein der neue Objektivitäts-Gestus der Historiographie. So konstituieren sich in der Lektüre Umrisse einer Leserrolle, welche wie eine Aufforderung zur Lösung von Rätseln durch eigenständige Sinngebung wirkt – ohne daß es wohl Peros López de Ayala Absicht war, diese Rolle an seine Umwelt und seine Nachwelt weiterzugeben.

Wie sehr ihm die unberechenbare Persönlichkeit Pedros I. manchmal sogar Bewunderung abverlangte, zeigt die Schlußszene der *Crónica*. Nachdem die letzten Versuche Pedros fehlgeschlagen waren, mit Gewalt, List und Bestechung die Belagerung seiner andalusischen Festung Montiel durch das Heer Enriques II. zu durchbrechen, ließ er sich von dessen Vasallen – offenbar ohne Widerstand – in einen Hinterhalt locken. Eilig fand sich Enrique in der *posada* ein, wo man Pedro festhielt. Doch nach Jahren wechselseitiger Verfolgung und wechselseitigen Verbergens war er außerstande, seinen Halbbruder zu identifizieren. Da fand gerade jener Pedro, der stets die von ihm ersonnenen Verbrechen an Diener und Vasallen delegiert hatte, um sich hinter ihnen zu verbergen, den Mut, durch eigene Worte seine Identität den Todfeinden preiszugeben:

... é asi como llegó el Rey Don Enrique, trovó del Rey Don Pedro. E él non le conoscia, ca avia grand tiempo que non le avia visto: é dicen que le dixo un Caballero de los de Mosen Beltrán: »Catad que este es vuestro enemigo.« E el Rey Don Enrique aún dudbaba si era él: é dicen que dixo el Rey Don Pedro dos veces: »Yo só, yo só.« E estonce el Rey Don Enrique conoscióle, é firióle con una daga por la cara: é dicen que amos á dos, el Rey Don Pedro é el Rey Don Enrique cayeron en tierra, é el Rey Don Enrique le firió estando en tierra de otras feridas. E alli morió el Rey Don Pedro á veinte é tres dias de marzo deste dicho año ...[46]

Die für dieses Kapitel zentralen Beobachtungen – zur *Funktionsdominanz der Historiographie* unter den textuell fixierten Gattungen in den spätmittelalterlichen Königreichen der Iberischen Halbinsel und zur spezifisch *frühen Genese kommunikativer Rollen mit Subjekt-Struktur* in Kastilien – lassen sich in ein Verhältnis wechselseitiger Bestätigung rücken. Denn zum einen würde ein Vergleich historiographischer Texte aus verschiedenen europäischen Kulturregionen des XIV. und des XV. Jahrhunderts Spanien tatsächlich so etwas wie einen ›Vorsprung‹ in der Ausprägung von Subjektivitäts-Gestalten attestieren;[47] zum anderen zeigen unsere Beobachtungen zur textimplizierten Leserrolle in den Chroniken von Pero López de Ayala wie zu der rasch an Gestaltprägnanz gewinnenden Biographieform (die sich im XIII. Jahrhundert am Ende der *Crónica general* abgezeichnet hatte, kaum hundert Jahre später jedoch in Kastilien schon zum dominanten Modell historiographischer Darstellung geworden ist), daß Strukturen kollektiver Mentalität im Medium der Geschichtsschreibung nicht bloß ihren Niederschlag fanden, sondern dort weiter entfaltet und damit bald auch bewußt erfahrbar wurden. Die einsetzende Antiken-Rezeption scheint diesen Prozeß zwar beschleunigt, aber wohl kaum primär bedingt zu haben. Schließlich belegen auch Illuminationen aus Historiographie-Manuskripten des XV. Jahrhunderts, daß wir hier auf eine höchst folgenreiche Linie historischen Wandels gestoßen sind, deren Wirkungshorizont keinesfalls auf einzelne Gattungen oder auch nur auf den Bereich sprachlicher Kommunikation beschränkt war. In einem Kompendium zu den Genealogien der spanischen Königshäuser stößt man auf Federzeichnungen, welche – etwa – Enrique II. und seinen Sohn, Juan I., immer wieder mit typischen physiognomischen Grundzügen darstellen, die also ›individualisierend‹ verfahren, statt sich auf eine Repräsentation der Königsrolle zu beschränken, wie das noch ohne Ausnahme für die Illuminationen zu den frühen Manuskripten der alfonsinischen Chroniken galt.[48]

Unsere Analyse der *Crónica del Rey Don Pedro* hat zu der These geführt, daß das Autoren-Bewußtsein von Pero López de Ayala die in seinem Text aufgedeckten Strukturen früher Subjektivität noch nicht eingeholt hatte.[49] Der kurz vor seinem

Tod im Jahr 1407 geschriebene *Libro rimado del Palacio* bestätigt zunächst diese Vermutung. Pero López de Ayala griff auf die traditionelle Form der *cuaderna via* zurück (die freilich im Laufe des XIV. Jahrhunderts ihre Bindung an Missionierung und Laiendidaxe als ihren ursprünglichen ›Sitz im Leben‹ mehr und mehr verloren hatte) und reproduzierte ein durchaus gängiges Repertoire von Exempelgeschichten, um einen scheinbar ebenso konventionellen Traktat in der Perspektive des *contemptus mundi* zu konstituieren. Es bedarf wohl keiner langen Argumentation, um die These zurückzuweisen, daß eine textimmanente Sprecherrolle, welche ›sich selbst‹ Sünden, Verfehlungen und Laster zuhauf attribuiert, die Identität eines Texts als ›persönliche Lebensbeichte‹ sicherstellt. Trotz gewisser Anspielungen auf hochgestellte Zeitgenossen und einer Thematisierung des großen Kirchenschismas handelt es sich ebenso wenig um eine Gesellschaftssatire oder gar um die verbitterte Zeitkritik eines ›Akteurs auf historischer Bühne‹, der sich zurückgezogen hat. Eher steht der *Libro rimado del Palacio*, obwohl er sich schon auf das XV. Jahrhundert datieren läßt, den Innovationen des Historiographen López de Ayala wie ein Rückschritt gegenüber. Fänden wir die Anklage des Aberglaubens (*copla* 22), des Jagdvergnügens (*copla* 29) oder der höfischen Literatur (*copla* 163) als gesellschaftlichen Grundübeln bei anderen Autoren des beginnenden XV. Jahrhunderts, so würden wir sie als Involutionsformen von moralisch-praktischen Urteilen einstufen, die man auch schon in Texten des späten XII. Jahrhunderts entdecken kann – und keiner weiteren Deutung würdigen.

Nun gibt es aber eine *copla*, die man wie den Ratschlag lesen mag, ›Genealogie‹ als Legitimationstitel von Königen durch ihre Kompetenz bei der Ausübung der Herrschaft zu ersetzen:

> Este nonbre de rey de buen regir desçiende
> – quien ha buena ventura bien así lo entiende –;
> el que bien a su pueblo govierna e defiende,
> éste es rey verdadero: tírese el otro dende.[50]

Wird hier ›Königtum‹ als Rolle für ein Subjekt der Herrschaft interpretiert und der traditionellen Konzeption gegenübergestellt, nach der ein König allein die Tradition und das Alter eines Geschlechts inkarnierte? Ging es Pero López de Ayala mit dieser Definition um eine späte Rechtfertigung des Treuebruchs gegenüber Pedro I.? Wer in Rechnung stellt, daß die hier angebotene Definition des Königtums schon in den *Siete Partidas* Alfons X. erscheint, daß der besonders lange Vers der *cuaderna via* immer wieder durch semantisch kaum konturierte Syntagmen aufgefüllt werden muß (›*tírese el otro dende*‹), daß schließlich der *Libro rimado del Palacio* ein unter den verschiedensten Hinsichten höchst konventioneller Text ist, der wird Vorbehalte gegenüber einer fraglos biographischen Deutung haben. Aber auch ohne Rekurs auf den *Libro rimado del Palacio* kann man kaum jenen Sachverhalt leugnen, den Claudio Sánchez Albornoz – im Blick auf das XIV. Jahrhundert – mit geradezu expressionistischer Rhetorik feiert: (...) *en Castilla había madurado ya el hombre entero que no encajaba en los marcos de la vida y de la cultura occidentales y ultrapirenaicas; el hombre entero que se proyectaba en la aventura sacudido por frenéticos desbordes energéticos. Y por lo singular de su propria personalidad, impetuosa y eruptiva, pronta a hender el mundo en torno a modo de una daga o de una lanza: capaz de abrirse camino entre la realidad y de apropiársela en una mágica orgía sensorial; tan rebosante de humanidad y de vida que llegaba a vitalizar y a humanizar hasta los gestos y las cosas.*[51]

Das wandernde Fest des Hofes

Das XIV. Jahrhundert war von den Zeitgenossen gewiß nicht allein – und nicht einmal primär – als Zeitalter einer *Sinn-* und *Institutionen*krise erlebt worden. Es hatte die Bewohner der europäischen Königreiche mit der Schwarzen Pest und dem Hundertjährigen Krieg konfrontiert, mit dem Zusammenbruch tradierter Wirtschaftsstrukturen, mit Inflationen und Hungersnöten, mit Pogromen und neuen, noch nicht kontrollierbaren Formen des Verbrechens. Auf der iberischen Halbinsel allerdings hatte es zugleich neue Horizonte der Erfahrung und – teilweise auch – der Prosperität eröffnet. Für Aragón und für Portugal begann nach 1300 eine lange Phase der Expansion und der Annexionen im Mittelmeerraum und an der afrikanischen

Küste; die Entwicklung der Schafzucht zur Monokultur ermöglichte es Kastilien, Exportmärkte bis hin nach Flandern zu erschließen. Wechselnde Bündnisse mit den verschiedenen Parteien in den Kämpfen um die Kronen von Frankreich und England, mit den Kontrahenten des Hundertjährigen Kriegs, veränderten die Kultur- und Lebensformen. Die gegenläufigen Impulse von Krieg, Armut und Massensterben, Expansion, Annexion und Export potenzierten sich zu einer ungeahnten Beschleunigung gesellschaftlichen Strukturwandels.

Solches Erleben war von den überlieferten Wissensstrukturen und Verhaltensnormen vorerst nicht in Erfahrung umzusetzen – und noch weniger in seiner Dynamik zu beherrschen. Deshalb wohl waren zahlreiche Textgattungen und Kommunikationsformen zu Beginn des XV. Jahrhunderts in eine Phase der Stagnation eingetreten. Clemente Sánchez Vercial etwa stellte zwischen 1400 und 1421 eine umfängliche Sammlung von Sentenzen und Exempelgeschichten zusammen, deren strukturelle Einheit durch wechselseitige Zuordnung von lateinischen Sprichwörtern, ihrer Übersetzung in die Volkssprache und anschließenden Narrationen, sowie durch die alphabetische Reihung dieser in sich komplexen Elemente zwar im Vergleich zu früheren Sammlungspraktiken optimiert erscheint – in der sich aber weder neue Sinnvorgaben noch innovative Perspektiven ihrer Applikation ausmachen lassen. Näher kam den alltäglichen Problemen der Rezipienten jener Zeit wohl ein – unmittelbar vor Beginn des Konstanzer Konzils – zunächst in lateinischer Sprache verfaßter Text des spanischen Gegenpapstes Benedikt XIII., dessen Übertragung ins Kastilische unter dem Namen *Libro de las consolaciones de la vida humana* denn auch eine beträchtliche Verbreitung fand. Pedro de Luna, so der Adelsname von Benedikt XIII., versuchte die Lehren des Evangeliums und – insbesondere – der Kirchenväter auf aktuelle Bedürfnissituationen zu beziehen: seine ›Tröstungen‹ wandten sich an Blinde und Gehörlose, aber auch an Adlige, deren Palast zerstört worden war und die Fremdherrschaft in Trauer ertragen mußten, weil sie ihre ererbte Macht verloren hatten.

Vielfach belegt sind in der kastilischen Literatur vor dem XV. Jahrhundert auch Tierfabeln, wie sie der *Libro de los gatos* enthält. Doch hier lassen sich zwei Modifikationen im Umgang mit den tradierten Stoffen beobachten. Zum einen die Neigung, Applikationen der Fabeln auf die Kritik standestypischer Norm-Transgressionen zu lenken, auf die Warnung vor einer aus den Fugen geratenen Welt – eher als auf die Anleitung zum rechten Handeln, wie sie noch kaum hundert Jahre zuvor das Hauptanliegen des *Conde Lucanor* von Don Juan Manuel gewesen war. Zum zweiten gewinnt man den Eindruck, daß in solche Kritik und solche Warnungen häufiger als zuvor die Interessen von marginalen Schichten der Stadtbevölkerung eingingen. Das *Enxienplo* XIX etwa konnotiert das Problem der (un-)gerechten Verteilung von Nahrungsmitteln:

El lobo vna uegada quisso ser monje & rrogo a un conuento de monjes que los quisiesen y reesçebir; & los monjes fiçieron lo ansi, & fiçieron al lobo la corona & dieron le cugula & todas las otras cosas que pertenesçen al monje, & pusieron le a leer pater noster. El, en lugar de deçir pater noster, sienpre deçia cordero o carnero. E deçian le que parase mientes al cruçifixo & al cuerpo de Dios. El sienpre cataua el cordero o al carnero.
Bien ansi acaesçe a muchos monjes, que en lugar de aprender la rregla dela orden, delas cosas que pertenesçen a Dios, sienpre rresponden & llaman: Carnero, que se entiende por las buenas & por el uino & por otros uiçios deste mundo.[52]

Kaum mehr Fürsprecher und Helfer hatten dagegen in der Krisensituation des XIV. und XV. Jahrhunderts die Muslime und Juden. In den sechs volkssprachlichen Strophen etwa, die man auf der Rückseite des ersten Blatts eines die *Siete Partidas* enthaltenden Codex findet, wird ein Advokat namens Rueda zwar wortreich zur Bescheidenheit bei der Berechnung seiner Honorare ermahnt, aber zugleich legt man ihm nahe, Juden und Muslime zumindest dann nicht als Klienten anzunehmen, wenn sie als Kläger gegen Christen auftreten:

> Item, Rueda, para mientes
> al alto bien soberano;
> por su sola onrra dexa
> de ayudar al pagano,
> nin a moro nin judio
> contra el fiel cristiano,

maguer trayga justa causa
e dineros enla mano.[53]

Trotz einzelner Ansätze zu neuer Kontextualisierung überlieferten Wissens hatten die unverändert tradierten Redeformen aus der Weisheitsliteratur im historischen Milieu des frühen XV. Jahrhunderts insgesamt viel von ihren Wirkungsmöglichkeiten und damit auch von der Prägnanz ihres Sitzes im Leben verloren. Die zwischen 1430 und 1440 aufgezeichnete *Danza de la Muerte* hingegen kann man sich – wie ihre meist etwas später zu datierenden Paralleltexte aus anderen europäischen Kulturen – kaum in einer anderen Umwelt als in der Krise des Spätmittelalters vorstellen. Sie zeigt, wie sich das Erleben neuer Sinnhorizonte in Szenen makabren Spiels transponieren ließ. Erinnern wir uns noch einmal an das soziologische Theorem vom Anfang dieses Kapitels: gesellschaftliche ›Krisen‹ können als Insuffizienz sozialer Systeme gegenüber ihrer konstitutiven Leistung, nämlich der Selektion von Wahrnehmungsgegenständen aus der Systemumwelt und deren Transformation in systeminterne Strukturen kollektiven Sinns beschrieben werden. In dem Maß, wie die Selektionsschwäche eines sozialen Systems zunimmt, verlieren die systeminternen Sinnstrukturen an Prägnanz und Verbindlichkeit, bis sie in ein Chaos kollektiven Sinns übergehen, wo die institutionellen Rahmen der Interaktion aufgehoben sind. So gesehen verdichteten die Allgegenwart der Todesfurcht und das *Memento mori* als ihre didaktisierte Erfahrungsform metonymisch den Zustand der europäischen Gesellschaften in der Krise des Spätmittelalters: denn ›im Angesichts des Todes‹ schwand alle institutionelle Gewißheit.

Während aber nun alltäglich der Schwund von Strukturen kollektiven Sinns und der Kollaps gesellschaftlicher Hierarchien als Orientierungslosigkeit des eigenen und bedrückende Unberechenbarkeit des fremden Handelns erfahren wurden, ließ sich in abgegrenzten Kontexten des Spiels die andere Seite des Sinnchaos hervorheben, die Krise für einige frenetische Augenblicke positivieren und als Entlastung vom Druck der Disziplinierungen erlebbar machen. Die Ambivalenz des ›Totentanzes‹ realisierte sich offenbar in der Antwort rhythmisch bewegter Körper auf die austere Mahnung des *Memento mori*.

Wir vermuten also, daß der ›*Tanz* mit dem *Tod*‹ nicht immer eine Metapher, ein bloßes Schema bildlicher Darstellung war, sondern eine Inszenierungsform epochentypischer Erfahrung, deren Modus, Sinn und Körper zu koppeln, uns gänzlich fremd geworden ist. Solange wir aber diese Koppelung – etwa beim Beispiel der *Danza de la Muerte* – mit unserer historischen Imagination nicht einholen, verfehlen wir die Alterität der mittelalterlichen gegenüber den neuzeitlichen Erfahrungs- und Kommunikationsformen. Etwa ist die Suche nach dem ›mittelalterlichen Theater‹ deshalb stets problematisch – wenn nicht überhaupt aporetisch –, weil unser Begriff des ›Theaters‹ eine für das Mittelalter undenkbare Polarität voraussetzt: eine Polarität zwischen ›einsamer Lektüre‹, einem Typ der Erfahrungsbildung, der Körperbewußtsein ausblendet, und szenischer Repräsentation, für die Körperbewußtsein konstitutiv ist. Solange aber volkssprachliche Texte vorgelesen oder gar in offener *mouvance* von Spielleuten und Trobadouren immer neu ›geschaffen‹ wurden, konnte sich dieses Erfahrungsschema einer Distanz zwischen Körper und Sinn nicht etablieren.

Zu dem uns fremd gewordenen Modus der Koppelung zwischen Körper und Sinn kam im Totentanz die Ambivalenz zwischen der Furcht, welche eben der Sinn des *Memento mori* auslösen sollte, und der Antwort aus der Bewegung der tanzenden Körper. So interessieren uns in diesem Text denn auch weniger die je besonderen Entgegnungen, Entschuldigungen und Ausflüchte, mit denen die Stände- und Berufsrollen der Aufforderung ›zum Tanz‹ von *Frau* Tod (die allegorische Repräsentationsform des Todes in den romanischen Kulturen ist weiblich) entgegnen – sie gehören fast alle einem auch in anderen Kontexten spätmittelalterlicher Stadtkultur überlieferten Repertoire an. Viel wichtiger ist die Beobachtung, daß einerseits im Werben des Todes neben aller Unerbittlichkeit auch Töne erotischer Faszination mitschwingen, und daß andererseits den Menschen die Sinne – die Beherrschung über ihren Körper? – schwinden, wenn sie sich in seine Arme werfen. *Non bos enojedes, sennor padre santo, / de andar en mi dança que tengo ordenada*, sagt Frau Tod zum Papst, *Dançad imperante con cara pagada* zum Kaiser, und ganz explizit wird dieser Aspekt, wo sich ihre Einladung an den korpulenten Abt richtet:

Don abad bendicto, folgado, biçioso,
Que poco curastes de bestir çeliçio,
Abraçad-me agora seredes mi esposo,
Pues que deseastes plaseres e biçio.
Ca yo so bien presta a vuestro seruiçio,
Abed-me por vuestra, quitad de nos sanna,
Que mucho me pláse con vuestra conpanna:

Que ya tengo della todo el seso turbado ruft der Kaiser aus, als er sich dem Locken des Todes nicht mehr entziehen kann; *Que pierdo la bista e non puedo oyr* sind die letzten Worte des Kardinals, und den *donzellas* wendet sich der sterbende Schildknappe mit einem letzten Gruß zu: *Echo-me la muerte su sotil ansuelo, / Fasen-me dançar dança de dolores.*[54]

Auch ein Rabbi und ein Alfaqui reihen sich ein in die Prozession der gesellschaftlichen Rollen. Die ihnen zugeschriebenen Reden zeigen, daß – bei aller Erstarrung der Alteritätserfahrung zum Klischee – den spanischen Christen noch immer wesentliche Züge jüdischer und islamischer Kultur präsent waren. Dem Rabbiner – und hier erinnern wir uns an die *Proverbios morales* des Rabbi Sem Tob – bleibt die auf den Körper wirkende Musik fremd, und nichts fürchtet er mehr als den Verlust seines Verstandes, während dem Alfaqui gerade an der Erhaltung der Sinnesfreuden im Jenseits gelegen ist:

Helohym a Dios de Habraham
Que prometiste la redepçion,
Non se que me faga con tan grand afan,
Mandad-me que dançe non entiendo el son.
Non ha ome en el mundo de quantos y son
Que pueda fuyr de su mandamiento,
Veladme dayanes que mi entendimiento
Se pierde del todo con grand afliçion.

DISE EL ALFAQUI:

Sy Alaha me vala es fuerte cosa
Esto que me mandas agora faser;
Yo tengo muger discreta, graçiosa,
De que he gasajado e assás plaser.
Todo quanto tengo quero perder,
Dexa-me con ella solamente estar,

De que fuere biejo manda-me leuar,
E a ella con-migo sy a ty pluguier.

Darüber hinaus weist der überlieferte Text der *Danza de la Muerte* deutliche Spuren des Bemühens auf, die gattungstypische semantische und situationale Ambivalenz des Totentanzes zu minimieren. Denn das einleitende Prosavorwort, an das Frau Tod in den ersten Strophen ihrer Rede explizit anschließt, läßt uns vermuten, daß der Aufführung der *Danza* stets eine Predigt vorausging, zu der sich die Gegenwart der tanzenden Körper wie eine Allegorie verhalten sollte. Ganz ohne Ambivalenz ist denn auch die Antwort des Mönchs auf das Rufen des Todes. Sie repräsentiert jenen *Contemptus mundi,* welcher den ›Stachel des Todes‹ nicht spürt, weil für ihn die Sterbestunde bloß Übergang von diesseitigem Leid zu jenseitiger Seligkeit ist:

DISE EL MONGE

Loor e alabança sea para siempre
Al alto sennor que con piadad me lieua
A su santo Reyno a donde contenpla
Por syempre jamas la su magestad.
De ca çel escura vengo a claridad
Donde abré alegria syn otra tristura,
Por poco trabajo abré grand folgura:
Muerte non me espanto de tu fealdad.[55]

Trotz dieser Spuren religiös-didaktischer Domestizierung weist die *Danza de la Muerte* mehr Gemeinsamkeiten mit der *höfischen kastilischen und aragonesischen Poesie des XIV. und XV. Jahrhunderts* auf, als es sich ein neuzeitlicher Betrachter zunächst vorstellen möchte. Da ist einmal der zwölfsilbige Vers mit Zäsur nach der sechsten Silbe, der Vers des *Arte mayor castellano,* welcher als wichtigste formgeschichtliche Innovation in der spanischen Literatur des XV. Jahrhunderts gilt. Da ist die szenische Aufführungssituation, deren Grundstrukturen die *Danza de la Muerte* mit den höfischen Liedern (›cantigas‹) und der aufkommenden Spruchdichtung (›dezires‹) teilt. Schließlich gehört auch zur Poesie des kastilischen Königshofes – und hier wiederum vor allem zu den *dezires* – jene Ambivalenz zwischen dem theologischen Ernst und den Lizenzen des kommunikativen Spiels, die den Totentanz kennzeichnet.

Voraussetzung für die Fixierung solcher formalen und inhaltlichen Konventionen in prunkvollen Manuskripten und Codices war offenbar eine Zeit vorübergehender Befriedigung nach den über das ganze XIV. Jahrhundert währenden Kriegen zwischen den spanischen Adelshäusern. Unsere Kenntnisse von der Hofdichtung des XIV. und XV. Jahrhunderts gehen auf kastilische und aragonesische *Cancioneros* zurück, wie sie erst seit etwa 1550 an den Höfen entstanden. Aber schon zwischen 1360 und 1370 wurden die *cantigas* des im XV. Jahrhundert legendären und in der spanischen Romantik des XIX. Jahrhunderts zum mythischen Repräsentanten des Liebesleids verklärten *trobadors* Maçias geschrieben, die dann später als ein fixiertes Corpus weniger Texte im Zentrum zahlreicher *Cancioneros* auftauchten.[56] Um die Wende zum XV. Jahrhundert setzen Literarhistoriker die Schaffensperiode von Alfonso Alvarez de Villasandino an, der als Meister der *dezires* gilt. Nur wenige Jahre später hat Ferrant Sánchez Calavera einen *dezir* über das theologische Zentralproblem der ›Werkgerechtigkeit‹ geschrieben, über den unauflösbaren Widerspruch zwischen göttlicher Prädestination und menschlicher Willensfreiheit, der im *Cancionero de Baena* um 1450 mit einem themengleichen *dezir* des Kanzlers Pero López de Ayala zu ›pregunta‹ und ›respuesta‹ kombiniert wurde. Natürlich können wir nicht ausschließen, daß López de Ayala mit seinem *dezir* tatsächlich auf die von Ferrant Sánchez Calavera thematisierten Probleme *geantwortet* hatte,[57] aber das Montieren solcher ›Gespräche‹ gehörte zu den gattungstypischen Verfahren der *Cancioneros,* und es ist sogar denkbar, daß der Name des Kanzlers Ayala einem zunächst anonymen Text zugeordnet worden war, weil die Leser seiner Chroniken ein Autorenbild extrapoliert hatten, welches ihn als absolute Autorität für den theologisch-philosophischen Problemhorizont der Subjektivität menschlichen Handelns (›libre albedrío‹) erscheinen ließ.

Wir wollen freilich nicht einer schlechten Tradition literaturwissenschaftlicher Mediävistik folgen und die Sammelhandschriften des XV. Jahrhunderts als bloße Basis zur Entwicklung von Konjekturen über solche historischen Fakten auszuschlachten, die keinen Niederschlag in der Überlieferungsgeschichte gefunden haben. Vielmehr sollen die *Cancioneros* auf die ihre Entstehung begleitenden Funktionen befragt werden, weil es uns um eine *Rekonstruktion des Milieus und der einzelnen Situationen höfischer Dichtungsspiele im XV. Jahrhundert* geht. In diesem Zusammenhang ist gerade der Sachverhalt bedeutsam, daß die *Cancioneros* oft hundert Jahre vor ihrer eigenen Zusammenstellung entstandene Texte fixieren, deren Genese in Aragón, Kastilien oder Portugal Teil einer ihrerseits schon späten Rezeption höfischer Poesie aus Frankreich gewesen war. Kaum eine andere Gattung der europäischen Literatur kann uns deshalb so plastisch wie die spanischen Cancioneros vergegenwärtigen, was der ›Herbst des Mittelalters‹ als mentale, kulturelle und schriftstellerische Identitätsfigur bedeutete, – auch wenn man diesen Begriff zunächst eher mit den Herzögen von Burgund oder dem Hof von Maximilian, dem ›letzten Ritter‹, assoziiert als mit den iberischen Monarchien.[58]

Der ›Herbst des Mittelalters‹ aber war nichts anderes als die brillante Kehrseite zur umfassenden Krise des europäischen Spätmittelalters, eine Fassade, die nicht in Auseinandersetzung mit den Auswirkungen dieser Krise entstand, sondern – gerade umgekehrt – nur durch eine soziale Abschottung der Höfe möglich wurde. Es ist deshalb nicht überraschend, daß weite Passagen in einem der beiden Prologe des *Cancionero de Baena*, der um 1445 am Hof des kastilischen Königs Juan II. zusammengestellt wurde, eine Paraphrase, ja stellenweise sogar eine Reproduktion jener Sätze aus der Vorrede zur *Crónica general* Alfons’ des Weisen sind, in denen es um die Bewahrung und Weitervermittlung überlieferten Wissens als vornehmste Aufgabe der Gelehrten geht. Auch das in dem anderen Prolog entworfene Bild des Königs Juan II., an den sich der Kompilator, *el judino Johan Alfonso de Baena*, selbstverständlich wendet, entspricht der einschlägigen Rollendarstellung in den *Siete Partidas*, die wir im vorausgehenden Kapitel ausführlich zitiert haben. Dichtung darf für den Monarchen und seine Familie Kurzweil und (wie wir heute sagen würden) ›Ausgleich‹ für die Mühen des Herrscher-Alltags sein – ebenso wie der Turniersport, der Stierkampf, das Fechten, das Ballspiel und die Jagd auf Löwen, Bären, Wildschweine und Hirsche. Doch nicht nur als Kurzweil werden solche Beschäftigungen gepriesen, sie sollen auch die Willenskraft stärken, die Blutbildung befördern,

Grillen vertreiben, Glieder und Nerven durch Dehnung flexibel machen. All diese Argumente kann man in Kastilien auch schon während des XIII. Jahrhunderts finden. Wenn überhaupt, so ist dieses Lob der höfischen Spiele gegenüber dem hohen Mittelalter höchstens durch eine Lücke verändert: was hier fehlt, ist die Ermahnung zur zeitlichen, räumlichen und gesellschaftlichen Abgrenzung solcher Spiel-Räume. Statt dessen wird vornehmlich die Dichtkunst durch ihren neuen Namen als ›gaya çiençia‹ nobilitiert. Und im letzten Absatz der zweiten Vorrede schreibt Juan Alfonso de Baena fest, was höfische *trobadors* und ihre königlichen Mäzene gewiß schon während des XII., XIII. und XIV. Jahrhunderts empfunden und in ihrem Handeln impliziert hatten, ohne daß es der schriftlichen Fixierung für Wert erachtet worden wäre:

La qual çiençia é avisaçion é dotrina que d'ella depende, é es avida é rreçebida é avançada por graçia infusa del señor Dios, que la dá é la enbya é influye en aquel é aquellos que byen é sabya é sotyl é derechamente la saben fazer é ordenar é conponer é limar é escandir é medir por sus pies é pausas, é por sus consonantes é sylabas é açentos, é por artes sotiles é de muy diversas é syngulares nonbranças. E aun asymismo es arte de tan elevado entendimiento é de tan sotil engeño, que la non puede aprender nin aver nin alcançar nin saber bien nin commo deve, salvo todo omme que sea de muy altas é sotiles invençiones, é de muy elevada é pura discreçion, é de muy sano é derecho juysio, é tal que aya visto é oydo é leydo muchos é diverssos libros é escripturas, é sepa de todos lenguajes, é aun que aya cursado cortes de rreyes é con grandes señores, é que aya visto é platicado muchos fechos del mundo, é finalmente que sea noble, fydalgo é cortés é mesurado é gentil é graçioso é polido é donoso, é que tenga miel é açucar é sal é ayre é donayre en su rrasonar, é otrosy que sea amado é que siempre se preçie é se finia de ser enamorado, porque es opynion de muchos sabyos que todo omme que sea enamorado, conviene á saber que ame á quien deve é commo deve é donde deve, afirman é disen qu'el tal de todas buenas dotrinas es dotado.[59]

Im Herbst des Mittelalters wußte man, daß die Kompetenz zur Teilnahme am artistischen Dichtungs-Spiel ebenso wie die Konventionen des Liebes-Spiels, welches von der Dichtung präfiguriert, abgebildet und inszeniert wurde, eine gesellschaftliche Distinktionsfunktion hatte. Ist aber erst einmal ein Bewußtsein von der Identität eines bestimmten Handlungstyps entstanden, so vollzieht sich auch bald die Abgrenzung des einschlägigen Wissensbereichs und die Ausbildung von Rollen, welche über die Reinerhaltung jener Handlungsformen und die Orthodoxie dieses Wissens wachen: *dicho libro con la graçia é ayuda é bendiçion é esfuerço del muy soberano bien que es Dios nuestro señor, fiso é ordenó é conpusso é acopiló el judino Johan Alfonso de Baena, escrivano é servidor del muy alto é muy noble rey de Castilla Don Johan nuestro señor, con muy grandes afanes é trabajos, é con mucha diligençia é afection.*

Weniger unter dem Aspekt seiner Funktion als hinsichtlich seiner Inhalte und seiner Text-Assimilations-Strukturen ist der *Cancionero de Baena* freilich ein atypisches Exemplar für die erste Phase der von ihm eingeleiteten Gattungsgeschichte, die schon wenige Jahrzehnte später durch die Einführung des gedruckten Buches ganz einschneidende Veränderungen erfahren sollte. Atypisch ist der *Cancionero de Baena* nicht etwa durch ›exzentrische‹ Themen, Textstrukturen oder Assimilations-Prinzipien; seine Sonderstellung beruht vielmehr auf der enormen Variationsbreite, mit der höfische Dichtung hier in nicht weniger als fünfhundertsechsundsiebzig Texten unter neunundachtzig Autorennamen vorgeführt wird. Er schließt all jene partikularen Form- und Inhaltshorizonte ein, die sich im Lauf der Ausbildung von Subgattungen während der nächsten Jahrzehnte – wenigstens bis hin zur Einführung des Drucks – beobachten lassen.

Wenn man sich zunächst auf die *Assimilationsstrukturen* konzentriert, durch die der Kompilator (und vielleicht auch teilweise die Kopisten der uns erhaltenen Manuskripte) Einzeltexte miteinander verbanden, so stellt sich sofort jener Eindruck ein, den schon der *Libro de buen amor* evozierte: der Niederschlag von Strukturierungs-Intentionen in den *Cancioneros* ist zu evident, als daß man ihre Rekonstruktion vernachlässigen könnte, aber andererseits scheinen sie so inkonsequent realisiert, daß man bei der Formulierung deskriptiver Aussagen zögert. Klar ist lediglich, daß häufig Texte mit identischer Vers- und/oder Strophenform und Texte, welche der Kompilator demselben Autor zuschreibt (ohne daß wir uns allerdings auf solche Attributionen immer verlassen könnten), gereiht werden. Schon weniger deutlich ist die Bildung von Textreihen auf der Grundlage semantischer Isotopien, während die – zweifellos dem Kompilator zuzuschreibende – Konstruktion von ›Dialogen‹ zwischen einzelnen Autoren, aber auch die Zusammenstellung von Texten, welche auf identische Situationstypen höfischer Geselligkeit beziehbar sind, besondere Chancen für unser Verstehen des *Cancionero*-Gebrauchs eröffnen. Auch innerhalb solcher Textblöcke werden ab und an Strukturierungsgesten greifbar. So können formgleiche Texte sukzessiv verschiedene Aspekte eines konstant bleibenden Themas entfalten, und umgekehrt konstituiert sich in der Wiederholung von Themen ein Kontrasthintergrund für die Erfahrung von Form-Variationen: ›Dialoge‹ werden nicht selten zum Konsens zwischen den vertretenen Positionen geführt; Textserien, welche einem und demselben Autor zugeschrieben sind, können in biographischer Ordnung arrangiert sein. Anhand des zuletzt genannten Strukturierungs-Typs läßt sich die Assimilations-Arbeit der Kompilatoren illustrieren. In der Mitte des *Cancionero de Baena*, unmittelbar nach dem Block der Maçias-Texte, finden sich Gedichte, welche einem *Arçidiano de Toro* zugeschrieben sind. Das den ersten beiden *cantigas* dieses Textblocks immanente Ich artikuliert eine Liebesklage in der Situation des noch nicht erhörten Liebhabers, während sich die dritte *cantiga* bereits *á su sseñora* richtet. Erst in der Überschrift des vierten Textes wird der Bezug auf ein Biographieschema explizit: *Esta cantiga fiso é ordenó el dicho arçidiano de Toro al tienpo de su fynamiento*, und der Textblock schließt mit einer Probe aus der dank François Villon bis heute bekannt gebliebenen Gattung des Poetentestaments: *Este testamento fiso é ordenó el dicho arçidiano de Toro ante que fynase*.[60]

Viel einfacher ist es, das *Themenspektrum* des *Cancionero de Baena* zu beschreiben. Es mißt den semantischen Spielraum von Situationen und Problemen höfischer Minne in allen seit dem XII. Jahrhundert entstandenen Dimensionen aus; es verknüpft theologische Standard-Argumentationen mit Diskursen der kosmologischen Reflexion, vor allem mit der Astronomie und der Astrologie; es stellt eine Vielzahl von Texten bereit, deren Rezitation offenbar geeignet war, die Inszenierung von Situationen des höfischen Zeremoniells in Gang zu bringen – ob das Infantengeburten oder Herrschergeburtstage waren, der

Empfang oder Abschied von Gästen des Hofes, fürstliche Hochzeiten oder Siegesfeste. Bemerkenswert ist im Hinblick auf den *Cancionero*-Gebrauch der Sachverhalt, daß die Kommentare des Kompilators oft das konkrete Hofereignis benennen, welches zur Entstehung jeweiliger Texte geführt haben soll, während die Texte selbst in der Ausprägung der ihnen immanenten Rollen meist unbestimmt genug bleiben, um zu vielfach-verschiedenen Anlässen im Rahmen *eines* Situationstyps benutzt werden zu können.

Doch obwohl der *Cancionero de Baena* und die ihm unmittelbar nachfolgenden kastilischen und aragonesischen Sammelhandschriften in ihrer Thematik und in ihrer Autoren-Selektion entschieden vergangenheitsbezogen waren, wurde die Hofdichtung für die Formgeschichte der spanischen Literatur zu einem Milieu zukunfträchtiger Innovationen. Denn mehr noch als zur Zeit Alfons' des Weisen waren die spanischen Höfe des XV. Jahrhunderts Orte der Konvergenz für die verschiedensten Anregungen aus fremden Kulturbereichen. Zu ihnen gehörten die provenzalische Minnepoesie, die frühe Dichtung der italienischen Renaissance und die neuentdeckten Texte antiker Lyrik, wie sie vor allem in Aragón rezipiert wurden; die galizisch-portugiesische Tradition, die am kastilischen Hof besonders beliebt war; schließlich aber auch populäre Lieder und Sprichwörter, die von einer eigenartigen Vorform ›folkloristischer Faszination‹ nun schon der schriftlichen Fixierung für würdig erachtet wurden. In den *Cancioneros* läßt sich beobachten, wie die so angeeigneten Vers- und Strophenformen bis zur Mitte des XV. Jahrhunderts in zwei neuen Metren eine Synthese eingingen und relativ klar abgegrenzte Applikationsbereiche fanden. Das ist zum einen der zwölfsilbige *arte mayor castellano,* das bevorzugte Metrum der *dezires,* die damals wohl ebenso Medium des Dichtervortrags wie Gegenstand der Lektüre waren; das ist zum anderen der *achtsilbige Vers* als flexible Grundform für die Gesangsbegleitung höfischer Musik.

Wir hatten betont, daß der *Cancionero de Baena* gegenüber allen später entstehenden *Cancionero*-Typen exzentrisch blieb. Untereinander nun scheinen diese Typen vor allem vom jeweils dominanten *Geselligkeits-Stil* einzelner Höfe geprägt. So lassen Differenzen zwischen ihren Themenhorizonten vermuten, daß theologisch-philosophische Dispute zunächst allein in Kastilien den Raum des höfischen Spiels besetzen konnten, während in Aragón – und bald auch am aragonesischen Hof von Neapel – weiterhin die Minnepoesie vorherrschte; so fällt auf, daß die Komplexität und Subtilität in den Strukturen der Text-Assimilation offenbar eine am kastilischen Hof besonders entwickelte war, während aragonesische *Cancioneros* – etwa der *Cancionero de Palacio* oder der *Cancionero de Stuñiga* – durch die Qualität der Schrift und der Illuminationen hervorragen. Sicher nicht mehr zu beantworten ist die Frage, ob hinter solchen Kontrasten in Kastilien das Fortwirken einer von Alfons X. begründeten Stilform der Hofkultur und ein erster Ansatz der Entwicklung hin zum ›spanischen Hofzeremoniell‹ des XVI. Jahrhunderts standen, in Aragón hingegen das ›gegenkulturelle‹ Provokationspotential provenzalischer Minnehöfe und die Perfektion italienischen Kunsthandwerks. Unsere These, daß solche dem ›Herbst des Mittelalters‹ zuzuschreibenden Stilformen auf die Tendenz zahlreicher Höfe zurückgeht, sich vom Alltag in der ›Krise des Spätmittelalters‹ abzuschotten, läßt sich natürlich im bloßen Rekurs auf die Texte allein nicht erhärten. Nun ist die hispanistische Literaturwissenschaft allerdings in der glücklichen Lage, auf eine Vielzahl von Chroniken zurückgreifen zu können, deren Autoren sich oft mehr für vornehme Spiele und höfische Feste interessiert zu haben scheinen als für Kriege, Kontrakte und wirtschaftliche Konjunkturen. An der Schwelle zur Neuzeit gehörte es offenbar – zumal in Kastilien – nicht mehr nur für Könige, sondern auch für Kondestablen, Kanzler und Herzöge zum guten Ton, die eigene Biographie historiographisch verklären und verewigen zu lassen.

Anhand des zweiten Prologs zum *Cancionero de Baena* hatten wir gesehen, daß sich die Höflinge des XV. Jahrhunderts der gesellschaftlichen Distinktionsfunktion jener Kompetenz durchaus bewußt waren, in der sich Dichtungsspiel und Liebesspiel zur Artistik verschränkten. Besonderen Ruhm als Autorität auf dem einschlägigen Wissensbereich genoß unter seinen Zeitgenossen Enrique de Villena. Er zeigt uns in der Schilderung eines Dichterwettstreits, den die Könige von Aragón anläßlich des Besuchs der kastilischen Infanten in Barcelona veranstalteten, daß zu diesem Verhaltenscode die Regeln eines Eingangszeremoniells gehörten, durch das allererst ein Spielraum für Dichtungsspiel und Liebesspiel konstituiert wurde:

E llegado el día prefijado, congregávanse los mantenedores e trobadores en el palacio, donde yo posava, y de alli partiamos ordenadamente con los vergueros delante, e los libros del arte que traian y el registro ante los Mantenedores. E llegados al dicho capitulo, que ya estava aparejado, e emparamentado aderredor de paños de pared e fecho un asentamiento de frente con gradas en do estava Don Enrique en medio, e los Mantenedores de cada parte, e a nuestros pies los escribanos del consistorio: e los vergueros más abajo, e el suelo cubierto de tapiceria, e fechos dos circuitos de asentamientos en do estavan los trobadores, e en medio un bastimento cuadrado tan alto, como un altar, cubierto con paños de oro, e encima puestos los libros del arte, e la joya. E a la man derecha estava la silla alta para el Rey, que las mas veces era presente, e otra mucha gente, que se ende llegava.

E fecho silencio levantávase el maestro en theología, que era uno de los Mantenedores. e fazia una presuposición con su thema, y sus alegaciones, e loores de la gaya sciencia, e de aquella materia que se havía de tratar en aquel consistorio; e tornavase a sentar. E luego uno de los vergueros dezia que los trobadores allí congregados, espandiesen y publicasen las obras que tienen hechas de la materia a ellos asignada; e luego levantavase cada uno, e leia la Obra que tenía fecha en boz inteeligible, e traianlas escritas en papeles damasquines de diversos colores con letras de oro, e de plata, e illuminaduras fermosas, lo mejor que cada uno podía. e desque todas eran publicadas cada uno la presentava al Escrivano del consistorio.

Tenianse después dos consistorios, uno secreto, y otro público. En el secreto fazian todos juramento de judgar derechamente sin parcialidad alguna, segun las reglas, del arte, cual era mejor de las obras allí esaminadas: e leidas puntuadamente por el escrivano, cada uno dellos apuntaba los vicios en ella contenidos: e señalavanse en las márgenes de fuera. E todas asi requeridas, a la que era fallada sin vicios, o a la que tenia menos, era judgada la joya por los votos del consistorio.

... e aquella ya la traia el escribano del consistorio en pergamino bien illuminada, en encima puesta la corona de oro, e firmavalo yo al pie: e luego los Mantenedores, e sellavala el escribano con el sello pendiente del consistorio, e traia la joya ante mí, e llamado el que fizo aquella obra, entregavanle la joya, e la obra coronada, por memoria. La cual era asentada en el registro del consistorio, dando authoridat y licencia para que se pudiese cantar, e en público dezir.[61]

Solche Choreographie schuf Distanz zwischen höfischem Spiel und außerhöfischem Alltag. Inmitten der Handels- und Hafenstadt Barcelona setzten die Fürsten aus Aragón und Kastilien mit ihren Spielgefährten – bewußt oder unbewußt – die Sakralisierung des Codex in Beziehung zum Altarsakrament, die Hierarchisierung der Spielrollen in Gegensatz zur sozialen Mobilität, räumliche Symmetrie gegen städtebauliche Enge, Sicherheit in der Urteilsfindung durch Applikation expliziter Regeln gegen die Insuffizienz tradierten Wissens in einer veränderten Welt. So war es kein Wunder, daß sich zur Bewunderung für den ›Spezialisten‹ Enrique de Villena auch der Spott seiner Zeitgenossen gesellte: *algunos, burlando, dizian del, que sabia mucho en el çielo e poco en la tierra.*[62] Enrique de Villena wußte alles Wißbare über die höfische Dichtung, doch er ist selbst nie als höfischer Dichter hervorgetreten. Und gänzlich unvorstellbar war es für ihn, sich je am Turnierspiel oder an einer Jagdpartie des Hofes zu beteiligen: *Fue pequeño de cuerpo e grueso, el rostro blanco e colorado, ... ageno e remoto non solamente a la caualleria, ... Comia mucho.*[63] Diese Körperbeschreibung bestätigt, daß sich die Fähigkeit zum Urteilen über höfische Spiele nun von der Fähigkeit zur Teilnahme an höfischen Spielen differenzierte. Die wichtigsten Voraussetzungen zur Teilnahme am Spiel waren körperliche Qualitäten – und das galt auch für die Aufführungskunst der Dichtung. Deshalb begann Villena seinen *arte de trovar,* als dessen wichtigste Vorgabe er einen Traktat des Engländers Walter von Burleigh nannte, mit einer Aufzählung der stimmbildenden Organe:

E acatando seis instrumentos, si quiere órganos, que forman en el hombre bozes articuladas, e literadas, es a saber: Pulmon con su continuo movimiento, sistolando, e diastolando: recibiendo aire fresco hazia así, e lançando el escalentado fuera del cuerpo por muchas partes, especialmente por la tracharchedia, que es la caña del resollo, et percude, si quier o fiere el aire. El segundo, paladar. El tercero, lengua. El cuarto, dientes, que por compresión fazen zizilar, a atenuar el son, si quiere adelgazar. El quinto, los bezos. El sesto, la Tracharchedia.[64]

Wo Villena wenig später auf die Buchstaben der Schrift eingeht, gliedert er seine Darstellung ›nach den Tönen (›bozes‹), die durch sie bezeichnet werden‹, und an anderer Stelle will er zeigen, wie die Stimmbildungsorgane die Buchstaben (*nicht:*

die Laute!) hervorbringen. In seiner Unfähigkeit, über Schrift anders als im Gedanken an gesprochene Sprache zu reflektieren, konkretisiert sich unsere These aus dem vorausgehenden Kapitel, daß die Fixierung volkssprachlicher Texte durch Schrift für das Mittelalter zunächst mündliche Kommunikation ›im Status ihrer Potentialität‹ geblieben war.

Im Zusammenhang dieses Kapitels gewinnt aber der Sachverhalt nun zusätzliches Interesse deshalb, weil sich trotz der frühen Entstehung subjektzentrierter Kommunikation (und anders als in der Biographie Villenas) in der Hofdichtung um die Mitte des XV. Jahrhunderts noch kaum Spuren einer Dichotomisierung von Bewußtsein und Körpergefühl oder gar einer Tendenz zur Ausblendung des Körpergefühls aus der Kommunikation zeigen. In ihren Gebrauchszusammenhängen war Poesie bei Hof wohl so körpergebunden geblieben wie im XII. Jahrhundert oder wie – vermutlich – in der zeitgenössischen Volkskultur. So muß es uns nicht verwundern, wenn wir lesen, daß die Gäste während der über *mehrere Wochen* andauernden Hochzeitsfeiern des Condestable Don Miguel Lucás de Iranzo täglich nach den zahlreichen exquisiten Gängen des Mittagsmahls im selben Saal ›viele Tänze in neuen Formen tanzten‹, um anschließend von den Fenstern und Balkonen Stierkämpfen im Innenhof des Palasts zuzusehen oder selbst am Turnierspiel teilzunehmen, während man nach dem opulenten Abendessen beliebte, mit eigens bestellten Trägern grotesker Masken (*momos*[65]) zu scherzen oder einer Aufführung der *Estoria de quando los Reyes vinieron a adorar y dar sus presentes a nuestro señor Jesucristo*[66] beizuwohnen.

Der Erwerb adelsspezifischer Verhaltenskompetenzen und die strenge Beachtung eines Zeremoniells waren für die Hofgesellschaften des XV. Jahrhunderts – nicht nur in Spanien – umso wichtiger, als sie noch nicht in Hauptstädten und Königspalästen seßhaft geworden waren. Wir wissen, daß Juan II. von Kastilien mit seinem Gefolge jedes Jahr in einer Reihe von Städten als den Stationen eines prinzipiell nach klimatischen Kriterien festgelegten, aber durchaus flexiblen Parcours weilte. Und die einschlägigen Quellen vermitteln den Eindruck, daß sich der Hof dabei *als ein wanderndes permanentes Fest* konstituierte, um stets aufs neue die Distanz zwischen seiner eigenen

Welt und den Umwelten der Städte inszenieren, ja durchsetzen zu können.[67] So will uns die Symbolarchitektur, mit der man im Jahr 1428 den Turnierplatz bei einem Treffen der Königsfamilien von Kastilien, Aragón und Navarra abgrenzte, zunächst wie eine dem außergewöhnlichen Anlaß entsprechende Ausnahme erscheinen. Doch *wo immer* der Hof einzog, mußte sich die gastgebende Stadt wie eine Theaterszene drapieren, um den Höflingen eine Kulisse für ihre Spiele zu bieten:

... fizo el ynfante don Enrrique otra fiesta muy notable, en esta manera. Mandó fazer al cantón que sale de la calle que viene de la puerta del Canpo, a la vista de la plaça, vna fortaleza de madera y de lienço, y en ella vna torre muy alta con cuatro torrejones, y ençima del suelo de la torre vn canpanario fecho, y vna canpana puesta en él. Y ençima del canpanario, vn pilar fecho por la mesma vía de la torre, el qual paresçía de piedra.
Y ençima del pilar estaua vn grifo dorado, el qual tenía en las manos vn estandarte dorado, muy grande, de blanco y colorado; y en los quatro torrejones de ençima de la torre, en cada vno vn estandarte pequeño, por esta mesma vía. E la torre estaua çercada de vna çerca muy alta, con quatro torrejones, y luego su barrera, más baxa vn poco que la çerca, con otras doze torres.
Estaua en cada vna dellas vna dama bien arreada, y baxo, en el suelo de la fortaleza, fechas rrecámaras para el ynfante y para los caualleros. Y estaua puesta vna tela de cañas, y la tela començada desde la fortaleza. E al otro cabo de la torre estauan dos puertas, donde avían de venir los caualleros aventureros, y vn varco donde avía letras que dezían: *Este es el Varco del Pasaje Peligroso de la Fuerte Ventura.* Y ençima de vna destas dos torres estaua vn onbre con vna bozina de cuerno.[68]

Gewiß, nicht immer konnte man eine solche Fülle phantastischer Motive aufbieten, um die Grenze zwischen der temporär eingerichteten Spielwelt in der Stadt und ihrem Alltag zu markieren; auch schlichtere Kulissen werden ihre Funktion erfüllt haben. Aufgehoben war die so gezogene Grenze zwischen dem Hof in der Stadt und der Stadt als seiner Umwelt tatsächlich nur während einiger Stunden der Karnevalstage – und natürlich wurde der Ausnahmecharakter der Grenzaufhebung durch ein eigenes, sekundäres Zeremoniell markiert (der Hof zog in die Stadt-*Umwelt* ein). Doch es bedurfte dann noch einer zusätzlichen Maskerade auf beiden Seiten, um eine Sphäre gemeinsamer Präsenz zu konstituieren. In der folgenden Passage aus der

Crónica des Condestable Don Miguel Lucás de Iranzo konkretisiert sich diese Maskerade als ein Turnier der Gärtner, das ein Kampf zwischen Kürbissen ist; der Condestable selbst läßt sich andererseits herab, gemeinsam mit den Bewohnern der Stadt deren Festtagsgerichte zu essen, steuert allerdings dazu ungewöhnlich feinen Wein bei:

E esto acabado, el dicho señor Condestable, con las dichas señoras, desçendíase de la dicha torre, las tronpetas & cherimías tocando delante, e salía a la calle, al estrado que estaua puesto. E luego venían algunos momos que para esta noche estauan adereçados. Y desque los momos avían dançado, dançaua el señor Condestable con la señora condesa. E así sus hermanos, & todos los otros gentiles onbres & damas.

Y dado fin al dançar, venían todos los ortelanos de la çibdad con paueses e armaduras de cabeça, & trayan muy grandes calabaças en las manos; & en la dicha calle facían vn grand torneo muy brauo de calabaças, dándose con ellas fasta que non quedaua ninguna sana. E después del torneo acabado, mandaua traer colaçión para todos los que allí se ayuntauan, que era asaz gente, de muchas aves & cabritos & pasteles & tortas de hueuos rebueltas con toçino, e *muy finos vinos,* fasta que sobraua.

E dada la dicha colaçión, retrayese a palaçio a reposar & dormir, & despidíanse toda la gente.[69]

Angesichts solcher Szenen gewinnt man den Eindruck, daß die ebenso flexible wie stabile Grenze zwischen dem wandernden Fest des Hofs und seinen Alltags-Umwelten nicht nur die Bewohner der Städte auf Distanz hielt, sondern auch von den Mitgliedern des Hofs längst nicht mehr überschritten werden konnte. So gaben etwa nicht nur seine Korpulenz und seine exzentrischen (bis häretischen) Interessen Anlaß, von Enrique de Villena zu sagen, ›er wisse viel im Himmel und wenig auf der Erde‹, hinzu kam die erwiesene praktische Unfähigkeit, seinen ererbten Besitz zu wahren oder gar zu vermehren: *ansi era este don Enrique ... a los negoçios del mundo e al rigimiento de su casa e fazienda inabile e inapto, que era grant marauilla.* Sollte Mitgliedern des kastilischen Hofes tatsächlich die Sphäre des alltäglichen Handelns immer verschlossener geworden sein, dann dürften sie wohl auch kaum mehr ihre eigene Welt aus dem Gegensatz zum Alltag *als Spielwelt* erfahren haben.

Zusätzlich fällt auf, daß eine andere situationale Grenze, nämlich die Grenze zwischen höfischen Repräsentations-Zeremonien und ›literarischen‹ Spielen, bei Hof kaum existierte. Um zu illustrieren, wie niedrig diese zweite Schwelle war, kehren wir ein letztes Mal zu der langen Hochzeitsfeier bei Don Miguel Lucás zurück. Wie immer der Chronist das verstanden haben wollte – mehrfach betont der Text, daß die junge Condesa am Tag nach der Hochzeitsnacht ihre Kemenate nicht mehr verließ, um die Gäste mit ihrer Gegenwart zu erfreuen. Eben deshalb verlegten diese ein offenbar mit großem Einsatz vorbereitetes szenisches Spiel kurzerhand in den an ihre Kemenate angrenzenden Raum. Damit wurde die Kemenate der Condesa nicht etwa zu einer Vorform der uns vertrauten ›Theaterloge‹, vielmehr bezog man sie als konstitutiven Teil in den Spiel-Raum mit ein. Denn nur so konnte das szenische Spiel seine Bestimmung erfüllen, inhaltlich *und* pragmatisch eine Huldigung an das junge Brautpaar zu sein:

Y pasado este día y lo más de la noche, después de la çena, en la sala de arriba, do la señora condesa estaua en su cámara, estando el señor Condestable y los señores obispos y arçediano su hermano, con todas las otras gentes, que apenas podrían caber, vna ynfantería de pajes pequeños vinieron vestidos de jubones de fino brocado, y sobrellos vnas jaquetas cortas muy bien trepadas de paño verde, forradas en fino amarillo, las mangas largas, trepadas, con sus capirotes. Los quales tomaron por ynuençión que era vna gente de ynota & luenga tierra, la qual venía destroçada & vençida de gente enemiga; & que no solamente les avía destroydo sus personas & vienes, mas los tenplos de la fé suya, *los* quales bienes decían que entendían fallar en estos señores Condestable y condesa.
E que viniendo çerca de aquella çibdad, en el paso de vna desabitada selua, vna muy fiera y fea serpienta los avía tragado, & que pidían subsidio para dende salir. A la puerta de vna cámara que estaua al otro cabo de la sala, enfrente do estaua la señora condesa, asomó la cabeça de la dicha serpienta, muy grande, fecha de madera pintada; & por su artefiçio lançó por la boca vno a vno los dichos niños, echando grandes llamas de fuego. Y así mismo los pajes, como trayan las faldas & mangas & capirotes llenas de agua ardiente, salieron ardiendo, que pareçía que verdaderamente se quemauan en llamas. Fué cosa por çierto que mucho bien paresçió.[70]

Weit berühmter als die *Crónica* des Condestable und zugleich derart unglaublich, daß die Literarhistoriker sie gerne der Gattung des ›Ritterromans‹ zuschreiben möchten,[71] ist die in Wirklichkeit nach allen Regeln geschichtswissenschaftlichen Quellengebrauchs ›historisch wahre‹ Geschichte von Suero de Quiñones, einem Ritter am Hof Juans II. von Kastilien. Er stammte aus einer der angesehensten kastilischen Adelsfamilien, der Fernán Pérez de Guzmán in seinen *Generaciones y semblanzas* ausgerechnet dafür hohes Lob spendete, daß ihre Mitglieder nach seiner Einschätzung kaum zu exzentrischen Handlungen neigten. Jener Suero de Quiñones allerdings, um den es hier geht, hatte vermutlich Minnelieder alten Stils geschrieben und sie als Appell zur Verkörperung gattungsimmanenter Rollen so ernst genommen, daß er einmal – und dies ist nun historisch belegt – zur Ehre ›seiner‹ Dame in einer Schlacht gegen die Mauren mit entblößtem rechten Arm kämpfte und sich ansonsten Woche für Woche eine eiserne Halskrause anlegte. Gegen Ende des Jahres 1433 scheint ihn der Wunsch überkommen zu haben, aus dem Ghetto seiner Imagination auszubrechen. Deshalb bat er Juan II., der gerade in Medina del Campo weilte, am 1. Januar 1434 in Anwesenheit der erlesenen Hofgesellschaft, er möge ihn beauftragen, über dreißig Tage in ritterlicher Rüstung eine – von keinem wirklichen Feind bedrohte – Brücke in der Nähe der Stadt León gegen alle Ritter zu verteidigen, welche sich mit ihm im Turnierkampf messen wollten. Im Fall einer erfolgreichen Verteidigung (ersatzweise: nach dem Brechen von dreihundert Lanzen) sollte er freilich aus dem Dienst der – vielleicht überhaupt nur von ihm erfundenen – Dame entlassen werden. Tatsächlich gaben nicht weniger als achtundsechzig Ritter, von denen vier sogar aus Königreichen außerhalb Spaniens kamen, Suero de Quiñones die Ehre des Zweikampfes zu Pferd. Aber da man in siebenhundertsiebenundzwanzig Begegnungen nur einhundertsechsundsechzig Lanzen brach, mußte er die vollen dreißig Tage als Brückenwächter ausharren. Als Suero de Quiñones endlich in einer feierlichen Zeremonie seine eiserne Krause vom Hals genommen wurde, war ein Ritter im Spiel gefallen, ein Pferd verendet und eine nicht genannte Zahl von Rittern und Pferden verwundet. Historisch bemerkenswert ist diese scheinbar konventionelle Ritterbuch-Geschichte – um es philologisch zu formulieren –, weil dem Text, in dem sie uns überliefert ist, der Status eines (übrigens hochkomplizierten) Rechtsdokuments zukommt. König Juan II. hatte als Statist dieser Inszenierung beileibe nicht nur gute Miene zum bösen Spiel gemacht. Seine eigene Spielfreude und Turniersucht waren weit berühmter als die des vermeintlichen Romanhelden: ... *el Rey era onbre que sienpre se pagaua de ver justas & plazeres ...*[72]

Es war Don Alvaro de Luna, der Jugendfreund und Condestable Juans II., welcher dafür sorgte, daß das Leben des Königs zu einer ununterbrochenen Folge von *justas & plazeres* wurde: *E el condestable don Álvaro ordenó ... muchas fiestas, e muy ricas justas, e otros entremeses, en los quales el Rey e toda su corte ovieron mucho plazer e alegría ... Todas estas cosas se endereçaban así mediante la buena administración e sano consejo que el Condestable daba al Rey su señor en quanto él podía.*[73] Im Gegensatz zu Juan II. allerdings verstand es Alvaro de Luna, auch im Alltag jenseits des Hofes zu leben und erfolgreich zu handeln. Ob es eine perfide Strategie oder rührende Vasallentreue war, mit der er den umgänglichen und gebildeten König in wahrhaft pathologische Hörigkeit brachte, läßt sich heute nicht mehr ausmachen. Wir können nur das ungläubige Erstaunen der Zeitgenossen über einen König teilen, dem es nicht gelang, seine Begabung und sein Wissen für die Ausübung der Herrschaft fruchtbar zu machen:

E porque la condiçion suya fue estraña e marauillosa, es nesçesario de alargar la relaçion della, ca ansi fue que el era ome que fablaua cuerda e razonablemente e auia conosçimiento de los omes para entender cual fablaua mejor e mas atentado a mas graçioso. Plaziale oyr los omes auisados e graçiosos e notaua mucho lo que dellos oya, sabia fablar e entender latin, leya muy bien, plazianle muchos libros e estorias, oya muy de grado los dizires rimados e conoçia los viçios dellos, auia grant plazer en oyr palabras alegres e bien apuntadas, e aun el mesmo las sabia bien dizir. Usaua mucho la caça e el monte e entendia bien toda la arte dello. Sabia de l'arte de la musica, cantaua e tañia bien, e aun en el justar e juegos de cañas se auia bien. Pero como quier que de todas estas gracias ouiese razonable parte, de aquellas que verdaderamente son virtudes e que a todo ome, e prinçipalmente a los reyes, son nesçesarias, fue muy defetuoso. Ca la prinçipal virtud del rey, despues de la fee, es ser industrioso e diligente en la gouernaçion e rigimiento de su reyno ... De aquesta virtud fue ansi priuado e menguado este rey, que auiendo todas las graçias suso dichos (sic), nunca una ora sola quiso entender nin trabajar en el regimiento del reino aunque en su tienpo fueron en Castilla tantas rebueltas e mouimientos e males e peligros cuantos non ouo en tienpo de reyes pasados por espaçio de dozientos años, de lo cual a su presona e fama venia asaz peligro. Tanta fue la negligencia e remision en la gouernaçion del reyno, dan- dose a otras obras mas pazibles e deleytables que utiles nin onorables, que nunca en ello quiso entender. E como quier que en aquellas estorias que leya fallase los males e daños que vinieron a los reyes e a sus reynos por la nigligençia e remision de los reyes, e, ansimesmo, como quier que por muchos religiosos e caualleros le fue dicho que su presona e su reyno estauan en grant peligro por el non entender en el regimiento de su reyno, e que su fama era menguada por ello, e, lo que mas graue era, que su conçiençia era muy encargada e auia a Dios de dar muy estrecha cuenta del mal que a sus suditos venia por defeuto de su regimiento, pues le diera Dios discriçion e seso para entender en ello, con todo esto, aunque el mesmo veya la poca obidiençia que le era guardada e con cuan poca reuerençia era tratado e la poca mençion que de sus cartas e mandamientos se fazia, con todo esto, nunca un dia quiso boluer el rostro nin trabajar el spiritu en la ordenança de su casa nin en el regimiento de su reino, mas dexaua el cargo de todo ello al su condestable, del cua fizo tanta e tan singular fiança, que a los que lo non vieron pareçeria cosa increyble, e a los que lo vieron fue estraña e marauillosa obra ... Toda la abtoridad del rey era firmar las cartas, mas la hordenança e esecuçion dellas en el condestable era ... E lo que con mayor marauilla se podia dizir e oyr, aun en los actos naturales se dio asi a la ordenança del condestable, que seyendo el moço e bien conplisionado e teniendo a la reyna su muger moça e fermosa, si el condestable ge lo contradixese non iria a dormir a su camara della nin curaua de otras mugeres, aunque naturalmente era inclinado a ellas. Verdaderamente, yo cuydo que desto non se pudiese dar clara sazon, saluo si la diere Aquel que fizo la condiçion del rey tan estraña, que Ese puede dar razon del poder del condestable, que yo non se cual destas dos cosas es de mayor admiraçion: o la condiçion del rey o el poder del condestable.[74]

Solche im XV. Jahrhundert entstandenen Charakterbilder, in denen sich gegenüber der Historiographie des XIV. Jahrhun- derts die Faszination durch die Distanz zwischen Persönlich- keit und Rolle deutlich verdichtet hatte, in denen sich aber auch die weiter entwickelte diskursive Fähigkeit manifestierte, Ansatzpunkte für die *Deutung* solcher Distanz zu finden, lesen sich wie eine Pathographie der kastilischen Könige. Enrique III., Juans Vater, wird dort – trotz gewisser ›politischer‹ Verdienste – als ein Mensch gezeichnet, der wegen einer (den Historiographen nicht identifizierbaren) Krankheit lebenslang nicht nur physisch, sondern auch in seinen sozialen Kontakten behindert war; die Mutter Juans II., Catalina de Lancaster, soll allein dem Alkohol und den Tafelfreuden zugesprochen haben und war in den letzten Jahren vor ihrem Tod nach einem Hirnschlag (›*perlisia*‹ heißt es bei Pérez de Guzmán) in eine dumpfe Apathie verfallen. Mit dieser Mutter lebte Juan II. sechs Jahre so isoliert in einem Palast der Stadt Valladolid, ›daß jener Tag, als er in die Welt heraustrat, fast eine zweite Geburt für ihn war‹. Enrique IV., Juans Sohn und Thronerbe, brachte diese für die Zeitgenossen schaurige genealogische Reihe zu ihrem Höhepunkt und Ende: man spottete öffentlich über seine okkultistischen und homosexuellen Neigungen, er ist als ›*Enrique el Impotente*‹ ins Geschichtsbewußtsein der Spanier eingegangen.

Die Hörigkeit des Königs Juan II. gegenüber seinem Kondestablen und Favoriten Alvaro de Luna ist ein so wichtiges Thema für diese Literaturgeschichte, weil sie illustriert, wie groß der Hiat zwischen den Spielen des Hofs und dem Alltag der Auseinandersetzungen um die Macht geworden war, und wie ausweglos das Geschick Kastiliens den Untertanen nach der Mitte des XV. Jahrhunderts erscheinen mußte. Denn der plötzliche, kurz vor seinem eigenen Tod gefaßte Entschluß Juans II., den in Burgos weilenden Alvaro de Luna angekettet in einem Wagen nach Valladolid bringen und dort enthaupten zu lassen, war ihnen so unbegreiflich wie die vorherige Machtfülle des Kondestablen. Und so sehr Alvaros Biograph auch von apologetischen Interessen beeinflußt gewesen sein mag, er hat gewiß eine psychologische Wahrheit getroffen, wenn es am Ende seiner *Crónica* heißt: *Mandólo matar su muy amado e muy obedecido señor el Rey el cual, en lo mandando matar, se puede con verdad decir se mató a sí mismo.*[75] Der Stil in der Regierungsführung Juans II. änderte sich vor seinem Tod im Jahr 1454 jedenfalls nicht mehr: *e si despues de muerto el condestable algun vigor e voluntad se mostro en el, non fue saluo en*

*cobdiçia de allegar tesoros, a la cual el se daua con todo deseo,
mas no de rigir sus reynos nin restaurar e reparar los males e
daños en ellos venidos.*⁷⁶

Ganz im Gegensatz zu Juan II. war Alvaro de Luna jedenfalls fähig gewesen, zugleich in der Spielwelt des Hofes und in
der Alltagswelt zu leben. Die von seinem Biographen gezeich-
nete *Semblanza* läßt vermuten, daß er auch dann noch seine
Interessen als Feudalherr berücksichtigte und beförderte, wenn
er sich – übrigens nicht einmal von seinen entschlossensten
Feinden bestrittenen – Ruhm als höfischer Liebhaber, Dichter
und Turnierritter erwarb:

Fué muy enamorado en todo tiempo; guardó gran secreto a sus amores. Fizo muy vivas e discretas canciones de los sus amores, *e muchas
veces declaraba en ellas misterios de otros grandes fechos* ... Fué muy
inventivo e mucho dado a fallar invenciones e sacar entremeses en
fiestas o en justas o en guerra en las cuales invenciones muy aguda-
mente significaba lo que quería.⁷⁷

Zu der von Alvaro de Luna überwundenen ›Abschottung des
Hofs gegenüber seiner Außenwelt‹ gehörten nicht allein die
Spiele, welche den Hof erfüllten, und die Selbsteinschätzung
der Spielenden, sondern auch ein Bild von der Außenwelt, das
an jene Selbsteinschätzung anschließbar sein mußte. Es war vor
allem ein *allegorischer Diskurs*, der dieses Bild der Außenwelt
entwarf, in dem er Abstand nahm von der mittelalterlichen
Funktion der Allegorie, den überzeitlichen Wahrheitsanspruch
des christlichen Kanons mit dem Ernst immer neuer Applikationen zu vermitteln, um statt dessen die pragmatische Unverbindlichkeit und die semantische Flexibilität antiker Mythen
panegyrisch zu nutzen. Charakteristisch für diesen Gestus ist
etwa der Gegensatz zwischen den pompösen Interpretationen,
mit denen Enrique de Villena in dem Prosatraktat *Los doze
trabajos de Hércules* offenbar seiner höfischen Reputation als
großer Gelehrter gerecht werden wollte, und der Trivialität der
für das Handeln von zwölf ›Ständen‹ aus den zwölf Arbeiten
des Herkules deduzierten Orientierungen. Jedes seiner zwölf
Kapitel ist gegliedert in eine mythologische Narration (›*Istoria
nuda*‹), die Kommentierung schwieriger Symbole (›*Declaración*‹), einen Versuch, den ›wirklichen historischen Hintergrund‹ des Mythos zu erschließen (›*Verdad*‹) und eine ›*Aplica-*

ción‹. Aber welche konkrete Erfahrung hätte ein König oder ein Fürst wohl anhand einer Auslegung des Kampfes von Herkules gegen die Kentauren gewinnen können, in der es hieß: *Aprendan por ende los que subditos e vasallos rigen, de ser ercules manteniendo justiçia e perseverançia e fortaleza. ... Por el guerrear de los çentauros la justiçia comutativa usen penando los malos, siguiendo aquel enxenplo. E por el reposo de los pueblos la justiçia destributiva, que es mas noble parte, conoscan se deve por ellos conplir gualardonando los buenos fechos e serviçios e dando benefiçios a los meresçientes e onrando a los virtuosos por favor e testimonio de virtud.*[78] Das Repertoire zitierter antiker Autoritäten und die herausragende Bedeutung der Kategorie ›enxienplo‹ ordnen die *Doze trabajos* eindeutig dem ›Herbst des Mittelalters‹ zu, so wie die frühen *Cancioneros* aufgrund ihrer Struktur diesem Kulturstil angehören.

Im Gegensatz zu Enrique de Villena, der aus einer Nebenlinie der Königsfamilie stammte und sich deshalb neben seinem Interesse an höfischer Dichtkunst oder Tischzucht auch eine Vorliebe für die Sinn- und Geisterwelt aus Alchimie, Astrologie und Anatomie erlauben konnte (er galt als Kapazität auf dem Gebiet der Deutung des Niesens und der Träume, und er war der Verfasser von Traktaten über die Lepra und die Behandlung von Augenkrankheiten), hatte erst der Hof dem Dichter Juan de Mena die Möglichkeit gesellschaftlichen Aufstiegs geboten: aus einer Cordobeser Familie stammend, über deren Geschichte und Rang sich Juan de Mena nie geäußert hat, brachte er es zum *secretario de cartas latinas del rey Juan II.* Diese Ernennung erfolgte nach de Menas Studium in Salamanca und nach einem Aufenthalt in Italien, aber gewiß noch bevor er Juan II. die dreihundert Stanzen des *Laberinto de Fortuna* widmete, welche ihm den – zusätzlichen – Rang eines königlichen Hofchronisten einbrachten. Mena nutzte das dem späten Mittelalter so wichtige Symbol vom ›Rad der Fortuna‹, um ein Vergangenheit und Zukunft einschließendes Bild des Kosmos zu entwerfen, das für uns wie ein Relikt der Vergangenheit vor dem geistes- und mentalitätshistorischen Hintergrund einer Epoche wirkt. Denn andernorts galt Geschichte im XV. Jahrhundert schon längst nicht mehr bloß als die (vom Glücksrad symbolisierte) ›mutabilitas‹, als durch Sünden verschuldete Interferenz in der Statik göttlicher Schöpfung, sondern war dabei, zur menschlichen Erfahrung von der *notwendigen* Veränderung der Dinge in der Zeit zu werden. Im Palast der Fortuna läßt Juan de Mena *Providençia*, seine Führerin, dem allegorischen Wanderer gleich drei solcher Zeit-Räder erklären, von denen zwei – Vergangenheit und Zukunft – still stehen, während die Bewegung des mittleren Rades die Gegenwart repräsentiert:

> Bolviendo los ojos a do me mandava,
> vi más adentro muy grandes tres ruedas:
> las dos eran firmes, inmotas e quedas
> mas la de en medio boltar non çesava;
> e vi que debajo de todas estava
> caída por tierra gente infinita
> que avia en la frente cada qual escripta
> el nombre a la suerte por donde passava;

> PREGUNTA EL AUCTOR A LA PROVIDENÇIA
> aunque la una que no se movía,
> la gente que en ella havía de ser
> e la que debaxo esperava caer
> con túrbido velo su mote cubría.
> Yo que de aquesto muy poco sentía
> fiz de mi dubda complida palabra,
> a mi guiadora rogando que abra
> esta figura que non entendía.

> RESPUESTA
> La qual me respuso: »Saber te conviene
> que de tres edades que quiero dezir:
> passadas, presentes e de por venir;
> ocupa su rueda cada qual e tiene:
> las dos que son quedas, la una contiene
> la gente passada e la otra futura;
> la que se vuelve en el medio procura
> la que en el siglo presente detiene.[79]

Wollte man alle auf dieses Bild folgenden Stellen benennen, in denen eine dem kastilischen Hof genehme Sicht auf Vergangenheit, Gegenwart und Zukunft entfaltet werden, so müßte man wohl die gesamten 242 Stanzen des Textes wiedergeben. Weit bemerkenswerter als der Inhalt des *Laberinto de Fortuna* ist aber sein Versmaß, der *arte mayor castellano*, als dessen Vollender die hispanistische Literaturgeschichtsschreibung einhellig Juan de Mena anerkennt. In einer bemerkenswerten Studie hat F. Lázaro Carreter nachgewiesen, daß dieses Metrum den Dichtern des XV. Jahrhunderts beständige Überschreitungen der gängigen Wortbildungsregeln und der Syntax ihrer Zeit auferlegte. Wenn der *arte mayor castellano* dennoch mehr als hundert Jahre überaus erfolgreich blieb, so müssen wir vermuten, daß der von ihm vermittelte Eindruck sprachlicher Künstlichkeit intendiert und willkommen war: *Todo induce a pensar que ›lo poético‹ consiste, para el arte mayor, en una construcción sonora, rítmica pero no melodiosa, lograda mediante un lenguaje híbrido, que permite entrever el contenido a través de sombras y ambigüedades, y que alcanza su calidad por el vencimiento de las dificultades métricas (y por el alarde de sabiduría historial y mitológica adivinable en el autor).*[80] Assoziiert man nun diese textnahe Beobachtung – die komplexen metrischen Anforderungen führen zu einer Verwässerung der semantischen Konturen – mit dem von M. Rosa Lida geführten Nachweis, daß die kastilische Geschichte in Menas allegorischem Gedicht nicht allein gegenüber dem historischen Wissen der Neuzeit, sondern auch gegenüber jenem seiner Zeitgenossen verzerrt erscheinen mußte,[81] dann gelangt man genau an jenen problematischen Punkt der Rekonstruktion, wo die Ergebnisse der Versforschung beginnen, literarhistorisch interessant zu werden, aber zugleich den Boden ihrer Stärke, nämlich die linguistisch-empirische Exaktheit, verlieren. Das ist eine am Einzelfall von Juan de Mena und dem *arte mayor castellano* besonders deutlich nachzuvollziehende Erfahrung, der aber angesichts der spezifischen Bedeutung von Vers- und Strophenformen als Instanzen der Vermittlung von ›Volksdichtung‹ und ›gelehrter Literatur‹ in fast allen Epochen der spanischen Literatur übergreifende Relevanz zukommt.

Spötter und Stoiker

Von Alfonso Martínez de Toledo wissen wir, daß er sich nicht nur in seinen Texten ›arcipreste‹ nannte, sondern tatsächlich die Pfründe des Erzpriesters von Talavera innehatte; darüber hinaus bekleidete er das Hofamt des *capellán del rey don Juan II de Castilla.* Neben zwei Heiligenviten und einem der beliebten Historiographie-Kompendien, der *Atalaya de las crónicas,* hat er einen berühmt gewordenen Text geschrieben, der auf den heutigen Leser durch die scheinbar kaum strukturierte Fülle seiner Inhalte so verwirrend wirkt, daß man ihn kaum mit einem der gängigen Gattungsnamen zu kennzeichnen vermag. Alfonso Martínez de Toledo hat in seinem Vorwort aus dem Jahr 1438 selbst die ausdrückliche Anweisung gegeben, daß dieses Buch nach ihm, dem Verfasser, ›Arcipreste de Talavera‹ genannt werden solle: *Sin bautismo, sea por nombre llamado* Arcipreste de Talavera *dondequier que fuere levado.*[82] Nun gibt es so viele Zeugnisse für die bis in die Mitte des XV. Jahrhunderts anhaltende Popularität des dem *Arcipreste de Hita* zugeschriebenen *Libro de buen amor,* daß wir hinter dieser Text-›Taufe‹ die Absicht von Alfonso Martínez vermuten können, seinen eigenen Text im Erwartungshorizont der Leser mit dem *Libro de buen amor* zu assoziieren. Diese Vermutung führt dann ihrerseits zu der These, daß unter den vielfältigen Inhaltsschichten des *Arcipreste de Talavera* dem Autor vor allem an der Darstellung des *loco amor* gelegen sein mußte. Der soziale Raum seiner einschlägigen Beobachtungen war die Stadt, und was er dort sah, scheint Alfonso Martínez zu der Gewißheit gebracht zu haben, daß er in einer dekadenten Welt lebte:

... e, como en los tienpos presentes nuestros pecados son moltiplicados de cada día más, e el mal bivir se continúa syn hemienda que veamos, so esperança, de piadoso perdón, non temiendo el justo juyzio; e como uno de los usados pecados es el amor desordenado, e especialmente de las mugeres, por do se siguen discordias, omezillos, muertes, escándalos, guerras, e perdiciones de bienes, e aun perdición de las personas, e, mucho más peor, perdición de las tristes de las ánimas, por el abominable carnal pecado, con amor junto desordenado; en tanto e ha tanto decaymiento es ya el mundo venido, que el moço syn hedat, el viejo fuera de hedad, ya aman las mugeres locamente. ... Por ende, bien paresce que la fyn del mundo ya se demuestra de ser breve.[83]

Da es der Hofkaplan von Juan II. war, der die Welt – und vor allem die ganz und gar unhöfische Liebe – außerhalb des Hofes als endzeitliches Chaos erlebte, liegt es nahe, seinen Text als Beleg für die Erfahrung eines Höflings vom Alltag außerhalb des Hofes zu lesen. Freilich richtete sich dieses Erfahrungsbild nicht wie der *Laberinto de la Fortuna* von Juan de Mena an den Hof, sondern eben an jene – für ihn – depravierte Außenwelt. Jedenfalls entspricht das Wissen, mit dem Alfonso Martínez de Toledo seine Beobachtungen interpretierte, weitgehend den Sinnstrukturen, auf die wir im Werk von Enrique de Villena gestoßen waren. Das sind zum ersten – neben den christlichen Katalogen der Tugend- und Lasterkonzepte – die schon dem Mittelalter geläufigen Exempla aus der Antike und aus dem Alten Testament, unter die sich ab und an ein Beispiel aus vom Autor selbst gewonnener Erfahrung mischt. Beim Rückgriff auf die Exempla kam Martínez gewiß der Sachverhalt gelegen, daß die seit jeher beliebtesten Protagonisten dieser einfachen Form – erinnern wir uns an David und Salomon, Aristoteles und Alexander – verschiedene Tugenden der Weisheit mit dem Laster ungezügelter Sinnlichkeit verbunden hatten.[84] Dennoch erscheinen – vor allem in den ersten beiden Teilen des *Arcipreste de Talavera* – die Vertreter des männlichen Geschlechts stets als Opfer liebeswütiger, heuchlerischer, eigennütziger Frauen. Zum zweiten greift Martínez de Toledo auf die in seiner Epoche sehr beliebte Kombination von Astrologie und Temperamentenlehre zurück, um – vor allem im dritten Teil des Traktats – zu fragen, in welch je besonderen Weisen der *onbre sanguino*, der *onbre colórico*, der *onbre flemático* und der *onbre malencónico* gefährdet seien, den Ränken der Frauen anheim zu fallen. Was nun in diesem Kontext überrascht, das sind differenzierende Hinweise über den rechten Umgang mit Astrologie und Magie, welche zeigen, daß Alfonso Martínez de Toledo menschliches Handeln je nach den Intentionen des Handlungssubjekts (›voluntad‹) beurteilte, den Vollzug dieses Urteils aber Gott vorbehalten sehen wollte:

Déxese, pues, de judgar aquél e el otro a ninguno, e de sy e sus fechos e conciencia cure, e non diga: »Éste es bueno e aquél malo«; nin »¿Por

qué fue esto, nin contesció aquello?«; que de todo sólo Dios es saby-
dor e hordenador. Que el malo por su propia voluntad peca e es malo
syn gracia de Dios, mas el bueno obra byen por su voluntad e con
gracia de Dios; por quanto el malo, mal faziendo, privado es de la
gracia de Dios ...[85]

In diesen Reflexionen zeichnen sich zwei Denkfiguren ab, die
wenig später in der *erasmischen* (und dann in der protestantischen) *Theologie* systematisiert werden sollten: die Differenzierung zwischen Handlungsintention und Handlungsmanifesta-
tion und die Bewertung des ›rechten Willens‹, als göttliches
Gnadengeschenk. Beide Figuren waren unvereinbar mit dem
Theologem der ›Werkgerechtigkeit‹.

Ganz anders haben sich Struktur und Funktion der Subjekt-
gestalt in einen frühestens 1445 entstandenen Text eingeschrieben, der – wie der *Arcipreste de Talavera* – die Außenwelt des
Hofes thematisiert und interpretiert, ohne daß man bei seiner
Lektüre erneut den Eindruck gewinnt, das dabei entstehende
Bild habe allein – oder auch nur primär – höfischen Rezipienten
gegolten. Die *Coplas de la Panadera* erinnern an die im Jahr
1445 geschlagene Schlacht von Olmedo, wo Alvaro de Luna
und Juan II. Vorstößen der aragonesischen Krone ins östliche
Kastilien ein Ende setzten. Doch sie können schon deshalb
nicht in erster Linie die Verherrlichung von König und *Condestable* als siegreichen Feldherrn betreiben, weil sie einer Land-
störzerin (›Brotverkäuferin‹) in den Mund gelegt sind:

> Panadera, soldadera
> que vendes pan de barato,
> cuéntanos algún rebato
> que te aconteció en la Vera.
> Di, Panadera![86]

Der achtsilbige Vers und die am Ende jeder *copla* an die *panadera* gerichtete (und folglich nicht von ihr selbst zu sprechende)
Aufforderung ›Di panadera‹ lassen vermuten, daß dieser Text
als Medium für eine einfache szenische Aufführung bestimmt
war, zu der wohl auch musikalische Begleitung gehörte. Daß es
nun gerade die Rolle der *panadera* war, aus der über die
Schlacht bei Olmedo berichtet wurde, mochte Solidarität zu
einem nicht-höfischen Hörerkreis stiften, gewiß aber schuf die-

ses Arrangement Raum für die Entfaltung einer Sinnstruktur, welche die gesamte Schlacht zu einer Groteske machte und die Kämpfer ohne Unterscheidung von Freund und Feind – ausgenommen Don Alvaro und Juan II. – als Feiglinge verhöhnte. Das zeigen etwa die beiden dem Conde de Haro (er kämpfte auf der Seite der aragonesischen Fürsten) und dem Duque de Alba (er gehörte zum Gefolge des kastilischen Königs) gewidmeten *coplas*:

> Amarillo como cera
> estaba el conde de Haro,
> buscando algún reparo
> por no pasar la ribera;
> desque vido la manera
> como el señor rey pasaba,
> tan grandes pedos tiraba
> que se oían en Talavera.
>
> ...
>
> El conde de Alba, maguera
> buen caballero esforzado,
> muchas veces se ha loado
> de cosas que no hiciera;
> en la batalla primera
> hizo su deber por somo,
> pero no tanto ni como
> por sus cartas escribiera.[87]

Ohne Abstriche wurde allein Alvaro de Luna eine *obra muy clara é placera* zugeschrieben, und die letzte *copla* richtet sich an Juan II. (›*tú, señor, que eres Minerva / de toda virtud divina*‹), den man als den Friedensfürsten kommender Jahre pries. Daran wird deutlich, daß die *Coplas de la Panadera* – und Ähnliches trifft auch auf den *Arcipreste de Talavera* zu – noch in den Szenen des Chaos, welche sie zunächst entwarfen –, semantisch und pragmatisch ›gerichtet‹ sind. Doch trotz solcher ›Ausrichtung‹ ist der Text weder Herrscherlob noch Kampfschrift. In den begrenzten Situationen eines Aufführungsspiels werden seine semantische Negativität (ohne das entsprechende Gegengewicht einer Positivierung) und seine Sinnwelten (ohne erkennbare Ordnung) wohl einfach Rezipientenlachen provoziert und entlastend gewirkt haben. Deshalb kann man sich den Vortrag der *Coplas de la Panadera* auch im Rahmen eines Spiels am Hof vorstellen. Dann wäre doch ein Bild von der Krise ihrer Außenwelt in diese Sphäre gedrungen – allerdings gebunden an eine Rolle und artikuliert in einer Textstruktur, welche jede ernste Reaktion von vornherein ausgeschlossen hätten.

Daß aus den Jahren zwischen 1445 und 1474 (aus der Regierungszeit von Enrique IV., dem Sohn Juans II. und seinem Nachfolger auf dem kastilischen Thron) nun auch Texte überliefert sind, in denen König und Hof nicht mehr aus dem Panorama einer chaotischen Welt ausgespart waren, sondern als deren Zentrum und Ursache Gegenstand aggressivster Verhöhnung wurden, ist ein literarhistorisches Indiz für Jahrzehnte eines Verfalls, die wie eine böse Parodie auf die schon selbst so morbide Herrschaft Juans II. anmuten. Auch Enrique IV. war einem Favoriten, Beltrán de la Cueva, hörig – doch anders als Alvaro de Luna hegte Beltrán de la Cueva für ›seinen‹ König nicht einmal Mitleid; auch Enrique IV. war zu schwach, um sich auch nur die Sphäre seines Sexuallebens als ein Residuum der Unabhängigkeit zu bewahren – doch es blieb nicht bei einer bloßen Bevormundung, wie sie sein Vater ertragen hatte, vielmehr glaubten seine Zeitgenossen zu wissen, daß Beltrán de la Cueva die Königin zu seiner Geliebten gemacht hatte, weil der König homosexuell und impotent war; auch Enrique IV. galt als bewandert in der Artistik der höfischen Spiele – doch er konnte (und wollte?) nicht mehr die Ritter und Dichter zu glanzvollen Festen bei Hof versammeln; auch Enrique IV. war beständig konfrontiert mit dem Aufruhr der Adligen – doch statt sie durch Intrigen und Drohgebärden einzuschüchtern, ließ er es zu, daß die Hofgesellschaft zu einer kleinen Gruppe letzter Getreuer zusammenschmolz, deren wirre Fahrten durch Kastilien zu einem Leben auf der Flucht wurden; auch über das Leben Enriques IV. haben getreue und kritisch-distanzierte Chronisten berichtet – doch während Juan II. darüber hinaus auch panegyrische Hof-Historiographie zuteil wurde, scheint man für Enrique IV. im besten Fall Mitleid empfunden zu haben:

Era persona de larga estatura y espeso en el cuerpo, y de fuertes miembros; tenia las manos grandes y los dedos largos y recios; el aspecto feroz, casi á semejanza de leon, cuyo acatamiento ponia temor á los que miraba; ... los ojos garzos é algo esparcidos, encarnizados los parpados: donde ponia la vista, mucho le duraba el mirar ... era placentero con aquellos á quien se daba; holgábase mucho con sus servidores y criados ... Compañia de muy pocos le placia; toda conversacion de gentes le daba pena. A sus pueblos pocas veces se mostraba; huia de los negocios; despachábalos muy tarde ... El tono de su voz dulce é muy proporcionado; todo canto triste le daba deleyte: preciábase de tener cantores, y con ellos cantaba muchas veces. En los divinos oficios mucho se deleytaba. Estaba siempre retraydo; tañia dulcemente laud; sentia bien la perfeccion de la musica: los instrumentos de ella le placian ... Fué tan cortés, tan mensurado é gracioso, que á ninguno hablando jamas decia de tú, ni consentió que le besasen la mano. Hacia poca estima de sí mesmo ... Fue su vivir é vestir muy honesto, ropas de paños de lana del traje de aquellos sayos luengos, y capuces é capas. Las insignias é ceremonias Reales muy agenas fueron de su condicion. Su comer mas fué desorden que glotonia, por donde su complexion en alguna manera se corrompió, é asi padecia mal de la ijada, y á tiempo dolor de muelas; nunca jamas bebió vino.

Fernando del Pulgar, der es als offizieller Chronist der Katholischen Könige in diesem Porträt des Halbbruders Isabels von Kastilien geschickt verstand, ebenso Legitimationsinteressen der Monarchie zu vertreten wie genealogische Tabus zu respektieren, führte wenig später die Unfähigkeit – oder Weigerung? – Enriques, als König zu handeln, auf das Heranwachsen fern vom Hof seines Vaters, auf den Einfluß arabischer und jüdischer Freunde und – selbstredend – auf die göttliche Bestrafung für Sünden zurück, die er wohl gar nicht näher zu benennen brauchte.[89] Wir können jedenfalls konstatieren, daß bei Enrique IV. nicht nur die Handlungen, sondern auch das Selbstbild des Königs nicht mehr der Königsrolle entsprachen, in die er geboren war. Er scheint unfähig gewesen zu sein, diesen Hiat durch eine Differenzierung zwischen öffentlicher Selbstrepräsentation und seinem Verhalten im Kreis der Vertrauten zu kaschieren. Aber vermutlich hätte auch solche Wahrung der Formen niemandem mehr genutzt. Enriques IV. Untertanen litten entweder unter der langen Anarchie, oder sie sahen die Zeit gekommen, nun endgültig ihre eigene Macht auf Kosten des Königshauses zu vergrößern.

Je nach Perspektive variierten Ton und Inhalt ihrer Spottgedichte, deren Vehemenz jedenfalls hier wie dort kaum mehr zu überbieten war. Daß die beiden Sprechrollen der üblicherweise als ›Satire‹ klassifizierten *Coplas de Mingo Revulgo* von zwei Hirten mit den Namen *Mingo Revulgo* und *Gil Arrabato* besetzt sind, kann man filiationsgeschichtlich als ein erstes Symptom für die beginnende Faszination des bukolischen Motiv-Repertoires deuten. Funktional waren diese beiden Protagonisten Träger eines Diskurses, in dem sich obszönste Anspielungen auf den Schäfer *Candaulo* (Enrique IV.) und ohnmächtige Wut über einen Wolf, der sich als Schaf ausgibt (Beltrán de la Cueva) mit der Klage des eigenen Elends verbanden. Es sind vor allem die Bilder des verwahrlosten Weidelands, die uns in diesem satirischen Text eine Ahnung von den Anlässen der Klage bewahren:

> ¡A la he, Gil Arribato!
> Sé que en fuerte hora allá echamos
> cuando a Candaulo cobramos
> por pastor de nuestro hato:
> ándase tras los zagales
> por estos adurriales,
> todo el día embebecido,
> holgazando sin sentido,
> que no mira nuestros males.
>
> ¡Oja, oja los ganados
> y la burra con los perros
> cuáles andan por los cerros,
> perdidos, descarriados!
> Por los santos te prometo
> que este dañado baltrueto,
> que nol medre Dios las cejas,
> ha dejado las ovejas
> por folgar tras todo el seto.
>
> Allá por esas quebradas
> verás balando corderos;
> por acá muertos carneros,
> ovejas abarrancadas,
> los panes todos comidos,

y los vedados pacidos,
y aun las huertas de la villa:
tal estrago en Esperilla
nunca vieron los nacidos.

...

¿Sabes, sabes? El modorro
allá donde anda a grillos
búrlanle los mozalvillos
que andan con él en el corro;
ármanle mil guardamañas:
unol' saca las pestañas,
otrol' pela los cabellos;
así se pierde tras ellos
metido por las cabañas.

...

Trae un lobo carnicero
por medio de las manadas;
porque sigue sus pisadas
dice a todos ques carnero;
súeltale de la majada:
desque da una ondeada
en tal hora lo compieza,
que si ase una cabeza
déjala bien estrujada.[90]

Noch beliebter als die bis ins XVI. Jahrhundert durch zahlreiche Manuskripte überlieferten *Coplas de Mingo Revulgo* müssen die *Coplas del Provincial* gewesen sein, die als eine Serie von – beileibe nicht mehr bloß angedeuteten – Obszönitäten mit historischer Referenz noch den Mediävisten unserer Gegenwart Kommentare von geradezu franziskanischer Prüderie entlocken.[91] Auch der Text dieser *coplas* entwirft eine Rahmensituation, die seine Aufführung als szenischer Monolog ermöglicht haben kann: der Provinzialbischof ist an den kastilischen Hof gekommen und hält den Klerikern, den Adligen und der Königsfamilie *copla* für *copla* ein Sünden- und Lasterregister vor, das von Ehebruch, Sodomie, Homosexualität, Inzest, Kuppelei und dem Bruch des Zölibats über Magie, Umgang mit Ungläubigen, Betrug im Spiel und Sauferei bis hin zur Feigheit und Faulheit reicht. Was die hier angelegte Inszenierungsform von den *Coplas de la Panadera* und vor allem von den *Coplas de Mingo Revulgo* unterscheidet, ist zunächst das Verhältnis zwischen Sprechrolle und Inhalt ihrer Rede: der *Provincial* hat unter den Sünden, von denen er spricht, nicht zu leiden. Zum zweiten ergibt die semantische Gesamtstruktur, welche aus der Serie der höhnenden Einzelstrophen entsteht, eine in sich einheitliche ›verkehrte Welt‹, eine Welt, in der niemand nach den Normen seines Standes handelt, sondern jeder nur noch das tut, was ihm verboten ist. In ihrer Negativität ist diese Welt ganz ähnlich geordnet wie die Welt der von ihr überschrittenen Normen, weshalb die *Coplas del Provincial* auch keine Bilder des Chaos evozieren. Daß es hier *ausschließlich* um die Beschimpfung der Herrschaft Enriques IV. geht, zeichnet sich spätestens in der elften *copla* ab. Sie bringt eine lange Serie von Bezichtigungen gegen Beltrán de la Cueva zum Ende, indem sie betont, daß der Günstling des Königs selbst seinen königlichen Gönner und seine eigene Geliebte, die Königin, hasse. Nur einer Person galt Beltráns Haß – erstaunlicherweise – nicht: der Infantin Isabel, Enriques Halbschwester, der späteren Katholischen Königin: *Odes al Rey y a la Reyna / odes las tres Badajozes / y todo el mundo se espanta / como no odes a la Infanta.*[92] Das legt die folgende Deutung nahe: wenn es als der Gipfel von Beltráns Perfidie gelten soll, daß er jene Mitglieder der königlichen Familie haßt, denen er in gemeinsamer Sünde verbunden ist, dann rückt die einzige Person, der sein Haß nicht gilt, in Distanz zur Sünde.

Man kann sich leicht vorstellen, wie dieser eindeutige Text jenen Adligen gefiel, die sich gegen Enrique IV. erhoben hatten – und nicht selbst von den *Coplas del Provincial* erwähnt wurden. Eine Herrschaft ohne König konnten sie sich freilich – bei aller eigenen Begierde nach Besitz und Macht – wohl kaum vorstellen. So machten sie Alfonso, den Bruder der späteren *Reina Católica*, zu ›ihrem‹ Thronprätendenten und nach dessen Tod im vierzehnten Lebensjahr eben seine Schwester Isabel. Doch so heftig – und am Ende erfolgreich – sie sich auch gegen den Hof auflehnten, sie teilten mit der Welt des Königs durchaus einen Horizont tradierter Sinnstrukturen und Verhaltensweisen. Wie Enrique IV. nicht bereit und imstande war, sein Bewußtsein und seine Wünsche hinter einer öffentlichen Präsentation der Königsrolle zu verbergen, war es für diese konservativen Aufrührer undenkbar, den König in dessen Abwesenheit zu entmachten – Rolle, Person und Körper waren auf beiden Seiten des Konflikts noch nicht differenziert. Da es den Adligen aber auch nicht gelang, Enrique IV. in ihre Gewalt zu bringen, versammelten sie sich im Juli 1465 in Avila, ersetzten die Gestalt des Königs durch eine Puppe mit den königlichen Insignien, entrissen der Königspuppe die Zeichen der Macht, köpften sie und brachen gemeinsam in den Ruf aus: *ja tierra, puto!*[93] Erst dann ernannten sie den Infanten Alfonso zum Nachfolger Enriques IV. Hof und Adel bildeten also trotz ihres immer schärfer werdenden Machtantagonismus *ein* kommunikatives Milieu. Dieses Milieu war in den Regierungsjahren Enriques IV. freilich nicht mehr durch die Artistik künstlerischen und literarischen Spätstils gekennzeichnet, sondern durch die immer deutlicheren Beschränkungen seiner Mentalitätsstrukturen und Handlungsweisen. Geradezu ›ungleichzeitig‹ wirkt es gegenüber einer anderen intellektuellen Welt, wie sie mittlerweile in Kastilien – oft sogar aus bewußten Akten der Distanznahme vom Hof – entstand.

Im Mai 1420 hatte die Universität von Salamanca eine Petition an Juan II. gerichtet.[94] Man ersuchte den König um seinen Schutz gegen die Autoritäten der Stadt, welche dazu neigten, bei Händeln zwischen Adligen und *studiosi* gegen die Mitglieder der Universität zu entscheiden, und man wies beiläufig, wohl zur Stärkung der eigenen Position, darauf hin, daß soeben das erste eigens für den Universitätsbetrieb errichtete Gebäude bezugsfertig geworden sei. Aus den Archiven der Universität Salamanca läßt sich erschließen, daß der König nicht bereit (oder vielleicht nur: nicht stark genug) war, die erbetene Hilfe zu leisten. Dieses Ereignis hilft verstehen, warum die Universität Salamanca schon wenige Jahre später ganz unter dem Einfluß und der – auf lange Sicht überaus erfolgreichen – Förderung der Kirche stand. Der Papst selbst ließ sich ihre Lehrinhalte und den organisatorischen Rahmen ihrer Vermittlung angelegen sein. Dennoch kann man die Institution der Universität unter sozialhistorischer Perspektive nicht einfach dem Machtbereich der Kirche zuschlagen. Denn sie umschrieb einen Raum der Gelehrsamkeit und des Lernens, der durch seine weit über die iberische Halbinsel hinausreichenden Verbindungen, aber auch durch das Spiel der in ihm waltenden Interessen und Funktionen die feudale Ständehierarchie aufhob und deshalb auch keinen Ort in der alten Gesellschaftsstruktur mehr hatte. Obwohl die Distanznahme der Universität Salamanca vom Hof primär durch Spannungen mit der Stadt Salamanca in Bewegung gebracht worden war, und obwohl gerade die kastilischen Könige im XIV. und XV. Jahrhundert immer wieder mit der Unterstützung der Städte rechnen konnten, wenn es darum ging, Offensiven des Adels abzuweisen, – in seiner ständeübergreifenden Offenheit, in der Flexibilität des Handelns, in der Prägnanz eigener Zielstellungen entsprach das Universitäts-Milieu eher jenen Sozialstrukturen, die in den Städten entstanden waren, als der klerikalen Welt. Deshalb kann man die Geschichte der Universität Salamanca in jener Epoche als eine Geschichte erzählen, *die zur Neuzeit hinführt*. Schon in den sechziger Jahren – noch vor der Einführung des Druckhandwerks in Kastilien – wurde in Salamanca ein *servicio de lectura* eingerichtet, der es den Studenten ermöglichen sollte, über die strikten Grenzen des Lehrkanons hinaus Bücher zu rezipieren. Um diese Zeit begann auch der Bau des bis heute erhaltenen – und noch heute akademisch genutzten – Bibliotheksgebäudes der Universität Salamanca. Und 1473 – ein Jahr vor dem Tod Enriques IV. – kehrte Antonio de Nebrija aus Italien nach Salamanca zurück, wo er die erste eigenständige Grammatik einer romanischen Volkssprache schreiben sollte.

Als die beste Bibliothek Kastiliens galt allerdings die Büchersammlung des Marqués de Santillana. Obwohl Santillana im Jahr 1437, einer Bitte Juans II. folgend, in kastilischer Sprache eine Sprichwortsammlung zur Erziehung des Infanten Enrique verfaßt und obwohl er den König wenig später in der Schlacht von Olmedo gegen Aragón und Navarra unterstützt hatte, entfernte auch er sich immer mehr von der Welt des Hofes. Bewundernd vermerkte Fernando del Pulgar achtzehn Jahre nach dem Tod des Marqués in der 1486 gedruckt veröffentlichten Biographien-Sammlung *Claros varones de Castilla*, daß Santillanas Palast als ein Treffpunkt der Gelehrten galt und daß für ihn – wie für die Universität Salamanca – die Grenzen von Ständen und Königreichen keine Grenzen des gelehrten Austauschs waren:

Tenia grand copia de libros, dáuase al estudio, especialmente de la filosofía moral, e de cosas peregrinas e antiguas. Tenía siempre en su casa doctores e maestros con quien platicaua en las ciencias e lecturas que estudiaua. Fizo asimismo otros tratados en metros e en prosa muy dotrinables para prouocar a virtudes, e refrenar vicios: e en estas cosas pasó lo más del tiempo de su retraimiento.

Tenía grand fama e claro renonbre en muchos reinos fuera de España, pero reputaua mucho más la estimación entre los sabios, que la fama entre los muchos.[95]

Natürlich wird man bei der Lektüre eines ›humanistischen‹ Historiographen, der seinerseits über einen ›Humanisten‹ schreibt, hinter der Betonung des praktischen Nutzens, welcher der Gelehrsamkeit zukommt, die Wirksamkeit des Topos *›prodesse et delectare‹* vermuten. Doch tatsächlich war das ganze Werk des Marqués de Santillana von einem *neuen Ernst in der wechselseitigen Funktionsbeziehung zwischen ›Leben‹ und ›Literatur‹* geprägt. So wollte er nach seinem Rückzug vom Hof gar nicht einmal auf die ritterlichen Turnierspiele verzichten. Vielmehr gab er ihnen an seinem eigenen Hof eine prägnant-praktische Bestimmung als Vermittlung von militärischem Wissen in direkter Erfahrung: *E porque los suyos sopiesen por esperiencia lo que le oyan dezir por dotrina, mandaua continuar en su casa iustas, e ordonaua que se fiziesen otros exercicios de guerra, porque sus gentes, estando abituados en el uso de las armas, les fuesen menores los trabajos de la guerra.*[96] Diese Konzentration auf eine wohlabgegrenzte ›eigene‹ Welt, die im übrigen sehr erfolgreich jene Interessen beförderte, die der Marqués de Santillana für seine Familie im Königreich Kastilien vertrat, kann man nicht nur im typologischen Sinn ›stoisch‹ nennen; tatsächlich muß die Lektüre antiker Philosophen aus der stoischen Tradition den Marqués zu diesem Gestus des Verhaltens geführt haben.

Für Santillana selbst scheint die immer neu gesuchte Distanz zum Alltag vor allem die leidenschaftlich ergriffene Möglichkeit geboten zu haben, die Phänomene der Welt eigenständig zu erfahren und zu verstehen: *asy faziendo la vía de los stoycos, los quales con grand diligencia inquirieron el origine e causas de las cosas.*[97] Hier erreichen wir eine neue Phase in der Geschichte der Subjektivität. Denn dem Marqués de Santillana war in der Distanz vom Hof ein neues Verhältnis zwischen sich selbst als *Beobachter und den Phänomenen der Welt* bewußt geworden. Als eine Illustration dieser bewußt gewordenen Struktur der Selbsterfahrung wie ihrer mentalen Folgen – und nicht nur als ein frühes Dokument volkssprachlicher Poetologie – gewinnt ein Brief besondere Bedeutung, den der Marqués de Santillana 1448 (oder 1449) an den Kondestablen von Portugal schrieb. *Don Pedro, muy magnífico condestable de Portogal* pflegte selbst das Spiel der Dichtung und muß wohl 1445 den damals bereits hochberühmten Marqués de Santillana um die Übersendung eines Codex mit einer Auswahl seiner Texte gebeten haben. Der Marqués kam der ehrenden Bitte zwar nach, doch der in der Welt der Hofpoesie durchaus ungewöhnliche Entschluß, seiner Sendung einen eigenen poetologischen Kommentar beizugeben, läßt vermuten, daß Santillanas Interesse an der Dichtung nicht mehr auf ihrer Inszenierung im Rahmen von Hoffesten beruhte:

En verdad, señor, en otros fechos de mayor importancia, aunque a mí más trabajosos, quisiera yo conplazer a la vuestra nobleza; porque estas obras, o a lo menos las más dellas, no son de tales materias, ni asy bien formadas e artizadas, que de memorable registro dignas parescan. Porque, señor, asy commo el apóstol dize: *Cum essem paruulus, cogitabam ut paruulus, loquebar ut paruulus.* Ca estas cosas alegres e jocosas andan e concurren con el tienpo de la nueua hedad de juuentud, es a saber con el vestir, con el justar, con el dançar e con otros tales cortesanos exercicios. E asy, señor, muchas cosas plazen agora a vos que ya no plazen o no deuen plazer a mí.[98]

Was der Marqués de Santillana hier als einen Wandel der Neigungen in verschiedenen Lebensaltern beschrieb – oder rücksichtsvoll verbrämte? – markiert eine Epochenschwelle in der Literaturgeschichte, genauer gesagt: *den Ursprung von Literatur im neuzeitlichen Sinn.* Es gab keinen Aspekt in Santillanas Umgang mit der Dichtung, der nicht gegenüber den Prämissen des mittelalter-herbstlichen Dichtungsspiels am Hof – wie sie etwa der Prolog zum *Cancionero de Baena* artikuliert hatte – grundsätzlich gewandelt war. Wie Juan Alfonso de Baena sah auch der Marqués im Dichten ein Zeichen der Distinktion – doch ›Distinktion‹ bedeutete ihm nicht mehr Zugehörigkeit zu einer exklusiven gesellschaftlichen Gruppe, sondern ›Veredelung‹ des einzelnen Menschen. Wie Juan Alfonso de Baena kannte und schätzte der Marqués die Dichter vorausgehender Jahrhunderte – doch ein wesentlicher Unterschied ihrer Attitüden lag nicht einmal primär in Santillanas Vertrautheit mit Poeten der Antike und des zeitgenössischen Italien, sondern in seiner Fähigkeit, diese Poeten einer Geschichte zuzuweisen, welche an die eigene Gegenwart heranführte. Wie den Kompilatoren der höfischen *Cancionero*-Manuskripte galt das Interesse des Marqués zwar auch den Liedern des ›Volkes‹ – doch erst er nahm zugleich eine Distanz wahr, welche zusammen mit der Distanzerfahrung gegenüber lateinischer und italienischer Poesie die Zuordnung seines eigenen Werks auf die mittlere von drei poetologischen Ebenen begründen sollte, die er wohl aus der lateinischen Tradition kannte: *Sublime se podría dezir por aquellos que las sus obras escriuieron en lengua griega e latyna, digo metrificando. Mediocre usaron aquellos que en vulgar escriuieron, ... Infimos son aquellos que syn ningun orden, regla nin cuento fazen romances e cantares de que la gentes de baxa e servil condición se alegran.*[99]

Angesichts solcher Differenzierungen von sozialen und epochalen Stilarten war der Marqués de Santillana dann auch interessiert und kompetent, die Dichtung seiner eigenen Zeit als Symptom eines Umbruchs zu lesen. Als Kenner von Dantes Werk und der einschlägigen Kommentare griff er vermutlich auf eine dort gebrauchte Unterscheidung zurück, um *micer Francisco Inperial*, einen Dichter italienischer Herkunft, dessen spanischsprachiges Werk eine besondere Rolle in den aragonesischen *Cancioneros* spielt, mit einer prägnanten Unterscheidung von dessen Zeitgenossen abzusetzen: *passaremos a micer Francisco Inperial, al qual yo no llamaría dezidor o trobador, mas poeta, commo sea cierto que sy alguno en estas partes del occaso meresció premio e aquella triunphal e laurea guirlanda, loando a todos los otros, este fué.*[100] Die Struktur solcher Urteile und die Distanznahme des Marqués von der Szenerie des höfischen Dichtungsspiels stehen in einem spezifischen Zusammenhang. Santillana war *Schriftsteller* (nicht *Sänger*) und *Leser* (nicht *Teilnehmer an einem Spiel*). Wenn er sich ausdrücklich von der Assoziation der Dichtung mit aufwendiger Kleidung, ritterlichen Turnieren und höfischem Tanz absetzte, so läßt das vermuten, daß er seinen Körper nicht mehr als Instanz der Rezeption erlebte. Eine solche Distanznahme vom eigenen Körper und seiner Verwurzelung im *hic et nunc* mag die Voraussetzung für Santillanas Fähigkeit gewesen sein, die Alterität in der Poesie ferner Epochen und fremder gesellschaftlicher Gruppen lesend wahrzunehmen.

Wir wollen darauf verzichten, noch weitere kastilische Autoren des XV. Jahrhunderts um die am Paradigma von Santillanas Werk dargestellte literarhistorische Epochenschwelle zu gruppieren. Die Ausnahme einer kurzen Bemerkung ist allerdings unerläßlich. Auf den vorausgehenden Seiten haben wir immer wieder die *Generaciones y Semblanzas* des Fernán Pérez de Guzmán – der übrigens ein Onkel des Marqués de Santillana war – so zitiert, als handele es sich um Texte neuzeitlicher Geschichtswissenschaft. Diese Verwendung wird zwar durch die Tatsache legitimiert, daß Pérez de Guzmán in der Nachfolge italienischer Vorbilder um Objektivität und um die Fundierung seines Diskurses in Augenzeugenschaft bemüht war. Interessant war aber für uns vor allem seine Faszination durch Phänomene der Subjektivität, welche sich in seinem besonderen Interesse für die Diskrepanz zwischen Rollen und ihren jeweiligen Trägern konkretisierte und ihn immer wieder nach den Gründen für solche Diskrepanzen fragen ließ. Seit 1431 hatte sich Fernán Pérez de Guzmán wie der Marqués de Santillana vom Hof Juans II. zurückgezogen.

Das zeitgenössische Gegenbild zu Persönlichkeiten wie Santillana oder Pérez de Guzmán war der ernsthaft spielende Ritter Suero de Quiñones. Denn für ihn kann die Dichotomie zwischen ›Spiel‹ und ›Alltag‹ nicht existiert haben, als deren früh ausgeprägte Form wir die Rolle des Marqués de Santillana in den Machtkämpfen und in der Literatur seiner Zeit deuteten. Suero de Quiñones dürfte auch die königliche Lossprechung vom selbst auferlegten Zwang der eisernen Halskrause nicht als eine Rückkehr in die Alltagswelt erlebt haben, sondern nur als Übergang in eine neue Phase desselben Spiels. Um 1430 mag am Hof Juans II. ein anderer verliebter Ritter, Juan Rodríguez del Padrón, mit Suero de Quiñones gewetteifert haben. Weil er selbst aus Galizien stammte, lag es für ihn nahe, seine eigene Rolle so akribisch aus der *imitatio* des legendären galizischen Trobadors Maçias zu gestalten, daß es den Philologen nicht immer ganz leicht gefallen ist, die Gedichte des Juan Rodríguez von den ›Originalen‹ des Maçias zu unterscheiden. Doch aus Juan Rodríguez del Padrón wurde kein anderer Suero de Quiñones. Wir wissen, daß er in den dreißiger Jahren dem Orden der Franziskanerminoriten beitrat (nicht ohne zuvor seinen *contemptus mundi* in einem wohlgereimten Gedicht zu artikulieren) und daß er sich 1441 von Italien nach Jerusalem einschiffte. Juan Rodríguez del Padrón hat nun aber auch einen eigenartigen ›Roman‹ mit dem Titel ›*Siervo libre de amor*‹ hinterlassen, dessen Rahmen und Erzähler-Ich wir wohl schon deshalb mit biographischen Erfahrungen in Zusammenhang bringen dürfen, weil man – wie mittlerweile an vielfältigen Beispielen gezeigt wurde – mit der für uns so selbstverständlichen Doppelung zwischen ›inszenierter Rolle‹ und ›wirklichem Leben‹ bei den Höflingen Juans II. nicht rechnen kann. Der Text von Rodríguez del Padrón bezeichnet in den Geschichten der spanischen Literatur den Beginn einer ebenso faszinierenden wie schwer zu deutenden Gattung, der *novelas sentimentales*.[101]

In einem Brief an einen Freund berichtet der *autor* von seinem allen Anforderungen höfischer Normen entsprechenden Minnedienst für eine Dame, der – erwartungsgemäß – schon bald in ein Stadium geführt habe, wo sich die Hoffnungen auf Erfüllung der Liebe konkretisieren durften. Gerade zu diesem Zeitpunkt nun, so der unglückliche *autor,* habe er die spöttischen Zweifel eines vermeintlichen Freundes am Bestehen des Liebesverhältnisses per Indizienbeweis zum Schweigen gebracht – und so das im höfischen Liebeskanon zentrale Schweigegebot gebrochen. Auf die notwendig folgende Auflösung der zarten Bande reagiert der *autor* wie schon die Helden der mittelalterlichen bretonischen Versromane: er begibt sich in eine unwirtlich-einsame Gegend und wünscht – vergeblich – seinen Tod herbei. Immerhin meint es das Schicksal noch gut genug mit dem Unglücklichen, um ihm wenigstens einen Traum zu senden, in dem die Liebenden sterben dürfen.

Es folgt eine Geschichte in der Geschichte (deren mögliche

Filiationsbeziehung zu italienischen Vorbildern wir hier nicht diskutieren wollen.) »Gegen den Widerstand ihrer Eltern verlassen Ardanlier und Liessa ihre Heimat, um in einer einsamen Gegend ungestört ihr Glück genießen zu können. Doch schon nach sehr kurzer Zeit spürt Prinz Ardanliers Vater ihr Versteck auf; der erzürnte König ergreift, nachdem er die schwangere Liessa ermordet hat, sofort die Flucht. Der verzweifelte Ardanlier verdächtigt zunächst seinen Diener der Greueltat, erfährt dann aber, daß sein eigener Vater seine Geliebte und sein Kind getötet hat. Daraufhin begeht er Selbstmord.«[102] Diese Sterbeszene des Ardanlier, deren Schilderung zunächst auf die Ausfertigung und Versendung von Abschiedsbriefen durch den Protagonisten konzentriert ist, hat einen besonderen literarhistorischen Symptomwert:

En punto, affynada su voluntat postrimera, bolvió contra sy en derecho del coraçón la sotil y muy delgada espada, la punta que sallía de la otra parte del refriado cuerpo; e diziendo aquestas palabras en esquivo clamor: »¡Reçibe de oy más, Lyessa, el tu buen amigo Ardanlier a la desseada compañía!« E lançóse por la media espada, e dio con grand gemido el aquexado espíritu.[103]

Der Todeswunsch des *autor* und der mehrfache Tod in der Erzählung von Ardanlier und Liessa schaffen eine Assoziation zwischen ›Rahmen‹ und ›Kern‹ dieses ›Romans‹ – doch in dieser Parallelität geht gewiß nicht der wechselseitige Sinnbezug beider Erzählebenen auf (zumal der *autor* natürlich die Wiederaufnahme der Rahmenhandlung bis ans Ende des Textes überlebt). Was Rahmenhandlung und Binnenerzählung verbindet, das ist die *Durchdringung von Strukturen des höfischen Romans mit Strukturen alltäglich wahrscheinlichen Sinns*, die der Gattung und den Spielen des Hofs bis dahin ferngehalten worden waren. Denn in den bretonischen Versromanen und der von ihnen begründeten mittelalterlichen Tradition pflegten die angebeteten Damen – wenn überhaupt – nicht schon in der Idylle des *locus amoenus* schwanger zu werden (sondern erst nach der Rückkehr zum Palast, feierlicher Hochzeit und neunmonatiger Gestationszeit); wutschnaubende königliche Väter, denen mehr an der Pflege der Genealogie gelegen war als am Herzensglück ihrer Söhne oder Töchter, blieben dort so lange Pergament-Tiger, bis sie sich eines – romanhaft – Besseren besannen; ganz und gar undenkbar wäre es in der Tradition jener Gattung gewesen, daß die Liebenden in eine subdepressive Stimmung glitten und endlich Hand an sich legten.

Die Geschichte von Don Suero de Quiñones hat uns gelehrt, wie nah am fiktionalen Vorbild man tatsächlich die Spielwelt des Hofes zu inszenieren verstand. Gewiß konnte auch dort eine angebetete Dame entweder unnachgiebig bleiben oder den minnenden Ritter – wie die Frau von König Artus den beflissenen Lancelot – mit mindestens einer Liebesnacht belohnen. Lediglich einen Schlußpunkt hinter die Liebes-Geschichte durfte sie nicht setzen. Das kam – wie wir aus dem *Passo honroso* des Suero de Quiñones ebenso wissen wie aus fast zahllosen höfischen Romanen – nicht ihr, sondern höchstens dem als ›Ehrengericht‹ versammelten Hof zu. Im fiktionalen Raum der vom *Siervo libre de amor* begründeten Gattung ›novela sentimental‹ sollten über ein gutes Jahrhundert immer wieder die Sinnstrukturen des höfischen Spiels und jene der alltäglichen Wahrscheinlichkeit in einer Weise konfrontiert werden, welche die Problematisierung höfisch-literarischer Motive auf der Ebene kollektiven Sinns nahelegte. Vor allem der von Ardanlier vorgegebene Freitod wurde gattungskonstitutiv. Fiktionsimmanent ist dieser Suizid – das werden wir im folgenden Kapitel auch anhand der *Celestina* von Fernando de Rojas sehen – primär als ein stoischer Gestus inszeniert, mithin auch als Rache an einer Welt, welche den Liebenden die Erfüllung ihrer Liebe versagt. Im Rahmen der Geschichte frühneuzeitlicher Subjektivität aber gewinnen der Selbstmord und seine zweite fiktionsimmanente Begründung als Schritt hin zur jenseitigen Vereinigung der Liebenden einen ganz anderen Stellenwert: sie wirken wie eine emblematische Verdichtung des Sachverhalts, daß von nun an Verständigung vor allem – wo nicht ausschließlich – als ein *vom Bewußtsein* vollzogener Austausch erfahren werden sollte. Denn im Freitod-Motiv der *novela sentimental* treten das Bewußtsein als Gestalt der Subjektivität und die Erfahrung des Körpers auseinander; und als Selbstmord ist die Verfügung des Bewußtseins über den Körper zunächst von nicht überbietbarer Aggressivität.

Mit den Distanznahmen von den mittelalterlichen Sinnwelten und Spielwelten des Hofes, wie wir sie nun vielfach belegt haben, vollzog sich in der kastilischen Geschichte des XV. Jahrhunderts ein dreifacher Bruch: ein literaturgeschichtlicher Bruch, der die Genese von ›Literatur‹ im neuzeitlichen Sinn markiert, ein Bruch für die Geschichte institutionalisierter Kommunikationsformen, ein Bruch kollektiver Mentalitätsstrukturen. Auf der neuzeitlichen Seite dieser dreifachen Schwelle entstand ein kommunikatives und intellektuelles Milieu, in dem Gestalten der Subjektivität, wie sie im XIV. Jahrhundert aus der Krise des Spätmittelalters entstanden waren, in den Bahnen von kontinuierlichen oder neu einsetzenden Gattungstraditionen eine Potenzierung ihrer funktionalen Möglichkeiten erfahren konnten. Etwa hatten wir die ›Subjektivität‹ von textimmanenten Leser- und Protagonistenrollen in den Chroniken des Pero López de Ayala als ein Ergebnis der Insuffizienz überlieferten Wissens angesichts der Aufgabe gedeutet, bestimmten Handlungssequenzen aus der desolatesten Phase der kastilischen Herrschaftskrise bündigen Sinn zu geben. Diese historiographischen ›Subjektivitäts-Umrisse‹ waren für Autoren des XV. Jahrhunderts verfügbar und konnten von ihnen (beispielsweise zum neuzeitlich anmutenden Typus des Herrscherporträts) umgebaut werden, sobald sie ihre neue Erzähler- und Interpreten-Perspektive und das bipolare Verhältnis zwischen Ort und Objekt der Interpretation als Selbsterfahrung erfaßten.

Diese Darstellung der Genese von Subjektivität und neuzeitlichen Kommunikationsformen in Spanien kommt ohne den Rekurs auf die über Italien und Aragón vermittelte Antikenrezeption aus – aber sie kann diesen Sachverhalt problemlos im Stellenwert eines ›Katalysators‹ integrieren. Hingegen würden typisierende Epochenbegriffe wie ›Renaissance‹ und ›Humanismus‹ die nun herausgearbeiteten Besonderheiten der spanischen Geschichte wieder nivellieren. Selbst der Marqués de Santillana konnte lateinische Texte kaum anders als in volkssprachlicher Übersetzung verstehen (in fast mitleidiger Großzügigkeit bemerkte Vespasiano de Bisticci, ein Humanist aus Florenz: *Non era litterato, ma intendeva benissimo la lingua toscana*[104]). Dennoch stehen – etwa – die Historisierung in seinem Umgang mit den Texten früherer Jahrhunderte oder seine differenzierte Fähigkeit, das kulturell Andere zu erfahren, den Fähigkeiten der

›echten‹ Humanisten kaum nach. Vorerst allerdings erlebte es in Kastilien niemand als ›eine Lust‹, (im Zeitalter von Juan II. und Enrique IV.) ›zu leben‹. Vorerst dominierte das Gefühl, daß ein überlieferter Habitus des Umgangs mit der Macht zu seinem Ende gelangt sei. Auch in ihm muß eine wichtige Vorbedingung für die während der Regierungszeit der Katholischen Könige mit beispielloser Intensität und Dynamik einsetzende Entfaltung der spanischen Kultur gelegen haben. Insgesamt lassen sich die komplementären Prozesse von Involutionsbewegung und Subjektivitätsgenese historiographisch verknüpfen mit jener besonderen Verschränkung von Hofkultur und klerikaler Kultur, welche das Zeitalter Alfons' des Weisen gekennzeichnet hatte. Denn zum einen schlug mit ihrer Auflösung am Ende des XIII. Jahrhunderts die Symbiose aus der christlichen, der jüdischen und der islamischen Kultur sehr rasch in ein Chaos der Sinnstrukturen um, das die Ausbildung von Subjektivität als einem Dispositiv seiner Bewältigung notwendig machte. Zum anderen setzte nach dem Ende der alfonsinischen Kultur die breite Rezeption höfischer und ritterlicher Sinnwelten in Kastilien so spät ein, daß der Hof und die ihn umgebende Handlungswelt dadurch in ein Verhältnis problematischer Ungleichzeitigkeit rückten.

Dieses Kapitel hat bis zu jener historischen Schwelle geführt, an der *Autoren* ihre *eigenen Erfahrungen* nicht mehr notwendig als belehrendes Wissen in traditionellen Strukturen artikulieren und weitergeben mußten, sondern begannen, den *Lesern* Einblicke in die Unmittelbarkeit ihres eigenen Erlebens freizugeben. So haben die eben um diese Schwellenzeit geschriebenen *Coplas en la muerte de su padre* des jungen Ritters Jorge Manrique bis heute eine ›Nähe‹ bewahrt, die Ernst Robert Curtius bewog, ihre deutsche Übersetzung kommentarlos im ersten Heft der *Romanischen Forschungen* abdrucken zu lassen, das nach dem Zweiten Weltkrieg erschien, und die populäre spanische Sänger unserer Gegenwart eins ums andere Mal motiviert hat, den Text neu zu vertonen. Man glaubt, in den *Coplas* des Jorge Manrique eine *persönliche* Stimme aus ferner Zeit zu hören – besonders in der Schilderung der Todesstunde des alten Rodrigo Manrique:

Assí, con tal entender,
todos sentidos humanos
conseruados,
cercado de su mujer
i de sus hijos e hermanos
e criados,
    dió el alma a quien ge la dió
(el qual la dió en el cielo
en su gloria),
que haunque la vida perdió,
dexónos harto consuelo
su memoria.[105]

Der Ritter Jorge Manrique war im Jahr 1479 in einer jener Schlachten gefallen, mit denen die Herrschaft von Isabel von Kastilien durchgesetzt und gesichert wurde.[106]

Der König von Kastilien auf einer Münze, die während der Regierungszeit von Pedro I. im Umlauf war.

Enrique II de Castilla, seine Gemahlin Juana Manuel und seine Kinder Juan und Leonor (Miniatur aus der Genealogía de los Reyes, die in der Biblioteca del Palacio Real de Madrid aufbewahrt wird)

*Darstellung des Todes von König Juan I. durch einen Sturz vom Pferd.
Links oben die beiden Gemahlinnen des Monarchen, Leonor de Aragón und Beatriz de Portugal. Darunter seine Kinder Fernando und
Enrique, und im untersten Bildfeld die Infanten von Aragón (Miniatur aus:* Genealogía de los Reyes*)*

Enrique IV. (Miniatur aus: Genealogía de los Reyes)

Reproduktion einer Manuskript-Seite aus La gran conquista de Ultramar

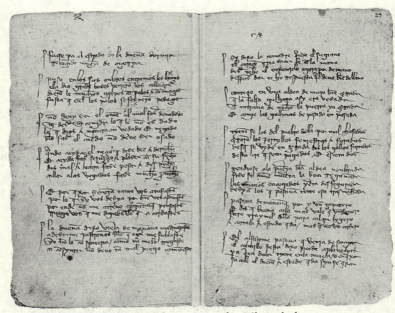

Reproduktion einer Manuskript-Seite des Libro de buen amor

Reproduktion einer Manuskript-Seite aus den Castigos e documentos del Rey don Sancho

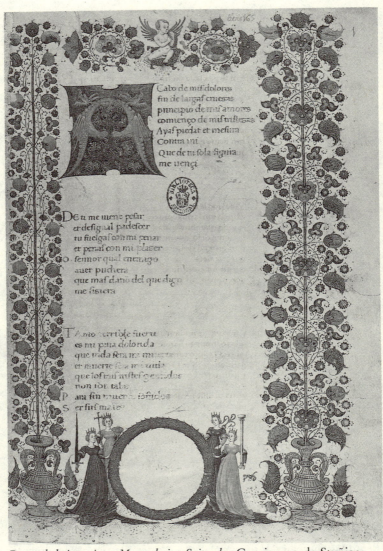

Reproduktion einer Manuskript-Seite des Cancionero de Stuñiga

*Die im frühen XV. Jahrhundert – außerhalb der Höfe – ent-
standenen Schreib- und Leserollen waren von frühneuzeitlicher
Subjektivität geprägt. Deshalb konnte sich aus ihnen eine Kommunikationsform entwickeln, die in ihren Umrissen bereits dem
bis heute vertrauten Begriff von ›Literatur‹ entsprach. Ihre Differenzierung und Verbreitung wurde durch die Einführung der
Druckkunst erheblich gefördert und beschleunigt. Zur gleichen
Zeit machten Fernando von Aragon und Isabel von Kastilien,
die ›Katholischen Könige‹, aus ihrem Hof das Funktionszentrum und aus der spanischen Kirche das wichtigste Instrument
für einen neuen Stil politischen Handelns, mit dem sie ihrem
Reich eine Vormachtstellung in der europäischen Expansionsbewegung erwarben. Dieses Weltreich wurde im beginnenden
Zeitalter der Reformation und der Religionskriege zu jener Instanz, die den alten Glauben erneuerte und verteidigte. Zwischen der zu erhaltenden christlichen Kosmologie und der bereits entfalteten Subjektivität aber lud sich eine Spannung in
den Strukturen des Alltags auf, aus deren Verdichtung die spanische Literatur des ›Goldenen Zeitalters‹ entstehen sollte.*

Buchdruck, ›Literatur‹ und städtisches Milieu

1485, zwölf Jahre nachdem die *Ethica, Oeconomica et Politica*
des Aristoteles als erstes gedrucktes Buch auf der Iberischen
Halbinsel in Barcelona hergestellt worden war, elf Jahre nach
dem Erscheinen der *Obres e trobes daual scrites en laors de la
Sacratissima Verge María* des Bernardo Fenolla in Valencia, des
ersten in einer spanischen Volkssprache gedruckten Buchs, elf
Jahre aber auch nach der Proklamation von Isabel, einer Tochter aus der zweiten Ehe von Juan II., zur Königin von Kastilien –
1485 also veröffentlichte Fernando del Pulgar, der Hofhistoriograph Isabels von Kastilien und Fernandos von Aragón,
ebenfalls in gedruckter Form, einen ausführlichen Apparat von
Glossen zu den *Coplas de Mingo Revulgo*. Wir hatten vermu-

tet, daß dieser Text in seiner vielleicht zwanzig Jahre zuvor geschriebenen Manuskriptfassung geeignet gewesen war, die Erfahrung eines Alltags, welcher alle Strukturen der Ordnung und der Orientierung verloren hatte, im musikbegleiteten Rollenspiel zu inszenieren. Die *Glosa* von Fernando del Pulgar aber scheint darauf abgestellt gewesen zu sein, eine ganz andere Richtung des Verstehens durch den Leser vorzugeben. Sie strukturiert den gesamten Text aus der Perspektive seiner Schlußstrophen, wo die Erfahrung des Sinnchaos in die konventionalisierte Haltung des *contemptus mundi* mündet. An den Conde de Haro gewandt, dem er das kleine Buch der Glosa widmete, schrieb Fernando del Pulgar:

Ilustre señor, para provocar a virtudes, y refrenar vicios, muchos escribieron por diversas maneras. Unos en prosa ordenadamente: otros por vía de diálogo: otros en metros proverbiales; y algunos poëtas haciendo Comedias, y cantares rústicos; y en otras formas, según cada uno de los escritores tuvo habilidad para escrebir. Lo qual está asaz copiosamente dicho, si la natura humana inclinada al mal se contentase, y como estómago fastidioso no demandase manjares nuevos, que le despierten el apetito para la doctrina, que requiere la salvación final, que todos desean. Estas coplas se ordenaron a fin de amonestar al pueblo a bien vivir. Y en esta Bucólica, que quiere decir cantar rústico y pastoril, quiso dar a entender la doctrina, que dicen so color de la rusticidad, que parecen decir; porque el entendimiento, cuyo oficio es saber la verdad de las cosas, se exercite inquiriéndolas, y goze como suele gozarse quando ha entendido la verdad de ellas.
La intención de esta obra fue fingir un Profeta, o Adivino, en figura de pastor, llamado *Gil Arribato*, el qual preguntaba al pueblo (que está figurado por otro pastor, llamado *Mingo Revulgo*) que ¿cómo estaba, porque le veía en mala disposición? ... El pueblo, que se llama *Revulgo*, responde: que padece infortunio; porque tiene pastor, que dexada la guardia del ganado, se va tras sus deleytes y apetitos ... el pastor Arribato replica, y dice que la mala disposición del pueblo no proviene toda de la negligencia del pastor, mas procede de su mala condición. Dándole a entender que por sus pecados tiene pastor defectuoso, y que si reynase en el pueblo Fé, Esperanza y Caridad, que son las tres virtudes Teologales, no padecería los males que tiene ...[1]

Wir wollen diese Umakzentuierung jener Sinngestalt, die sich aus den *Coplas de Mingo Revulgo* im mündlichen Vortrag konturiert haben dürften (vgl. S. 154 ff.), als ein Beispiel nutzen, um jene grundlegend neue Struktur von Kommunikationssituationen nachvollziehbar zu machen, wie sie der Medienwechsel vom Manuskript zum gedruckten Buch bedingte. Schon die bloße Tatsache, daß es Fernando del Pulgar für angebracht hielt, der gedruckten Veröffentlichung der *Coplas de Mingo Revulgo* eine verständnissichernde *Glosa* beizugeben, belegt, daß das gedruckte Buch in seiner Hinwendung an ein – zumindest potentiell – *diffuses Publikum von Lesern* nicht mehr mit jenem gemeinsamen Sinnhorizont rechnen konnte, welcher die Vortragenden und ihre Hörer in den auf das Medium der Stimme fundierten Kommunikationssituationen umschloß. Diesen Lesern war offenbar die Panik stiftende Szenerie des Krieges aller gegen alle – elf Jahre nach dem Ende der Herrschaft von Enrique IV. – nicht mehr gegenwärtig. Zwar geht Fernando del Pulgar in den Kommentaren zu einzelnen Strophen ab und an auf Ereignisse aus jenen Jahren des Schreckens ein – und zwar vor allem dann, wenn es ihm möglich ist, einzelne Textstellen als Vorahnungen auf die glorreiche Gegenwart der neuen Könige zu beziehen –,[2] doch mit einem Widerstand seiner Leser scheint er weder bei seinem Bemühen zu rechnen, den Textsinn auf ein *höheres Abstraktionsniveau* zu transponieren, noch bei der Umgewichtung der moralischen Schuld von der – nun nicht mehr auf eine Einzelperson bezogenen – Rolle des Königs auf das Volk. Fernando del Pulgar erwartete nicht nur Leser (an der Stelle von Hörern, welche melodischen Vortrag auch mit Bewegungen ihres Körpers aufnehmen mochten), er schrieb – genauer – für Leser, die *eindeutig* konstituierten Sinn (›*la intención de esta obra . . .*‹) aufzunehmen bereit waren, ohne dabei diesen Sinn nach dem Habitus mittelalterlicher *mouvance* beweglich zu halten. Das Bewußtsein der Rezipienten wurde durch allegorische Verschlüsselung in eine Welt fiktionalen Sinns jenseits ihres Alltags gelockt, die Belehrung (›*doctrina*‹) erschließen und die ihr Handeln – selbstverständlich zum Guten – verändern sollte (›*provocar a virtudes, y refrenar vicios*‹). Eben diese *Bipolarität* zwischen einem fiktionalen und einem alltäglichen Sinnhorizont gehörte nicht zu den konstitutiven Prämissen mittelalterlicher Spielsituationen. Wenn die Freiheit des Spiels und der Ernst alltäglichen Handelns überhaupt in ein Verhältnis gesetzt wurden, dann handelte es sich eher um ein Verhältnis der Kompensation: der mögliche Nutzen des Spiels für den Alltag wurde darin gesehen, daß seine Strukturen (im modernen Sinn des Wortes) ›entlastet‹ waren. Deshalb hatte im Milieu des zum *Corpus alfonsinum* gehörenden *Libro de los juegos* durchaus Anlaß bestanden hervorzuheben, daß der Reiterkampf ritterlicher Turniere *Spiel* war, *obwohl* die dort zu erwerbende Kompetenz auch im Ernstfall des Kriegs wirksam werden konnte: *& como quiere que esto se torne en usu & en pro de fecho de armas, por que non es esso mismo, llaman le iuego.*[3]

In dem Maß nun, wie die vom Text evozierte fiktionale Welt als eine Sinnsphäre erfahren wurde, welche dem Alltag der Leser als andere Welt gegenüberstand, scheint die Freiheit der Autoren gewachsen zu sein, den Raum der Fiktion aus Wissenselementen aufzubauen, denen die Leser in ihrem Alltag nicht begegneten: mit der Einführung des Drucks steigerte sich das schon zuvor in der spanischen Literatur beobachtete Interesse für bukolische Szenen zur Faszination *(›manjares nuevos, que le despierten el apetito para la doctrina ... so color de la rusticidad‹)*. Dieser neue Habitus der Rezeption war auf den Sinn des *mit den Augen wahrgenommenen Textes* konzentriert, und er blendete den Körper als Bezugsebene der Texterfahrung aus, weshalb dann auch die metrische Form des Textes nicht mehr als Rhythmus auf die Körperbewegung bezogen, sondern ausschließlich als Indiz eines jeweiligen Grades an *Kunstfertigkeit* auf die Kompetenz des Autors verrechnet wurde *(›... muchos escribieron por diversas maneras. Unos en prosa ordenadamente: otros por vía de diálogo: otros en metros proverbiales; y algunos poëtas haciendo Comedias, y cantares rústicos; y en otras formas, según cada uno de los escritores tuvo habilidad para escribir‹)*.

Kaum eine literaturgeschichtliche Darstellung vergißt zu erwähnen, daß dem geschriebenen Wort mit der Einführung des Buchdrucks neue, schon bald kaum mehr abgrenzbare Kreise und Schichten von Rezipienten erschlossen wurden. Daneben bleibt jener Sachverhalt meist unerwähnt, um dessen Darstellung es uns bei der Analyse der *Glosa* der Fernando del Pulgar vor allem geht: der Buchdruck beschleunigte und potenzierte einen Strukturwandel von Kommunikationssituationen, dessen erste Spuren schon die Texte der Humanisten aus der ersten Hälfte des XV. Jahrhunderts zeigen – etwa in dem Bemühen um Eindeutigkeit der Sinngestalt, mit der Konjunktur des Topos ›*prodesse et delectare*‹ und der Hinwendung zu Inhalten und Formen, die bislang nicht in Schriftlichkeit eingegangen waren. Unter dieser Perspektive lernen wir verstehen, warum die Einführung, Institutionalisierung und Weiterentwicklung der Drucktechnik profunde Wirkungen auf die Mentalität der Autoren und vor allem der Leser hatten. Eben deshalb kommt dem Jahr 1474, in dem die Veröffentlichung des ersten gedruckten Buches in spanischer Sprache und (mit der Krönung Isabels von Kastilien) der Beginn eines neuen – und neuzeitlichen – Stils politischen Handelns zusammenfallen, ein so herausragender historiographischer Symbolwert zu.

Tatsächlich wurde es bald zu einem zentralen Anliegen für die Katholischen Könige, die Druckkunst in ihrem Reich zu etablieren.[4] Sie holten deutsche Handwerker ins Land, und sie trugen zur Finanzierung der Drucklegung von Texten bei, von denen sie einige zum Zweck der Sprachnormierung in Auftrag gegeben hatten. Zu ihnen gehörte das 1490 in Sevilla erschienene *Vocabulario universal en latín y en romance* und Antonio Nebrijas berühmte *Gramática de la lengua castellana*, die 1492 in Salamanca (bereits nach der Einnahme Granadas und der Entdeckung Amerikas) gedruckte erste Grammatik einer romanischen Sprache. Die Wirksamkeit dieser Aktivitäten von Fernando und Isabel belegen noch zwei weitere Tatsachen: zum einen ein sich erst nach dem Ende ihrer Regierung seit dem zweiten Drittel des XVI. Jahrhunderts auftuender Rückstand des spanischen Druckhandwerks hinsichtlich der Quantität seiner Produktion und der technischen Standards; zum anderen die führende Stellung, welche schon bald die Druckereien von Salamanca und Alcalá de Henares erreichten, deren Universitäten sich (die von Alcalá war 1508 vom Kardinal Cisneros gegründet worden) des Interesses und der besonderen Unterstützung durch Fernando und Isabel erfreuten. In Alcalá wurde zwischen 1514 und 1517 eine drucktechnisch höchst komplizierte Bibelausgabe in lateinischer, griechischer, hebräischer und chaldäischer Sprache hergestellt, und die Druckereien von Salamanca hatten nicht allein schon zwanzig Jahre eher begonnen, ihre Arbeit auf die speziellen Bedürfnisse der Studenten einzustellen, sie ersetzten auch zuerst in Spanien die im Druck schwer lesbaren gotischen Lettern durch jene lateinischen Typen, deren Gebrauch heute für uns selbstverständlich geworden ist. Fügt man diesen Tatsachen das Faktum hinzu, daß die Gesamtzahl der in allen spanischen Druckereien während des XVI. Jahrhunderts hergestellten Bücher geringer war als die im gleichen Zeitraum allein von der Stadt Lyon erzielte Produktionsrate, dann bestätigt sich der erste Eindruck, nach dem die Nutzung des Mediums ›Buch‹ in Spanien zunächst weit intensiver durch gezielte Initiativen der Krone gefördert wurde als durch ein breites Rezipienteninteresse. Gewiß, in Spanien waren vier- oder achtseitige ›Loseblattdrucke‹, die man *pliegos sueltos* nannte (und auf die wir noch zurückkommen werden), besonders erfolgreich; und die meisten der in den Kanon heutiger Literaturgeschichten aufgenommenen ›literarischen‹ Texte des XV. Jahrhunderts erschienen bald in Auflagen zwischen 1000 und 1500 Exemplaren: so der katalanische Ritterroman *Tirant lo Blanch* (1490) und Alfonsos de la Torre *Visión delectable* (1484 in Barcelona), die berühmten *Coplas* von Jorge Manrique (1492 in Zaragoza), die *Doze trabajos de Hércules* von Enrique de Villena (1482 in Salamanca), die *Claros Varones de Castilla* von Fernando del Pulgar (1499) und der *Arcipreste de Talavera* (im selben Jahr in Toledo). Dennoch behauptete das Manuskript über das gesamte XVI. Jahrhundert hinweg in Spanien den Status eines gängigen Mediums der Text-Veröffentlichung.

Die Wirkung des neuen Mediums muß also zunächst nur relativ begrenzte Zirkel von Gebildeten – diese freilich umso intensiver – erreicht haben. Für sie wurde das Buch zum Ersatz für die direkte Kommunikation mit den Autoren, es war jedenfalls nicht mehr – wie die handgeschriebenen Codices – ›mündliche Kommunikation im Status der Potentialität‹. Hier wurde zwischen die Körper der Kommunikationspartner und die Kommunikation als Bewußtseinsprozeß eine doppelte Instanz gesetzt – weil sich die Druckpresse zwischen die Hand des Text-Herstellers und die (jetzt mit gedruckten) Graphemen bedeckte Seite schob und weil die Stimme des Vortragenden als Medium als Textvermittlung eliminiert wurde. Da nun also der

Manuskript-Kopist durch die Druckpresse ersetzt und der Text-Vortragende überflüssig geworden war, standen sich das Bewußtsein des Textsinn und Textform stiftenden Autors und jenes seiner Leser ›direkt‹ gegenüber, rückten zweitens demgegenüber die Rollen des Druckers und des Text-Herausgebers an den Horizont der Kommunikationssituation, und wurde es drittens zur spezifischen Aufgabe von Druckern und Herausgebern, die vom Autor intendierte Textgestalt und den vom Autor intendierten Textsinn in der Wiedergabe zu sichern. Aus der Einführung der Druckkunst gingen also jene kommunikativen Rollen-Konfigurationen hervor, die uns heute so selbstverständlich geworden sind, daß wir dazu tendieren, sie als metahistorisch anzusehen. Berücksichtigen wir schließlich noch, daß mit dem Aufkommen des gedruckten Buchs – zumindest zeitlich – eine Polarisierung zwischen den Räumen des alltäglichen und des fiktionalen Sinns mit der Erfahrung einer markanten Grenze zwischen diesen beiden Sphären einherging, so wird man sagen können, daß die Institutionalisierung des Buchdrucks jener komplexen und historisch besonderen Kommunikationsform zum Durchbruch verhalf, die wir heute ›Literatur‹ nennen.

Der tiefgreifende Strukturwandel betrifft eine Grundkonstellation, welche alle ›neuzeitlichen‹ Kommunikationsformen teilen, aber mit ihr verschob sich auch das Verhältnis zwischen den einzelnen ›literarischen‹ Gattungen. Schon im vorausgehenden Kapitel hatten wir – noch etwas apodiktisch – festgestellt, daß sich die uns vertraute Form des ›Theaters‹ erst entwickeln konnte, als die ›einsame Lektüre‹ an der Stelle des (dem Theater in vieler Hinsicht ähnlichen) mündlichen Vortrags zu einer normalen Kommunikationsform geworden war. Neutralisiert wurden dagegen bis dahin so wesentliche Differenzen wie die zwischen mündlichem Vortrag durch Gesang, mündlichem Vortrag durch Sprechen eines Textes in gebundener Form oder dem Vorlesen eines Prosatextes. Erst mit solchen Differenzierungen waren die Weichen für die Entstehung neuzeitlicher Kommunikationsformen wie ›Lyrik‹ und ›Roman‹ gestellt. In Spanien vollzog sich diese Genese von ›Literatur‹ in den Jahrzehnten um 1500 – und zwar sowohl in der Ausprägung einer allen ›literarischen‹ Formen gemeinsamen Grundstruktur als auch mit dem Entstehen einer Variationsbreite verschiedener Modi ›literarischer‹ Kommunikation. Wir wollen dies anhand einer Serie gedruckt erschienener Texte aus der Regierungszeit der Katholischen Könige belegen und dabei ein literarhistorisches Panorama entwerfen, das von der Kommunikationsform der ›einsamen Lektüre‹ bis zum Beginn des neuzeitlichen Theaters reicht.

Einen der ersten gedruckten *Cancioneros* hat Ramón de Llavia zwischen 1486 und 1489 in Zaragoza herausgegeben. Wie zahlreiche andere Bücher aus der Frühzeit des Drucks verbindet den *Cancionero de Llavia* mit den mittelalterlichen Manuskript-Texten die Widmung an eine hochgestellte Persönlichkeit – hier an die Gattin des (einer jüdischen Familie angehörenden) Kanzlers im Königreich Aragón. Freilich zeigt Llavias Prolog, daß auch diese – in ihrer Form unverändert beibehaltene – Sprachhandlung einem Funktionswandel unterlag. Die Adressaten von Autoren-Widmungen waren nicht länger jene Personen, für deren Vergnügungen Texte erfunden und schriftlich fixiert wurden; vielmehr scheint sich Llavia von der Hinwendung an die Frau des aragonesischen Kanzlers eine Empfehlung – sozusagen einen ›Werbeeffekt‹ – für den Verkauf seines *Cancioneros* versprochen zu haben, in dessen Gedichten es vor allem um die Normen des weiblichen Handelns ging. Denn da das gedruckte Buch nicht mehr für den alleinigen Gebrauch des Widmungs-Adressaten bestimmt sein konnte, übernahm der auch nicht mehr die Mäzenaten-Aufgabe finanzieller Förderung. So erfahren wir aus der Vorrede zum *Cancionero de Llavia*, daß der Herausgeber mit der Herstellung des Buchs durchaus ein finanzielles Risiko eingegangen war, und aus dieser Leistung konstituierte sich ein neues Rollenbewußtsein, das ihn vom Autor und seinen Lesern absetzte: *puesto que ninguna obra delas contenidas aqui sea mia: empero porque desseando yo senyaladamente servir a vuestra merced & aprovechar a muchos a costa mia he divulgado por muchos volumes la presente obra: parecio conuiniente cosa por un brevezito prologo fazer de ello mincion.*[5] Mit solchem Wandel des Herausgeber-Bewußtseins vollzog sich auch eine Veränderung in der Strategie der Rezipientensteuerung. Die in der *Tabla* des *Cancionero de Llavia* aufgeführten Texte wurden nämlich nicht mehr nach ihrer Form unterschieden – die beiden dort gebrauchten einschlägigen Prädikate, ›coplas‹ und ›obra‹, haben denkbar geringe Trennschärfe. Statt der Namen für metrische und strophische Schemata finden wir aber Bezeichnungen von Sprachhandlungen, welche die Texte inhaltlich charakterisieren: ›confessión‹, ›consejos‹, ›dechado e regimiento‹, ›reprehensión‹, ›dezir‹, ›razonamiento‹. Solcher Perspektivierung entspricht dann auch Llavias einzige textbezogene Bemerkung im Prolog: *e buen desseo parece que yo quiera que sepan los que leeran este libro: mi diligencia en hauer escogido de muchas obras catholicas puestas por coplas: las mas esmeradas: e perfectas.* Auch in der Reihung von Einzeltexten dominiert der Inhaltsaspekt, genauer: der Aspekt der den Lesern je angebotenen ethischen Belehrung. Zwar fällt es hier noch schwerer als beim *Cancionero de Baena,* die Gestalt einzelner Textblöcke auszumachen, aber Themen wie ›die sieben Todsünden‹, ›die weiblichen Tugenden‹, ›die Leiden Mariä‹ bilden doch deutliche Achsen der Assimilation.

Die bei den Zeitgenossen beliebteste Sammlung aus dieser Gattung war der von Hernando de Castillo zusammengestellte *Cancionero general,* der 1511 in Valencia zuerst gedruckt wurde und danach – mit jeweils verändertem Textrepertoire – 1514 in Valencia, 1517, 1520, 1527 in Toledo, 1535, 1545 in Sevilla und 1557, 1573 in Antwerpen erschien. Er weist auf der einen Seite alle jene Charakteristika der durch die Einführung des Drucks heraufkommenden Pragmatik der ›Literatur‹ auf, die wir anhand des *Cancionero de Llavia* ausgemacht haben, zeigt aber auf der anderen Seite, daß sich in nur zwei Jahrzehnten ein differenziertes Bewußtsein über die neue Gebrauchssituation herausgebildet hatte. Hernando del Castillo widmete seine Sammlung dem Conde de Oliva, aber das dominierende Anliegen seines Prologs lag in dem vielfach wiederholten Hinweis, daß wertvolle Texte in einem gedruckten Buch mehr Lesern als je zuvor zugänglich werden konnten: *y porque la cosa mas propia y essencial delo bueno es ser comunicado pareciome ser genero de avaricia no comunicar & sacar a luz lo que a muchos juzgaua ser util & agradable ... / Acorde pues por las razones ya dichas sacar en limpio el cancionero ya nombrado: o la mayor parte del :& dar manera como fuesse comunicado a todos / la buena intencion: & fin mio que fue a mi pensamiento aprouechar & complazer a muchos: Y seruir a todos.*[6] Doch die neue Herausgeber-Rolle beruhte nicht nur auf dem Bewußtsein einer den Lesern gebotenen Leistung, auch den Autoren fühlte sich Hernando del Castillo verpflichtet. Daß die Texte mittlerweile assoziativ ›näher an ihre Autoren gerückt waren‹, spricht etwa aus der Tatsache, daß Juan del Encina – auf den wir noch ausführlich zu sprechen kommen werden – im Jahr 1496 einen einzig und allein aus eigenen Gedichten zusammengestellten *Cancionero* in Salamanca veröffentlicht hatte. Hernando del Castillo thematisierte seinerseits die Schwierigkeiten, die nun einem Herausgeber fremder Texte aus dem Ziel erwachsen konnten, die vom Autor intendierte Textgestalt zu erhalten: *Escuseme tambien la manera que tuve en la reconfecion destas obras: que con toda la diligencia que puse aun que no pequeña no fue en mi mano auer todas las obras que aqui van de los verdaderos originales: o de cierta relacion de los autores que las fizieron por ser cosa quasi impossible: segun la variacion delos tienpos: y distancia delos lugares en que las dichas obras se compusieron.* Eben an eine einmal fixierte und – nach Möglichkeit – für immer zu erhaltende Textgestalt hatte man unter der mittelalterlichen Dominanz des *mouvance*-Prinzips nie gedacht – im Gegenteil, gerade die Text-Variation bot dem Vortragenden (als Vorgänger des Text-Herausgebers) Gelegenheit, eigene Kompetenz zu erweisen. Das war eine Kompetenz des Gesangs, des mündlichen Vortrags, der sprachlichen Artistik, welcher die je überlieferte Vers- und Strophenform der Texte Orientierung bot. Eben diese Form-Ebene aber rückte bei Hernando del Castillo, wie schon bei Ramón de Llavia, an den Horizont des Interesses. Im Prolog ist das Prädikat ›cancionero‹ ganz allgemein als ›compilación de obras en metro‹ definiert (weitere Unterscheidungen werden nicht getroffen) – und so scheinen auch hier Inhalts-Kriterien bei der Zusammenstellung von Textblöcken dominiert zu haben:

E porque todos los ingenios de los hombres naturalmente mucho aman la orden: y ni a todos aplazen unas materias ni a todos desgradan ordener (sic) distingui la presente obra por partes y distinciones de materias en el modo que se sigue. Que luego en el principio puse las cosas de devocion: y moralidad & continue a estas las cosas de amores diferenciando las unas & las otras por los titulos & nombres de sus amores. E tambien puse juntas a una parte todas las canciones: los romances: assi mismo a otra las invenciones: y letras de justadores en otro capitulo: & tras estas las glosas de motes: & luego los villancicos: & despues las preguntas. E por quitar el fastio a los lectores que por ventura las muchas obras graves arriba leydas les causaron: puse ala fin las cosas de burlas provocantes a risa con que concluye la obra porque coja cada uno por orden lo que mas agrada a su apetito. E por quitar: o aliviar tambien coneste trabajo mio el enojo que se suele causar en buscar las materias por la obra derramadas que acada uno mas plaze: hize tabla: & seno me engaño prosusiciente *(sic)* sobre todo el libro. Por donde en modo tan cierto como breve con poco trabajo se fallaran las materias generales & particulares: que por toda la obra son difusas.

Aufgrund dieser Erklärung des Herausgebers kann man den Titel des *Cancionero general* verstehen und zugleich vermuten, daß eine wichtige Bedingung für den großen Erfolg dieser Kompilation ihre Anpassung an den mit der Einführung des Drucks entstandenen Buchmarkt lag. Anders als im Manuskript-Zeitalter konnte ein Buchherausgeber nicht mehr wissen, welche die dominanten Interessen seiner Käufer waren — und selbst wenn es ihm möglich gewesen wäre, ein konkretes und differenziertes Bild zu entwickeln, hätte er doch angesichts der Diffusität seines Publikums auf ganz verschiedenartige Bedürfnisse eingehen müssen. Deshalb wohl spannt sich das inhaltliche Spektrum des *Cancionero general* von den *cosas de devoción* bis hin zu den *cosas de burlas provocantes a risa*.

Zu den Textblöcken des *Cancionero general* gehört auch eine Abteilung mit Romanzen. Zwar hat diese Gattung in der mündlichen Kultur Spaniens bis in unsere Gegenwart eine Kontinuität bewahrt, doch seit dem späten XV. Jahrhundert, seit dem Ursprung der ›Literatur‹, gab es für diese populären Balladen intermittierende Phasen eines sich intensivierenden Interesses von gebildeten Lesern, die jeweils zu verstärktem Eingang in die Sphäre der Schriftlichkeit führten. Während nur eine äußerst geringe Zahl von Romanzen aus dem Manuskript-Zeitalter überliefert ist, wurden schon seit dem späten XV. Jahrhundert die *pliegos sueltos* für eine Fixierung und eine nicht mehr nur mündliche Form der Verbreitung von Texten dieser Gattung genutzt.[7] Der *Cancionero general* als eine der ersten Textsammlungen, die Romanzen gemeinsam mit anderen Texten einen pragmatischen Rahmen gaben, leitete eine Verschiebung des Interesses der Kompilatoren und ihrer Leser von den *coplas* und *canciones* hin zu den *romances* ein. Schon 1547/48 wurde in Antwerpen eine von Martín Nuncio herausgegebene Textsammlung gedruckt, die sich allein aus Romanzen zusammensetzte und den für die Übergangsphase bezeichnenden Titel ›*Cancionero de romances*‹ trug. Mit dieser Kompilation begann eine im späten XVI. und im ganzen XVII. Jahrhundert überaus lebendige Gattungsgeschichte, in deren Verlauf – wie die Bildung des Gattungsnamens ›*romancero*‹ zeigt – aus der Faszination durch das kulturell Andere ein bewußtes Interesse und aus den formalen und inhaltlichen Konventionen der Romanzen ein Modell für die Dichter der gebildeten Welt wurde. Noch die Romantik erlebte eine wahre Romanzen-Mode, und der Zauber, den die Gattung für die deutschen Intellektuellen des frühen XIX. Jahrhunderts hatte, trug entscheidend zur Entstehung der neuphilologischen Disziplinen bei.[8] In Spanien selbst wurden die Romanzen nach 1900 in dem Forscherkreis um Ramón Menéndez Pidal zum Gegenstand einer intensiven Rekonstruktions- und Editionstätigkeit, aus der eine neue Theorie der Entstehung und Überlieferung von Phänomenen der ›Volkskultur‹ hervorging. Sie macht den bis heute herausragenden Beitrag der spanischen Literaturwissenschaft zu einer allgemeinen Kulturtheorie aus.

Daß die Romanzen formgeschichtlich durch den epischen Langvers (zwei Halbverse zu acht Silben) gekennzeichnet sind, durch Assonanz und in ihrer Länge variierende Blöcke assonierender Verse (erst die Musiker des XVI. Jahrhunderts scheinen unter dem Gesetz der notwendigen Koordination von Melodie und Text manchen Romanzen eine Strophenform aufgezwungen zu haben), ordnet diese Gattung nach ihren wesentlichen Zügen dem transkulturellen Typ mündlicher Erzähldichtung zu. Statt eine Auflistung dieser Charakteristika zu geben, zitieren wir einige Verse aus jener bereits im vorausgehenden Kapitel erwähnten Romanzentradition, welche aus der Faszination der unbegreiflichen Greueltaten des Königs Pedro I. entstand:

...
Fuime para el aposento – del rey don Pedro, mi hermano.
– Mantegaos Dios, el rey, – y a todos de cabo a cabo.
– Mal hora vengáis, Maestre, – Maestre, mal seais llegado.
Nunca nos venís a ver – sino una vez en el año,
y ésta que venís, Maestre, – es por fuerza o por mandado.
Vuestra cabeza, Maestre, – mandada está en aguinaldo.
– ¿Por qué es aqueso, buen rey? – nunca os hice desaguisado,
ni os dejé yo en la lid – ni con moros peleando.
– Venid acá, mis porteros, – hágase lo que mandado.
Aún no lo hubo bien dicho, – la cabeza le han cortado;
a doña María de Padilla – en un plato la ha enviado.
Así hablaba con ella, como si estuviera sano,
las palabras que le dice – de esta suerte está hablando:
– Aquí pagaréis, traidor, – lo de antaño y lo de hogaño,
el mal consejo que diste – al rey don Pedro, tu hermano.
Asióla por los cabellos, – echádosela a un alano;
el alano es del Maestre, – púsola sobre un estrado,
a los aullidos que daba – atronó todo el palacio.
Allí demandara el rey: – ¿Quién hace mal a ese alano?
Allí respondieron todos – a los cuales ha pesado:
– Con la cabeza lo ha, señor, – del Maestre, vuestro hermano.[9]

Die Faszination der spanischen Romanzentradition kommt aber gewiß nicht von ihren Formen und ihren Inhalten, sondern von ihrer spezifischen Distanz zur Kultur der Gebildeten. Dieser Sachverhalt relativiert die Meinung, Populärkultur und Kultur der Gebildeten, mündlicher Vortrag und Buchlektüre ließen sich eindeutig an jeweils distanten Orten von Gesellschaftsstrukturen lokalisieren und das genau trifft auch auf den *Cancioneiro geral do Nobre Garcia de Resende* zu, der gemeinhin als das portugiesische Gegenstück zum *Cancionero general* von Hernando del Castillo angesehen wird. Er entspricht in der Textauswahl und in den dominierenden Prinzipien der Text-Konfiguration weit eher dem Manuskript des höfischen *Cancionero de Baena* als den von uns untersuchten Druck-*Cancioneros* und ist doch erst um 1520 veröffentlicht worden.[10] Die Lektüre seines Prologs führt zu der Vermutung, daß die in sich geschlossene Hofgesellschaft der von dieser Textsammlung implizierte pragmatische Rahmen war – aber zugleich ahnt man, daß der ehrgeizige Wunsch der Rezipienten, sich selbst und ihrer Umwelt die Ebenbürtigkeit Portugals mit Kastilien unter Beweis zu stellen, den Kompilator das gedruckte Buch als Medium wählen ließ.

Auf der anderen Seite des Spektrums iberischer Textsammlungen aus dem XVI. Jahrhundert steht der um 1515 in Kastilien entstandene *Cancionero de Gallardo*.[11] Es handelt sich um einen offenbar durch mehrere Schreiber erstellten Codex von geringer paläographischer und materialer Qualität, der den Fragestellungen einer historischen Textpragmatik schon damit Probleme aufgibt, daß er weder Titel noch Prolog aufweist. Auch das Repertoire der erfaßten Texte und die Strukturen ihrer Assimilation helfen kaum weiter. Etwa beginnt der Codex mit den *Coplas de ay panadera*, die um ein ausführliches Verzeichnis der Kämpfer in der Schlacht von Olmedo ergänzt sind; auf die *Coplas* folgt die kastilische Übersetzung einer Liebesallegorie des Petrarca, und es schließen Gedichte an, welche Symbole aus der mittelalterlichen Bestiarien-Tradition vor dem Horizont höfischer Liebeslyrik ausdeuten und jeweils mit einem Motto in italienischer Sprache schließen. Selbst wenn wir diese Aufzählung für alle achtundzwanzig Texte des *Cancionero de Gallardo* fortsetzten, könnten wir kein einheitliches oder auch nur quantitativ dominierendes Prinzip der Assimilation finden: Textserien mit inhaltlicher Affinität werden abgelöst durch Reihen von Gedichten mit gleicher Vers- und Strophenstruktur; Text-Konfigurationen, die einen gemeinsamen Situationsbezug erahnen lassen, stehen neben Textblöcken, die einem jeweils gleichen Autor zugeschrieben werden. Konstant ist allenfalls – zumindest im Vergleich mit anderen *cancioneros* – die Ausführlichkeit, mit der einzelne Gedichte durch einleitende Texte in Beziehung zu Situationstypen oder Einzelsituationen gesetzt werden. Diese Bemerkungen trieben offenbar dort eigenartige Blüten, wo dem Kompilator der Sinn eines übernommenen Textes nicht mehr zugänglich war:

De lo que os abeis quexado,
señor mio, yo me espanto,
pues soys para ser çenado
mas que para comer tanto;
y todo asi os condena,
pues y beis que poco ynporta,
darsele mas larga çena
a persona que es tan corta.[12]

Unsere Beobachtungen führen zu dem Eindruck, daß der *Cancionero de Gallardo* aus der Geselligkeits-Sphäre eines kleinen Zirkels von Dichtungsfreunden – vielleicht in Italien? – stammen könnte. Die Offenheit der Selektions- und Assimilationskriterien wie die ausführlichen Kommentare jedenfalls indizieren eine *Spätphase* in jener Tradition des Dichtungsspiels, aus der die Gattung ›cancionero‹ entstanden war.

Ganz ähnliche Merkmale weisen Sammlungen auf, die zum technischen Inventar von Musik-Aufführungen gehörten.[13] So bildete der von der Hofkapelle des Katholischen Königs an der Wende vom XV. zum XVI. Jahrhundert benutzte *Cancionero Musical del Palacio* eine offene Textreihe, die sich anscheinend aus den sukzessiven Eintragungen solcher Gedichte konstituierte, die im Rahmen musikalischer Aufführungen bei Hof gesungen worden waren. Nicht selten sind lediglich einzelne Strophen aus längeren Gedichten fixiert, woraus wir schließen können, daß hier – ganz anders als in den Gebrauchssituationen gedruckter Cancioneros – allein die Form des Textes von pragmatischer Bedeutung war. Es ist nun eine Besonderheit der spanischen Kulturgeschichte, daß im Verlauf der folgenden Jahrhunderte das Manuskript dominierendes Medium der Überlieferung von Musik und musikbegleitenden Texten blieb. Dieser Sachverhalt läßt uns annehmen, daß dort während des XVI. Jahrhunderts nicht – wie etwa in Frankreich oder in Deutschland – jene bürgerlich-familiären Zirkel von Musikliebhabern entstanden, deren Interesse an Noten und Liedtexten den Druck derselben zu einem lohnenden Geschäft machte.

Doch wir wollen den Topos vom ›Ausbleiben des Bürgertums in der spanischen Geschichte‹ hier noch nicht überstrapazieren, indem wir durch ihn das Ausbleiben von Phänomenen städtischer Privatheit erklären. Für eine im Rahmen unserer Darstellung wichtigere Perspektive, nämlich für den Zusammenhang zwischen Ursprung von Literatur, Einführung des Buchdrucks und Ausblendung des Körpers aus dem Bewußtsein der Kommunikationspartner, hat die Differenz zwischen Text-Überlieferung im Druck und Musik-Überlieferung im Manuskript hohen Illustrationswert. Denn im Gegensatz zu Text-Erfindung und Text-Lektüre läßt sich das Musizieren nicht vom Körper trennen.

Auf die Einführung des Buchdrucks und seine Konsequenz, die einsame Lektüre als Normalform literarischer Rezeption, verweist auch die herausragende Wirkung des *Ritterromans* in Spanien, dessen Tradition 1508 mit der Buchveröffentlichung des *Amadís de Gaula* in Zaragoza einsetzte. Wir haben im vorausgehenden Kapitel gesehen, daß Adaptationen von Erzähltraditionen aus der Gattung des höfischen Romans in Kastilien nur dann einer Fixierung im Manuskript für würdig erachtet wurden, wenn sie sich mit didaktischen Funktionen, mit der Vermittlung historischen Wissens oder mit der Ermöglichung metaphysischer Spekulationen am Rande theologischer Orthodoxie vereinbaren ließen. Der spanische Ritterroman war nun gerade umgekehrt eine kunstvolle – für den heutigen Leser verwirrende – Kontamination von Erzählmotiven und stand deshalb jenem Ernst entgegen, der im Manuskript-Zeitalter die Schwelle zur Schriftlichkeit markiert hatte. Die Darstellung eines ›bösen Riesen‹ aus dem *Amadís* zeigt paradigmatisch, wie Szenen- und Protagonisten-Typen, deren Sinngestalt im höfischen Roman noch primär durch ihre narrative Funktion vorgegeben war, nun von einem proliferierenden Weiterspielen der Motive weit über solche Grenzen des didaktischen Ernstes hinausgetrieben wurden:

Tenia el cuerpo y el rostro cubierto de pelo, y encima habia conchas, sobrepuestas unas sobre otras, tan fuertes, que ninguna arma las podia pasar, é las piernas é piés eran muy gruesos y recios, y encima de los hombros habia alas tan grandes, que fasta los piés le cobrian, é no de péñolas, mas de un cuero negro como la pez, luciente, belloso, tan

fuerte, que ninguna arma las podia empecer, con las cuales se cobria
como lo ficiese un hombre con un escudo; y debajo dellas le salian
brazos muy fuertes, así como de leon, todos cobiertos de conchas mas
menudas que las del cuerpo, é las manos habia de hechura de águila,
con cinco dedos, é las uñas tan fuertes é grandes, que en el mundo nos
(sic) podia ser cosa tan fuerte que entre ellas entrase, que luego no
fuese desfecha. Dientes tenia dos en cada una de las quijadas, tan
fuertes y tan largos, que de la boca un codo le salian, é los ojos grandes
y redondos muy bermejos como brasas; así que, de muy lueñe, siendo
de noche, eran vistos, é todas las gentes huian dél. Saltaba é corria tan
ligero, que no habia venado que por piés se le podiese escapar; comia y
bebia pocas veces, é algunos tiempos ningunas, que no sentia en ello
pena ninguna; toda su holganza era matar hombres é las otras anima-
lías vivas, é cuando fallaba leones é osos, que algo se le defendian,
tornaba muy sañudo, y echaba por sus narices un humo tan espanta-
ble, que semejaba llamas de fuego, é daba unas voces roncas, espanto-
sas de oir; así que, todas las cosas vivas huian ant'él como ante la
muerte; olia tan mal, que no habia cosa que no emponzoñase. Era tan
espantoso cuando sacudia las conchas unas con otras, é facia crujir los
dientes é las alas, que no parecia sino que la tierra facia estremecer ...
la fuerza grande del pecado del Gigante y de su fija causó que en él
entrase el enemigo malo, que mucho en su fuerza é crueza acrecienta.[14]

Vergleichbare Unholde hatte das Mittelalter allein im *Vers*roman präsentiert. Es ist deshalb durchaus berechtigt zu sagen,
daß der *Amadís* nicht nur eine Tradition fortsetzte, sondern
auch eine Tradition begründete. Seine Welt aus stets unglaubli-
chen Heldentaten und stets gegen alle Widerstände glücklichen
Liebesverhältnissen, aus Zauberern, Riesen und Feen, deren
Parcours die Titelhelden in Reisefabeln durcheilten, die dem
neuen geographischen Wissen des späten XV. und frühen XVI.
Jahrhunderts entsprachen, gewährte den identifikationsbereiten
Lesern Evasion, die offenbar ganz von dem Gedanken an
›Nachahmung‹ im eigenen Handeln entlastet war (bezeichnenderweise kommen explizite Belehrungen überhaupt nur im abschließenden vierten Buch des *Amadís* vor). Wenn wir hier von
›Identifikation‹ sprechen, so meinen wir eine im Mittelalter
wohl noch kaum gängige Form der Leserpartizipation, welche
die Loslösung des Bewußtseins vom Körper und die Institutionalisierung einer markanten Grenze zwischen Alltagserfahrung
und fiktionaler Welt voraussetzte. Tatsächlich hatte Garcí Or-

dóñez de Montalvo, der Autor des *Amadís,* in seinem Prolog
die Fiktion von alltäglicher Erfahrung und den Roman von der
Historiographie mit einer Deutlichkeit abgewogen, wie man sie
im Mittelalter höchstens bei den klerikalen Feinden höfischer
Dichtung finden konnte.[15] Daß die beiden eben voneinander
abgeschiedenen Welten sogleich nach dem Prinzip des ›*prodesse
et delectare*‹ wieder aufeinander bezogen wurden, ist wohl
kaum ein Hinweis auf die tatsächliche Wirkung solcher Texte,
sondern eher ein Symptom für den innovatorischen Stellenwert
jenes Fiktionsbewußtseins: es ließ sich zunächst nur im Rekurs
auf überlieferte Topoi beschreiben. Hinzu kommt, daß vor
dem Hintergrund des nun im Alltag herrschenden ›Fiktionsve-
tos‹[16] Imagination auch in literarischen Kommunikationssituationen nur noch durch Verweise auf ihre ›Nützlichkeit‹ legitimiert werden konnte:

Bien se puede y debe creer haber habido Troya y ser cercada y destruida por los griegos, y asimesmo ser conquistada Jerusalen, con
otros muchos lugares por este duque (sc. Gottfried von Bouillon) y
sus compañeros; mas semejantes golpes que estos atribuyámoslos mas
á los escritores, como ya dije, que haber en efecto de verdad pasado.
Otros hubo de mas baja suerte, que escribieron, que no solamente no
edificaron sus obras sobre algun cimiento de verdad, mas sobre el
rastro de ella. Estos son los que compusieron las historias fingidas en
que se hallan las cosas admirables fuera de la órden de natura, que mas
por nombre de patrañas que de corónicas con mucha razon deben de
ser tenidas y llamadas. Pues veamos agora: si las afrentas de las armas
que acaescen no son semejantes á aquellas que casi cada dia vemos y
pasamos, y aun por la mayor parte desviadas de la virtud y buena
conciencia, y aquellas que muy graves y extrañas nos parecen, sepa-
mos ser compuestas y fingidas, ¿qué tomaremos de las unas y otras,
que algun fruto provechoso nos acarree? Por cierto, á mi ver, otra
cosa no, salvo los buenos ejemplos y doctrinas que mas á la salvacion
nuestra se allegaren, pues siendo permitido de ser imprimida en
nuestros corazones la gracia del muy alto Señor, para á ella nos allegar,
tomémosla por alas con que nuestras ánimas suban á la alteza de la
gloria para donde fueron criadas.[17]

Bis mindestens ans Ende des XVI. Jahrhunderts blieb der *Amadís* eine Lieblingslektüre der Höflinge in ganz Europa, er gab
Motti und Motive für höfische Feste, Bälle und Empfänge ab,
und ein Infant von Portugal bat seinen Autor, dem Protagoni-

sten endlich den Genuß der so hochverdienten Liebesfreuden zu gewähren.[18] Doch wenn es nicht schon aus unserem Wissen vom höfischen Leben in der frühen Neuzeit folgte, dann bewiese die Lektüre von Cervantes' *Quijote* definitiv, daß für die Leser dieser Bücher – anders als für die Ritter am Hof Juans II. von Kastilien – im Normalfall ein alltägliches Diesseits präsent blieb, das durch eine deutliche Grenze des Erlebnisstils[19] vom Raum der Fiktion abgesetzt war. Der ›Wahn‹ des Don Quijote liegt ja gerade darin, daß er diese Grenze nicht wahrnehmen, nicht respektieren kann – oder will. Genau diese Fähigkeit des bewußten Wechsels zwischen Erlebnisstilarten aber gibt die implizite Leserrolle des *Amadís* vor. Deshalb können die Leser schon in der Überschrift zum ersten Buch in einer Rolle angesprochen werden, die ihnen in ihrer Gegenwart nur noch abgesetzt vom Alltag – eben mittels der Imagination – erreichbar war: *animando los corazones gentiles de mancebos belicosos, que con grandísimo afeto abrazan el arte de la milicia corporal, animando la inmortal memoria del arte de caballería, no menos honestísimo que glorioso.*[20]

Genau diese Grenze zwischen alltäglichen Rollen der Leser und solchen Rollen, die ihnen nur in literarischer Lektüre auf dem Weg der Identifikation erreichbar waren, artikulierten die *novelas sentimentales* mit jenen gattungstypischen Szenen, die von der Rahmenerzählung in die Binnengeschichte führen. Dieses Strukturelement war uns im vorausgehenden Kapitel an dem nach 1430 geschriebenen *Siervo libre de amor* des Juan Rodríguez del Padrón aufgefallen. In den gedruckten *novelas sentimentales* des späten XV. Jahrhunderts jedoch trat es weit markanter hervor. Unter ihnen nimmt der 1492 in Sevilla veröffentlichte *Cárcel de amor* von Diego de San Pedro eine Sonderstellung ein, denn er wurde nicht nur um eine der nun rasch beliebt werdenden *continuaciones* ergänzt und vielfach neu aufgelegt, sondern avancierte mit Übersetzungen ins Katalanische, Französische, Italienische, Englische und Deutsche zu einem der ersten literarischen Bucherfolge in Europa. Hier waren nicht mehr allein Situationen von Liebesleid und Liebesglück eines Ich-Protagonisten (oder *auctor*) als Rahmen- und Binnenfabel gegeneinandergesetzt; der Ich-Protagonist begegnet – soeben vom siegreichen Feldzug gegen das Kalifat Granada zurückgekehrt (also aus dem aktuellsten aller Handlungskontexte des Publikationsjahres 1492) – einem Protagonisten, der sich explizit als allegorische Gestalt präsentiert:

Comiença la obra

Después de hecha la guerra del año pasado, viniendo a tener el invierno a mi pobre reposo, pasando una mañana, cuando ya el sol quería esclarecer la tierra, por unos valles hondos y escuros que se hazen en la Sierra Morena, vi salir a mi encuentro, por entre unos robredales do mi camino se hazía, un cavallero assí feroz de presencia como espantoso de vista, cubierto todo de cabello a manera de salvaje; levava en la mano isquierda un escudo de azero muy fuerte, y en la derecha una imagen femenil entallada en una piedra muy clara, la cual era de tan estrema hermosura que me turbava la vista; salían della diversos rayos de fuego que levava encendido el cuerpo de un honbre quel cavallero forciblemente levava tras sí. El cual con un lastimado gemido de rato en rato dezía: »En mi fe, se sufre todo«. Y como enparejó comigo, díxome con mortal angustia: »Caminante, por Dios te pido que me sigas y me ayudes en tan grand cuita« ... Y como apresuré mi andar, sin mucha tardança alcancé a él y al que la fuerça le hazía, y assí seguimos todos tres por unas partes no menos trabajosas de andar que solas de plazer y de gente; y como el ruego del forçado fue causa que lo siguiese, para someter al que lo levava faltávame aparejo y para rogalle merescimiento, de manera que me fallecía consejo; y después que rebolví el pensamiento en muchos acuerdos, tomé por el mejor ponerle en alguna plática, porque como él me respondiese, así yo determinase; y con este acuerdo supliquéle con la mayor cortesía que pude me quisiese dezir quién era; a lo cual assí me respondió: »Caminante, segund mi natural condición, ninguna respuesta quisiera darte ...; pero como sienpre crié entre honbres de buena criança, usaré contigo de la gentileza que aprendí y no de la braveza de mi natural; tú sabrás, pues lo quieres saber, yo soy principal oficial en la casa de Amor; llámanme por nonbre Deseo.[21]

Durch den Eingang des Ich-Erzählers in die allegorische Welt der *Casa del Amor* wird seine textimplizite Rolle eindeutig (und anders als beim *auctor* im *Siervo libre de amor*) von der des Autors abgerückt, und zugleich übernimmt der Erzähler noch in der Binnenfabel die Nebenrolle eines ›Vertrauten‹ von Leriano, dem Hauptprotagonisten. Er erklärt sich bereit, alles daran zu setzen, die von Leriano angebetete Prinzessin Laureola, welche bisher dessen Werben zurückgewiesen hatte, zu seinen Gunsten umzustimmen. ›Die zunächst zögernde Schöne läßt sich auf einen Briefwechsel und schließlich sogar auf ein Treffen mit Leriano ein. Der gleichfalls in sie verliebte und mit Leriano befreundete Persio läßt das Gerücht verbreiten, er habe das Paar in flagranti ertappt. Der erzürnte König veranlaßt die sofortige Gefangennahme seiner Tochter. Leriano duelliert sich mit Persio, verschont ihn aber am Ende. Dennoch setzt Persio mit dem Kauf von drei Falschzeugen das Intrigenspiel gegen Leriano und Laureola fort. Seine Rechnung wäre aufgegangen, hätten Leriano und seine Gefolgschaft Laureola nicht kurz vor ihrer Hinrichtung gewaltsam befreit, Persio getötet und die Falschzeugen gezwungen, vor dem König ihren Meineid einzugestehen. Das gegen Laureola ausgesprochene Urteil wird annulliert; aber die Prinzessin beraubt Leriano trotzdem noch der allerletzten Illusion einer glücklichen Liebe. Daraufhin entschließt sich Leriano zum Selbstmord. Bevor er seinen Plan durchführt, trinkt er die Briefe seiner Geliebten.‹[22]

Im *Cárcel de Amor* – wie in einer Vielzahl von *novelas sentimentales*, die während der folgenden fünfzig Jahre in Buchform erscheinen sollten, – finden wir nicht allein die schon beim *Siervo libre de amor* hervorgehobenen Motive und Strukturen in prägnanterer Form wieder, wir können auch beobachten, wie sich Tendenzen der Verwendung von Elementen der höfischen Literatur ausbilden, welche die *novela sentimental* bald zu einer potentiellen ›Gegengattung‹ zum Ritterroman à la *Amadís* geraten ließen. Schien im *Amadís* die Möglichkeit des Weiterspielens von phantastischen Motiven aus dem höfischen Roman grenzenlos zu sein, so erweist die Erzählung des *Cárcel de Amor* Zug um Zug die Unmöglichkeit der alltagsweltlichen Verwirklichung solcher Motive. Noch deutlicher wird dieses Verfahren in dem etwa zur gleichen Zeit erschienenen Roman *Grimalte y Gradissa* von Juan de Flores, wo die dem werbenden Ritter von seiner Dame bis zur Erfüllung des Liebeswunsches auferlegte Frist so endlos lang gerät, daß schließlich die Altersschwäche der Protagonisten den Liebesvollzug verhindert. Während also der Ritterroman dem identifikationsbereiten Leser das Überschreiten der Alltags-Grenzen hin zu einer phantastischen Sphäre heldenhafter Taten und exotischer Länder leicht macht, lädt die *novela sentimental* ihre Leser ein, auf dem Weg eines Rückzugs aus dem Alltag die ›Innenseite‹ ihrer eigenen Erfahrungen zu entdecken. Als einziger Modus eines – freilich ganz körperlosen – Liebesvollzugs bleibt den Protagonisten der *novela sentimental* der Austausch von Briefen, und selbst das geschriebene Wort als Minimalstufe materieller Konkretisation der Liebe muß am Ende beseitigt werden. Denn bevor er sich das Leben nimmt, löst Leriano ja die Briefe seiner Laureola in Wasser auf, um sie zu trinken:

... y viendo que le quedava poco espacio para gozar de ver las dos cartas que della tenía, no sabía qué forma se diese con ellas. Cuando pensava rasgallas, parecíale que ofendería a Laureola en dexar perder razones de tanto precio; cuando pensava ponerlas en poder de algún suyo, temía que serían vistas, de donde para quien las enbió se esperava peligro. Pues tomando de sus dudas lo más seguro, hizo traer una copa de agua, y hechas las cartas pedaços echólas en ella, y acabado esto, mandó que le sentasen en la cama, y sentado, bevióselas en el agua y assí quedó contenta su voluntad; y llegada ya la hora de su fin, puestos en mí los ojos, dixo: »Acabados son mis males«, y assí quedó su muerte en testimonio de su fe.[23]

Der Briefwechsel der Liebenden, die Vernichtung der Briefe als ein Akt der Wahrung ihrer Intimität und auch der Freitod des Liebenden – das sind Motive, wie sie in kaum einer *novela sentimental* fehlen. Die spezifische Gestalt ihrer Konfiguration im *Cárcel de Amor* erschließt uns eine Sinnschicht, die den Autoren wohl kaum bewußt war, aber dennoch eben durch die Rekurrenz solcher Motive als gattungskonstitutiv ausgewiesen ist. In der Welt der *novelas sentimentales* ist die einzig mögliche Form der Vereinigung der Liebenden die *Vereinigung ihres Bewußtseins*. Das belegt im *Cárcel de Amor* die Konvergenz zwischen der Eliminierung des Körpers – dem Freitod – und der ›Vernichtung durch Verinnerlichung‹ jener Briefe, in denen die Geliebte ihre innersten Gefühle aufgeschrieben hatte.

Hunderte von Seiten haben Hispanisten mit den verschiedensten Antworten auf die Frage gefüllt, ob das zuerst 1499 in Burgos unter dem Titel ›*Tragicomedia de Calisto y Melibea*‹ erschienene Buch von Fernando de Rojas (das seit einer frühen Phase der Textüberlieferung meist ›*La Celestina*‹ genannt wird) ein Roman oder ein Drama sei. Natürlich ist die beliebte Frage falsch gestellt, weil sie die Begriffe ›Roman‹ und ›Drama‹, die voll ausgebildeten Formen neuzeitlich-literarischer Kommunikation entsprechen, in eine historische Situation projiziert, in der die Entfaltung der ›Literatur‹ eben erst einsetzte. Die Handlung der *Celestina* jedenfalls teilt ein konstitutives Element mit der *novela sentimental*. Nach dem Tod ihres Geliebten Calisto nimmt sich die liebende Melibea das Leben durch den Sprung von einem Turm des väterlichen Anwesens. An der Schwelle des Todes und am Rande der Turmzinnen stehend richtet sie einen pathetischen Diskurs an ihren alten Vater, der zum Ort des unmittelbar bevorstehenden Unglücks geeilt ist. Melibea beansprucht die Verfügung über den eigenen Leib und rechtfertigt das den Eltern zugefügte Leid durch ihre Gewißheit, die Vereinigung mit Calisto jetzt nur noch losgelöst von ihrem Körper finden zu können:

Pues ¿qué crueldad sería, padre mío, muriendo él despeñado, que viuiese yo penada? Su muerte combida a la mía, combídame e fuerça que sea presto, sin dilación, muéstrame que ha de ser despeñada por seguille en todo. No digan por mí: a muertos e a ydos ... E assí contentarle he en la muerte, pues no tuue tiempo en la vida. ¡O mi amor e señor Calisto! Espérame, ya voy; detente, si me esperas; no me incuses la tardança que hago, dando esta vltima cuenta a mi viejo padre, pues le deuo mucho más. ¡O padre mío muy amado! Ruégote, si amor en esta passada e penosa vida me has tenido, que sean juntas nuestras sepulturas: juntas nos hagan nuestras obsequias ... A él ofrezco mi ánima. Pon tú en cobro este cuerpo, que allí baxa.[24]

Daß Melibea und Calisto ihre Liebe zu Lebzeiten in leidenschaftlicher Sinnlichkeit vollzogen hatten, unterscheidet sie von den meisten Liebespaaren der *novela sentimental*. Die Rückwendung auf ihr Bewußtsein und das Ausdrücken seiner Stimmungen macht also nur die eine Seite der von Fernando de Rojas geschaffenen Protagonisten aus. Auf der anderen Seite stehen Habgier und sexuelle Begierde – und es ist für die Frühphase neuzeitlicher Literatur charakteristisch, daß der Autor bei der Erfindung ambivalenter Figuren auf Motivtraditionen zurückgegriffen zu haben scheint, die im Mittelalter ganz verschiedenen Gattungen – nämlich der lateinischen Komödie und der volkssprachlichen Schwanktradition – angehört hatten. Aus der Kombination der heterogenen Traditions-Elemente jedenfalls entstanden erstaunlich komplexe Protagonisten-Subjekte, die mit Motivationskonflikten kämpfen, um am Ende – so sehen wir es heute – an der Kontingenz ihrer Umwelt zu scheitern. Calistos Diener schwanken zwischen der Treue gegenüber ihrem guten Herrn und ihrer Raffgier wie ihren sexuellen Trieben, welche die Kupplerin Celestina zu wecken versteht; Melibea schwankt zwischen einer Wohlanständigkeit, zu der sie als Tochter aus edlem Hause erzogen wurde, und der in den Gesprächen mit Celestina erwachenden und wachsenden Begierde; selbst die scheinbar einzig auf Profit bedachte Kupplerin wird in ihrem Verhalten gegenüber Pármeno, einem der Diener Calistos, von Gefühlen der Mütterlichkeit beeinflußt. Als Pármeno dann jedoch die für ihn überraschende Milde der (von der Gesellschaft geächteten) Kupplerin zum eigenen Vorteil nutzen will, nimmt Celestina für sich eine durch Aufrichtigkeit und Fleiß bei der Ausübung ihres Handwerks erworbene Ehre in Anspruch und eröffnet dabei Einblicke in die ›Innenseite‹ ihrer Lebensgeschichte. Diese Passage der *Tragicomedia* erinnert an ›Dokumentartexte‹ unserer Gegenwart, die gegen etablierte Vorurteile um Verständnis für marginalisierte Personen und Gruppen werben:

¿Quién só yo, Sempronio? ¿Quitásteme de la putería? Calla tu lengua, no amengües mis canas, que soy vna vieja qual Dios me hizo, no peor que todas. Viuo de mi oficio, como cada qual oficial del suyo, muy limpiamente. A quien no me quiere no le busco. De mi casa me vienen a sacar, en mi casa me ruegan. Si bien o mal viuo, Dios es el testigo de mi coraçón. E no pienses con tu yra maltratarme, que justicia ay para todos: a todos es ygual. Tan bien seré oyda, avnque muger, como vosotros, muy peynados. Déxame en mi casa con mi fortuna. E tú, Pármeno, no pienses que soy tu catiua por saber mis secretos e mi passada vida e los casos que nos acaescieron a mí e a la desdichada de tu madre.[25]

Als Celestina am Ende nicht bereit ist, den Dienern Calistos den versprochenen Anteil aus der Bezahlung ihres Herrn für die Verkuppelung mit Melibea abzutreten, wird sie von ihnen ermordet. Aber auch die Diener finden den Tod auf der Flucht vor den Schergen des Gerichts. Die nach dem Mord an der Kupplerin ›verwaisten‹ und nach dem Tod der Diener ›ledigen‹ Prostituierten aus dem Haus der Celestina aber beschließen, sich an Calisto zu rächen, der sich freilich keiner Schuld bewußt ist. Als er während einer Liebesnacht im Garten Melibeas Stimmen jenseits der Gartenmauer vernimmt, und besorgt um Melibeas und seinen eigenen Ruf ergründen will, wer ihre nächtliche Idylle stört, stürzt Calisto von der Gartenmauer zu Tode.

Kommen wir von der Komplexität der fiktionalen Handlung und den Techniken ihrer Konstitution zurück zur Frage nach dem ›Sitz‹ dieses Textes ›im Leben‹. Fernando de Rojas, der Autor der *Celestina,* schreibt seinem Text gleich zweimal, sowohl im Widmungsbrief an einen (offenbar jüngeren) ›Freund‹ als auch im einleitenden *Argumento* besonderen didaktischen Wert, eine spezifische Kraft der Abschreckung für *galanes é enamorados mancebos*[26] zu. Damit postuliert er für die Entwicklung der Handlung eine exemplarische Folgerichtigkeit, der die Kontingenz des Geschehens gewiß auch in den Augen der zeitgenössischen Rezipienten nicht genügen konnte. Wahrscheinlich ist der Anspruch auf eine didaktische Funktion vor allem Symptom für die neue Verpflichtung, eine Grenze zwischen Fiktion und Alltagserfahrung zu ziehen und auf dieser Grundlage die Fiktion durch ihre Nützlichkeit für den Alltag zu legitimieren. Ihr zu genügen hatte wohl gerade ein Jurist und (jüdischer) Konvertit wie Fernando de Rojas allen Anlaß. Außergewöhnlich aber ist der vom Autor gewährte Einblick in die Entstehungssituation seines Werks (oder für den Fall, daß der Prolog-Text nicht von Rojas stammen sollte:[27] die einem Leser-Publikum am Ende des XV. Jahrhunderts als typisch präsentierte Situation ›literarischen‹ Schreibens). Man wird eingeführt in eine Szenerie, deren Zentrierung auf das Autoren-Subjekt vom Situationsbezug mittelalterlicher Texte denkbar weit entfernt ist. Der Autor habe die *Celestina* während seiner Studienzeit in Salamanca geschrieben, genauer: während zwei ›vorlesungsfreier Wochen‹, die er nicht zu einer Heimreise genutzt habe. In seiner Studierstube, fern vom gesellschaftlichen Treiben, habe der Flug der Imagination angehoben: *assaz vezes retraydo en mi cámara, acostado sobre mi propia mano, echando mis sentidos por ventores é mi juyzio á bolar.*[28] Der neuen Rezeptionssituation ›einsamer Lektüre‹ entspricht hier ein situationaler Rahmen der literarischen Produktion, welcher ebenfalls in Distanz zur Gesellschaft steht.

Wenn sich nun der *auctor* des einleitenden Widmungsbriefs verpflichtet fühlt einzugestehen, daß er selbst lediglich den Text eines Schriftstellers fortgesetzt habe, über dessen Identität er bloß Mutmaßungen anstellen könne, wenn er sogar exakt die Stelle angibt, von der ab das Werk aus seiner eigenen Feder stamme, so zeichnet sich ab, daß mit der neuen, engeren Bezugsetzung zwischen einem Text und einem Autor das Prinzip der *mouvance* als selbstverständlicher Habitus des Umgangs mit Texten gebrochen war. Doch die Autorenrolle in der *Celestina* ist noch weiter spezifiziert. Wir erfahren nämlich am Ende, daß Fernando de Rojas – als Jurist – nicht nur Zweifel gegenüber seiner eigenen literarischen Kompetenz hegte, einen solchen Text fortzusetzen, sondern umgekehrt auch den Vorwurf antizipierte, darüber sein eigentliches Studium vernachlässigt zu haben: *E pues él* (sc. der Autor des ersten Textteils) *con temor de detractores é nocibles lenguas, más aparejadas á reprehender que á saber inuentar, quiso celar é encubrir su nombre, no me culpeys, si en el fin baxo que lo pongo, no espressare el mío. Mayormente que, siendo jurista yo, avnque obra discreta, es agena de mi facultad é quien lo supiesse diria que no por recreacion de mi principal estudio, del qual yo más me precio, como es la verdad, lo hiziesse; ántes distraydo de los derechos, en esta nueua labor me entremetiesse.*[29]

Mit welcher Rezeptionssituation der Autor (Herausgeber, Drucker?) nun tatsächlich rechnete, das läßt sich aus einem weiteren *prólogo* erschließen. Er findet sich nach dem einleitenden Widmungsbrief und den elf Strophen eines Gedichts in *arte mayor*, welches das Motiv vom fortgeschriebenen anonymen Text wieder aufnimmt und die schon mit dem Gebrauch des Metrums angedeutete Kompetenz zur Sprachartistik durch ein Akrostichon unterstreicht: EL BACHJLLER FERNANDO DE ROIAS ACABO LA COMEDIA DE CALYSTO Y MELYBEA E FVE NASCJDO EN LA PUEBLA DE MONTALVAN.[30] Man ist nun zunächst überrascht, diesen *prólogo* mit Variationen über eine Sentenz von Heraklit beginnen zu sehen, nach der beständiger Kampf das Schicksal irdischen Daseins bestimme. Erst nachdem die Sentenz durch weitere Zitate gleichsam bekräftigt und auf den Lauf der Sterne, den Wechsel der Jahreszeiten und das Leben der Tiere appliziert ist, beginnen wir, ihre Funktion im gegebenen Zusammenhang zu verstehen. Da der *auctor* – als Autor (Herausgeber, Setzer?) eines gedruckten Buchs – mit Rezipienten ganz verschiedener sozialer Herkunft, ganz verschiedenen Alters und ganz verschiedener Vorbildung rechnet, will und muß er sich auf je verschiedene Gebrauchs- und Verstehensweisen seines Textes einstellen. Gemeinsam bestätigen der Widmungsbrief zur *Celestina* und dieser *prólogo*, daß der neue Respekt gegenüber der vom Autor intendierten Textgestalt und das neue Bewußtsein von der unvermeidlichen Pluralität der Lektüren historisch zugleich erscheinen. Der Kampf als Schicksal irdischen Daseins ist also das *totum*, dessen *pars* die Pluralität der Lektüren sein soll:

Los niños con los juegos, los moços con las letras, los mancebos con los deleytes, los viejos con mill especies de enfermedades pelean y estos papeles con todas las edades. La primera los borra é rompe, la segunda no los sabe bien leer, la tercera, que es la alegre juuentud é mancebía, discorda. Vnos les roen los huessos que no tienen virtud, que es la hystoria toda junta, no aprouechándose de las particularidades, haziéndola cuenta de camino; otros pican los donayres y refranes comunes, loándolos con toda atencion, dexando passar por alto lo que haze más el caso é vtilidad suya. Pero aquellos para cuyo verdadero plazer es todo, desechan el cuento de la hystoria para contar, coligen la suma para su prouecho, ríen lo donoso, las sentencias é dichos de philosophos, guardan en su memoria para trasponer en lugares conuenibles á sus autos é propósitos. Assi que quando diez personas se juntaren á oyr esta comedia, en quien quepa esta differencia de condiciones, como suele acaescer, ¿quién negará que aya contienda en cosa que de tantas maneras se entienda? Que avn los impressores han dado sus punturas, poniendo rúbricas ó sumarios al principio de cada aucto, narrando en breue lo que dentro contenía: vna cosa bien escusada según lo que los antiguos scriptores vsaron ...[31]

Von der Pluralität von Lektüren führt uns dieses Zitat zu der Frage, wie eine Situation ausgesehen haben mag, in der ›sich zehn Personen vereinigten, um diese Komödie zu hören‹? Ganz offenbar war eine der in jener Epoche beliebten Formen gebildeter Geselligkeit das wechselseitige Vorlesen, wie es vielen Lesern bis heute aus der Rahmenerzählung von Boccaccios *Decamerone* vertraut ist. Allerdings muß das vom Text der *Celestina* implizierte Vorlesen nicht mehr – zumindest nicht mehr notwendig – auf eine Person beschränkt gewesen sein. Eher sollte man an jene Wechselreden und Situations-Muster denken, wie sie Manuskript-*Cancioneros* durch die Konfigurationen ihrer Texte evozierten. Jedenfalls erinnert uns die Struktur, mit der die Sprechrollen der *Celestina* aufeinander zugeordnet sind, nun wieder an spätmittelalterliche Kommunikationsformen und eben deshalb kann man die Begriffsopposition ›Roman/Theater‹ auf die *Celestina* nicht anwenden. Im Textanhang schließlich finden sich Hinweise von *Alonso de Proaza, corrector de la impresión,* welche zeigen, daß die intendierten Modi des Textvortrags und der Textrezeption – anders als die Gesamtverteilung der Sprechrollen – Strukturen von Subjektivität implizieren und mithin neuzeitlichen Charakter haben:

> Pues mucho más (sc. als die Leier des Orpheus)
> puede tu lengua hazer,
> Lector, con la obra que aquí te refiero,
> Que a vn coraçón más duro que azero
> Bien la leyendo harás liquescer:
> Harás al que ama amar no querer,
> Harás no ser triste al triste penado,
> Al que sin auiso, harás auisado:
> Assí que no es tanto las piedras mouer.
>
> ...
>
> Si amas y quieres a mucha atención
> Leyendo a Calisto mouer los oyentes,
> Cumple que sepas hablar entre dientes,
> A vezes con gozo, esperança y passión,
> A vezes ayrado con gran turbación.
> Finge leyendo mil artes y modos,
> Pregunta y responde por boca de todos
> Llorando y riyendo en tiempo y sazón.[32]

Jenseits der Grenze, welche den Alltag von Spiel und Fiktion trennt, soll sich der Vortragende in eine Rolle versetzen, soll er vorgeben (›*finge*‹), ein anderer zu sein. Sobald dies im Wechselspiel des rollengebundenen Vorlesens den – jeweils – Vortragenden gelänge, werde es auch den – jeweils – Hörenden möglich, sich in einen Bewußtseins- und Gemüts-Zustand jenseits ihres Alltagslebens zu begeben. Wir hatten im vorausgehenden Kapitel erfahren, daß wohl vor allem die Unfähigkeit der spätmittelalterlichen Hofgesellschaft, derart im Überschreiten einer markierten Grenze zwischen Alltag und Spiel je verschiedene Rollen einzunehmen, ihre Kommunikationsformen für uns so fremd macht. Das Fingieren-Können und Sich-Versetzen-Lassen in andere Situationen, auf welche die *Celestina* angelegt scheint, entspricht hingegen dem für neuzeitliche Literatur konstitutiven Begriff von ›Identifikation‹. ›Identifikation‹ setzt die Fähigkeit voraus, in Distanz zur eigenen Identität treten und eine Grenze zwischen der eigenen und der fremden Welt erfahren zu können. Dies fordert der Roman im gleichen Maß wie das Theater.

Eine willkommene Möglichkeit, vor dem Hintergrund der *Celestina* die Ausdifferenzierung des Romans gegenüber dem Theater weiter zu verfolgen, bietet der *Retrato de la Lozana andaluza* von Francisco Delicado. Das Buch erschien 1528 in Venedig, und die Tatsache, daß keine weiteren zeitgenössischen Editionen bekannt sind, mag damit zu tun haben, daß die von ihm repräsentierte gattungsgeschichtliche Zwischenstufe gegenüber den sich rasch verändernden Lesegewohnheiten wohl bald obsolet geworden sein muß. Der Autor, Francisco Delicado, war einer unter jenen Literatur-Spezialisten, denen der höchst intensive Austausch zwischen der italienischen und der spanischen Kultur im XVI. Jahrhundert zu verdanken ist. Man vermutet, daß er ein Schüler von Antonio de Nebrija war, und man weiß, daß er in Italien – neben anderen Werken – Ausgaben des *Amadís*, des *Cárcel de Amor* und der *Celestina* besorgte.[33] Auf die *Celestina* nahm er schon in der *Dedicatoria* der *Lozana andaluza* Bezug – und Delicados Interesse an der Figur der Kupplerin (ebenso wie der Name seines Werks) ist Anzeichen für ein Abweichen der Rezeption gegenüber jener Funktion, welche Fernando de Rojas seiner *Tragicomedia de Calisto y Melibea* explizit gegeben hatte:

Ilustre señor: Sabiendo yo que vuestra señoría toma placer cuando oye hablar en cosas de amor, que deleitan a todo hombre, y máxime cuando siente decir de personas que mejor se supieron dar la manera para administrar las a él pertenecientes, y porque en vuestros tiempos podéis gozar de persona que para sí y para sus contemporáneas, que en su tiempo florido fueron en esta alma cibdad, con ingenio mirable y arte muy sagaz, diligencia grande, vergüenza y conciencia, »por el cerro de Ubeda« ha administrado ella y un su pretérito criado, como abajo diremos, el arte de aquella mujer que fue en Salamanca, en tiempo de Celestino segundo: por tanto he derigido este retrato a vuestra señoría para que su muy virtuoso semblande me dé favor para publicar el retrato de la señora Lozana.[34]

Freilich bleiben die Parallelen zwischen *Celestina* und *Lozana andaluza* nicht auf das Rollenfach der beiden Titelprotagonistinnen beschränkt. Auch der Text der *Lozana andaluza* präsentiert sich fast durchgehend in Reden, die auf einzelne Sprecherrollen zugeordnet sind. Die so integrierten Texttraditionen sind vielschichtig, allerdings entsteht aus solcher Vielschichtigkeit keineswegs ein ›Motivationskonflikt‹ der Protagonisten, sondern eine grotesk wirkende Inkongruenz zwischen einem hochelaborierten Sprachduktus der Anlehnung an die antike Literatur und dem Leben der Prostituierten, Kupplerinnen und Zuhälter als Referenz. Auch in der *Lozana andaluza* fungiert der ›Lebensweg‹ der Titelheldin als eine Erklärung für das von ihr betriebene Gewerbe – freilich erinnern ihr ostentativer Berufsstolz und die Verehrung, welche ihr angeblich allenthalben zuteil wird, eher an die (für den Leser als Lüge durchschaubare) Selbstpräsentation des Lazarillo de Tormes als an die affektiven Ambivalenzen in den Diskursen der Celestina.

Wenn wir behauptet haben, daß die *Lozana andaluza* unserem Begriff des ›Romans‹ deutlich näher steht als die *Celestina*, so gilt dies ganz äußerlich zunächst einmal deshalb, weil aus den zwanzig ›Akten‹ im Text von Fernando de Rojas nun nicht weniger als einhundertfünfundzwanzig ›mamotretos‹ geworden sind, welche die Handlung an den verschiedensten geographischen und sozialen Orten inszenieren (Delicado spricht von ›mamotretos‹ und nicht von ›auctos‹, weil man – wie er ironisch feststellt – ›in solch weltlichen Werken die Wörter nicht benutzen soll, die zu den Büchern der heiligen Lehre gehören‹[35]). Wir wissen nicht genug von der zeitgenössischen Inszenierungspraxis, um behaupten zu können, eine solche Szenenfolge sei unspielbar gewesen; doch daß sich hier zumindest eine gattungsgeschichtliche Tendenz hin zum ›Roman‹ abzeichnet, wird auch anhand der Tatsache deutlich, daß lange Sequenzen von *mamotretos* – ebenso wie der *Amadís* – den fiktionalen Raum mit verschiedenen Reisefabeln füllen. Anders als in der *Cele-*

stina – aber in Analogie zu den *novelas sentimentales* – gibt es im Text der *Lozana Andaluza* darüber hinaus eine Erzähler-rolle, mit der das Werk einsetzt, um diesem *autor* dann mehr und mehr den Rang eines Nebenprotagonisten zuzuweisen. Der Erzähler sollte zum einen das Erfassen der vom Autor intendierten Sinngestalt sichern: so ermahnen seine Kommentare die Leser, nicht unhinterfragt den Selbstrepräsentationen der Lozana Glauben zu schenken.[36] Zugleich aber mag die Gestalt des Erzählers als Bezugspunkt für die Leser-Identifikation fungiert haben. Ein Leser, der sich in die Rolle dieses Erzählers zu versetzen wußte, konnte für die Zeit seiner Lektüre der Illusion frönen, das frenetische gesellschaftliche Treiben der Stadt Rom zu erleben und selbst im Bann der unwiderstehlichen erotischen Anziehungskraft der *Lozana* zu stehen. Schließlich verweist der ironische Umgang des Erzählers mit dem Topos ›*prodesse et delectare*‹ auf eine nun bald einsetzende Tradition, in der (Anti-)Romane den Grundstrukturen des offiziellen Wissens unanschließbar, unvermittelbar, ja oft problematisierend gegenüberstehen sollten. ›Wahrheit mit Unterhaltung zu mischen‹, sei seine Absicht, sagt der Erzähler. Doch über den Anspruch, die vermittelte Wahrheit müsse der Leser nutzen, macht er sich lustig; und den mit ›*delectare*‹ assoziierten Glanz, für den nach den poetologischen Traditionen die Vollkommenheit der sprachlichen Form zu sorgen hat, will er durch den Glanz ersetzen, den der (freilich nicht genannte!) Name des Widmungs-Adressaten ausstrahle:

... y si, por tiempo, alguno se maravillare que me puse a escribir semejante materia, respondo por entonces que *epistola enim non erubescit*, y asimismo que es pasado el tiempo que estimaban los que trabajaban en cosas meritorias. Y como dice el coronista Fernando del Pulgar, »así daré olvido al dolor«, y también por traer a la memoria muchas cosas que en nuestros tiempos pasan, que no son laude a los presentes ni espejo a los a venir. Y así vi que mi intención fue mezclar natura con bemol, pues los santos hombres por más saber, y otras veces por desenojarse, leían libros fabulosos y cogían entre las flores las mejores. Y pues todo retrato tiene necesidad de barniz, suplico a vuestra señoría se lo mande dar, favoreciendo mi voluntad, encomendando a los discretos letores el placer y gasajo que de leer a la señora Lozana les podrá suceder.[37]

Für unsere These, nach der das Theater seine neuzeitliche Form nur in dem Maß gewinnen konnte, wie sich die ›einsame Lektüre‹ zum dominanten Modus literarischer Rezeption herausbildete, scheint eine hispanistisch-literaturgeschichtliche Darstellungskonvention die ideale Bestätigung zu bieten. Denn es gibt so etwas wie einen ›Gründungsmythos‹, der die Geschichte des spanischen Theaters mit der Aufführung einer *Egloga* des Juan del Encina beginnen läßt, die nahe bei Salamanca am Hof des Herzogs von Alba Weihnachten 1495 stattfand. Aber worin liegt genau nun diese Identität der Kommunikationsform ›Theater‹ gegenüber der Aufführung von Dichtungsspielen am Hof Juans II. und gegenüber neuzeitlichen Buchrezeptions-Situationen? Anders als der Textvortrag im Mittelalter, der mit der Beteiligung mehrerer Zuhörer durchaus auch den Charakter eines Rollenspiels annehmen konnte, setzt das Theater zunächst eine deutliche Grenze, die den durch die Rede der Schauspieler, ihre Körper und die Kulissen konstituierten fiktionalen Raum vom Raum der Zuschauer abtrennt (wir sind heute gewohnt, daß diese Grenze sich in der räumlichen Position der Bühne gegenüber den Zuschauerplätzen, dem Theatervorhang, dem Zusammenspiel von Bühnen-Beleuchtung und Abdunkelung im Zuschauerraum materialisiert). Mit dem Körper läßt sich diese Grenze nicht überschreiten, kein Schauspieler kann normalerweise während der Dauer der Aufführung zum Zuschauer werden und umgekehrt. Zugleich aber wirkt die Grenze offenbar als Stimulus auf die Zuschauer, in ihrer Vorstellung die Rolle jener Personen zu übernehmen, welche zu sein die Schauspieler fingieren. Umgekehrt jedoch versetzen sich die Schauspieler – während der Aufführung zumindest – nicht in die Situation ihrer Zuschauer. Die Identifikation der Schauspieler, die sich – anders als bei den Zuschauern – im Spiel ihrer Körper objektiviert, zielt in dieselbe Richtung wie die Identifikation der Zuschauer. So gesehen fungieren die Schauspieler für die Zuschauer als eine Art ›Zwischeninstanz‹ auf dem Weg der Imagination zu einer ›anderen‹ (dargestellten) Welt. Mittelalterliche Aufführungssituationen hingegen waren gerade auf die körperliche Partizipation der Hörer angelegt. In der Liebesdichtung kam es sogar eher den Vortragenden zu, sich an die Rollen ihrer Hörer anzunähern.

Weil also Objekt der primären Zuschauer-Wahrnehmung im Theater nicht Graphem-Sequenzen und auch nicht allein Phonem-Sequenzen sind, muß der Zuschauer wie im Alltag Mienenspiel, Körperbewegungen und materiale Situationsrahmen interpretieren, um Erfahrungen zu machen und Erwartungen zum weiteren Verlauf eines Dramas auszubilden. Die Körperbeteiligung des Zuschauers bleibt dabei aber wie bei der einsamen Lektüre auf Augen- und Kopfbewegungen beschränkt: das Applaudieren ist ja nicht mehr an den Körperbewegungen der Schauspieler orientiert. Wie bei der Roman-Lektüre muß sich mithin die Identifikation des Theater-Zuschauers als eine Aktivität des Bewußtseins vollziehen. Und es handelt sich schließlich um einen ›einsamen‹ – nicht einen ›kollektiven‹ – Akt der Rezeption: Gespräche zwischen den Zuschauern wirken störend, Blickkontakte sind im abgedunkelten Zuschauerraum kaum möglich. Was die Struktur des Erfahrungsprozesses für einen Theaterzuschauer des weiteren von einer Lektüre unterscheidet, ist das Ausbleiben einer Vermittlungsinstanz zwischen fiktionaler Welt und Zuschauer-Alltag – wie ›dem Erzähler‹. Im Vergleich zum Leser ist der Zuschauer also insgesamt mit einem meist komplexeren und einem intern weniger strukturierten Wahrnehmungsangebot konfrontiert.

Den Text jener am Weihnachtsabend des Jahres 1492 aufgeführten *Egloga,* welche am Anfang von Darstellungen zur Geschichte des spanischen Theaters zu stehen pflegt, hat Juan del Encina in den gedruckten *Cancionero* seiner Werke aufgenommen (übrigens ist es nur eines unter vielen Indizien für die herausragende Popularität dieses Autors unter seinen Zeitgenossen, daß seine Sammlung schon bald nach ihrer Veröffentlichung im Jahr 1496 mehrfach neugedruckt wurde: 1501 in Sevilla, 1505 in Burgos, 1507, 1509 und 1516 in Salamanca). Er schickte diesem Stück eine ausführliche Beschreibung des Situationsrahmens seiner ersten Aufführung voraus, aus der wir erahnen können, was ›Theater‹ gegen Ende des XV. Jahrhunderts bedeutete:

Representaciones hechas por Juan del Enzina a los ilustres y muy maníficos señores don Fadrique de Toledo y doña Ysabel Pementel, duques de Alva, marqueses de Coria, etc.

Egloga representada en la noche de la Natividad de nuestro Salvador, adonde se introduzen dos pastores, uno llamado Juan y otro Mateo. Y aquél que Juan se llamava entró primero en la sala adonde el duque y duquesa estavan oyendo maytines y en nombre de Juan del Enzina llegó a presentar cien coplas de aquesta fiesta a la señora duquesa. Y el otro pastor, llamado Mateo, entró después desto, y en nombre de los detratores y maldizientes començóse a razonar con él. Y Juan, estando muy alegre y ufano porque sus señorías le avían ya recibido por suyo, convenció la malicia del otro, adonde prometió que venido el mayo, sacaría la copilación de todas sus obras porque se las usurpavan y corrompían; y porque no pensassen que toda su obra era pastoril según algunos dezían, mas antes conociessen que a más se estendía su saber.[38]

Wir sehen, daß der Raum des fiktionalen Spiels von der Welt der Zuschauer (*oyendo maytines*) nur schwach abgegrenzt war. Das Weihnachtsfest bestimmte die Situation, in der sich der Herzog und die Herzogin befanden, als die Aufführung begann, und es war zugleich der thematische Hintergrund, vor dem die *cien coplas de aquesta fiesta* rezitiert wurden. Der *pastor Juan* wandte sich mit seinen *coplas* direkt an die Herzogin, und er spielte dabei ganz einfach jene Rolle, die Juan del Encina am Hof der Herzöge von Alba einnehmen wollte. Anders als in der voll entwickelten Kommunikationssituation des Theaters wurde also vorausgesetzt, daß die fiktionalen Rollen und die Zuschauer dasselbe Zeigfeld teilten. Natürlich war gerade das Weihnachtsfest ein idealer Rahmen, um solche (wie wir im ersten Kapitel gesehen haben) im Mittelalter tabuierten weltlichen Rollen szenischer Darstellung durch einen unmerklichen Übergang zu erspielen. Denn die Hirten gehören zum – religiösen und daher legitimen – Personal der Weihnachtsevangelien, und nachdem sie erst einmal vor diesem Horizont eingeführt waren, wird man den Bruch eines kirchlichen Verbots kaum wahrgenommen haben, der sich in ihrem Dialog über ein rein weltliches Thema, nämlich die Bedeutung des Dichters Juan del Encina, vollzog. Allerdings waren Aufführungen von Hirtendialogen außerhalb des religiösen Festrahmens schon Jahrzehnte zuvor gang und gäbe gewesen – denken wir nur an die *Coplas de Mingo Revulgo*. Die Frage nach dem von dieser

Egloga markierten wirkungsgeschichtlichen Innovationsschritt bleibt also zunächst offen.

Nun wissen wir, daß Juan del Encina an jenem Weihnachtsabend des Jahres 1492 selbst als Schauspieler am Herzogshof in Alba aufgetreten ist. Dennoch hebt der zitierte Text hervor, daß der *pastor Juan* die hundert *coplas* zum Weihnachtsfest *en nombre de Juan del Encina* vorgetragen habe. Ganz ähnlich wird betont, daß der Dialog vom *pastor Mateo en nombre de los detratores y maldizientes* aufgenommen worden sei. Gerade weil Juan del Encina wohl selbst den *pastor Juan* spielte, sind solche Formulierungen interessant, denn sie sprechen für ein Bewußtsein von der Differenz zwischen der Theater-Rolle ›Juan del Encina‹ und Juan del Encinas Rolle in der Alltagswelt, zwischen dem fiktionalen Raum des Schauspiels und dem Raum des Alltags. Gewiß muß man auch für mittelalterliche Aufführungssituationen mit einem Bewußtsein von ›Repräsentation‹ rechnen, damit, daß bestimmte soziale Beziehungen des Hofes symbolisch verdichtet ›zur Darstellung gebracht‹ wurden. Doch unsere Verstehensversuche im vorausgehenden Kapitel legen es nicht nahe, daß ein Dichter oder ein Sänger im Rahmen des höfischen Spiels das Bewußtsein haben konnte, seine eigene Rolle oder die Rollen anderer Personen aus einer Alltagswelt jenseits des Spiels darzustellen. Und es ist wohl gerade dieses *Bewußtsein von der Darstellungsfunktion ihrer Aufführung,* das die *representaciones hechas por Juan del Encina* von vorausgehenden Dialogtexten absetzt. Freilich war dieser Schritt auf dem Weg der Ausdifferenzierung zur Kommunikationsform ›Theater‹ gewiß nicht der Niederschlag einer ›zielstrebigen künstlerischen Suche‹. Das wachsende Bewußtsein von der konstitutiven Verschiedenheit verschiedener Räume der Interaktion und verschiedener Sphären des Sinns ist ein übergreifendes mentalitätsgeschichtliches Charakteristikum der frühen Neuzeit, das uns den Eindruck einer ›Theatralisierung des Lebens‹[39] vermittelt. Wo immer überlieferte Formen des Text-Vortrags unter den Einfluß dieser Tendenz gerieten, setzten Entwicklungen hin zu dem uns vertrauten Rahmen ›Theater‹ ein.

Juan del Encina freilich war ein durchaus behutsamer Neuerer. Keiner seiner Texte läßt auf eine markante Grenzziehung zwischen dem Raum des Spiels und dem Alltag der Zuschauer schließen; sie sind stets von den wechselnden Themen jener religiösen Festtage umschlossen, an denen die *Eglogas* zur Aufführung kamen – ob es sich dabei nun um Weihnachten, um das Osterfest oder um den Karneval (als den Übergang zur Fastenzeit) handelte. Außerdem konnten bukolische Szenerie und Hirten-Protagonisten um 1500 wohl in Salamanca kaum exotisch wirken. Die Schafzucht war (wie wir schon erwähnt haben) seit dem hohen Mittelalter im Königreich Kastilien eine Monokultur geworden, und deshalb ermöglichte ihre Darstellung im Schauspiel die verschiedensten Variationen des Überspielens von vertrauten Alltagssituationen zur Liebesthematik, welche die Hirtenfiguren schon in der antiken Literatur wie auch in der mittelalterlichen Gattung der Pastorelle inszeniert hatten. Bemerkenswert ist dabei, daß die Liebesthematik auch in diesem eher schlichten szenischen Rahmen bis hin zum Motiv des Selbstmords aus enttäuschter Passion ausspekuliert wurde. Eine *Egloga* mit solch traurigem Ende (das freilich auch hier für den Protagonisten – nach dem gängigen Paradox – nur Übergang zu einem glücklicheren Leben sein sollte) ist der einzige szenische Text, den Juan del Encina im feierlichen Metrum des *arte mayor castellano* geschrieben hat:

> Siendo la hora que a muerte me tira
> do de lloros y penas espero salir,
> llegada es la hora en la qual Zefira
> contenta haré, con crudo morir.
> Por ende, vos, braço, el boto cuchillo
> con tanta destreza, por Dios, governad,
> que nada no yerre por medio de abrillo
> e vil coraçón, sin ninguna piedad.
>
> El qual so los miembros procura asconderse
> tremando atordido con tanto temor,
> pensando del golpe poder defenderse
> que al mísero cuerpo ha doblado el dolor.
> ¡O Júpiter magno, o eterno poder!
> Pues claro conosces que muero viviendo,
> la innocente alma no dexes perder,
> la qual en tus manos desde agora encomiendo.

> ¿Qué hazes mano? No tengas temor.
> ¡O débil braço, o fuerças perdidas,
> sacadme, por Dios, de tanto dolor!
> Y ¿dó soys agora del todo huydas?
> Mas pues que llamaros es pena perdida,
> según claro muestra vuestra pereza,
> quiero yo, triste, por darme la vida,
> sacar esta fuerça de vuestra flaqueza.[40]

In einer anderen Ekloge erscheinen zwei Hirten, *Piernicurto* (›Kurzbein‹) und *Johan Paramás* (›Hans Noch Mehr‹) als Verkäufer auf dem Markt, und die Vorführung einer solchen Alltagsszene ermöglichte es nun auch, einen Studenten mit in sein Schau-Spiel einzubeziehen, jenen gesellschaftlichen Typus also, der das Leben in der Stadt Salamanca prägte. Interessanter als die – für heutigen Geschmack – recht unbeholfen geschriebene (und ohnehin unvermeidliche) Prügelszene ist die im Text deutlich werdende Bemühung des Autors, die Diskurse der Hirten und des Studenten kontrastiv und rollentypisch anzulegen:

> PIERNICURTO. No llegues vo a la morra,
> si ño, yo juri a san Joán,
> quiçás si ahorro el gabán
> y a las manos he la porra,
> que por bien que alguno corra
> lo alcance tras el cogote,
> aunque sea hidalgote,
> que le paresca modorra.
> STUDIANTE. ¡Hi de puta! ¡Bobarón!
> ¿Vos osáys amenaçar?
> PIERNICURTO. ¡O, doy al diabro llazar!
> STUDIANTE. Aparta allá, modorón,
> grande y malo baharón,
> nos hago yo yr nora mala.
> JOHAN. ¡Par Dios, assí Dios me vala
> que vos tenéys gran rezón!
> PIERNICURTO. ¿A vos quién manda llegar
> a repelar la persona?
> JOHAN. Porque sea de corona
> ¿cuyda que ño lan dabrar?
> STUDIANTE. En burla se ha de tomar.
> PIERNICURTO. ¡Allá, allá, cuerpo de Dios,

Diego Sánchez Badajoz, der etwa zwanzig Jahre jünger war als Juan del Encina, wie dieser in Salamanca studiert hatte, aber als Autor offenbar erst in Erscheinung trat, nachdem er gegen 1530 Priester der Gemeinde von Talavera la Real in der Nähe von Badajoz geworden war, zeigt mit einem viel breiteren Spektrum von Szenentypen in seinen *Farsas*, wie nun nach und nach alle verschiedenen Sinnhorizonte durch die szenische Repräsentation einer neuen Form – eben der ›theatralischen‹ – erschlossen werden konnten. Auch in seinen Stücken treten Hirten auf, und auch ihre Handlung ist meist durch den Bezug auf einen kirchlichen Festtag motiviert. Doch Diego Sánchez de Badajoz wählte daneben Stoffe und Motive aus dem Alten Testament und dem Repertoire der Heiligenviten so aus, daß man ein Gespür für die szenische Ergiebigkeit der Stoffe wahrnimmt.[42] Daß er überhaupt ein Spezialist für die verschiedensten Inszenierungsformen war, lassen die Titel von einigen seiner Texte vermuten: ›Montería espiritual‹, ›Matraca para jugadores‹, *Romance a la pasión de nuestro Redentor Jesucristo*‹, aber auch ›*Romance sobre la Sarna*‹, ›*Introito para los pescadores*‹ ebenso wie ›*Introito para herradores*‹. Innerhalb ihrer weit größeren Variationsbreite sind es Berufsrollen und Zünfte, welche die *Farsas* von Diego Sánchez de Badajoz ähnlich deutlich prägen wie Schäfer und bukolische Szenerie die *Eglogas* des Juan del Encina. Neben den Repräsentanten der Berufsstände begegnen uns aber auch Vertreter der ›niederen Gewerbe‹ – etwa der *sacamuelas* – und Vorläufer jener sozialen Typen am Rande der städtischen Gesellschaft, die bald schon die verschiedensten Gattungen der spanischen Literatur bevölkerten: so der *ciego*, der *cojo*, der *sordo* und die ›*Negra*‹ genannte Zigeunerin. Sprachliche Kontraste, wie wir sie ja schon bei Juan del Encina gefunden hatten, werden nun ins Groteske getrieben. Das belegt der Dialog zwischen einem *theólogo* und der *Negra* mit ihrem uns kaum mehr verständlichen Kauderwelsch:

NEGRA   Esa rosa raregría
               que re naserá Sesocrito
               e ra bizen Emaría

```
                    una pobre portaleso;
                    esa ra visen y e vieso
                    naser er isito Sesu,
                    ras ánsere re serbía
                    esa nose raregría.
THEOLOGO                ¡O, qué cosa de reír
                    para toda la semana!
                    Ven acá, ven acá, hermana:
                    ¿quién te lo vezó a dezir?
                    ¡Si quisiese proseguir ...!
                    Di, di, por amor de Dios.
NEGRA               ¡Ay, magre! Lesila vos;
                    lesa, bare, que quer ir.
THEOLOGO                ¡O, Sacro Verbo divino,
                    o, misterios eternales,
                    que aun a los negros bozales
                    manifiestas tu camino!
NEGRA               Lesa braso tan bonino,
                    lesa, si quiere lesar,
                    que quere senor senar.
THEOLOGO            ¿Dónde vas?
NEGRA               Bale po bino.
                    Lesa, so ¡pariés!, que grita.
THEOLOGO            Canta y darte he de las nuezes.[43]
```

Die Stadt Badajoz, wo Diego Sánchez lebte, liegt – und lag schon im Zeitalter der Katholischen Könige – in unmittelbarer Nähe der Grenze zwischen Kastilien und Portugal. Wir wissen, daß Zuschauer aus Portugal damals zu szenischen Aufführungen nach Badajoz kamen. Solcher Austausch mag erklären, warum Gil Vicente, ein Goldschmied aus Lissabon, der in der Gunst des portugiesischen Königs stand und an dessen Hof Vergnügungen und Feste organisierte, einen Teil seiner *autos* und *comedias* in kastilischer Sprache schrieb, und warum sein Werk viele Parallelen zu den *Farsas* des Diego Sánchez de Badajoz aufweist. Auch die Texte von Gil Vicente inszenierten bukolische Szenen, religiöse Stoffe, allegorische Diskurse und typisch städtische Situationen; auch in ihnen dominierte das Verfahren der Parodie stände- und rollenspezifischer Sprachen. Aber Gil Vicente erweiterte diesen Horizont noch einmal: er griff nicht nur in seinem *Auto de la Sibila Casandra* auf eine mittelalterliche Aneignung des antiken Mythos zurück, [44] sondern präsentierte seinem Publikum auch den *Amadís*-Stoff (›*Tragicomedia de Amadís de Gaula*‹) und den offenbar ähnlich beliebten *Palmerín*-Roman (›*Tragicomedia de Don Duardos*‹) auf der Bühne. Die Szenen in den beiden zuletzt genannten Texten fügen sich ohne vorgängige Kenntnis ihrer Vorlagen kaum mehr zu einer kontinuierlichen Handlung zusammen; sie haben die Struktur von ›Bilderbogen‹, welche aus (vielleicht besonders beliebten) Dialog-Szenen der Primär-Texte entstehen. Diese Beobachtung führt zu zweierlei Vermutungen: erstens scheint es eine Faszination durch das Spiel der Repräsentation gewesen zu sein, welche in Spanien seit dem Ende des XV. Jahrhunderts den Beginn des Ausdifferenzierungsprozesses hin zur neuzeitlichen Kommunikationsform ›Theater‹ in Gang brachte. Zweitens zeichnet sich ab, daß die Herausbildung theaterspezifischer Verfahren zur Stiftung von Sinnkohärenz und Reflexionen zur ›Einheit des Dramas‹ in der Abfolge seiner Szenen erst einsetzen konnten, nachdem sich jene Grenze zwischen der Welt des fiktionalen Spiels und dem Erfahrungsraum der Zuschauer weiter ausgeprägt hatte, deren erste Spuren wir in den *Eglogas* des Juan del Encina fanden.

Die Frage, warum das neuzeitliche Theater – falls uns die Überlieferungsgeschichte hier einen adäquaten Eindruck vermittelt – gerade im Westen der Iberischen Halbinsel, in Badajoz und am portugiesischen Hof, so wichtige Stadien seiner Entfaltung durchlief, müssen wir offenlassen. Sie ist umso berechtigter, da noch ein vierter Hauptprotagonist dieser Geschichte, Bartolomé de Torres Naharro, um 1485 ebenfalls in der Provinz Badajoz geboren worden war (und vermutlich auch in Salamanca studiert hatte). Zu Lebzeiten von Juan del Encina, Diego Sánchez de Badajoz und Gil Vicente schrieb er in Italien eine Reihe von *comedias*, die unserem Theater-Begriff viel näher kommen als die bisher erwähnten *églogas, farsas* und *autos*. An den Höfen der Medici und anderer Magnaten hatte Torres Naharro Elemente antiker Dramen-Poetologie kennengelernt, und stolz präsentierte er solches Wissen im *Prohemio* zu der Sammlung seiner Stücke, welche 1517 in Neapel unter dem Titel ›*Propalladia*‹ und – um neue Stücke erweitert – 1520 und 1526 in Sevilla erschien:

Quanto a lo principal que son las Comedias pienso que deuo daros cuento delo que cerca dellas me paresce no con presuncion de maestro mas solamente para seruiros con mi parescer tanto que venga otro mejor. Comedia segun los antiguos es ceuilis priuateque fortune sine periculo vite comprehensio. A differencia de tragedia, que es heroice fortune in aduersis comprehensio. Y segun Tullio Comedia es imitatio vite speculum consuetudinis imago veritatis. Y segun Acron poeta, ay seis generos de comedias scilicet stataria, pretexta, tabernaria, palliata, togata, motoria. y quatro partes scilicet prothesis, castrophe, prologus, epithasis. y como Oratio quiere cinco actos. y sobre todo que sea muy guardo el decoro etc. Todo lo qual me paresce mas largo de contar que necessario de oyr.

quiero ora dezir yo mi parescer pues el delos otros he dicho. y digo ansi que comedia no es otra cosa. sino vn artificio ingenioso de notables y finalmente alegres acontecimientos por personas disputado. La diuision della en cinco actos no solamente me paresce buena pero mucho necessaria. (avnque yo les llamo jornadas.) porque mas me parescen descansaderos que otra cosa. Dedonde la Comedia queda mejor entendida y rescitada. El numero delas personas que se han de introduzir. es mi voto que no deuen ser tan pocas que parezca la fiesta sorda. ni tantas que engendren confusion … El decoro en las comedias es como el gouernalle en la nao el qual el buen comico siempre deue traer ante los ojos. es decoro. vna juste y decente continuacion de la materia … Cuanto a los generos de comedias. a mi paresce que bastarian dos. para en nuestra lengua castellana. Comedia a noticia y comedia a fantasia. a noticia se entiende. de cosa nota y vista en realidad de verdad. como son. Soldadesca y Tinellaria a fantasia. de cosa fantastiga o fingida que tenga color de verdad.[45]

Deutlich tritt in diesen Sätzen der Abstand zwischen einer in der Antike erreichten Differenzierung der Theater-Praxis (nebst einschlägigem poetologischem Wissen) und der neuen eigenen Erfahrung hervor, die sich Torres Naharro als Komödien-Autor (-schauspieler, -regisseur?) erworben hatte. Auf allen thematischen Ebenen überschossen die klassischen Vorgaben den Praxishorizont des frühneuzeitlichen Autors, doch Torres Naharro nutzte die Grundkonzepte, um begrifflich jene rudimentären Strukturen zu erfassen, welche sich das spanischsprachige Theater damals schon erspielt hatte. Dazu gehörte ein Bewußtsein von der Künstlichkeit des Rollenspiels, mit der es sich von den Ereignissen des Alltags absetzte (*un* artificio ingenioso *de acontecimientos por personas disputado*) und die immer markanter werdende Unterscheidung des Bezugs auf alltagsweltliche vom Bezug auf fiktionale Sinngestalten *(comedia a noticia y comedia a fantasia)*. Es scheint, als habe Torres für die Praxis seines Schauspiels vor allem von jenen aus der Antike überlieferten Erfahrungen profitiert, welche die Frage der den Zuschauern zumutbaren Komplexität des Dramas traktieren. Denn wenn uns seine *comedias* – vergleichsweise – vertraut erscheinen, so wohl vor allem deshalb, weil sie sich einem Punkt der Optimierung zwischen den einhundertfünfundzwanzig Szenen der *Lozana andaluza* und der strukturellen Monotonie der *églogas* nähern.

Schon um die Mitte des XVI. Jahrhunderts lagen von den Werken all dieser Theater-Autoren Sammlungen in Buchform vor, deren Auflagen-Serien beweisen, daß sie rasch eine große Anzahl von Käufern – nicht nur in Schauspielergruppen – fanden. Zweifellos lasen die Käufer diese gedruckten Texte – allein oder mit verteilten Sprechrollen in einer Gruppe –, so wie wir es in der *Celestina* beschrieben finden, und die Überlieferungsgeschichte des frühen spanischen Theaters belegt auch das rasche Entstehen einer Vorform des literarischen Buchmarkts. Denn gewiß war es nicht nur Sorge um den Nachruhm seines Onkels, die Juan de Figueroa, den Neffen von Diego Sánchez de Badajoz, schon drei Jahre nach dessen Tod auf die Erteilung des *privilegio* für die Veröffentlichung einer Sammlung der *Farsas* drängen ließ.[46] Andere Autoren machten die ›Vermarktung‹ ihrer Texte zum eigenen Anliegen – aus der neuen Rolle des ›literarischen Autors‹ begann ein Beruf zu werden.

Einer jener Autoren, die aus ihren Texten schon sehr konsequent Kapital zu schlagen wußten, war Juan del Encina. Sein Talent als Schriftsteller und dessen zielstrebige Nutzung gewannen ausschlaggebende Bedeutung für seinen Lebenslauf. Denn dem Sohn des Schusters Juan de Fermoselle (man weiß nicht, warum er sich ab 1490 – wahrscheinlich mit dem Namen seiner Mutter – ›Juan del Encina‹ nannte), der 1468 in Salamanca, nahe bei der Universität, geboren worden war, hatte man es gewiß nicht an der Wiege gesungen, daß er einst am Hof mächtiger Fürsten und sogar des Papstes ein- und ausgehen würde.[47] In den Jahrhunderten des Mittelalters wäre es wohl kaum denkbar gewesen, daß ein Schustersohn – und neben ihm vier seiner Brüder – erfolgreich Universitätsstudien abgeschlossen hätten (Diego, einer unter ihnen, wurde selbst zum *catedrático:* vermutlich genossen die Brüder Fermoselle die Protektion des Universitätskanzlers Gutierre de Toledo, eines Bruders des Herzogs von Alba). Im Jahr 1484 jedenfalls war Juan del Encina *mozo de coro* an der Kathedrale von Salamanca, 1490 *capellán de coro,* und eben in diesen Jahren muß er wohl bei dem *cantor mayor* Fernando de Torrijos eine musikalische Ausbildung erhalten haben, welche den universitären Vorschriften jener Zeit entsprechend theoretische und praktische Elemente enthalten haben dürfte. In den salmantinischen Anweisungen für Musikprofessoren hieß es: *lehera una parte de su hora de la Especulacion de la musyca, y otra parte exercite los oyentes en cantar que asta el mes de março muestre canto llano y de allj a la fiesta de San Juan Canto de horgano y de allj a las bacaçjones el o su sostituto contrapunto les muestre.*[48] Wenige Jahre später war Juan del Encina – ausweislich des Repertoires der Hofkapelle des Katholischen Königs – der mit Abstand beliebteste Liederkomponist in Kastilien.

Nur zwei Jahre nach seiner Erwähnung als *capellán de coro* fand am Hof des Herzogs von Alba jene Aufführung einer Weihnachtsekloge statt, die wir bereits unter theatergeschichtlichem Aspekt analysiert haben. Das bei dieser Gelegenheit dem Herzog und seiner Gemahlin gegebene Versprechen, ihnen schon bald eine Ausgabe seiner Werke zu dedizieren, hat Juan del Encina, wie wir aus dem Einleitungstext zu einer anderen *Egloga* wissen,[49] bald eingelöst: *Y primero Gil entró en la sala adonde el duque y duquesa estavan, y Mingo, que yva con él, quedóse a la puerta espantado, que no osó entrar. Y después importunado de Gil, entró y en nombre de Juan del Enzina llegó a presentar al duque y duquesa, sus señores, la copilación de todas sus obras, y allí prometió de no trobar más, salvo lo que sus señorías le mandassen.* Ganz sicher scheint sich aber Juan del Encina der Protektion des Herzogs von Alba im Jahr 1496, als sein *Cancionero* erschien, nicht mehr gewesen zu sein: denn zum einen widmete er den dort veröffentlichten *Arte de poesía castellana* nicht seinem bisherigen Mäzen, sondern Juan, dem kastilischen Infanten (dessen Tod ein Jahr später das gesamte Königreich erschüttern sollte), und Adressat einer Übersetzung der *Bucolica* des Vergil war der Infant gemeinsam mit seinen Eltern, den Königen Fernando und Isabel. Außerdem wurde 1498 die Stelle des *cantor mayor* an der Kathedrale von Salamanca, die sein Lehrer Fernando de Torrijos innegehabt hatte, nicht an Juan del Encina vergeben, sondern an einen Lucás Fernández – und dies obwohl mehrere Eklogen aus jener Zeit überdeutliche Bitten um die Intervention des Herzogs von Alba enthalten hatten. Die Protektion des Lucas Fernández, der sich bald auch als Autor von *farsas* und *églogas* hervortat, durch den *racionero de la catedral* und einen Bischof hätte gegen die Empfehlung des Herzogs von Alba gewiß nichts ausrichten können.

Der Verlust der Gunst beim Herzog von Alba und das Ausbleiben einer Dankesbezeigung des Königshauses für den ihnen zugeeigneten *Cancionero* waren vielleicht die Gründe, die Juan del Encina – wie manche andere Kastilier seiner Zeit – bewogen, sein Glück in Italien zu suchen. Schon 1500 spielte er eine herausragende Rolle am Hof des Papstes Alexander VI., der ihm bald mehrere Pfründen in der Heimatstadt Salamanca übertrug. Doch dort war die Stimmung des Domkapitels offenbar immer noch nicht günstig für Juan del Encina: unter Verweis auf den Umstand, daß er lediglich die niederen Weihen erhalten hatte, wurde die Durchführung der päpstlichen Anordnung zunächst verhindert. Die Hoffnung, aufgrund besonderer Fähigkeiten als Musiker und literarischer Autor ein Auskommen und gesellschaftliches Ansehen zu finden, war aber dennoch an der Wende vom XV. und XVI. Jahrhundert nichts Außergewöhnliches mehr; nur konnte sie noch in Interferenz mit der Regel geraten, nach welcher der Rang des Klerikers unerläßliche Voraussetzung für den Empfang entsprechender Einkünfte war. Als Papst Julius II. im Jahr 1509 Juan del Encina eine weitere Pfründe, diesmal an der Kathedrale von Málaga zueignete, scheint der Begünstigte den Widerstand des lokalen Klerus ernster genommen zu haben. Zunächst ließ er sich von seinem Bruder Pedro de Hermosilla in Málaga vertreten, ein Jahr später entschloß er sich, selbst nach Spanien zu ziehen, und schon 1512 vertrat Juan del Encina das Domkapitel von Málaga auf einer Provinzialversammlung in Sevilla. Doch die Spannungen nahmen kein Ende. Bis 1519 war Juan del Encina gezwungen, immer wieder zu reisen zwischen der Kurie, wo er sich als Dichter und Komponist die Gunst eines neuen Papstes, Leos X., erhalten mußte, und Andalusien, wo allein solche Gunst sich für ihn in bare Münze auszahlen konnte. Gewiß stand hinter seinem 1519 realisierten Entschluß, sich endlich zum Priester weihen zu lassen, der Wunsch, all diese – anders nie ganz aufzuhebende – Unsicherheiten zu beenden. Und noch dem Empfang der Priesterweihe gewann der Aufführungs-Spezialist Juan del Encina eine theatralische Dimension ab: weder in Málaga noch in Rom las er seine erste Messe, sondern in Jerusalem, das für das frühe XVI. Jahrhundert wohl immer noch zugleich Ort des Heiligen Grabes und Schauplatz der legendären Kreuzzugsabenteuer war. Juan del Encina wurde nun *prior* an der Kathedrale von León, konnte aber zunächst gerade deshalb unbesorgt an der Kurie verweilen. Doch schon bald endete mit dem Tod von Leo X. im Jahr 1521 jene Zeit, in der sich der Papsthof durch die Förderung der Künste hervorgetan hatte. Juan del Encina sah daher wohl keinen Grund mehr, länger in Italien zu leben. Er kehrte für immer nach Spanien zurück, und wir können vermuten, daß ihm die Pfründe in León ein glänzendes Auskommen garantierte. Der Zeitpunkt seines Todes ist nicht dokumentiert. Doch am 10. März 1530 übernahm ein anderer Kleriker sein Amt an der Kathedrale von León.

Das Leben von Juan del Encina in Italien muß vor dem Hintergrund der spanischen Kulturgeschichte damals so etwas wie eine ›Reise in die Vergangenheit‹ gewesen sein. Denn auf der Iberischen Halbinsel war während der Jahrzehnte um 1500 kaum ein Adelshof mehr Zentrum der Kultur und der neuen literarischen Kommunikation. Diesen Rang hatte den Höfen die Stadt Salamanca abgelaufen. Salamanca gab nicht nur für eine Vielzahl jener Texte, mit denen wir uns bisher in diesem Kapitel befaßt haben, den ›Ort der Handlung‹ ab, in Salamanca hatten nicht nur die meisten ihrer Autoren studiert, und das kulturelle Milieu von Salamanca war nicht nur von ausschlaggebender Bedeutung für den Lebensweg des Juan del Encina. Die Reputation der Universität von Salamanca hatte auch dazu geführt (wie der Nürnberger Humanist Hieronymus Münzer auf einer Reise durch Kastilien erfuhr),[50] daß dort um die Jahrhundertwende nicht weniger als fünftausend Studenten lebten, und die Präsenz dieses potentiellen literarischen Publikums läßt uns (anders als im Fall von Badajoz) verstehen, warum das Theater in Salamanca so überaus erfolgreich war und warum sich hier sehr rasch ein Zentrum des Druckhandwerks entwickelte, obwohl die nötigen technischen Neuerungen erst spät im westlichen Teil der Iberischen Halbinsel eingeführt worden waren.

Die Universität konstituierte eine Sphäre der Bildung, der (damals noch raren) Lesefähigkeit und des Spiels, wie sie der Ausprägung der neuen *Literatur* förderlich waren. Bildung – wenn auch nicht unbedingt die von den Universitäten vermittelte – hatte freilich schon die mittelalterliche Dichtung ihren Rezipienten abverlangt. Die literarischen Kommunikationsformen der frühen Neuzeit entstanden und entfalteten sich darüber hinaus in einer Wechselbeziehung mit den spezifischen gesellschaftlichen Strukturen der *Stadt*. Räumliche Nähe und wachsende Chancen der Mobilität nahmen den Grenzen zwischen den Ständen ihre Absolutheit (ohne sie vorerst wirklich aufzuheben), und davon profitierten der ›literarische Markt‹ wie das ›literarische Publikum‹ in den frühen Phasen ihrer Entstehung. Für die verschiedenen, in Raum der Stadt vereinten gesellschaftlichen Gruppen galt als undenkbar, was an den Höfen gang und gäbe geworden war: die immer neue Aussetzung des alltäglichen Ernstes in Tagen, Wochen, Monaten gemeinsam begangener Feste. Aus dieser Schwierigkeit, die Stadtgesellschaft als riesige, heterogene Festgemeinde zu inszenieren, erklärt sich wohl die herausragende Bedeutung des Karnevals für die Stadtkultur im XV. und XVI. Jahrhundert und ebenso – zumal in Spanien – die Entstehung zentraler städtischer Plätze (›plazas‹) als Orte der Interaktion. Wenn es aber doch grundsätzlich immer schwerer wurde, regelmäßig wiederkehrende Zeiten und umschriebene Orte gemeinsamen Feierns, gemeinsamer Distanz zum Ernst des Alltags durchzusetzen, dann kann man das bei literarischen Autoren und ihren individuellen Rezipienten zu beobachtende – und rasch an Prägnanz gewinnende – neue Bewußtsein von der Grenze zwischen dem Raum der Fiktion und dem Raum alltäglicher Sinnstrukturen als ein Funktionsäquivalent zu solch kollektiver Distanz interpretieren. Ohne daß dies schon in der Intention der Autoren gelegen hätte, gingen in die literarischen Texte immer häufiger Instruktionen an die Leser, Zuschauer und Schauspieler ein, um sich einen auf die Dauer der Aufführung oder der Lektüre begrenzten Freiraum zu schaffen. Literarische Kommunikation ging weiter auf Distanz zum gesellschaftlichen Alltag.

Das Stadtbild von Salamanca wurde auf Dauer von jenen ersten Jahrzehnten des XVI. Jahrhunderts geprägt, weil das Spiel der Repräsentation und die Theatralisierung des Lebens nicht allein neue Kommunikationsformen ausbildeten, sondern auch in monumentalen Bauten bleibende Objektivierung fanden. Der damals entstehende *estilo plateresco* ging aus architektonischen Grundstrukturen der Gotik und einem neuen Repertoire von Ornamenten hervor, das in Norditalien entstanden war. Gerade auf die Ornamentik bezieht sich auch die Metapher, welche diesem Stil seinen Namen gegeben hat: die neuen Häuserfassaden wirkten so, als hätten Silberschmiede edles Metall geformt – und nicht Steinmetze den Stein behauen.[51] Nirgends läßt sich heute die vergangene Gegenwart der spanischen Literatur und Baukunst um 1500 so leicht heraufbeschwören wie in der Stadt Salamanca. Aber auch einige herausragende kulturelle Leistungen und Ereignisse aus der Herrschaftszeit der Katholischen Könige wären ohne die Universität und ohne die Welt der Gelehrten von Salamanca kaum vorstellbar gewesen. Den Regierungsstil von Fernando und Isabel kennzeichnete es, daß sie solche Chancen offenbar intuitiv erfaßten. Durch die Universität förderten sie die Stadt Salamanca, um selbst von ihr gefördert zu werden. Ein Medaillon in der plateresken Fassade des alten Universitätsgebäudes von Salamanca faßt ihre Porträts ein und ist mit einer Inschrift in griechischer Sprache versehen, welche bedeutet: ›Die Könige der Universität und diese den Königen‹.

Die neuzeitlichen Rollen der Katholischen Könige

Gewiß verstanden es die Katholischen Könige, Kultur als ein Mittel der Politik zu nutzen und etablierten deshalb rudimentäre Strukturen von Öffentlichkeit. Auf die Herrschaft von Fernando und Isabel bezogen nimmt der Begriff ›Politik‹ jedenfalls eine durchaus neuzeitliche Bedeutung an, denn ihr Handeln war nicht mehr dominant an Traditionen orientiert, sondern ausgerichtet auf die Erreichung neu gesteckter – und für realisierbar befundener – Ziele. Bei der Konstituierung und Verwirklichung solcher Ziele wie bei ihrer Legitimation griffen die Katholischen Könige auf die Kompetenz zeitgenössischer Gelehrter zurück. Aus soziologischer Blickrichtung kann man sagen, daß Fernandos und Isabels Herrschaftspraxis eine wechselseitige Abgrenzung der Welten von Politik, Kultur und Repräsentation als autonome Teilsysteme implizierte, und wird dann folgern, daß gerade solche Abgrenzung ihren Blick für jene potentiellen Leistungen schärfte, welche die Teilsysteme wechselseitig erbringen konnten.

Wenn wir von der *Kulturpolitik* der Katholischen Könige sprechen, so meinen wir vielfältige Initiativen und Investitionen, die weniger von dem Bedürfnis nach eigener Unterhaltung und nach Vergnügungen des Hofs motiviert waren als von der Erwartung, daß Kultur notwendig auch für ›Politik‹ und ›Repräsentation‹ nützlich würde. Eine Vorform von *Öffentlichkeit* brachte solche Kulturpolitik mit sich, weil ihr Ertrag kaum ständespezifisch verteilt wurde. Die Karrieren von Juan del Encina und seinen Brüdern haben uns gezeigt, daß die Lehre an der von den Katholischen Königen geförderten Universität Salamanca nicht mehr allein Studenten aus wohlhabenden Schichten zugute kamen oder solchen, die sich zu einem geistlichen Amt berufen fühlten. Diese neuen Handlungsstrukturen konkretisieren sich exemplarisch in einer Episode, die wir denkbar genau datieren können. Auf dem Rückweg von einer Pilgerreise nach Santiago de Compostela nämlich verbrachte der Hof den Winter 1486/87 – präziser: die Tage zwischen dem 2. November und dem 30. Januar – in Salamanca. Daß Salamanca für eine so lange Zeit Aufenthaltsort des Hofs wurde, war gewiß kein Zufall: der Universitätsstadt die Ehre des königlichen Aufenthalts zu erweisen und dort Herrschaft zu repräsentieren, mußte Fernando und Isabel, die sich so viel von den Gelehrten ihres Reiches versprachen, ein Anliegen sein.[52] Hernando de Talavera, der in jenem Winter schon Beichtvater der Königin und noch Bischof von Avila war, hatte eine Audienz bei den Monarchen für seinen Freund, den salmantinischen Professor Antonio de Nebrija erwirkt – und damit Fernando und Isabel die Möglichkeit gegeben, Nebrijas Talente für ihre Kulturpolitik zu nutzen. Spätestens seit 1481 war Nebrija in Kastilien eine berühmte Persönlichkeit: in seinen *Introductiones Latinae* hatte er (zunächst für seine Studenten) einen Kanon der zur Nachahmung empfohlenen lateinischen Autoren erstellt,[53] und die gedruckte Ausgabe des Buches wurde ein so großer Erfolg, daß Isabel von Kastilien im Jahr 1485 über die Vermittlung des Hernando de Talavera eine volkssprachliche Übersetzung in Auftrag gab, die wahrscheinlich ein Jahr später erschienen ist. Im Winter 1486/87 verfaßte Antonio de Nebrija nun zum Anlaß der königlichen Audienz ein lateinisches Lobgedicht auf die eben abgeschlossene Pilgerreise der Monarchen, und möglicherweise hat er ihnen erste Teile seiner damals schon begonnenen *Gramática castellana* vorgestellt. Als das Buch endlich im Jahr 1492 erschien, war es nicht nur der Katholischen Königin gewidmet; die Funktion dieser ersten Grammatik einer romanischen Sprache wurde explizit und differenziert auf eine Gegenwart bezogen, in der ein Rückblick auf die Leistungen und eine Vorausschau auf die Pläne von Fernando und Isabel konvergierten. Zwar ist die berühmt gewordene Formulierung aus dem ersten Satz des Prologs – ›*siempre la lengua fué compañera del imperio*‹ – noch nicht, wie oft behauptet wird, im Blick auf die Entdeckung des amerikanischen Kontinents im selben Jahr zu lesen (vielmehr geht es um die generelle These, daß sich der ›Aufstieg und Fall‹ der Sprachen synchron mit dem ›Aufstieg und Fall‹ der Reiche vollziehe), doch unter Verweis auf die Begegnung in Salamanca (›*cuando en Salamanca di la muestra de aquesta obra a vuestra real Majestad*‹) finden sich durchaus konkrete Referenzen:

I assí creció (sc. la lengua castellana) hasta la monarchía & paz de que gozamos, primera mente por la bondad & providencia divina; después, por la industria, trabajo & diligencia de vuestra real Majestad; en la fortuna & buena dicha de la cual, los miembros & pedaços de España, que estavan por muchas partes derramados, se reduxeron & aiuntaron en un cuerpo & unidad de Reino, la forma & travazón del cual, assí está ordenada, que muchos siglos, injuria & tiempos no la podrán romper ni desatar. Assí que, después de repurgada la cristiana religión, por la cual somos amigos de Dios, o reconciliados con El;

después de los enemigos de nuestra fe vencidos por guerra & fuerça de armas, de donde los nuestros recebían tantos daños & temían mucho maiores; después de la justicia & essecución de las leies que nos aiuntan & hazen bivir igual mente en esta gran compañia, que llamamos reino & república de Castilla; no queda ia otra cosa sino que florezcan las artes de la paz. Entre las primeras, es aquélla que nos enseña la lengua ... Esta hasta nuestra edad anduvo suelta & fuera de regla, & a esta causa a recebido en pocos siglos muchas mundanzas ... I por que mi pensamiento & gana siempre fue engrandecer las cosas de nuestra nación, & dar a los ombres de mi lengua obras en que mejor puedan emplear su ocio, que agora lo gastan leiendo novelas o istorias embueltas en mil mentiras & errores, acordé ante todas las otras cosas reduzir en artificio este nuestro lenguaje castellano, para que lo que agora & del aquí adelante en él se escriviere pueda quedar en un tenor, & entender se en toda la duración de los tiempos que están por venir ...[54]

Selbstverständlich sind die überlieferten Sprachen der klassischen Antike die Vorbilder für Nebrijas Intention, den historischen Wandel des Kastilischen durch eine Grammatik zum Stillstand zu bringen. Unter dieser Perspektive zeigt sein Werk, daß gegen Ende des XV. Jahrhunderts auch in Kastilien die aktive Aneignung antiker Kultur eingesetzt hatte. Ein besonderer Beitrag Spaniens zur europäischen Kulturgeschichte war aber vor allem das Projekt, Sprachnormierung und Sprachpflege als Katalysatoren der Einigung über einstige Grenzen hinweg zu fördern. Obwohl man hier nur unter der Gefahr des begrifflichen Anachronismus von ›nationaler‹ Einigung sprechen könnte, trug die Rolle, welche das Kastilische während der folgenden Jahrhunderte als ein Medium der Verständigung und des kulturellen Austauschs spielen sollte, gewiß wesentlich zur besonders frühen Entstehung des Gefühls der Spanier bei, auf einem gemeinsamen historischen Weg vereint zu sein. Gerade die Tatsache, daß die Bezeichnung ›español‹ das Wort ›castellano‹ als Namen des Kastilischen über lange Zeit hatte verdrängen können, steht der Behauptung entgegen, die neue Funktion des Kastilischen als Gemeinsprache habe sich notwendig und immer in aggressiver Einstellung gegenüber den anderen romanischen Sprachen auf der Iberischen Halbinsel vollzogen. Erst von der Epoche Nebrijas an kann man deshalb auch im genauen Sinn des Wortes von ›spanischer Literatur‹ sprechen.

Nach ihren Inhalten läßt sich die *Gramática castellana* von Antonio de Nebrija geradezu idealtypisch zwischen Manuskript- und Buch-Zeitalter lokalisieren. Denn auf der einen Seite widmete Nebrija einen der vier Teile seines Buchs der *prosodia*, die er mit der Metrik gleichsetzt: *nos otros podemos la interpretar acento, o más verdadera mente, quasi canto. Esta es arte para alçar & abaxar cada una de las sílabas de las diciones o partes de la oración. A ésta se reduze esso mesmo el arte de contar, pesar & medir los pies de los versos & coplas.*[55] Und ganz nach der mittelalterlichen Tradition verknüpfte er den Wissensbereich der Etymologie (als dritten Teil seiner Grammatik) zunächst mit einem substantialistischen Begriff von Wahrheit: *nos otros podemos la nombrar verdad de palabras. Esta considera la significación & accidentes de cada una de las partes de la oración.*[56] Auf der anderen Seite aber fügte er dem über das ganze Mittelalter topischen Verweis auf die Fixierung von Gedächtnisinhalten als Grund für die Erfindung der Schrift nun eine zweite Erklärung hinzu, die genau jenem neuen Bewußtsein von der Sprachverwendung entsprach, das wir sowohl mit der Entfaltung der mentalen Figur ›Subjektivität‹ wie mit der Einführung des Mediums ›Buch‹ assoziiert haben: *La causa de la invención de las letras primera mente fue para nuestra memoria, & después, para que por ellas pudiéssemos hablar con los absentes & los que están por venir.*[57] Wo schriftlich fixierte Sprache aber nicht mehr als mündliche Kommunikation ›im Status ihrer Potentialität‹, sondern als ein Substitut ›direkter Kommunikation‹ erschien, da konnte auch der Unterschied zwischen Phonemen und Graphemen nicht mehr neutralisiert bleiben. Bei Antonio de Nebrija wurden sie durch den Begriff ›Repräsentation‹ in eine wechselseitige Funktionsbeziehung gesetzt: *De manera que no es otra cosa la letra, sino figura por la cual se representa la boz ... Assí que las letras representan las bozes, & las bozes significan ... los pensamientos que tenemos en el ánima.*

Anhand der *Gramática castellana* von Antonio de Nebrija wird erkennbar, wie kulturelle Leistungen in der Politik der Katholischen Könige einen zentralen Bezugspunkt fanden. Als Fernando und Isabel unmittelbar nach der Eroberung Granadas den italienischen Gelehrten Petrus Martyr von Anghiera zum

Lehrer und Erzieher einer Pagenschule ernannten, die sie für die Adelssöhne ihrer vereinten Königreiche einrichteten, taten sie das weniger in Wiederaufnahme einer jahrhundertealten Tradition als mit dem Ziel, eine neue Elite heranzuziehen, für die Kriegshandwerk und Gelehrsamkeit nicht mehr als unvereinbar gelten sollten: *apartados de las diversiones vulgares por el estudio, convencidos de que las letras lejos de ser un obstáculo, son una ayuda para las armas.*[58] Natürlich kann man kaum abschätzen, inwieweit sich Maßnahmen wie die Förderung der *Gramática castellana* oder die Gründung der Pagenschule für Fernando und Isabel politisch auszahlten. Deshalb ist zu erwähnen, daß sie ganz selbstverständlich, als handelte es sich um eine Gegenleistung für ihre kulturfördernden Aktivitäten, auf die Beratung durch einzelne Gelehrte angesichts komplexer Regierungsprobleme zurückgriffen. In seinem Porträt Isabels von Kastilien brachte der (schon des öfteren zitierte) Hofhistoriograph Fernando del Pulgar dieses Verhältnis auf eine prägnante Formel: *Placíale la conversación de personas religiosas e de vida honesta, con las quales muchas veces había sus consejos particulares; e como quier que oía el parecer de aquellos, e de los otros letrados que cerca della eran, pero por la mayor parte seguía las cosas por su arbitrio.*[59]

Das berühmteste Beispiel für solchen Handlungsstil ist die lange Vorgeschichte zur ersten Expedition des Kolumbus. Schon im Jahr 1486 hatte er in Córdoba Gelegenheit gehabt, den Katholischen Königen jenes Projekt zur Erschließung eines neuen Seewegs nach Indien vorzutragen, das kurz zuvor vom portugiesischen Hof abgelehnt worden war. Auf Anweisung der Könige versammelte Hernando de Talavera im folgenden Jahr eine Expertenkommission in Salamanca (welche der Kolumbus-Mythos fortschrittsgläubiger Historiographie ganz zu Unrecht zu einer Karikatur spätscholastischer Sklerose verzeichnet hat). Die Astronomen und Kartographen rieten Fernando und Isabel von der Verwirklichung des Projekts ab – und wir wissen heute, daß sie das mit guten Gründen taten, weil Kolumbus die Entfernung zwischen der Iberischen Halbinsel und China als seinem Ziel aufgrund einer Reihe von Berechnungsfehlern tatsächlich erheblich unterschätzt hatte. Dennoch erteilten ihm die Katholischen Könige keine definitive Absage, und die Frage, warum – wohl vor allem – Isabel von Kastilien sich im Frühjahr 1492 entschloß, die geplante Expedition mit drei Karavellen auszustatten, läßt viele Historiker ratlos. Man könnte vermuten, daß die Entscheidung auf der Grundlage der neuzeitlichen Motivations-Figur des *kalkulierten Risikos* getroffen wurde. Ein ›kalkuliertes Risiko‹ eingehen zu können, setzt zunächst einmal die Fähigkeit voraus, Alternativen zu jenen Sinngestalten oder Handlungs-Sequenzen zu denken, die als Zukunftsprojekte zu beurteilen sind. Vor dem Hintergrund solcher Alternativen vollzieht sich dann eine wechselseitige Abwägung zwischen Chancen des Erfolgs und Gefahren des Verlusts. Typisch neuzeitlich ist das kalkulierte Risiko zum einen durch seine Abhängigkeit von Zukunftsperspektiven, zum anderen aber auch deshalb, weil es die zu erlangende Gewißheit an menschliche Erfahrung bindet, oder anders formuliert: weil es Behauptungen nicht ohne ihre Überprüfung durch Erfahrung übernimmt oder verwirft. Die Verlust-Gefahr mag der katholischen Königin im Frühjahr 1492 gegenüber den Gewinnchancen des von Kolumbus vertretenen Projekts deshalb annehmbar erschienen sein, weil »das Unternehmen ... größtenteils von privaten Geldgebern finanziert wurde und der wichtigste Beitrag der Königin darin bestand, daß sie die Stadt Palos de Noguer quasi als Buße für ein uns nicht näher bekanntes Vergehen gegen die Krone dazu ›verurteilte‹, auf eigene Kosten Kolumbus für den Zeitraum von zwölf Monaten zwei Schiffe plus Mannschaft zur Verfügung zu stellen«.[60] Daß trotz der überlegenen navigatorischen, astronomischen und kartographischen Kompetenz Portugals der amerikanische Kontinent im Namen der kastilischen Krone entdeckt wurde, ist also nicht nur ein Zufall, sondern auch eine unter vielen Leistungen des neuzeitlichen Stils in der Herrschaft und in der Politik der Katholischen Könige.

Denken, welches Gewißheit an Erfahrung bindet, nennen wir ›undogmatisch‹, Handeln, das an einer Abwägung von Gewinnchancen und Verlustgefahren orientiert ist, ›zweckrational‹. Daß wir mit solchen Begriffen die Politik von Fernando und Isabel nicht überbewerten, belegt das Wappen (›devisa‹) des Katholischen Königs. Es zeigt den gordischen Knoten und kommentiert dieses Symbol mit den lateinischen Worten ›Tan-

tum montat‹. Was das Exempel vom gordischen Knoten thematisiert – und was es als Zitat Fernando von Aragón attribuiert –, ist die Fähigkeit, Handlungsziele auf anderen (wenn möglich: kürzeren) als den durch Tradition vorgegebenen Bahnen zu erreichen. In der ursprünglichen Exempel-Geschichte will Alexander der Große eine Aufgabe bewältigen, der noch kein Mensch vor ihm gewachsen gewesen war. Er bleibt erfolgreich, weil er nicht – wie alle seine Vorgänger – versucht, die Verwicklungen des gordischen Knotens zu entwirren, sondern ihn mit einem Schwerthieb auflöst. Die lateinischen Worte ›Tantum montat‹ akzentuieren den Sinn des Exempels, indem sie hervorheben, daß es angesichts eines gesteckten Ziels unwesentlich bleibt, welche unter mehreren möglichen Handlungen man wählt, um es zu erreichen. Alle Handlungen, die zum Erfolg führen, sollen als gleichwertig angesehen werden. Wir können also die Reihe von Begriffen, durch die wir den Handlungsstil der Katholischen Könige charakterisieren wollen – ›kalkuliertes Risiko‹, ›Antidogmatismus‹, ›Zweckrationalität‹ – um das Konzept des ›Denkens in funktionalen Äquivalenzen‹ erweitern. Und das Wappen Fernandos von Aragón legt die Vermutung nahe, daß sie sich der Modernität und der Überlegenheit solchen Denkens durchaus bewußt waren. Übrigens war auch die *devisa* ein Ertrag der ›Kulturpolitik‹ von Fernando und Isabel: Antonio de Nebrija hatte sie entworfen.

Solche mentalen Strukturen lassen sich nun allerdings in der spanischen Geschichte – das können wir im Rückblick auf das vorausgehende Kapitel mit Gewißheit behaupten – nicht erst gegen Ende des XV. Jahrhunderts ausmachen. Die historische Bedeutung der Katholischen Könige liegt deshalb darin, daß unter ihnen ein in Subjektivität fundiertes politisches Handeln alltäglich wurde, weil in ihrem Umkreis nun auch Institutionen ins Leben gerufen wurden, welche die Entfaltung und Verbreitung subjektiver Weltdeutung und subjektiven Handelns beförderten. Wir wollen in diesem Zusammenhang vor allem auf eine Reihe von Universitätsgründungen verweisen, die 1483 in Valladolid begann, sich bis zum Ende des XV. Jahrhunderts über Toledo, Granada und Sevilla fortgesetzt hatte und ihren Höhepunkt 1508 mit der Einrichtung der Universität von Alcalá (der Vorgängerin der heutigen Madrider Universität) durch den Regenten Fernandos von Aragón im Königreich Kastilien, den Kardinal de Cisneros, erreichte. Cisneros gehört zu den für die spanische Geschichte jener Epoche typischen Gestalten, deren Einfluß und Machtfülle sich nicht auf Bahnen der Genealogie vererbt hatte, sondern Lohn des Vertrauens der Katholischen Könige für lange Jahre umsichtig-erfolgreicher Unterstützung ihrer Politik war. Als ein Mitglied des Franziskanerordens hatte er sich zunächst allein durch seinen ethischen Ernst dafür angeboten, die Rolle des Hernando von Talavera als Beichtvater (und Berater) der Königin zu übernehmen, nachdem dieser im Jahr 1493 zum Erzbischof von Granada ernannt worden war. Als Cisneros selbst 1507 auf Betreiben Fernandos von Aragón Kardinal von Toledo wurde, blieben dieser Ernst und ein Engagement für religiöse Reformen die Prämissen und Instrumente seines politischen Handelns. So wird verständlich, warum in Alcalá – anders als in den zuvor gegründeten Universitäten – Theologie statt Rechtswissenschaft im Zentrum der Studien stand. Ihre herausragende geistesgeschichtliche Stellung in der spanischen Geistesgeschichte des XVI. Jahrhunderts verdankt die Universität Alcalá deshalb auch nicht primär den Namen jener berühmten Gelehrten, die Cisneros gewinnen konnte (Antonio de Nebrija kam aus Salamanca, und lange Zeit hatte die Hoffnung bestanden, auch Erasmus von Rotterdam ließe sich zu einer Übersiedelung nach Kastilien überreden). Alcalá wurde berühmt, weil hier die Theologie – ohne darüber die scholastischen Traditionen zu vernachlässigen – dem Menschen als Subjekt ethischer Verantwortung und als Interpreten der Offenbarung so erstaunliche Freiräume ließ, daß sie problemlos in einen Dialog mit dem im nördlichen Mitteleuropa entstandenen ›Erasmismus‹ eintreten konnte, welcher seinerseits der nun bald entstehenden protestantischen Theologie nahe stand – für Zeitgenossen oft ununterscheidbar nahe. Wir hatten bereits erwähnt, daß das humanistische Streben nach der Rekonstruktion von ›Urtexten‹ und nach der Fixierung des ›Wortlauts‹ von kanonisierten Schriften ein Komplementärphänomen zur neuen Freiheit der Textdeutung war, und hatten in diesem Zusammenhang auch die von Cisneros angeregte (und finanzierte) Bibelausgabe in chaldäischer, hebräischer, griechischer und lateinischer Sprache erwähnt, die in Alcalá erarbeitet und 1514 veröffentlicht wurde. Nun wird deutlich, daß auch sie zu den Ergebnissen der neuen Kulturpolitik in der Epoche der Katholischen Könige gehörte.

Einen anderen Aspekt dieses Stils, nämlich die Tendenz zur Unterscheidung und Abgrenzung verschiedener Handlungsräume oder sozialer Systeme, vergegenwärtigen Maßnahmen zur Reform der Orden und des Klerus.[61] Kirche, Kleriker und Ordensleute erfüllten in dem Maß die Erwartungen der Monarchie – und gewannen in dem Maße an gesellschaftlicher Bedeutung –, wie sie sich von Kriegsführung, Wirtschaft und Verwaltung fernhielten. Deshalb betrieben die Katholischen Könige die Auflösung der Ritterorden und gestalteten auf der anderen Seite die ursprünglich religiös inspirierten *Hermandades* erfolgreich in säkulare Kontrollorgane um;[62] deshalb richteten sie eine Vielzahl bereichsspezifischer zentraler Beraterstäbe ein (›*Consejos de la Cámara Real, de Ordenes, Inquisición, Cruzada y Hacienda*‹[63]), während die zuvor – vor allem in Kastilien – mit vielfältigen Kompetenzen ausgestattete Adelsversammlung der *Cortes* nach einer Einberufung im Jahr 1480 zunehmend an Bedeutung verlor.[64] Angesichts so vielfältiger, kühner und erfolgreicher Maßnahmen der Monarchie stellt sich die Frage, warum der (bald entmachtete) Adel und die (zwangsreformierte) Kirche der Politik von Fernando und Isabel nicht mehr Widerstand entgegensetzen konnten. Mit ihrer Beantwortung knüpfen wir an die Schlußüberlegungen im vorausgehenden Kapitel an.

Die Verheiratung von Fernando und Isabel im Jahr 1469 war beileibe nicht der erste Versuch einer territorialen und politischen Vereinigung der Königreiche von Aragón und Kastilien gewesen, doch sie hatte – zumal in Kastilien – nach Jahrzehnten der Fehden und der wirtschaftlichen Not wahrhaft messianische Erwartungen freigesetzt.[65] Abstrakter formuliert: gerade der involutive Charakter des Hoflebens und der Herrschaftsausübung in der Periode von Juan II. und Enrique IV. hatte Bedürfnisse und Erwartungen hervorgebracht, welche die späteren Katholischen Könige seit ihrer kastilischen Krönung im Jahr 1474 als einen Freiraum der Toleranz erfahren haben müssen, in dem sie eine auf subjektzentriertes Handeln beruhende Politik entfalten konnten. Solche Stimmung schlug auch

in einem ganz neuen Ton der Hofdichtung durch. In den Anfangsstrophen eines Fürstenspiegels, den der Franziskaner
Yñigo de Mendoza, der Lieblingspoet Isabels von Kastilien,
seiner Königin widmete, können wir zwischen Zukunftshoffnung und (von den Erfahrungen der Vergangenheit genährter)
Zukunftsfurcht eine Gemütslage nachempfinden, die damals
den Alltag außerhalb des Hofes beherrscht haben muß:

> Alta reyna esclarecida
> guarnecida
> de grandezas muy reales,
> a remediar nuestros males
> desiguales,
> por gracia de Dios venida;
> como quando fue perdida
> nuestra vida
> por culpa de una muger,
> nos quiere Dios guarnecer
> e rehacer
> por aquel modo y medida
> que lleuo nuestra cayda.
>
> Mas es mucho menester,
> a mi ver,
> que digais al boticario
> que nos faga el letuario
> muy contrario
> al que nos fizo perder,
> porque si nos da a comer
> e beber
> delos guisados de antaño,
> podra nos fazer tal daño
> que orgaño,
> peor sea el recaher
> quel primero adolecer.[66]

Doch als 1478, acht lange Jahre nach der Geburt seiner Schwester Isabel, der Infant Juan zur Welt kam, der der einzige Sohn
der Katholischen Könige bleiben sollte, deutete man dieses Ereignis als ein himmliches Zeichen für die endgültige Wendung
der Geschicke Kastiliens und Aragóns zum Guten. Wir können
die Worte von Fernando del Pulgar zu diesem Ereignis als Aus-

druck von Freude und Zuversicht durchaus ernst nehmen – so sehr ihr überschwänglicher und prophetischer Ton, der an Vergils Vierte Ekloge erinnert, unseren Vorstellungen von Aufrichtigkeit und Spontaneität widerspricht –, denn sie stammen aus einem Brief an Hernando de Talavera, aus der Korrespondenz zwischen zwei Vertrauten der Katholischen Könige also, für die kein Anlaß bestand, voreinander Fürstenlob oder Untertanentreue zu fingieren:

Señor: del nacimiento del príncipe, con salud de la reina, ouimos acá muy grand placer. Claramente veemos sernos dado por especial don de Dios, pues al fin de tan larga esperança le plogo dárnosle. Pagado ha la reina a este reino la debda de subcesión viril que era obligada de le dar. Cuanto yo, por fe tengo que ha de ser el más bienauenturado príncipe del mundo; porque todos estos que nacen deseados, son amigos de Dios, como fúe Ysaque, Samuel, y Sant Juan, y todos aquellos de quien la Sacra Escritura face mención que houieron nacimientos como éste, muy deseados. E no sin causa, pues son concebidos y nascidos en virtud de muchas plegarias y sacrificios. Ved el euangelio que se reza el día de Sant Juan; cosa es tan trasladada que no paresce sino molde el un nascimiento del otro: la otra Ysabel, esta otra Ysabel; el otro en estos días, éste en estos mismos; y tanbién que se gozaron los vecinos e parientes, y que fué terror a los de las montañas.[67]

Wie schon gesagt: ihre adlige Mitwelt ertrug deshalb die Durchbrechung so zahlreicher Privilegien durch Fernando und Isabel, weil sie die Schrecken der Herrschaft ihrer schwachen Vorgänger noch nicht vergessen hatte. Doch gerade in einer Literaturgeschichte muß auch erwähnt werden, daß auf der anderen Seite der Hof der Katholischen Könige alles andere als ein ›Musenhof‹ war. Fernando de Aragón, in dem die Historiker den Typus des *condottiere* entdeckt haben,[68] war versiert in allen körperlichen Übungen ritterlichen Spiels: *Caualgaba muy bien a caballo en silla de la guisa é de la gineta, justaba sueltamente y con tanta destreza que ninguno en todos sus Reynos lo facía mejor. Era gran cazador de aves, e home de buen esfuerzo, e gran trabajador en las guerras;*[69] nirgends ist hingegen überliefert, daß Dichtung oder Musik zu seinen bevorzugten Vergnügungen gehört hätten. Isabel von Kastilien bemühte sich redlich, doch – wie die fast mitleidigen Worte aus einem Brief des Fernando del Pulgar zeigen – erfolglos, Lektürekenntnisse des Lateinischen zu erwerben: *Mucho deseo saber cómo va a vuestra alteza con el latín que aprendeis: dígolo, señora, porque hay algún latín tan zahareño que no se dexa tomar de los que tienen muchos negocios.*[70] Ihr Geschmack hingegen entwickelte sich nie über eine Vorliebe für Versfassungen von Texten aus der franziskanischen Predigt-Tradition hinaus. Doch weil wir wissen, daß die Diskurse höfischer ›Literatur‹ einen nur geringen Stellenwert für die Katholischen Könige hatten, können wir den Stimmen vertrauen, die berichten, daß Isabel ihre Ehe als Passion der Liebe erlebte.

Amaba mucho al Rey su marido, e celábalo fuera de toda medida, schrieb Fernando del Pulgar, und er konnte den König nicht von dem Vorwurf entlasten, seiner Frau Grund zur Eifersucht gegeben zu haben: *e como quiera que amaba mucho a la Reyna su muger, pero dábase a otras mugeres.*[71] Trotzdem suchte Isabel, den Gemahl über ihren Tod hinaus zu binden. Die einschlägige Passage aus ihrem berühmten Testament liest sich wie einer der Monologe aus einer *novela sentimental:*

Suplico al rey mi señor que se quiera servir de todas las joyas é cosas, ó de las que á su señoría mas agradaren; porque viéndolas pueda haber mas continua memoria del singular amor que á su señoría siempre tuve; é aun porque siempre se acuerde de que ha de morir, é que le espero en el otro siglo; é con esta memoria pueda mas santa é justamente vivir.[72]

Wirksam wurde diese Verfügung der Eifersucht nicht, denn zum Mißfallen seiner Untertanen ging Fernando schon bald eine Ehe mit einer Verwandten des französischen Königs ein. Ins Pathologische steigerte ein ähnliches Liebesverhältnis Juana, die Tochter der Katholischen Könige, in ihrer Ehe mit Philipp dem Schönen. Nicht nur wies sie briefliche Vorhaltungen ihrer Mutter mit dem Argument zurück, daß Verständnis für Eifersucht haben müsse, wer selbst notorisch eifersüchtig sei;[73] nicht nur malträtierte sie mit einer Schere das Gesicht einer der Konkubinen ihres Gemahls;[74] nicht nur verharrte sie wortlos eine ganze Winternacht in das Stadttor von Segovia verkrallt, als sie den (in Wirklichkeit als Affront gegen seine Schwiegereltern gemeinten) Aufbruch ihres Gatten nach Flandern für eine Intrige des spanischen Hofes hielt, die zu ihrer

Trennung von Philipp führen sollte:[75] nachdem dieser gänzlich unerwartet im September 1506 in Burgos gestorben war, gab *Juana la Loca* schon bald den Gerüchten Nahrung, welche wissen wollten, ihr unersättlicher Liebeshunger sei die wahre Todesursache ihres Gatten gewesen. Denn über lange Jahre durchquerte sie mit kleinem Gefolge in nächtlichen Eilritten ruhelos Kastilien und führte stets einen aufklappbaren Sarg mit der einbalsamierten Leiche des Toten bei sich.[76]

Die bis in den Wahnsinn reichende Eifersucht der beiden Königinnen ist aber nichts anderes als eine Kehrseite jener neuzeitlichen Mentalität, die man den Katholischen Königen auch hinsichtlich ihrer Politik attestieren kann. Denn in ihren Interessen an Konkubinen und mit der schier unübersehbaren Zahl ihrer Bastarde waren Fernando von Aragón und Philipp der Schöne ganz einfach mittelalterliche Könige geblieben. Neu – und neuzeitlich – war aber die Verletzbarkeit ihrer Gemahlinnen. Denn sie implizierte jene Fähigkeit, sich in die Situation ›des anderen‹ zu versetzen, auf die wir in literarhistorischem Zusammenhang unter dem Stichwort ›Identifikation‹ bereits zu sprechen gekommen sind. Isabel und Juana litten unter der außerehelichen Sexualität ihrer Gatten, weil sie imstande waren, sich in deren Situationen hineinzudenken – ja vielleicht auch gar nicht anders konnten. Unsere Überlegungen finden konkrete Bestätigung durch einen Brief, den Isabel von Kastilien am 30. Dezember 1492 aus Barcelona an ihren Beichtvater schrieb. Dort war Fernando von Aragón durch einen Attentäter schwer verletzt worden,[77] und die Königin berichtete, wie sie während der Stunden der Lebensgefahr und der Wochen der Genesung mit dem leidenden Körper Fernandos mitgelitten hatte:

Muy reverendo y devoto padre: Pues vemos que los reyes pueden morir de cualquier desastre, como los otros, razon es de aparejar á bien morir. Y dígolo ansí porque, aunque yo esto nunca dudé, ántes como cosa muy sin duda la pensaba muchas veces, y la grandeza y prosperidad me lo hacia más pensar y temer, hay muy gran diferencia de creerlo y pensarlo á gustarlo. Y aunque el Rey, mi señor, se vió muy cerca, y yo la gusté más veces y más gravemente que si de otra causa yo muriera, ni puede mi alma tanto sentir al salir del cuerpo. No se puede decir ni encarecer lo que sentia ... para con vos, porque deis gracias á Dios, quiero que sepais lo que fué, que fué la herida tan grande, segun dice el doctor de Guadalupe (que yo no tuve corazon para verla), tan larga y tan honda, que de honda entraba cuatro dedos y de larga ..., cosa que me tiembla el corazon en decirlo, que en quienquiera espantára su grandeza. Mas hízolo Dios con tanta misericordia, que parece que se midió el lugar por donde podia ser sin peligro, y salvó todas la cuerdas, y el hueso de la nuca y todo lo peligroso, de manera que luégo se vió que no era peligrosa. Mas despues la calentura y el temor de la sangre nos puso en peligro, y al seteno dia estuvo tan bien, que os escrebí yo ya sin congoja con un correo; mas creo que muy desatinada de no dormir. Y despues, al salir del seteno dia, vino tal accidente de calentura, y de tal manera, que ésta fué la mayor afrenta de todas las que pasamos, y esto duró un dia y una noche, de que no diré yo lo que dijo san Gregorio en el oficio del Sábado Santo, más que fué noche del infierno ... ya él se levanta y anda acá fuera, y mañana, placiendo á Dios, cabalgará por la ciudad á otra casa donde nos mudamos. Ha sido tanto el placer de verle levantado cuanta fué la tristeza, de manera que é todos nos ha resucitado. No sé cómo sirvamos á Dios esta tan gran merced, que no bastarian otros de mucha virtud á servir esto, ¿qué haré yo, que no tengo ninguna? Y ésta era una de las penas que yo sentia, ver al Rey padecer lo que yo merecia, no mereciéndolo él, que pagaba por mí: esto me mataba de todo.[78]

Wer die körperlichen Schmerzen und die körperliche Lust eines anderen Menschen wie eigene Schmerzen und eigene Lust erleben kann, der muß auch fähig sein, mit seiner Imagination und seinem Bewußtsein in Distanz zum eigenen Körper zu treten. Und wer in Distanz gegenüber seinem eigenen Körper zu treten vermag, der kann ihn auch benutzen, um andere Menschen zu beeindrucken und je nach eigenen Intentionen in ihrem Handeln zu beeinflussen. In dem Porträt Isabels von Kastilien, das Fernando del Pulgar gezeichnet hat, zeigt sich deutlich, wie nachhaltig solche Körperbeherrschung die Umwelt beeindruckte: *Guardaba tanto la continencia del rostro, que aun en los tiempos de sus partos encubría su sentimiento, e forzabase a no mostrar ni decir la pena que en aquella hora sienten e muestran las mugeres.*[79] Solche Fähigkeit, den eigenen Körper zu benutzen, und die Fähigkeit, sich mit anderen zu identifizieren, verweisen auf eine und dieselbe, erst mit der mentalen Figur der Subjektivität in der frühen Neuzeit gegebene Vorbedingung: auf die Möglichkeit nämlich, mit Bewußtsein und Imagination *in Distanz zum eigenen Körper* zu treten. Um 1500 waren ihre Folgen selbst für einen so engen Vertrauten Isabels von Kastilien wie ihren Biographen Fernando del Pulgar nicht immer durchschaubar:

Honraba los Perlados e Grandes de sus Reynos en las fablas y en los asientos, guardando a cada uno su preeminencia, según la calidad de su persona e dignidad. Era muger de gran corazón, encubría la ira, e disimulábala; e por esto que della se conocía, ansí los Grandes del Reyno como todos ellos los otros temían de caer en su indinación. De su natural inclinación era verdadera, e quería mantener su palabra: como quiera que en los movimientos de las guerras e otros grandes fechos que en sus Reynos acaecieron en aquellos tiempos, e algunas mudanzas fechas por algunas personas, la ficieron algunas veces variar ... Era muger cerimoniosa en sus vestidos e arreos y en el servicio de su persona ... E como quiera que por esta condición le era imputado algún vicio, diciendo tener pompa demasiada, pero entendemos que ninguna cerimonia en esta vida se puede facer tan por extremo a los reyes, que mucho más no requiera el estado real ...[80]

Wir können die Konsternation des Hofchronisten noch besser nachfühlen, wenn wir an die herausragende Bedeutung erinnern, die das christliche Armutsideal trotz allem für Isabel hatte: in ihrem Testament verfügte sie, in einer Franziskanerkutte bestattet zu werden (und bat übrigens auch den König inständig, sein eigenes Grab unmittelbar neben dem ihren einrichten zu lassen). Darüber hinaus ordnete sie an, die Ausgaben für ihre Totenfeier auf ein Minimum zu beschränken, um mit dem so eingesparten Geld Kleider für bedürftige Frauen zu kaufen.[81] So wenig wie Fernando del Pulgar vermochte es auch Hernando de Talavera, der Beichtvater der Königin, ihre Vorliebe für teure Gewänder mit ihren scheinbar konträren Charakterzügen in Einklang zu bringen. Erst ein Antwortbrief der Königin auf die Ermahnung des Geistlichen, gegenüber dem sie sich zu vorbehaltloser Ehrlichkeit verpflichtet fühlte, vermochte den erfahrenen Widerspruch aufzulösen. Dabei interessieren uns nicht ihre Bemühungen, die Höhe der für Staatskleider getätigten Ausgaben herunterzuspielen, nicht der – wohl ehrliche – Ausdruck ihres Desinteresses gegenüber höfischen Spielen. Es ist Isabels Verweis auf die Pracht des französischen und burgundischen Hofzeremoniells, der erweist, wie gut sie verstanden hatte, daß öffentliche Repräsentation eine notwendige Komponente der Politik war:

Los trajes nuevos no hubo ni en mí ni en mis damas, ni aún vestidos nuevos; que todo lo que yo allí vestía, habia vestido desde que estamos en Aragon, y aquello mesmo me habian visto los otros franceses; solo un vestido me hice de seda y con tres marcos de oro, el más llano que pude; ésta fué toda mi fiesta de la fiestas ... El cenar los franceses á las mesas es cosa muy usada y que ellos muy de contínuo usan (que no llevarán de acá ejemplo dello), y que acá cada vez que los principales comen con los reyes, comen los otros en las mesas de la sala de damas y caballeros, que así son siempre, que allí nunca son de damas solas. Y esto se hizo con los borgoñones cuando el bastardo y con los ingleses y portugueses, y ántes siempre en semejantes convites ... Los vestidos de los hombres, que fueron muy costosos, no lo mandé, mas estorbélo cuanto puede y amonesté que no se hiciese. De los toros sentí lo que vos decis, aunque no alcancé tanto, mas luégo alli propuse con toda determinacion de nunca verlos en toda mi vida, ni ser en que se corran que mi voluntad no solamente está cansada en las demasías, mas en todas fiestas, por muy justas que ellas sean ...[82]

Diese Briefstelle legt eine weitere mentalitätsgeschichtliche Differenzierung nahe. Das politische Handeln der Katholischen Könige unter dem Gesetz der ›Zweckrationalität‹ und ihr Denken in ›Funktionsäquivalenten‹ waren nicht eindimensional. Gerade bei Isabel von Kastilien beobachten wir zahlreiche Anzeichen einer persönlichen Frömmigkeit und einer Familien-Affektivität, die ihr Handeln beeinflußten, auch wenn sie meist unter Akten der Repräsentation verdeckt blieben. So waren die religiösen Legitimationen für die Einrichtung der Inquisition und für den Feldzug gegen das Kalifat von Granada zwar *auch* ideologische Sinnstrukturen mit politischem Zweck, aber sie waren doch nicht ›bloße‹ Ideologie. Denn während ein wirtschaftspolitisches Kalkül hinter dem ›Kreuzzug‹ gegen Granada (für uns zumindest) deutlich ist – und zweifellos aufging –, muß doch bezweifelt werden, ob die Inquisition – kurzfristig oder langfristig – je als Gewinn auf irgendeinem Sektor der Politik verbucht werden konnte.[83] Die Katholischen Könige und ihre kirchlichen Berater fühlten sich gewiß gegenüber Gott verpflichtet, möglichst viele ihrer Untertanen zum Christentum zu bekehren und zugleich darüber zu wachen, daß die Konvertiten (die *cristianos nuevos*) nach ihrer Taufe tatsächlich als Christen lebten. Wer nun aber im Stande ist, sein Bewußtsein, seine Empfindungen und Intentionen hinter seinem Körper und in seinem Verhalten zu verbergen, der wird solches Verhalten auch anderen Menschen zutrauen und folglich in der Angst leben müssen, selbst getäuscht zu werden. Wo *ego* um die Doppelschichtigkeit seines eigenen Bewußtseins wußte, dieselbe auch bei *alter ego* vermutete und sich dementsprechend verhielt, da begann ein neuzeitlicher Habitus der Interaktion – so wie mit der Doppelung von Autor und auktorialem Erzähler, Rezipienten und implizitem Leser ›Literatur‹ im neuzeitlichen Sinn einsetzte.

Die spanische Inquisition des XV. und XVI. Jahrhunderts markiert jenen mentalitätsgeschichtlichen Moment, an dem neuzeitliche Subjektivität zum Opfer ihrer Illusion wurde, das Bewußtsein von *alter ego* je vollständig zu erfassen, ja ausloten zu können. Natürlich scheint es zunächst einmal paradox, die Mörder von Abertausenden jüdischer, islamischer – und gewiß auch orthodox-christlicher – Familien als ›Opfer‹ sehen zu wollen. An einer Widerlegung jener geschichtsmythologischen ›*Leyenda negra*‹ von einer im grausam-eindimensionalen Mittelalter zurückgebliebenen Nation, unter der die spanischen Intellektuellen des XVIII. und XIX. Jahrhunderts so sehr litten, ist uns dabei nicht primär gelegen. Aber wenn wir eine für die gesamte europäische Geschichte paradigmatische Phase des mentalitätshistorischen Übergangs differenzierter vergegenwärtigen wollen, als dies gemeinhin der Fall ist, dann muß der Gedanke gestattet sein, daß gerade die gläubigsten und in ihrem Bewußtsein komplexesten Spanier im späten XV. Jahrhundert unter dem Zweifel *litten,* hinter dem Festhalten von Konvertiten an jüdischen Lebensformen könnte sich ein Festhalten am mosaischen Glauben verbergen. Andrés Bernáldez, *cristiano viejo* und einer der engsten Vertrauten der Katholischen Könige, macht uns die Vorgeschichte zur Einrichtung der Inquisition in diesem Sinn nachvollziehbar:

... y como en aquel tiempo los hereges y judíos malaventurados huian de la doctrina eclesiástica, ansí huian de las costumbres de los christianos. Los que podian escusarse de no baptizar sus fijos, no los baptizaban, é los que los baptizaban, lavábanlos en casa desque los traian; y desto se halló infinita culpa en el reconciliar de infinitos viejos que no eran baptizados; é los inquisidores los ficieron é facian despues baptizar. Habeis de saber, que las costumbres de la gente comun de ellos ante la Inquisicion, ni mas ni menos que era de los propios hediondos judios, y esto causaba la contínua conversacion que con ellos tenian; ansí eran tragones y comilones, que nunca perdieron el comer á costumbre judáica de manjarejos, é olletas de adefina, manjaregos de cebollas é ajos, refritos con aceite, y la carne guisaben con aceite, ca lo echaban en lugar de tocino é de grosura por escusar el tocino; y el aceite con la carne es cosa que hace muy mal oler el resuello; y ansí sus casas y puertas hedian muy mal á aquellos manjarejos; y ellos ese mesmo tenian el olor de los judios por causa de los manjares y de no ser baptizados. Y puesto caso que algunos fueron baptizados, mortificado el carácter del baptismo en ellos por la credulidad, é por judaizar, hedian como judíos; no comian puerco si no fuese en lugar forzoso; comian carne en las quaresmas y vigilias é quatro témporas de secreto; guardaban las pasquas y sábados como mejor podian; enviaban aceite á las sinagogas para las lámparas; tenian judíos que les predicaban en sus casas en secreto, especialmente á las mugeres muy de secreto; tenian judíos rabíes que les degollaban las reses é aves para sus negocios; comian pan cenceño al tiempo de los judíos, carnes tajeles; hacian todas las ceremonias judáicas de secreto en quanto podian; así los hombres como las mugeres siempre se escusaban de recibir los sacramentos de la Santa Iglesia de su grado, salvo por fuerza de las constituciones de la Iglesia. Nunca confesaban la verdad; y acaeció á confesor con persona de esta generacion cortarle un poquito de la ropa, diciendo: pues nunca pecaste, quiero que me quede vuestra ropa por reliquia para sanar los enfermos ... No creian dar á Dios galardon por virginidad y castidad. Todo su hecho era crecer á multiplicar. E en tiempo de la empinacion de esta herética pravedad de los gentileshombres de ellos, é de los mercaderes, muchos monasterios eran violados, é muchas monjas profesas adulteradas y escarnecidas, de ellas por dádivas, de ellas por engaños de alcahuetas, no creyendo, ni temiendo la descomunion; mas antes la hacian por injuriar á Jesuchristo, y á la Iglesia. Y comunmente por la mayor parte eran gentes logreras, é de muchas artes y engaños, porque todos vivian de oficios holgados, y en comprar y vender no tenian conciencia para con los christianos. Nunca quisieron tomar oficios de arar ni cavar, ni andar por los campos criando ganados, ni lo enseñaron á sus fijos salvo oficios de poblados, y de estar asentados ganando de comer con poco trabajo ... De todo lo sobre dicho fueron certificados el Rey y la Reyna estando en Sevilla; partiéndose dende quedó el cargo del castigo é de mirar por ello al provisor de Sevilla, obispo de Cádiz, Don Pedro Fernandez de Solís … y visto que en ninguna manera se podian tolerar ni enmendar sino se facia inquisicion sobre ello, denunciaron el caso por estenso á sus Altezas, é faciéndoles saber cómo y quién y dónde se hacian las judáicas ceremonias, y cómo cabian en personas poderosas y en muy gran parte de la ciudad de Sevilla; y junto con esto fueron certificados que en toda su Castilla habia esta disforme dolencia; y ovieron Bulla del Papa Sixto IV para proceder con justicia contra la dicha heregía por via del fuego. Concedióse la Bulla y ordenóse la Inquisicion el año de 1480.[84]

Der Zweifel an der ›inneren‹ Gläubigkeit ehemaliger Juden hatte zum Zwang der Beobachtung und Überwachung geführt, und weil der Zweifel nicht zu beseitigen war, brachten Beobachtung und Überwachung jene Schreckensvisionen hervor, welche am Ende die Zweifel zu rechtfertigen schienen. Brunnenvergiftung, Hostienschändung und der Ritualmord christlicher Kinder durch Juden sind nur die bekanntesten Phantome, welche jene Obsession produzierte. Gewiß waren die Vorwürfe, welche Andrés Bernáldez notierte, weniger phantastisch; aber sie belegen, wieviel Aggressivität, wieviel Frustration und wieviel Neid in die Anklagen der Inquisition eingingen. Hier lagen die Motive für Denunziatoren und Inquisitoren. Aber auch das Gewissen solcher Christen, denen diese Ziele und Obsessionen fremd waren, konnte wohl auf dem *unendlichen* Weg der Erforschung des fremden Gewissens erst dann zur Ruhe kommen, wenn sie die schlimmsten Befürchtungen als erwiesen ansehen durften und sich deshalb berufen sahen, die *Körper der anderen zu vernichten.* Für deren Seelen konnte man schon beten, während sie zum Scheiterhaufen schritten; auch die zeitgenössischen Romanleser identifizierten sich am liebsten mit jenen Protagonisten, die in den Tod gingen.

Den meisten Zeitgenossen fiel es allzu leicht, Motive und Mentalität der Denunzianten und Inquisitoren zu teilen – auch dann noch, wenn sie (wie der schon erwähnte Nürnberger Humanist Hieronymus Münzer) den Anfang des Holocausts bloß aus der Außenperspektive des Reisenden erlebten.[85] So sehr war Münzer von der Herrschaft der Katholischen Könige beeindruckt, daß er wünschte, sie möchten die Geschicke der gesamten Christenheit in ihre Hände nehmen. Deshalb wohl sprach er Fernando von Aragón in einer lateinischen Dankesrede anläßlich einer ihm und seinen Begleitern in Madrid gewährten Audienz als ›regem nostrum‹ an, *per quem gloriosus deus Granatam sub iugum* nostrum *dignatus est submittere.*[86] Ein anderer Zeitgenosse, Niccolò Machiavelli, sah in Fernando von Aragón die Inkarnation des *Principe,* seines in dem gleichnamigen Traktat perspektivenreich entwickelten Idealbilds eines neuen (für uns: neuzeitlichen) Herrschertyps. Und zur Begründung dieses Urteils verwies Machiavelli vor allem auf zwei Momente im Handeln des Katholischen Königs, auf den ideologischen Umgang mit Religion und religiösem Sinn wie auf die systematische Einbeziehung der Zukunftsdimension in seine Politik:

Nessuna cosa fa tanto stimare uno principe quanto fanno le grandi imprese e dare di sé rari esempli. Noi abbiamo ne' nostri tempi Ferrando di Aragona, presente re di Spagna. Costui si può chiamare quasi principe nuovo, perché di uno re debole è diventato per fama e per gloria el primo re de' Cristiani: ... Lui nel principio del suo regno assaltò la Granata, e quella impresa fu el fondamento dello stato suo. Prima e la fece ozioso e senza sospetto di essere impedito: tenne occupati in quella gli animi di quelli baroni di Castiglia e quelli pensando a quella guerra non pensavano a innovare; e lui acquistava in quel mezzo reputazione e imperio sopra di loro che non se ne accorgevano ... Oltre a questo, per potere intraprendere maggiore imprese, servendosi sempre della religione si volse a una pietosa crudeltà, cacciando e spogliando del suo regno de' Marrani: né può essere questo esemplo più miserabile né più raro. Assaltò sotto questo medesimo mantello l'Africa: fece l'impresa di Italia: ha ultimamente assaltato la Francia: e così sempre ha fatte e ordite cose grande, le quali sempre hanno tenuto sospesi e ammirati gli animi de' sudditi e occupati nello evento di esse. E sono nate queste sua azioni in modo l'una dall'altra, che non ha dato mai infra l'una e l'altra spazio alli uomini di potere quietamente operarli contro.[87]

Niccolò Machiavelli schrieb den *Principe* im Jahr 1513, und die Bewunderung für Fernando von Aragón war durch die Möglichkeit motiviert, anhand der Erfolge von dessen Politik zu belegen, was Ergebnis seiner eigenen Reflexionen war. Der Ton von Machiavellis Traktat allerdings schloß gewiß nicht an die unter Fernandos Untertanen herrschende Hochstimmung an, welche die Christen in Kastilien und Aragón seit der Geburt des Infanten Juan im Jahr 1478 erfaßt hatte. Die Euphorie fand neunzehn Jahre später mit dessen (politisch überaus folgenreichem) Tod ein abruptes Ende. In einer *Tragedia a la dolorosa muerte del Príncipe don Juan* stellte Juan del Encina den Jubel der Stadt Salamanca während der Feierlichkeiten zur Verheiratung des Infanten mit Erzherzogin Margarete, der Tochter des Kaisers Maximilian, dem Schrecken gegenüber, der schon bald nach dem Tod des Infanten erneut von dem Gedanken an eine unsicher gewordene Zukunft ausging:

> Mostró Salamanca tal gozo en llegando
> los Príncipes ambos, tan bien recebidos,
> que todos andavan en gozo encendidos,
> los unos corriendo, los otros saltando,
> saltando, baylando, baylando, dançando,
> toros y cañas, cien mil invenciones,
> bordados y letras, romances, canciones,
> los unos tañendo, los otros cantando.
> ...
> Remédienos Dios un mal tan crecido
> y El nos provea de sano remedio,
> y aunque el dolor no pueda aver medio,
> el daño no quede sin ser socorrido;
> socorre, Señor, socorro te pido,
> aquél que tú sabes que nos es mejor;
> a tal desventura, de todas mayor,
> en darnos remedio no pongas olvido.[88]

Es bedurfte während der nächsten beiden Jahrzehnte des ganzen politischen Geschicks von Fernando de Aragón, um den inneren und äußeren Zusammenbruch seines Reichs abzuwenden, so daß er 1516 die Herrschaft an seinen Enkel Karl, den Sohn von Juana und Philipp dem Schönen, weitergeben konnte. Doch der Tod von Fernandos anderem Schwiegersohn, dem König von Portugal, der Tod Isabels von Kastilien im Jahr 1504, der nicht zu verbergende Wahn Juanas, die Unbotmäßigkeit Philipps des Schönen, die Verstoßung seiner Tochter Catalina durch Heinrich VIII. von England ließen für die Untertanen der spanischen Krone innerhalb weniger Jahre eine neue

Finsternis heraufziehen. Selbst in der Schilderung von Philippe de Commynes, dem Historiographen des französischen Königshofs, klingt Erschütterung über diese Schicksalswende durch – so gelegen sie der französischen Krone auch kommen mochte:

> ... c'estoit pour le trespas du prince de Castille ... dont les roy et royne faisoient si merveilleux deuil que nul ne le sçaurait croire; et par espécial la royne, de qui on espéroit aussitost la mort que la vie. Et, à la vérité, je n'ouys jamais parler de plus grand deuil qu'en a esté fait par tous leurs royaumes: car toutes gens de mestier ont cessé quarante jours ..., tout homme vestu de noir, de ces gros bureaux: et les nobles et les gens de bien chargoient leurs mulets couverts jusques aux genoux dudit drap, et ne leur paroissoit que les yeux: et bannières noires partout sur les portes des villes. Quand madame Marguerite, fille du roy des Romains et soeur de monsieur l'archiduc d'Austriche, femme dudit prince, sçut cette douloureuse nouvelle (qui estoit grosse de six mois), accoucha d'une fille toute morte. Quelles piteuses nouvelles en cette maison, qui tant avait reçu de gloire e d'honneur; qui plus possédoit de terre que ne fit jamais prince en la crestienté, venant de succession; et puis avait fait cette belle conqueste de Grenade, et fait partir le roy d'Italie et faillir à son entreprise.[89]

Obwohl der spanischen Monarchie an der Schwelle vom XV. und XVI. Jahrhundert der Höhepunkt ihrer territorialen Ausdehnung und ihrer Machtfülle noch bevorstand, spricht doch vieles dafür, die neunzehn Lebensjahre des Infanten Juan und die dreiundzwanzig ersten Regierungsjahre der Katholischen Könige als die für den weiteren Verlauf der politischen und kulturellen Geschichte Spaniens entscheidende Phase anzusehen. Denn in dieser kurzen Spanne hatte sich ein grundlegender Wandel im Habitus des politischen Handelns und in den Strukturen der literarischen Kommunikation vollzogen, der Spanien in eine von den Zeitgenossen gegen 1500 kaum bestrittene Führungsposition unter den europäischen Königreichen versetzte. Voraussetzung dafür war das Zusammenspiel der um die Mitte des XV. Jahrhunderts dort schon entfalteten Subjektivität mit den Auswirkungen der Herrschaftskrise in der Zeit von Juan II. und Enrique IV. gewesen. Die Jahre zwischen 1474 und 1497 lassen sich deshalb als der Moment einer komplexen historischen Weichenstellung deuten, die man sowohl auf die Entstehung des spanischen Weltreichs und den Beginn der ›Goldenen Epoche‹ in der spanischen Kultur beziehen kann als auch auf jene besonderen Hemmnisse und Widerstände, mit denen Tendenzen zur Modernisierung während der folgenden Jahrhunderte stets konfrontiert waren.

Spanien in drei Welten und Zeiten

Die gängige Historiker-These, nach der die Erweiterung der für das Christentum relevanten Umwelt die wichtigste Voraussetzung für jene komplexen und vielschichtigen Wandlungsprozesse gewesen sein soll, deren Ergebnis wir ›Frühe Neuzeit‹ nennen, scheint deutlicher als für irgendeine andere Region Europas für Spanien zuzutreffen. Nicht nur in der Form politischer Herrschaft, sondern ganz konkret mit einer großen Zahl von Soldaten und von Gelehrten war Spanien schon vor der Mitte des XVI. Jahrhunderts – vor allem – in Italien, auf dem amerikanischen Kontinent und in den Niederlanden präsent. Man muß fragen, ob *dieser Präsenz in verschiedenen Welten* eine Fähigkeit entsprach, deren Fremdheit in *neue Erfahrung* umzusetzen. Denn nur wenn dies der Fall war, läßt sich behaupten, daß die im Zeitalter der Katholischen Könige erschlossenen Horizonte potentieller Alterität wirklich verändernd auf die spanische Kultur gewirkt haben.

Tuvieron la mar como el rio de Sevilla, trug Kolumbus am 8. Oktober 1492, wenige Tage nachdem seine Expedition zum ersten Mal Land gesichtet hatte, in sein Bordbuch ein (das uns allein in einer Kompilation des Kolonialhistoriographen Fray Bartolomé de las Casas überliefert ist). *Y después junto con la dicha isleta están huertas de árboles las mas hermosas que yo vi tan verdes con sus hojas como las de Castilla en el mes de abril y mayo,*[90] lesen wir unter dem Datum des 14. Oktober 1492. In einem Brief an die Katholischen Könige über seine dritte Expedition beschrieb Kolumbus die Insel Trinidad: *Y allí hobiera muy buen puerto si fuera fondo, y había casas y gente y lindas tierras, atán fermosas y verdes como las huertas de Valencia en marzo.* Und über vierundzwanzig ›Indianer‹, die ihm östlich von dieser Siedlung in einem Kanu rudernd begegneten, vermerkte er: *son de muy lindo gesto y fermosos cuerpos y los cabellos largos y llanos, cortados a la guisa de Castilla, y traían la cabeza atada con un pañuelo de algodón tejido a labores y colores.*[91] Die Mündung des Guadalquivir in Sevilla, die kastilische Baumblüte und die Haartracht der Kastilier – das waren Erinnerungsbilder und konventionelle Wissenselemente, mit denen Kolumbus sicher nicht allein ›der Nachwelt‹ (als Adressaten des Bordbuchs, das seinen Nachruhm sichern sollte) und den Katholischen Königen die Erlebnisse von der ›Neuen Welt‹ vermitteln wollte, sondern wohl das Gesehene allererst in eigene Erfahrung umgesetzt hatte. Solche Wissenselemente interpretieren Wahrnehmungsgegenstände, die das Bewußtsein ins Zentrum der Aufmerksamkeit gerückt hat und setzen sie in gestalthafte Erfahrung um, indem ihre eigene Struktur auf die thematisierten Wahrnehmungsgegenstände projiziert wird. Das bedeutet, daß nur jene Merkmale der thematisierten Wahrnehmungsgegenstände bewußt werden, zu denen es Äquivalente in der Struktur des interpretationsrelevanten Wissenselements gibt. Wer sich – wie Kolumbus – vom Meer der Karibik an die Mündung des Guadalquivir und von den Haarschöpfen der Eingeborenen an die Haartracht der Kastilier erinnern lassen wollte, dem konnte die Neue Welt erstaunlich vertraut erscheinen. Kaum anders scheint Hernán Cortés reagiert zu haben, als er zum ersten Mal die Hauptstadt der Azteken betrat – wenn er auch deutlich bestrebt war, den eigenen Wagemut durch eine Vergrößerung der Proportionen zu unterstreichen:

Tiene cuatro entradas, todas de calzada hecha á mano, tan ancha como dos lanzas jinetas. Es tan grande la ciudad como Sevilla y Córdoba. Son las calles della, digo, las principales, muy anchas y muy derechas ... Tiene esta ciudad muchas plazas, donde hay continuos mercados y trato de comprar y vender. Tiene otra plaza tan grande como dos veces la ciudad de Salamanca, toda cercada de portales al rededor, donde hay cotidianamente arriba de sesenta mil ánimas comprando y vendiendo; donde hay todos los géneros de mercadurías que en todas las tierras se hallan, así de mantenimientos como de vituallas, joyas de oro y de plata, de plomo, de laton, de cobre, de estaño, de piedras, de huesos, de conchas, de caracoles y de plumas; véndese tal piedra labrada y por labrar, adobes, ladrillos, madera labrada y por labrar de diversas maneras. Hay calle de caza donde venden todos los linajes de aves que hay en la tierra, así como gallinas, perdices, codornices, lavancos, dorales, zarcetas, tórtolas, palomas, pajaritos en cañuela, papagayos, búharos, águilas, falcones, gavilanes y cernícalos, y de algunas aves destas de rapiña venden los cueros con su pluma y cabezas y pico y uñas.[92]

Was wir vermissen, ist das Staunen der *conquistadores;* was uns verblüfft, ist die Selbstverständlichkeit, mit der sie jedem Gegenstand aus der neuen Welt eine Erfahrungsgestalt aus der alten Welt zuordneten. Nicht nur scheinen sie an der Fremdheit des entdeckten Kontinents kaum interessiert gewesen zu sein, sie waren auch geradezu immun gegen alle sich aufdrängenden Anlässe zur Revision ihrer Erfahrungsprämissen. So wissen wir, daß Kolumbus 1506 in der festen Überzeugung starb, einen neuen Seeweg nach Indien erschlossen zu haben, obwohl mittlerweile neben den Gelehrten in der Heimat auch seine Reisebegleiter zu zweifeln begonnen hatten. Diese Zweifel wollte – und konnte – er offenbar beruhigen, indem er auf seiner zweiten Expedition einen feierlichen Eid darauf schwor, daß eine Insel, auf der man gelandet war, tatsächlich – wie er behauptete – das sagenumwobene Cathay sei (tatsächlich muß es sich um das heutige Cuba gehandelt haben[93]). Solange man das Wissen aus der mittelalterlichen Kosmologie, dessen Einzelelemente meist aus den Heiligen Schriften abgeleitet worden waren, in dieser Weise auch entgegen eigener Anschauung unangetastet ließ, konnte jene alte Kosmologie als Orientierungsrahmen für das Handeln der *conquistadores* fungieren und sogar in die Struktur neuer Kolonial-Institutionen eingehen.

Auf einen solchen Prozeß gänzlich unflexibler Sinnbildung verweist die Geschichte des Prädikats und des Begriffs vom ›Kannibalen‹, aber auch der – bis in unsere Gegenwart selten angezweifelte – Mythos von der Allgegenwart der Anthropophagie auf dem südamerikanischen Subkontinent in vorkolonialer Zeit. Kolumbus wollte das Wort ›caribes‹ zum ersten Mal von einem Stammesfürsten (›rey‹) gehört haben, den er zu einem Gastmahl eingeladen hatte. Unter dem Datum des 26. Dezember 1492 liest man im Bordbuch seiner ersten Reise:

El señor ya traía camisa y guantes que el Almirante (sc. Colón) le habia dado y por los guantes hizo mayor fiesta que por cosa de las que le dio. En su comer, en su honestidad y hermosa manera de limpieza, se mostraba bien ser de linaje. Despues de haber comido que tardó buen rato estar a la mesa trujeron ciertas hierbas con que se fregó mucho las manos: creyó el Almirante que lo hacia para ablandarlas, y dieronle aguamanos. Después que acabaron de comer llegó a la playa el Almirante y el Almirante envió por un arco turquesco un manojo de flechas y el Almirante hizo tirar a un hombre de su compañía que sabía dello; y el señor, como no sepa qué sean armas, porque no las tienen ni las usan, le pareció gran cosa; aunque diz que el comienzo fue sobre habla de los de caniba, que ellos llaman caribes, que los vienen a tomar, y traen arcos y flechas sin hierro, que todas aquellas tierras no tienen memoria de él y de acero, ni de otro metal, salvo de oro y de cobre aunque cobre no había visto sino poco el Almirante. El Almirante le dijo por señas que los reyes de Castilla mandarian destruir a los caribes y que a todos se los mandarian traer las manos atadas. Mandó el Almirante tirar una lombarda y una espingarda, y viendo el efecto que su fuerza hacia y lo que penetraban quedó maravillado. Y cuando su gente oyó los tiros cayeron todos en tierra.[94]

Kolumbus war so sicher, daß es sich bei den ›caribes‹ eigentlich um ›los de Caniba‹ handeln mußte, weil es für die letztere Bezeichnung einen Ort und eine Identität in seinem geographischen Wissen gab. Die ›canibes‹ konnten nur die Völker unter der Herrschaft des Großen Khan sein, welche in ›Indien‹ anzutreffen ihn natürlich keineswegs verwunderte. Mit der Fama des Großen Khan aber waren für Kolumbus Berichte über die Grausamkeit der ›canibas‹/›caribes‹ gegenüber (vermeintlichen) Opfern durchaus vereinbar. Deshalb sollte das Versprechen, die canibes bald ›mit gebundenen Händen‹ nach Spanien zu bringen, gewiß nicht allein den Gast des Kolumbus beruhigen und für die Fremden einnehmen; eine solche Tat mußte auch dem Almirante selbst als lohnend und ruhmesträchtig erscheinen. Tatsächlich versuchte er im Bericht über seine zweite Expedition, die Katholischen Könige für dieses Projekt zu gewinnen: *porque entre las otras islas las de los caníbales son mucho grandes y mucho bien pobladas, parecerá acá que tomar de ellos y de ellas y enviarlos allá a Castilla no sería sino bien, porque quitarse hían una vez de aquella inhumana costumbre que tienen de comer hombres ... Aun entre estos pueblos que no son de esas costumbres se ganaría gran crédito por nosotros, viendo que aquéllos prendiésemos y cativásemos de quien ellos suelen recibir daños y tienen tamaño miedo ...*[95] Bald sahen die spanischen

conquistadores in jeder Kultstätte des neuen Kontinents eine
Schlachtbank für Menschenopfer, und bald waren unzählige
Leser in Europa von solchen Kannibalismus-Schilderungen fasziniert. Durch den Hörfehler des Kolumbus und sein geogra-
phisches Weltbild läßt sich diese Faszination wohl nicht ganz
verstehen. Sie mußte tiefere Anlässe und Gründe haben,[96] – zu
denen die Theophagie (die zugleich Anthropophagie ist) im
christlichen Mythos des Abendmahls gehörte. Daß Kolumbus
die Neue Welt mit Wissenselementen aus der ihm vertrauten
Welt interpretierte, reicht ohnehin zur Erklärung des Konservativismus in seiner Erfahrung nicht aus, denn kein Prozeß der
Erfahrungsbildung kann ja in anderer Weise beginnen. Wahrscheinlich modifizierte er die Elemente seines Wissens deshalb
so wenig, fand er deshalb so wenig Neues, weil er allzu gut
wußte, was er finden wollte. Auf eine dieser vorgegebenen Mo-
tivationsrichtungen verweist die Digression über Edelmetalle,
welche von einem Detail in der oben zitierten Beschreibung der
Waffen der *caribes* abzweigt. Daß ihn die ›Indianer‹ vor allem
als potentielle Sklaven (und auch als potentielle Konvertiten)
interessierten, beweisen die folgenden am 11. Oktober 1492 in
das Bordbuch eingetragenen Sätze:

Ellos todos a una mano son de buena estatura de grandeza y buenos
gestos, bien hechos. Yo vide algunos que tenían señales de feridas en
sus cuerpos, y les hice señas qué era aquello, y ellos me amostraron
cómo allí venían gente de otras islas que estaban acerca y les querían
tomar y se defendían. Y creí e creo que aquí vienen de tierra firme a
tomarlos por captivos. Ellos deben ser buenos servidores y de buen
ingenio, que veo que muy presto dicen todo lo que les decía, y creo
que ligeramente se harían cristianos; que me pareció que ninguna secta
tenían. Yo, placiendo a Nuestro Señor, llevaré de aquí al tiempo de mi
partida seis a V. A. para que deprendan fablar. Ninguna bestia de
ninguna manera vide, salvo papagayos en esta isla.[97]

In den Jahren, die zwischen den Expeditionen des Kolumbus
und den Eroberungszügen von Hernán Cortés verstrichen,
blieb sich nicht allein der Stil der Erfahrungsbildung gleich,
auch die Motivationen, unter denen die Neue Welt angeeignet
wurde, variierten kaum. Die Gier des Hernán Cortés nach den
Reichtümern der Azteken bestimmte die schon zitierte Beschreibung der Märkte ihrer Hauptstadt. Als Vorreiter einer

erobernden Christenheit präsentierte er sich bei der Schilderung der aztekischen Kultstätten:

Hay tres salas dentro desta gran mezquita, donde están los principales ídolos, de maravillosa grandeza y altura, y de muchas labores y figuras esculpidas, así en la cantería como en el maderamiento, y dentro destas salas están otras capillas que las puertas por do entran á ellas son muy pequeñas, y ellas asimismo no tienen claridad alguna, y allí no están sino aquellos religiosos, y no todos; y dentro destas están los bultos y figuras de los ídolos, aunque, como he dicho, de fuera hay tambien muchos. Los mas principales destos ídolos, y en quien ellos mas fe y creencia tenian, derroqué de sus sillas y los fice echar por las escaleras abajo, é fice limpiar aquellas capillas donde los tenian, porque todas estaban llenas de sangre, que sacrifican, y puse en ellas imágenes de nuestra Señora y de otros santos, que no poco el dicho Muteczuma y los naturales sintieron ...[98]

Schlimmeres Verhalten gegenüber einer fremden Kultur können wir uns als mit Aufklärung gesegnete Menschen des XX. Jahrhunderts kaum vorstellen. Gerade deshalb sollten wir uns bewußt machen, daß mit diesem in brachialer Weise reduktiven Habitus der Fremdinterpretation die wichtigste Vorentscheidung für die weltweite Dominanz ›unserer abendländischen‹ Kultur (und mithin auch für die Aufklärung) gefallen war. Solch reduktives ›Interpretieren‹ begründete eine Überlegenheit des Handelns der spanischen *conquistadores* und ihres Gefolges, welche auch die ins Unendliche gehende Überzahl der Einwohner des Subkontinents nie aufwiegen konnte.[99]

Als Montezuma, dem Aztekenherrscher, Kunde von der Landung der Spanier gegeben worden war, hatte er gemäß dem kosmologischen Wissen seiner Kultur allen Anlaß gehabt zu glauben, daß Götter und Heroen aus der Vorzeit der eigenen Geschichte nun ihre – als unmittelbar bevorstehend bereits vorausgesagte – Rückkehr vollzogen hatten. Doch er wollte Gewißheit erlangen, um seine Herrschaft nicht durch allzu große Sorglosigkeit unnötig abzugeben. Deshalb sandte er den Ankömmlingen Zauberer entgegen, aber auch Diener, welche ihnen Menschenfleisch und mit Menschenblut benetzte Speisen anbieten sollten. An diese Strategie war folgende Erwartungsalternative gebunden: handelte es sich tatsächlich um die ins Aztekenreich zurückkehrenden Götter, so sollte ihnen kein Zauber etwas anhaben können, und sie würden das angebotene rituelle Essen einnehmen; wären aber Fremde ins Reich der Azteken eingedrungen, so müßten sie dem Zauber erliegen und würden das angebotene Mahl verschmähen. Natürlich entsprach das Verhalten von Cortés und seinem Gefolge keiner der beiden Alternativen: der Zauber hatte keine Wirkung auf sie, aber sie kosteten auch nicht von dem Menschenfleisch (statt dessen spuckten manche von ihnen aus, andere mußten sich übergeben). Als Montezuma von dem Fehlschlag seiner Strategie erfuhr, waren er und seine Berater in ihrem Denken und Handeln wie gelähmt. Der Untergang des Aztekenreiches hatte begonnen. In der aztekischen Darstellung von diesem Ende der eigenen Welt heißt es später an entsprechender Stelle: *Motecuhzoma war verwirrt und erstaunt; ein großer Schrecken ergriff ihn, und er konnte sich nicht vorstellen, was aus der Stadt werden sollte. Auch die Leute waren erschrocken und diskutierten untereinander über diese Nachricht. Man hielt Versammlungen ab, man stritt sich, und Gerüchte gingen um; überall tönte Weinen und Wehklagen. Die Menschen waren niedergeschlagen; sie ließen ihre Köpfe hängen und grüßten sich unter Tränen.*[100]

Es gab wohl keine *conquistadores*, die den Humanitäts-Standards der Intellektuellen unserer Gegenwart genügt hätten. Doch sympathischere und kurzweiligere Kolonialhistoriographen als Kolumbus und Hernán Cortés lassen sich allemal finden. Die größten Sympathien genoß außerhalb Spaniens seit jeher Fray Bartolomé de las Casas, den freilich spanische Patrioten bis in unsere Gegenwart bezichtigt haben, einer der Verantwortlichen für die Schande der *Leyenda negra* gewesen zu sein. Hochberühmt war Las Casas schon zu Lebzeiten durch eine *Brevíssima Relación de la Destruyción de las Indias* geworden, die allerdings erst 1552 als Buch veröffentlicht wurde, obwohl der Autor mit ihr auf ein Ereignis des Jahres 1542 hatte Einfluß nehmen wollen, nämlich auf die Ratifizierung neuer Kolonialgesetze durch Karl V., deren Haupttendenz es war, die Völker der Neuen Welt im Namen christlicher Ethik gegen die Übergriffe von Eroberern und beginnender Kolonisierung zu schützen. Sein Hauptwerk aber, die *Historia general de las Indias,* in der die Geschichte Amerikas seit dem Jahr 1492 unter Einbeziehung aller zur Verfügung stehenden

Quellen erzählt und analysiert werden sollte, konnte Bartolomé de las Casas nicht abschließen. Gewiß erklären und rechtfertigen das ethische Ziel von Las Casas und dessen Verwirklichung in der Rezeption der *Brevissima relación* seinen oft mit dem in Anspruch genommenen Standard historiographischer Objektivität konfligierenden Rückgriff auf die Mittel schärfster Polemik – selbst dann, wenn wir uns vergegenwärtigen, daß in die von ihm mitausgelöste Entrüstung des frühneuzeitlichen Europa über die *conquistadores* auch hypokriter Neid gegenüber dem spanischen Weltreich einfloß. Vor allem wichtig ist uns aber der Sachverhalt, daß seine apologetische Intention Bartolomé de las Casas ebenso den Zugang zu potentieller Alteritätserfahrung versperrte, wie das Habgier und Missionseifer in den *Cartas* des Kolumbus und des Hernán Cortés bewirkt hatten. *En estas ovejas mansas*, heißt es zu Beginn der *Brevissima relacion* dieses Autors, *y de la calidades susodichas por su Hacedor y Criador así dotadas, entraron los españoles, desde luego que las conocieron, como lobos e tigres y leones cruelísimos de muchos dias hambrientos.* Klarer könnte die den Beschreibungen und Erzählungen von Las Casas zugrunde liegende semantische Basisoperation wohl nicht artikuliert sein. Sie steht am Anfang jener Tradition europäischer Ethnologie und Literatur, die die Bewohner des neuen Kontinents zu einer Inkarnation des Prinzips von der ›verfolgten Tugend‹ gerieten. Wo die konzeptuelle Kargheit seines Diskurses einen Hernán Cortés verpflichtet hatte, die ›Indianer‹ als Feinde der Christenheit zu identifizieren und deshalb mit den Mohammedanern (als dem einzigen Paradigma für diese Kategorie im sozialen Wissen des spanischen Mittelalters) gleichzusetzen, da folgt schon aus dem von Las Casas gewählten Repertoire biblischer Metaphorik, daß sein Diskurs die Eingeborenen in einen ›paradiesischen Stand der Unschuld‹ rücken mußte. Genau in der Logik dieser Vorgabe hat er dann auch den Bericht des Kolumbus über seine erste Begegnung mit den Menschen der neuen Welt umgeschrieben:

Viendo el Almirante y los demás su simplicidad, todo con gran placer y gozo lo sufrían; parábanse a mirar los cristianos a los indios, no menos maravillados que los indios dellos, cuánta fuese su mansedumbre, simplicidad y confianza de gente que nunca cognoscieron, y que, por su aparencia, como sea feroz, pudieran temer y huir dellos; cómo andaban entre ellos y a ellos se allegaban con tanta familiaridad y tan sin temor y sospecha, como si fueran padres y hijos; cómo andaban todos desnudos, como sus madres los habían parido, con tanto descuido y simplicidad, todas sus cosas vergonzosas de fuera, que parecía no haberse perdido o haberse restituído el estado de la inocencia, en que un poquito de tiempo, que se dice no haber pasado de seis horas, vivió nuestro padre Adán. No tenían armas algunas, sino eran unas azagayas, que son varas con las puntas tostadas y agudas, y algunas con un diente o espina de pescado, de las cuales usaban más para tomar peces que para matar algún hombre; también para su defensión de otras gentes, que diz que les venían hacer daño.[101]

Textimmanent läßt sich nicht entscheiden, ob die ›paradiesische Unschuld‹ den Menschen des neuen Kontinents hier als Metapher oder als Prädikat attribuiert wird. Die Rezipienten von Las Casas neigten meist zu der zweiten Möglichkeit, und die daraus entstehende Sehweise hat die Einstellung und das Verhalten der Europäer gegenüber den amerikanischen Kulturen wohl ebenso nachhaltig geprägt wie die Ersetzung des Namens ›caribe‹ durch das dem Kolumbus vertrautere Wort ›canibe‹.

Die semantische Grundstruktur seiner Texte macht Bartolomé de las Casas zu einem für unsere Gegenwart sympathischen Kolonialhistoriographen, doch in ihrer beständigen Wiederkehr läßt sie auch die Lektüre seiner Bücher monoton werden. Kurzweilige Chroniken über die Neue Welt haben im XVI. Jahrhundert anscheinend überhaupt nur solche Autoren verfaßt, die den amerikanischen Kontinent entweder nie oder wenigstens doch sehr lange Zeit vor der Aufzeichnung ihrer Erinnerungen gesehen hatten. Bernal Díaz del Castillo, der im Gefolge von Hernán Cortés während der frühen zwanziger Jahre die Eroberung des Aztekenreichs als Augenzeuge miterlebt hatte, machte sich erst gegen 1568 daran, seine Erfahrungen aufzuzeichnen. Da seine Darstellung – genauso wie die *Cartas* des Hernán Cortés – weitgehend an die Abfolge der erlebten Ereignisse gebunden scheint, läßt sich der Text von Bernal Díaz del Castillo mühelos Schritt für Schritt mit Cortés' Schilderungen vergleichen. Dabei entdeckt man zum einen eine verständliche Tendenz des vergleichsweise unbekannt gebliebenen Mitstreiters, die Gestalt von Hernán Cortés zu entheroisieren; zum andern aber gerieten Bernal Díaz vor allem seine Beschreibungen bunter, detaillierter – ›exotischer‹. In jenem Kapitel, das von dem Besuch der Kultstätte im Zentrum der Aztekenhauptstadt erzählt, finden wir anstelle des Berichts von Cortés über die Zerstörung der Götzenbilder und die verschüchterte Reaktion Montezumas bei den Spaniern bloß einen durchaus vorsichtigen Ton missionarischer Rede, den nun aber Drohgebärden seitens der Azteken abrupt unterbrechen. Und im Hinblick auf das Thema der Menschenopfer muten die Ausführungen von Bernal Díaz del Castillo an wie die Ergebnisse akribisch-kriminologischer Spurensicherung:

… y estaban allí unos braseros con incienso, … y con tres corazones de indios de aquel dia sacrificados, é se quemaban, y con el humo … le habian hecho (sc. a su ídolo) aquel sacrificio; y estaban todas las paredes de aquel adoratorio tan bañadas y negras de costras de sangre, y asimismo el suelo, que todo hedia muy malamente. … y este Tezcatepuca era el dios de los infiernos, y tenia cargo de las ánimas de los mejicanos, y tenia ceñidas al cuerpo unas figuras como diablillos chicos, y las colas dellos como sierpes, y tenia en las paredes tantas costras de sangre y el suelo todo bañado dello, que en los mataderos de Castilla no habia tanto hedor; y allí le tenian presentado cinco corazones de aquel dia sacrificados …
y todo estaba lleno de sangre, así paredes como altar, y era tanto hedor, que no veiamos la hora de salirnos afuera, y allí tenian un tambor muy grande en demasia, que cuando le tañian el sonido dél era tan triste y de tal manera, como dicen instrumento de los infiernos, y mas de dos leguas de allí se oia; y decian que los cueros de aquel atambor eran de sierpes muy grandes; é en aquella placeta tenian tantas cosas muy diabólicas de ver, de bocinas y trompetillas y navajones, y muchos corazones de indios que habian quemado, con que zahumaban aquellos sus ídolos, y todo cuajado de sangre, y tenian tanto, que los doy á la maldicion; y como todo hedia á carniceria, no viamos la hora de quitarnos de tan mal hedor y peor vista …[102]

Wir können natürlich nicht mehr feststellen, ob sich Hernán Cortés oder ob sich Bernal Díaz del Castillo eher an die Wahrheit gehalten hat, sondern nur versuchen zu verstehen, warum der Bericht des Bernal Díaz del Castillo reicher an – erfundenen oder wahren – Einzelheiten und an – fingierter oder authentischer – Erfahrung kultureller Fremdheit geriet. Der in dieser Hinsicht so markante Kontrast zu den *Cartas* seines *capitán* muß dadurch bedingt gewesen sein, daß die Beziehung von Bernal Díaz del Castillo zur Welt der Azteken während seines Schreibprozesses eine distanziertere und für eigene Imagination offenere war als die von Hernán Cortés, der seine Erlebnisse (oder was er dafür ausgab) in unmittelbarer räumlicher, zeitlicher und affektiver Nähe der Azteken notierte. Mit anderen Worten: erst aus der Distanz zu seinem Gegenstand und bei schwindender Prägnanz in der Intention seiner Darstellung scheint es sich ein Autor leisten zu können, auch auf solche Aspekte dieses Gegenstandes einzugehen, die für sein eigenes Verhalten und Handeln keine oder eine bloß geringe Relevanz haben.

Diese Vermutung trifft wohl auch zu für eine Serie von Büchern des schon in anderem Zusammenhang erwähnten italienischen Humanisten unter den Beratern der Katholischen Könige, Petrus Martyr von Anghiera. Ihr erster Teil erschien 1503 in Alcalá unter dem Titel ›De Orbe Novo‹ (die spanische Tradition nennt diese lateinischen Texte ›Décadas del Nuevo Mundo‹). Petrus Martyr von Anghiera hatte den amerikanischen Kontinent zwar nie selbst gesehen, doch er konnte für seine meist im Auftrag italienischer Adliger und Kirchenfürsten geschriebenen Darstellungen nicht nur auf die immer sehr schnell gedruckten Berichte und Briefe der *descubridores* und *conquistadores* zurückgreifen, sondern als Mitglied des *Consejo de Las Indias* auch auf einschlägige Dokumente und Geheiminformationen, die natürlich nie auf den Buchmarkt kamen. Darüber hinaus ist in die *Décadas* aus dem Mittelalter überliefertes kosmologisches Wissen eingeflochten, wo immer sein ›Informationsgehalt‹ über den der Augenzeugenberichte hinausging. Doch während der Quellenwert seines Buchs den Augenzeugenberichten notwendig unterlegen blieb, konvergierten die Distanz zur Neuen Welt und Anghieras humanistische Bildung in einem diskursiven Habitus, der mehr *Möglichkeiten* der Fremderfahrung offenließ als das Gros der frühen Augenzeugenberichte. Wie diese These – trotz aller offensichtlichen Irrtümer und Projektionen Anghieras – zu verstehen ist, wollen wir anhand einer Passage aus dem vierten Buch der vierten *Década* belegen. Sie zeigt, daß sich auch der humanistische Gelehrte (er freilich allein in seiner Vorstellung) dem neuen

Kontinent nicht anders denn mit Wissenselementen aus der eigenen kulturellen Überlieferung nähern konnte. Doch weil er sich nicht von Eingeborenen bedroht fühlen mußte und weniger noch die Absicht hegte, sie zum eigenen Gewinn als Sklaven nach Spanien zu bringen, stand er nicht unter dem Zwang, jede Deutung in handlungsmotivierende Erfahrung umzusetzen. Im Gegenteil – die in direkter Erfahrung gewonnenen Berichte über die Neue Welt scheinen ihn gerade da besonders fasziniert zu haben, wo sie den Gedanken – zumindest – nicht gänzlich ausschlossen, daß die Menschen des eben entdeckten Kontinents von der eigenen christlichen ebenso wie von der (vermeintlich) vertrauten ›Welt der Heiden‹ ganz verschieden waren:

Die Götzendiener heißen dort Quines, in der Einzahl Quin; sie leben unverheiratet und sittenstreng; man verehrt sie in banger Ehrfurcht. Die Gebeine ihrer getöteten Feinde hängen jene Heiden, nachdem sie das Fleisch vorher selbst gegessen haben, in Bündel verschnürt gleichsam als Siegeszeichen zu Füßen der Götzenbilder auf und setzen die Ehrennamen der Sieger dazu.
Und dann berichtet man noch etwas Bemerkenswertes, was Deine Heiligkeit gerne hören wird. Ihre Knaben und Mädchen bringen sie im Alter von einem Jahr in die Tempel, wo die Priester ihnen unter frommen Zeremonien aus einem Krug etwas Wasser in Kreuzform über den Kopf schütten und sie damit offensichtlich taufen. Die Worte, die sie dabei sprechen, sind nicht zu verstehen, aber ihre Bewegungen und leisen Sprüche darf man beobachten und anhören.
Sie halten es nicht so wie die Mohammedaner oder Juden; denn sie sind nicht der Meinung, ihre Tempel würden dadurch entweiht, daß Andersgläubige an ihren heiligen Handlungen teilnehmen.[103]

Einen frühen Höhepunkt erreichte dieser diskursive Habitus schon im Jahr 1535 mit der Veröffentlichung des ersten Teils der *Historia general y natural de las Indias* von Fernández de Oviedo. Vermutlich ging es auf eine Intervention von Bartolomé de las Casas zurück, daß die weiteren Teile des Werks zu Lebzeiten seines Autors nicht gedruckt – und danach erst um die Mitte des XIX. Jahrhunderts zugänglich – wurden. Fernández de Oviedo hatte Amerika zwar in eigener Anschauung kennengelernt, doch als von Karl V. ernannter Kolonialhistoriker der Krone bemühte er sich, durch persönliche Gespräche, ausführliche Lektüren und – vor allem – den ständigen Vergleich der von ihm akkumulierten Informationen mit dem Wissen anderer Autoren, seine Erinnerungen zu bereichern und zu systematisieren. In Texten wie denen von Bernal Díaz del Castillo, Petrus Martyr von Anghiera und Fernández de Oviedo zeichnet sich die Annäherung der Kolonialchroniken an eine neue Kommunikationssituation ab: sie sollten Erfahrung in einer Welt stiften, deren Horizonte und Dimensionen sich so grundlegend gewandelt hatten, daß sie bald schon die Möglichkeit eines Rückgriffs auf die alte Kosmologie ausschlossen. So schrieb sich die Kolonialhistoriographie aus der Regierungszeit Karls V. *in ihre eigene Zukunft ein.* Dennoch hatte die Gattung ›Geschichtsschreibung‹ insgesamt ihre herausragende Bedeutung in der beginnenden spanischen Literatur während der letzten Jahrzehnte des XV. Jahrhunderts an andere Gattungen abgetreten. Die von den Katholischen Königen in eine neue Ordnung gebrachte Gesellschaft hatte es nicht mehr nötig, sich ihrer Sinn-Koordinaten beständig zu versichern.

Durch den Blick auf die frühen Entdeckerberichte und Kolonialchroniken hat der für dieses Buch und speziell für dieses Kapitel besonders wichtige Begriff der ›*Alteritätserfahrung*‹ an Prägnanz und Differenziertheit gewonnen. Es ist klar geworden, daß der Eindruck von ›Vertrautheit‹ oder ›Fremdheit‹ jeweiliger Außenwelten nicht allein (und vielleicht überhaupt nur sekundär) von deren interner Beschaffenheit abhing, sondern sich je nach der Disposition derer ergab, die diese Welten betrachteten. Wo die Konfrontation mit der kulturellen Außenwelt unter Interessen zustande kam, die sich im Kontext der eigenen Kultur entwickelt hatten, nahm diese Außenwelt – ob als Objekt der Begierde oder als Objekt der Furcht – vertraute Züge an. Hernán Cortés und Bartolomé de las Casas konnten die Menschen des neuen Kontinents entweder als Mohammedaner oder als Paradiesbewohner identifizieren – nur *fremd* erschienen sie ihnen nie. Von der ›Alterität‹ der Außenwelt gegenüber ihrer eigenen Kultur waren die Kolonialhistoriographen nur dann fasziniert, wenn es ihnen unmöglich war, sie sich einzuverleiben, oder wenn es ihnen unnötig schien, sich von ihr bedroht zu fühlen. Mit anderen Worten: Alteritätserfahrung bedarf als Bedingung ihrer Möglichkeit einer vom

Handlungs-Druck entlasteten Situation der Erfahrungsbildung. So entlastet waren seit jeher die Situationen des Spiels – und wurde in der Neuzeit die Institution der Wissenschaft. Nun haben wir freilich gesehen, wie parallel zum Einsetzen der neuzeitlichen Alteritätserfahrung auch eine Alteritätsobsession entstand, deren Objekte beileibe nicht jenseits der eigenen räumlichen Kulturgrenzen liegen mußten. Wann immer man sich auf jenen endlosen Weg begibt, der das Bewußtseins-Innere anderer Menschen erschließen soll – aber nicht erschließen kann –, da werden deren *Körper und deren Verhalten zu Symptomen* für jene Gedanken und Gefühle, die verborgen geblieben sind. Doch Körper und Verhalten anderer Menschen stellen Alteritätserfahrungen immer nur in Aussicht, ohne die geweckten Erwartungen je zu erfüllen oder zu dementieren. Eben deshalb sprechen wir von ›Alteritäts*obsession*‹. Während aber in Situationen ohne Begierde und Bedrohung Prozesse der Erfahrungsbildung stets angehalten und stets wiederaufgenommen werden können, kumulierten sich in der beständigen Enttäuschung der von Alteritätsobsession geweckten Erfahrungshoffnungen Staus von Frustration und Aggressivität. Erst wenn sie in der physischen Vernichtung des (vermeintlich) Anderen zur Entladung kamen, gelangte diese Dynamik zum Stillstand.

Ebenso erstaunlich wie die Unfähigkeit der Entdecker der Neuen Welt zum Staunen ist aber die Faszination, welche der eigene Alltag auf jene Zeitgenossen von Hernán Cortés oder Bartolomé de las Casas ausübte, deren intellektuelles und kommunikatives Milieu die Hispanisten ›*Erasmismo*‹ nennen. Juan Luis Vives, der 1492 in Valencia geboren wurde, ein Freund des Erasmus von Rotterdam war und es in Leuwen, der damals vielleicht angesehensten europäischen Universität, zum Professor der Literatur gebracht hatte, ist einer jener Gelehrten, die den historischen Stellenwert des *Erasmismo* als *eine zweite Form der Gegenwart Spaniens jenseits seiner geographischen und bis dahin auch gültigen kulturellen Grenzen* nach 1500 verkörpern. Um für seine Studenten die Mühsal des Lateinunterrichts zu mildern, verfaßte Vives eine Serie kurzer Dialogszenen, die 1538 in Basel unter dem Titel ›*Exercitio linguae latinae*‹ erschienen und eines der erfolgreichsten Sprachlehrbücher ihrer Zeit waren. Das Buch wurde zweispaltig gedruckt, damit neben dem lateinischen Text seine jeweilige volkssprachliche Übersetzung erscheinen konnte. Und so beginnt die spanische Version einer dieser Szenen:

DESPERTAR MATUTINO
BEATRIZ *(criada)*, MANUEL Y EUSEBIO

BEATRIZ. – Jesucristo os saque del sueño de los vicios. ¡Eh, muchachos! ¿No vais a despertar hoy?

MANUEL. – No sé qué me hiere en los ojos; veo cual si los tuviese llenos de arena.

BEATRIZ. – Desde hace mucho tiempo es ésta tu primera canción matutina. Abriré las dos hojas de las ventanas, las de madera y las de vidrio, para que a entrambos os dé en los ojos la luz de la mañana. ¡Levantaos! ¡Levantaos!

EUSEBIO. –¿Tan temprano?

BEATRIZ. – Más cerca está el mediodía que el alba. Tú, Manuel, ¿quieres mudarte de camisa?

MANUEL. – Hoy no, que ésta está bastante limpia; mañana me pondré otra. Dame el jubón.

BEATRIZ. – ¿Cuál? ¿El sencillo, o el acolchado?

MANUEL. – El que quieras; me da igual. Dame el sencillo para que si hoy juego a la pelota esté más ligero.

BEATRIZ. – Siempre lo mismo: antes piensas en el juego que en la escuela.

MANUEL. – ¿Qué dices, majadera? También la escuela se llama juego.[104]

Die Thematisierung des Bedeutungskontrasts zwischen dem lateinischen Wort ›*ludus*‹ (›Spiel‹/›Schule‹) und dem spanischen Wort ›*juego*‹ (›Spiel‹/–) im letzten Satz des Zitats erweist das sprachdidaktische Geschick von Juan Luis Vives und zugleich die pädagogische Intention, welche er mit diesen Dialogen verfolgte. Doch Lehrdialoge sind beileibe keine Erfindung des XVI. Jahrhunderts (obwohl wir, wenn sich Vives auch inhaltlich an der einschlägigen Gattungstradition orientiert hätte, wahrscheinlich nicht die Bekanntschaft von Beatriz, Manuel und Eusebio gemacht hätten), und andererseits wurden Verhaltensformen und Sinnhorizonte des eigenen Alltags von den Erasmisten nicht nur thematisiert, um didaktische Ziele zu befördern. Es drängt sich also tatsächlich die Frage auf, woher diese Faszination durch den eigenen Alltag kam.

Mit ihrer Beantwortung können wir – sozusagen ›über eine Abkürzung‹ – die historische (vor allem die literarhistorische) Identität des *Erasmismo* verstehen lernen. Zunächst führt uns die Frage zurück zu der wichtigsten Vorbedingung für die erstaunlich breite Rezeption vor- und frühreformatorischer Theologie aus den Niederlanden, die sich in Spanien während der ersten Jahrzehnte des XVI. Jahrhunderts vollzog. Diese Rezeption wäre wohl kaum denkbar gewesen ohne die Verpflichtung zur Besinnung auf die ethische Würde, die moralische Verantwortung und die konstitutiven Aufgaben ihres Standes und ihre Ämter, welche die Katholischen Könige den Ordensleuten und Weltklerikern ihres Reichs auferlegt hatten. Im Alltag der spanischen Gesellschaft – und in einigen Gattungen der spanischen Literatur – war die auffälligste Auswirkung dieses Bewußtseinswandels ein Klima der mitleidigen Verachtung und des Spottes gegenüber allen Formen rein äußerlicher religiöser Praxis, die nicht in moralischer Bildung fundiert waren. Zum bevorzugten Opfer der Satiren wurde der mittelalterliche Typ des Ordensbruders – wohl vor allem deshalb, weil die neue Theologie die Bedeutung der ›inneren Einstellung‹ gegenüber den ›äußeren Werken‹ so sehr hervorhob, daß die ostentative Weltferne des Klosterlebens dem neuen Idealbild christlichen Lebens kaum mehr entsprach. Im *Diálogo de Mercurio y Carón*, einem Jenseitsgespräch klassischer Form, das Alfonso de Valdés verfaßt hatte, weist denn auch eine eben aus der Welt geschiedene Seele den Verdacht fast empört zurück, im Körper eines Klosterbruders gewohnt zu haben:

CARON. – ¿No te metiste fraile?
ANIMA. – No.
CARON. – ¿Por qué?
ANIMA. – Porque conocí que la vida de los frailes no se conformaba con mi condición. Decíanme que los frailes no tenían tantas ocasiones de pecar como los que allá fuera andábamos, y respondía yo que tan entera tenían la voluntad para desear pecar en el monasterio como fuera dél, cuanto más que a quien quiere ser ruin nunca ni en algún lugar le faltan ocasiones para serlo, y aun muchas veces caen más torpe y feamente los que más lejos se piensan apartar. Bien es verdad que una vez me quise tornar fraile, por huir ocasiones de ambición, y fuíme a confesar con un fraile amigo mío, y cuando me dijo que tanta

ambición había entre ellos como por allá fuera, determinéme de no mudar hábito.[105]

Hinter der literarischen Fassade eines artigen Spiels mit der antiken Mythologie stand in diesem Text ein theologischer Ernst, der sich gerade auf jene Frage richtete, an der die Einheit des Christentums im Zeitalter von Martin Luther und Erasmus von Rotterdam zerbrochen war: auf den (unauflösbaren) Widerspruch zwischen den Theologemen der ›göttlichen Vorsehung‹ und der ›menschlichen Willensfreiheit‹. Angesichts des besonderen Stellenwerts, den dieser Problemhorizont (wie wir im vorausgehenden Kapitel sahen) schon in kastilischen Texten des späten XIV. und des frühen XV. Jahrhunderts gehabt hatte, wird verständlich, warum er zum Brennpunkt des *spanischen* Erasmismus wurde. Am Unterschied der Lösungen, welche Luther einerseits und andererseits Erasmus zur Aufhebung des Widerspruchs zwischen ›Vorsehung‹ und ›Willensfreiheit‹ entwickelten, scheiterten die Bemühungen der katholischen Theologen, die religiöse Einheit des Christentums zu retten. Denn während Luther mit der *sola-gratia*-Lehre das theologische Gewicht der göttlichen Vorsehung so sehr steigerte, daß selbst noch der Glaube des Menschen als göttliches Gnadengeschenk erschien, wertete zwar auch Erasmus die objektive Seite der Handlungen und ihres Erfolgs ab, stellte aber gerade den menschlichen Willen als Instanz ethischer Bewährung heraus und bewahrte damit unter gewandelter Sinngestalt die Substanz des Prinzips der ›Werkgerechtigkeit‹.[106] Aus dieser theologischen Diskussionslage entwickelte Juan Luis Vives sein im Jahr 1538 erschienenes Hauptwerk ›*De anima et vita*‹ und entfernte sich so weit vom religiösen Gehalt der Problematik, daß man sich heute bei der Lektüre des Buchs in ein Zeitalter der ›Philosophie des Bewußtseins‹ oder gar der ›Psychologie‹ versetzt glauben kann. Wir haben nun schon mehrfach gesehen, daß solche intellektuellen Vorstöße von den mentalitätsgeschichtlichen Voraussetzungen der spanischen Kultur jener Epoche besonders begünstigt wurden. Das galt – *mutatis mutandis* – auch für andere Kristallisationsthemen vorreformatorischer Theologie: für die Freiheit der Bibellektüre und ihre Folge, die philologischen Bemühungen um den Urtext der kanonischen Schriften,[107] für die Ideale der ›Laientheologie‹ und des ›Mönchtums in der Welt‹,[108] welche zu einer neuen Politik paßten, von der die Institution ›Kirche‹ kaum mehr weltliche Macht erwarten durfte. Wo schließlich die neue, der Würde menschlicher Subjektivität so sehr bewußte Frömmigkeit auf die Vermittlungsleistungen des Priesteramts ganz verzichten wollte, enstand aus ihr eine neue christliche Mystik. Obwohl er filiationsgeschichtlich primär die geheime Tradierung und das Überleben von mystischen Strömungen im spanischen Judentum belegt, gehört also religionstypologisch auch der *Iluminismo* zum Horizont der Erasmus-Rezeption. Implizit haben wir damit unsere Leitfrage nach den Gründen für die Alltags-Faszination des *Erasmismo* schon beantwortet. Das Zusammenspiel zwischen dem aufgewerteten Prinzip der Willensfreiheit und der Abwertung aller äußerlichen Aspekte des menschlichen Handelns mußte notwendig eine Verlagerung in der Szenerie (fiktionaler oder tatsächlich erlebter) religiöser Bewährung bewirken. Sie lenkte die Aufmerksamkeit der Theologen und Gläubigen, Autoren und Leser, vom Schlachtengeklirr der Kreuzzüge und Religionskriege, von der asketischen Weltferne der Klostergemeinschaft oder der Eremitenklause, von der Hagiographie und den heiligen Tugendvirtuosen hin zur selbstaufrichtigen Attitüde der Introspektion und Bewußtseinserforschung, für die eben der eigene Alltag einen situationalen Rahmen und ein Feld der Bewährung abgab.

Selbstverständlich haben nicht alle spanischen Texte jener Epoche, die den zeitgenössischen Alltag thematisieren, den Dialog als Form. Aber die Konvergenz zwischen der Faszination durch das Thema ›Alltag‹ und dem Dialog als Medium seiner Inszenierung war doch der Normalfall. Die Beliebtheit des Dialogs als bevorzugter Diskursform des Erasmismus fordert keine komplizierten Verstehensbemühungen. Denn einmal bildete sie eine doppelte Tendenz zum Abbau theologischer und akademischer Hierarchien ab, zum anderen bot sie den Rezipienten stets ein ganzes Spektrum textimpliziter Rollen an, die sie nur in ihre Vorstellung zu übernehmen brauchten, um glauben zu können, daß sie sich das vermittelte Wissen oder den vorgegebenen Erfahrungsprozeß eigenständig als ›Subjekte‹ aneigneten. Oft läßt sich freilich nur schwer ausmachen, ob die überlieferten Dialoge ganz der Imagination ihrer Autoren entsprangen oder in aktuellen Situationen des offenen Lehrgesprächs[109] entstanden waren. Im *Diálogo de la lengua* von Juan de Valdés etwa werden zwischen einem Lehrer namens ›Valdés‹ und drei Eleven Grundprobleme diskutiert, die beim Spanischunterricht für Italiener auftauchen konnten. Juan de Valdés, der wahrscheinlich ein Schüler des Petrus Martyr von Anghiera gewesen war und nach dem Studium in Alcalá 1529 vor der Inquisition, die ihm Beziehungen zum *Iluminismo* vorwarf, nach Italien floh, mag auch in Neapel – neben seiner Tätigkeit als Archivar des Königs – durchaus Sprachunterricht erteilt haben. Und die Tatsache, daß der *Diálogo de la lengua* erst 1773 in Buchform veröffentlicht wurde, legt es nahe, hier zumindest eine besondere Nähe zwischen der Dialogform des schriftlich fixierten Textes und dem mündlichen Vollzug eines Lehrgesprächs anzunehmen. Übrigens erfreuten sich *Briefe* bei den Anhängern des Erasmus – und vor allem bei ihm selbst – ähnlicher Beliebtheit wie die Dialoge, und es ist auch ähnlich schwer, von Fall zu Fall auszumachen, ob ein solcher Brief primär tatsächlich für einen explizit genannten Einzeladressaten oder für das anonyme Publikum der Buch-Veröffentlichung geschrieben war. Denn da die Humanisten nicht anstanden, Briefpartner, die sie Zeit ihres Lebens nicht von Angesicht gesehen hatten, zu ihren engsten Freunden zu rechnen, bewährt sich zunächst einmal bei dieser Gattung unsere Grundthese vom neuen Stellenwert bei schriftlich fixierter Sprache: sie wurde nun ganz bewußt als Ersatz für die direkte Begegnung und das direkte Gespräch benutzt. Daß es aber für so viele Gelehrte zunächst noch schwierig bis gar unmöglich war, jene Freunde zu treffen, mit denen sie ein gemeinsamer Bildungshorizont, eine Kongruenz der Interessen und eine oft erstaunliche Vertrautheit von Gefühlen und inneren Gedanken verband, zeigt, wie der an Prägnanz gewinnenden politischen Konturierung der europäischen Königreiche zu ›Nationen‹ eine Tendenz zur Entgrenzung der gelehrten, literarischen und künstlerischen Kommunikation entgegenlief.

Selten gerät filiationsgeschichtliche Forschung in so hoffnungslose Aporien wie vor der – fruchtlosen – Frage, welche Anregungen, Probleme, Themen und Formen der spanische

Erasmismo tatsächlich der niederländischen Theologie verdankte. Denn Erasmus' intellektuelle Präsenz im Spanien des frühen XVI. Jahrhunderts (die sich, wie schon gesagt, beinahe in der Übernahme einer Professur an der Universität Alcalá konkretisiert hätte) wie die Beachtung, welche spanischen Theologen zur gleichen Zeit an den niederländischen Universitäten zuteil wurde, waren Symptome und Vollzugsformen der damaligen Situation spanischer Kultur. Dieser Sachverhalt ist geeignet, den Topos vom ›Rückstand Spaniens‹ unter den europäischen Kulturnationen zu problematisieren, und führt zu der Frage, ob der spanischen Gesellschaft nicht innere Religionskriege erspart und eine reformierte Form christlicher Religion gerade deshalb vorenthalten blieben, weil ihr Strukturwandel im Zeitalter der Katholischen Könige schon wesentliche Errungenschaften der Reformation vorweggenommen hatte.

Im *Diálogo de la lengua* rief Juan de Valdés seinen Lesern entschieden von jeder Künstlichkeit im Sprachgebrauch ab, und als abschreckendstes Beispiel aus der spanischen Literatur seiner Zeit benannte er den pompösen Stil des *Amadís*-Romans:

> Pues quanto al autor de *Amadís de Gaula*, quánta autoridad se le deva dar, podéis juzgar por esto que hallaréis, si miráis en ello: que en el estilo peca muchas vezes con no sé qué frías afetaciones que le contentan, las quales creo bien que o se usavan en el tiempo que él escrivió, y en tal caso no sería dino de reprehensión, o que quiso acomodar su estilo al tiempo en que dize que aconteció su historia, y esto sería cosa muy fuera de propósito, porque él dize que aquella su historia aconteció poco después de la passión de nuestro redentor, y la lengua en que él escrive no se habló en España hasta muchos años depués.[110]

Während dem Erasmus-Verehrer Juan de Valdés allein der Sprachduktus der eigenen Gegenwart und seines eigenen Milieus legitim erscheinen konnte, verehrte schon die unmittelbare Nachwelt einen anderen Spanier, der auch in den dreißiger Jahren des XVI. Jahrhunderts in Neapel lebte und dort Texte in kastilischer Sprache schrieb (um deren Drucklegung er sich nicht bemühte), den Poeten Garcilaso de la Vega, deswegen, weil er eine *neue Epoche* in der Formgeschichte der spanischen Literatur eröffnet haben sollte. Die Literarhistoriker schreiben ihm die erfolgreiche Einführung des bei antiken und zeitgenössischen italienischen Dichtern besonders beliebten elfsilbigen

Verses (›endecasílabo‹) in die spanische Poesie zu, in deren
Folge das Metrum des *arte mayor castellano* immer weiter zurückgedrängt und das Repertoire an Grundformen gebundener
literarischer Sprache tiefgreifend verändert wurde. Allerdings
hatte vor Garcilaso schon sein Freund Juan Boscán Gedichte
mit elfsilbigen Zeilen in der kastilischen Sprache (die nicht seine
Muttersprache war) verfaßt, und deshalb wird immer wieder
betont, daß erst der Sprachartistik Garcilasos eine wechselseitige – und zukunftsträchtige – Anpassung zwischen dem fremden Metrum und den spezifischen prosodischen Möglichkeiten
des Kastilischen gelungen sei. Um Boscán aber wenigstens
einen Platz in der zweiten Reihe von Heroen der spanischen
Kulturgeschichte zu sichern, zitiert man gerne einen an die
Herzogin von Soma adressierten Brief, in dem er den Prozeß
der Einbürgerung des *endecasílabo* (der für ihn übrigens untrennbar mit der Strophenform des Sonetts verbunden war) in
die spanische Poesie als eine Episode seiner Biographie dar-
stellte. Gestus und Inhalt seiner kleinen Erzählung machen
deutlich, daß für die Zeit nach den zwanziger Jahren des XVI.
Jahrhunderts der Renaissance-Begriff nun doch auch auf bestimmte Ebenen und Räume der spanischen Kultur angewandt
werden kann:

... estando un día en Granada con el Navagero (el cual por haber sido
varón tan celebrado en nuestros días, he querido aquí nombrar a
vuestra señoría), ... tratando con él en cosas de ingenio y de letras, y
especialmente en las variedades de muchas lenguas, me dijo por qué no
probaba en lengua castellana sonetos y otras clases de trovas usadas
por los buenos autores de Italia; y no solamente me lo dijo así liviana-
mente, más aún, me rogó que lo hiciese. Partime pocos días después
para mi casa, y con la largueza y soledad del camino, discurriendo por
diversas cosas, fui a dar muchas veces en lo que el Navagero me había
dicho. Y así comenzé a tratar este género de verso. En el cual al
principio hallé alguna dificultad, por ser muy artificioso y tener muchas particularidades diferentes del nuestro. Pero después, pareción-
dome, quizá con el amor de las cosas propias, que esto comenzaba a
sucederme bien, fui poco a poco metiéndome con calor en ello. Mas
esto no bastara a hacerme pasar muy adelante si Garcilaso, con su
juicio, el cual no solamente en mi opinión, más en la de todo el
mundo, ha sido tenido por regla cierta, no me confirmara en ésta mi
demanda. Y así, alabándome muchas veces este mi propósito y aca-

bándome de aprobar con su ejemplo, porque quiso él llevar también este camino, al cabo me hizo ocupar mis ratos ociosos más profundamente. Y después, ya que con su persuasión tuve más abierto el juicio, ocurriéronme cada día razones para hacerme llevar adelante lo comenzado.[111]

Juan Boscán fragte nicht nach Gründen für die Übernahme des fremden Metrums oder nach einer Funktion, die es hätte erfüllen können – wie es Juan de Valdés gewiß noch getan hätte. Das *por qué no* des bewunderten Navagero war ihm Herausforderung genug gewesen, um den Gedanken an das Verfassen von *sonetos* nicht mehr zu vergessen. Die Erfahrung des Widerstands, den die kastilische Sprache dem neuen Metrum entgegensetzte, steigerte noch seinen Ehrgeiz, und hätte es einer weiteren Motivation für die Entstehung des spanischen *endecasílabo* bedurft, dann wäre sie in Garcilasos Unterstützung gelegen, den die spanischen Renaissance-Poeten als ihren Meister ansahen. Mit Boscán und Garcilaso kehren wir zurück zu einer Situation höfisch-artistischen Dichtungsspiels, die – trotz der neuen Sprachformen, an denen sich die Renaissance-Poeten abmühten, – viele Züge mit jenem Milieu teilte, in dem knapp hundert Jahre zuvor die ersten *Cancionero*-Manuskripte entstanden waren.

Garcilaso de la Vega war gewiß kein Suero de Quiñones und auch kein Juan Rodríguez del Padrón. Doch nachdem er als Sproß einer Familie aus dem kastilischen Hochadel und Sohn eines Botschafters der Katholischen Könige 1520, in seinem neunzehnten Lebensjahr, an der Kurie vom jungen König Karl in die Welt des spanischen Hofes eingeführt worden war, verließ er dessen Bannkreis bis zu seinem Tod nicht mehr. Auf mehreren Feldzügen gehörte er zum Gefolge des Königs, und schon im Jahr 1523 wurde er feierlich zum Santiago-Ritter geschlagen. Karl V. war es auch, der Garcilasos Verheiratung mit einem Edelfräulein aus dem Gefolge seiner eigenen Schwester angebahnt haben soll. Drei Jahre nach der Eheschließung kaufte Garcilaso 1528 in seiner Vaterstadt Toledo ein Haus für seine Frau und die drei gemeinsamen Söhne – doch er selbst blieb bei Hof. Jedermann wußte dort, daß er die Adlige Isabel Freire verehrte, und als sich die Angebetete standesgemäß mit Antonio de Fonseca verehelichte, hatte Garcilaso Anlaß, guten

Gewissens (und mit gewiß trauriger Miene) die Feder zu ergreifen, um minnelyrische Poeme zu schreiben.

Es gehörte zum Lebenslauf eines spanischen Höflings im frühen XVI. Jahrhundert, sich nach Italien eingeschifft zu haben, und Garcilaso de la Vega nahm die Einlösung dieser Konvention zum Anlaß, ein Testament zu diktieren, in dem er Schulden und Zahlungsansprüche (kein geringerer als der König selbst hatte ihm zweihundert Dukaten zurückzuerstatten), Möbel, Bücher und Alimente-Verpflichtungen aufführte. *Tres paños de la Historia de Alexandre, Tres tapises uiexos de montería* und *Vna colcha de lienso casero echo de olan de Olanda* gehörten zu seinem reichen Mobiliar, eine *Vita Cristi*, ein *Libro del cauallero de Tristano* und *Vnas oras de Nuestra Señora, escritas en pergamino, de mano, con mençuelas de plata* standen in seiner Bibliothek, und auch einen *oriental de asiento dorado* und *Vna caldereta dorada* vergaß er nicht. Besondere Diskretion legte Garcilaso de la Vega seinen Erblassern bezüglich der Alimente-Zahlung auf:

Yo creo que soy en cargo a vna moça de su onestidad: llámase Eluyra, pienso que es natural de la Torre o del Almendral lugares de Estremadura, a la qual conoçe don Françisco my hermano y Bariana al alcaide que hera de los Arcos y Parra su muger: estos dirán quyen es; enbien alla vna persona honesta y de buena conçiençia que sepa della sy so en el cargo sobre dicho, e sy yo le fuere en el, denle diez myll maravedis, e si fuere casada tengase gran consideraçion en esta diligençia a lo que toca a su honra y a su peligro.[112]

Doch Garcilaso de la Vega kehrte lebend aus Italien zurück. Schon 1530 gehörte er der spanischen Delegation bei den Feierlichkeiten zur Hochzeit des französischen Königs François I. an, und es ist umso überraschender, daß er zwei Jahre später von seinem König, der inzwischen Kaiser geworden war, auf Zeit aus Spanien verbannt wurde. Der Grund für diese Verbannung paßt ins Bild: Garcilaso hatte bei der heimlichen Eheschließung eines seiner Neffen (mit einem durchaus standesgemäßen Fräulein) als Trauzeuge fungiert – doch keine der beteiligten Familien war mit der Heirat einverstanden gewesen. Garcilasos Sinn für poetische Szenerie aber bewährte sich selbst in der Verbannung: er bewohnte ein Haus auf einer Donauinsel bei Regensburg – und schrieb weiter Gedichte.

Ein Aufenthalt in Neapel zwischen 1532 und 1534, der wohl noch immer durch sein Exil motiviert war, brachte Garcilaso am Hof des spanischen Vizekönigs, der eines der bewunderten kulturellen Zentren jener Zeit war, in Kontakt mit den großen Poeten und Gelehrten aus Italien und Spanien. Bald schon genoß Garcilaso de la Vega selbst besonderes Ansehen als Dichter in lateinischer und kastilischer Sprache. Die Nachricht vom Tod der in höfischer Liebe verehrten Isabel Freire mag wohl Anlaß zu einer neuen intensiven Phase dichterischen Schaffens in Neapel gewesen sein. Während seiner letzten beiden Lebensjahre begleitete Garcilaso noch einmal den König und Kaiser in den Krieg. Bei der Belagerung einer nordafrikanischen Stadt wurde er im Sommer 1535 schwer verletzt. Zum *maestro de campo* ernannt, nahm er an der Invasion Frankreichs teil. Auf diesem Feldzug wurde Garcilaso de la Vega bei der Erstürmung eines Wehrturms in der Nähe von Fréjus von einem Stein so schwer getroffen, daß er wenige Tage später, am 13. oder 14. Oktober 1536, in Nizza starb.

Man kann kaum behaupten, daß seine Biographie von Garcilasos dichterischem Talent geprägt war. Das Dichtungsspiel gehörte zu der Lebensform, in die er geboren war und die er in ihren epochentypischen Ausprägungen ausfüllte. Doch jene Welt der spanischen Höfe war schon im Italien des frühen XVI. Jahrhunderts ein kultureller *Horizont der Vergangenheit*. Die Bewunderung, welche ihre Dichter mit neuen Formen erweckten, hat diesen Sachverhalt in Vergessenheit geraten lassen. Hinzu kam die Polemik anderer Poeten, die in der Wahl ihrer Verse und Strophen – aber nicht immer in ihrem Lebensstil – konservativer waren als Garcilaso de la Vega oder Boscán. Cristóbal de Castillejo, einer seiner Zeitgenossen, der nicht in Neapel, sondern in Wien lebte, verdankt allein solchen Texten einen blassen Nachruhm:

No se me achaque o levante
Que me meto a decir mal
De aquel subido metal
De su decir elegante;
Antes siento
Pena de ver sin cimiento
Un tan gentil edificio,

Y unas obras tan sin vicio
Sobre ningún fundamento.

Los requiebros y primores
¿Quién los niega, de Boscán,
Y aquel estilo galán
Con que cuenta sus amores?
Mas trovada
Una copla muy penada,
El mesmo confesará
Que no sabe dónde va
Ni se funda sobre nada.[113]

Daß Garcilasos Poesie einem Horizont ›gegenwärtiger Vergangenheit‹ angehörte, erweist sich auch darin, daß er sich um eine Fixierung der Gestalt seiner Gedichte oder gar ihre Drucklegung nie bemüht hat. Der Kreis der Kenner, an die er sich wandte, war zu klein – vielleicht auch zu exklusiv –, als daß ihm solche Bemühungen hätten lohnend erscheinen können.

Doch sein Freund Juan Boscán gab sechs Jahre nach Garcilasos und ein Jahr vor seinem eigenen Tod 1542 bei einer Druckerei in Barcelona eine Druckfassung seiner eigenen Werke in Auftrag, die das Corpus der Gedichte von Garcilaso einschloß. Vorlage war ein Manuskript, das Boscán wahrscheinlich selbst hergestellt hatte. Dies jedenfalls wäre ganz im Sinn jenes Motivs für die Drucklegung gewesen, das der Vertrag zwischen Autor und Drucker festschrieb. Boscán wollte vermeiden, daß seine Texte in den Sog der *mouvance* gerieten:

Primerament, attenent lo dit señor Mossen Boscha ha compostes moltes obres en llengua castellana, les quals fins vuy no son stades stampades, jatsia alguns trossos de aquelles vagen scrits de ploma y axi corruptos, e ..., e a pregaries de molts cavallers e homens savis hage determinat dit señor Boscha de fer stampar dites obres ab privilegi real que obtindra que ningu altri les pugue stampar per cert temps.[114]

Juan Boscán gehörte nicht wie Garcilaso dem Hochadel an, sondern entstammte einer wohlhabenden Bürgerfamilie aus Barcelona. Zusammen mit der Einbeziehung der Gedichte seines schon damals weit prominenteren Freundes Garcilaso de la Vega mag die Herkunft aus dieser Welt die Vermutung nahelegen, daß ein zweites Motiv für die Herstellung jenes Buchs in der Hoffnung auf Einkünfte aus dem entstehenden literarischen Buchmarkt lag. In Boscáns Vertrag mit dem Drucker jedenfalls war die Verteilung des finanziellen Risikos und des möglichen Gewinns sehr detailliert festgelegt worden.

Den meisten Texten Garcilasos sieht man sehr rasch an, daß sie für den mündlichen Vortrag in der Aufführungssituation des höfischen Dichterspiels geschrieben waren – oder sich doch mindestens einem solchen Gebrauch anboten. Seine drei *eglogas*, die aus den napolitanischen Jahren in Garcilasos Leben stammen und dem Vizekönig gewidmet sind, verteilen den poetischen Diskurs sogar auf die Sprechrollen (›*Personas*‹) liebender Hirten und Hirtinnen. Nur allzu rigide Schemata der Stoffeinteilung in den Literaturgeschichten haben die Parallelität ihres Situationsbezugs mit dem jener Hirtenszenen in Vergessenheit geraten lassen, deren Aufführung Juan del Encina am Hof des Herzogs von Alba schon Ende des XV. Jahrhunderts organisiert hatte. Im Gegensatz zu dem Schustersohn und angehenden Berufsdichter Juan del Encina war freilich Garcilaso de la Vega den adligen Mitgliedern der Hofgesellschaft sozial durchaus ebenbürtig; außerhalb des höfischen Spiels jedenfalls trennte den Poeten Garcilaso keine Standesgrenze von seinem Publikum. Gerade dies mag (nur scheinbar parallelerweise) der Grund dafür gewesen sein, daß den Eklogen-Texten Garcilasos eine Grenze zwischen der Welt des Spiels und der jenseits des Spiels liegenden Publikumssphäre weit markanter eingeschrieben wurde, als wir dies bei den Texten von Juan del Encina beobachtet hatten. Denn am Hof des Vizekönigs von Neapel mußte eine Distanz zwischen dem adligen Dichter Garcilaso und seinem Publikum erst im Spiel und als Teil des Spiels inszeniert werden; zwischen dem Hof von Alba und Juan del Encina hatte diese Grenze auch im Alltag bestanden.

So justierte Garcilaso also mit der Einführung der Sprechrolle eines Dichters und ihrem deutlich antikisierenden Diskurs in der ersten Strophe der *Egloga I* eine Interaktionsbeziehung, die nur für die Dauer des Dichtungsspiels Gültigkeit haben konnte. Anschließend lud er – noch immer aus der fiktionalen Rolle des Dichters – den Vizekönig ein, nun seinerseits die Grenze zwischen Alltagswelt und Spielwelt zu überschreiten: nicht mehr wie der spanische Vizekönig in Neapel sollte er sich fühlen, sondern wie der König des mythischen Hirtenreichs Albanien. Und erst nachdem die Dichterrolle – nun für die Zeilen der vierten Strophe zur Rolle des Erzählers spezifiziert – den *locus amoenus* als szenischen Rahmen der fiktionalen Welt evoziert hatte, konnte in der fünften Strophe die Liebesklage des Hirten Salicio einsetzen:

AL VIRREY DE NAPOLES
Personas: SALICIO, NEMOROSO

1

El dulce lamentar de dos pastores,
Salicio juntamente y Nemoroso,
he de cantar, sus quejas imitando;
cuyas ovejas al cantar sabroso
estaban muy atentas, los amores,
de pacer olvidadas, escuchando.
　　　Tú, que ganaste obrando
　　　un nombre en todo el mundo
　　　y un grado sin segundo,
agora estés atento sólo y dado
al ínclito gobierno del Estado
albano, agora vuelto a la otra parte,
　　　resplandeciente, armado,
representando en tierra el fiero Marte;

2

agora, de cuidados enojosos
y de negocios libre, por ventura
andes a caza, el monte fatigando
en ardiente ginete que apresura
el curso tras los ciervos temerosos,
que en vano su morir van dilatando:
　　　espera, que en tornando
　　　a ser restituido
　　　al ocio ya perdido,
luego verás ejercitar mi pluma
por la infinita, innumerable suma
de tus virtudes y famosas obras,
　　　antes que me consuma,
faltando a ti, que a todo el mundo sobras.

. . .

Saliendo de las ondas encendido,
rayaba de los montes el (sic) altura
el sol, cuando Salicio, recostado
al pie d'una alta haya, en la verdura
por donde una agua clara con sonido
atravesaba el fresco y verde prado,
  él, con canto acordado
  al rumor que sonaba
  del agua que pasaba,
se quejaba tan dulce y blandamente
como si no estuviera de allí ausente
la que de su dolor culpa tenía,
  y así como presente,
razonando con ella, le decía:

SAL. ¡Oh más dura que mármol a mis quejas
y al encendido fuego en que me quemo
hás helado que nieve, Galatea!
Estoy muriendo, y aun la vida temo;
témola con razón, pues tú me dejas,
que no hay sin ti el vivir para qué sea.[115]

So wie das neue Metrum des *endecasílabo* den Satzbau der kastilischen Dichtersprache kompliziert machte, führte die beibehaltene Tradition des höfischen Dichtungsspiels in einer historischen Umwelt, deren mentale und soziale Strukturen sich gewandelt hatten, in eine Komplexität der Wechselbeziehungen zwischen textinternen und textexternen Rollen, die man in einer literarhistorischen Analyse kaum mehr entwirren kann. Im Gegensatz zu Suero de Quiñones und Juan II. aber wußte Garcilaso sehr wohl um die Grenze, welche die höfische Spielwelt vom Alltag der Herrschaft trennte, und ebenso um die Grenze zwischen dem fiktionalen Repräsentations-Spiel der Hirten und den Erfahrungen, Assoziationen und Imaginationen ihres Publikums. Sollte die Hofgesellschaft unter diesen Voraussetzungen noch den Alltag vergessen können und sich mit den Vortragenden in einem gemeinsamen Spielraum vereinigt fühlen, so mußte der Text selbst Instruktionen zur doppelten Grenzsuspendierung enthalten. Die Involution der Hofgesell-

schaft war hier bis zu einem Stadium gebracht, wo sie sich nur
noch mittels der komplexen sprachlichen Verfahren und Bewußtseinsstrukturen der angebrochenen Neuzeit erhalten
konnte.

Konflikt der Zeiten und Spannungen im Alltag

Am 13. März 1516 wurde der Enkel der Katholischen Könige,
Karl, der Sohn Philipps des Schönen und Juanas von Kastilien,
in den Niederlanden zum spanischen König ausgerufen. Er war
der erste spanische König und sollte der fünfte römische Kaiser
dieses Namens werden. Der italienische Humanist Mareliano
hatte für ihn die Devise ›*plus oultre*‹ erfunden. Sie erinnert uns
daran, daß dieser Prinz, der bei seiner Krönung zum spanischen
König erst das sechzehnte Lebensjahr vollendet hatte, zu jenem
Herrscher werden sollte, ›in dessen Reich die Sonne nie unter-
ging‹. Aber die Devise vergegenwärtigt uns auch, daß seine
Zeitgenossen 1516 den Beginn eines Wegs vor sich liegen sahen,
der die Reiche Karls V. *in die Zukunft* führen sollte. Man
schrieb Karls Devise damals wohl auch deshalb in französischer
Sprache, weil das Milieu seiner Erziehung – wie das Leben
seines Vaters – ganz unter dem Eindruck des glanzvollen Bur-
gunderhofs stand. Vor allem seine Tante, die Tochter des Kaisers Maximilian und Witwe des einzigen Sohns der Katholischen Könige, soll die Lebensformen aus dem Herbst des
Mittelalters an den Prinzen vermittelt haben, dessen Erbe den
Horizont ihrer Zukunft beschrieb. Die burgundische Hofhal-
tung war ebenso prunkvoll wie kostspielig gewesen, und ihren
künstlerischen, geistigen und zeremoniellen Stil repräsentiert
am besten der Ritterorden vom Goldenen Vlies, der im Jahr 1430
gegründet worden war, zu einer Zeit also, da sich königliche
Kriegsführung und christlich-kosmologischer Sinn schon längst
geschieden hatten. Keine Geste, keine Handlung und keine
Szenerie gab es bei den Festen des Goldenen Vlieses, die nicht
vielfältige symbolische Bedeutungen vor einem Sinnhorizont
impliziert hätten, der sich aus antiker Mythologie und mittelalterlicher Geschichtserinnerung speiste und dessen Verstehen
die spitzfindigsten Deutungen der Allegorese herausforderte.

Er war eben aus dieser Welt hervorgetreten, als Karl V. auf dem Reichstag zu Worms – nach persönlicher Anhörung – die Theologie Luthers mit den folgenden Worten verdammte:

Ihr wißt, daß ich abstamme von den allerchristlichsten Kaisern der edlen deutschen Nation, von den katholischen Königen von Spanien, den Erzherzögen von Österreich, den Herzögen von Burgund, die alle bis zum Tode getreu Söhne der römischen Kirche gewesen sind, Verteidiger des katholischen Glaubens, der geheiligten Bräuche, Dekrete und Gewohnheiten des Gottesdienstes, die das alles mir nach ihrem Tode als Vermächtnis hinterlassen haben und nach deren Beispiel ich bislang auch gelebt habe. So bin ich entschlossen, festzuhalten an allem, was seit dem Konstanzer Konzil geschehen ist. Denn es ist sicher, daß ein einzelner Bruder irrt, wenn er gegen die Meinung der ganzen Christenheit steht, da sonst die Christenheit tausend Jahre oder mehr geirrt haben müßte. Deshalb bin ich entschlossen, meine Königreiche und Herrschaften, Freunde, Leib und Blut, Leben und Seele einzusetzen. Denn das wäre eine Schande für uns und für Euch, Ihr Glieder der edlen deutschen Nation, wenn in unserer Zeit durch unsere Nachlässigkeit auch nur ein Schein der Häresie und Beeinträchtigung der christlichen Religion in die Herzen der Menschen einzöge. Nachdem wir gestern die Rede Luthers hier gehört haben, sage ich Euch, daß ich bedaure, so lange gezögert zu haben, gegen ihn vorzugehen. Ich will ihn nie wieder hören; er habe sein Geleit; aber ich werde ihn fortan als notorischen Ketzer betrachten und hoffe, daß Ihr als gute Christen gleichfalls das Eure tut.[116]

Gewiß gab es gewichtige politische Gründe und erfahrene Berater, die hinter der Einhaltung des Versprechens standen, Martin Luther sicheres Geleit bei seiner Reise von Worms in die Heimat zu gewähren. Doch wir können vermuten, daß sich auch der junge König an ein Versprechen gebunden fühlte, das in seinem Namen gegeben worden war. Denn die Verpflichtung zur Übernahme persönlicher ethischer Verantwortung, zur permanenten und strengen Kontrolle des eigenen Handelns und Denkens – die neue Theologie und die neue Frömmigkeitspraxis seiner Gegenwart – hatten den Enkel der Katholischen Könige geprägt und sollten in seinem Leben so ungebrochen fortwirken, daß er drei Jahrzehnte später die Regierung über das Weltreich abtrat, um die ihm verbleibenden Jahre in christlicher Kontemplation zu verbringen. Als Herrscher hatte sich Karl V. der Mitwelt stets im repräsentativen Rahmen eines Hofes gezeigt, dessen dominante Rolle seine Persönlichkeit eher schlecht denn recht ausfüllte. Die 1530 in Bologna anberaumte feierliche Kaiserkrönung mußte verschoben werden, weil König Karl von einer Mandelentzündung befallen wurde, deren Verlauf Anlaß zur Besorgnis gab. Nach seiner Gesundung konnten dann endlich die Straßen, Häuser und Paläste der Stadt für den großen Tag mit aller Pracht geschmückt werden:

por las puertas y ventanas había diversas divisas e invenciones, pinturas e imágenes de las vitorias del Emperador, de sus reinos y señoríos y de las tierras y mares descubiertos por su mandado. Finalmente, los hombres y los edificios todos estaban de fiesta y de placer, y la representaban y mostraban lo posible.

Y luego, como amaneció, vino a la plaza la más de la infantería española y alemana, y todos los soldados, armados y muy galanes. Y Antonio de Leyva, trayéndolo en hombros sus soldados, se puso a un lado de la plaza, y ansí se estuvieron lo más del día haciendo la guarda. Y para regocijo de la gente, por las bocas de dos leones, que se pusieron en la pared que dije, manaron dos fuentes de vino blanco fino, y por el pecho del águila otra de tinto, que duraron todo el día; y de la ventana de palacio nunca hicieron sino echar al pueblo pan en diversas hechuras de rosas y tortas, y todos géneros de frutas, peras y nueces, y asimismo confituras de todas maneras; y a un cantón de la plaza, por ceremonia, se asó un buey entero con cierto artificio lleno de cabritos y conejos y otras salvajinas.[117]

Zwischen dem Bischofpalast von Bologna und der Krönungskirche hatte man eine reich geschmückte hölzerne Brücke gebaut, über die schreitend der Papst und der zukünftige Kaiser ihren Einzug halten sollten. Als sich nun der König von Spanien der Kirche näherte, kam es zu einem Zwischenfall, der bald zu vielfältigen Spekulationen und Prophezeiungen Anlaß geben sollte:

... acaeció una cosa que, aunque hizo poco daño, fué grande la alteración que causó. Y fué que, pasando el Emperador, se rompió y cayó un pedazo del pasadizo por donde iba. Cuando el Emperador oyó el golpe y el estruendo de la caída del sobrado, no hizo otra mudanza más de torcer con gravedad el rostro, y volver a mirar lo que era, y encoger un poco los hombros, como quien daba gracias a Dios por librarle de tan notorio peligro. En el cual cayeron algunos de las guardas y otras personas; fueron algunos mal heridos y descalabrados; pero fué Dios servido que no peligró persona de cuenta, sino un caballero flamenco que murió allí luego. El cual acaecimiento, algunos italianos inclinados a mirar en agüeros y abusiones, interpretaron que mostraba que nunca otro emperador sería coronado, y que esto significaba romperse y cortarse el pasadizo habiendo ya pasado el Emperador, pues era cortar el paso a los que quedaban atrás.[118]

Die Selbstbeherrschung Karls V. erinnert an Charakterzüge, welche die Historiographen an der Katholischen Königin priesen. Doch vor allem jenes linkische Schulterzucken, mit dem der Körper des zur Krönung schreitenden zukünftigen Kaisers der auf Jubel gestimmten Menge sein Erschrecken anzeigte, hat fast emblematischen Stellenwert, wenn man es vor dem Hintergrund jener Spannungen und Schwierigkeiten sieht, welche über Jahrzehnte seiner Herrschaft die Beziehung des verantwortungsbewußten, skrupulös selbstzugewandten Kaisers mit seiner höfischen Repräsentationsrolle kennzeichnen sollten. Denn dieses Verhältnis entsprach der Kultur und der Gesellschaft Spaniens während seiner Regierungsjahre, wo sich frühneuzeitliche Gegenwart und mittelalterliche Vergangenheit zu überlagern begannen.

Die Innenwelt des spanischen Hofes erschließt uns eine merkwürdige *Crónica*, die Francesillo de Zúñiga, ein Hofnarr Karls V., verfaßt und dem Kaiser gewidmet hat. Es mag zu den Konventionen dieses tragikomischen Amtes gehört haben, immer wieder über den Mangel an Festen und Vergnügungen zu klagen. Doch zu häufig berichtet Zúñiga von der Vorbereitung und der – stets plötzlichen – Aussetzung höfischer Spiele, als daß diese Passagen nicht Schwierigkeiten des Kaisers mit seinen Repräsentations-Verpflichtungen indizieren müßten. Wir wissen, daß Karl V. mit vielen seiner Zeitgenossen die Begeisterung für Ritterromane teilte. Aber jene Distanzsetzung zwischen der Bereitschaft zur Identifikation mit fiktionalen Helden und dem eigenen Handeln in der Welt des Alltags, wie sie ihm offenbar in einsamer Lektüre gelang, konnte es wohl auf der Ebene von Hofgesellschaft und Außenwelt nicht gegen sein ethisches Verantwortungsbewußtsein durchsetzen:

Poco tiempo antes de esto el Emperador tenia concertados torneos y aventuras de la manera que Amadís lo cuenta, y muy mas graciosos, y todo lo que en aquel libro se dice, se habia de hacer acá de veras. Ello es ansí, que antes ni despues se vieron, ni se verán de los que despues

de nos vinieren, otras tales fiestas. Y como la nueva vino á este emperador de las cosas acaescidas en la entrada de Roma (sc. es geht um den
Sacco di Roma), y de las cosas acontecidas en aquella ciudad, hubo de
ello gran pesar, é hizo tan gran sentimiento, que luego mandó su
majestad cesar en las fiestas é aventuras que otro dia se habian de
comenzar, y mandó derrocar todos los tablados é castillos é palenques,
é otros edificios grandes que para las dichas fiestas se habian hecho,
aunque en ellos se habian hecho grandes gastos y gran suma de dineros; su majestad dió tal ejemplo, que á ninguno pareció sino ser obra
de Dios lo que el Emperador hizo, é mas en cesar las fiestas. Al que de
esto mas pesó fué á Lope García de Salazar, preboste de Portugalete,
porque tenia hecho para estas fiestas un sayo de damasco é un capara-
zon amarillo ...[119]

Die Rolle, welche der Kaiser nicht spielen mochte, scheint dem
Hofnarren zugefallen zu sein, der es freilich nicht wagen durfte,
im Ernst als *maître de plaisir* des Hofes aufzutreten. Bezeichnenderweise sind es *cartas enviadas a diversas ilustres personas*,[120] mit denen er sich zum *reformador de los locos y enemigo
de necios* machte und die höfische Spielwelt in eine Groteske
verzeichnete. In einem Brief, den er an den Turm des Palasts
angeschlagen haben soll, berichtete Francesillo de Zúñiga, daß
ihm sein Herr die Herrschaft über die *putería* abgetreten habe
und lädt die Ritter und Damen des Hofes ein, ihm ihre Söhne
und Töchter anzuvertrauen, *para que cada día hagan cincuenta
pecados mortales*. Für den *mayordomo de Su Majestad* entwarf
er ein Wappen, in dessen Mittelpunkt die Vorhaut seines Groß-
vaters prangte; diese, so wollte es Zúñigas phantastische Genealogie, sei in der Zeit des ›Königs‹ Melchisedech von einem toll-
wütigen Schwein gefressen worden. Fast wie ein Vorfahre Don
Quijotes ließ er die Bauern eines Dorfs bei Burgos zum feierlichen Empfang für eine Dame aus dem Gefolge der Kaiserin
aufmarschieren: sie hielten Kochtöpfe in den Händen, auf die
sie mit Stößeln schlugen und überreichten der so Geehrten mit
Stroh gestopfte Hasen- und Schafsfelle. Zúñigas Herrn, jenem
Kaiser, der nicht hofhalten wollte, schien daran gelegen zu sein,
den Hofnarren stets in seiner Nähe zu haben. Freilich sollte er
gar nicht – rollenkonform – für das Vergnügen und das Lachen
der Hof-Gemeinschaft sorgen, sondern den Kaiser allein – über
die Schwelle seines ernsten Charakters hinweg – zum Lachen

bringen. Und er sollte Worte aussprechen, die in den Mund zu nehmen, Karl V. sich versagte:

En un juego de cañas que si hizo en Valladolid se presentó entre los justadores un caballero muy calvo y con un vestido verde. Al pasar en la carrera, cayósele por descuido la máscara, dejando descubierta la calva. El Emperador, que se hallaba desde sus balcones viendo la fiesta, volvióse á DON FRANCESILLO para preguntarle: »¿Qué te parece de aquel caballero?« A lo cual replicó el truhan: »No he visto en mi vida puerro que tan bien haya pasado la carrera«.[121]

Ein moderner Psychologe würde sagen, daß Karl V. in solchen Situationen seine Aggressionen an den Hofnarren delegierte. Tatsächlich wurde Zúñiga am Ende – stellvertretend – wohl zum Opfer jener Rache, welche die Höflinge an dem unhöfischen Kaiser zu üben nicht wagten. Er starb an den Wunden, welche das Schwert eines von seinen Späßen beleidigten Ritters ihm beigebracht hatte.

Im Herbst 1556 war Philipp II. zum neuen König von Spanien proklamiert worden, und am Nachmittag des 5. Februar 1557 zog Karl V. in eine bescheidene Villa ein, welche man in Yuste, auf der Westseite der Iberischen Halbinsel für seinen Lebensabend hatte errichten lassen. Die begrenzten Dimensionen dieses Gebäudes, der beschränkte Kreis von Dienern und Geistlichen, die ihn dort umgaben, vor allem aber ein minutiös eingehaltener Tagesablauf bestätigen unseren Eindruck, daß zu den religiösen Motiven für die Abdankung des Königs und Kaisers das (vielleicht unbewußte) Bedürfnis gekommen sein muß, aus der zu lange erlittenen Spannung zwischen Charakter und Rollenverpflichtung herauszutreten:

La vida que allí tuvo fue que la mañana, en despertando entre las 6 y 7 todo el año, concertaba por sus manos sus reloxes, en lo cual gastaba una hora, observando un cuadrante o relox de sol, que él había mandado hacer en una vedriera, al levante desde su cama. Y con aquel y otro de piedra que tenía a la entrada de su aposento a la poniente, concertaba todos los que tenía. Luego se lavaba la boca con un vino puro de Rin, y después con agua fría, porque la tenía muy seca. Hecho esto tomaba una hoja de siempreviva, en la boca, la cual tenía de noche y de día refrescándola de rato en rato. Acomodábase en la cama para rezar, y tardaría casi dos horas ... cuando acababa de vestirse era mediodía y oía misa. Y entre tanto comían sus criados; y en esto tenía gran cuenta que comiesen en aquel tiempo y no tardasen más. Luego él comía, que duraba hora y media. Después de comer quería conversación con sus criados, y para esto pidió a los frailes que le enviasen un confesor que supiese francés, para confesar a sus criados. Ellos le enviaron, Hernando de Velasco, al cual pareció ser poca ocupación y dixo que haría una lición a S. M., y comenzó la Epístola ad Romanos. Fastidióse S. M., y en lugar deste vino un fraile borgoñón viejo de S. Francisco de Salamanca ... Y Fray Reglá leía el psalterio, con la glosa de San Jerónimo y Guillermo Van Male se la repetía y le leía a San Bernardo *(De interiore homine),* y la vida del christiano que hizo Constantino; el cual libro llevó él desde Flandes.

Y despúes quedaba en colación con sus criados hasta cerca de nueve, que se iba a dormir. La cama se hacía en su presencia, y por causa de su gota era menester que estuviese muy blanda y muy tiradas las sábanas.[122]

Gewiß haben seine Diener unter der Fürsorge gelitten, die der gichtkranke Monarch ihren Seelen angedeihen ließ. Doch er selbst durfte ebenso wenig in eigener Verantwortlichkeit leben, sofern es um höhere Güter als seine Uhren, Bettdecken und Kissen und um die schönen Singstimmen von Mönchen ging, die das Kloster von Yuste im Austausch mit Brüdern der eigenen Gemeinschaft aufnahm, um der Vorliebe des Kaisers für sakrale Musik entgegenzukommen.[123] Die Freiheit des alten Kaisers wurde beschnitten, weil um die Mitte des XVI. Jahrhunderts sogar jener erasmitische Ernst, mit dem er immer wieder das Bedürfnis der Höflinge nach ›eitlen‹ Spielen enttäuscht hatte, in Konflikt mit der gegenreformatorischen Theologie geriet, die auf dem tridentinischen Konzil Gestalt gewonnen hatte. So mußte eine Sondergenehmigung der Inquisition eingeholt werden, um Karl V. die Lektüre einer französischen Version der Bibel zu gestatten, und neben einer kleinen Anzahl ausgewählter Erbauungsbücher enthielt seine Bibliothek in Yuste nur wenige weltliche Texte: antike Historiographie und seinen eigenen Vorfahren gewidmete Geschichtsschreibung sowie astronomische und kartographische Traktate. Als schließlich der Erzbischof von Toledo dem König und Kaiser wenige Tage vor seinem Tod am 21. September 1585 die Sterbesakramente spendete, reichte er dem Todgeweihten ein Kruzifix und pries den Kreuzestod Christi als entscheidende Quelle göttlicher *Gnade.* Schon bald sollten diese – für die neue katholische

Theologie verdächtigen – Worte in einem Inquisitionsprozeß gegen den Erzbischof von Toledo verwendet werden.

Daß gerade spanische Theologen auf dem Konzil von Trient eine intellektuell führende Rolle spielten, mag eine Auswirkung der von den Katholischen Königen initiierten Kirchenreform gewesen sein. Wohl nicht zufällig hatten sie eine bedeutende Denkschrift zur Entflechtung von seelsorgerischem und wirtschaftlichem Gewinn, von geistiger Verantwortung und weltlicher Herrschaft über die Menschheit vorgelegt.[124] Allein die Spanier waren nicht ausschließlich – wie vor allem die Vertreter der italienischen Kirche – an der Erhaltung des Papsttums interessiert, sondern führten oft Argumente ins Feld, die selbst in protestantischen Kreisen intellektuelle Beachtung fanden. Der religiöse Ernst jener Geistlichen war so konsequent, ihre Kritik an der protestantischen Theologie wie am lasziven Lebenswandel der italienischen Prälaten so erbarmungslos, daß es in Trient immer wieder zu Händeln zwischen den Dienern spanischer und italienischer Kirchfürsten kam. Aus denselben Gründen aber konnte der Tatverdacht nur auf einen Spanier – nämlich auf den Bruder des Toten – fallen, als 1546 in Neuburg an der Donau der Konvertit Juan Díaz ermordet aufgefunden wurde.[125]

Viele Antworten lassen sich auf die Frage geben, warum die Gegenreformation vor allem zu einem Anliegen Spaniens wurde und warum so viele der unbestreitbaren theologischen und organisatorischen Innovationen vom spanischen Klerus ausgingen. Mit den vagen Gemeinplätzen von der ›spanischen Rückständigkeit‹ und dem ›spanischen Konservativismus‹, die bis heute aus der Historiographie nicht verschwunden sind, kann man sich kaum mehr zufriedengeben. Und auch der – gewiß zutreffende – Verweis auf den Zugzwang, in den sich das spanische Königreich durch neu eingegangene dynastische Bindungen an das deutsche Reich gesetzt hatte, reicht als Erklärung nicht aus. Wenn wir aber das Ausbleiben der Reformation in Spanien mittels des Sachverhalts verstehen wollten, daß die Reformen der Katholischen Könige zur Befriedigung zahlreicher sozialer Bedürfnisse geführt hatte, die in anderen Ländern als Nährboden der Reformation wirksam waren, und wenn wir darüber hinaus bemerkten, daß diese Reformen zu einer neuen theologischen Kompetenz und zu einem neuen Verantwortungsbewußtsein der spanischen Kleriker führten, dann wird jetzt deutlich, daß eben das Fehlen eines ereignishaften reformatorischen Einschnitts in der spanischen Geschichte auch die Möglichkeit einer theologischen Involution offengehalten hatte, die nun – weit hinter den *Erasmismo* zurückgehend – an die Spätscholastik anknüpfen konnte. Mit der theologischen Involution – und gewiß auch zum Teil von ihr bedingt – vollzog sich eine Involution des Wissens von der unverrückbar kosmologischen Legitimität hierarchischer Gesellschaftsstrukturen. Freilich waren diese Bewegungen des Rückzugs in die Vergangenheit (ganz anders als der ›Herbst des Mittelalters‹) zu einem guten Teil auch die Ergebnisse prägnanter Handlungsstrategien, welche die Restitution von Orthodoxie in Theologie, Frömmigkeit und Standesbewußtsein betrieben. Eine Begründung fand die Rückkehr zu vergangenen Sinnstrukturen ausgerechnet in der Kolonisierung der Neuen Welt, die damals den Zukunftshorizont der spanischen Geschichte beschrieb. Denn Missionierung und Akkulturation bedürfen stets der Absicherung in einem festgefügten, gegen innere Krisen und äußere Anfechtungen geschlossenen Weltbild. Diese Analyse der kulturellen Situation Spaniens um die Mitte des XVI. Jahrhunderts als ein *Konflikt der Zeit- und Sinnhorizonte* konvergiert mit der (wie immer: ebenso hellsichtigen wie hochpathetischen) Diagnose von Claudio Sánchez Albornoz: *Ni el Renacimiento ni la Reforma igualan la cargazón de proyecciones decisivas, hacia el futuro del hombre, con que se nos muestra ya hoy la hazaña hispana de América. La colaboración de España al engendrar de la Modernidad no fué inferior a la de ningún pueblo de Occidente. Pero sin paradoja puede decirse que al nacer aquende el mar un mundo nuevo y una España nueva, y como resultado de su mismo alumbramiento, se debilitó y anquilóse la nueva España que en Europa había nacido poco antes. El embarazo prematuro de esa España moderna y su prematuro parto de ese mundo nuevo contribuyó a enfermarla en plena juventud, con mengua perdurable de su potencia histórica y vital.*[126] Jene neuzeitliche Subjektivität des Denkens und des Handelns, welche das Spanien der Katholischen Könige im historischen Rückblick auszeichnet, hat sich weder in den Strukturen des Wissens noch in den Institutionen der Herrschaft dauerhaft durchsetzen können. Doch sie scheint als eine Komponente von Kunst und der Literatur bis in das nun bald einsetzende ›Goldene Zeitalter‹ erhalten geblieben zu sein, und dieselben Gesten subjektgeprägter Mentalität waren es wohl auch, die – ihrer selbst kaum bewußt – eine ›inoffizielle Sphäre‹ des Alltags konstituierten. So ist es einerseits symptomatisch, daß weltliche Herrschaft und ranghohe Kleriker Verantwortung für das Seelenheil und das physische Überleben von marginalen Gruppen ›unterhalb‹ der Ständegesellschaft übernehmen wollten, deren Elend während des XVI. Jahrhunderts nicht allein in Spanien wuchs. Zugleich aber waren eben diese Agenten der aufgewerteten christlichen Caritas von dem nicht zu beruhigenden Verdacht besessen, Bettler und Prostituierte, Vagabunden und Versehrte könnten hinter einer Fassade des Elends Wohlstand ohne Arbeit erreicht und ein geradezu zynisches Profitdenken verborgen haben. Diese Obsession mündete in eigenartige Kategorien des Rechtsdenkens (man sprach vom ›ehrbaren Stand der Blinden‹ oder den ›rechtmäßigen Armen‹) und führte zu der Praxis, den ehrbaren Blinden und rechtmäßigen Armen eine Art ›ständischer Legitimität‹ in paßähnlichen Dokumenten zu attestieren:

La mayor cosa que achacan a los pobres para hazer dellos tanta inquisicion es que ingenian artes y fraudes para engañar la republica: haziendose enfermos: inventando llagas y manquedades falsas para sacar dinero. A este tan grande argumento yo no me atrevo a responder …
… ay differencia entre los vagabundos baldios y holgazanes que no siendo pobres fingiendo pobreza andan pidiendo limosna: y los que siendo legitimamente pobres andan fuera de sus naturalezas ha pedir por todo el reyno. Por que de los primeros no solamente es ley antigua del reyno: empero es mas antigua de derecho comun: y mucho mas antigua de derecho divino y natural / que no sea permitido lo por Dios.[127]

Ob die Faszination solcher ›Ambivalenz der Armut‹, wie sie in den folgenden Jahrzehnten Texte verschiedenster Herkunft beherrschen sollte, eher Indiz für neue Überlebensstrategien der Marginalisierten oder für Subjekt-Projektionen ihrer Beobachter sind, wird man nie entscheiden können. Viel leichter tun wir uns, die Sinnstrukturen neuer Orthodoxie und durchgehaltener

Subjektivität in literarischen Texten zu identifizieren. So scheint sich die Gattung der ›novela sentimental‹ gegen 1550 in zwei divergierende Tendenzen aufgespalten zu haben. Ein Paradigma für die eine dieser beiden Richtungen ist Juan de Seguras *Proceso de cartas de amores,* der im Jahr 1548 erschien. Hier vollzieht sich die gattungstypisch im Selbstmord endende Handlung ausschließlich als Austausch von Bewußtseinsinhalten, als Artikulation innerster Gefühlsregungen, welche in akribischer Selbstzuwendung der Protagonisten erfahren werden – und deshalb kann es bis zum Ende des Textes keine Alternative zum Medium des Briefs und zur Ausdrucksform des geschriebenen Wortes geben. Erst in der Gewißheit des bevorstehenden Freitodes bringt die Liebende ihren Körper ins Spiel: sie bittet eine Freundin, dem Geliebten von ihrem Tod zu berichten und ihm ein weißes Tuch zu überbringen, das von Blutstropfen aus ihrem Herzen durchtränkt sein soll. Auf der anderen – diskursiven – Seite der *novela sentimental* steht die 1552 in Venedig publizierte *Historia de los amores de Clareo y Florisea, y de los trabajos de Isea* von Alonso Nuñez de Reinos. Typologisch wird man dieses Buch wohl schon der Tradition des in Mäandern von Liebesbeziehungen und Reisefabeln proliferierenden hellenistischen Romans zuschreiben. Doch im geschichtlichen Kontext der spanischen Literatur entdecken wir hier noch einmal das vollständige Repertoire von narrativen Verfahren und Motiven der *novela sentimental:* da ist das Verhältnis zwischen einer komplexen Rahmenhandlung und einer Pluralität von Binnenfabeln, die Liebesfeindschaft standesbewußter Eltern und eifersüchtiger Nebenbuhler, das Gefühlsleben und die Lügen der Liebenden und der aus enttäuschter Liebe gewählte Freitod. Doch die zentrale Reisefabel ist als narrative Achse so weitschweifig, daß mit der Verteilung der einzelnen Verfahren und Motive auf die Stationen der Reise auch deren wechselseitiger Sinnzusammenhang aufgelöst scheint. Vermutlich haben die Leser in der *Historia de los amores de Clareo y Florisea* auch gar nicht mehr das Aporetisch-Werden von Grundstrukturen höfischer Liebe erfahren, sondern (wie in so vielen spanischen Romanen aus dem folgenden Jahrhundert) vor allem ein ihrer Identifikationsbereitschaft entgegenkommendes Angebot zur Evasion wahrgenommen.

1554 erschien – und zwar mit drei Auflagen in der kurzen Spanne eines Jahres – *La vida de Lazarillo de Tormes, y de sus fortunas y adversidades,* jenes Buch, das man den ›ersten Schelmenroman der Weltliteratur‹ nennt und dessen Autor bis heute unbekannt geblieben ist. Der vorangehende Satz konnte am Ende jenes Kapitels einer spanischen Literaturgeschichte nicht ausbleiben, das bis zum Ende der Regierungszeit Karls V. führen soll – doch wir wollen die meisten der unübersehbar vielfältigen Interpretationsperspektiven, die an den chronologisch ältesten spanischen Text aus dem Kanon der ›Weltliteratur‹ (mit mehr oder weniger Berechtigung) herangetragen worden sind, ganz bewußt ausblenden. Der *Lazarillo* soll weder – was möglich und in jüngster Zeit sogar recht beliebt geworden ist – zur Illustration soziologischer Theoriebildung noch als Paradigma für einen ›Gattungsanfang‹ präsentiert werden; ebenso wenig interessieren uns die – natürlich unbestreitbaren – Möglichkeiten, das Buch typologisch oder filiationsgeschichtlich auf vorausgehende oder folgende Gattungstraditionen zuzuordnen; wir wollen geistesgeschichtliche Einflüsse (vor allem den *Erasmismo*) aus dem Spiel und vor allem seinen Autor ruhen lassen. Denn der von der hohen Zahl seiner frühen Ausgaben und der bald einsetzenden Serie der ›Fortsetzungen‹ belegte, geradezu überwältigende Erfolg des *Lazarillo* bei den spanischen Lesern seiner Zeit und die rasche norm- und erwartungsbildende Wirkung auf Autoren und Rezipienten machen es evident, daß in diesem Text die verschiedenen konfligierenden Sinn- und Zeitdimensionen seines historischen Umfelds konvergierten und eine besondere Verdichtung erfuhren. Deshalb wollen wir den *Lazarillo* ausschließlich unter der folgenden historischen Doppelperspektive betrachten: als *Endpunkt* in der Darstellung einer kulturhistorischen Epoche, an deren Anfang die ›Kulturpolitik‹ der Katholischen Könige gestanden war, und als Auftakt für unsere *Annäherung* an die spanische Literatur des ›Goldenen Zeitalters‹.

Thema des *Lazarillo* ist eine Alltagswelt, die immer noch begrenzte Räume sozialer Mobilität aufwies. Dies aber war zugleich eine Alltagswelt, in deren Selbstbild die Statik und Hierarchie der Stände normativ geblieben war, ja im Hinblick auf ihre handlungsnormierende Kraft wieder an Terrain zu gewinnen schien. Niemand konnte in dieser Alltagswelt eins mit sich selbst sein. Der von Rand der Gesellschaft zum Ausrufer in Toledo ›aufgestiegene‹ Lazarillo bezahlt für die soziale Legitimität seines materiellen Auskommens damit, daß er die Konkubine des ›Erzpriesters‹, seines Protektors, heiratet, und das heißt auch und vor allem, daß dieser Preis die innere Gewißheit seiner eigenen Schande ist. Sich selbst und dem Erzpriester gegenüber ist er aber auch verpflichtet – und damit erhöht sich der zu entrichtende Preis für seinen Aufstieg –, gegen den Spott seiner Umwelt den Schein eines allen religiösen und gesellschaftlichen Normen entsprechenden Lebens durchzuhalten. Der *escudero,* einer der Herren des Lazarillo vor dessen ›Aufstieg‹, verhält sich umgekehrt so, als garantiere die genealogische Zugehörigkeit zum Adel – immer noch – nicht allein das materielle Überleben, sondern eine Möglichkeit zur Einlösung der Standesverpflichtung, einen repräsentativen Lebenswandel zu führen. Auch der *escudero* bezahlt für diese Präsentation bewahrter Standesehre mit der innerlich erlebten Schande, mit dem Bewußtsein nämlich, von einem heruntergekommenen Halbwüchsigen denkbar ›unehrlicher‹ Herkunft, eben von seinem Diener Lazarillo, abhängig zu sein. In jener Alltagswelt, die der *Lazarillo* als sein Thema evoziert, traten die Sinnhorizonte der Vergangenheit und ihre neuen Objektivierungen in Konflikt mit solchen Sinnhorizonten, die sich als ›zukünftig‹ oder schon ›gegenwärtig‹ angekündigt hatten – seit der Jahrhundertmitte aber wieder in ein Ghetto der Heimlichkeit zurückgedrängt wurden.

Inhalts*form* des *Lazarillo* ist die komplexe Verschränkung zwischen einem expliziten Diskurs, in dem der textimmanente Erzähler auf der einen Seite die Konstitution seiner ›legitimen‹ sozialen Identität (fiktional-)autobiographisch nachvollziehbar, ›überprüfbar‹ und präsentierbar macht, und der Möglichkeit, auf der anderen Seite solcher Selbstpräsentation eine Ahnung vom inneren Bewußtsein des Erzähler-Protagonisten gegenüberzustellen, wie sie sich dem Leser eröffnen kann, wenn er die Instruktionen der impliziten Leserrolle in eine vom Text nicht explizit artikulierte Sinngestalt umzusetzen vermag. Der *Lazarillo* thematisiert also nicht nur den Konflikt der Zeit- und Sinnhorizonte in der zeitgenössischen Alltagswelt; er macht diesen Konflikt über eine Inhaltsform erfahrbar, die mentale Strukturen kombiniert und wechselseitig perspektiviert, wie sie eben in jenem Alltag entstanden waren. Durch den Blick auf die Inhaltsform wird verständlich, warum der Autor des *Lazarillo* damit rechnen durfte, daß seine Leser ›wüßten‹, wie es ›wirklich‹ um den Erzähler-Helden stand, ohne daß es dafür notwendig war, ihnen solches Wissen explizit im Text vorzugeben. Deshalb konnten sie auch die Schlußworte als – vielleicht unvermeidliche – Lüge entlarven, die der fiktionale Lazarillo an den fiktionalen Adressaten seines Berichts richtet, an einen Freund jenes Erzpriesters nämlich, der ihn zugleich protegiert und zum Gehörnten macht:

Mas malas lenguas que nunca faltaron ni faltaran, no nos dexan viuir, diziendo no sé qué y si sé qué, de que veen a mi muger yrle a hazer la cama y guisalle de comer. Y mejor les ayude Dios, que ellos dizen la verdad. Porque, allende de no ser ella muger, que se pague destas burlas, mi señor me ha prometido lo que pienso cumplirá. Que él me habló vn dia muy largo delante della y me dixo:
»Lázaro de Tormes, quien ha de mirar a dichos de malas lenguas, nunca medrará. Digo esto, porque no me marauillaria alguno, viendo entrar en mi casa a tu muger y salir della ... Ella entra muy a tu honrra y suya. Y esto te lo prometo. Por tanto, no mires a lo que pueden dezir; sino a lo que te toca, digo a tu prouecho«.
»Señor, le dixe, yo determiné de arrimarme a los buenos. Verdad es que algunos de mis amigos me han dicho algo desso y aun por mas de tres vezes me han certificado que, antes que comigo cassase, auia parido tres vezes, hablando con reuerencia de V. M., porque está ella delante« ...
Hasta el dia de oy nunca nadie nos oyó sobre el caso; antes, quando alguno siento que quiere dezir algo della, le atajo y le digo: »Mirá, si soys amigo, no me digays cosa con que me pese, que no tengo por amigo al que me haze pesar. Mayormente, si me quieren meter mal con mi muger. Que es la cosa del mundo que yo mas quiero. Y la amo mas que a mi. Y me haze Dios con ella mil mercedes y mas bien que yo merezco. Que yo juraré sobre la hostia consagrada que es tan buena muger como viue dentro de las puertas de Toledo. Quien otra cosa me dixere, yo me mataré con él«.
Desta manera no me dizen nada & yo tengo paz en mi casa.[128]

Die spanischen Leser um die Mitte des XVI. Jahrhunderts ›wußten‹ nicht zuletzt deshalb, daß Lazarillo verdrängte und log – umso verzweifelter log, desto stärker seine Worte gerieten –, weil auch sie im Alltag und in der Gesellschaftsstruktur ihrer Gegenwart nie eins mit sich selbst sein konnten. Das Verstehen des Romans ›Lazarillo de Tormes‹ und des Erzähler-Protagonisten ›Lazarillo de Tormes‹ setzte gar nicht mehr voraus als jene Kompetenz der Fremddeutung, die ihnen ohnehin in all ihren gesellschaftlichen Beziehungen und Interaktionen abverlangt wurde. Denn um 1550 war das Verbergen eines Innenbereichs des Bewußtseins hinter einem normkonformen Profil der Selbstpräsentation, war auf der anderen Seite die Hinterfragung, Entlarvung, Zerstörung solcher Selbstpräsentation schon lange nicht mehr Schicksal und Privileg von Konvertiten und Inquisitoren. Natürlich bot der *Lazarillo* – wie könnte es bei einem ›Klassiker der Weltliteratur‹ anders sein – *mehr* als eine bloße Re-Produktion und Re-Präsentation von Sinnstrukturen des zeitgenössischen Alltags. Gerade weil der Text seinen ersten Lesern nahelegte, in einer Rezeptions-Situation, welche Distanz zum Alltag voraussetzte, jene Sinnbildungsleistungen zu vollziehen, welche auch ihren Alltag ausmachten, konnten sie lachen über ein kollektives Schicksal, das sie vor der Lektüre und nach der Lektüre mit dem Protagonisten teilten.[129]

Die Literatur der kommenden Jahrzehnte wies den Lesern vor allem zwei Richtungen des Auswegs aus dem Konflikt der alltagsweltlichen Sinnhorizonte, den sie internalisiert hatten und unter dem sie litten: den mit der Imagination zu beschreitenden Weg in die räumliche und zeitliche Ferne fremder Welten und den durch ekstatische Selbstversenkung zu erschließenden Weg in die Tiefen der eigenen Seele (wo man sich Gott in dem Maße zu nähern glaubte, wie man die Sinnhorizonte des Alltags hinter sich ließ). ›Klassisch‹ – also für die Leser nachfolgender Epochen nicht nur unter dem Vorzeichen ›historischen Interesses‹ nachvollziehbar und genießbar – mag die spanische Literatur aus der Zeit nach 1550 geworden sein, weil sie es nicht zuließ, daß man solche Wege in die Ferne der Außenwelten und in die Tiefe der Innenwelten je naiv, je ohne Brechungen des Bewußtseins beschritt. Selbst bei seiner Identifikation mit Protagonisten, die er als ›heldenhaft‹ erfuhr, weil ihnen das Unwahrscheinliche und das Unmögliche gelang, blieb dem Leser des *Siglo de Oro* nur selten eine ironische Hinterfragung der fiktionalen Sinnwelt erspart. Wer sich aber auf die Pfade der Selbstversenkung führen ließ, dem folgte wie ein eherner Schatten der Sinnhorizont der Orthodoxie, die dazu gar nicht des allgegenwärtigen Ohrs und des durchdringenden Auges der Inquisition bedurfte, weil wohl auch die Leser sich selbst gegenüber strenge und strafende Inquisitoren waren. Nicht einmal im Theater war man vor Ambivalenzen und Brechungen sicher. Denn auch das Theater inszenierte sich als permanente Überschreitung der Grenzen zwischen verschiedenen Sinnwelten: zwischen repräsentiertem Sinn und Sinn der Repräsentation, zwischen dem Bewußtsein der Zuschauer und dem von den Schauspielern konstruierten Raum der Fiktion, zwischen der Spielwelt des Theaters und dem Ernst der alltäglichen Sinnstrukturen.[130]

Initiale aus einem Gesetzeswerk von 1484: Ferdinand und Isabel.

Antonio de Nebrija: Introductiones latinae.

Erasmus von Rotterdam

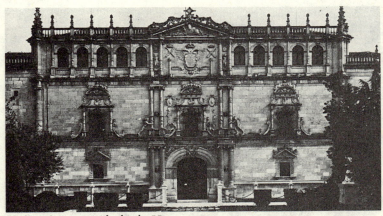

Universität von Alcalá de Henares

Tagebuch des Kolumbus

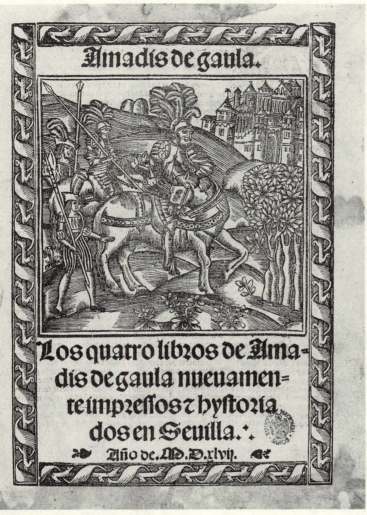

Titelseite des Amadís de Gaula.

Karl V.

Während religiös motivierte Sinnvorgaben in vielen Situationen nun wieder absolute Verbindlichkeit erlangten, ersetzten neue Formen des Erzählens jene Möglichkeiten der subjektiven Erfahrungsbildung, die aus dem Alltag verschwanden: Sie führten die Leser in frühen Formen des Romans zu imaginären Fernwelten und in der Sprache der Mystik zur ›Innenwelt der Seele‹, dem Ort intimer Begegnung mit Gott. Schon bald wurde die politische und militärische Sicherung des spanischen Weltreichs freilich auch von den Untertanen als eine schwere Last empfunden – und eben seit jener Zeit, seit dem späten XVI. Jahrhundert scheinen sie begonnen zu haben, die wiederhergestellte religiöse Kosmologie wie ein Spiel, wie eine gigantische ›Theatralisierung des Alltags‹ zu erleben. In solcher Umwelt entwickelte sich vor allem in Madrid das Theater zum Mittelpunkt des gesellschaftlichen Lebens und setzte doch zugleich den Prozeß der Ausgrenzung von ›Literatur‹ zu einem eigenständigen sozialen Teilsystem fort. Nur für eine kurze Spanne konnten auf der Bühne – aber auch im Roman und in der Poesie – alltägliche und imaginäre Welten in vielfache Beziehungen wechselseitiger Relativierung rücken, um dann bald in einer epochalen Umkehrungsbewegung wieder auseinanderzutreten. Denn vor allem in Spanien vollzog sich der Barock als Entwirklichung alltäglicher und als Ontologisierung imaginärer Welten. Wo immer man von dem entwirklichten Alltag Distanz nahm, wurde aus Subjektivität eine gesellschaftsferne Individualität. Die für solch frühe Individualität charakteristische Haltung der Weltverachtung fand freilich im Spanien des späten XVII. Jahrhunderts kein Publikum mehr, durch dessen Reaktionen sie zu einer Vorform von ›Kritik‹ und ›Aufklärung‹ hätte werden können.

Diesseitiges Jenseits / Jenseitiges Diesseits

Miguel de Cervantes hatte die Ostertage des Jahres 1616, seines Sterbejahres, in Esquivias, einem kleinen Ort der Provinz Toledo, verbracht. In Esquivias lebte die begüterte Familie der Catalina de Palacios, mit der Cervantes damals seit gut dreißig Jahren verheiratet war, und diese ›seine‹ Familie hatte den an Wassersucht zum Tode erkrankten Schwiegersohn und Schwager aufgenommen, obwohl die Ehe zwischen Miguel und Catalina nicht nur kinderlos, sondern auch stets sehr konfliktreich geblieben war. Doch Cervantes wollte in Madrid sterben. Hier schrieb er in den Tagen vor dem 23. April 1616, seinem eigenen und Shakespeares Sterbedatum, die letzten Seiten des Romans *Persiles y Sigismunda*, welcher ihm als Vollendung seines literarischen Werks galt.

Eben aus dem *Prólogo* von *Persiles y Sigismunda* wissen wir erstaunlich Genaues darüber, wie Miguel de Cervantes seine letzten Wochen erlebte, – und das ist literarhistorisch gesehen gewiß kein Zufall. Cervantes' Publikum waren Buch-Leser, und wir haben zu Beginn des vorausgehenden Kapitels gesehen, daß sich Buch-Autoren an Buch-Leser mit dem Gestus freundschaftlicher Vertrautheit wandten. ›*Lector amantísimo*‹ heißt deshalb die Anrede im *Persiles* ebenso wie in den 1613 erschienenen *Novelas ejemplares*, und auch die Formel vom ›*Desocupado lector*‹, die wir im Vorwort zum *Quijote* finden,[1] thematisiert einen typischen Aspekt der frühneuzeitlichen Rolle des literarischen Lesers: seine Distanz zum Alltag und damit seine Bereitschaft, sich über die Brücke der Identifikation in vom Text erschlossene fiktionale Welten zu begeben. Im *Prólogo* zu *Persiles y Sigismunda* nun läßt Cervantes ›seinen‹ Leser als Protagonisten einer autobiographischen Begebenheit auftreten, und in diesem Auftritt findet das Paradox der neuzeitlichen Autor-Leser-Beziehung seinen Ausdruck, daß man in vertrautem Ton kommuniziert, ohne sich von Angesicht zu kennen.

Auf dem Weg nach Madrid reitet hinter Cervantes und seinen Begleitern ein graubraun gekleideter Student mit seiner Eselin, den der Dichter und seine zwei Freunde zu sich aufschließen lassen: ¿*Vuesas mercedes van a alcanzar algún oficio o prebenda a la corte*, ruft der Student, pues allá está su ilustrísima de Toledo y su majestad, ni más ni menos, según la prisa con que caminan, que en verdad que a mi burra se le ha cantado el víctor de caminante más de una vez?

A lo cual respondió uno de mis compañeros:

– El rocín del señor Miguel de Cervantes tiene la culpa de esto, porque es algo que pasilargo.

Apenas hubo oído el estudiante el nombre de Cervantes, cuando, apeándose de su cabalgadura, cayéndosele aquí el cojín y allí el portamanteo, que con toda esta autoridad caminaba, arremetió a mí, y acudiendo a asirme de la mano izquierda, dijo:

–¡Sí, sí; éste es el manco sano, el famoso todo, el escritor alegre, y, finalmente, el regocijo de las Musas!

Yo, que en tan poco espacio ví el grande encomio de mis alabanzas, parecióme ser descortesía no corresponder a ellas; y así, abrazándole por el cuello, donde le eché a perder de todo punto la valona, le dije:

– Ese es un error donde han caído muchos aficionados ignorantes; yo, señor, soy Cervantes, pero no el regocijo de las Musas, ni ninguna de las demás baratijas que ha dicho vuesa merced. Vuelva a cobrar su burra, y suba, y caminemos en buena conversación lo poco que nos falta de camino.[2]

Kein Zweifel: jener ›kurze Weg‹, der noch bis Madrid zurückzulegen ist, symbolisiert die wenigen Lebenstage, die Cervantes noch verbleiben, das ›gute Gespräch‹, welches er anbietet, den von diesem *Prólogo* präsentierten Roman. Die hymnischen Worte aber, welche der Student an Cervantes richtet, und die Gesten seiner Verehrung zeigen, daß im Spanien des frühen XVII. Jahrhunderts literarische Autoren – oder genauer gesagt: ihre Identitätsfiguren – ›öffentliche Gestalten‹ waren. Cervantes' Antwort widerspricht dieser Deutung keineswegs. Denn was er, der Höflichkeits-Verpflichtung zur Bescheidenheit genügend, zurückweist, sind die Versatzstücke einer traditionellen Poeten-Enkomiastik; die pathetisch schlichten Worte »*Yo soy Cervantes*« aber verraten, wie gut er wußte, daß seine Person als ›Persönlichkeit‹ weit über den Horizont solcher alltäglichen Begegnungen hinaus präsent war: ›ich bin es *wirklich*, der *berühmte* Cervantes‹, bedeuten sie.

So dichterfürstlich erhöht, fühlt der Student die Verpflichtung, sich gegenüber Cervantes erkenntlich zu erweisen. Er stellt die Diagnose zur Krankheit seines berühmten Weggenossen und unterbreitet ihm auch gleich einen Therapievorschlag.

Das alles tut er unaufgefordert; wir wissen nicht, ob das Demonstrativpronomen, mit dem sein kleiner medizinischer Diskurs einsetzt, Cervantes' Äußerem oder dem möglichen Vorwissen der Leser über die bedrohliche Krankheit ihres Idols gilt:

Esta enfermedad es de hidropesía, que no la sanará toda el agua del mar Océano que dulcemente se bebiese. Vuesa merced, señor Cervantes, ponga tasa al beber, no olvidándose de comer, que con esto sanará, sin otra medicina alguna.

Daran, daß die Autoren literarischer Texte ›öffentliche Gestalten‹ und als solche Objekt der Liebe und Fürsorge ihrer Leser werden können, hat sich bis heute nichts geändert. Was uns aber überrascht, ist der Sachverhalt, daß ein schon zu Lebzeiten so hochberühmter Autor auf die Diagnose eines ihn verehrenden Medizinstudenten angewiesen sein kann, den er ganz zufällig auf einer Reise trifft; daß er die verwandtschaftliche Hilfsbereitschaft einer Schwiegerfamilie in Anspruch nahm, deren Ehrgefühl sein Verhalten als Ehegatte gewiß des öfteren, wenn nicht beständig tangiert hatte. Nennenswerter materieller Gewinn und gesellschaftlicher Rang waren Cervantes trotz der großen Beliebtheit seiner späten Prosawerke beim Publikum also nicht beschieden gewesen – und dies obwohl der Ausgangspunkt seines Lebens eher Raum zum Aufstieg denn zum Abstieg offengelassen hatte. Sein Vater, Rodrigo de Cervantes, war einer von den im Kastilien des XVI. und XVII. Jahrhunderts so zahlreichen *hidalgos*, für die sich eine existenzbedrohende Diskrepanz zwischen ihrer Zugehörigkeit zum Adel und der Unmöglichkeit, daraus den Lebensunterhalt ihrer Familie zu sichern, aufgetan hatte. Immerhin – und das war eher die Ausnahme – brach Rodrigo de Cervantes ein Standestabu, indem er sich – auf einer der damals untersten Rangstufen der Gesellschaft – als Chirurg verdingte, »der seine wenig erfolgreiche Praxis von einem Ort zum anderen verlegte, von Alcalá de Henares, wo Miguel 1547 geboren wurde, nach Valladolid, von dort nach Sevilla und schließlich nach Madrid«.[3] Es ist nicht auszuschließen, daß der Sohn dieses Wanderchirurgen in Sevilla für eine kurze Zeit die Jesuitenschule besuchte, und wir wissen, daß Miguel de Cervantes an der städtischen Studienanstalt von

Madrid in den späten sechziger Jahren des XVI. Jahrhunderts nicht nur in erste Berührung mit dem Milieu humanistischer Bildung kam, sondern auch aufgrund einiger, in durchaus epigonaler Reproduktion der damals vorherrschenden Garcilaso-Manier geschriebener Gedichte eine gewisse Beachtung genoß.

Solche Begeisterung für *eine* der Welten des spanischen Imperiums außerhalb der iberischen Halbinsel mag zu Cervantes' – generationstypischem – Entschluß beigetragen haben, um 1570 nach Italien zu ziehen, wo er zunächst am päpstlichen Hof im Dienst des Kardinals Acquaviva stand. Doch schon 1571 ließ er sich – zusammen mit seinem jüngeren Bruder Rodrigo – für jene Flotte anheuern, mit der Don Juan de Austria, natürlicher Sohn Karls V. und Halbbruder Philipps II., die für den spanischen Seehandel gefährlichen islamischen Piraten im Mittelmeer aufreiben sollte. Cervantes nahm an einem der letzten großen Triumphe des spanischen Imperiums, der Seeschlacht von Lepanto, teil, wo eine Kanonenkugel seinen linken Arm zertrümmerte. Siebzehn Jahre später sollte Lope de Vega unter der Besatzung der spanischen *Armada* sein, die von den Engländern vernichtend geschlagen wurde, ohne daß er physischen Schaden davontrug. Cervantes hingegen gehörte nicht nur zu denen, die den Triumph von Lepanto bezahlten. Als er 1675, nach der Teilnahme an einer weiteren Expedition, in die Heimat zurückkehren wollte, da schien seine Zukunft zunächst durch ein persönliches Empfehlungsschreiben des Juan de Austria gesichert. Doch sein Schiff wurde von eben jenen Piraten überfallen, welche die überlegene spanische Flotte auch nach Lepanto nie wirklich kontrollieren konnte; man verschleppte ihn in die Gegend des heutigen Algerien, und seine Lage war deshalb besonders prekär, weil das vermeintlich glückbringende Empfehlungsschreiben des Oberbefehlshabers aus königlichem Blut bei den Piraten die Hoffnung weckte, man könnte für diesen Gefangenen ein besonders hohes Lösegeld erpressen. Erst nach fünf Jahren wurde er entlassen: seine Eltern hatten ihre gesamten Ersparnisse, einschließlich der für die beiden Schwestern bestimmten Mitgift, zur Auslösung von Miguel und Rodrigo eingesetzt, und dennoch blieben dem späteren Dichter erhebliche Schulden abzutragen.

Noch intensiver war die eigentümliche Verzahnung von Cervantes' Biographie mit dem beginnenden Niedergang des spanischen Imperiums durch den Umstand geworden, daß nach dem Staatsbankerott des Jahres 1577 ein Verbot gegen jegliche Geldausfuhr erging: so mußte der Trinitarier-Orden, welcher damals das Geschäft von Lösegeldverhandlungen betrieb, das zur Verfügung stehende Geld zunächst in Waren umsetzen, um diese jenseits der Grenzen wiederum zu liquidieren, was gewiß zur Erhöhung der aufzubringenden Summe und zur Verkomplizierung des Freikaufs beigetragen hatte. Deshalb läßt sich fast alles, was wir über die nächsten beiden Jahrzehnte in der Biographie von Cervantes wissen, selbst seine literarische Produktion, auf die ihm nun auferlegte Notwendigkeit beziehen, rasch zu viel Geld zu kommen, um sich für die gewährte Hilfe erkenntlich zu erweisen. Zunächst gelang es ihm, schon 1581 erneut in einer königlichen Mission, deren Intention unbekannt geblieben ist, nach Nordafrika zu reisen; dann ließ er sich in der neuen Hauptstadt Madrid nieder, welche am Jahrhundertende in einer geradezu delirierenden Phase des Wachstums stand; er lebte zusammen mit seinen beiden Schwestern, die sich, wohl weil ihnen ja zu einer standesgemäßten Verheiratung die ökonomischen Voraussetzungen fehlten, von genovesischen Liebhabern aushalten ließen. In jenen Jahren verheiratete sich Cervantes mit der wohlhabenden Catalina de Palacios; er schrieb ohne eklatanten Mißerfolg – aber auch ohne sich in dieser Position etablieren zu können – für das Theater, das auf dem Weg war, zur populärsten Vergnügungsform der spanischen Städte aufzusteigen; er ging, wie so viele Dramenschreiber seiner Zeit, eine Liason mit einer Schauspielerin ein, aus der sein einziges Kind, die Tochter Isabel, geboren wurde; er versuchte sich in einer anderen Modegattung, dem Hirtenroman: im Jahr 1685 erschien die *Galatea*, die – wie seine frühen Dramen – weder vom Publikum abgelehnt wurde, noch einen den Lebensunterhalt sichernden Ruhm begründete.[4] Schließlich übernahm Miguel de Cervantes im Jahr 1585 das Amt, in Sevilla Steuern einzutreiben, welche für den Bau jener spanischen Kriegsflotte bestimmt waren, deren Niederlage drei Jahre später die politische Welt Europas verändern sollte. Doch er wurde wegen der Beschlagnahmung von Kirchengütern exkommuniziert und man warf ihm vor, in die eigene Tasche gewirtschaftet zu haben. Noch immer aber glaubte Cervantes an sein dramatisches Talent: 1592 schloß er einen Kontrakt mit einem Theaterunternehmer ab, in dem er auf jegliche Bezahlung verzichtete, »wenn es sich nicht herausstellen sollte, daß die betreffende Komödie eine der besten ist, die bisher in Spanien gespielt wurden«.[5]

In den letzten beiden Lebensjahrzehnten scheint Cervantes die Nähe des Hofes gesucht zu haben: seit spätestens 1603 ist sein Aufenthalt in Valladolid belegt, das zu Beginn des XVII. Jahrhunderts noch einmal für wenige Jahre den Rang der Hauptstadt zurückgewonnen hatte. 1608 folgte er erneut dem Hof, der sich zwei Jahre zuvor – nun definitiv – in Madrid installiert hatte. Deutlicher als den meisten seiner Zeitgenossen scheint Cervantes ab der Jahrhundertwende bewußt gewesen zu sein, daß er das Ende einer – für Spanien glorreichen – Epoche miterlebte. Sein eigenes Leben freilich verlor an Bitternis. Um 1605 erschien der erste Teil des *Quijote*-Romans, mit dem Cervantes wohl tatsächlich zunächst die Ritterromane parodieren wollte und der noch zu Zeiten seines Lebens ein ›Welterfolg‹ – in den damals gegebenen Grenzen – wurde. Aber auch dem nun plötzlich hochprominenten Autor wuchsen die Bäume nicht in den Himmel. So erfüllte sich nicht Cervantes' Hoffnung, zum Gefolge des Conde de Lemos, seines Mäzens, zu gehören, als König Philipp III. diesen 1610 zum italienischen Vizekönig ernannt hatte; so blieb im Jahr 1615 der Verkaufserfolg des zweiten *Quijote*-Teils weit hinter dem des ersten Teils (und gewiß auch hinter Cervantes' Erwartungen) zurück – und dies nicht nur, weil inzwischen schon ein anderer Autor eine im parodistisch-ironischen Ton verharrende Fortsetzung publiziert hatte.[6]

Was Cervantes in der einen Tag nach dem Empfang der Sterbesakramente verfaßten *Dedicatoria* seines letzten Kanons dem *einen* Leser, seinem gräflichen Mäzen, und im *Prólogo* den *vielen* ›liebsten Lesern‹ erfahrbar machen wollte, war die Stimmung eines Sterbens in Zufriedenheit, und er ließ keinen Zweifel daran, daß solche Zufriedenheit nicht begründet war in den eher bescheidenen Ehren seiner späten Jahre, wie etwa der Aufnahme in einen Dichterkreis der Hauptstadt, die Kongregation der Sakramentarier. Nicht, daß das Leben ihm wertlos geworden wäre: *Si a dicha*, schrieb er in der *Dedicatoria, por buena ventura mía, que ya no sería ventura, sino milagro, me diese el Cielo vida,* ... *verá* ... *fin de* La Galatea, *de quien se está aficionado vuesa excelencia* ...[7] Doch ebenso wie er sich die Genesung wünschte, um neue Werke ausführen zu können, erlebte er das Nahen des Todes in Zufriedenheit, weil er glaubte, mit *Persiles y Sigismunda* die dichterische Vollendung erreicht zu haben. Die Signatur seiner Epoche artikulierte sich in Cervantes' Biographie durch den Gegensatz zwischen der oft unmittelbaren Abhängigkeit seiner literarischen Produktion von den Schicksalen des spanischen Imperiums und der von Cervantes am Ende seines Lebens erreichten Gewißheit, daß allein von seiner Subjektivität, vom Gelingen des Werkes das Gelingen des Lebens abhänge.

So wie der Cervantes unserer biographischen Skizze mit dem Gedanken an die Leser des *Persiles* an der Grenze seiner Biographie angelangt war, kamen Cervantes im *Prólogo* dieses Romans und der graubraun gekleidete Student vor den Toren Madrids am *Puente de Toledo* an. Höflich, dankbar und bestimmt hatte der Autor seinem Begleiter klargemacht, daß jene diesseitige Wirklichkeit, in der er Heilung finden und seinem fürsorgenden Leser danken könnte, für ihn schon nicht mehr wichtig war: *Mi vida se va acabando, y, al paso de las efemérides de mis pulsos, y, a más tardar, acabarán su carrera este domingo, acabaré yo la de mi vida. En fuerte punto ha llegado vuesa merced a conocerme, pues no me queda espacio para mostrarme agradecido a la voluntad que vuesa merced me ha mostrado.*[8] Doch wenn das von Cervantes erwartete Jenseits am Horizont dieses Gesprächs die Sorgen des Diesseits schon entwirklicht hatte, so prägten jene Wünsche an das Diesseits, die unerfüllt bleiben mußten, seine Jenseits-Erwartungen:

Tornéle a abrazar, volvióseme a ofrecer, picó a su burra, y dejóme tan mal dispuesto como él iba caballero en su burra, a quien había dado gran ocasión a mi pluma para escribir donaires; pero no son todos los tiempos unos. Tiempo vendrá, quizá, donde, anudando este roto hilo, diga lo que aquí me falta y lo que sé convenía. ¡Adiós gracias, adiós donaires, adiós regocijados amigos; que yo me voy muriendo, y deseando veros presto contentos en la otra vida![9]

Diesseits und Jenseits waren für Cervantes verschiedene ›Zeiten‹, doch die alte Topik von der ›Brücke‹, welche Diesseits und

Jenseits verbinden soll, gewann nicht nur in diesem Text, nicht nur im Werk von Cervantes, sondern für die gesamte spanische Literatur während einer kurzen Spanne auf dem Höhepunkt ihres ›Goldenen Zeitalters‹ besondere Bedeutsamkeit. Als Horizont der diesseitigen Wirklichkeit milderte das Jenseits die Enttäuschungen und die Begrenztheit des Lebens; als Horizont der Jenseits-Erwartung prägte die diesseitige Erfahrung die Vorstellungen von einem Leben nach dem Tode, minderte seine sonst bedrohliche Fremdheit. Die horizonthafte Präsenz der Jenseitserwartung im Diesseits und die projektive Präsenz der Diesseits-Erfahrung in den Jenseitsvorstellungen relativierten sich wechselseitig.

Wenn manche Leser heute den *Prólogo* zu *Persiles y Sigismunda* über den Roman selbst stellen, so mag das daran liegen, daß dieses Vorwort drei Perspektiven (kultur-)historischer Erfahrung öffnet, welche Leitmotive unseres begonnenen Kapitels sein werden. Zwischen der Mitte des XVI. und dem Ende des XVII. Jahrhunderts zeichneten sich in der schon vorher zu einer partikularen Kommunikationsform ausgeprägten ›Literatur‹ erste *Umrisse eines eigenständigen sozialen Systems*[10] ab, innerhalb dessen man ein Leben gestalten und Reputation erwerben konnte, ohne daß einschlägiges Handeln als ›Leistung‹ auf andere gesellschaftliche Systeme aufgerechnet werden mußte. Dennoch blieben *das Leben und das Werk der Autoren* – auch in deren Bewußtsein – *in enger Abhängigkeit vom politischen und wirtschaftlichen Schicksal des spanischen Imperiums*, dessen Gesellschaft sich als ›Nation‹ zu erfahren begann. Am Horizont dieser neuzeitlichen Welt schließlich *erhielt sich die christliche Jenseits-Erwartung* als eine Bezugssphäre des Handelns, die nun freilich nicht mehr allein Bedingung für die Struktur alltäglicher Welten blieb, sondern zugleich sich selbst in der Vorstellungswelt der Zeitgenossen immer mehr aus den im Alltag erfahrenen Bedürfnissen konstituierte. Wo Elemente solch verschiedener Sinn-Welten in Beziehung traten oder gar – wie vor allem bei Cervantes – in eine komplexe und reflektierte Struktur von Beziehungen gerückt wurden, kam es zu wechselseitiger Relativierung von Horizonten, nicht selten auch zu einer Verschiebung des ›Wirklichkeitsakzents‹[11] im Alltag. Diese Dynamik der Ebenen kollektiven Sinns kennzeichnet – in der einen oder der anderen Weise – alle Phasen des *Siglo de Oro*, und viele jener Texte, deren Autoren das Wechselspiel der Perspektiven bewußt pflegten, sind zu Klassikern der Weltliteratur geworden. Denn was sich im *Siglo de Oro* erst abzeichnete, ist zu einer intellektuellen Grundstruktur der Neuzeit geworden.

In diesem literaturhistorischen Rahmen werden wir auch die *Geschichte der Subjektivität* weitererzählen. Die programmatisch geförderte Re-Pragmatisierung mittelalterlich-kosmologischer Bezirke sozialen Wissens verschob seit der Mitte des XVI. Jahrhunderts die Räume eigenständig-menschlicher Erfahrungsbildung an den Rand des Alltags, und schließlich rückte sie die Instanz des Subjekts in einen konstitutiven Gegensatz zur Gesellschaft. Hier ging dann Subjektivität in *Individualität* über.

Gesellschaftliche Involution / Narrative Evasion

Wie evident man auch interpretatorisch den Zusammenhang zwischen gewissen spanischen Texten aus der zweiten Hälfte des XVI. Jahrhunderts – denken wir nur noch einmal an den *Lazarillo* – und den Folgen gesellschaftlicher Involution darzustellen vermag, die ersten Jahrzehnte der 1556 beginnenden Herrschaft Philipps II. wurden von den Spaniern jener Epoche gewiß nicht als Phase des Rückschritts oder gar des beginnenden Niedergangs erlebt. Denn schon 1557 gewann der junge König bei Saint Quentin eine wichtige Schlacht gegen die Franzosen, welche den Handlungsspielraum seiner Außenpolitik für die folgenden Jahre entscheidend erweitern sollte; mit seinen Feldherrn und seinen Verwaltern gelang es ihm zwischen 1559 und 1562, protestantische Zirkel in Sevilla und Valladolid aufzureiben, bald danach einsetzenden ersten Aufruhr in den Niederlanden einzudämmen, im Jahr 1571 Aufstände andalusischer Mauren definitiv zu beenden; und in diese Zeit fielen ebenso der bereits erwähnte Seesieg Juans de Austria bei Lepanto wie schließlich 1580 die – militärisch perfekt abgesicherte – Annexion Portugals auf dem Weg legaler Erbfolge. Fast gleichzeitig erreichte die Einfuhr von Edelmetallen aus den südamerikanischen Kolonien ihren Höhepunkt: war ihr jährlicher Durchschnittswert zwischen 1550 und 1560 noch bei 800 Millionen Maravedís gelegen, so erreichte er im letzten Jahrzehnt des XVI. Jahrhunderts ein Niveau von 3000 Millionen Maravedís.[12] Daß diese Einfuhren schon 1551 auf zwei Jahre im voraus an die Geldgeber des spanischen Staates verpfändet waren, und daß die Staatsverschuldung bald horrende Dimensionen erreichte, war ein Sachverhalt, der den wenigsten Untertanen bekannt und noch wenigeren unter ihnen in seinen Folgen verstehbar war.[13] So ist es denn auch nicht weiter erstaunlich, daß die Regierungszeit Philipps II. nicht erst aus der wahrhaft kontrastreichen Perspektive des XVII. Jahrhunderts zum *siglo dorado* geriet, sondern schon von den Zeitgenossen – zugleich mit der *dichosa edad* Karls V. – als *edad gloriosa* gefeiert wurde.[14]

Zwar hatte die Politik jegliche soziale Mobilität zum Stillstand gebracht und bewahrte diesen Zustand durch die Hypostasierung der Frage nach der ›Reinheit des Blutes‹, doch noch genügte eine Ausbreitung ursprünglich adelsspezifischer Bewußtseinsstrukturen – vor allem des *Ehrbegriffs*[15] – lange Zeit als Ausgleich für solche Erstarrung. Auch die Institutionen, denen die Involution in der spanischen Gesellschaft und damit die Erfolge der Gegenreformation als ›systemspezifische Leistungen‹ zuzuschreiben sind, wandelten ihr Gesicht, verloren an primär erlebbarer Aggressivität und stellten sich partiell auf veränderte Mentalitäten ein. Die furchtgebietende Rolle des Inquisitors etwa wurde zu einem Verwaltungsberuf, für den man sich bald besser durch eine juristische denn durch eine theologische Ausbildung qualifizierte,[16] und der seinen Ort in der von Philipp II. zur Monstrosität ausgebauten Bürokratie des Weltreichs fand. Selbst der Baske Ignacio de Loyola, Begründer der vom Papst im Jahr 1539 im Status eines Ordens bestätigten *Societas Jesu*, war in jungen Jahren voll religiösem Brandeifer der Inquisition verdächtig geworden.[17] Seine Vision von einer disziplinierten Gemeinschaft der Glaubenskämpfer – zu der übrigens Philipp II. Zeit seines Lebens Distanz hielt, während seine Nachfolger schon bald in oft freiwillige Abhängigkeit von den Jesuiten gerieten, – war am mittelalterlichen Ritterideal orientiert (daran erinnert bis heute das Prädikat ›Exerzitien‹ für die von den Jesuiten eingeführte Form kontemplativer Frömmigkeit), und die bedingungslose Unterwerfung jedes einzelnen Ordensmitglieds unter die päpstlichen ›Befehle‹ brach Subjektivität im Denken und Handeln; aber auf der anderen Seite räumte die Ordensregel des Ignacio de Loyola der Subjektivität auch weit größeren Raum ein als irgendeine christlich-religiöse Lebensform zuvor. Den Novizen wurde aufgegeben, die jedem einzelnen gemäße Form des Gebets zu finden, ihre eigene Position im Orden und im Rahmen der Kirche zu finden, über ihre Eignung zur Verwirklichung des Ordensauftrags nachzudenken; zugleich hatte Ignacio de Loyola – bewußt oder unbewußt – mit der Aufhebung der Abgeschlossenheit des Ordenslebens, des gemeinsamen Chorgebets und der einheitlichen Ordenskleidung Grundideen des antimonastischen Ideals eines ›Laienpriestertums‹ aus dem Erasmismus institutionalisiert.[18] Nicht zufällig waren es dann auch Jesuiten, vor allem Francisco Suárez, welche die Provokation der protestantischen Gnadentheologie annahmen und in eine der glanzvollsten Phasen katholischer Theologiegeschichte umsetzten, statt sich mit einer bloßen Abschottung der überkommenen Lehre von der ›Werkgerechtigkeit‹ aus einem Problemfeld zurückzuziehen, welches – wie wir im zweiten Kapitel dieses Buches gesehen haben – gerade in Spanien schon lange vor Luther die Geister bewegt hatte. In ihrer erneuerten theologischen Ethik hing weiterhin alles von der freien Entscheidung des Menschen für Gott ab, doch wo diese Entscheidung einmal für Gott gefallen sei, liest man bei Suárez, da lasse Gott durch seine Gnade dem menschlichen Willen die zur Verwirklichung der getroffenen Entscheidung nötige Stärke zukommen. Das bis dahin ungelöst gebliebene Problem einer Vermittlung zwischen dem Prinzip der Werkgerechtigkeit und dem Gottesprädikat der Allwissenheit wurde mittels einer Unterscheidung von drei Ebenen göttlichen Wissens neu reflektiert: Gott wisse um das in jeder Zukunft – bloß – Mögliche wie um alles, was in der Zukunft – tatsächlich – eintreten würde; die Einwirkung seiner Gnade aber vollziehe sich ausgehend von einer Zwischenebene des Wissens um die Konkretisierung des Möglichen unter je besonderen Rahmenbedingungen.[19] Daß solche Gedanken anregend und provozierend auf die protestantische Theologie zurückwirkten, bestätigt nicht allein den theologiegeschichtlichen Sachverhalt, daß auch die radikale Position reformatorischer *sola-gratia*-Lehre Folgelasten hatte; sie lassen uns vor allem ahnen, daß der involutive Impuls der Gegenreformation durchaus zum intellektuellen Stil der Neuzeit aufschließen konnte. Und jesuitische Theologie sollte nicht das einzige Paradigma für den intellektuellen Rang eines kommunikativen Milieus bleiben, welches sich in den neu begründeten und reformierten spanischen Orden des XVI. Jahrhunderts erstaunlich rasch etablierte.

So sehr freilich gerade einer Geschichte der *spanischen* Literatur an einer differenzierten Sicht von Gegenreformation und sozialer Involution im XVI. Jahrhundert gelegen ist, muß sie doch auf jene Spannung zurückkommen, welche zwischen bereits institutionalisierter Subjektivität und der Maxime sozialer Immobilität ausgetragen wurde, nach der niemand den gesellschaftlichen Stand verlassen konnte, in den er hineingeboren war. Dem Grundbedürfnis neuzeitlicher Subjektivität, sein Leben ›selbst zu gestalten‹ und im Laufe eines Lebens dessen Horizonte zu verändern, konnte die spanische Gesellschaft nicht gerecht werden – nicht einmal mit den so vielfältigen und so häufig genutzten Möglichkeiten, aus der sozialen Erstarrung in andere geographische und kulturelle Welten auszuweichen. In solchen Situationen können vor allem *Erzählungen* identifikationsbereiter Leser-Imagination Räume der Kompensation erschließen.

Wir müssen allerdings präzisieren, daß unsere These nur dann unter dem ihr impliziten Anspruch metahistorischer Gültigkeit diskutiert werden kann, wenn man dem Prädikat ›*Erzählung*‹ als Referenz nicht bestimmte Sprachformen zuordnet, welche durch jeweilige inhaltliche und morphologische Merkmale charakterisierbar wären, sondern ›*Erlebnisstilarten*‹.[20] ›Erlebnisstilarten‹ sind anthropologische Modi, unter denen sich Prozesse der Sinnbildung vollziehen können. Wir schlagen vor, solche Kommunikationssituationen auf die Erlebnisstilart ›Erzählung‹ zu beziehen, in denen ein Sprecher/Autor Gegenstände eigenen oder fremden Erlebens in einer Sequenz reproduziert, wie sie dem Prozeß aktualen Erlebens entspricht (oder entsprechen könnte); das bedeutet auch, daß diese Erlebnisgegenstände so präsentiert werden sollen, als seien sie noch nicht durch Deutung in prägnante Erfahrungen umgesetzt. Auf der Seite der Rezeption entspricht solcher Präsentationsweise ein Hörer/Leser, der die Sequenz der präsentierten Erlebnisgegenstände nachvollzieht und in ›passiver Synthese‹ durch das Gedächtnis akkumuliert, ohne zunächst durch eine Rückwendung auf die nachvollzogenen Erlebnisgegenstände in ›aktiver Synthese‹ diese zu strukturieren und so in Erfahrungen umzusetzen. Selbstverständlich können wir davon ausgehen, daß die allermeisten – zumal die ›literarischen‹ – Erzähler bereits gebildete Erfahrungen zu einem bestimmten kommunikativen Zweck wieder in die primäre Form des Erlebens zurückspielen; und es ist ebenso der Normalfall, daß Hörer und Leser von Erzählungen bisweilen den Prozeß ›passiver Synthese‹ unterbrechen, um den rezipierten Erlebnisgegenständen eine Inhaltsform zu geben. Worauf es uns nun ankommt, das ist der Sachverhalt, daß die meisten Erzähltexte ihre Rezipienten auf einen Erlebnisstil einstimmen, welcher dem aktualen Erleben – ›so, als wäre man selbst gegenwärtig gewesen‹ – besonders nahe kommt. Mit deutlicherem Bezug auf das *Siglo de oro* formuliert: keine Diskursform ist so deutlich wie die ›Erzählung‹ dafür prädestiniert, Bedürfnissen nach Erleben, welche in bestimmten historischen Situationen nicht befriedigt werden können, den Ersatz illusionären Erlebens anzubieten; keine andere Diskursform befördert so erfolgreich den Rezeptionsmodus der ›Evasion‹ wie das Erzählen.

So eröffneten die neuen narrativen Gattungen des späten XVI. Jahrhunderts ihren Lesern, welche in einer immobil gewordenen Welt lebten, Chancen der Alteritätserfahrung in gesellschaftlichem, historischem, kulturellem und in geographischem Kontrast zu ihrem Alltag. In dieser Hinsicht sind sechs kurze Ergänzungen und Modifikationen besonders interessant, um welche der Primär-Text des *Lazarillo de Tormes* in der zweiten Ausgabe (Alcalá, 1554) verändert wurde. Denn teils malten sie jene Unterwelt des Betrugs und der Lüge weiter aus, in dem sich Lazarillo bewegt und die den allermeisten Lesern wohl nur vom Hörensagen vertraut war, teils – und vor allem – aber verstärkten (und vergröberten) sie die textuellen Hinweise auf die eheliche Schande des Titelhelden. Wir wollen nur ein Beispiel für solches Explizit-Werden anführen. Die zweite *La-*

zarillo-Ausgabe schob in den *Tratado primero* – unter anderen
– die folgenden Sätze des Erzähler-Diskurses mit anschließen-
dem Dialog ein:

Y ansi passamos adelante por el mismo portal y llegamos a vn meson, a
la puerta del qual auia muchos cuernos en la pared, donde atauan los
recueros sus bestias, y como yua tentando si era alli el meson, adonde
él (sc.: el ciego) rezaua cada dia por la mesonera la oracion de la
emparedada, hazió de vn cuerno, y con vn gran sospiro dixo:

¡O mala cosa, peor que tienes la hechura! ¡De quántos eres desseado
poner tu nombre sobre cabeça agena y de quán poco tenerte ny aun
oyr tu nombre, por ninguna via!

Como le oy lo que dezia, dixe:

Tio, ¿qué es esto que dezis?

Calla sobrino, que algun dia te dará éste, que en la mano tengo,
alguna mala comida y cena.

No le comeré yo, dixe, y no me la dará.

Yo te digo verdad; sinó verlo has, si biues.[21]

Was hier als Prophezeiung – oder Verwünschung – hinzugefügt
worden war, fand seine Ergänzung durch einen Einschub in
jenen Bericht des Erzähler-Protagonisten über seine Ehe, aus
dem wir gegen Ende des vorausgehenden Kapitels zitiert haben:

Aunque en este tiempo siempre he tenido alguna sospechuela y auido
algunas malas cenas por esperalla (sc.: su mujer) algunas noches hasta
las laudes y aun mas y se me ha venido a la memoria lo que mi amo el
ciego me dixo en Escalona, estando asido del cuerno. Aunque de
verdad siempre pienso que el Diablo me lo trae a la memoria por
hazerme malcasado y no le aprovuecha.[22]

Solche Verdeutlichungen zerstörten die diskursive Subtilität
des Primär-Textes. Aber das ist in unserem Zusammenhang gar
nicht die vordringliche Beobachtung. Hervorzuheben ist vor
allem, daß die wenigen Einschübe geeignet waren, das zentrale
Thema des Textes zu verschieben: von der Evokation einer für
die zeitgenössischen Leser wahrscheinlich alltäglichen Praxis
der Verstellung im veränderten pragmatischen Rahmen eines
kleinen Romans hin zur Darstellung eines gesellschaftlichen
Milieus, welches er einerseits nicht mehr als das seine identifizieren mußte und so andererseits als Alteritätserfahrung genießen konnte. Ähnlich deutlich verweist die schon 1555 in Ant-

werpen erschienene (wie der Originaltext anonyme) *Lazarillo*-Fortsetzung auf das Leserbedürfnis nach Evasion. Die Erzählung setzt zwar in Toledo, dem Schauplatz des vom Erzähler-Ich nicht zu verdrängenden Dreiecksverhältnisses ein, aber bald schon heuert Lazarillo als Soldat auf einem Schiff nach Algerien an, um nach dem – literarisch zu erwartenden – Schiffbruch ein wahrhaftig ›anderer zu werden‹. Er verwandelt sich in einen Thunfisch und steigt zum Günstling (›*primado*‹) des Thunfisch-Königs auf. Der Thunfisch ›Lazarillo‹ wird von Fischern gefangen, kehrt durch erneute Metamorphose in seine Menschengestalt zurück, wird – selbstverständlich – von seiner Frau und dem Erzpriester bei der Rückkehr nach Toledo abgewiesen und verabschiedet sich schließlich von seinem Leser in Salamanca, wo ihm dank seiner unbestreitbar außergewöhnlichen Erfahrungen akademische Ehren zuteil werden. Was den narrativen Duktus der *Lazarillo*-Fortsetzung vom Primär-Text unterscheidet, das ist seine Tendenz zur unkontrollierten Proliferation der Imagination, die an die Stelle subtilen rezeptionspragmatischen Kalküls tritt. Deshalb gibt es in der Inhaltsstruktur der *Lazarillo*-Fortsetzung auch keinen Ort des Endes. Der Text findet ein Ende, indem der Diskurs des Erzähler-Protagonisten abbricht:

Aquí me vinieron los pensamientos de aquellos doblones que se desaparecieron en el mar, y cierto que me entristecí, y pensé entre mí que si supiera me habia de suceder tan bien como en Salamanca, pusiera escuela en Toledo, porque cuando no fuera sino por aprender la lengua atunesa, no hubiera quien no quisiera estudiar. Después, pensándolo mejor, ví que no era cosa de ganancia, porque no aprovechaba algo; así dejé mis pensamientos atrás, aunque bien quisiera quedar en una tan noble ciudad con fama de fundador de universidad muy celebrado, y de inventor de nueva lengua nunca sabida en el mundo entre los hombres. Esto es lo sucedido después de la ida de Arjel; lo demás con el tiempo lo sabrá vuestra merced, quedando muy á su servicio. – *Lázaro de Tormes*.[23]

Hinsichtlich ihrer narrativen Struktur gehört die erste *Lazarillo*-Fortsetzung also nicht zur Gattung des Schelmenromans: denn hier kommt der Geschichte des Protagonisten-Ich keinesfalls die Funktion zu, jene Rolle und jene Situation verständlich zu machen, aus der das Erzähler-Ich schreibt.

Während an diesen Strukturtyp erst der zwischen 1599 und 1604 erschienene *Guzmán de Alfarache* von Mateo Alemán anknüpfte, dem dann innerhalb weniger Jahrzehnte eine Fülle von Schelmenromanen folgten,[24] dominierte in den narrativen Diskursen um die Jahrhundertmitte jene Konvergenz von struktureller Offenheit und thematischer Proliferation, die wir in der *Lazarillo*-Fortsetzung des Jahres 1555 ausgemacht haben. Symptomatisch ist die Wiederkehr eines Gattungsbegriffs aus der antiken Tradition, der ›silvae‹ (weitgehend synonyme Bezeichnungen sind ›hortus‹ / ›jardín‹). Schon 1540 war die *Silva de varia lección* von Pero Mexía erschienen, in der Kuriosa verschiedenster Herkunft und Thematik gereiht waren; in dieselbe Tradition schrieb sich die *Silva de aventuras* des Jerónimy de Contreras aus dem Jahr 1565 ein, wo die aufgegriffenen Erzählstoffe durch eine Rahmenfabel verbunden waren, und der 1570 publizierte *Jardín de flores curiosas* von Antonio de Torquemada. Die herausragende – und historisch paradigmatische – Gestalt in der Gattungsgeschichte der narrativen *silvae* und *horti* war freilich der Valencianer Juan de Timoneda. Unter seinem Namen erschienen gleich drei solcher Kompilationen: 1563 die *Sobremesa y alivio de caminantes*, 1564 der *Buen aviso y portacuentos* und 1567 *Las patrañas*. Die Tatsache, daß Juan de Timoneda bezüglich jener Bücher die Rollen des Textbearbeiters, des Textkompilators und des Verlegers, aber wahrscheinlich auch des Druckers und des Buchhändlers vereinigte, ist nicht nur – ganz allgemein – ein weiterer interessanter Beleg für die Geschichte der Ausdifferenzierung der um das Medium ›Buch‹ versammelten kommunikativen Rollen, sie indiziert auch – im speziellen – eine Kommunikationssituation, in welcher der Quantität des bereitgestellten Lektüre- und Evasionsstoffes der eindeutige Vorrang vor poetischer Innovation und Perfektion zukam. Juan de Timoneda, der um 1520 geboren worden war und zuerst das Gerberhandwerk gelernt hatte, trat erst um die Jahrhundertmitte als Herausgeber und Verleger in Erscheinung,[25] und die lange Serie der von ihm während der folgenden Jahrzehnte auf den Markt gebrachten Bücher läßt vermuten, daß sein Berufswechsel von den Verdienstmöglichkeiten motiviert war, welche die Bedürfnisse eines neuen, städtischen Lesepublikums eröffneten. Immer wieder wechselten sich in seiner Produktion Sammelausgaben literarischer Texte mit Traktaten ab, welche auf institutionalisierte Gebrauchssituationen des Alltags bezogen waren: so erschien 1563 bei Juan de Timoneda der *Timón de tratantes*, eine Übersicht zu den Wechselkursen der in den verschiedenen Regionen des spanischen Königreichs gängigen Münzen, oder im Jahr 1568 eine *Cartilla de la muerte, arte para ayudar a bien morir*. Daß Timonedas Stärke die marktorientierte Selektion war, zeigen die Bestände der nach seinem Tod anläßlich des Verkaufs an den Sohn von der Witwe inventarisierten Bibliothek. In ihr befanden sich nicht nur Bestseller aus Timonedas Lebenszeit: zahlreiche Ritterbücher, die *Silva de varia lección*, Schäferromane oder die *Poesías* von Castillejo, sondern ebenso die beliebtesten Texte aus vorausgehenden Jahrzehnten und Jahrhunderten, wie die *Propalladia* von Torres Naharro, der *Laberinto de Fortuna* von Juan de Mena und sogar die *Crónicas* Alfons' des Weisen. Wie Juan de Timoneda mit dem Unterhaltungs- und Kompensations-Bedürfnis seiner Kunden spekulierte, zeigt die den *Patrañas* vorausgestellte *Epístola al amantísimo lector*, wo der ehemalige Gerbermeister seine Gelehrsamkeit mit einem kuriosen Vorschlag zur Etymologie des damals noch als italienischem Lehnwort empfundenen Gattungsnamens ›novela‹ unter Beweis stellen wollte:

... *Novelas*, que quiere decir: »Tú, trabajador, pues no velas, yo te desvelaré con algunos graciosos y aseasados cuentos, con tal que los sepas contar como aquí van relatados, para que no pierdan aquel asiento ilustre y gracia con que fueron compuestos.«[26]

Im Jahr 1567, als Juan de Timoneda die *Patrañas* unter eigenem Namen publizierte, erschien in seiner Verlagswerkstatt auch eine Sammlung von Theater-Texten von Lope de Rueda. Die Biographien von Timoneda und Rueda weisen kulturhistorisch signifikante Parallelen auf: Lope de Rueda stammte aus Sevilla, einem anderen urbanen Zentrum der spanischen Mittelmeerküste; bevor er sich jenen Ruhm erwarb, welcher ihn in den Kanon der Literaturgeschichten eingehen ließ, war auch Lope de Rueda Handwerker gewesen, er stellte Blattgold her; und so wie Juan de Timoneda zugleich Autor, Kompilator, Verleger und Drucker war, fungierte Lope de Rueda als Impresario,

Regisseur, Schauspieler und Textschreiber einer reisenden Theatergruppe. Den Literaturgeschichten zufolge war Ruedas' Theatergruppe die erste Vereinigung von Berufsdarstellern weltlicher Dramen in Spanien. Nun wissen wir, daß die Drucklegung von Theater-Texten im späten XVI. und im frühen XVII. Jahrhundert durchaus nicht für den Gebrauch der Schauspieler anläßlich von Neuaufführungen, sondern für ein Lesepublikum bestimmt war.[27] Und nach dem Zeugnis von Cervantes, der Lope de Rueda und seine Truppe während seiner Kindheits- oder Jugendjahre (in Valencia?) gesehen hatte, entging den Dramen-Lesern gegenüber den Dramen-Zuschauern Ruedas nur erstaunlich wenig an szenischer Illusion:

En el tiempo de este célebre español, todos los aparatos de un autor de comedias se encerraban en un costal y se cifraban en cuatro pellicos blancos guarnecidos de guadamecí dorado y en cuatro barbas y cabelleras y cuatro cayados, poco más o menos. Las comedias eran unos coloquios como églogas, entre dos o tres pastores y alguna pastora; aderezábanlas y dilatábanlas con dos o tres entremeses, ya de negra, ya de rufián, ya de bobo y ya de vizcaíno: que todas estas cuatro figuras y muchas otras hacía el tal Lope con mayor excelencia y propiedad que pudiera imaginarse. No había en aquel tiempo tramoyas, ni desafíos de moros y cristianos, a pie ni a caballo; no había figura que saliese o pareciese salir del centro de la tierra por el hueco del teatro, al cual componían cuatro bancos en cuadro, y cuatro o seis tablas encima, con que se levantaba del suelo cuatro palmos; ni menos bajaban del cielo nubes con ángeles o con almas. El adorno del teatro era una manta vieja, tirada con dos cordeles de una parte a otra, que hacía lo que llaman vestuario, detrás de la cual estaban los músicos, cantando sin guitarra algún romance antiguo.[28]

Aber rechtfertigt der Vortrag eines *romance antiguo* im Kontext solcher ›Theateraufführungen‹ schon die Thematisierung der Stücke von Lope de Rueda unter einer Serie von Texten, welche wir auf die Erlebnisstilart ›Erzählung‹ beziehen? Die dafür entscheidende Parallele liegt in einem den dramatischen Szenen (›pasos‹) von Lope de Rueda, den *silvae*, und einem Text wie der *Lazarillo*-Fortsetzung gemeinsamen Strukturmerkmal. Sie alle präsentieren Erlebnisgegenstände sequentiell oder, negativ formuliert: sie verdichten die sie konstituierenden semantischen Einheiten nicht zur Gestalt eines Plot. Und was die

Erlebnisstilart ›Erzählung‹ prinzipiell ermöglicht, nämlich das Sich-Versetzen der Rezipienten in eine Situation fern von ihrem eigenen Alltag, das ist ein Modus der Partizipation, welcher durch szenische Inszenierung nur gefördert werden kann. Wie die Schelmenromane, so erschlossen auch die meisten *pasos* von Lope de Rueda den Alltag der Betrüger und Kriminellen am Rande der Gesellschaft als Raum von Alteritäts-Erfahrung: im sechsten *paso* etwa treffen wir einen Bauern auf dem Weg zum Gefängnis, wo seine Frau als *alcahueta* festgehalten wird. Er trifft zwei hungrige *pícaros* (*Honzigera* und *Panarizo*), deren Betrügertalent von der *autenticada cazuela de ciertas viandas* angeregt wird, die *Mendrugo*, der tölpelhafte Bauer, seiner Frau bringen möchte. So erzählen ihm die *pícaros* ›die Wunder von *Jauja*‹, einem Schlaraffenland, und ihre (von den Schauspielern gestisch zu untermalenden) Worte schlagen den ebenso simplen wie gierigen *Mendrugo* derart in Bann, daß er sich widerstandslos berauben läßt. Die folgende Textpassage macht deutlich, wie dieser *paso* in der verdeckten Kommunikation zwischen den *pícaros* und in vom stummen Spiel der Schauspieler aufzufüllenden semantischen ›Leerstellen‹ eine Rezipientenrolle konstituierte, welche das illusionäre Nach-Erleben des im Alltag verbotenen Raubs ermöglichte:

HONZIGERA

Ven acá, asiéntate un poco y contarte hemos las maravillas de la tierra de Jauja.

MENDRUGO

¿De dónde, señor?

PANARIZO

De la tierra que azotan á los hombres porque trabajan.

MENDRUGO

¡Oh, qué buena tierra! Cuénteme las maravillas desa tierra, por vida suya.

HONZIGERA

¡Sus! Ven acá; asiéntate aquí en medio de los dos. Mira ...

MENDRUGO

Ya miro, señor.

Mira: en la tierra de Jauja hay un río de miel y junto á él otro de leche, y entre río y río hay una fuente de mantequilla encadenada de requesones y caen en aquel río de la miel, que no paresce sino que están diciendo: »comeme, comeme«.

MENDRUGO

Mas, pardiez, no era de menester á mí convidarme tantas veces.

PANARIZO

Escucha aquí, nescio.

MENDRUGO

Ya escucho, señor.[29]

Cervantes' an Bewunderung grenzende Sympathie für Lope de Rueda kam nicht von ungefähr: denn zum einen sollte er selbst zum unübertroffenen Erzähler von Szenen aus jener Halbwelt werden, zum anderen aber gehören auch Cervantes' eigene frühe Dramen in eine Phase aus der Geschichte des spanischen Theaters, welche durch die Schwierigkeit gekennzeichnet war, benutzten Erzählstoffen die Prägnanz einer dramatischen Handlung zu geben. In den frühen achtziger Jahren des XVI. Jahrhunderts schrieb Cervantes *El cerco de Numancia*, ein historisches Drama über die Belagerung der Stadt Soria durch die römischen Truppen unter Scipio dem Jüngeren. Die Episode genoß in Spanien besondere Beliebtheit, weil sich der Überlieferung zufolge die Bewohner von Numancia/Soria der Plünderung durch das Verbrennen ihrer Stadt und den kollektiven Freitod entzogen hatten. Was dem jungen Cervantes aber noch nicht gelang, war eine Gestaltung des dramatischen Geschehens, welche den Zuschauern die Bezugsetzung zu ihrer eigenen Zeit und zu ihrer eigenen kollektiven Identität nahegelegt hätte. Um dies zu suggerieren, griff Cervantes auf ein denkbar konventionelles Verfahren zurück: er führte die allegorischen Rollen *Guerra*, *Enfermedad*, *Hambre* und *Fama* ein.[30]

Schon im vorausgehenden Kapitel hatten wir festgestellt, daß um die Mitte des XVI. Jahrhunderts unter den gedruckten Sammlungen von Texten in gebundener Form die Dominanz von den *cancioneros* auf die *romanceros* überging. Auch diesen Sachverhalt können wir mit dem sozialhistorisch motivierten Bedürfnis des Lesepublikums nach Erzählstoffen korrelieren –

und wenn diese Deutung überhaupt noch einer Bestätigung bedarf, so liegt sie in der während der zweiten Hälfte des XVI. Jahrhunderts zu beobachtenden Synonymität der Gattungsnamen ›romancero‹ und ›silva‹.[31] Auch die *romanceros* boten Alteritätserfahrung über die Inhalte der von ihnen versammelten Texte. Sie vergegenwärtigten, wie wir gesehen haben, Szenen aus der spanischen Geschichte (welche nun, seit dem späten XVI. Jahrhundert, aus Gründen, auf die wir noch eingehen werden, begann, als *nationale* Geschichte erlebt zu werden), doch in der Subgattung der ›Maurenromanze‹ hielten sie auch die seit dem späten XV. Jahrhundert vergangene andere kulturelle Welt des spanischen Islam präsent. Hinzu kommt der Sachverhalt, daß beim ›romancero‹ auch bestimmte Merkmale der Form – das Metrum, spezifische Gesten des Erzählens und Beschreibens, oft auch die graphische und phonetische Gestalt der Wörter – nun Fremdheit konnotieren, nämlich die für ein Lesepublikum im XVI. Jahrhundert prinzipiell fremde Welt der populären Kultur. Im späten XVI. Jahrhundert wurde diese Romanzen-Form sogar für poetische Nachschöpfungen verfügbar. So hat etwa Lope de Vega autobiographische Erfahrungen durch die Textform der Romanze (achtsilbige Verse / Reimschema abcbdb . . .) mit einer begrifflich schwer zu erfassenden, aber durchaus unverwechselbaren poetischen Aura verklärt. In den achtziger Jahren des XVI. Jahrhunderts scheint die Beliebtheit der alten – und in den *romanceros* reproduzierten – Romanzen ihren Höhepunkt erreicht zu haben, während der 1605 veröffentlichte *Romancero general* bereits eine Spätphase ihrer frühneuzeitlichen Gattungsgeschichte markierte. Die Statistik der Auflagen und Neuerscheinungen zeigt uns nun, daß im selben Jahrzehnt – also vor dem Erscheinen des ersten Teils von Cervantes' *Quijote* – die Ritterromane ihre Faszination verloren haben müssen.[32] Zwar wurden während der zweiten Hälfte des XVI. Jahrhunderts nur noch neun neue Ritterromane (gegenüber siebenunddreißig zwischen 1508 und 1550) gedruckt, aber vor den achtziger Jahren entsprach diesem Symptom für die Erschöpfung des produktiven Potentials der Gattung kein Abnehmen in der Frequenz der Neuauflagen. Vielleicht beobachten wir hier Anzeichen für eine Verschiebung des generellen Bedürfnisses nach Alteritätserfahrung von der Fremdheit des heroischen Pathos hin zur Fremdheit des poetischen Zaubers. Immerhin war schon 1565 zum ersten Mal die novellenartige Erzählung ›*Historia del Abencerraje y la hermosa Jarifa*‹ anonym gedruckt worden, in der sich ein christlicher Ritter und sein mohammedanischer Gefangener wechselseitig an Edelmut überbieten. Es geht zunächst um die vorübergehende Freilassung des Gefangenen, der von Sehnsucht nach seiner Geliebten verzehrt wird und sein Rückkehrversprechen so zuverlässig erfüllt wie weiland der Römer Regulus (der allerdings mehr unter dem Zwang republikanischen Pflichtbewußtseins denn unter dem Bann der Liebe stand). In seiner Struktur weniger konventionell war der ›Maurenroman‹ *Historia de las guerras civiles de Granada*, dessen Autor Ginés Pérez de Hita als Schuster die Schriftsteller-Reihe des ehemaligen Gerbers Juan de Timoneda und des Blattgoldschlägers Lope de Rueda fortsetzte. Die Buchfassung seines ersten Teils stammt wahrscheinlich aus dem Jahr 1588 und beschreibt die letzten Monate des islamischen Reichs von Granada vor seiner Eroberung durch die Katholischen Könige als eine Welt glanzvoller Feste und wehmütiger Liebesbeziehungen. Sehen wir uns eine repräsentative Textpassage an:

A la una de la tarde ya estaban corridos doce toros, y el rey mandó tocar los clarines y dulzainas, que era señal para que todos los caballeros que habian de jugar se juntasen en el mirador, y juntos, muy gozoso el rey, les hizo dar colacion. Lo mismo hizo la reina á sus damas, las cuales tenian galas y trajes nunca vistos, á que daba mas ser la hermosura de quien los tenia puestos. Llevó la reina una rica marlota de brocado, con muy ricas labores de oro y pedrería fina. Tenia un tocado muy costoso, y encima de la frente una rosa encarnada, y en medio della un carbunclo precioso. En volviendo el rostro la reina, era tanto el resplandor y claridad que echaba de sí el carbunclo, que quitaba la vista á quien lo miraba.[33]

Diese Sätze würden weder in einer kastilischen Hofchronik des XV. Jahrhunderts noch in einem Ritterroman besonders auffallen, und ebenso ließen sich die zahlreichen metrischen Text-Einlagen in jeglichen zeitgenössischen *romancero* einpassen. Solch überraschende Kongruenz führt zu einer weiteren historischen Erklärungsmöglichkeit für die Beliebtheit der maurischen Welt als Thema in spanischen Erzähltexten des späten

XVI. Jahrhunderts: vielleicht hat dieser Referenzhorizont nur die Welt der christlich-höfischen Vergangenheit aus den Ritterromanen ersetzt, welche einer immer schärferen Polemik gegen ihren nicht haltbaren Anspruch auf Authentizität weichen mußten. So wie die Romanzen-Einlagen eine Verschiebung der Rezipienten-Faszination anzuzeigen scheinen, wird man die Tatsache, daß der zweite Teil von Pérez de Hitas Werk ein präziser Augenzeugenbericht des Moriskenaufstands der Jahre 1558 bis 1561 ist, welcher in vielen Einzelheiten mit dem einschlägigen Text der offiziösen Historiographie, mit ›De la guerra de Granada‹ von Diego Hurtado de Mendoza, übereinstimmt, als Indiz für die alternativen Erklärungsmöglichkeiten werten, welche auf die in der frühen Neuzeit verschärfte ›Kontrolle des Imaginären‹[34] und ihre Folge, die Verpflichtung zu einer prägnanten Unterscheidung zwischen Roman und Geschichtsschreibung, verweist.

Bedeutsam für das historische Verstehen des *Siglo de Oro* ist jedenfalls unser Gesamteindruck, daß zwischen 1550 und 1600 jegliche Narrativierung von Erfahrungsbeständen mit geneigten Lesern rechnen konnte. Es machte offenbar wenig Unterschied, ob solche Narrativierung das historisch, das kulturell oder das geographisch Andere erlebbar machte, ob sie sich in Formen historiographischer Prosa, in den Versen der Volkskultur oder gar in den geheiligten diskursiven Formen der klassischen Antike artikulierte. Auf den hier zuletzt genannten Modus griff übrigens ausgerechnet ein Autor zurück, der Zeuge des Krieges zwischen den spanischen Kolonialtruppen und einem Stamm indianischer Eingeborener geworden war: Alonso de Ercilla y Zúñiga, der Autor des Versepos *La Araucana*. Ercillas Vater war Mitglied des Thronrats von Karl V. gewesen, seine Mutter gehörte zu den Hofdamen der Infantin, und er selbst wuchs als Page des späteren Philipp II. auf. 1554 verheiratete sich sein Herr mit der um viele Jahre älteren englischen Königin María Tudor; doch die von Karl V. mit diesem Meisterstück habsburgischer Ehepolitik verbundenen Hoffnungen erfüllten sich nicht, da María Tudor 1558 kinderlos starb. Ercilla hatte Philipp II. nach England begleitet, und eben dort erfuhr er vom Aufstand eines Indianerstamms an der südamerikanischen Westküste, den *Araucanos*, gegen die Kolonialherren.[35] Schon seit dem Jahr 1543 hatte der Infant Philipp im Auftrag und in Absprache mit seinem Vater die Kolonialpolitik der spanischen Krone gelenkt und so erklärt es sich, daß der von ihm auf die Nachricht von den Aufständen hin ernannte *gobernador* für die Region des heutigen Chile von Adligen aus der engsten Umgebung Philipps in die Neue Welt begleitet wurde. Zu diesen Begleitern gehörte Alonso de Ercilla y Zúñiga, der trotz vielfältiger Verzögerungen bei der Einschiffung noch rechtzeitig genug am Schauplatz der Araukaner-Rebellion[36] eintraf, um die – am Ende natürlich für die Kolonialherren siegreichen – Schlachten als Augenzeuge mitzuerleben. Von ihnen berichtet er in seinem heroischen Epos *La Araucana*, das erst 1569 in Madrid als Buch veröffentlicht werden sollte.

Wir haben Ercillas Zugehörigkeit zum spanischen Königshof betont, weil sie den überragenden Erfolg seines Werks bei verschiedensten zeitgenössischen Lesergruppen verständlich machen kann: *La Araucana* wurde nicht nur zum Modell für die spezifisch spanische Gattung der Kolonialepik, sondern stand auch in der Verbreitung beim Publikum den Ritterbüchern oder den Schelmenromanen nicht nach. Das höfische Milieu von Ercillas Erziehung mag zum einen den Ausschlag für die Form seiner Erzählung gegeben haben. In den narrativen Verfahren orientierte er sich strikt am italienischen Renaissance-Epos, und das bedeutete, daß er die Ruhmestaten des spanischen Königreichs – im Sinne der poetologischen Normen seiner Zeit – auf dem denkbar höchsten diskursiven Niveau artikulierte. Mit dem Metrum der *Araucana* führte Ercilla das Werk des Hofdichters Garcilaso fort. Indem er die *Octavas reales* – achtzeilige Strophen mit elfsilbigen Versen, wie sie schon in der Poesie Garcilasos oder Boscáns auftreten – zum ersten Mal für eine Erzählung verwendete, stiftete Ercilla eine formengeschichtliche Tradition – deshalb werden die *Octavas reales* in der Literaturgeschichte auch ›*Octavas heroicas*‹ genannt. Daß Ercilla selbst die Form seines Epos in Zusammenhang mit seinem sozialen Status und dem Milieu seiner Erziehung setzte, zeigen die folgenden Zeilen aus dem an Philipp II. gerichteten Exordium des *canto primero*:

> Y haberme en vuestra casa yo criado,
> que crédito me da por otra parte,
> hará mi torpe estilo delicado,
> y lo que va sin orden lleno de arte: ...[37]

Einer in der *Aeneis* begründeten Tradition folgend hatte Ercilla das Exordium allerdings mit Versen begonnen, welche die Aufmerksamkeit seiner Leser auf den Inhalt lenken mußten:

> No las damas, amor, no gentilezas
> de caballeros canto enamorados;
> ni las muestras, regalos, ni ternezas
> de amorosos afectos y cuidados:
> mas el valor, los hechos, las proezas
> de aquellos españoles esforzados,
> que a la cerviz de Arauco, no domada,
> pusieron duro yugo por la espada.[38]

Daß der Text der *Araucana* mit Negationen einsetzt, verweist auf eine primäre Spannung zwischen dem semantischen Angebot und dem Erwartungshorizont von Epen-Lesern, und gewiß haben wir es hier mit einem jener paradigmatischen Fälle der Rezeptionsgeschichte zu tun, wo solche Spannung die Hauptbedingung für einen überragenden Erfolg war. Denn dem Epos hatte bis dahin zwar die höchste Wertschätzung der gebildeten Leser gehört, doch weil die Epen-Autoren und ihr Publikum die Ereignisse der eigenen Gegenwart nicht der antiken Vorbilder für würdig erachteten, war es üblich geworden, im Epos nur noch auf konventionelle Stoffe zurückzugreifen. Es ist Ercillas Verdienst, als erster Autor die – nach den Präzepten der Poetologie – angesehenste literarische Form zur Artikulation jenes Themenhorizonts genutzt zu haben, aus dem sich das beginnende nationale Selbstbewußtsein seiner spanischen Zeitgenossen speiste. Deshalb konnten in der Rezeption der *Araucana* die Interessen des Ritterroman-Publikums mit denen der Leser von Kolonialchroniken oder italienischen Epen zusammenfinden.

Mit unserer Vermutung, daß Ercillas Zugehörigkeit zum spanischen Hof in doppelter Weise auf *La Araucana* einwirkte, bezogen wir uns neben der diskursiven Form auf die spezifische Perspektivierung des Kolonialthemas. Denn wenn die Eingeborenen der südamerikanischen Westküste als die wahren

Heroen dieses Epos die Kolonialherren und Sieger bei weitem überragen, so handelt es sich dabei gewiß nicht um eine von jenen – berühmt-berüchtigten – ›heimlichen Faszinationen‹,[39] mit denen sich Literaturwissenschaftler nicht selten über Probleme des historischen Verstehens hinweggeholfen haben. Der Respekt vor den Bewohnern des neuen Kontinents, der religiös-ethische Ernst im missionarischen Selbstverständnis, der Wille zur strengen Kontrolle aller im Namen des Christentums vollzogenen Handlungen machten vielmehr eine positive Tradition der spanischen Krone aus, welche zu erwähnen uns bereits das Testament der Katholischen Königin und die Reaktion Karls V. auf die Polemik von Bartolomé de las Casas Anlaß gegeben hat. Sie wurde auch in der Regierungszeit Philipps II. nicht unterbrochen.[40] Es ist also gewiß nicht abwegig, die Ursprünge des während der europäischen Aufklärung zur Norm und zum Mythos geratenen Bildes vom ›guten Wilden‹ in der Einstellung vieler spanischer Kolonialherren zu sehen. Ercilla jedenfalls erregte bestimmt keine Verwunderung bei seinem königlichen Adressaten, wenn er einem Indianer Worte in den Mund legte, wie sie später Bernardin de Saint-Pierre oder Chateaubriand den *bons sauvages* zuschreiben sollten:

> »Hombres o dioses rústicos, nacidos
> en estos sacros montes y montañas,
> por celeste influencia producidos
> de sus cerradas y ásperas entrañas;
> ¿Por cuál caso o fortuna sois venidos
> por caminos y sendas tan extrañas
> a nuestros pobres y últimos rincones,
> libres de confusión y alteraciones?
>
> ...
>
> »Y si queréis morar en esta tierra,
> tierra donde moréis aquí os daremos
> si os complace y agrada más la sierra,
> allá seguramente os llevaremos;
> si queréis amistad, si queréis guerra,
> todo con ley os lo ofrecemos:
> escoged lo mejor, que a elección mía,
> la paz y la amistad escogería.«[41]

In unserer Übersicht zu jenen Gattungen der spanischen Literatur aus der zweiten Hälfte des XVI. Jahrhunderts, welche sich der Erlebnisstilart ›Erzählung‹ zuordnen lassen, bezeichnet *La Araucana* einen Übergang. Denn wenn wir behaupten, daß in den Jahrzehnten nach 1550 jegliches narrativ artikulierte Evasionsangebot, so populär, abgegriffen oder unbeholfen seine Form auch sein mochte, mit Erfolg bei jeweiligen Lesergruppen rechnen konnte, dann ist nicht impliziert, daß die den gelehrten oder den vornehmen Kreisen der Gesellschaft teuren Diskursformen solchen Erfolg ausgeschlossen hätten.

Dieselbe literarhistorische Konstellation läßt uns auch verstehen, warum die *Aithiopika* des Heliodor, ein Roman aus dem dritten Jahrhundert nach Christus, der erst im Jahr 1554 ins Spanische übersetzt wurde, eine außerordentliche Beliebtheit erlangte:[42] er kombinierte eine Fülle von mittels ›Reisefabeln‹ gereihten Episoden mit der Einhaltung des für die aristotelische Poetik so wichtigen Wahrscheinlichkeitskriteriums. Wir hatten die im frühen XVI. Jahrhundert neu entdeckte Gattung des ›hellenistischen Romans‹ gegen Ende des vorausgehenden Kapitels schon einmal flüchtig erwähnt, als es um eine Charakterisierung von zwei Tendenzen in einer Differenzierungsbewegung der *novela sentimental* ging. Unsere strukturbezogene Anwendung des Begriffs ›hellenistischer Roman‹ auf Alonso Núñez de Reinos' *Historia de los amores de Clareo y Florisea, y de los trabajos de Isea* aus dem Jahr 1552 gewinnt nun, durch die chronologische Nähe der *novela sentimental* zur spanischen Übersetzung der *Aithiopika*, an historischer Bedeutsamkeit. Wenn da in der Hispanisierung des hellenistischen Romans die eine Seite aus der Gattungsgeschichte der *novela sentimental* eine Fortsetzung findet, haben wir auch Anlaß, nach einem Äquivalent auf der anderen Seite zu fragen, nach der Kontinuität jener frühneuzeitlichen Romanperspektive, unter der das Thema ›Liebe‹ von den Protagonisten in der Beobachtung ihrer Gefühle, in der Sublimierung der Kommunikationsformen und am Ende oft im Freitod vergegenwärtigt wird.

Diese Frage führt uns zum *Schäferroman*, einem der schwierigsten Problemkomplexe der hispanistischen Literaturgeschichtsschreibung. Ihr wollen wir zunächst Tribut zollen, indem wir erwähnen, daß – wahrscheinlich – im Jahr 1559 die

Siete libros de la Diana, das spanische Werk des portugiesischen Autors Jorge de Montemayor, erschienen; daß ihr überragender Erfolg durch nicht weniger als acht Neuauflagen und zwei Fortsetzungen während der sechziger Jahre des XVI. Jahrhunderts belegt ist; daß schon unter den Zeitgenossen so prominente Autoren wie Cervantes und Lope de Vega mit Schäferromanen, nämlich der *Galatea* im Jahr 1585 und der *Arcadia* im Jahr 1598, einen Teil ihrer literarischen Sporen verdienten; daß insgesamt etwa zwanzig zwischen der Mitte des XVI. und dem ersten Viertel des XVII. Jahrhunderts in Spanien entstandene Schäferromane diese als eine ›Modegattung‹ ausweisen; daß – schließlich und selbstverständlich – auch der Schäferroman beim gelehrten Publikum von seiner Anknüpfung an eine antike Tradition profitierte, welche (wie so oft) über ein italienisches Werk, nämlich über die im Jahr 1502 erschienene *Arcadia* von Sannazaro vermittelt worden war. Wir gehen über den literarhistorischen Minimalkanon hinaus, wenn wir dem hinzufügen, daß die Biographie von Jorge de Montemayor, dem Verfasser der *Diana*, kulturhistorisch interessante Parallelen zum Leben von Literaten wie Gil Vicente, Juan del Encina, Garcilaso und Ercilla aufweist. Montemayor, der nicht aus einer adligen Familie stammte, dem jedoch eben in den Jahren um das Erscheinen der *Diana* die Aufnahme in die *hidalguía* gewährt worden sein muß,[43] war in den vierziger Jahren aus seiner portugiesischen Heimat – wahrscheinlich aus der Gegend um Coimbra – an den spanischen Hof gekommen, wo er zunächst als Sänger (vielleicht auch als *vihuela*-Spieler) in der Kapelle der Infantin María, einer Tochter Karls V., wirkte. Im Gefolge von Doña Juana, einer anderen Infantin, die mit dem portugiesischen Kronprinzen verheiratet worden war, kehrte Montemayor 1552 nach Portugal zurück; doch schon zwei Jahre später kam er, nach dem Tod des Kronprinzen, wieder an den spanischen Hof. Den *Príncipes de Portugal* ist Montemayors *Cancionero* gewidmet, der 1554 in Antwerpen erschien. Vielleicht begleitete er – wie Ercilla – den späteren Philipp II. zu seiner englischen Hochzeit. Gewiß aber verbrachte er den letzten Abschnitt seines Lebens in Italien, wo er – in jeder Hinsicht standesgemäß – den Tod von Freundeshand in einem Duell gefunden haben soll, zu dem Liebeshändel geführt hatten.

All diese Angaben geben einen historisch plausiblen Hintergrund ab für Montemayors Aufnahme einer Stofftradition aus der Antike, der italienischen Renaissance und der kastilischen Hofdichtung; sie lassen uns mit Gewißheit annehmen, daß er als Autor der *Diana* den Geschmack eines Hofpublikums im Auge hatte (so leuchtet die Begeisterung von durch ein strenges Hofzeremoniell disziplinierten Lesern für die – um es anachronistisch zu formulieren – ›unentfremdete‹ Hirtenwelt sofort ein); ausgehend von der Rolle des Hofdichters Montemayor schließlich erklärt sich auch die verschlüsselte Bezugnahme auf bestimmte Personen in den fiktionalen Gestalten als ein Gattungsmerkmal des Schäferromans und als Teil einer höfischen Rezeption kann man sich auch eine vokalmusikalische Präsentation der zahlreichen Poesien im Text der *Diana* vorstellen. Dennoch bleiben unter einer funktionsgeschichtlichen Fragestellung zunächst zwei Probleme ungelöst: zum einen ist ein Erfolg, wie er der *Diana* zuteil wurde, ohne Anknüpfung an die Funktionen einer vorausgehenden Gattung schwer denkbar; zum anderen sprechen ganz einfach die literatursoziologischen Daten dagegen, daß der Rezeptionsraum des Schäferromans auf den Hof beschränkt blieb. Eine ganz gewagte Assoziation soll uns helfen, das von den literarhistorischen Fakten aufgegebene Problem zu lösen und zugleich an eine im vorausgehenden Kapitel entwickelte These anzuschließen. Was über Montemayors Ende berichtet wird – der Tod von Freundeshand / im Duell / wegen der Liebesrivalität um dieselbe Frau / fern von der Heimat –, könnten allesamt Motive einer *novela sentimental* aus dem späten XV. oder dem frühen XVI. Jahrhundert sein. Sollten die Schäferromane nicht an Funktionen und Publikumserwartungen angeschlossen haben, wie sie die *novelas sentimentales*, zumal jene unter ihnen, die unter der Tendenz ›Verinnerlichung‹ standen, ausgebildet hatten?

Für Thesen auf der hier anvisierten historischen Phänomenebene gibt es grundsätzlich keine Möglichkeit der definitiven Bestätigung; man kann sie lediglich – mehr oder weniger – plausibel machen. Dazu gehört hier die Bemerkung, daß die Annahme einer Kontinuität zwischen einem Typus der *novela sentimental* und dem Schäferroman den Abstand zwischen beiden Gattungen keinesfalls ausblenden oder gar leugnen muß.

Im Gegenteil: gerade weil späte *novelas sentimentales* – wie etwa der *Processo de cartas de amores* von Juan de Segura aus dem Jahr 1548 – den Eindruck erwecken, daß der dort erreichte Grad einer Verinnerlichung der Liebe, daß die in Selbstzerstörung umschlagende Selbstbeobachtung, daß die Problematisierung überkommener Themen und Formen höfischer Dichtung und höfischen Verhaltens tatsächlich nicht mehr überbietbar waren, bleibt eine Bewahrung der Funktionen imaginären Selbstbezugs eigentlich nur für eine in ihren inhaltlichen und formalen Strukturen deutlich gewandelte Romanform denkbar. Betrachten wir deshalb die Handlung der *Diana* im Hinblick auf gattungsgeschichtliche Anknüpfungspunkte und Kontraste.

Im *Argumento deste libro*, wo Montemayor die Ausgangskonstellation der eigenen Erzählung entfaltet, erfahren wir, daß der Hirt Sireno und die Hirtin Diana in innigster – und/aber reinster – Liebe verbunden sind. Den ebenso verliebten Hirten Sylvano hingegen verschmäht die Titelheldin (Motiv der Konkurrenz der männlichen Liebenden). Als sich Sireno auf eine Reise machen muß – und ausdrücklich wird betont, daß darin kein Mangel seines Verliebtseins gesehen werden dürfe – (Motiv der auferlegten Trennung der Liebenden), tröstet sich Diana mit Delio, einem dritten Schäfer, von dem sie auch nach der Rückkehr Sirenos nicht läßt (Motiv der Untreue der weiblichen Liebenden). Sireno tritt in eine nicht endenwollende Serie von Gesprächen mit anderen Hirtinnen und Hirten – unter ihnen sein ehemaliger Rivale Sylvano – ein (Motiv der Selbstbeobachtung und des Selbstgenusses im Liebesleid). Schließlich wendet er sich mit der Bitte um Rat und Hilfe an die Zauberin Felicia, deren Zaubertrank alle Wunden des Liebesleids heilt und – fast – alle Probleme der glücklichen Liebeszuordnung von Hirten und Hirtinnen löst. Lediglich auf Sirenos neuen Liebesbund sollten die Leser bis zu einer Fortsetzung warten (die ihnen Montemayor selbst allerdings nie bot).

Gegenüber den Parallelen zur *novela sentimental* hebt sich das glückliche Ende der *Diana* ab, das freilich bezeichnenderweise durch das Märchenmotiv einer Zauberin eingespielt wird. Auf ein als unvermeidlich zu erfahrendes ›Ende der Liebe im Unglück‹ – zu dem stets die *novelas sentimentales* geführt hatten – kommt es also im Schäferroman offenbar nicht mehr an.

Wenn wir auf die etwa hundertjährige Gattungsgeschichte der *novelas sentimentales* zurückblicken, so können wir behaupten, daß ihre historische Bedeutung vor allem in der Ausmusterung höfischer Motive aus den Inhaltsrepertoires der Literatur gelegen, und daß die Kontrastierung solcher Motive mit dem den Autoren und Lesern zeitgenössischen Alltag das in dieser Hinsicht wichtigste Verfahren gewesen war. Was hier zunächst nur den Status einer begleitenden Funktion hatte, nämlich die Selbstzuwendung der liebesleidenden Protagonisten und ihr den Rezipienten eröffneter Nachvollzug, wurde offenbar im Schäferroman des XVI. Jahrhundert zur dominanten Funktion. Somit waren die Autoren nicht länger an die Verpflichtung zum tragischen Ende, zur Wahl ihrer Erzählmotive aus dem Inhaltsrepertoire mittelalterlich-höfischer Dichtung und zur Kontrastierung von höfischer Liebe und Alltag gebunden. Auf die Frage nun, warum ihre und die Wahl ihrer Leser angesichts solch neuer Freiheit im Themenrepertoire nun gerade auf die Bukolik fiel, lassen sich eine ganze Reihe von – untereinander gewiß nicht unvereinbaren – historischen Gründen nennen: die fiktionale Welt der Hirten schloß an eine populäre (und seit Garcilaso auch von den Gebildeten beachtete) spanische Tradition der *serranillas, villancicos* und Eklogen an, wie an die Kultur der Antike und ihre schöpferische Erneuerung in der italienischen Renaissance. Wenn so einmal festgehalten ist, daß sich im bukolischen Roman die Faszinationen verschiedener Leserschichten und das Prestige ganz verschiedener Gattungen aus der Vergangenheit vereinten, dann kann man des weiteren – mit Werner Krauss[44] – durchaus vermuten, daß dieses Inhaltsrepertoire gerade in Kastilien, das damals außerhalb der Höfe wahrhaft ein Land der Hirten und Herden war, die rezeptiven Assoziationsmöglichkeiten steigerte: nicht umsonst haben ja Montemayor und seine Nachfolger ihr literarisches Arkadien immer wieder auf der Iberischen Halbinsel – wenn auch in ›ferner Vorzeit‹ – lokalisiert. Schließlich eignete sich die literarische Schäferwelt wie kaum ein anderes Repertoire zur Gestaltung einer Sphäre der Wunschprojektionen gegenüber dem Alltag an den Höfen und in den Städten in einer zur Immobilität erstarrenden Gesellschaft.

Doch kommen wir noch einmal kurz auf Parallelen – oder: Merkmale funktionsgeschichtlicher Kontinuität – zwischen *no-*

vela sentimental und Schäferroman zurück. Sie sind durchaus nicht auf die Makrostruktur der Erzählung beschränkt. Viel auffälliger ist bei einer ersten Lektüre die Wiederkehr scheinbar nebensächlicher Requisiten in der jeweiligen Liebesszenerie. Ganz wie die Protagonisten der *novela sentimental* steigert Sireno seinen Liebesschmerz durch die Berührung einer ›Reliquie‹ vom Körper der ungetreuen Diana, den er doch nie besessen hat, um der so induzierten Stimmung in einem Klagelied Ausdruck zu geben:

... sacó del seno un papel donde tenía embueltos unos cordones de seda verde y cabellos – ¡y qué cabellos! – y poniéndolos sobre la verde yerba, con muchas lágrimas sacó su rabel, no tan loçano como lo traía que de Diana era favorecido, y començó a cantar lo siguiente:

> ¡Cabellos, quánta mudança
> he visto después que os vi
> y quán mal parece ay
> essa color de esperança!
>   Bien pensaba yo, cabellos,
> aunque con algún temor,
> que no fuera otro pastor
> digno de verse cabe ellos.
>   ¡Ay, cabellos, quántos días
> la mi Diana mirava
> si os traya o si os dexava
> y otras cien mil niñerías![45]

Natürlich gehört zu den ›Reliquien‹, die der verlassene Sireno mit sich trägt, auch ein Brief, den ihm Diana in glücklicheren Zeiten gewidmet hatte, und als er seinen Gesang beendet hat und seine Hand ›wie zufällig‹ diesen Brief berührt, kann er trotz aller Verwünschungen, trotz seiner Begierde, die Worte, die sich als trügerisch erwiesen haben, vernichtet zu sehen, der Versuchung einer neuen Lektüre nicht widerstehen. Selten wird in den Gattungsgeschichten der *novela sentimental* und des Schäferromans ähnlich deutlich, worin die Funktion jener unzähligen Briefe liegt, welche sich die Protagonisten auch dann noch schreiben, wenn sie nicht räumlich getrennt sind: sie schaffen innerhalb der fiktionalen Welt Situationen, in deren Rahmen die Artikulation der ›innersten Gefühle‹, welche sonst verschwiegen blieben, narrativ motiviert ist:

–¡Ay, carta, carta, abrasada te vea, por mano de quien mejor lo pueda hazer que yo, pues jamás en cosa mía pude hazer lo que quisiesse! ¡Malaya quien aora te leyere! Mas ¿Quién podrá dexar de hazello?

Y descogiéndola, vió que dezía desta manera:

Carta de Diana a Sireno
»Sireno mío, ¡quán mal suffriría tus palabras quien no pensasse que amor te las hazía dezir! Dízesme que no te quiero quanto devo, no sé en que lo vees, ni entiendo cómo te pueda querer más. Mira que ya no es tiempo de no creerme, pues vees que lo que te quiero me fuerça a creer lo que de tu pensamiento me dizes. Muchas vezes imagino que assí como imaginas que no te quiero, queriéndote más que a mí, assí deves pensar que me quieres teniéndome aborrescida. Mira, Sireno, quel tiempo lo ha hecho mejor contigo, de lo que al principio de nuestros amores sospechaste y que quedando mi honrra a salvo, la qual te deve todo lo del mundo, no avría cosa en él, que por ti no hiziesse. Suplícote todo quanto puedo, que no te metas entre celos y sospechas, que ya sabes quán pocos escapan de sus manos con la vida, la qual te dé Dios con el contento que yo te desseo.«[46]

Mit der *Diana* und den aufgezeigten Umbesetzungen von strukturellen Merkmalen der *novela sentimental* scheint Jorge de Montemayor eine Vorgabe geschaffen zu haben, welche für die nächsten Jahrzehnte jene Leser begeisterte, welche zugleich mit dem Eintritt in eine utopisch unentfremdete Welt auch die Innensphäre der Subjektivität – repräsentiert durch die ›Tiefen‹ der liebenden Seele – erforschen wollten. Je nach Temperament, Publikum und Auftraggeber betonten je verschiedene Autoren von Schäferromanen je verschiedene konstitutive Merkmale der Gattung. Das sind bei Lope de Vegas *Arcadia* die in ihren Verschlingungen oft kaum auflösbaren narrativen Digressionen und die manchmal kaum noch verschlüsselten Anspielungen auf Personen seiner Umwelt – nicht umsonst entstand dieses Werk am Hof des jungen, liebes- und lebenslustigen Herzogs von Alba. Das ist in Cervantes' *Galatea* ein besonderes Spiel mit dem aus der *novela sentimental* übernommenen Erzählmotiv von der ›Konkurrenz zweier Freunde als Liebhaber derselben Frau‹: wie Diana hat auch Galatea in Elicio und Erastro zwei Verehrer, doch – anders als Sireno und Sylvano – sind sie nicht beide Schäfer aus der Romanwelt. Vielmehr nähert Cervantes die Gestalt des Erastro jenem Bild an, das seine Leser von einem wirklichen Schäfer haben mochten. Solche Kontrastierung von Sinnwelten ist nicht allein im Hinblick auf Cervantes' späteres Romanwerk, zumal auf den *Quijote* höchst aufschlußreich; sie gewinnt auch eine Problemdimension zurück, welche der Schäferroman gegenüber den *novelas sentimentales* so lange verloren hatte, wie er die dort übliche Kontrastierung einer Welt der Liebe mit dem Alltag ausblendete.

All die bisher thematisierten Typen fiktionalen Erzählens waren noch in der zweiten Hälfte des XVI. Jahrhunderts – möglicherweise allerdings in Spanien mit besonderer Konsequenz – mit einem Legitimations-Problem konfrontiert, und wenn wir nun auf diesen der Literatur auferlegten Rechtfertigungs-Zwang eingehen, so beginnen wir damit eine kurze Reihe von Überlegungen, welche übergreifende Gültigkeit für die bisher durchgemusterten Diskurstypen beanspruchen. Es geht uns dabei um die Vorbereitung der Möglichkeit, sie in ein Verhältnis zu anderen kommunikativen Milieus und anderen Phasen der spanischen Literatur in ihrem Goldenen Zeitalter zu setzen. Über jene offenbar für alle Gattungen fiktionalen Erzählens bindende Pflicht zur Rechtfertigung hat sich Cervantes im Vorwort der *Galatea* beklagt: *La ocupación de escribir églogas en tiempo que, en general, la poesía anda tan desfavorecida, bien recelo que no será tenida por ejercicio tan loable que no sea necesario dar alguna particular satisfacción ...*[47] Werner Krauss hat eine Fülle von komplementären Belegen für die ›andere Seite‹ dieser Polemik zusammengestellt, und sie alle zeigen, daß es in der Tat nicht einzelne narrative Gattungen, ja nicht einmal ausschließlich Narrationen waren, an denen gegenreformatorischer Eifer Anstoß nahm, sondern der verführerische Unernst der Kommunikationsform ›Literatur‹, die nun mehr und mehr auch von den Zeitgenossen als Einheit erfahren wurde:

Estos orlandos, esas dianas, esos boscanes y garçilasos, y esos entretenimientos de damas y galanes: y otros semejantes librilos (sic) suaues son á sentidos, mas son sin duda veneno para el alma y asi para algunos seria bien quemarlos y ofreçer ese sacrificio a Dios: que el humo que de su hoguera saliese seria perfume y caçoleta olorosissimo a los sanctos y amigos de Dios.[48]

Während die in ihren Beurteilungskriterien und Rezeptionsgewohnheiten von der aristotelischen Poetik geprägten Humanisten vor allem die Unwahrscheinlichkeiten der Ritterbücher aufs Korn nahmen, war – wie dieses Zitat zeigt – die Unterscheidung von einzelnen Gattungen keine Angelegenheit für die geistliche Kritik. Noch konnte sie weitgehend die Forderung durchsetzen, daß sich ›Literatur‹ über ihren Beitrag zum religiös-moralischen Leben der Leser eine Existenzberechtigung erst verdienen mußte; und die allermeisten Autoren gaben diesem Druck nach, obwohl das Eingreifen der Zensur weit weniger konsequent und weit weniger aggressiv gewesen zu sein scheint, als wir nach dem Ton einschlägig polemischer Texte zu vermuten geneigt sind.

Einen eindrucksvollen Beleg für die Macht solchen Legitimationszwangs gibt der Schluß des *Guzmán de Alfarache* ab, jenes langen Romans, der themen-, form- und funktionsgeschichtlich knapp fünf Jahrzehnte nach dessen ersten Erscheinen an den *Lazarillo* anschloß. Was wir über die Biographie von Mateo Alemán, seinem Autor, wissen,[49] macht die Annahme unmöglich, daß ihm an religiöser Belehrung oder an der Erbauung seines Publikums viel gelegen haben könnte; und auch die Sequenz der Episoden, welche uns in alle zeitgenössischen Milieus der Halbwelt und des Verbrechens führen, läßt für das Ende alles andere als die Bekehrung des *pícaro* erwarten. Doch am Tiefpunkt seines Lebens, zum Dienst auf den Galeeren verbannt, gibt Guzmán das Geheimnis einer von einigen Mitgefangenen und ihm selbst geplanten Meuterei gegenüber dem Kapitän des Schiffes preis – und der staunende Leser erfährt, daß ihn die ›Hand Gottes‹ zu diesem Schritt geführt habe:

Luego se fulminó proceso contra los culpados todos … Quiso mi buena suerte y Dios, que fué dello servido y guiaba mis negocios de su divina mano … Ahorcaron cinco; y a muchos otros que hallaron con culpa dejaron rematados al remo por toda la vida, siendo primero azotados públicamente a la redonda de la armada. Cortaron las narices y orejas a muchos moros, para que fuesen conocidos y, exagerando el capitán mi bondad, inocencia y fidelidad, pidiéndome perdón del mal tratamiento pasado, me mandó desherrar y que como libre anduviese por la galera, en cuanto venía cédula de Su Majestad, en que absolutamente lo mandase, porque así se lo suplicaban y lo enviaron consultado. Aquí di punto y fin a estas desgracias. Rematé la cuenta con mi mala vida. La que después gasté todo el restante della verás en la tercera y última parte, si el cielo me la diere antes de la eterna que todos esperamos.

LAVS DEO[50]

Solche Beobachtungen zeigen, daß sich ›Literatur‹ trotz ihrer Ausprägung zu einer spezifischen Kommunikationsform noch nicht als ein soziales Teilsystem abgegrenzt hatte. Denn noch galt es ja als unstatthaft für literarische Autoren und ihre Leser, literarische Werke mit einem ›systemspezifischen Code‹ zu bewerten, noch mußten sie sich – zumindest explizit – an den Normen religiöser Ethik orientieren. Das galt selbstverständlich nicht allein für den Schelmenroman, sondern – mit je wechselnden Problemen und Problemlösungen – auch für die Erzähl-Kompilationen und *romanceros*, auch für Ritter-, Mauren-, Schäferromane und heroische Epen. Doch wir haben an Cervantes' Vorwort zur *Galatea* gesehen, daß sich bei den Autoren nun Unmut über solche Fremdbestimmtheit regte. Ein weiteres Anzeichen dafür, daß die spanische Literatur des späten XVI. Jahrhunderts auf dem Weg war, sich als eigenständiges soziales System zu etablieren, ist das Scheitern des Versuchs, die verschiedenen Erzählgattungen jener Zeit je verschiedenen Lesergruppen zuzuordnen. Ohne Zweifel gehen Schäferroman und Schelmenroman, *romancero* und heroisches Epos auf verschiedene Rezeptionsdispositionen zurück. Aber den rezeptionshistorisch vorrangig relevanten Sachverhalt hatte uns Juan de Timoneda als ein ›Verleger‹ vergegenwärtigt, welcher die verschiedenartigsten Werke an ein offenbar auch für ihn diffuses Publikum vermittelte und mit wohl abgegrenzten Käufergruppen nur noch dann rechnen konnte, wenn er deren berufspraktische Interessen bediente. Das neue, diffus ›literarische Lesepublikum‹ umfaßte gegen 1600 natürlich nur ein kleines Segment der spanischen Gesellschaft, und neben ihm bestanden – zumal an den Höfen – engere und exklusive Rezipientenkreise fort.[51]

Mit der Beobachtung des schon auf verschiedene soziale Gruppen geöffneten Leserkreises und der noch durchgehaltenen außerliterarischen Legitimationsverpflichtung haben wir die bisher besprochenen Texte und Gattungen des späten XVI.

Jahrhunderts bereits auf eine spätere Situation der spanischen Literaturgeschichte bezogen. Dem scheint zunächst einmal die Tatsache zu widersprechen, daß diese Gattungen ohne Ausnahme gegen 1620 den Höhepunkt ihrer Beliebtheit überschritten hatten – für die *silvae*, den Schäferroman und vor allem den Ritterroman läßt sich als eine Grenze sogar schon die Wende zum XVII. Jahrhundert bestimmen. Selbstverständlich wurden auch weiterhin Erzähltexte geschrieben, und auch das Bedürfnis nach Evasion, auf das wir die Entstehung der erstaunlichen Formenvielfalt des Erzählens nach 1550 zurückgeführt hatten, verlor nach 1600 wohl kaum an Intensität. Was sich veränderte, war der situationale Rahmen solcher Evasion und damit auch die Inhalte literarischer Fiktionen. Wenn es nämlich zutrifft, daß literarische Rezeption – im spezifisch neuzeitlichen Sinn – eine Grenzüberschreitung voraussetzt, mit der die Leser ihre Alltagswelt verlassen, so muß die zu überschreitende Grenze bei einsamer Lektüre – und von ihr können wir für den Normalfall des Lesens von Erzählungen schon seit dem späten XVI. Jahrhundert ausgehen – durch einen Kontrast zwischen alltäglichen und in der Rezeption konstituierten Bewußtseinsinhalten markiert sein. Auch deshalb führen die verschiedenen Formen des Erzählens stets zu Alteritätserfahrungen – ob diese nun durch räumliche, zeitliche, kulturelle oder soziale ›Ferne‹ vorgegeben sind. Hingegen legt das Theater durch seine räumliche Geschlossenheit und noch einmal durch die Aufteilung in Zuschauerraum und Bühne dem Rezipienten schon Grenzüberschreitungen auf, noch bevor das auf der Bühne präsentierte Spiel zu einem Inhalt seines Bewußtseins wird. In solch *situationaler* Absetzung liegt einer der Gründe, die es dem Theater nicht nur im Siglo de Oro gestatteten, *thematisch* nahe an Szenen aus dem Alltag des Publikums heranzurücken, ohne evasive Funktionen zu verlieren. Schon die bereits präsentierten *pasos* von Lope de Rueda können diesen Sachverhalt illustrieren.

Der rezeptionspragmatische Begriff der ›Evasion‹ hat sich für unsere Überlegungen als fruchtbar erwiesen, weil er es gestattet, eine Vielfalt von Phänomenen unter einer gemeinsamen Perspektive zu betrachten. Aber ganz unvermeidlich führt der Gewinn an Abstraktion zu einem Mangel an Trennschärfe.

Deshalb war es notwendig, zwischen verschiedenen Richtungen der Evasion aus dem Alltag zu unterscheiden, und die Vorgeschichte des Schäferromans hat uns daran erinnert, daß die ›Tiefe‹ der menschlichen Psyche ebenso ein Raum der Alteritätserfahrung und damit der Evasion sein kann wie vergangene Epochen und exotische Länder. Diesen *inneren Evasionsraum* hat in der Frühen Neuzeit wohl keine andere europäische Literatur so intensiv wie die spanische ausgelotet. Denn von Gegenreformation und gesellschaftlicher Involution war ja auch und gerade jene Frömmigkeitspraxis betroffen, die sich in Spanien durch die Ausdifferenzierung der mentalen Gestalt ›Subjektivität‹ entwickelt hatte. In diesem Zusammenhang interessieren uns die – fortgesetzte – Verfolgung des Erasmismus durch die Inquisition und die von ihr garantierte Wahrung katholischer Orthodoxie nur am Rande. Wichtiger ist der Sachverhalt, daß mit der Gegenreformation formale, institutionelle, also ›äußere‹ Aspekte der Religiosität schon verlorene Bedeutung wiedergewannen, weshalb kaum offiziell legitimierter Raum für die nun begehrte persönliche Begegnung des gläubigen Menschen mit Gott verblieb. Schon um die Mitte des XVI. Jahrhunderts zeichneten sich in den Schriften des Fray Luis de Granada jene Tendenzen ab, aus denen sich wenige Jahrzehnte später die *spanische Mystik* als eine Reaktion auf die problematisch gewordene Beziehung zwischen gläubigem Subjekt und gegenreformatorischer Kirche konstituieren sollte. Neben dem damals allgegenwärtigen Problemhorizont der Gnadentheologie[52] ging es immer wieder um die Legitimität und die Verfahren des ›stillen‹, ›inneren‹ Gebets, gegenüber dem die Notwendigkeit der *oración vocal* kaum noch darzustellen war.[53] Ganz im Vordergrund aber stand die Darstellung jener Erfahrungen, welche in der Meditation durch Rückwendung auf das eigene Bewußtsein vollziehbar wurden, und solche Diskurse schlossen – wie unsere beiden folgenden Belege veranschaulichen können – teils an den Stil philosophischer und theologischer Systematisierung, teils aber auch an die überlieferte Liebespoesie an:

De la meditacion

Despues de la licion se sigue la meditacion del paso que se ha leido. Acerca de lo cual es de saber que esta meditacion unas veces es de cosas que se pueden figurar con la imaginacion, como son todos los pasos de la vida y pasion de Cristo, y otras de cosas que pertenescen mas al entendimiento que á la imaginacion; como cuando pensamos en los beneficios de Dios, ó en su bondad y misericordia, ó en cualquiera otra de sus perfecciones. Esta manera de meditacion se llama intelectual, y la otra imaginaria. Y de la una y de la otra solemos usar en estos ejercicios, segun que la materia de las cosas lo requiere ...[54]

De la conversacion interior

... Ea pues, ánima fiel, apareja tu corazon á este Esposo, para que quiera venir á tí y morar contigo, que él dice asi: Si alguno me ama, guardará mi palabra, vendrémos á él, y morarémos en él. Pues así es, da lugar á Cristo, y a todo lo demas cierra la puerta. Si á Cristo tuvieres, estarás rico, y bástate. El será tu proveedor y fiel procurador en todo, de manera que no tengas necesidad de esperar en los hombres; porque se mudan muy presto, y desfallescen muy lijeramente; mas Jesucristo permanesce para siempre, y está firmísimo hasta el fin.[55]

Wenn wir versucht haben, den historischen Zusammenhang zwischen der spanisch-christlichen Mystik in der zweiten Hälfte des XVI. Jahrhunderts und jenen besonderen sozial- und mentalitätsgeschichtlichen Bedingungen zu verdeutlichen, unter denen die spanische Gesellschaft in die Frühe Neuzeit eintrat, so wollen wir damit keinesfalls ihre Beziehung zur Tradition der jüdischen Mystik auf der Iberischen Halbinsel in Frage stellen, zumal deren Tradierung durch das Wirken der *alumbrados* nach 1500 als gesichert angenommen werden kann. Doch Filiationen sind Potentiale, die erst im Rahmen spezifischer Motivationskonstellationen historisch bedeutsam werden. So gesehen ist es besonders interessant, daß die drei großen Werke, in denen die Heilige Teresa von Avila den Zeitgenossen ihre Begegnungen mit Gott vergegenwärtigt hat, alle dem Erlebnisstil ›Erzählung‹ zugeordnet werden können, weil sie es alle gestatten, den *Weg* aus dem Alltag hin zu dieser mystischen Begegnung in einer Sequenz von *Stationen* nachzuerleben. Teresas einzigartige historische Rolle beruht also nicht auf theologie- oder religionsgeschichtlichen Innovationen, sondern auf ihrer Fähigkeit, eine ekstatische Form subjektzentrierter Erfahrung so zu artikulieren, daß die Leser als Subjekte der Sinnbildung angesprochen wurden. Im *Camino de la perfección* (erschienen 1583) führen die verschiedenen Ebenen der von Teresa reformierten Regel des Karmeliter-Ordens als Voraussetzung einer gemeinschaftlichen Lebensform zu den vom Subjekt zu durchlaufenden Graden der Meditation, welche in die *unio mystica* münden. Das *Castillo interior* (aus dem Jahr 1588) rekurriert auf die textuelle Inszenierungsform der Allegorie: die menschliche Seele ist durch eine Burg repräsentiert, deren verschiedene Befestigungsringe nacheinander auf dem Weg zur Vereinigung mit Gott durchquert werden müssen. Jeder dieser Befestigungsringe erscheint als Station, Wohnstätte, Aufenthaltsort (›morada‹), und die *moradas* führen über aktive Askese und Meditation zur Befreiung vom Alltagsgetriebe, über Introversion, Ruhe und Einkehr zur *unio mystica*. Eröffnen schon der *Camino de la perfección* und das *Castillo interior* dem Leser die Umsetzung gestaffelter Erlebnisstufen der Autorin in eigene Erfahrung, so entspricht bei der *Vida* der Teresa von Avila, die in zwei Phasen der Bearbeitung 1562 und 1565 entstand, der für den Rezipienten konstituierten Subjekt-Rolle nun das ›doppelte Ich‹ des autobiographischen Erzähler-Subjekts. Gerade weil diese Instanz des Erzähler-Subjekts von einer Frau besetzt ist, der die gängigen diskursiven Schemata der Schriftlichkeit nie vermittelt worden waren, weshalb sie bei der Darstellung ihres Lebens allein auf die mündliche Sprachkompetenz des Alltags zurückgreifen konnte, gerade aufgrund einer Defizienz also, ist in der *Vida* der Teresa von Avila eine Unmittelbarkeit vergangenen Erlebens und vergangener Erfahrungsbildung erhalten, die ihre Leser bis heute immer wieder fasziniert hat und daneben diesen Text als ein erstrangiges mentalitätsgeschichtliches Dokument auszeichnet.

Die Form des Erzählerinnen-Subjekts entspricht dabei weitgehend jener Struktur, der wir bereits bei der fiktionalen Autobiographie des *Lazarillo* begegnet sind: der dargestellte Lebensweg präsentiert sich als eine langsame Annäherung an jene Situation, von der aus erzählt wird. Nun dürfen wir freilich nicht vergessen, daß solche autobiographische Rede im kommunikativen Milieu der Gegenreformation einen durchaus prekären Status hatte: denn einerseits war ein solcher Diskurs überhaupt nur legitimierbar durch seine Funktion, Anregung zur *imitatio* zu sein, andererseits mußte er den Verdacht erwekken, Teresa von Avila schriebe – angeregt durch die ihr schon zu Lebzeiten entgegengebrachte glühende Verehrung weiter

Kreise der spanischen Gesellschaft – ihre eigene Heiligenvita. Drei Verfahren des Gegensteuerns können wir im Text ausmachen. Zum ersten betont die Verfasserin schon im Titel (›Vida ... y algunas de las mercedes que Dios le hizo, escritas por ella misma por mandado de su confesor‹) und dann wieder im Prólogo wahrheitsgemäß, daß sie ihre Biographie auf Anordnung des Beichtvaters verfaßt habe:

Quisiera yo que, como me han mandado y dado larga licencia para que escriba el modo de oración y las mercedes que el Señor me ha hecho, me la dieran para que por muy menudo y con claridad dijera mis grandes pecados y ruin vida. Diérame gran consuelo; mas no han querido, antes atándome mucho en este caso; y por esto pido, por amor del Señor, tenga delante de los ojos quien este discurso de mi vida leyere, que ha sido tan ruin, que no he hallado santo, de los que se tornaron a Dios, con quien consolarme.[56]

Zum zweiten betont die Verfasserin in der Erzähler-Rolle wieder und wieder – in deutlichem Gegensatz zum fiktionalen Erzähler des Lazarillo, der sich als subjektives Verdienst zuschreiben will, was mit dem Verlust der Ehre bezahlt war –, daß die aufsteigende Linie ihres Lebens allein der gnadenhaften Intervention Gottes zuzuschreiben sei. Damit gewinnt der autobiographische Erzählduktus einen eigenartigen, gleichsam ›stufenförmigen‹ Verlauf: in der Abfolge der Phasen ihres Lebens beobachtet die Erzählerin stets aufs neue, wie sie durch eigenes Verschulden vom Weg der Frömmigkeit abgekommen ist, um dann jeweils die Rückkehr zum ›rechten Weg‹ als unverdienten göttlichen Gnadenerweis darzustellen. So können wir – auf der Grenze zwischen einer religionsgeschichtlichen und literaturgeschichtlichen Perspektive – sehen, wie die diskursive Lösung eines pragmatischen Problems Teresa von Avila in gefährliche Nähe zur reformatorischen Position der Gnadentheologie brachte. Mit dem Leitmotiv vom Einwirken göttlicher Gnade geht von Beginn an der Gestus akribischer Selbstbeobachtung einher, welcher zwar zum Ausgangspunkt des später entfalteten ›Weges nach innen‹ bestimmt ist, zunächst aber – auch wenn er immer wieder in Schuld-Selbstzuschreibungen endet – zu einer erstaunlichen Differenzierung zwischen intendiertem und bloß unterlaufenem Handeln, zwischen unmerklichem und über Visionen vermitteltem Einwirken Gottes führt:

Comencé a traer galas, y a desear contentar en parecer bien, con mucho cuidado de manos y cabello, y olores y todas las vanidades que en esto podía tener, que eran hartas, por ser muy curiosa. No tenía mala intención, porque no quisiera yo que nadie ofendiera a Dios por mí ...[57]

Una cosa tenía que parece me podía ser alguna disculpa, si no tuviera tantas culpas; y es que era el trato con quien por vía de casamiento me parecía podía acabar en bien, e informada de con quien me confesaba y de otras personas, en muchas cosas me decían no iba contra Dios ...[58]

Acuérdaseme, a todo mi parecer, y con verdad, que cuando salí de casa de mi padre, no creo será más el sentimiento cuando me muera; porque me parece cada hueso se me apartaba por sí, que, como no había amor de Dios que quitase el amor del padre y parientes, era todo haciéndome una fuerza tan grande, que si el Señor no me ayudara, no bastaran mis consideraciones para ir adelante. Aquí me dio ánimo contra mí, de manera que lo puse por obra ...[59]

Ein drittes Verfahren, mit dem die biographische Linie immer wieder unterbrochen wird, setzt mit der Darstellung jener visionären Erlebnisse ein, welche Teresa zu einer großen Heiligen machen sollten. Was in der Erlebnisstilart der Narration sonst prinzipiell den Rezipienten überlassen wird, nämlich die Umsetzung von Erlebnissen in die Gestalt prägnanter Erfahrungen, wird hier vom Subjekt der Erzählung selbst vollzogen. Am eindrucksvollsten und unmittelbarsten freilich wirken gerade auf die Leser der *Vida* bis heute jene Passagen, in denen die Autorin ihr mystisches Erleben ohne den Filter interpretationsrelevanter theologischer Konzepte präsentiert:

Quiso el Señor que viese aquí algunas veces esta visión; veía un ángel cabe mí hacia el lado izquierdo en forma corporal, lo que no suelo ver sino por maravilla. Aunque muchas veces se me representan ángeles, es sin verlos, ... Esta visión quiso el Señor la viese así. No era grande, sino pequeño, hermoso mucho, el rostro tan encendido que parecía de los ángeles muy subidos, que parecen todos se abrasan. Deben ser los que llaman querubines, que los nombres no me los dicen; mas bien veo que en el cielo hay tanta diferencia de unos ángeles a otros, y de otros a otros, que no lo sabría decir. Veíale en las manos un dardo de oro largo, y al fin del hierro me parecía tener un poco de fuego. Este me parecía meter por el corazón algunas veces, y que me llegaba a las entrañas. Al sacarle, me parecía las llevaba consigo, y me dejaba toda abrasada en amor grande de Dios. Era tan grande el dolor, que me hacía dar aquellos quejidos; y tan excesiva la suavidad que me pone este grandísimo dolor, que no hay desear que se quite, ni se contenta el alma con menos que Dios. No es dolor corporal, sino espiritual, aunque no deja de participar el cuerpo algo, y aun harto. Es un requiebro tan suave que pasa entre el alma y Dios, que suplico yo a su bondad lo dé a gustar a quien pensare que miento.[60]

Natürlich legen solche Schilderungen psychoanalytische (oder gar psychopathologische?) Deutungen nahe. Sollte es sich hier nicht um die Vermischung von Phantasien der sexuellen Begegnung (*dardos*) und der Geburt (*ángel pequeño*) handeln, zumal viele Motive aus der Biographie der Teresa von Avila Spekulationen in dieser Richtung noch bekräftigen? Der frühe Tod ihrer Mutter, die enge Bindung an den Vater, die betont mütterliche Rolle, welche sie gegenüber den Novizinnen der von ihr gegründeten Klöster einnehmen wollte, die Wahl des Heiligen Joseph, des ›geschlechtslosen Familienvaters‹, als Patron ihrer ersten eigenen Ordensgemeinschaft.[61] Zwar würde der religiöse Erfahrungswert mystischer Visionen durch solche Interpretationen keinesfalls reduziert, aber wir wollen diese Möglichkeit dennoch nicht weiterspielen, weil zum einen das interpretative Instrumentarium, das wir dann benutzen müßten, prinzipiell mit der Präsenz jener Person rechnet, deren Leben gedeutet werden soll, und weil zum anderen ›Pathologie‹ und ›Therapie‹ die – an sich natürlich legitimen – hermeneutischen Perspektiven psychoanalytischer Deutungen sind, während es uns hier eine Mentalitätsgeschichte der Subjektivität, (noch?) nicht aber um deren Pathographie und unsere Erlösung von ihr geht.

In den narrativen Passagen der Vergegenwärtigung einer *unio mystica* wird die Beziehung zwischen Erzählerrolle und Leserrolle von Teresa bis zu einem Extrempunkt getrieben: auf der Erzählerseite laufen – ostentativ – alle Versuche in die Aporie, eine Äquivalenzbeziehung zwischen aktualem Erleben und seiner sprachlichen Darstellung zu erreichen: *que los nombres no me los dicen / que no lo sabría decir / me parecía tener / me parecía meter / me parecía las llevaba consigo / este grandísimo dolor que no hay desear que se quite / No es dolor corporal, sino espiritual, aunque no deja de participar el cuerpo algo, y aun harto.* Zur dominanten Funktion der Sprache wird also der

Verweis auf ihr prinzipielles Ungenügen angesichts der Intensität des Erlebens. Und die erzählende Mystikerin scheint sich nun gerade auf die Sogkraft dieses ›semantischen Hohlraums‹ verlassen zu haben: nicht in dem Sinn, daß sie ihren Leser zur Projektion eigener Phantasien einlud, sondern mit dem Vertrauen, daß der Leser nun zum eigenen Vollzug eines Erlebens motiviert sei, welches sich allen Möglichkeiten symbolischer Vermittlung entzog: *es un requiebro tan suave que pasa entre el alma y Dios, que suplico yo a su bondad lo dé a gustar a quien pensare que miento.* Wir hatten bereits angedeutet, daß die mystische ›Evasion nach innen‹ über zwei in sich komplexe Stadien der Grenzüberschreitung Alltagsbewußtsein hinter sich läßt: der Sequenz von *moradas* der Meditation geht die in der Ordensregel festgeschriebene Disziplinierung des Lebens im Kloster voraus, deren einzelne Verordnungen sich in der Funktion ergänzen, Distanz zwischen dem Alltag außerhalb und der Welt der Meditation innerhalb der Klostermauern zu setzen. Damit diese Welt der Meditation von den Interferenzen des Alltags freigehalten wird – und gewiß nicht motiviert von ›demokratischem Geist‹, wie es neuere Teresa-Interpreten postulieren,[62] – werden in der von Teresa de Jesús (wie sich die Heilige nach der Gründung des dem Heiligen Joseph geweihten Klosters nannte) reformierten Regel der Karmeliterinnen alle Schenkungen an einzelne Nonnen und ihre – damals unvermeidliche – Folge, alle Rangunterschiede innerhalb des Klosters untersagt: *Ninguna hermana pueda dar ni recibir nada, ni pedir, aunque sea a sus padres, sin licencia de la priora; a la cual le mostrará todo lo que trajere en limosna. Nunca jamás la priora ni ninguna de las hermanas pueda llamarse don.*[63] In der räumlichen und sozialen Ausgestaltung der klösterlichen Innenwelt war jegliches Detail auf ihre Hauptfunktion, die Ermöglichung meditativer Versenkung ausgerichtet: deshalb mußten Baumaßnahmen und Restaurationsarbeiten an den Klostergebäuden auf die Kirche beschränkt bleiben, deshalb durfte nicht einmal die Priorin unangemeldet in die Zelle einer Nonne eintreten. Besonders eindringlich kommt diese umfassende Prägung des Klosterlebens als Rahmen für den mystischen ›Weg nach innen‹ in der Novizinnen-Regel zum Ausdruck:

La maestra de novicias sea de mucha prudencia ... y ponga más en lo interior que en lo exterior, tomándolas cuenta cada día de cómo aprovechan en la oración, y cómo se han en el misterio que han de meditar, y qué provechos sacan, y enseñarlas como se han de haber en esto, y en tiempos de sequedades, y en ir quebrando ellas mismas su voluntad, aun en cosas menudas. Mire la que tiene este oficio que no se descuide en nada, porque es criar almas para que more el Señor.

Für eine Geschichte der Kommunikationsformen ist diese Klosterregel ebenso relevant wie die im vorausgehenden Kapitel rekonstruierte Ausbildung einer Grenze zwischen dem Bühnenraum fiktionalen Spiels und dem Zuschauerraum im Theater. Auch – und gerade – für die Mystik war die Fähigkeit, den Körper zu vergessen, Voraussetzung für das Eindringen des Bewußtseins in neue Sphären des Erlebens jenseits des Alltags. Dem Körpervergessen waren die ersten Stadien auf dem Weg zur *unio mystica* gewidmet. Bemerkenswert ist freilich, daß in ekstatisch-mystischer Frömmigkeit – anders als bei allein literarischer Rezeption – der Weg zur unbekannten Innenwelt der eigenen Psyche in eine (freilich unbeschreibbare) Dimension körperlichen Erlebens zurückführte.

Die Biographie der Heiligen endete in einem Weg, der nicht mehr nur Metapher war. Im *Libro de las fundaciones* können wir ihre Wanderungen durch Kastilien verfolgen, und weil sie auf diesen Wanderungen mehr als zwanzig neue Klöster gründete (und nach ihrer Gründung betreute), bleibt die Möglichkeit, ihr ›nachzufolgen‹, noch für heutige Rezipienten als Reise entlang der Stationen ihres Wegs bestehen. Mit solcher Objektivierung ihres Lebenswegs aber trat Teresa von Avila in die Verantwortlichkeit einer Rolle, welche die Institution der Kirche für eine Frau nie vorgesehen hatte. So entstand – wie bei der Abfassung der *Vida* – ein zweites Mal die Notwendigkeit, sich für die Betreuung ihrer Klostergründungen eine Sprache zu schaffen, für die es keine Vorbilder gab. Diese andere Sprache der Subjektivität, welche uns vielleicht noch eindringlicher und unmittelbarer als die *Vida* ihr Leben an der Grenze zwischen dem Alltag des späten XVI. Jahrhunderts und der mystischen Evasion vergegenwärtigt, ist die Sprache ihrer schon im XVII. Jahrhundert gesammelten und als Buch publizierten Briefe. Wir wollen dahingestellt sein lassen, ob es bloß der Mangel eines diskursiven Vorbilds war oder auch eminentes sprachstrategisches Geschick (und vielleicht sogar frühe Anzeichen für eine bewußte Bejahung eigener Subjektivität), welche Teresa dazu brachte, den Priorinnen neugegründeter Klöster innerhalb weniger Sätze zugleich Anweisungen zur Meditation und zum Anlegen von Essensvorräten zu geben, sich in den Briefen an ihre Beichtväter (oder auch an Philipp II.) zugleich als ›geistliche Tochter‹ und als ihrer Anziehungskraft bewußte Frau zu präsentieren. In einem Brief an den König vom 19. Juli 1595 etwa entfaltete sie ein wahres Feuerwerk positiver und negativer Motivationen, um Philipp geneigt zu machen, dem Pater Gerónimo Gracián, einem jungen Geistlichen, den Teresa eben kennengelernt hatte, das Amt der geistlichen Fürsorge über die Karmeliterinnen zu übertragen:

Como esto está en manos de vuestra majestad, y yo veo que la Virgen Nuestra Señora lo ha querido tomar por amparo para el remedio de su Orden, heme atrevido a hacer esto para suplicar a vuestra majestad por amor de Nuestro Señor y de su gloriosa Madre, vuestra majestad mande se haga; porque al demonio le va tanto en estorbarlo, que no pondrá pocos inconvenientes, sin haber ninguno, sino bien de todas maneras.

Harto nos haría al caso, si en estos principios se encargase a un Padre Descalzo, que llaman Gracián, que yo he conocido ahora, y aunque mozo, me ha hecho harto alabar a Nuestro Señor lo que ha dado a aquel alma, y las grandes obras que ha hecho por medio suyo, remediando a muchas; y así creo que le ha escogido para gran bien de esta Orden. Encamine Nuestro Señor las cosas de suerte, que vuestra majestad quiera hacerle este servicio y mandarlo. Por la merced que vuestra majestad me hizo en la licencia para fundar el monasterio en Caravaca, beso a vuestra majestad muchas veces las manos. Por amor de Dios suplico a vuestra majestad me perdone, que ya veo que soy muy atrevida; mas considerando que oye a los pobres el Señor, y que vuestra majestad está en su lugar, no pienso ha de cansarse.

Dé Dios a vuestra majestad tanto y años de vida, como yo continuo le suplico y la cristiandad ha menester.

Son hoy XIX de julio.

Indigna sierva y súbdita de vuestra majestad,

TERESA DE JESUS.
CARMELITA[64]

San Juan de la Cruz, der von 1542 bis 1592 lebte, war in jenem doppelten Sinn, den das Wort in der Sprache der Mystiker annimmt, ein ›Weggenosse‹ der Teresa von Avila. Als er, der aus einer verarmten Adelsfamilie in einem Dorf jener kastilischen Provinz stammte, deren Hauptstadt Teresas Heimat war, noch Juan de Yepes y Alvarez hieß, hatte er zwischen 1564 und 1568 im nahen Salamanca Theologie studiert. Das wäre nun für einen Autor des *Siglo de oro* wahrhaft nicht bemerkenswert, wenn sich damit nicht die Frage beantworten ließe, warum San Juan seine Zeitgenossen und die Leser späterer Epochen wohl viel weniger faszinierte als die Heilige Teresa: als *letrado* war er ganz offenbar in jenen Diskursen zu Hause, welche keine Bildungsinstitution des XVI. Jahrhunderts an eine Frau vermittelte. Zwar hat auch Teresa von Avila die Erfahrung aus ihren Erlebnissen der Gottesbegegnung – so wie San Juan de la Cruz – in Gedichten und theologisch inspirierten Traktaten artikuliert, doch wir ahnen bei der Lektüre dieser Texte stets ein Spannungsverhältnis zwischen diskursiver Vorgabe und Subjektivität. Dieses Spannungsverhältnis scheint in der *Vida* und in ihren Briefen aufgehoben, wo sie die mündliche Sprache des Alltags in einen oft stockenden und manchmal sogar grammatisch fehlerhaften Duktus der Schriftlichkeit zwingt, der ›ihre eigene Sprache‹ ist. Für die vier Hauptwerke von San Juan de la Cruz hingegen, die *Subida del Monte Carmelo*, die *Noche escura del alma*, den *Cántico espiritual entre el alma y Cristo, su esposo* und die *Llama de amor viva* ist durchgängig eine Polarisierung zwischen vergegenwärtigtem Erleben und vermittelter Erfahrung charakteristisch, die vom Autor offenbar als ein seinem Anliegen angemessenes Äquivalent der dargestellten Inhalte angesehen wurde. Was in der *Vida* der Teresa von Avila zu einem in seiner Struktur durchaus unregelmäßigen Kontinuum von narrativen Sequenzen und retrospektiven Systematisierungsansätzen verknüpft ist, nämlich die Wechselbeziehung zwischen Erleben und Erfahrungsbildung, divergiert bei San Juan de la Cruz in poetisch gebundene Sprache auf der einen und theologische Prosa-Kommentare auf der anderen Seite. Wir greifen zur Illustration das – ganz konkret – ›erste und beste‹ Beispiel heraus, nämlich den Kommentar zu dem Gedicht ›En una noche escura‹ aus der *Subida del Monte Carmelo*, den der Autor wenige Jahre später in der *Noche escura del alma* noch einmal aufnahm:

CANCION PRIMERA

En una noche escura,
Con ansias en amores inflamada,
¡Oh dichosa ventura!
Salí sin ser notada,
Estando ya mi casa sosegada.

En esta primera cancion canta el alma la dichosa suerte y ventura que tuvo en salir de todas las cosas y de los apetitos e imperfecciones que hay en la parte sensitiva del hombre, por el desórden que tiene de la razon. Para cuya inteligencia es de saber, que para que una alma llegue al estado de la perfeccion, ordinariamente ha de pasar por dos maneras principales de noches, que los espirituales llaman purgaciones ó purificaciones del alma, que aquí llamamos noches; por cuanto el alma, así en la una como en la otra, camina como de noche á escuras. La primera noche ó purgacion es de la parte sensitiva del alma, de la cual se tratará en la presente cancion y en la primera parte de este libro. La segunda es de la parte espiritual, de quien habla la segunda cancion que se sigue; y de esta tambien tratarémos en la segunda parte cuanto á lo activo; porque cuanto á lo pasivo será la tercera y cuarta parte.[65]

Der scholastische Stil des Prosa-Kommentars ist deutlich. Ebenso leicht identifizierbar ist die Gedichtform: es handelt sich um die *Lira*, eine fünfzeilige Strophe mit zwei elfsilbigen und drei siebensilbigen Versen, welche zu dem von Garcilaso de la Vega in die spanische Literatur eingebrachten metrischen Repertoire gehört. San Juan de la Cruz verzichtet also auf die narrative Annäherung an die darzustellende mystische Begegnung, um eine Möglichkeit der gebundenen Sprachform zu nutzen, welche bis in unsere Gegenwart als konstitutives Merkmal der ›Lyrik‹ gilt: vom Rhythmus der Verse und seiner Verdichtung zur Melodie, von Alliterationen und Assonanzen, von der Lockerung der semantischen Kohärenzerwartungen und syntaktischen Normen erwartet man die Artikulation von Erlebnisdimensionen, welche außerhalb lyrischer Sprachformen als ›nicht mehr sagbar‹ gelten. Was bei der Darstellung mystischer Begegnungen in der Prosa der Teresa von Avila – gewiß unwillkürlich – jene eigentümlichen ›Leerstellen‹ hervorbrachte, nämlich die Überzeugung, daß sich mystisches Erleben den institutionalisierten Sprachformen notwendig entziehe, das betont die gebundene, ›lyrische‹ Form in den Werken von San Juan de la Cruz. Gerade weil die Lösung dieses Dilemmas aber zu Sprachformen führt, deren Verstehen nicht mehr institutionell abgesichert ist, bedarf die mystische Lyrik des Kommentars, und wird andererseits der Kommentar durch den ›Mehrwert‹ der lyrischen Sprache bereichert.

Nun kann sich freilich auch lyrische Sprache – und vielleicht kein Typ poetischer Sprache so wenig wie die von Garcilaso nach Spanien vermittelte europäische Tradition des Petrarkismus – nicht langfristig der Institutionalisierung entziehen. Deshalb kann man zwar nicht leugnen, daß die mystische Lyrik von San Juan de la Cruz vielleicht ein ›Mehr‹ an mystischer Erfahrung in die Sprache hinüberrettet, aber wegen ihrer Zugehörigkeit zu einem institutionalisierten poetischen Diskurs erschließt sie für die Nachwelt nur eine ›Außenansicht‹ der individuellen Begegnungen mit Gott, während die Inkonsistenzen der Prosa von Teresa de Jesús die Chance eines unmittelbaren Nachvollzugs – zumindest – suggerieren. Man sollte deshalb gerade die literarische Bedeutung des Werks von San Juan de la Cruz hervorheben: sie liegt in der Ausarbeitung von Bildfeldern aus der Tradition der Liebespoesie unter dem Eindruck mystischen Erlebens, von Bildfeldern, die so bereichert dann wieder bei der literarischen Darstellung anderer Themen und Erfahrungsbereiche fruchtbar werden konnten. Diese Bildfelder sind – wie schon die Titel der Hauptwerke andeuten –: der mühsame Weg und der Aufstieg zum Berg, die sich in der Intimität unmittelbarer Begegnung vollenden; das Dunkel, die Nacht und die Irrungen des alltäglichen Lebens, aus denen die Seele in Selbstversenkung zu jenem ›mystischen Licht‹ findet, das schon den *alumbrados* ihren Namen gegeben hatte; die sinnliche Liebe als Metapher geistiger Durchdringung; die glühende Flamme, in der die Erlebnis-Aspekte der Erleuchtung und des Sich-Verzehrens zusammenfinden.

Wenn der Vergleich mit den Erzählungen der Teresa von Avila uns dazu geführt hat, das Werk von San Juan de la Cruz in die Nähe der institutionalisierten Diskurse der Epoche zu stellen, so dürfen wir darüber nicht vergessen, was viele Ereignisse aus seiner Biographie eindrucksvoll belegen können: auch sein Name repräsentiert eine Form der Religiosität, die innerhalb der gegenreformatorischen Kirche und der stagnierenden spanischen Gesellschaft des späten XVI. Jahrhunderts dezentriert war. Solch dezentrierte Religiosität war als geistige Sphäre für jene Erlebens- und Erfahrungsbedürfnisse des Subjekts, denen die wieder etablierte Kosmologie ihren Raum genommen hatte, wahrscheinlich zunächst viel wichtiger als die ›Literatur‹ in unserem Sinn des Wortes. Das gilt – ebenso wie für San Juan de la Cruz und die Heilige Teresa – auch für Fray Luis de León. Freilich unter anderen Vorzeichen. Denn obwohl man ihn nicht selten der spanischen Mystik zugeordnet hat und dabei auf die Tatsache verweisen konnte, daß Fray Luis de León auch als Herausgeber von Schriften der Heiligen Teresa hervorgetreten war, begegnet uns im Werk eines der brillantesten Professoren aus der Geschichte der salmantinischen Universität der Typ eines erasmischen Gelehrten. Sein Werk konstituierte sich um zwei zentrale Faszinationen: um die philologisch-wissenschaftliche Rekonstruktion der biblischen Urtexte (und ihre Exegese) und um einen anderen, leichter mittelbaren Modus der Gotterfahrung, nämlich über den Kosmos als göttliche Schöpfung. Wie seine Vorgänger aus den frühen Jahrzehnten des XVI. Jahrhunderts suchte Fray Luis nicht selbst die Konfrontation seiner ›dezentrierten Theologie‹ mit Amtskirche und Inquisition – sonst wäre er nicht Mitglied des Augustiner-Ordens und Professor in Salamanca geworden. Doch was schon ein Anliegen der Theologen von Alcalá gewesen war, die sprachliche Durchdringung der hebräischen Bibeltexte, das galt der Inquisition, welche zwischen Häresie und Herkunft aus einer jüdischen Familie nicht zu unterscheiden vermochte (und in deren Archiven die Maßregelung einer Urgroßmutter des Fray Luis als ›judaízante‹ dokumentiert war),[66] eben als Anzeichen der Heterodoxie. Fast fünf Jahre lang, zwischen 1572 und 1576, wurde Fray Luis de León im Inquisitionsgefängnis von Valladolid festgehalten. Eine in Spanien berühmte Anekdote will wissen, daß er auf das erfahrene Unrecht im Stil des Erasmismus, mit Ironie und Resignation, reagierte: Fray Luis de León soll seine während der Jahre der Verhaftung unterbrochenen Vorlesungen mit den Worten wieder aufgenommen haben: *Dicebamus hesterna die*. Als biographischen Beleg ernster können wir sein besonderes Interesse am *Buch Hiob* nehmen:[67] denn dieser Text konnte es ihm ermöglichen, daß Erleiden des Unrechts als fromme Fügung in den Willen Gottes zu verarbeiten.

Philologisch fundierte Exegese und kosmologische Erfahrung – diese beiden (gewiß nicht ›mystischen‹) für das Werk des Fray Luis de León konstitutiven Erfahrungsmodi fanden in seinem 1583 veröffentlichten Buch *De los nombres de Cristo* zu einer Synthese. Hier knüpfte der Autor nun auch mit der Form des Textes an erasmische Traditionen an. Die Entfaltung des theologischen Problemhorizonts der Christologie wird in einem ebenso gelehrten wie entspannten Gespräch zwischen drei Mönchen inszeniert, das in der *huerta* eines Klosters vor den Toren der Stadt Salamanca seinen Ort hat. Metaphorische und metonymische Bezeichnungen für Christen, welche im Kanon und in den Schriften der Kirchenväter auftauchen – wie ›Sproß‹, ›Weg‹, ›Hirte‹, ›Vater der kommenden Welt‹, ›Bräutigam‹, ›Lamm‹, – werden als »hohe, vielsagende Kennworte«[68] der Gotteserfahrung ausgedeutet. Doch der situationale Rahmen des Gesprächs bleibt nicht ein bloßes Formelement. Immer wieder werden scheinbar zufällige Naturbeobachtungen zum Ausgangspunkt von Einsichten über Gott als den Schöpfer des Kosmos, ja die besondere Stimmung der frühsommerlichen Natur ist schon zu Beginn als Anlaß und Ausgangspunkt des Gesprächs eingeführt:

Era por el mes de iunio, a las bueltas de la fiesta de S. Juan, al tiempo que en Salamanca comiençan a cessar los estudios, quando Marcello, el uno de los que digo – que ansí le quiero llamar con nombre fingido, por ciertos respectos que tengo, y lo mismo haré a los demás –, después de una carrera tan larga como es la de un año en la vida que allí se vive, se retiró, como a puerto sabroso, a la soledad de una granja que, ..., tiene mi monasterio en la ribera de Tormes; y fuéronse con él, por hazerle compañía y por el mismo respecto, los otros dos. Adonde aviendo algunos días, acontesció que una mañana, que era la del día dedicado al apóstol S. Pedro, después de aver dado al culto divino lo que se le devía, todos tres juntos se salieron de la casa a la huerta que se haze delante della.

Es la huerta grande, y estava entonces bien poblada de árboles, aunque puestos sin orden; mas esso mismo hazía deleyte en la vista, y, sobre todo, la hora y sazón. Pues entrados en ella, primero, y por un espacio pequeño, se anduvieron passeando y gozando del frescor, y después se

sentaron juntos, a la sombra de unas parras y junto a la corriente de
una pequeña fuente, en ciertos assientos. Nasce la fuente de la cuesta
que tiene la casa a las espaldas, y entrava en la huerta por aquella parte,
y corriendo y estropeçando, parecía reyrse. Tenían también delante de
los ojos y cerca dellos una alta y hermosa alameda. Y más adelante, y
no muy lexos, se veýa el río Tormes, que aún en aquel tiempo, hin-
chiendo bien sus riberas, yva torciendo el passo por aquella vega. El
día era sossegado y puríssimo, y la hora muy fresca. Assí que, assen-
tándose y callando por un pequeño tiempo, después de sentados,
Sabino – que assí me plaze llamar al que de los tres era el más moço –,
mirando hazia Marcello y sonriéndose, començó a dezir assí:
– Algunos ay a quien la vista del campo los enmudece, y deve ser
condición de espíritus de entendimiento profundo; mas yo, como los
páxaros, en viendo lo verde, desseo o cantar o hablar.[69]

Diese *huerta* heißt ›*La Flecha*‹, sie liegt wenige Kilometer östlich vom Zentrum der Stadt Salamanca, und noch heute kann
man dort sehen, daß selbst die literarisch-topischen Elemente in
Fray Luis' Landschaftsbeschreibung genaue Referenz haben.
Doch es geht uns gar nicht um den autobiographischen Hintergrund des Gesprächsrahmens, sondern um den Sachverhalt,
daß er als ›Natureingang‹ den Text in eine lange poetische Tradition einreiht, innerhalb derer seit Petrarca die Naturbeobach-
tung gegenüber der Topik immer mehr Raum gewonnen hatte.
Wenn man dazu berücksichtigt, daß die *Nombres de Cristo*
während der Zeit der Verhaftung ihres Autors in Valladolid
geschrieben wurden, dann liegt die Vermutung nahe, daß der
durch die Gesprächssituation konnotierte Rahmen ›literarischer Kommunikation‹ von Fray Luis als ein Schutz, als ein
Verfahren sanfter Entpragmatisierung von prekären theologischen Positionen genutzt wurde. ›Literatur‹ war, wie wir gesehen haben, im späten XVI. Jahrhundert noch nicht so weit als
eigenständiges soziales Teilsystem entwickelt, daß man ihr die
Verpflichtung zur ›außerliterarischen‹ Legitimation erlassen
hätte; sie war aber vielleicht auf der anderen Seite doch schon
hinreichend vom Alltag abgesetzt, um als ein Raum fungieren
zu können, in dem sprachliches Handeln durch spezifische Lizenzen entlastet war.
   Wie San Juan de la Cruz, der in Salamanca studierte, als Fray
Luis de León dort schon einen Lehrstuhl innehatte, griff dieser

nicht allein auf die Diskursschemata gelehrter Prosa zurück, sondern auch auf die seit den Tagen von Boscán und Garcilaso zur poetischen Sprache Spaniens gehörenden metrischen Schemata. Und die formgeschichtliche Konvergenz ging noch weiter. Wie für San Juan de la Cruz war auch für Fray Luis de León die *Lira* eine bevorzugte Gestalt poetischer Sprache:

NOCHE SERENA

> Cuando contemplo el cielo
> de innumerables luces adornado,
> y miro hacia el suelo
> de noche rodeado,
> en sueño y en olvido sepultado:
>   El amor y la pena
> despiertan en mi pecho una ansia ardiente;
> despiden larga vena
> los ojos hechos fuente;
> la lengua dice al fin con voz doliente:
> »¡Morada de grandeza,
> templo de claridad y hermosora!
> Mi alma que a tu alteza
> nació, ¿qué desventura
> la tiene en esta cárcel, baja, escura?
>   »¿Qué mortal desatino
> de la verdad aleja así el sentido,
> que de tu bien divino
> olvidado, perdido
> sigue la vana sombra, el bien fingido?
>   »El hombre está entregado
> al sueño, de su suerte no cuidando,
> y con paso callado
> el cielo, vueltas dando,
> las horas del vivir le va hurtando.
>   »¡Ay, ¡despertad, mortales!
> Mirad con atención en vuestro daño.
> ¿Las almas inmortales,
> hechas a bien tamaño,
> podrán vivir de sombra y solo engaño? ...[70]

Auf der Ebene der Metaphorik ergeben sich Anknüpfungspunkte zur Sprache der Mystiker: ›noche‹, ›cárcel, baja, escura‹ für das diesseitige Leben, ›morada de grandeza, templo de claridad‹ für die Seele – das sind Substitutionen, wie sie auch bei Teresa von Avila und vor allem bei San Juan de la Cruz ständig begegnen. Doch die Erlösung von der Welt ist bei Fray Luis nicht eine Versenkung ins Innere der menschlichen Psyche, vielmehr zeigt der Blick des lyrischen Ich in der ersten Strophe ihre Richtung als eine »Weltflucht nach oben«[71] an. Und auf der anderen Seite wird das ›Dunkel‹ des Diesseits im Fortgang der Strophen immer mehr hinübergespielt zur ›trügerischen Illusion des Traums‹. Deshalb ist dann in den Schlußstrophen der Himmel auch nicht mehr allein ›clarísima luz pura‹, sondern auch Sphäre der ›campos verdaderos‹. Solche Verschiebungen der Konzepte und Bilder sind charakteristisch für die religiöse Lyrik von Fray Luis de León, und das Gedicht ›Noche serena‹ gilt als ein hervorragendes Beispiel für jene Stilrichtung, welche schon die Zeitgenossen ›conceptismo‹ nannten. Er war ein neuer, aus Welterfahrung gespeister und von der Vielschichtigkeit der Konzepte faszinierter Stil des an den traditionellen Stätten der Gelehrsamkeit gepflegten theologischen Denkens, welcher in den zeitgenössischen Formen gebundener Sprache zugleich ein Medium seiner Artikulation und einen Schutz gegenüber der Kontrolle der Orthodoxie fand.

Erst im Jahr 1631 wurden die Gedichte von Fray Luis de León zum ersten Mal gedruckt – ihr Herausgeber war Francisco de Quevedo, der sich seinem großen Vorgänger im konzeptistischen Stil verbunden fühlte. Fray Luis hatte diese Texte, welche er als Jugendwerke entschuldigen zu müssen glaubte, schon geordnet und in einem Codex zusammengefaßt,[72] und es gibt viele biographische Gründe für die Annahme, daß die Poesie für ihn – in jener noch mittelalterlichen Weise, wie sie auch Garcilasos Werk charakterisiert – Medium eines Spiels der Artistik war, welches Bildung, Belesenheit und eine für uns kaum mehr vorstellbare Sprachkompetenz verlangte. Dieser pragmatische Rahmen wird leichter faßlich im poetischen Corpus der sogenannten ›Escuela de Sevilla‹, das sich sonst kaum in Kontrast mit den Texten der Escuela de Salamanca, wie denen von Fray Luis, rücken läßt. Theologische Fragen und Probleme freilich scheinen unter den Gebildeten der andalusischen Metropole nur eine geringe Rolle gespielt zu haben. Denn obwohl die Praxis ihres Dichtungsspiels – wie zahlreiche, zu je spezifi-

schen Anlässen entstandene Texte zeigen – kein Thema ausschloß, war sie doch dominiert von der Faszination des Variie-
rens und der vollkommenen Beherrschung sprachlich-formaler
Vorgaben. So ist es denn gerade vor dem Kontrast-Hintergrund
der Biographie von Fray Luis de León bezeichnend, daß Fernando de Herrera, um den sich *hidalgos* und Bürger, Soldaten
und Kaufleute, Künstler und Geistliche aus Sevilla als ein Kreis
von Dichtungsfreunden versammelten, von einer Pfründe an
der Kathedrale dieser Stadt (relativ bescheiden) lebte, ohne je
die höheren kirchlichen Weihen empfangen zu haben. Fernando de Herrera war bewandert in der Kultur der klassischen
Antike, in der Kirchengeschichte, in der Mathematik und – was
in jener Zeit für einen Sevillaner nicht außergewöhnlich gewesen sein dürfte – in der Geographie. Für seine Zeitgenossen
freilich war er einfach ›El Poeta‹ – oder, enthusiastischer: ›El
Divino‹ –, und solche Reputation verdankte er nicht zuletzt
einer gedruckten Fassung von Garcilasos Gedichten, die im
Jahr 1580 mit seinen *Anotaciones* erschienen war. Erst über die
Vermittlung dieses Kommentars wurde die Renaissance-Poetik
in Spanien zu einer diskursiven Norm, welche die Aufmerksamkeit der Autoren und Leser auf die Form, den *ornatus*,
lenkte, aber der Proliferation solcher Artistik in der Forderung
nach Klarheit der *conceptos* eine Grenze setzte:

(sc. Garcilaso) … Habla con agudeza y perspicacia, dispone con arte y
juicio, con grande copia y gravedad de palabras y concetos; que no
podrá, aunque escriba cosas humildes, inclinar su ánimo á oracion
humilde. Está lleno de lumbres y colores y ornato poético donde lo
piden el lugar y la materia … Los sentidos, ó son nuevos, ó si son
comunes, los declara con cierto modo proprio solo dél, que los hace
suyos, y parece que pone duda si ellos dan el ornato ó lo reciben. Los
versos no son revueltos ni forzados, mas llanos, abiertos y corrientes,
que no hacen dificultad á la inteligencia sino es por historia ó fábula … Es tanta la facilidad de la dicion, que apenas parece que puede
admitir números, y tanto el sonido de los números, que apenas parece
puede admitir lenidad alguna …[73]

Daß die sevillanische Poesie am Ende des XVI. Jahrhunderts
noch ›aus der Geselligkeit hervorgegangen war‹,[74] zeigt ihr
Themenspektrum. Es dominieren die zu vielfältigen Anlässen
den Dichterfreunden gewidmeten Sonette einerseits, und auf

der anderen Seite stehen jene unendlichen Serien von *églogas* oder Liebeselegien, deren verschlüsselte Anspielungen auf sevillanische Damen wir heute kaum mehr entschlüsseln können: so hatte sich Fernando de Herrera – ehrwürdige Konventionen des höfischen Verhaltens akribisch befolgend – Doña Leonor de Milán, die Gräfin von Gálves, zu seiner Muse gewählt (nicht ohne sich übrigens vorher des Einverständnisses ihres Gatten versichert zu haben).

In diesen Dichtungsspielen vollzog sich allmählich ein formengeschichtlicher Selektionsprozeß, dessen Resultate langfristige Wirkungen haben sollten. Hier etablierte sich endgültig der elfsilbige Vers und die Strophenformen des Sonetts, der Stanze, des Terzetts. Auf der anderen Seite nahmen die Poeten um Herrera mehr und mehr Abstand von den aus dem Mittelalter tradierten Formenrepertoires, ja selbst von den *coplas de arte mayor*.[75] Man kann gewiß nicht behaupten, daß diese artigen Dichtungsspiele Welten der Evasion aus einer immobil gewordenen Gesellschaft gewesen wären. Im Gegenteil – als Spiele hielten sie eine längst vergangene Welt und ihre Verhaltenskonventionen in der eigenen Gegenwart präsent. Letztlich war aber auch dieses Residuum wohl ein Raum der Geselligkeit, in dem die gebildeten Bewohner der Städte für kurze Stunden der Muße dem Alltag, den Intrigen und der Hektik der großen Handelsstadt, der Starrheit und dem wachsenden Elend eines auf den Weg seiner Dekadenz geratenen Weltreichs enthoben waren. Verse, Strophen und die sie noch immer begleitende Musik inszenierten dagegen hochgestimmte gesellschaftliche Freude. Was die Poesie des südlichen Spanien von allen anderen Gattungen und Diskursen aus der zweiten Hälfte des XVI. Jahrhunderts, mit denen wir uns beschäftigt haben, also abhob, war der in ihr erhaltene Status, *Medium von Geselligkeit* zu sein. Der Roman, die Erzählung und das Epos, die Texte der Mystiker, die Frömmigkeitstraktate und die religiöse Lyrik hingegen wandten sich an *einzelne Leser* und appellierten an deren Fähigkeit, sich in der Phantasie auf einen Weg hin zu ›anderen Welten‹ zu machen. Rezeptionspragmatische Voraussetzung für solche ›Reisen der Imagination‹ ist immer die Bereitschaft zur Identifikation, zum Eintreten in textimmanente Rollen, welche hin zu den ›anderen Welten‹ führen, an deren imaginärer Ausgestaltung der Leser teilhat. Bis zum Ende des XVI. Jahrhunderts waren die anderen Welten der Evasion in Spanien Welten der Einzelnen, und als solche konnten sie noch nicht in öffentliche Konkurrenz zum gesellschaftlichen Alltag treten.

Verdrängung des Alltags / Theatralisierung der Welt

Seit María Tudor, die zweite Frau Philipps II., am 17. November 1558 gestorben war, hatte sich jene Rivalität zwischen der Weltmacht Spanien und der Handelsnation England verschärft, welche Karl V. durch die Verheiratung seines Sohns mit der englischen Königin hatte abbauen wollen. Die zwischen Sevilla und der Neuen Welt verkehrenden Schiffsverbände in spanischen Diensten, welche als Brücke des Exports und – vor allem – des Imports von Edelmetallen für die Wirtschaft des Landes (über-)lebenswichtig geworden waren, befanden sich in beständiger Bedrohung durch englische Freibeuter, deren Beutezüge die Krone unterstützte, statt sie zu kontrollieren oder gar zu unterbinden. Und aus der Beeinträchtigung der Wirtschaft war eine nationale Schmach geworden, als Francis Drake im Frühjahr 1587 ohne nennenswerten Widerstand den Hafen von Cádiz überfallen, ausgeplündert und weitgehend zerstört hatte. Zu jenem Zeitpunkt freilich waren die Vorbereitungen zu dem Gegenschlag schon von Philipp II. auf den Weg gebracht, welcher zu jener Niederlage führen sollte, die – verbunden mit dem Namen der ›Unbesiegbaren *Armada*‹ – bis heute im historischen Wissen als *das* Exempel schlechthin für einen gigantischen militärischen Fehlschlag gilt. Spanien mobilisierte alle Ressourcen, um im Hafen von Lissabon – Portugal war Philipp II. im Jahr 1580 als legitimes Erbe zugefallen – die größte Flotte seit Menschengedenken zu versammeln. Daß die *Invencible* zu einem geschichtlichen Emblem geworden ist, rührt gewiß wesentlich davon her, daß sich an ihrem Beispiel – *post festum* natürlich – geradzu idealtypisch illusionäre Siegesgewißheit und folgenschwere Fehleinschätzungen kontrastieren lassen. Und es ist in der Tat erstaunlich, daß nicht einmal eine Verkettung unglücklicher Umstände vor dem Auslaufen der

Flotte in dem für jeglichen Aberglauben so anfälligen XVI. Jahrhundert als ›Vorzeichen des Unglücks‹ gedeutet wurde. Nur die Sterne – aber dieses ›nur‹ gehört eben einer nachzeitigen Perspektive an – sprachen gegen England. Auf der anderen Seite brachte das Jahr 1588, in dem die spanische Flotte auslaufen sollte, auch »das schlechteste Wetter seit Menschengedenken«.[76] Im Februar desselben Jahres war der Marqués de Santa Cruz, ein erfahrener Admiral, welcher zum Oberbefehlshaber der *Invencible* ernannt worden war, in Lissabon gestorben. Philipp II. berief den Herzog von Medina Sidonia zu seinem Nachfolger. Nun war dieser *Grande* von seinen Erfahrungen her für eine solche Aufgabe gänzlich unvorbereitet, doch in der Entscheidung des Königs manifestieren sich sowohl eine überkommener Feudalmentalität entsprechende Unfähigkeit, zwischen dem symbolischen Vorrang des Adels in der Gesellschaft und den Fähigkeiten eines einzelnen Adligen zu unterscheiden, als auch die Hoffnung, ein *Grande* müsse sich durch seinen Stand zu immensen eigenen finanziellen Opfern für die Interessen des Reichs verpflichtet fühlen. Auf solche Implikationen seiner Ernennung ging der Herzog von Medina Sidonia in einem Brief ein, dessen Wortlaut aus der historischen Distanz durchaus komisch erscheinen kann: »Ich wollte, ich besäße die Fähigkeiten und die Kraft, die für eine so große Aufgabe erforderlich sind. Hingegen, Sire, bin ich von allzu schwacher Gesundheit, denn aus meiner geringen Erfahrung mit dem Meer weiß ich, daß ich schnell seekrank werde und mich stets erkälte. Ich stecke tief in Schulden. Meine Familie ist 900 000 Dukaten schuldig, und ich habe nicht einen einzigen Real, den ich für das Unternehmen ausgeben könnte.«[77] »Da unsere Sache die Sache Gottes ist, werdet Ihr nicht scheitern« – diese Antwort des Königs läßt uns ahnen, daß er sein aus spezifischen Interessen des eigenen Landes motiviertes – und politisch auch tatsächlich notwendiges – Unternehmen doch nur als Teil des göttlichen Heilsplans erfuhr, und sein weiteres Handeln zeigt, daß Philipp II. diesen religiösen Sinnhorizont nicht – wie ein Jahrhundert vor ihm die Katholischen Könige – als Legitimation ideologisch nutzen wollte oder konnte.

Medina Sidonia fügte sich dem Willen des Herrschers und hatte zunächst über Monate damit zu tun, Waffenbestände zu ergänzen, die von den Kapitänen vieler Schiffe inzwischen verkauft worden waren, und die während der langen Wartezeit verfaulten Essensrationen für die Mannschaften zu ersetzen. Die spanische Flotte sollte vor der Küste der niederländischen Provinzen ankern, dort neue Mannschaften aufnehmen, den englischen Schiffen im Kanal eine Seeschlacht aufzwingen und dann die Insel mit Landungstruppen erobern. Eine hinreichende Zahl Geistlicher war zur Missionierung der seit der Zeit Heinrichs VIII. von der katholischen Kirche ›abgefallenen‹ Bevölkerung eingeschifft worden. Ganz offenbar hatte sich Medina Sidonia in die Glaubensüberzeugung des Königs gefunden. In seinem Segelbefehl hieß es: »Vom Höchststehenden bis hinunter zum Geringsten sollt Ihr wissen, daß es das Ziel unserer Fahrt ist, der Kirche Länder zurückzugewinnen, die derzeit von Feinden des wahren Glaubens unterdrückt werden. Haltet Euch deshalb Eure Berufung stets vor Augen, damit Gott mit uns sei in allem, was wir tun ... Jeden Morgen bei Sonnenaufgang wird von den Schiffsjungen, wie es Sitte ist, am Fuße des Hauptmastes das Morgenlied und bei Sonnenuntergang das Ave Maria gesungen.«[78] Was Spanien zum Verhängnis wurde, war der Umstand, daß die Präzision solcher Vorkehrungen, mit denen man sich bis ins Detail dem göttlichen Plan der Heilsgeschichte einzufügen hoffte, die Präzision strategischer Überlegungen und Vorkehrungen verdrängte und ersetzte. Niemand wußte genau, wie man die Einschiffung der vom Duque de Parma befehligten Truppen vor den Küsten der Niederlande bewerkstelligen sollte; für jedermann scheint es hingegen als ausgemacht gegolten zu haben, daß sich die wendigeren englischen Schiffe mit ihrer Artillerie eine Seeschlacht alten Stils aufdrängen lassen würden, um von den spanischen Truppen auf See geentert zu werden. Philipp II. – und nach ihm spanische Patrioten und Nationalisten bis ins XX. Jahrhundert – konnten dennoch zu recht geltend machen, daß ›die Elemente‹ ihre Flotte besiegt hatten. Schon auf ihrer Fahrt in den Norden geriet die *Invencible* immer wieder in Stürme, welche ihre Stärke dezimierten, und solches Unglück verfolgte sie auch auf der Route ihrer Rückkehr, welche an der irischen Küste vorbeiführte. Sechzig von hundertdreißig Schiffen kehrten im September 1588 in die Häfen der Biskaja zurück, und nur ein

Drittel jener 29 000 Mann Besatzung, die in Lissabon in See gestochen war. Inzwischen hatte die spanische Flotte zwar keine Seeschlacht entscheidend verloren, aber die Hoffnung, je englische Schiffe entern zu können, war zur Illusion geworden. Die Einschiffung der niederländischen Truppen war gescheitert, und während die spanischen Galeeren vergebens auf neue Besatzung gewartet hatten, war ihr Verband von unbemannten englischen Brandbooten zum Teil zerstört, zum Teil zerstreut worden.

Wir haben die Geschichte des Seekriegs im Jahr 1588 vor allem wegen ihres Endes erzählt. Dieses Ende wollen wir in drei Versionen präsentieren, deren letzte für uns den Vorteil hat, der Literaturgeschichte anzugehören, für die spanische Gesellschaft von der Wende vom XVI. zum XVII. Jahrhundert aber den Nachteil mit sich brachte, das Faktum und die Konsequenzen der Niederlage zu verleugnen. Die erste Version gehört ins Reich der *Anekdoten*: nach einer (für die Epoche durchaus üblichen) verwirrenden Vielfalt einander widersprechender Meldungen über den Ausgang des Unternehmens habe Philipp II., am Schreibtisch seines spartanisch eingerichteten Arbeits- und Wohnzimmers im *Escorial* sitzend, durch einen Boten letzte Gewißheit über die Katastrophe und ihre Folgen erhalten; er soll den Blick kaum von dem Schriftstück, in das er sich vertieft hatte, erhoben und dann seine Arbeit fortgesetzt haben. Zuweilen wird eine weitere Geste hinzugefügt: der König habe einen silbernen Leuchter ergriffen und geschworen, alles Edelmetall einschmelzen zu lassen, um schon bald eine neue und dann siegreiche *Armada* ins Gefecht schicken zu können. Die zweite Version ist die im modernen Sinn *historiographische*. In einem Sendschreiben Philipps II. an die spanischen Erzbischöfe findet man die Sätze: »Die Unwägbarkeiten von Unternehmungen mit der Flotte sind wohlbekannt. Wir sind verpflichtet, Gott für alles zu preisen, was Ihm zu tun gefällt.«[79] Und der Zorn des frommen Königs traf auch Medina Sidonia nicht – ja er ging so weit, den gescheiterten Admiral mit dem Titel eines Oberstkommandierenden der spanischen Seestreitkräfte zu dekorieren, bevor dieser sich auf seine andalusischen Güter zurückzog.[80] Die *literarische* Version stammt – nach aller historischen Wahrscheinlichkeit – von einem Teilnehmer der

Expedition, es handelt sich um das Versepos *La Dragontea* von Lope de Vega, dessen Titel auf Francis Drake, den Triumphator des Jahres 1588, Bezug nimmt. Drake war 1596 vor der Küste von Panama ums Leben gekommen – nach dem offiziellen Bericht der *Real Audiencia de Panamá* als Opfer der sich gegen seinen Eroberungsversuch heroisch verteidigenden Kolonialherren und Eingeborenen. In Lopes allegorischem Epos aus dem Jahr 1598 beklagen sich die Religion und ihre drei geliebten Töchter Spanien, Italien, ›Indien‹, vor dem Thron Gottes über die Piratenstücke des englischen Ketzers, dessen Name schon durch den Titel des Textes in die Nähe des spanischen Wortes ›dragón‹ gerückt war. Nun verführt die Habgier ihn in einem Traum zu einer weiteren Expedition, die zur Eroberung Amerikas führen soll. Doch die Glaubenstreue und der Heldenmut der Bewohner von Panamá lassen die gerechte Sache siegen. Lope mußte die *Dragontea* in Valencia, außerhalb des Königreichs Kastilien, drucken lassen, um sich der Zensur zu entziehen. Doch nicht wegen der stupenden Geschichtsfälschung, welche rückwirkend der Niederlage der *Invencible* kosmologischen Sinn geben soll, mußte er ein Publikationsverbot befürchten. Vielmehr hatte Lope de Vega als positiven Helden Diego Suárez de Amaya in seine Erzählung eingeführt – und nicht den Generalkapitän Alonso de Sotomayor. Und wahrscheinlich war es eine Intervention der Familie Sotomayor gewesen, welche die *Dragontea* ins Blickfeld der Zensur gerückt hatte.

Wie immer man das Ende dieser Geschichte erzählt – ihr Thema bleibt die Kraft kollektiver Verleugnung. Für den Historiker unserer Gegenwart ist die Niederlage der *Invencible* gewiß nicht das erste Vorzeichen für den Niedergang des spanischen Weltreichs, doch in den zeitgenössischen Texten lassen sich erst seit den letzten Jahren des XVI. Jahrhunderts Symptome für ein in seiner Intensität rasch wachsendes Krisenbewußtsein ausmachen. Und die Reihe der Anlässe für solches Krisenbewußtsein sollte nun über ein Jahrhundert nicht mehr aussetzen: 1598 mußte Spanien im Frieden von Vervins der französischen Monarchie bittere territoriale und außenpolitische Zugeständnisse machen, im selben Jahr starb Philipp II., dem es trotz aller Mühen und Investitionen nicht gelungen war, die Aufstände in den niederländischen Provinzen wenigstens zu einem für Spanien akzeptablen Arrangement zu bringen. Ganz bewußt haben wir von ›Symptomen‹ und nicht von textuellen ›Belegen‹ für das einsetzende Krisenbewußtsein gesprochen: denn was sich in den einzelnen Reaktionen auf die Katastrophenmeldungen des Jahres 1588 artikuliert hatte, jene religiöse Haltung, mit der man Schicksalsschläge als Fügung Gottes hinnehmen, ja sogar als Bestätigung für das Vertrauen auf den von Gott letztendlich garantierten Sieg der gerechten Sache deuten konnte, wurde nun zu einem kollektiven Sinnhorizont. Hungersnöte, Epidemien und neue Niederlagen – die Siege ohnehin – befestigten nur den Glauben an die besondere Mission Spaniens im göttlichen Heilsplan, und in dieser Sinnstruktur der Verleugnung konstituierte sich früher als anderweit in Europa *Nationalbewußtsein*. Aus historiographischer Retrospektive kann man sich natürlich des Eindrucks nicht erwehren, daß sich solches Nationalbewußtsein gegen die Erlebnisse der Spanier während der letzten Jahrzehnte des XVI. und der ersten Jahrzehnte des XVII. Jahrhunderts durchsetzen mußte; und weil die Zukunft jener Epoche für uns ferne Vergangenheit ist, weil wir also den weiteren Fortgang der spanischen Geschichte kennen, muten uns alle Diskurse und Feste aus jener Zeit, die der ›spanischen Größe‹ gewidmet waren, alle Handlungen, die von jener ›Größe‹ als unveränderlicher Realität ausgingen, *theatralisch* an.

Jenen kommunikativen Rahmen, den man im Theater konstituiert, hat Erving Goffman beschrieben.[81] Seine auffälligste Eigenheit liegt darin, daß sich Schauspieler und Zuschauer verhalten, als ob ihnen das Ende des jeweils aufgeführten Dramas noch unbekannt sei. Indem die Schauspieler so agieren, als ob noch gar nicht feststünde, was am Ende aus der Liebesbeziehung von Faust und Gretchen wird, eröffnen sie für das Publikum die Möglichkeit der Illusion, ›wirkliches Leben‹ aus der Perspektive eines verborgenen Beobachters mitzuerleben. Indem die Zuschauer, eingehüllt in das Dunkel des Theaterraums, schweigend und bewegungslos die Handlung auf der Bühne verfolgen, tragen auch sie zur Etablierung des Theater-Rahmens bei: sie signalisieren den Schauspielern, daß sie auf das Angebot eingegangen sind, die Bühnenhandlung so mitzuerleben, als sei sie sich vor ihnen als verborgenen Beobachtern vollziehendes ›wirkliches Leben‹. Wenn wir nun den Begriff einer ›*Theatralisierung der Welt*‹ zur Charakterisierung der spanischen Gesellschaft an der Wende vom XVI. zum XVII. Jahrhundert aufgreifen, so deshalb, weil zwischen den Handlungsträgern der Epoche und jenen Zeitgenossen, welche ihr Handeln erlebten und deuteten, ein ganz ähnliches Einverständnis geherrscht zu haben scheint. Was man verleugnete, das war die seit dem Ende des Mittelalters selbstverständlich gewordene Offenheit der Zukunft, die Ungewißheit des Schicksals, obwohl die Folge der militärischen Niederlagen und die periodisch wiederkehrenden Wirtschaftskrisen hinreichend Anlaß boten, offene Zukunft als bedrohliche Zukunft zu erleben. Statt dessen verhielt man sich so, als sei die Kontinuität, ja die weitere Ausdehnung des spanischen Weltreiches eine heilsgeschichtlich beschlossene Sache. Man handelte, redete, lebte unter der ›Verabredung‹ einer Entwirklichung des Alltags durch den gemeinsamen Glauben an die glorreiche Bestimmung der eigenen Nation im göttlichen Heilsplan. An dieser Theatralisierung der Welt war die gesamte spanische Gesellschaft beteiligt. Die Könige, der Hof, die Adligen verhielten sich so, als sei – etwa – die *Invencible* tatsächlich unbesiegt geblieben; und die übrigen Schichten der spanischen Gesellschaft setzten sich gegen dieses ›als ob‹ durchaus nicht zur Wehr. Im Gegenteil: gerade das immer neue Vertrauen der Soldaten, welche in immer hoffnungslosere Feldzüge marschierten, und der immer deutlicher hervortretende Stolz auf die eigene Nation bestätigten den Herrschenden, daß ihr – als solches freilich kaum bewußtes – ›Spiel‹ angenommen und mitgespielt wurde.

Doch nie wird im Theater die Sphäre alltäglicher Erfahrung, im Verhältnis zu der es seinen eigentümlichen Stellenwert als ›Rahmen‹ erst gewinnt und auf die die Zuschauer ihre Theatererfahrung beziehen können, gänzlich ausgeblendet: sie bleibt am Horizont des Bewußtseins von Schauspielern und Zuschauern präsent. Nur auch bevor sich der Theatervorhang hebt und nachdem er sich gesenkt hat, ist die ›Verabredung‹ des Theaterrahmens suspendiert: dann kann man sich – beispielsweise – durchaus darüber unterhalten, wie gut oder schlecht einzelne

Schauspieler ihre Rollen spielen, man kann sich vorausschauend fragen, in welcher Weise der Regisseur ein bestimmtes Dramenende wohl inszeniert haben wird. So war auch in der spanischen Gesellschaft um 1600 das Krisenerleben nie gänzlich verleugnet; es gab durchaus Äquivalente zu jenen Momenten eines Theaterabends, wo der gesenkte Vorhang Schauspieler und Zuschauer trennt und den sie vereinenden kommunikativen Rahmen vorübergehend aufhebt. Charakteristisch für die spanische Gesellschaft am Ende der Regierungszeit Philipps II. und während der Herrschaft seines Nachfolgers war gerade das Verwobensein von Wirkungen kollektiver Verleugnung und vom unabweisbarem Erleben der Krise. Erst später im XVII. Jahrhundert sollten sich zwei Sphären der Erfahrung und des Bewußtseins, nämlich der Glaube an Spaniens heilsgeschichtliche Sendung und die Erfahrung seines Untergangs deutlich voneinander abheben. Eben weil Krisenverleugnung und Krisenerfahrung gemeinsam einen allumfassenden kollektiven Sinnhorizont beschrieben, hieße es die Theatralisierung der Welt durch die spanische Gesellschaft um 1600 mißverstehen, wollte man sie als Erfolg eines bewußten Einsatzes von ›Ideologie‹ ansehen.

In dieser theatralisierten Welt der spanischen Vergangenheit läßt sich noch eine weitere wichtige Parallele zum Verhalten im Raum und im Sinn-Rahmen des Theaters feststellen: die Akteure richten beim Vollzug ihres Handelns und Verhaltens besondere Aufmerksamkeit und Sorgfalt auf die Formen, sie tragen diese Formen besonders prononciert vor, ja manchmal hat es den Anschein, als sei die Form des Verhaltens wichtiger als seine Funktion. Auch in der spanischen Gesellschaft Philipps II. und seiner Nachfolger kam alles darauf an, *wie* man sich zeigte. Jene sozialen Typen, welche zum Vorbild für den *escudero* aus dem *Lazarillo*, aber auch für den *Quijote* wurden, blieben – trotz aller Armut – ›wirkliche‹ *hidalgos*, solange nur ihr ›Publikum‹ das Spiel der Rolle akzeptierte. Notwendig war die Kehrseite eines Alltags, der so gänzlich vom Gelingen eines gigantischen Schau-Spiels abhing, die Angst vor dem Durchschautwerden, vor dem Kollabieren der Rolle. Die Präsentation dieses kollektiven Schau-Spiels auf der Bühne, das Spiel mit jener allen nachvollziehbaren Angst und ihre Erlösung im dramenschließenden Lachen über das Gelingen des *engaño*, war die große thematische Faszination der *comedia nacional* am Beginn des XVII. Jahrhunderts.

Zwar gewinnt man den Eindruck, daß die Niederlage der *Invencible* auch deshalb ein Wendepunkt in der spanischen Geschichte war, weil in ihr die Symptome des nationalen Niedergangs zum erstenmal sichtbar und deshalb die Theatralisierungen der Welt als Spiel mit nationalen Dimensionen notwendig wurden. Aber man darf darüber nun nicht vergessen, daß sich die Inszenierung eines orthodoxen Verhaltensstils schon über weit entwickelte Formen der Subjektivität gelegt hatte, seit in Spanien der Protestantismus und die Neuzeit als Bedrohungen erfahren worden waren. Sicher ginge man fehl in der Annahme – soviel haben wir aus der Biographie Karls V. lernen können –, daß den Führern der Gegenreformation solche Orthodoxie in ihrem eigenen Verhalten stets selbstverständlich gewesen wären. Erinnern wir uns: Karl V. wollte die Bibel durchaus in der Sprache seiner Kindheit lesen, doch er wußte, warum er dafür um Genehmigung ersuchte. Noch viel eindrucksvoller freilich als das Leben Karls V. illustriert uns das höfische Milieu um Philipp II., was Eindämmung von Subjektivität und kollektive Theatralisierung waren, wie man sich ihnen entziehen konnte, und wo sich eine andere Alltagswirklichkeit ausbildete.

Philipp II. selbst war der bewunderte und gefürchtete Meister des *disimulo*.[82] So vollkommen spielte er eine aller Subjektivität entleerte Königs-Rolle, daß sein Verhalten niemandem zum Anhaltspunkt für seine Gefühle und seine Pläne wurde. So perfekt beherrschte er sich für diese Rolle, daß die Zeitgenossen das Erleben seiner Undurchdringlichkeit in einem Paradox artikulierten: gerade wenn der König gegenüber einem Untertanen Andeutungen von Gewogenheit zeige, dann sei die Bestrafung, Verstoßung, Tod hinter der Miene des Monarchen beschlossene Sache. Als Beispiel für dieses Paradox galt der Fall des Antonio Pérez. Er war der Privatsekretär Philipps II. gewesen und hatte für ihn eine Reise in die niederländischen Provinzen unternommen, *wahrscheinlich* um den dort weilenden Don Juan de Austria, den populären Stiefbruder des Königs, zu beschatten. Antonio Pérez hatte die Prinzessin von Eboli zur Geliebten, die *vielleicht* eine Geliebte Philipps II. gewesen war. Kurz nach der Vollendung von Pérez' Mission in den Niederlanden wurde der Privatsekretär Don Juans in Madrid auf offener Straße ermordet. Die Zeitgenossen vermuteten – und die Historiker *vermuten* noch heute –, daß Antonio Pérez hinter diesem Attentat stand. Aber selbst wenn wir Gewißheit hätten, *unklar* müßte bleiben, ob er im Auftrag des auf den Bruder eifersüchtigen Königs handelte, oder ob er – *vielleicht* gemeinsam mit der Eboli – eigenständig nach einem größeren Anteil an der Macht strebte und damit rechnen konnte, daß der Schuldverdacht angesichts des gespannten Verhältnisses zwischen dem König und seinem Halbbruder zunächst auf Philipp II. fallen würde. Zweifelsfrei überliefert ist lediglich, daß die Verhaftung des Antonio Pérez und der Prinzessin von Eboli am 26. Juli 1579 von niemandem erwartet gewesen war. Mit Philipp II. setzte in Spanien jene Epoche der politischen Geschichte ein, in der auch eine optimale Quellenlage den Historikern nicht mehr die Rekonstruktion von Strategien und Handlungsintentionen, die Unterscheidung von intendierten und zufälligen Handlungsergebnissen gestattet.

Gewiß aber war der *disimulo* Philipps II. nicht allein eine Strategie des Verhaltens oder eine Technik, über andere zu herrschen. Die von ihm erreichte Perfektion in jener königlichen Selbstbeherrschung, die man schon an seinen Vorgängern bewundert hatte, läßt uns vermuten, daß sie zu einer zweiten Natur geworden war. Denn die undurchdringliche Miene Philipps II. und das Delegieren von Handlungen führten dazu, daß Akte als von ihren Intentionen getrennt erschienen, und – da auch die hinter den Akten stehenden Intentionen nicht zu erschließen waren – zu einer Rolle wurden, in der sich der König gar nicht mehr als Subjekt der Machtausübung präsentierte, sondern als *Ort der Macht und ihrer Legitimität*. Gab es eine andere, eine von Subjektivität erfüllte ›Innenseite‹ dieses Lebens? Es scheint ein Widerspruch zwischen Philipp II. als Inkarnation gegenreformatorischer Macht und seinen häufigen, stets rasch und ausgiebig befriedigten sexuellen Begierden zu liegen – und bezeichnenderweise suchte der deutsche Biograph Philipps II., Ludwig Pfandl, diesen Widerspruch durch die ein ums andere Mal wiederholte Bemerkung herunterzuspielen, der König sei eben ›ein gesunder Mann‹ gewesen.[83] Die christliche Forderung einer Eingrenzung der Sexualität auf die Sphäre der Ehe scheint für Monarchen seit je her außer Kraft gesetzt gewesen zu sein, weshalb die Zeitgenossen Philipps II. sicher nicht nach solchen Erklärungen und Entschuldigungen gesucht hätten. Die Sexualität königlicher Ehen war Teil der politischen Macht-Inkarnation. Nur während einer kurzen Strecke seines Lebens, nämlich zwischen 1560 und 1568, in seiner dritten Ehe – mit Isabel von Valois – spielte der König auch eine andere als die königliche Rolle:[84] in den Briefen seiner jungen Frau an ihre Mutter, Katharina von Medici, erscheint Philipp II. als ein besorgter, liebender Gatte, der bei allem bewahrten Ernst an Spielen teilnahm und selbst auf kapriziöse Wünsche Isabels einging.

Vom April 1581 bis zum März 1583 schrieb der König aus Portugal Briefe, die mit den Worten ›*vuestro buen padre*‹ unterzeichnet waren,[85] an Isabel Clara Eugenia und Catalina Micaela, seine beiden Töchter aus der Ehe mit Isabel von Valois. Er erzählte von der Süße portugiesischer Melonen und vom Schlagen der Nachtigallen, er legte den Töchtern ans Herz, für ihren kränklichen kleinen Halbbruder Felipe von den Nonnen des *Escorial* Süppchen kochen zu lassen, und beriet Isabel und Catalina, so gut es eben ging, als ihre Menarche eintrat; er wollte über die Fortschritte der Prinzen und Prinzessinnen im Unterricht auf dem Laufenden gehalten werden, aber auch im Brief ihre Spiele und Ausflüge nachvollziehen können. Gewiß ist es kein Zufall, daß sich vergleichbare Äußerungen aus den letzten Lebensjahren des Königs nicht finden. In dem Maß, wie sich jene Ereignisse häuften, die seine Herrschaft trotz aller Bemühungen als Beginn des spanischen Niedergangs ausweisen, wurde er so sehr eins mit der königlichen Rolle, daß das Erfüllen der Rolle kein Spiel mehr war, weil es einen Bereich des Verhaltens außerhalb der Rolle für ihn nicht mehr gab. Nun entwickelte er eine akribische Passion für die traditionellsten Formen der Frömmigkeit – so wurde er etwa von einer wahren Sammelleidenschaft für Reliquien befallen.[86] Und auch die familiären Beziehungen waren ganz von der Funktion beherrscht, Inkarnation der gegenreformatorischen Macht zu sein. Als er Isabel Clara Eugenia und den Thronerben Felipe zu seinem Sterbebett rief, lebte Philipp II. einen mittelalterlichen Topos des *memento mori* nach: er entblößte seinen »übelschmeckenden, mit Geschwüren durchlöcherten, mit Leusen bestigenen Leib« – die Worte stammen von dem österreichischen Gesandten am spanischen Hof –, um seinen Nachkommen die Hinfälligkeit alles Diesseitigen zu vergegenwärtigen.[87] Wenn wir sehen, wie vollkommen der Alltag Philipps II. in Repräsentation aufging, verstehen wir, warum er zugleich die Freude am Theater als ›pöbelhaft‹ verachten und die Gesellschaft seines Reiches so verändern konnte, daß die Theaterbühne zu ihrem Zentrum und Kondensationspunkt wurde.

Was Dramentexte für Schauspieler sind, war für Philipp II. und seinen Hof das Zeremoniell. Das Hofzeremoniell war um die Jahrhundertmitte auf ausdrücklichen Wunsch Karls V. an seinem Hof institutionalisiert worden.[88] Filiationsgeschichtlich weist es sich als eine Stilisierung der Verhaltensformen am burgundischen Hof aus, und das heißt: während der zweiten Hälfte des XVI. und während des XVII. Jahrhunderts inszenierte die spanische Krone einen Stil der Interaktion, welcher im XV. Jahrhundert aus dem Bedürfnis entstanden war, den vermeintlichen Glanz mittelalterlichen Adels und mittelalterlicher Ritterlichkeit gegen eine veränderte Umwelt durchzuhalten. Dem Herzog von Alba war die Aufgabe übertragen worden, ein kompliziertes Netz hierarchisierter Rollen und ein Repertoire rigider Riten Wirklichkeit werden zu lassen, welche in der Funktion konvergierten, das Königtum als Symbolgestalt von einer Innenseite der Affekte und Intentionen, aber auch von einer Außenseite der Handlungsmanifestationen abzurükken. Wenn Philipp II. durch seine Paläste schritt, wurde er vom *Aposentador de palacio* begleitet, dessen Aufgabe es war, jede Tür vor ihm aufzuschließen und hinter ihm zu verriegeln. Amtssymbol aller Kammerherren war ein Schlüssel, und wenn dieser Schlüssel auf der einen Seite die Absetzung des Königs von der Welt des alltäglichen Handelns repräsentierte, so verwies er auch auf der anderen Seite auf die wesentliche Funktion der Kammerherren: keine Handlung des Königs durfte sich in Privatheit, ohne ihre Gegenwart vollziehen. Daß der Name des ›spanischen Hofzeremoniells‹ bis in unsere Gegenwart hinein emblematisch geblieben ist, ist wohl die Folge der Fremdheit einer seiner Komponenten, nämlich der Kleidermode, wie sie uns in den Werken jener klassischen Epoche der Malerei begegnet.[89] Es trifft durchaus zu, die Mode des spanischen Hofs während der Regierungszeit Philipps II. – im Blick auf ihre symbolhaltigen Nuancen und ihren Konservativismus – eine ›Uniform des Hofes‹ zu nennen, auch wenn sie sehr bald schon auch außerhalb des Hofes zusammen mit anderen rituellen Formen des Verhaltens übernommen und so zu einem wesentlichen Faktor der kollektiven Theatralisierung wurde. Als Teil des Hofzeremoniells war diese Kleidung eine Stilisierung mittelalterlicher Formelemente. Wenn sehr bald schon Schwarz als Einheitsfarbe für die Gewänder der Männer verbindlich wurde, so vervollkommnete sich darin der funktionale Zielpunkt aller Details: die Gewänder beschrieben die Linien von geometrischen Grundformen, unter denen der Körper als visuell wahrnehmbare Wirklichkeit verschwand. Alle Elemente der spanischen Mode, so luxuriös sie uns heute anmuten mögen, standen in Beziehung zu diesem austeren Ziel. Unter den Reifröcken der Damen blieb die Sinnlichkeit der weiblichen Hüften unsichtbar; der Oberkörper war von so viel Stoff umhüllt, daß die Schultern breit schienen und die Brüste flach; in der enggeschnürten Taille trafen sich die Spitzen von zwei Dreiecken. Bald überschritten die Halskrausen – die *gorgueras* – jede vertraute Proportion und wurden zu einem eigenen Kleidungsstück: sie sollten – und über diese Aufgabe stellten die Zeitgenossen vielfältige Reflexionen an – das Gesicht als Ausdruck des Charakters vom Körper absetzen und zugleich kontrastierender Hintergrund für das Gesicht sein. Nicht zufällig waren die Größe der *gorgueras* und die Länge der Haartrachten umgekehrt proportional.

El Grecos Bilder zeigen, daß die Unterwerfung der menschlichen Physis unter die Gesetze der Geometrie nicht etwa eine Marotte des Hofes war. Darüber hinaus ist es für unsere These von der Theatralisierung wichtig zu verstehen, daß der Körper unter der Kleidung nie ganz entwirklicht war. Die Beinkleider der Männer bildeten jeden Muskel mit der analytischen Klarheit einer anatomischen *sectio* ab, und auf der Vorderseite der Plusterhosen prangten in für uns obszöner Geste die Suspensorien. Bezeichnend ist ein bizarrer Einfall: die in den Skandal um Antonio Pérez verwickelte Prinzessin von Eboli galt als die schönste – und vor allem: als die attraktivste – Dame am Hof Philipps II. Doch alle zeitgenössischen Bilder zeigen ihr rechtes

Auge von einer Klappe bedeckt, wie wir sie höchstens von der Piratenfigur einer Bildergeschichte erwarten würden. Kein Lexikonartikel über die Prinzessin kommt ohne einschlägige Spekulationen aus: sie sei auf dem rechten Auge blind gewesen, oder: sie habe dieses Auge gar verloren, oder milder: sie habe auf dem rechten Auge geschielt. Ausgehend von der Feststellung aber, daß diese Augenklappe die Umgebung der Prinzessin von Eboli als Element ihrer Schönheit beeindruckte, kann man vermuten, daß dieses Accessoire – aller Vergeistigung des Gesichts und aller Entwirklichung des Körpers entgegenwirkend – die Funktion des Auges als Organ konnotiert haben mag – und damit die Präsenz des Körpers als Organismus. Diese These stimmt zusammen mit der Beobachtung, daß die dem Körper in Geometrisierung und Vergeistigung auferlegte Entwirklichung nie restlos war. Denn die Prinzessin von Eboli befestigte ihre Augenklappe nicht etwa mit einem Band, sondern an einem feinen Zöpfchen, das aus dem schwarz schimmernden Haar herausgeflochten war (auch die Sinnlichkeit des Haars mußte ja zunächst hinter dem Seelenausdruck des Gesichts schwinden). In ihrer Epoche begannen die Maler, Personen auch dann mit einer Brille darzustellen, wenn diese Brille nicht symbolisch auf Gelehrsamkeit verweisen sollte oder sich bildsemantisch in eine Szene des Lesens, des Betrachtens einfügte (wir werden noch darauf zurückkommen, daß die Brille nun auch für Texte ein Thema war). Und trotz des Uniformcharakters der schwarzen spanischen Männerkleidung wurde diese zu einem Emblem der Eleganz: als unnachahmlich galt die Art und Weise, wie spanische *caballeros* die Falten des Tuchs – mit ihrem Körper – zu bewegen wußten, und nicht umsonst ist dieser Ausdruck in den Gattungsnamen der ›*comedia de capa y espada*‹ eingegangen. Solche Dispositive und Symptome für das Spiel mit der Entwirklichung des Körpers und der Ausrichtung aller Aufmerksamkeit auf den Ausdruck der Seele schließen an unsere Beobachtungen zur Eliminierung der Stimme und der rhythmischen Bewegungen im Zeitalter des beginnenden Buchdrucks fort. Zusammen weisen sie die Mentalität der Neuzeit als *Bewußtseinskultur* aus. Und die ›Bewußtseinskultur‹ der Neuzeit war immer auch eine Domestizierung des Körpers, gegen die man – nur scheinbar paradoxerweise – mit pathetischen Gesten der Subjektivität rebellieren könnte. Die zu diesem Sachverhalt signifikante Anekdote setzt voraus, daß die Prinzessin von Eboli tatsächlich eine der Geliebten Philipps II. gewesen sei, und bringt diesen Topos aus der Tradition der ›Skandalchronik‹ mit der historischen Tatsache ihrer Beziehung zu Antonio Pérez zusammen. Dann läßt sich leicht jene Szene ausmalen, in der ein Späher des austeren Königs dessen Sekretär und seine angebliche Geliebte *in flagranti* ertappt haben soll: *Dígale a Su Majestad*, so soll die geistesgegenwärtige Prinzessin reagiert haben, *que prefiero el culo de Antonio Pérez a la cara del Rey*.

Wie gesagt: Philipps II. Schicksal scheint in seinen späten Lebensjahren darin gelegen zu haben, daß ihm die Unterwerfung seines Körpers unter das Spiel der Repräsentation restlos gelang. Derselbe König ließ in den siebziger und achtziger Jahren des XVI. Jahrhunderts den *Escorial* erbauen, der noch heute zunächst als die widrigen landschaftlichen Bedingungen abgetrotzte Verwirklichung eines menschlichen Vorsatzes beeindruckt. Die Überlieferung berichtet, daß Philipp II. bei seinem Sieg über das französische Heer im Jahr 1557 bei Saint Quentin gezwungen gewesen war, eine dem Heiligen Laurentius, dem spanischen Nationalpatron geweihte Kirche zu zerstören. Auf das diesbezügliche Sühneversprechen soll die Errichtung des (dem Laurentius geweihten) *Escorial* zurückgehen. Der religiöse Sinn des megalomanen Aktes hat sich materialisiert: denn der Grundriß des *Escorial* bildet jenen Rost ab, der in mittelalterlicher Bildtradition das Emblem des Heiligen Laurentius war, weil er auf einem glühenden Rost den Märtyrertod erlitten haben soll.[9°] Aber neben seiner Bauform und seinem Baustil war auch die Funktion des gigantischen Gebäudes symbolhaltig: der *Escorial* war zugleich Palast und Kloster. Wie der König als Inkarnation der Macht, so war auch der Raum des *Escorial* von der Außenwelt des alltäglichen Handelns und von der Zeit abgesetzt. Es war vielleicht eine Geste des Strebens nach Unabhängigkeit gegenüber der Zeit, wenn Philipp II. es sich angelegen sein ließ, in seinem Klosterpalast nach und nach mit der ihm eigenen Sammlerzähigkeit die Gebeine aller verstorbenen Mitglieder aus der spanischen Linie des Hauses Habsburg zu versammeln, wobei auch den Überresten der zahllosen, im königlichen Säuglingsalter Verstorbenen die größte Akribie diplomatischer Bemühungen gewidmet wurde. Natürlich war der *Escorial* jener Ort, wo Philipp II. in seinem Sterbejahr 1598 den Tod erwarten wollte, denn nur hier konnte er die Illusion hegen, ohnehin der Zeitlichkeit des Lebens enthoben zu sein. Es wird berichtet, daß er unsägliche Schmerzen litt, als er sich in einer Sänfte von Madrid zum *Escorial* tragen ließ, aber dennoch unmittelbar nach seiner Ankunft noch einmal alle Gemächer in Augenschein nahm, um erst dann ganz bewußt in die letzte Phase seines Lebens einzutreten.

Gewiß war schon die Fixierung aller Machtfunktionen des Weltreichs und seines immensen bürokratischen Apparats in dem bis dahin unbedeutenden Städtchen Madrid ein theatralischer Akt gewesen: denn Madrid liegt im Zentrum der Iberischen Halbinsel und konnte deshalb seine neue Funktion ohne gegenläufige Konnotationen und Traditionen repräsentieren. Allerdings ist uns kein Dokument eines Beschlusses überliefert, durch den Madrid zur Hauptstadt geworden wäre. Wir wissen lediglich, daß diese Stadt seit dem Jahr 1561 als Machtzentrum fungierte.[91] Ohne einen solchen Beschluß und das Konzert flankierender Maßnahmen aber mußte sich die Entwicklung der neuen Hauptstadt bald dem universalen Anspruch königlicher Kontrolle entziehen. Die Häuser für Madrids nun sprunghaft wachsende Bevölkerung drängten ungeordnet in alle Richtungen, die sie verbindenden Straßen waren nicht durch ein Konzept der Urbanisierung integriert, der hier nun konzentrierte Reichtum zog das Heer der gesellschaftlich Marginalisierten aus allen Regionen des Reichs an – und dennoch geriet die hektische Bautätigkeit in hoffnungslosen Rückstand gegenüber der Menge der Bewohner. Die einschlägigen Berichte der Zeitgenossen erinnern an die Darstellungen des Goldrauschs im amerikanischen Westen um die Mitte des XIX. Jahrhunderts. Philipp II. gelang es nie, gegen das doch von ihm selbst ausgelöste Chaos Strukturen der Ordnung durchzusetzen. Als er beispielsweise anordnete, daß ein Stockwerk der zunächst meist zweistöckigen Häuser für die Einquartierung königlicher Beamter freigehalten werden müßte, löste er nur sehr rasch eine spontane Begrenzung der Bautätigkeit auf einstöckige Häuser aus und steigerte damit noch die proliferierende urbane Unordnung.[92] Die später gegen den Protest seiner hohen Funktionäre durchgesetzte Verlagerung des Hofes zum *Escorial* trug als Verleugnung eines grandiosen Fehlschlags in der Hauptstadt-Gründung durchaus analoge Züge zu Philipps II. Reaktion auf die vernichtende Niederlage der *Invencible*. Doch mit solcher Verleugnung, solcher Entwirklichung im Bewußtsein konnten die Folgen einmal gestifteter Wirklichkeit nicht beseitigt oder wenigstens gemildert werden. 1601, drei Jahre nach seinem Regierungsantritt, befahl Philipp III. dem Hof die Rückkehr in die alte Königsstadt Valladolid. Doch schon im Jahr 1606 mußte auch er das Scheitern seines Plans eingestehen: zu groß und zu mächtig war die neue Hauptstadt in weniger als vierzig Jahren geworden, als daß man die in ihr gebündelte Macht und das sie umgebende Leben noch hätte verlagern können. Mittlerweile war die babylonische Metropole der Kondensationspunkt *kollektiver Theatralisierung* geworden.

Denn in den spanischen Städten, zumal in Madrid, galt um 1600 das *Theater* als beliebteste Form gesellschaftlichen Vergnügens. Ganz ähnlich wie die Erzählungen in der zu Ende gegangenen Jahrhunderthälfte konnte die Inszenierungsform ›Theater‹ jegliche Stoffe assimilieren und in ihrer Ausdruckssprache vorstellen – von der Märtyrerlegende bis zur pikaresken Biographie, von den Heldentaten der Spanier in der Neuen Welt über das Leben in Madrid selbst bis hin zu jenem Wissen, das man für die ›Geschichte der asiatischen Reiche‹[93] hielt. Dieser erstaunliche Aufstieg des Theaters bedarf einer Erklärung – denn in keinem mittel- oder westeuropäischen Land setzte seine (zumindest: uns belegte) Geschichte so spät ein, und zugleich hat die Welt des Theaters wohl nirgends – nicht einmal in England – eine so unwiderstehliche Faszination auf alle Schichten der Gesellschaft ausgeübt wie gerade in Spanien zu Beginn des XVII. Jahrhunderts. Die Ausdifferenzierungstendenz der Kommunikationsform ›Literatur‹ und die seit dem Zeitalter Philipps II. zu beobachtende Theatralisierung der Welt mußten zusammenkommen, um das Theater zum Zentrum des städtischen Alltags in Spanien werden zu lassen. Nun scheint freilich der zweite Faktor dieser Bedingungskonstellation, nämlich die Theatralisierung der Welt, in deutlichem Widerspruch zu unserem Erklärungsvorschlag für die Dominanz des narrativen Erlebnisstils während der vorausgehenden Jahrzehnte zu stehen. Wie kann man auf der einen Seite postulieren, daß Literatur Evasionsmöglichkeiten aus der Welt des Alltags anbot, und nun auf der anderen Seite behaupten, daß sie Kondensationspunkt des Alltags war? Die Lösung ist überraschend einfach. Denn unter dem Leitbegriff der ›Theatralisierung‹ hatten wir ja zu zeigen versucht, daß der Raum der spanischen Alltagswelt gegen Ende des XVI. Jahrhunderts weitgehend von einem kollektiven Spiel besetzt worden war, dessen Funktion in der Verleugnung von Symptomen der nationalen Dekadenz lag. Dieser theatralisierte Alltag war eine kollektive Verhaltensform, in der jeder einzelne jederzeit für jeden anderen und in dem die ganze Gesellschaft für sich die Möglichkeit jenes Hinaustretens aus einer bedrängenden Wirklichkeit erschloß, welche die Narrationen nur dem einzelnen Leser angeboten hatten. Der kollektiv theatralisierte Alltag war unter dieser Perspektive ein zwar in seiner Struktur gänzlich verschiedenes, aber doch durchaus funktionsähnliches Parallel-Phänomen zur Lektüre von Romanen, Chroniken, Romanzen. Und das Theater selbst erbrachte idealtypisch jene Leistung, der auch sein Rahmen, eben der theatralisierte Alltag zuzuordnen war.

Gewiß zu Recht hat man behauptet, daß auch die Existenz einer Hauptstadt zu den notwendigen Faktoren für die Genese neuzeitlichen Theaters gehörte.[94] Das bedeutete angesichts der besonderen Geschichte von Madrid, daß für das spanische Theater drei Bedingungsfaktoren in besonders enger chronologischer Synchronisierung zusammentrafen. Abgesehen von der Theatralisierung des Lebens allerdings war die Stadt als Milieu nicht allein ein Katalysator für die Geschichte des Theaters, sie beförderte vielmehr – wie wir anhand der Biographie und des Werks von Juan de Timoneda gesehen haben – die Ausgrenzung der Literatur als sozialem Teilsystem ganz allgemein. Denn erst die Städte brachten jenes diffuse Publikum hervor, das es sich leisten konnte, Bücher zu kaufen und Eintrittspreise für das Theater zu zahlen, und die Städte waren Zentren der technischen Entwicklung – ob diese nun für den Buchdruck oder für das Bühnenspektakel fruchtbar gemacht wurden. Bachtins Theorie der ›Karnevalskultur‹ hat unser Bewußtsein für den Sachverhalt geschärft, daß sich der Entstehungsprozeß des neuzeitlichen Theaters zwischen der Bindung an religiöse Feste mit ihrer zeitlichen ›Insularität‹ und der räumlichen ›Insularität‹ des nur für diese Funktion reservierten Theatergebäudes, zwischen seiner Festlegung auf bestimmte Aufführungsstunden innerhalb des Tageslaufes und der Professionalisierung des Schauspielens vollzog. Am Ende gab es nur noch wenige Tage, an denen Theateraufführungen nicht gestattet waren, aber auch nur noch wenige Aufführungen außerhalb des Theaterraums. Hingegen war die dramatische Vergegenwärtigung biblischer Szenen an religiösen Festtagen in den mittelalterlichen Städten ein Spiel von Laien gewesen, die sich oft zu zünftigen ›Bruderschaften‹ (›cofradías‹) zusammengeschlossen hatten. In den *cofradías* war das religiöse Laienschauspiel an karitative Zwecke gebunden: sie unterhielten Hospitäler, Armen-, Alten- und Siechenhäuser.[95] Die Gründung der ersten Theater in Madrid, des *Corral de la Cruz* im Jahr 1574 und des *Corral del Príncipe* im Jahr 1582, geht auf den Beschluß von *cofradías* zurück, die von Balustraden umgebenen Innenhöfe größerer Gebäude ausschließlich für Schauspielaufführungen zu reservieren und an die wenigen bis dahin in Spanien bestehenden Wandertruppen von Schauspielern zu vermieten. Schon im Jahr 1583 hatte der *Consejo de Castilla* verordnet, daß aus den Einnahmen der Theatertruppen auch Subventionen für die von den *cofradías* unabhängigen karitativen Institutionen zu bestreiten wären. Als 1616 die Stadtverwaltung von Madrid auf einen jährlich für diesen Zweck zu erbringenden Betrag verpflichtet wurde, durfte auch sie einen Teil dieses Geldes über die Besteuerung des Theaters einziehen. Die Entwicklung endete im Jahr 1638, als die Kontrolle über die kommerzielle Nutzung der Theater gänzlich in die Verantwortung der Stadtverwaltung von Madrid überging; mit diesem letzten Schritt der Ersetzung von *cofradías* durch eine weltliche Institution war auch der Prozeß der Ablösung des Theaters von einem religiös motivierten Sitz im Leben abgeschlossen.

Doch darin liegt nur eine Komponente des Übergangs vom mittelalterlichen zum neuzeitlichen Theater. Ebenso wichtig war die Professionalisierung des Theaterpersonals.[96] Daß es sich dabei um einen hochkomplexen Prozeß handelte, illustriert am besten jene Berufsrolle, welche die Zeitgenossen ›*autor de*

comedias nannten. Damit wurde nicht, wie man zunächst denken möchte, der Dramen-Autor, sondern der ›Theater-Unternehmer‹ bezeichnet. Der *autor de comedias* engagierte die Schauspieler, die eine Theatertruppe bildeten; er gab Dramen bei potentiellen Autoren in Auftrag (unter denen sich schon bald einige als besonders populär herauskristallisiert hatten); er legte diese Dramen der Zensur vor und übte sie – im Fall der Billigung – mit den Schauspielern ein. Nicht selten war der *autor de comedias* auch selbst als Schauspieler an der Aufführung beteiligt. Er war es aber auch, der zunächst gegenüber den *cofradías*, dann gegenüber der Stadtverwaltung für die Ordnung im Zuschauerraum, für die Wahrung gewisser Moralgrenzen auf der Bühne und – vor allem – für die Einhaltung der peinlich genau geregelten finanziellen Rahmenbedingungen verantwortlich war. *Autor de comedias* zu sein, war offenbar ein riskanter, zugleich aber ein sehr lukrativer Beruf: der Theater-Unternehmer nämlich verdiente mit jeder Aufführung etwa denselben Betrag, den er an einen Dramen-Autor für die Überlassung eines Stücks (ohne gleichzeitigen Erwerb der Druckrechte) zu entrichten hatte. Innerhalb der Theatertruppen standen dem *autor de comedias*, der sich selbstverständlich auch um Requisiten und Kulissen zu kümmern hatte, zunächst allein die Schauspieler gegenüber. Sehr bald waren in diesem Beruf Ruhm und Reichtum – ja erstaunlicherweise sogar eine gewisse soziale Sicherheit – zu erwerben, aber das war gewiß nicht die Regel. Wie in den anderen europäischen Ländern übernahmen auch in Spanien die Schauspieler den marginalen sozialen Status des ›fahrenden Volks‹. Daß das Spiel auf dem Theater nicht als ehrenhaftes Gewerbe angesehen wurde, demonstriert etwa eine Verordnung, der zufolge Frauen nach Vollendung des zwölften Lebensjahres nur dann auf der Bühne erscheinen durften, wenn sie verheiratet waren: sie führte zur Schauspielerehe als Lebensform und zu der Erwartung, daß Schauspieler die Verpflichtungen der ehelichen Moral nicht allzu ernst nähmen.

Die Loslösung vom Rahmen religiöser Feste und die Professionalisierung wurden potenziert durch die Expansionsbewegung des Theaters. Bis hin zur Jahrhundertwende hatte es in Madrid manchmal drei, manchmal vier Truppen von Berufsschauspielern gegeben. Nach 1600 war die Anmietung eines *corral* nur unter der Bedingung möglich, daß der *autor de co-medias* eine Lizenz für sich und seine Schauspieler erlangt hatte. Zunächst wurden acht solcher Lizenzen ausgestellt, 1615 wurde ihre Zahl auf zwölf erhöht.[97] Parallel stieg die Zahl der Aufführungen, welche ebenso wie die Zahl der Theatertruppen ein unmittelbares Indiz für die wachsende Popularität des Theaters abgibt. Öffneten die *corrales* zunächst nur an Sonn- und Feiertagen ihre Tore, so wurden bald prinzipiell zwei Aufführungen pro Woche erlaubt, und wenig später waren nur noch der Aschermittwoch und der Ostersonntag theaterfreie Tage, und die Theater-Begeisterung war so sehr zur Leidenschaft geworden, daß man auch an diesen Tagen dem Publikum Puppen- und Marionetten-Spiele anbot.[98]

Anhand all dieser Einzelveränderungen wird deutlich, wie sich innerhalb des sozialen Teilsystems ›Literatur‹ das Theater als ein sekundäres Teilsystem etablierte. Dennoch waren die Grenzen zwischen dem Theaterraum und der Außenwelt des Alltags noch schwach markiert, und wir möchten diese Beobachtung mit unserer These in Zusammenhang bringen, daß das Theater im späten XVI. und im frühen XVII. Jahrhundert Kondensationspunkt einer kollektiven Theatralisierung des Lebens war. Unter themengeschichtlicher Perspektive haben die Literarhistoriker diesen Sachverhalt seit langem herausgestellt:[99] die Probleme und Fragen, die Einstellungen und Verhaltensmuster, die Gesprächsthemen und Faszinationen des Alltags kehrten auf der Bühne wieder. Nicht umsonst trugen viele Schauspieler auch bei den Reisen von der einen in die andere Stadt ihre auf bestimmte Rollen und Rollenfächer zugeschnittenen Kostüme.[100] Die Sitzordnung der Zuschauer in den *corrales* spiegelte sowohl in der Abgrenzung von Teil-Räumen (die verschiedenen Eintrittspreisen entsprachen) als auch in deren durch die zweistöckige Architektur der Gebäude ermöglichten Anordnung die sozialen Teilgruppen und ihre Hierarchie wider.[101] Für nicht mehr als das Drittel des Tageslohns eines Hilfsarbeiters konnten Männer Stehplätze unmittelbar vor der Bühne erwerben: hier versammelten sich jene – manchmal bis zur Gewalttätigkeit – unruhigen, aber zugleich begeisterungsfähigen und sachverständigen Zuschauer, die man auch aus dem zeitgenössischen englischen Theater und der französischen Theatergeschichte des XVII. Jahrhunderts kennt (in Spanien wurden sie ›mosqueteros‹ genannt). Alle Frauen im Publikum – mit Ausnahme der adligen Damen – waren in der *cazuela*, einem abgesetzten Bezirk im Zuschauerraum, untergebracht, und die Eintrittspreise für Frauen lagen stets höher als die Eintrittspreise für Männer. Hinter dem *patio de pie* und der *cazuela* folgten an dem der Bühne entgegengesetzten Ende des *corral* die *bancos* und die gestuften *gradas*. Sie waren die Domäne der Handwerker und der kleinen Kaufleute. Als ein Zeichen des Distinktion – und somit für Adel und reiche ›Bürger‹ als eine Verpflichtung – galt es schließlich, sich einen Sitzplatz im *corral* reservieren zu lassen *(aposento)*. Ort der *aposentos* waren die Balustraden, aber auch die Bewohner der einen jeweiligen *corral* bildenden Häuser hatten das Recht, ihre Fenster für die Zeit der Aufführungen zu vermieten. Wir sehen, daß das Theater tatsächlich ein Vergnügen der ganzen Stadt war. Lassen wir nun einen Theaterbesucher und Theaterkenner des XVII. Jahrhunderts, Juan de Zabaleta, zu Wort kommen, dessen Schilderung einer *cazuela* vor Beginn der nachmittäglichen Festtagsaufführung ahnen läßt, wie sehr das Verhalten der weiblichen Zuschauer im Theater ihren Gewohnheiten außerhalb des Theaters entsprach. Auch darin erkennen wir ein Symptom für die erstaunlich ›fließenden‹ Übergänge zwischen Schauspielwelt und Alltagswelt:

Ya son las dos y media, y empieza la hambre a llamar muy recio en las que no han comido. Bien dieran nuestras mugeres a aquella hora otros diez quartos por estar en su casa. Yo me holgára mucho que todos los que van a la comedia fueran en ayunas, porque tuuieran las passiones mortificadas, por si ay algo en ella que irrite las passiones. Vna de las mugeres ... da a cada vna de nuestras mugeres vn puñado de ciruelas de Genoua y hueuos de faltriquera, diziendolas: Ea, seamos amigas, y coman de essos dulces que me dio vn bobo. Ellas los reciben de muy buena gana, y empieçan a comer con la misma priessa que si fueran ubas. Quisieran hablar con la que las hizo el regalo en señal de cariño; pero por no dexar de mascar, no hablan.[102]

Ebenso wie der Alltag vielfältig in den Theaterraum einging, drängte das Spektakel über die Mauern der *corrales* hinaus. Gleichsam auf der Grenzlinie zwischen den beiden Sphären entwickelten sich Subgattungen, welche als inhaltlich und strukturell weitgehend eigenständige Elemente die Aufführung der *comedia* umgaben und die Pausen zwischen den einzelnen Akten füllten. Zu ihnen gehörte die einleitende *loa*, deren Text sich stets direkt ans Publikum wandte und meist die Handlung der anschließenden Aufführung als Resümee präsentierte. Zwischen den Akten boten die Schauspieler *entremeses* oder *sainetes*,[103] welche meist Szenen aus der Welt der städtischen Unterschichten zum Bühnengeschehen machten und in den besonders beliebten Prügelszenen Körperlichkeit ins Spiel brachten. Ähnliches galt für die *bailes* und das Guitarrenspiel auf der Bühne.

Trotz der Emanzipation des Schauspiels vom Anlaß der religiösen Festtage gaben diese nicht nur weiterhin einen Rahmen für dramatische Inszenierungen ab, sondern entwickelten sich sogar zu Momenten besonderer theatralischer Aktivität. Aber auch jede andere Gelegenheit wurde für gigantische kollektive Spektakel genutzt, von denen einige in die Kulturgeschichte Spaniens eingegangen sind. So endete ein Theaterverbot, welches Philipp II. im Mai 1598 beim Tod seiner Lieblingstochter Catalina Micaela erlassen hatte, und dessen Gültigkeit während der Trauerzeit für den Monarchen selbst ab September desselben Jahres bestehen geblieben war, im April 1599 mit der in Valencia über mehrere Tage gefeierten Doppelhochzeit Philipps III. und seiner älteren Stiefschwester Isabel Clara Eugenia mit der Erzherzogin Margaret und dem Erzherzog Albert aus der österreichischen Linie der Habsburger. 1615 geleitete ein prunkvoller Zug unter Führung des Herzogs von Lerma, dem auch Lope de Vega angehörte, die älteste Tochter Philipps III. zu ihrer Verheiratung mit Ludwig XIII. von Frankreich, um anschließend dessen Schwester zur prunkvollen Hochzeit mit dem spanischen Infanten, dem späteren Philipp IV., nach Madrid zu begleiten. Im Mai 1620 beging die Stadt Madrid – unter anderem mit einem Dichterwettbewerb – das Fest der Seligsprechung ihres Patrons, des späteren Heiligen Isidor; und dessen Heiligsprechung war zwei Jahre später vereint mit der Feier zur Kanonisierung von Ignacio de Loyola und Teresa von Avila.[104] Teresa von Avila war schon acht Jahre zuvor seliggesprochen worden, und von der Theaterfülle der Maskenumzüge, Schauspiele und Dichterwettbewerbe, welche die Universität Zaragoza und ihre Studenten zu Ehren der Seligen organisierten, liegt uns eine farbige Schilderung vor.[105] Diese Schilderung zeigt, daß der jeweilige Festanlaß den Inhalt des kollektiven Schau-Spielens nicht unbedingt prägen mußte, wenn es nur gelang, irgendeine assoziative Brücke zwischen Festanlaß und Repräsentation zu schlagen. Neun Jahre nach dem Erscheinen des ersten Teils von Cervantes' mittlerweile enorm beliebt gewordenen Roman inkarnierten die Studenten von Zaragoza in einer Maskerade Don Quijote und Sancho Panza als groteske Gestalten – und ließen beide auf ihrem Umzug ›zu Ehren des Festes der Heiligen Mutter Teresa‹ heulende Dämonen jagen und in einem Käfig einsperren:

Venía Don Quixote de la Mancha, con vn traxe gracioso, arrogante, y pícaro; puntualmente de la manera que en su libro se pinta. Esta figura, y otra de Sancho Pança, su criado que le acompañaua, causaron grande reguzijo (sic), y entretenimiento; porque amás de que su traje era en estremo gracioso, lo era también la inuención que lleuauan. Fingiendo ser caçadores de demonios que trayan allí enjaulados, y como triunfando dellos: auiéndolos caçado a honor de la Fiesta de la Santa Madre, y con el fauor suyo: y estos se representauan en dos fieras máscaras atadas, cuyas cabeças estauan encerradas en sendas jaulas. Sancho Pança salió con vn justillo de pieles de carneros recién muertos, el pelo hazia dentro. De suerte que todo el vestido parecía carne: y toda ella idrópica, porque estaua toda inchada, como si en estremo le fuera: tanto, que adonde tocaua con el cuento, o remate de vna lança de encuentro que en la mano traya, quedaua allí vna hondura, que despúes se yua ygualando, como si dentro lleuara algunas fuelles; acción que al bulgo causaua extraordinaria risa: como también la causaron los papelillos que con algunos motes daua a las damas …

Wie sehr gerade die Inszenierung solcher Feste das Erleben von Krise und Dekadenz des spanischen Weltreichs verleugnete und damit den Glauben an sein Fortbestehen suggerierte, machen andere Masken in demselben Umzug deutlich. Sie repräsentierten die damals schon schwindende Vielfalt der Welten im spanischen Imperium und wurden auf das – selbstironische? – Emblem des ›Ritters von der traurigen Gestalt‹ zugeordnet:

Después passaron algunos en traje antiguo de Portugueses, otros de indios: con ropas y barbas largas: y gorras a lo Beneciano, passaron otros. A estos seguían dos ygualmente vestidos, de justillos hechos de sangala, guarnecidos de vn bolante resplandeciente de Leonardo, y

Plata, y sembrados con muchas curiosas rosas de lo mismo, Bohemios de terciopelo negro, aforrados de blanco ...

Eine assoziative Brücke zwischen der Ausgelassenheit des Festes und seinem religiösen Anlaß bot die erotische Metaphorik aus der Sprache der Mystiker. An der Stirnseite des Platzes von Zaragoza prangte ein *Geroglífico*, eines jener komplexen und oft synkretistischen Bildersymbole, welche im XVII. Jahrhundert als ›Scharniere‹ zwischen der Sphäre der Repräsentation und ihren Referenzen immer beliebter werden sollten. Dieser *Geroglífico* spielte den religiösen Gehalt hinüber in den durch den Rahmen des Festes ›gestatteten Exzeß‹:

En la frente del ámbito ... estaua dispuesto, campeaua en vna grande tarja, vn Geroglífico, a donde pintado a la muerte con vna flecha del amor en la mano, se dezía auer muerto Teresa, enamorada de su diuino Esposo. Y este pensamiento yua declarado con dos palabras latinas que dezían, *Mors amoris*. Traduzidas en lengua Española, con este tercetillo.

> Quitar la vida a Teresa.
> No pudiera mi rigor
> Sin las armas del amor.

In die theatralische Welt des Schau-Spiels und der Feste, die das Theater umgab, fügte sich auch das seit den frühesten Anfängen der spanischen Kulturgeschichte belegte Spektakel des Stierkampfs ein. Doch nicht zufällig begannen erst im XVI. Jahrhundert – und zwar gleichzeitig – die bis heute fortgesetzte Diskussion um seinen ›inhumanen Charakter‹ und seine Ritualisierung.[106] Denn erst als das Spiel um die Alltagserfahrung vom Kampf der Bauern mit den Gewalten der Natur von einer umgreifenden Theatralisierung erfaßt wurde, bedurfte es einer neuen Prägnanz in seinen konstitutiven Handlungen.

Die markanteste Form der Theatralisierung außerhalb des Theaters waren freilich die *autos sacramentales*.[107] Auf dem Höhepunkt ihrer Geschichte, eben in der ersten Hälfte des XVII. Jahrhunderts, hatten die *autos sacramentales* den Fronleichnamstag zum situationalen Rahmen, genauer: die von der mittelalterlichen Kirche eingeführte Feier zur Stiftung des Eucharistie-Sakraments. Für die Aufführungen am Fronleichnamstag gaben die spanischen Städte bei den prominentesten Dramenautoren Stücke in Auftrag, sie engagierten die beliebtesten Schauspielertruppen – und zwar für Summen, welche weit über dem Niveau der Einkünfte in den *corrales* lagen. Freilich wurden die *autos* nicht in den Theatern, sondern auf den Plätzen der Städte inszeniert; als Bühne dienten vierrädrige Wagen mit riesigen Kulissen. Die dramatische Handlung schloß in dieser Gattung stets an narrative Motive aus den Kanonischen Schriften oder aus Heiligenviten an, erst später wurde die Konzentration auf das ›Geheimnis‹ des Eucharistie-Sakraments bindend, und am Ende gewann man in diesem Rahmen den Stoffen des weltlichen Theaters durch allegorische Inszenierung eine religiöse Sinndimension ab. Das Themenspektrum und der situationale Rahmen der *autos sacramentales* legen den Verdacht nahe, daß die Frage nach den besonderen Entstehungsbedingungen dieser Gattung eine falsch gestellte Frage ist. Denn die dramatische Vergegenwärtigung religiöser Inhalte zum Anlaß kirchlicher Festtage und am Ort städtischer Plätze – das war ja durchaus die situationale Konstellation für die spätmittelalterlichen Vorläufer-Formen des frühneuzeitlichen Theaters gewesen. Zu fragen ist also, warum diese Formen nicht auch in Spanien durch den Emanzipationsprozeß des weltlichen Schauspiels von religiösen Anlässen ihre Beliebtheit verloren. Die Antwort liegt auf der Hand: es waren weniger spezifische gegenreformatorische Initiativen (nach denen die Theaterhistoriker unter den Hispanisten mit wenig Erfolg gesucht haben) als das kommunikative Milieu jener Zeit mit seiner Tendenz zur universalen Theatralisierung, welche mittelalterliche Traditionsbestände des szenischen Spiels nicht nur erhielten, sondern sogar neu belebten. In diesem Zusammenhang stoßen wir wieder auf Juan de Timoneda. Er trat im Jahr 1575 nicht nur als Verleger und Herausgeber einer Sammlung von *autos* unter dem Titel ›*Ternarios sacramentales*‹ in Erscheinung, sondern hatte die veröffentlichten Stücke auch in eigener Überarbeitung an neue poetologische Kriterien angepaßt. Doch die Fortsetzung und Erneuerung des mittelalterlich-religiösen Theaters lebte nicht allein von einer neuen Sprache und von dem neuen Medium des Drucks; auch die Professionalisierung der Schauspieler, die Organisationsform ihres Theaters und dessen keinen Aufwand scheuende Bühnentechnik vermittelten gerade dem *auto sacramental* wichtige Impulse.

Wir sehen also erneut, daß die Einbettung des weltlichen Theaters in einen Horizont theatralischer Feste und in eine Alltagswelt, die ebenfalls unter dem Vorzeichen der Theatralisierung stand, seine Ausdifferenzierung zu einem Subsystem innerhalb der sich gleichzeitig als eigenständiges soziales System konstituierenden ›Literatur‹ keinesfalls hemmte. Ein besonders eindrucksvolles Anzeichen für diesen Sachverhalt erschließt sich durch zahlreiche Texte, in denen das spanische Theater an der Wende vom XVI. zum XVII. Jahrhundert seine nationalspezifische Identität unter verschiedenen Hinsichten reflektierte. Eine dieser Hinsichten war seine Geschichte. Zu solcher ›Theatergeschichtsschreibung‹[108] gehörten etwa das im vorigen Abschnitt zitierte Vorwort zu einer Buchveröffentlichung von Cervantes' Dramen, eine *loa* im *Viaje entretenido* von Agustín de Rojas aus dem Jahr 1603 und der *Ejemplar poético* des Juan de la Cueva, von dem uns ein Autograph aus dem Jahr 1609 vorliegt. Solche Traktate weisen eine erstaunliche Übereinstimmung mit dem heutigen literarhistorischen Wissen auf: sie feiern Juan del Encina als Vater des spanischen Theaters und erinnern (allzu) verklärend an die einschlägigen Verdienste der Katholischen Könige; sie sprechen Autoren wie Torres Naharro und Diego Sánchez de Badajoz Anerkennung aus, um vor diesem Hintergrund Lope de Ruedas Wandertheater wichtige Schritte der Erneuerung zuzuschreiben; sie führen hin zum dramatischen Werk Lope de Vegas als einem kaum noch überbietbaren Höhepunkt; und nicht wenige Autoren von Theatergeschichten schreiben sich selbst mit der einen oder anderen Innovationsleistung in den Kursus dieser Entwicklung ein. Im *Viaje entretenido* des Agustín de Rojas wird diese Geschichte so erzählt:

> Y donde más ha subido
> de quilates la comedia,
> ha sido donde más tarde
> se ha alcanzado el uso de ella,
> que es en nuestra madre España,
> porque en la dichosa era
> que aquellos gloriosos reyes
> dignos de memoria eterna,
> don Fernando e Isabel

(que ya con los santos reinan),
de echar de España acababan
todos los moriscos, que eran
de aquel reino de Granada,
y entonces se daba en ella
principio a la Inquisición,
se le dio a nuestra comedia.
Juan de la Encina el primero,
aquel insigne poeta,
que tanto bien empezó,
de quien tenemos tres églogas
que él mismo representó
al almirante y duquesa
de Castilla y de Infantado,
que éstas fueron las primeras.
...
Y porque yo no pretendo
tratar de gente extranjera,
sí de nuestros españoles,
digo que Lope de Rueda,
gracioso representante
y en su tiempo gran poeta,
empezó a poner la farsa
en buen uso y orden buena.
Porque la repartió en actos,
haciendo introito en ella,
que agora llamamos loa,
y declaraban lo que era
las marañas, los amores,
y entre los pasos de veras,
mezclados otros de risa;
que porque iban entremedias
de la farsa, los llamaron
entremeses de comedia;
y todo aquesto iba en prosa
más graciosa que discreta.
Tañían la guitarra,
y ésta nunca salía fuera,
sino adentro, y en los blancos,
muy mal templada y sin cuerdas.
Bailaba a la postre el bobo,
y sacaba tanta lengua

todo el vulgacho embodado
de ver cosa como aquélla.
...
Al fin la comedia está
subida ya en tanta alteza,
que se nos pierde de vista;
plega a Dios que no se pierda.
Hace el sol de nuestra España,
compone Lope de Vega
(la fénix de nuestros tiempos
y Apolo de los poetas)
tantas farsas por momentos,
y todas ellas tan buenas,
que ni yo sabré contarlas,
ni hombre humano encarecerlas.[109]

Wahrscheinlich im Jahr 1609, als auch Juan de la Cueva das Manuskript des *Ejemplar poético* schrieb, verfaßte der also schon 1603 hochberühmte Lope de Vega den *Arte nuevo de hacer comedias en este tiempo*. Obwohl Lope diesen kurzen Verstraktat im Untertitel als ›*dirigido a la Academia de Madrid*‹ auswies, spricht vieles für Karl Vosslers Vermutung, daß der damit gesetzte situationale Rahmen fiktiv sei.[110] Jedenfalls machte es die am Horizont des Textes evozierte Autorität einer jener literarischen Akademien, welche über die Einhaltung der aristotelischen Dramenpoetik wachten, für Lope de Vega besonders leicht, die Identität der so eindrucksvoll mit seinem Namen verknüpften spanischen *comedia* über eine einleitende Serie von Negationen – nun nicht mehr historisch, sondern dramentechnisch und pragmatisch – darzustellen. Ob nun der Bezug auf die *Academia de Madrid* fingiert ist oder nicht, jedenfalls verstand es Lope de Vega unverbindlich – und wohl oft auch: ironisch –, ihm ganz fremde Standpunkte in seinen Texten einzunehmen. Verse wie die folgenden aus dem *Arte nuevo* bloß als Klage über seine Abhängigkeit vom ungebildeten Publikum lesen, hieße jedenfalls Lope de Vegas Selbstbewußtsein aus der Perspektive des romantischen Klischees vom sozial vereinsamten Dichter-Individuum mißverstehen:

MANDANME, ingenios nobles, flor de España, ...
Que un arte de comedias os escriba,

Que al estilo del vulgo se reciba.
   Fácil parece este sugeto, y fácil
Fuera para cualquiera de vosotros,
Que ha escrito menos dellas, y mas sabe
Del arte de escribirlas y de todo;
Que lo que á mí me daña en esta parte
Es haberlas escrito sin el arte.
   No porque yo ignorase los preceptos,
Gracias á Dios ...
Pasé los libros que trataban desto,
Antes que hubiese visto al sol diez veces
Discurrir desde el Aries á los Peces;
   Mas porque, en fin, hallé que las comedias
Estaban en España en aquel tiempo,
No como sus primeros inventores
Pensaron que en el mundo se escribieran,
Mas como las trataron muchos bárbaros,
Que enseñaron el vulgo á sus rudezas;
Y así se introdujeron de tal modo,
Que quien con arte las escribe,
Muere sin fama y galardon ...
...
A aquel hábito bárbaro me vuelvo;
Y cuando he de escribir una comedia,
Encierro los preceptos con seis llaves;
Saco á Terencio y Plauto de mi estudio,
Para que no me dén voces; que suele
Dar gritos la verdad en libros mudos;
Y escribo por el arte que inventaron
Los que el vulgar aplauso pretendieron;
Porque, como las paga el vulgo, es justo
Hablarle en necio para darle gusto.[111]

Es ist kaum plausibel, in solchen Sätzen etwas anderes als die spöttische Negation des Aristotelismus und die lachende Bejahung des populären Publikumsgeschmacks zu sehen. Unter dieser Perspektive verliert das anschließende Resümee der aristotelischen Regeln für die Dramenproduktion den Stellenwert eines pflichtschuldigen Erweises gebildeter Kompetenz und wird stattdessen zum Kontrast-Hintergrund für die Beschreibung der eigenen Theaterpraxis. Jegliches Sujet sei für Dramen geeignet – nicht nur die tragischen Geschichten von Königen der Vergangenheit; komische und tragische Elemente der Handlung könnten vermischt werden, wenn man es verstehe, der Handlung des Dramas klare Gestalt zu geben:

> Adviértase que solo este sugeto
> Tenga una accion, mirando que la fábula
> De ninguna manera sea episódica,
> Quiero decir, inserta de otras cosas
> Que del primer intento se desvíe;
> Ni que della se pueda quitar miembro
> Que del contexto no derribe el todo.[112]

Sein eigenes Konzept von der ›Einheit der Handlung‹ führt Lope de Vega dann zu einer – freilich ganz undogmatischen – Annäherung an die aristotelischen Forderungen von der ›Einheit des Ortes‹ und der ›Einheit der Zeit‹. Das gilt auch für das Wahrscheinlichkeits-Postulat: es wird als Bedingung der Illusionsbildung für Lope so wichtig, daß er es in Kauf nimmt, in der mimetischen Annäherung an die Diskurse einzelner Rollenfächer die Homogenität des dramatischen Sprachstils zu durchbrechen. Diese »weitherzige Verschmelzung der verschiedensten Stile im Geist der Freude an der Buntheit des Lebens als Schauspiel«[113] ist Lopes dichterische Grundhaltung, aus der sich auch die Polymetrie, die Verteilung je spezifischer metrischer Schemata auf verschiedene Situationstypen ergibt:

> Acomode los versos con prudencia
> A los sugetos de que va tratando.
> Las décimas son buenas para quejas;
> El soneto está bien en los que aguardan;
> Las relaciones piden los romances,
> Aunque en octavas lucen por extremo.
> Son los tercetos para cosas graves,
> Y para las de amor las redondillas.[114]

Jedenfalls gehört der *Arte nuevo* zu jenen poetologischen Selbstpräsentationen, die für das Verständnis und die Analyse eines Werks äußerst fruchtbar sind. Wenn uns daran gelegen war, darüberhinaus das selbstsicher-lachende Bejahen der neuen Form des Schauspiels als Lopes Intention herauszustellen, so deshalb, weil sich in der damit verbundenen Negation antiker Normen erneut der von Literatur und Theater – ja sogar: vom nationalen Theater – zu Beginn des XVI. Jahrhunderts erreichte Status der Unabhängigkeit zeigt. Doch wenn Lope de Vega vor allem das Vergnügen seines bunt gemischten Publikums betont, so bedeutete das keinesfalls, daß die *comedias* nicht auf das Alltagshandeln gewirkt hätten.

Um diese Funktionen verstehen zu können, ist es zunächst wichtig, noch einmal daran zu erinnern, daß zwar alle Bereiche der zeitgenössischen Welt auf die Bühne gebracht werden durften, daß sie aber im Drama über die Handlung und das Agieren der Schauspieler stets in besonders prägnanter Weise artikuliert waren. Eben deshalb mußte Lope de Vega bei aller Distanznahme von den Normen der aristotelischen Poetik doch auf Einheit und Klarheit der Handlungsführung bestehen, und die Polymetrie des Dramentextes läßt sich als ein Verfahren deuten, durch das die verschiedenen inszenierten Situationen in ihren verschiedenen Stimmungen erfahrbar und als Elemente je besonderen Stellenwerts kombinierbar wurden. Als dramatische Grundform waren die Dialoge in den gängigen achtsilbigen Vers gefaßt, ebenso wie die Protagonisten-Berichte, denen allerdings oft auch die in ihrer Länge offene Strophenform der Romanzen größeren Raum zur narrativen Entfaltung eröffnete. Besonders pathetische Berichte, Monologe und lyrische Rede sind durch die aus der italienischen Literatur übernommene und in Spanien weiterentwickelte Formensprache der Renaissance-Poetik, deren Basiseinheit der *endecasílabo* ist, markiert. Ins Auge fallen dabei die Korrelationen zwischen dem Argumentationsstil des Monologs und der Strophen-Struktur des Sonetts sowie zwischen der Affektbetonung lyrischer Rede und der Kombination von Versen verschiedener Länge in den *décimas*, *endechas* und *liras*.[115] Auf anderen Ebenen der Textkonstitution lassen sich in den Dramen Lope de Vegas auch Funktionsäquivalente der Polymetrie ausmachen. So ermöglichte es etwa die gängige Verdoppelung von Antagonisten-Paaren durch die jeweiligen Diener nicht allein, dem Ernst des Konflikts Aspekte der Komik zu unterlegen; mit dieser Parallelisierung gewann auch die Gestalt des Grundkonflikts an konturierter Bestimmtheit. Francisco Rico hat in einer Studie über Lopes *Caballero de Olmedo* gezeigt, wie noch der verklärende Blick der *romances* auf die Vergangenheit bei der Transponierung eines Romanzen-Inhalts in das Drama genutzt wurde.[116]

Wenn nun die verschiedensten Instrumente von Lope de Vegas Dramentechnik in der Prägnanzsteigerung der evozierten Wissensbestände zusammenliefen, dieses Wissen aber nie problematisiert wurde – es gibt keine tragischen Dramenschlüsse in Lopes proliferierendem Werk –, dann bedeutet das funktionsgeschichtlich, daß in der Rezeption Einstellungen, Verhaltensweisen und Handlungstypen eingeübt und verstärkt wurden, aus denen sich der Alltag außerhalb des Theaters ohnehin konstituierte. Ganz in diesem Sinn hat José Antonio Maravall Lopes Dramenhandlungen charakterisiert: »la autoridad política, sostenida por la autoridad eclesiástica – la Realeza y la Inquisición – garantiza la validez moral de ese sistema de convenciones y mantiene su vigencia sobre la sociedad.«[117] Da aber in jener Epoche auch der Alltag der spanischen Gesellschaft unter dem Vorzeichen kollektiver Theatralisierung stand, intensivierten und vervollkommneten die *comedias nacionales* die Überzeugung, die Welt Spaniens entspreche – noch immer – ihrem pathetischen Selbstbild und – trotz allem – den Bedürfnissen der Subjektivität: »Es ist das Bestreben der Figuren Lopes, die herrschenden Mächte zu besänftigen, um die völlige Vernichtung abzuwenden. Jedoch tendiert die Handlung fortwährend dazu, die realen Gegebenheiten der sozialen Welt durch metaphysische Erwägungen zu verschleiern.«[118]

Nachdem wir die Verfahren zur Prägnanzsteigerung und die Verstärkung jener Effekte, welche die Theatralisierung des Alltags mit sich brachte, als Funktion der *comedias* von Lope de Vega ausgemacht haben, wollen wir nun illustrierend auf jene beiden Handlungstypen eingehen, die rein quantitativ im Vordergrund stehen: das ist zum einen das ›Gesellschaftsdrama‹ (auch: ›comedia de capa y espada‹), zum anderen die *Dramatisierung von Episoden aus der nationalen Geschichte*. Beginnen wir mit der Darstellung der zeitgenössischen Gesellschaft. Denkbar einfach ist die Handlungsstruktur des Stückes ›El acero de Madrid‹, das 1618 im Druck erschien. Unter der strengen Obhut ihrer Eltern kann Belisa (und ›Belisa‹ heißen unendlich viele *enamoradas* im Werk Lopes, nicht allein in den *comedias*) mit Lisardo, dessen Verliebtheit sie durchaus wahrnimmt, nur verstohlene Blicke wechseln. Doch es gelingt ihr, Lisardo beim Kirchgang ein Briefchen zuzuspielen und eine List als

Ausweg vorzuschlagen, bei deren Verwirklichung Lisardos Diener die entscheidende Vermittlerrolle übernimmt. Er bietet als Arzt *verkleidet* Belisas Eltern seine Dienste an, und diese hat ihrerseits durch das Fingieren einer passenden Krankheit den Erfolg der Strategie schon vorbereitet. Nun muß nur noch Teodora, Belisas grämliche Tante und prüde Anstandsdame, durch das *gespielte* Werben eines hilfsbereiten Freundes von Lisardo neutralisiert werden. So kommt es zu Morgenspaziergängen, welche *angeblich* an die eisenhaltigen Quellen von Madrid führen (daher der zunächst rätselhafte Titel des Stückes), in Wirklichkeit aber die Begegnung des jungen Paars ermöglichen – und dem Autor hinreichend Anlaß für lyrisch ausgemalte Liebesszenen und für die Karikatur schnell aufgegebener altjüngferlicher Prüderie geben. Am Ende muß Teodora für Liebesfeindschaft und Liebestollheit zugleich im Kloster büßen, während Lisardo und Belisa auf die Ehe zusteuern. Was wir hier in denkbarer Schlichtheit der Handlung sehen, wiederholt sich stets aufs Neue in den Stücken des *capa y espada*-Typs: ein Spiel der Verstellung, das die Diener fast immer weit virtuoser spielen als ihre Herren und in dem sich jene Hindernisse allemal überwinden oder ausräumen lassen, welche die Verhaltensnormen der Gesellschaft den Wünschen der Liebenden – oder anderen ›guten‹ Protagonisten – entgegenstellen. Komik entsteht aus dem Kontrast zwischen dem Ernst der Norm und der lachenden Überlegenheit des Lügenspiels und Spannung aus der Befürchtung des identifikationsbereiten Zuschauers, dieses Spiel könnte durchschaut werden und scheitern.

Der Titel des Stücks ›*El perro del hortelano*‹, das ebenfalls im Jahr 1618 gedruckt wurde, nimmt Bezug auf das Sprichwort ›*el perro del hortelano no come ni deja comer*‹. Sich selbst und ihre Umwelt frustriert die Gräfin Diana. Denn sie hat sich auf der einen Seite in ihren Sekretär Teodoro verliebt (den zu ehelichen die Standeshierarchie verbietet), auf der anderen Seite scheut sie nicht davor zurück, aus Eifersucht Teodoro zu ohrfeigen und ihre Kammerzofe Marcela, der er den Hof macht, einzusperren. Den Part des *verkleideten Vermittlers* spielt hier Teodoros Diener Tristán. Er erscheint als griechischer Kaufmann und erzählt Diana eine – natürlich erfundene – Geschichte, nach der Teo-

doro als Sohn des verstorbenen Grafen Ludovico im Glanz bis
dahin unentdeckten Adels steht. Bezeichnend genug für Lopes
›heile‹ Dramenwelt ist der Schluß: nachdem das Ehehindernis
des Standesunterschiedes erst einmal durch den *engaño* des
Dieners eliminiert ist, kann Teodoro ohne größeres Risiko seiner zukünftigen Frau die Wahrheit gestehen. Denn sie weiß
nun seinen ›Seelenadel‹ als überreichen Ersatz für die fehlende
Genealogie zu schätzen:

> DIANA. – Discreto y necio has andado:
> discreto, en que tu nobleza
> me has mostrado en declararte:
> necio, en pensar que lo sea
> en dejarme de casar,
> pues he hallado a tu bajeza
> el color que yo quería,
> que el gusto no está en grandezas,
> sino en ajustarse al alma
> aquello que se desea.
> Yo me he de casar contigo,
> y porque Tristán no pueda
> decir aqueste secreto,
> hoy haré que, cuando duerma,
> en este pozo de casa
> le sepulten.[119]

Natürlich hat der pfiffige Tristán die letzten, für ihn so bedrohlichen Worte Dianas gehört und meldet sogleich – allerdings
eher selbstsicher-ironisch als verängstigt – seinen Protest an.
Von so viel Geschick beeindruckt, nimmt ihm die neue Braut
nun doch ein Schweigeversprechen ab, um ihn schließlich sogar
ihrer Freundschaft zu versichern, – und so ist denn auch der
letzte Rest an Furcht vor der getäuschten Instanz der Gesellschaft getilgt:

> DIANA. – Por el donaire te doy
> palabra de que no tengas
> mayor amiga en el mundo;
> pero has de tener secreta
> esta invención, pues es tuya.

Das Erfinden elementarer dramatischer Bauformen und die
nicht versiegende Inspiration in ihrer Variierung waren Lopes

große Stärke – und es war eine Stärke, die er gewiß der nie aufgegebenen Nähe zum Lachen seines Publikums verdankte. In der elementaren Form der *comedia de capa y espada* konstituierten die listige Täuschung *und* der Ernst der Verhaltensnormen gemeinsam das Bild der Gesellschaft, anders formuliert: der *engaño* bewirkte eine ›milde Entpragmatisierung‹ des Ernstes und ermöglichte es den Zuschauern, mit den listenreichen Dienern zu lachen, ohne sich von den Spielregeln des Alltags zu distanzieren.

Nur ganz selten rückte Lope de Vega die sympathischen Protagonisten und die sie umgebende Alltagswelt in ein Spannungsverhältnis. Zu den *comedias*, wo dies geschieht, gehört *La dama boba*, von der uns ein Autograph aus dem Jahr 1613 vorliegt. Die Titelheldin heißt Finea, und sie schneidet gegenüber ihrer der preziösen Dichtung zugetanen Schwester Nice in den Augen von Nices Liebhabern und im Urteil der Familie denkbar schlecht ab. Noch mit zwanzig Jahren übt sie ebenso verzweifelt wie vergebens das Alphabet. Doch als ein junger *hidalgo* sein Werben um Nice resigniert einstellt, weil er erkennt, wie chancenlos ihn die (zumindest in der Literatur: standestypische) Armut macht, um nun Finea – zwar ohne den rechten Schwung, aber doch motiviert durch ihr reiches Erbteil, – den Hof zu machen, vollzieht sich eine wunderbare Verwandlung der *dama boba*:

> FINEA. – Amor, divina invención
> de conservar la belleza;
> de nuestra naturaleza,
> o accidente o elección:
> extraños efetos son
> los que de tu ciencia nacen,
> pues las tinieblas deshacen,
> pues hacen hablar los mudos;
> pues los ingenios más rudos
> sabios y discretos hacen.
> No ha dos meses que vivía
> a las bestias tan igual,
> que aun el alma racional
> parece que no tenía.
> Con el animal sentía
> y crecía con la planta;

la razón divina y santa
estaba eclipsada en mí,
hasta que en tus rayos vi,
a cuyo sol se levanta.
Tú desataste y rompiste
la escuridad de mi ingenio;
tú fuiste el divino genio
que me enseñaste y me diste
la luz con que me pusiste
el nuevo ser en que estoy.
Mil gracias, Amor, te doy;
pues me enseñaste tan bien,
que dicen cuantos me ven
que tan diferente soy.[120]

Hier bedarf es der Verzauberung durch die Liebe, damit *locura* zu *ingenio* werden kann. Noch wird nicht – vermeintliche – *locura* als – wahres – *ingenio* präsentiert, noch besteht kein Verhältnis der Umkehrung zwischen der Semantik des Dramas und den Wissensstrukturen des Alltags. Aber Finea paßt sich auch nach ihrer Metamorphose den Diskursen ihrer Schwester nicht an: ihr *ingenio* fungiert als Perspektive leiser Kritik an den ritualisierten gesellschaftlichen Umgangsformen.

Zu Recht hat man immer wieder davor gewarnt, solch potentielle Perspektiven der Kritik in Lopes *comedias* allzu ernst zu nehmen. Die Warnungen bezogen sich allerdings vor allem auf seine historischen Dramen und unter ihnen zuerst auf *Fuenteovejuna*. Dem Stoff von *Fuenteovejuna* liegt eine Begebenheit aus den ersten Regierungsjahren der Katholischen Könige zugrunde, die eine 1572 erschienene Chronik festgehalten hatte. Der Großkomtur des Calatrava-Ritterordens hält mit seiner Herrschaft das Dorf Fuenteovejuna in Furcht und Schrecken. Er fordert immer höhere Abgaben von den Bauern und läßt ihren Besitz beschlagnahmen, wann immer sie seinen Geboten nicht genügen oder gar Widerstand entgegensetzen. Er läßt die schönsten Mädchen des Dorfes gefangennehmen, um sie sich selbst oder seinem Gefolge gefügig zu machen. Anläßlich der Hochzeit Frondosos mit der anmutigen Laurencia jedoch überzieht der Großkomtur den Bogen seiner Willkür. Als der Bräutigam in den Kerker geworfen und die Braut auf das Schloß des

386

Tyrannen entführt wird, rotten sich die Bewohner des Ortes endlich zusammen und ermorden den Tyrannen auf grausame Weise. Trotz Folterungen und Verhören gibt keiner von ihnen den Namen des Mörders preis. Als letzte Instanz des Rechts und der Gerechtigkeit, die angerufen wird, ist das Königspaar zunächst durch politische Geschäfte verhindert, in den Fall einzugreifen. Doch sobald Fernando und Isabel von den besonderen Umständen dieser Tat erfahren, verzeihen sie den Bewohnern von Fuenteovejuna und stellen das Dorf in die Unmittelbarkeit ihrer eigenen Herrschaft. Als Element der Handlungsstruktur ist ihr Richterspruch ein Funktionsäquivalent zum *engaño* in den *comedias de capa y espada*. Denn er hebt eine unerträgliche Spannung zwischen formalem Recht und menschlicher Gerechtigkeit auf und kann vom Publikum als Entwirklichung bedrohender Aspekte seines Alltags genossen werden. Daß solche ›Lösungen‹ von Lopes Dramen stets in die Vergangenheit verlegt werden – der markanteste Parallelfall ist das Stück *Peribáñez* – kann man als Symptom für ein verdrängtes Erleben des Krisencharakters seiner eigenen Epoche deuten; aber dies stand gewiß nicht als Intention hinter Lopes Rekurs auf die nationale Geschichte. Wie groß auch immer die zeitliche oder räumliche Ferne war, in der er das dramatische Geschehen lokalisierte, die fernen Welten waren immer nur Einkleidungen, in denen eine konstante Handlungsstruktur zur Repräsentation der gegenwärtigen spanischen Gesellschaft erschien. Damit suggerierte Lope seinen Zuschauern, daß jene Gerechtigkeit, welche die historische Erinnerung den Katholischen Königen zuschrieb, auch von den Königen der eigenen Zeit zu erwarten wäre.[121] Was wir als utopischen Horizont zu lesen geneigt sind, war im theatralisierten Alltag des frühen XVII. Jahrhunderts eine Anweisung auf die Wirklichkeit.

Ganz ähnlich fungierte auf der Bühne und im Alltag der Begriff der ›*Ehre*‹.[122] In der mittelalterlich-feudalen Sphäre der Repräsentation war er an den Stand des Adels gebunden und wurde meist dann thematisiert, wenn einem Mitglied des Adels Symbolhandlungen der Ehrerbietung nicht entgegengebracht wurden. Dann hatte der König – wie im *Cantar de Mío Cid* – darüber zu wachen, daß der ›in seiner Ehre Geschnittene‹ die gesellschaftlich garantierte Chance der Satisfaktion bekam.

Zum theatralisierten Alltag der Epoche Lope de Vegas gehörte die Umschreibung der ›Adelsehre‹ auf die ›Ehre des rechtschaffenen Menschen‹. Freilich existierte dieser erweiterte Ehrbegriff nur als eine Möglichkeit der Selbstwert-Zuschreibung, als ein Horizont der Hoffnung; es gab keine Instanz, durch deren Intervention sich die Erfüllung solcher Hoffnungen je hätte einklagen lassen. Nur im Theater wurden die von den Protagonisten repräsentierten und von den Zuschauern mit ihnen gehegten Hoffnungen immer wieder wahr. Und damit bestärkten die *comedias* eine Grundstruktur des Verhaltens im theatralisierten Alltag ihrer Gegenwart.

Spiel der Perspektiven / Selbstbezug der Wertungen

Lope de Vegas Theaterwelt ist der theatralisierte Alltag der spanischen Gesellschaft nach 1600 – in gesteigerter Prägnanz. Es waren die gesellschaftliche Involution als Voraussetzung und die wirtschaftliche Krise als Anlaß, welche die Theatralisierung des Alltags bedingten; es waren die Ausdifferenzierung von ›Literatur‹ und die Emanzipation des weltlichen Schauspiels als Folge, welche die Steigerung des theatralisierten Alltags im Drama ermöglichten. Aber wie konnten die Theatralisierung des Alltags und die kollektive Verdrängung der Krise über Jahrzehnte durchgehalten werden?

Die Spanier erlebten die Regierungsjahre Philipps III. und seines *privado*, des Herzogs von Lerma, als Phase einer schwachen Herrschaft. Das mochte damit zusammenhängen, daß nach 1600 die seit langen Jahrzehnten latente Wirtschaftskrise nun auch für das Leben der einzelnen Untertanen Folgen hatte;[123] daß in den Jahren 1599/1600 erneut die Pest Spanien – und vor allem: Kastilien – überfiel und in wenigen Jahrzehnten die Bevölkerung um ein Viertel reduzierte;[124] daß sich die 1609 dekretierte Vertreibung der *moriscos* schon sehr bald als ein folgenreicher Fehlschlag erwies. Doch anders als sein Vorgänger Philipp II. und sein Nachfolger Philipp IV. betrieb Philipp III. so etwas wie eine ›aktive Friedenspolitik‹. Noch von seinem Vater übernahm er die für Spanien zwar schmerzhaften, das Land aber doch außenpolitisch, militärisch und wirtschaftlich entlastenden Klauseln des mit Frankreich geschlossenen Friedensvertrags von Vervins. Er selbst leitete einen Friedensvertrag mit England ein, der im Jahr 1605 ratifiziert wurde; und vier Jahre später schloß er einen zwölfjährigen Waffenstillstand mit den Unabhängigkeitskämpfern der Niederlande. Nur an der Südostflanke des spanischen Weltreichs wurden die Kämpfe gegen die Türken zunächst fortgesetzt. All das waren zwar keine ›Lösungen‹ für die Krise des spanischen Weltreichs, aber doch Maßnahmen, die anzeigen, daß die Chimäre von Spaniens heilsgeschichtlicher Sendung zunächst nicht zu weiteren Belastungen der Gesellschaft führte. Es scheint dieser ›Verlangsamung‹ in der Dekadenzbewegung der nationalen Geschichte während der ersten Jahrzehnte des XVII. Jahrhunderts zu verdanken zu sein, daß sich der aus der Krise geborene neue Status der Literatur nicht nur erhalten, sondern auf der Grundlage des Erreichten weiter entwickeln konnte. Zwischen 1600 und 1630 waren Lope de Vega, Cervantes und Góngora immer noch, wurden Quevedo und Calderón de la Barca schon bald beliebte, populäre und höchst produktive literarische Autoren.

Was nun Lope de Vega, den für seine Zeitgenossen populärsten unter den Heroen auf dem Parnaß des *klassischen Moments der spanischen Literaturgeschichte* angeht, so hat man zunächst Schwierigkeiten, sein Werk tatsächlich als ›klassisch‹ in dem Sinn zu erfahren, der in der deutschen Sprache den Gebrauch dieses Worts seit dem frühen XIX. Jahrhundert beherrscht.[125] Kein Geringerer als Karl Vossler war ehrlich (und in seinem ästhetischen Urteil selbst-sicher) genug, dies einzugestehen: »Was uns zugemutet wird an Verwechslungen, Verkennungen, Entfremdungen, von den buchstäblichen Verwandlungen in den Zauberkomödien, mythischen Spielen und Autos gar nicht zu reden, übersteigt um vieles die heutige Bereitwilligkeit und Bühnengläubigkeit. Denn wir nehmen das irdische Leben für voll und nicht wie Lope und seine einstigen Bewunderer für halbwirklich und mehrdeutig. Dieses Hinwegschlüpfen seiner Menschen von einer Daseinsform in die andere mutet uns an wie ein Ausweichen vor Aufgaben und Schwierigkeiten des Lebens, ein Umgehen der ethischen Konflikte, ein Mangel an sittlichem Ernst.«[126] Allerdings haben sich heute die im frühen XX. Jahrhundert empfundenen Schwierigkeiten mit der Lope-

Rezeption gewandelt. Gerade ihre für Karl Vossler unerträgliche Vielschichtigkeit kann für uns einen anziehenden Aspekt in Lopes Bühnenwirklichkeit ausmachen; was sie hingegen in eine nur noch durch historisches Verstehen erreichbare Ferne rückt, das ist der Umstand, daß all ihre Täuschungen und Lügen, aller Zauber und alle höchst unwahrscheinlichen Interventionen gerechter Herrscher den Anspruch der repräsentierten Gesellschaft nicht aufheben, die eigentliche – die ›wirkliche‹ – Wirklichkeit zu sein. Bei Lope de Vega waren die verschiedenen Sinnwelten noch nicht – wie ganz gewiß bei Cervantes und Góngora – zu Elementen *eines perspektivenreichen Spiels wechselseitiger Relativierung* geworden. Natürlich ist damit kein absolutes ästhetisches Werturteil ausgesprochen; es geht uns vielmehr um Korrespondenzen zwischen vergangenen und je gegenwärtigen Wirklichkeitskonzeptionen, durch die Rezeptionsmöglichkeiten eröffnet oder aufgehoben werden konnten.

»Jedoch das Merkwürdigste, was er zu bieten hatte und reichlich bot, war das Beispiel seiner Lebensführung: anstößig, abschreckend, verführerisch, kunterbunt und toll wie die amüsanteste seiner Komödien ...«[127] Daß sich solches biographische Interesse im Fall von Lope gegen das von der Literaturwissenschaft seit langem über das Darstellungsmuster ›*l'homme et l'œuvre*‹ verhängte Tabu durchgesetzt hat, ist gewiß kein Zufall. Denn Lope de Vegas Lebensweg führt uns durch viele Wirklichkeiten und Sinnwelten, von denen keine den Blick auf den ›eigentlichen Lope de Vega‹ freigeben kann. Die in den Stationen seines Lebens sich sedimentierende und konstituierende Identität der Person ›Lope de Vega‹ *ist* gerade die Pluralität der Sinnwelten seiner Epoche und ihre wechselseitige Relativierung. Deshalb schlagen wir vor, die Biographie von Lope de Vega wie einen Roman zu lesen, weil sie uns – als Roman – jene Grundstruktur des Sinns vergegenwärtigt, die den ›klassischen Moment‹ der spanischen Literaturgeschichte prägt. Wie die Interpretation eines Romans konfrontiert uns das Erzählen dieser Biographie mit dem – letztlich nicht aufhebbaren – Problem, was hier ›Wirklichkeit‹ und was ›Literatur‹ sei. Denn die wichtigsten Quellen, auf die wir uns stützen werden, sind Selbstzeugnisse, und in ihnen hat Lope de Vega beständig sich selbst und seine Umwelt literarisch stilisiert. Wir wollen uns mit einer Probe solcher Selbststilisierung begnügen. In den folgenden Romanzen-Strophen artikulierte Lope Erinnerungen an eine Situation, in der er *(Belardo)* sich nach dem bewegten Ende seiner Liebesaffäre mit der Schauspielerin Elena Osorio *(Filis)*, die bis zur Kerkerhaft führte, in Lissabon einschiffte, um mit der *Invencible* gen England zu fahren. Zuvor war er – schon im Aufbruch begriffen – eine Ehe mit der jungen Isabel de Urbina *(Belisa)* eingegangen.

> Llenos de lágrimas tristes
> tiene Belardo los ojos
> porque le muestra Belisa
> graves los suyos hermosos.
> Celos mortales han sido
> la causa injusta de todo,
> y porque lo aprenda, dice
> con lágrimas y sollozos:
> *»El cielo me condene a eterno lloro*
> *si no aborrezco a Filis y te adoro.«*
>
> Mal haya el fingido amigo,
> lisonjero y mentiroso,
> que juzgó mi voluntad
> por la voz del vulgo loco;
> y a mí, necio, que dejé
> por el viejo lodo el oro
> y por lo que es porpio mío
> lo que siempre fue de todos.
> *»El cielo me condene a eterno lloro*
> *si no aborrezco a Filis y te adoro.«*
>
> Mis enemigos me venzan
> en pleitos más peligrosos
> y mi amigo más querido
> me levante testimonio,
> jure falso contra mí,
> y el jüez más riguroso
> de mis enemigos sea
> del lado parcial devoto.
> *»El cielo me condene a eterno lloro*
> *si no aborrezco a Filis y te adoro.«*

Y jamás del claro Tajo
vuelva a ver la orilla y soto
ni a ver enramar sus vides
por los brazos de los olmos;
　enviuden las tortolillas
viendo que gozas a otro;
jamás tenga paz contigo
y siempre guerra con todos.
　»El cielo me condene a eterno lloro
si no aborrezco a Filis y te adoro.«

Cubra el cielo castellano
los más encumbrados sotos
porque el ganado no pazca
y muerto lo coma el lobo.
　Llévese el viento mi choza,
el agua falte a mis pozos,
el fuego abrase mi parva,
la tierra me trag[u]e solo.
　»El cielo me condene a eterno lloro
si no aborrezco a Filis y te adoro.«[128]

Die von solchen Texten aufgegebene – und eben unlösbare –
Frage heißt nicht nur, ob Lope de Vega *(Belardo)* tatsächlich so
entschlossen war, von Elena Osorio *(Filis)* zu lassen, um nur
noch für Isabel de Urbina *(Belisa)* zu leben, oder ob der Rekurs
auf die Gattung der Schäferromanze hier ›die Wirklichkeit ver-
fälschte‹. Das Problem wird komplexer – und läßt zugleich die
implizite historische Erkenntnischance deutlich werden –,
wenn wir uns in die Vorstellung finden können, daß umgekehrt
wohl die literarische Inhaltsform das Verhalten von Isabel de
Urbina, Elena Osorio und Lope de Vega – *Belisa, Filis* und
Belardo geprägt hatte. In den spanischen Städten war die Literatur um 1600 nicht ›Spiegel‹, sondern ›Teil‹ der Wirklichkeit,
und umgekehrt war die Wirklichkeit immer ein Teil der Literatur, manchmal vielleicht sogar ihr Spiegel.[129]
　»Lopes Geburt ereignet sich wie der versöhnende Ausklang
im dritten Akt einer gutgebauten Komödie.«[130] Félix de la
Vega, sein Vater, hatte in Valladolid, wahrscheinlich von einem
Brüsseler Meister, das Handwerk des Brokatstickens gelernt,
dem die Mode, weil sie die Körper unter geometrischen For-

men und Ornamenten verschwinden ließ, aber auch die Innenarchitektur der Zeit, weil sie die Räume mit auf Gobelins prangenden Szenen aus der antiken Mythologie und aus den nationalen Geschichten umgab, eine glückliche Gegenwart beschieden hatte. Dieser rechtschaffene Brokatsticker – und Ehemann –, Félix de la Vega, hatte wohl im Frühjahr 1562 mit einer Geliebten seine Familie verlassen. Die in Valladolid zurückgelassene Mutter jedoch fand sich mit dieser Kränkung – und ihren denkbaren Folgen – nicht ab. Sie reiste dem von der ehelichen Bahn abgekommenen Gatten nach Madrid nach, gewann ihn wieder für sich und ihre Liebe, und Félix Lope de Vega Carpio soll das Kind der elterlichen Versöhnung gewesen sein. Daß er am 25. November 1562 geboren wurde, ist deshalb wahrscheinlich, weil an diesem Tag das Fest des Heiligen Lupus, seines Namenspatrons, gefeiert wird. Viel weniger wahrscheinlich allerdings ist die schöne Vorgeschichte seiner Geburt und seines Lebens selbst. Denn sie ist allein von Lope de Vega selbst – und dazu noch in Romanzen-Form – überliefert; die anscheinend so eindrucksvoll lebenspraktisch-resolute Mutter – sie hieß Francisca Fernández Flores – hat er sonst kaum noch erwähnt. Entgegen der autobiographischen Stilisierung können wir, ausgehend von Lope de Vegas Geburtsjahr vermuten, daß es – seit 1561 – eher das Verbleiben des Hofes in Madrid war, welches seinen wirtschaftlich von der Hofwelt abhängigen Vater zur Übersiedelung von Valladolid nach Madrid motiviert hatte. Dann wäre auch Lope de Vegas Leben, wie das von Cervantes, von Beginn an eng mit dem Lauf der spanischen Geschichte verzahnt gewesen. Ähnlich typisch war auch der Horizont von Umwelten und Einflüssen, die Lope de Vegas Jugend umgaben. Er besuchte – wie wahrscheinlich auch Cervantes – ein Jesuitenkolleg in Madrid. Er hatte mütterlicherseits einen (ihm durch einen Besuch persönlich bekannten) Onkel in Sevilla – von ihm scheint übrigens Lopes zweiter Nachname ›Carpio‹ übernommen zu sein –, welcher sich als Inquisitor einen Ruf durch besonders konsequente Amtsführung verschafft haben soll. Die Madrider Familie de la Vega scheint freilich eher unter dem Einfluß ihres Freundes, des Höflings Bernardino de Obregón, gestanden zu haben. Dieser Adlige hatte einmal, so will es die Anekdote, einen Straßenkehrer geohrfeigt, welcher unabsichtlich sein Gewand beschmutzt hatte. Doch dessen demütige Reaktion wurde zu Obregóns Damaskus-Erlebnis. Er glaubte in diesem Armen Jesus Christus begegnet zu sein und widmete fürderhin in persönlichem Einsatz sein Leben karitativen Werken. Mit ihm soll Lopes Familie Kranken-, Armen- und Siechendienst in den Hospitälern von Madrid geleistet haben. Daß Lope de Vega – auf der anderen Seite – auch das berühmt ausgelassene Studentenleben seiner Epoche ausführlich kennenlernte und genoß, legt schon allein die Tatsache nahe, daß er seine an der Wende von den siebziger zu den achtziger Jahren in Acalá – vielleicht in Salamanca – aufgenommenen Studien nie abgeschlossen hat. In jenen Jahren war auch er mit einem Freund dem heimischen Herd entflohen; doch die Reise führte nicht weit, denn ein Juwelenhändler in Segovia zeigte die beiden als betrügerischer und diebischer Absichten verdächtig an, so daß sie mit polizeilichem Geleit wieder in die Hauptstadt zurückkehrten. 1583 nahm Lope de Vega – und auch hier liegt eine Parallele zu Cervantes' Biographie – an der Annexion der Azoren durch die spanische Flotte teil, mit der die Eingliederung Portugals in das spanische Reich abgeschlossen wurde. Doch – anders als Cervantes – kehrte er bald wieder nach Madrid zurück, wenn auch nur für wenige Jahre.

Der Ernst der Religion – konkretisiert in Gelehrsamkeit und tätiger Nächstenliebe – und die Sehnsucht nach einem anderen Leben – in jeglicher Ferne und in jeglichem Vergnügen – waren also die wichtigsten Faktoren in Félix Lope de Vega Carpios Sozialisation. Doch während all diese epochentypischen Komponenten in ihrer ungeordneten Vielfalt am Ende nur das Bild einer ›bewegten Jugend‹ hinterlassen, mutet Lopes Erwachsenenleben oft wie eine titanische Bemühung an, den Ausschließlichkeitsanspruch von alltäglichem Ernst und spielerischer Evasion in einer dynamischen Wechselbeziehung aufzuheben. Irgendwann nach seiner Rückkehr von den Azoren verliebte sich Lope de Vega leidenschaftlich in die Schauspielerin und Tochter eines prominenten *autor de comedias*, Elena Osorio, aber auch in die Welt des Theaters. Das Paar befand sich wahrhaft auf der Höhe der Zeit: Elena Osorios Gatte lebte in den amerikanischen Kolonien, Lope de Vega begann seine literarische Karriere mit Dramen für das eben auf den Prozeß seiner Emanzipation gekommene weltliche Berufs-Theater, zugleich aber ließ er seine Liebesgedichte an Elena *(Filis)* auch in Manuskriptform (und sicher nicht ohne Gewinn) beim Lesepublikum von Madrid zirkulieren. Der *coup de théâtre* folgte unvermeidlich in Gestalt eines gesellschaftlich distinguierten neuen Liebhabers, dem sogleich Elenas Gunst galt. Lope de Vega reagierte als Literat: er schrieb – weiter erfolgreich – Schmäh- und Spottgedichte auf Elena Osorio und ihre Familie, wahrscheinlich hat er auch seine beim Publikum schon beliebten Dramen bald einem anderen *autor de comedias* zur Verfügung gestellt. Jerónimo Velázquez aber, Elenas Vater, verstand sich besser als Lope auf die Welt außerhalb des Theaters: er zeigte den ehemaligen Liebhaber seiner Tochter wegen übler Nachrede an, so daß Lope am 29. Dezember 1587 – in einem Theater natürlich – verhaftet wurde. Noch aus dem Gefängnis brachte er weitere gallige Verse in Umlauf. Und das Urteil war dementsprechend von drakonischer Härte: acht Jahre Verbannung aus Madrid, zwei Jahre Verbannung aus dem Königreich Kastilien – das hätte eigentlich der Todesstoß für einen Dramenautor am Beginn seiner Karriere sein müssen. Im Februar 1588 machte sich Lope de Vega auf den Weg nach Valencia. Doch am 10. Mai 1588 fand – wohl nur gemäß der offiziellen Auskunft der Akten ›in seiner Abwesenheit‹ – seine Eheschließung mit Isabel de Urbina *(Belisa)* statt. Sie war jung, vielleicht schön und stammte aus einer ebenso ehrbaren wie wohlhabenden Familie. Lope schien sich auf der Sonnenseite des Alltags eingerichtet zu haben. Die Frage, wie es ihm gelungen war, an einem ersten Tiefpunkt seiner Biographie angelangt, eine so blendende Partie zu machen, eröffnet weiten Spielraum für die historische Imagination.

Keinen eindrucksvolleren Übergang zur nächsten Phase in Lope de Vegas Leben kann man sich denken als seine Teilnahme an der Unglücksfahrt der *Invencible*. Eine hinreichende Zahl von Selbstzeugnissen, um diese Episode für bare Münze zu nehmen, steht auch hier zur Verfügung, aber da alle anderen Quellen schweigen, sind doch auch hier Zweifel angebracht. Kein Zweifel besteht jedoch daran, daß Lope wohl gerne *etwas* fürs Vaterland gelitten hätte (weniger als Cervantes freilich!) und, wie die *Dragontea* zeigt, die nationale Schmach als eine persönliche Erniedrigung erlebte und so erfolgreich wie Schicksalsschläge im eigenen Leben zu überwinden wußte. Mit Isabel de Urbina jedenfalls richtete er sich bis zum Jahr 1590, dem Ende der Verbannung aus dem Königreich Kastilien, ein anscheinend harmonisches Leben in Valencia ein. In den Poeten-Zirkeln waren seine Verse, beim Theater-Publikum seine Dramen bald beliebt. Vielleicht verdankte er es dem offenbar heiteren Alltag dieser Großstadt, daß sein Leben hier nicht in zwei voneinander geschiedene Sphären drängte. Mit seiner Frau jedenfalls kehrte er im Jahr 1590 nach Kastilien zurück, wo er in Toledo die Gunst des Enkels jenes Herzogs von Alba gewann, der als Ratgeber Philipps II. am Königshof das burgundische Zeremoniell in Spanien eingeführt hatte. Bis 1595 verbrachte er die meiste Zeit in dem kleinen Städtchen Alba, wo wenige Jahre zuvor die Heilige Teresa gestorben war, kaum zwanzig Kilometer vom lebenslustigen und gelehrten Salamanca entfernt. Vermutlich erfüllte Lope zunächst die Funktionen eines Sekretärs für den jungen Herzog von Alba – und das hieß: er verfaßte Briefe und Sonette, welche die Liebesabenteuer seines adligen Herrn mit einer Aura schöner Sublimierung umgaben; als Kammerherr stand er dann nicht mehr nur im Dienst des Hofes von Alba, sondern war dessen Mitglied und lernte so ein neues Repertoire des Verhaltens, das die Register seiner literarischen Diskurse verfeinerte. In jener Zeit ist die *Arcadia*, Lopes Schäferroman, aus der ländlichen Umgebung des Musenhofs entstanden. In Alba verlor Lope de Vega aber bald seine junge Familie: dort starb nicht nur seine erstgeborene Tochter, sondern auch, nach der Geburt des zweiten Kindes, seine Frau, Isabel de Urbina. Der lebenslustige junge Herzog von Alba war zwei Jahre lang in Haft gehalten worden, weil er einem Heiratsgebot des Königs zuwider gehandelt hatte; kurz nach seiner Rückkehr an den eigenen Hof fand er den Tod bei einem Stierkampf. Lopes Umwelt war zerstört. Er verfaßte ein Gnadengesuch auf Erlassung der noch verbleibenden Zeit seiner Verbannung aus Madrid.

Lope war schon ein berühmter Autor, als er in die Hauptstadt zurückkehrte, doch die Grundstrukturen seiner Existenz veränderten sich nicht. Zunächst entließ das Herzogshaus von Alba Lope aus seinen Diensten: er war erneut angeklagt worden, dieses Mal wegen seiner ›wilden Ehe‹ mit einer reichen Madrider Witwe. Bis zum Jahr 1605 mußte er deshalb der Diener vieler Herren aus dem höchsten Adel sein, zu denen auch der Graf von Lemos, Cervantes' Mäzen, und der Marqués von Sarria gehörten, den Lope 1598 zu der schon in anderem Zusammenhang erwähnten prunkvollen Königs-Doppelhochzeit nach Valencia begleitet hatte. Sein Alltag ähnelte dem Leben in Madrid vor der Verbannung – nur die Spannungen scheinen ins Extreme gesteigert gewesen zu sein. Denn Lope war um die Jahrhundertwende nicht nur der Diener vieler Herren, sondern auch der Gatte zweier Frauen, der Vorstand zweier Familien. Als berühmter Dramenautor verliebte er sich – sozusagen ›standesgemäß‹ – in eine berühmte Schauspielerin namens Micaela Luján, welche in der autobiographischen Stilisierung seiner Gedichte den Namen *Camila Lucinda* trägt und bis zur Trennung im Jahr 1608 die Mutter von fünf Kindern Lope de Vegas wurde. So wohlhabend wie einst Isabel de Urbina scheint Juana de Guardo gewesen zu sein, die Tochter eines königlichen Fleischlieferanten. Daß sie in Lopes Werk nicht erwähnt werden konnte, sehr wohl aber in Texten aus der Feder seines Erzfeindes Luis de Góngora, war ein Preis, den er als Mitgiftjäger zu zahlen hatte: denn Juanas Herkunft und ihre Häßlichkeit wurden durchaus als ein Widerspruch zum literarischen Rang und zu den hochfliegenden Ambitionen ihres Mannes erlebt. Doch so wie im Roman das materielle Interesse hinter fingierter Liebe stets bestraft wird, hat auch Lope die reiche Mitgift seiner Frau nie nutzen können. Trotzdem wahrte er eine äußere Form der Treue, gewiß motiviert von jenem zeittypischen Ehrbegriff, wie er einem Mann am Herzen liegen mußte, der ohne ersichtliche Legitimation den Adels-Partikel ›de‹ in seinen Namen einfügte (dazu hatte es ja auch nur der Unterdrückung des bestimmten Artikels im Namen seines Vaters bedurft: ›Félix de *la* Vega‹). Lope hat sich bis zu ihrem Tod im Jahr 1613 nie öffentlich von Juana de Guardo getrennt. Als er in den ersten Jahren des XVII. Jahrhunderts nach Toledo übersiedelte, kamen Juanas *und* Micaelas Familien mit ihm, die er in getrennten – aber natürlich nahen – Häusern unterbrachte. Über den Anlaß dieser Wohnortverlegung können wir nur Vermutungen anstellen: trotz allen sozialen Ehrgeizes pflegte Lope nämlich eine intensive Freundschaft zu dem aus Frankreich stammenden Mann einer seiner Schwestern, Luis Rosicler, der den schwiegerväterlichen Betrieb übernommen hatte. Der Schwager Luis war ob seiner Kenntnisse über die Astrologie und andere schwarze Künste so berühmt, daß er sich 1605 vor dem Tribunal der Inquisition verantworten mußte. Damit war auf die ganze Familie der Verdacht der Häresie gefallen.

Drei Jahre später allerdings war Lope dann selbst stolzer Inhaber eines kleinen Ehrenamtes der Inquisition, welches ihm ein – ebenso kleines – Zubrot einbrachte. Dies war eine der ersten Gunstbezeigungen des jungen Herzogs von Sessa, dem Lope de Vega schon seit 1605 als Sekretär diente. Trotz aller in jenen Jahren bereits sprichwörtlichen Bekanntheit hatte er doch Anlaß – und in jedem Sinn des Wortes: Lust –, nun wieder für einen *Grande de España* Liebesbriefe und Gedichte zu schreiben, ihn auf Reisen und bei amourösen Abenteuern zu begleiten, mit ihm eine ebenso offene wie anzügliche Korrespondenz zu unterhalten. Was offiziell ein ›Dienstverhältnis‹ war, nahm – je nach Situation – Züge einer Vater-Sohn-Beziehung, einer Kumpanei und – für Lope – einer Lebenslüge an. Denn, wie Werner Krauss in seiner Analyse der Korrespondenz zwischen dem Herzog von Sessa und Lope de Vega meisterlich herausgearbeitet hat,[131] war Lopes Unterwürfigkeit gegenüber dem eigentlich mittelmäßigen Lebemann keine ›bloße Rhetorik‹, sondern Ausdruck einer oft distanzlosen Identifikation, in der das ›feudale Bewußtsein‹ des Nicht-Adligen die Erfüllung vieler Träume fand. Man könnte sich durchaus vorstellen, daß Lope die Beziehung zu der Schauspielerin Micaela Luján deshalb 1608 abbrach, weil er nun einen einträglicheren und weniger konfliktgeladenen Modus gefunden hatte, seinen Alltag zu theatralisieren. Jedenfalls gilt die Zeit nach 1608 als eine der wenigen ›glücklichen Phasen‹ in seiner Biographie.

Doch Lope de Vega scheint Konflikte gebraucht zu haben. Die Aktantenstelle des ›alltäglichen Ernstes‹ im Roman seines Lebens besetzte nach dem Tod von Juana de Guardo sein Eifer für eine religiöse Berufung. Im Jahr 1614 empfing Lope de Vega zunächst die niederen Weihen und wurde noch vor Jahresfrist Priester – was in seiner Zeit durchaus nicht selbstverständlich war. Aus jenen Monaten stammen Briefe an den Herzog von

Sessa mit der leidenschaftlichen Bitte, ihn von jenen Verpflichtungen zu entbinden, welche mit dem Ernst des priesterlichen Lebens nicht vereinbar seien. Doch abgesehen von einer über die Jahre zu beobachtenden Abkühlung in ihrer Beziehung änderte sich wenig; Lope de Vega hatte es erneut verstanden, sich in die Ambivalenz seines Lebens einzurichten. Man gab ihm die Erlaubnis, in seinem Madrider Haus eine Kapelle einzurichten, wo er täglich die Messe las. Nach einem Ausflug in die Welt des Theaters nach Valencia (mit der unvermeidlichen Passion für eine Schauspielerin) erhielt der Priester Lope de Vega nicht nur eine mittelmäßige Pfründe am erzbischöflichen Stuhl von Toledo, sondern lernte auch gegen Ende des Jahres 1616 Marta de Nevares kennen. Er war nun schon vierundfünfzig Jahre alt, seine verheiratete Geliebte stand im sechsundzwanzigsten Jahr, und Lopes Glück schien vollkommen, als der Gatte der Marta de Nevares 1619 starb. Sie war nämlich nicht nur für Lopes zahlreiche Kinder eine gute Mutter, sondern zeichnete sich neben ihrer Schönheit auch durch ihre Singstimme und ein gewisses Verständnis für die Dichtung aus. So konnte Lope nun in seinem Haus Messen lesen *und* literarische Abende mit seinen Freunden abhalten.

Vielleicht waren die prachtvollen Madrider Feierlichkeiten zu Ehren des Stadtpatrons Isidor im Jahr 1620 und zur Heiligsprechung Isidors, Ignacios de Loyola, Teresas von Avila (und anderer) im Jahr 1622, wo Lope de Vegas Kunst uneingeschränkt triumphierte, der Höhepunkt seines Lebens und seiner Karriere. Denn wenig später erblindete Marta de Nevares – Lope hatte in seinen Liebesgedichten besonders den Glanz ihrer Augen gefeiert –, und trotz aller Sorge und Pflege seitens ihres priesterlichen Mannes verlor sie während des bis zu ihrem Tod verstreichenden Jahrzehnts den Verstand. Der alternde Lope de Vega selbst scheint in der sich wandelnden Gesellschaft mehr und mehr die Orientierung – romanhaft formuliert: seinen Glücksstern – verloren zu haben. Die Beliebtheit seiner Dramen ließ nach – und doch hielt er den mehrfach gefaßten Entschluß, keine *comedias* mehr zu schreiben, nie ein; er verfaßte Epen und lange Gedichte in allen Tonlagen, die er den mediokren, aber in der Welt ihrer Epoche herausragenden adligen Gestalten am Hof Philipps IV. widmete. Gewiß war

Lopes Ruhm noch nicht so verblaßt, daß solche Ehrerbietung für die Adressaten jedes Interesse verloren gehabt hätte; doch niemand – nicht einmal der Herzog von Sessa – erfüllte die Bitten Lope de Vegas, der seine Verarmung, seinen Alltag als Krankenpfleger der eigenen Frau in den düstersten Farben schilderte. Auch gegenüber diesen Texten sind Zweifel angebracht: so arm, wie er sich präsentierte, kann Lope de Vega nicht gewesen sein. Doch es kommt gerade darauf an zu betonen, daß die Frage nach der ›Wirklichkeit‹ seiner wirtschaftlichen Verhältnisse gar nicht wichtig ist. Denn als Lope de Vega sich nicht mehr als jugendlicher Liebesheld oder als Triumphator auf dem literarischen Parnaß präsentieren konnte, mußten seine Diskurse aus einer anderen Rolle geschrieben werden. Und die textuellen Rollen der Selbst-Theatralisierung hatten sein Leben schon immer geprägt.

Wie stark die autosuggestive Kraft seines Schreibens war, das belegt eine letzte literarisch-biographische Episode. 1632, drei Jahre vor seinem Tod, veröffentlichte Lope de Vega *La Dorotea – acción dialogada en prosa*. Hier konvergierten nicht nur die dramatische Dialogform und seine ebenso virtuose – aber eben nicht-dramatische – Prosa; in der *Dorotea* fanden auch die konstitutiven, so oft literarisch stilisierten Ambivalenzen seines Lebens ihre abschließende Form. Man kann hinter den Protagonisten der *Dorotea* Lope de Vega, Elena Osorio und Isabel de Urbina erkennen. Doch mit den beiden Frauennamen verbinden sich ganze Serien von Erlebnissen, so daß in der *Dorotea* die zwei Welten von Lope de Vegas Leben konvergieren, welche nur zusammen seine Wirklichkeit waren. Félix Lope de Vega Carpios Tod am 27. September 1635 war ein nationales Ereignis, und dieses Ereignis erwies nicht nur seine bis zum Ende fortbestehende Popularität, sondern vielleicht auch das Lebensgefühl einer Gesellschaft, der es immer weniger gelang, die Erfahrung ihres Niedergangs zu verdrängen. Lope de Vegas Ableben wurde begangen mit Feierlichkeiten, die ein letzter Akt nationaler Theatralisierung außerhalb des Theaters waren. Als Lopes Leiche, angetan mit den Gewändern des Johanniter-Ordens, von seinem Haus in die Kirche San Sebastián überführt wurde, folgten, wie die Zeitgenossen sagten, mehr Menschen als je zu allen *comedias* zusammengeströmt waren. Der Trauerzug machte einen Umweg, um vor dem Kloster der *Carmelitas descalzas* halt zu machen. Dort lebte seit 1621 Lopes Tochter Marcela, und sie hatte sich ausbedungen, von einem Fenster den Leichnam des Vaters noch ein letztes Mal sehen zu dürfen. Während neun Tagen wurden in der Kirche San Sebastián unter Begleitung der *Capilla Real* Responsorien gesungen. Dann setzte man Lope de Vega – provisorisch – in einer Wandnische bei. Der Herzog von Sessa versprach, in seinen Stammlanden, nahe der Stadt Béjar, für Lope ein Denkmal errichten zu lassen. Doch schon bald zahlte er nicht einmal mehr die Miete für die Grab-Nische.

Das Leben von Lope de Vega scheint ›durchaus unklassisch‹ gewesen zu sein. Denn Harmonie, Ausgewogenheit, das Schwinden von Spannungen sind wahrhaft nicht seine Merkmale – und noch weniger war es den historischen Gegebenheiten seiner Zeit entrückt. *Als Roman* jedoch macht es augenfällig, was die besonderen geschichtlichen Voraussetzungen für die spätere ›Klassizität‹ der spanischen Literatur aus dem frühen XVII. Jahrhundert waren. Die *Konkurrenz alltäglicher und literarischer Sinnsphären* – und ›Konkurrenz‹ bedeutet hier ›Gleichzeitigkeit‹ sowohl wie ›Spannung‹ – eröffnete der Nachwelt eine unerhörte Perspektivenvielfalt des Verstehens, der Aneignung, der Applikation. Die Kontinuität der Faszination, welche von Lope de Vegas Leben ausgeht, und der Prozeß der Rezeption von Cervantes' Werken reichen bis in unsere Gegenwart, wo die wechselseitige Relativierung von Wirklichkeiten eine Grundstruktur des Alltags geworden ist. Doch wie plausibel auch immer die hier postulierte Affinität zwischen Lopes Leben und Cervantes' Werk erscheinen mag, Cervantes selbst hatte am Werk Lopes Vielerlei auszusetzen, obwohl er dessen größere Beliebtheit beim Publikum anerkannte, und Lope aus dieser Position der Überlegenheit auf Cervantes herabblickte. Das hinderte freilich Cervantes nicht, Lope de Vega seine Brille zu leihen, als dieser vergessen hatte, seine eigene Brille zur Sitzung einer literarischen Akademie mitzubringen. Und bald schon schrieb Lope de Vega dem Herzog von Sessa, daß die Gläser von Cervantes' – geliehener – Brille »einem schlecht gemachten Rührei glichen«.[132] Der Autor Cervantes *sah* die Welt gerade so, wie sie Lope de Vega in seiner Biographie gestaltete (und deshalb in seinem Werk verleugnete): als eine *in ihrer Pluralität nicht aufhebbare Vielfalt von Sinnwelten.* Nicht zufällig ist anhand einer Lektüre des *Quijote* dem Soziologen Alfred Schütz die eindringlichste Veranschaulichung seines philosophischen Zentralproblems gelungen, die Veranschaulichung der Konstituierung von Wirklichkeit aus einer Pluralität von Sinnwelten.[133]

Cervantes scheint verstanden zu haben, was Lope de Vega nur erlebte – und dies schon sehr früh. Erinnern wir uns daran, daß die Konfrontation ›wirklicher‹ und ›realer‹ Hirten die Besonderheit seiner *Galatea* in der Gattungsgeschichte des bukolischen Romans ausmacht. Ähnliches gilt – gleich auf mehreren textuellen Ebenen – auch für Cervantes' *Novelas ejemplares,* die wahrscheinlich um die Jahrhundertwende geschrieben wurden, aber erst im Jahr 1613 – also kurz vor der Veröffentlichung von Teil II des Quijote-Romans – als Buch erschienen. Schon im Prolog der *Novelas ejemplares* setzt das Spiel der Sinnwelten und Perspektiven ein. Denn ihr Titel konnotiert die traditionelle Pragmatik kurzer Erzählungen: sie sollten als Exempel die Folgen je bestimmter menschlicher Verhaltensweisen und Handlungen – Bestrafung oder Belohnung – augenfällig werden lassen; dies war die Funktion der *exempla* im Mittelalter, und noch unter diesem Anspruch hatte sich in Italien die *novella* entwickelt.[134] Wir haben jedoch Anlaß zu vermuten, daß es Cervantes eher um die exemplarische Lösung bestimmter poetologischer Probleme ging – was freilich im ›*Prólogo al lector*‹ nicht gesagt wird. Vielmehr nimmt der Autor – pflichtschuldigst, aber distanziert – für sich in Anspruch, der Funktion des ›exemplarischen Lehrens‹ genügt zu haben, um dann diesen Verweis auf seine Intention durch immer neue Ironisierungen zu entpragmatisieren:

Heles dado nombre de *Ejemplares,* y si bien lo miras, no hay ninguna de quien no se pueda sacar algún ejemplo provechoso; y si no fuera por no alargar este sujeto, quizá te mostrara el sabroso y honesto fruto que se podría sacar, así de todas juntas, como de cada una por sí. Mi intento ha sido poner en la plaza de nuestra república una mesa de trucos, donde cada uno pueda llegar a entretenerse sin daño de barras; digo sin daño del alma ni del cuerpo, porque los ejercicios honestos y agradables antes aprovechan que dañan.

Sí; que no siempre se está en los templos, no siempre se ocupan los oratorios, no siempre se asiste a los negocios, por calificados que sean; horas hay de recreación, donde el afligido espíritu descanse.

Para este efecto se plantan las alamedas, se buscan las fuentes, se allanan las cuestas y se cultivan con curiosidad los jardines. Una cosa me atreveré a decirte: que si por algún modo alcanzara que la lección de estas novelas pudiera inducir a quien las leyera a algún mal deseo o pensamiento, antes me cortara la mano con que las escribí que sacarlas en público. Mi edad no está ya para burlarse con la otra vida, que al cincuenta y cinco de los años gano por nueve más y por la mano.[135]

Eine wesentliche Voraussetzung für die Pragmatik des Exempels im Mittelalter war die Gewißheit, daß die Gesetze des von Gott geschaffenen Kosmos immer und überall Gültigkeit hätten – entgegen aller menschlichen Ignoranz und entgegen aller sündhaften Hoffnung, ihnen entkommen zu können. Dies war zugleich der gemeinsame Nenner für die unendliche Vielfalt der von den Exempeln bereitgestellten, je spezifischen Belehrungen. Cervantes vermittelte in den *Novelas ejemplares* nun die gegenläufige – neuzeitliche – Erfahrung. Er zeigte nicht nur, daß der an göttlichen Gesetzen orientierte Alltag eine Fassade, ein Spiel, eine Inszenierung war, nicht nur, daß die von diesem rechtschaffenen Alltag marginalisierte Welt der Kriminellen dasselbe Spiel zu spielen wußte; er ließ seine Leser auch erfahren, daß das Leben die so markant gezogenen Grenzen zwischen den Sinnwelten schon lange nicht mehr respektierte – und respektieren durfte. Die Titelhelden von *Rinconete y Cortadillo* sind *pícaros,* die nach gelungenen Betrügereien und Diebstählen sozusagen als ›Naturtalente‹ feierlich in die Zunft der sevillanischen Gauner eingeführt werden. Staunend erleben sie, daß jene vermeintlich ›andere Welt‹ in ihren Grundstrukturen der – vermeintlichen – Welt der Rechtschaffenheit bis ins Detail gleicht. Der Hund Cipión berichtet im *Coloquio de los perros* – und nur der Instinkt eines Hundes ist dazu fähig –, wie er sich einem sevillanischen Gauner und einem Polizeibeamten an die Fersen heftete, weil er deren Auseinandersetzung als erstaunlich theatralisch erlebt hatte: so gelangte er in ein lärmendes Gelage, »bei dem sich Polizei und Verbrecher in nicht mehr beschönigter Bruderschaft in den Armen lagen«.[136] Der junge Adlige Rodolfo aus der Novelle *La fuerza de la sangre*

(der wie ein literarischer Bruder des Herzogs von Sessa wirkt),
entführt Leocadia, eine junge Frau aus verarmten *hidalgo*-Ge-
schlecht, und läßt sie vergewaltigt zurück. Als sein Vater –
Jahre nach dem für Rodolfo belanglosen Vorfall – einen wun-
derschönen Knaben überreitet, der auf der Straße spielt, und
ihn gefährlich verletzt, entpuppt sich dieser Knabe als Sohn der
vergewaltigten Leocadia. Die ›Macht des Blutes‹ setzt sich gegen den Dünkel des Standes und die Trennung der Welten
durch, als sich die Eltern des Knaben am Ende in der Ehe
vereinen.

Das Leitthema der *Novelas ejemplares* wird aber vor allem
im *Licenciado Vidriera* ausspekuliert. Der Licenciado ist ein
hochbegabter Student obskurer Herkunft, der – natürlich – in
Salamanca lebt und den die unerwiderte Liebe einer Frau durch
einen Rache-Zauber in einen bizarren Wahn versetzt: er glaubt
aus Glas zu sein und entzieht sich deshalb auf der einen Seite
mehr und mehr seiner Umwelt aus Angst vor zerstörender Berührung, hegt aber andererseits ein Bewußtsein intellektueller
Überlegenheit, weil er glaubt, daß sein Geist in Glas schneller
zu wirken vermag. Dieser Wahn nun bestätigt sich in der Konfrontation des Licenciado mit den Leuchten der großen Universität, später mit hervorragenden Repräsentanten der gesamten Gesellschaft. Aus seiner transparenten Distanz kritisiert
er die theatralisierte Welt mit Einsichten, die kein ›Gesunder‹
zu erlangen vermag und zu artikulieren wagt. Dennoch – und
deshalb – kann er in dieser Welt kein Auskommen finden. Er
zieht als Soldat nach Flandern. Daß der *Licenciado Vidriera* ein
literarischer Parallelfall zu *Don Quijote* ist, dessen Wahn sich
ebenfalls in einem *ingenio* erweist, kann man nicht übersehen.
Da nun die Entstehung der Novelle vom ›Gläsernen Lizenzia-
ten‹ Cervantes' Arbeit am *Quijote* vorausging, kommt der Novelle ein gewisser Stellenwert bei der so häufig diskutierten
Frage zu, ob Cervantes mit dem Quijote zunächst tatsächlich
nicht mehr im Sinn gehabt habe als eine ›Parodie der Ritterromane‹, oder ob von Beginn eine Überschreitung der für die
Erfüllung dieser Intention hinreichenden erzählerischen und
philosophischen Dimensionen geplant gewesen sei.[137] Der
schon lange vor dem Ende des XVI. Jahrhunderts deutliche Po-
pularitätsverlust der Ritterromane und die erstaunliche Prä-

gnanz, mit der sich das *Quijote*-Thema im *Licenciado Vidriera* ankündigt, scheint für weiterführende Absichten bei Cervantes zu sprechen. Der vorgeschlagenen Korrelierung von Lopes Leben und Cervantes' Werk entspräche hingegen eine Position, welche eine Distanz zwischen Cervantes' Absicht bei der Abfassung des *Quijote* und dem schließlich entfalteten Problemhorizont nicht ausschlösse. Die Tatsache schließlich, daß am Ende des Romans Wahnwelt und Alltagswelt in einem Verhältnis wechselseitiger Relativierung, ja sogar in einem Verhältnis der Inversion erscheinen, ist immerhin charakteristisch für Cervantes und als Möglichkeit in den mentalitätsgeschichtlichen Strukturen der Epoche angelegt.

Wie dem auch sei: die ersten Kapitel des Romans *El Ingenioso Hidalgo Don Quijote de la Mancha* sind – eher als eine Parodie auf den Ritterroman – eine Parodie auf eine bestimmte Form der Ritterroman-Lektüre, und die Subtilität, mit der sie durchgeführt wird, gestattet es uns noch einmal, mittelalterliche und neuzeitliche Formen der Rezeption zu konfrontieren. Denn Don Quijote – oder besser: *un hidalgo ... que tenía el sobrenombre de Quijada, o Quesada*[138] – liest gedruckte Bücher wie ein Rezipient des Manuskript-Zeitalters.

Es, pues, de saber que este sobredicho hidalgo los ratos que estaba ocioso – que eran los más del año –, se daba a leer libros de caballerías con tanta afición y gusto, que olvidó casi de todo punto el ejercicio de la caza, y aun la administración de su hacienda; y llegó a tanto su curiosidad y desatino en esto, que vendió muchas fanegas de tierra de sembradura para comprar libros de caballerías en que leer, ...

En resolución, él se enfrascó tanto en su lectura, que se le pasaban las noches leyendo de claro en claro, y los dias de turbio en turbio; y así del poco dormir y del mucho leer se le secó el cerebro, de manera que vino a perder el juicio. Llenósele la fantasía de todo aquello que leía en los libros, así de encantamientos como de pendencias, batallas, desafíos, heridas, requiebros, amores, tormentas y disparates imposibles; y asentósele de tal modo en la imaginación que era verdad toda aquella máquina de aquellas soñadas invenciones que leía, que para él no había otra historia más cierta en el mundo ...

En efecto, rematado ya su juicio, vino a dar en el más extraño pensamiento que jamás dió loco en el mundo, y fué que le pareció convenible y necesario, así para el aumento de su honra como para el servicio de su república, hacerse caballero andante, e irse por todo el mundo con sus armas y caballo a buscar las aventuras y a ejercitarse en todo aquello que él había leído que los caballeros andantes ejercitaban, deshaciendo todo género de agravio, y poniéndose en ocasiones y peligros donde, acabándolos, cobrase eterno nombre y fama. Imaginábase el pobre ya coronado por el valor de su brazo, por lo menos, del imperio de Trapisonda; y así, con estos tan agradables pensamientos, llevado el extraño gusto que en ellos sentía, se dió prisa a poner en efecto lo que deseaba. Y lo primero que hizo fué limpiar unas armas que habían sido de sus bisabuelos, que, tomadas de orín y llenas de moho, luengos siglos había que estaban puestas y olvidadas en un rincón. Limpiólas y aderezólas lo mejor que pudo; pero vió que tenían una gran falta, y era que no tenían celada de encaje, sino morrión simple; mas a esto suplió su industria, porque de cartones hizo un modo de media celada, que, encajada con el morrión, hacía una apariencia de celada entera ...[139]

Virtuos wie nur irgendein idealer Leser aus der neuzeitlichen Geschichte des Romans versteht es Don Quijote, die Grenze zwischen seinem öden Alltag und der bunten Welt der Evasion, in die ihn die Ritterbücher führten, zu überschreiten. Was er nicht finden kann, das ist der Weg zurück in den Alltag. Vielmehr verharrt er in der Identifikation mit den ritterlichen Helden des Romans und beginnt, Teile des ohnehin geringen Besitzes, der ihm geblieben ist, zu verkaufen, mithin: zu entwirklichen. Ausgehend von der Prosa der Ritterbücher läßt Don Quijote zunächst die Welt seiner Helden nur in seiner Phantasie entstehen; ohnehin ist die physische Substanz seines Körpers auf ein groteskes Minimum reduziert. Doch in dem Maß, wie es für ihn keinen Alltag jenseits der Tag und Nacht anhaltenden Lektüren mehr gibt, trocknet die Ritterwelt sein Gehirn aus, und wenn Don Quijote ›den Verstand verliert‹, so manifestiert sich dieser Verlust in dem bald ausgeführten Vorsatz, dem Rittertum der Phantasie *mit seinem Körper* Wirklichkeit zu verleihen. Don Quijote ist nicht nur ein vereinsamter *hidalgo*, sondern auch ein einsamer Leser. Doch als er sich einmal entschlossen hat, das Rittertum wieder Wirklichkeit werden zu lassen, da unterwirft er sich auch die – nur scheinbar widerständigen – Gegenstände seiner Umgebung und bald auch die Menschen, die ihm begegnen.

In einer brillanten Interpretationsskizze am Anfang seines

Buches ›*Les mots et les choses*‹, durch die Cervantes' Roman zum Emblem für die Episteme seiner Epoche wird, hat Michel Foucault das Verhältnis Don Quijotes zu seiner Umwelt als Beziehung einer kontinuierlichen Interpretation verstehen wollen. Wie für die Gelehrten und die Analphabeten seiner Zeit – freilich auf je verschiedenen Ebenen des Wissens –, so sehe auch Don Quijote hinter der ›Prosa‹ der sinnlich wahrnehmbaren Welt immer einen anderen, ›tieferen‹ Sinn. Und Foucault assoziiert seine eigene Interpretation vom ›Interpreten Quijote‹ mit der Beschreibung der Physis des Romanhelden, die hoch und ragend sei *wie ein Buchstabe*. Diese These wollen wir so modifizieren, daß Don Quijote den von den anderen anders erfahrenen Gegenständen und Menschen seiner Umgebung die Bilder eines Wahns aufzwingt, daß seine Worte den Gegenständen und Personen einen Zauber auferlegen, daß er nicht die Welt ›wie einen Buchstaben‹ interpretiert, sondern sich selbst und seinen Wahn auf die Oberfläche der Welt drückt wie eine Druckpresse den Buchstaben auf weißes Papier. Den Gestus der Interpretation nehmen seine Tiraden nur dann – scheinbar – an, wenn der von ihm verzauberten Welt die Erfahrung des Alltags entgegengestellt wird. Als im siebten Kapitel des ersten Buches der auktoriale Erzähler – und mit ihm Sancho Panza – Windmühlen sieht, verteidigt Don Quijote seine Vision von Riesen:

En esto descubrieron treinta o cuarenta molinos de viento que hay en aquel campo, y así como Don Quijote los vió, dijo a su escudero:
– La ventura va guiando nuestras cosas mejor de lo que acertáramos a desear; *porque ves allí,* amigo Sancho Panza, dónde se descubren treinta, o poco más, desaforados gigantes con quien pienso hacer batalla y quitarles a todos las vidas, con cuyos despojos comenzaremos a enriquecer; que esta es buena guerra, y es gran servicio de Dios quitar tan mala simiente de sobre la faz de la Tierra.

Noch auf Sanchos stutzende Frage antwortet Don Quijote in der Annahme, sein Knappe habe schlicht das von ihm Gesehene übersehen. Erst dessen Gegen-Wahrnehmung läßt ihn für einen Moment einen Diskurs wählen, der wie eine Auslegung anmutet, aber vor allem fast mitleidig die Meinung artikuliert, Sancho Panza sehe nur aus Angst die Dinge ›anders als sie sind‹:

–¿Qué gigantes?– dijo Sancho Panza.

– Aquellos que allí ves – respondió su amo – de los brazos largos, que los suelen tener algunos de casi dos leguas.

– Mire vuestra merced – respondió Sancho – que aquellos que allí se parecen no son gigantes, sino molinos de viento, y lo que en ellos parecen brazos son las aspas, que, volteadas del viento, hacen andar la piedra del molino.

– Bien parece – respondió Don Quijote – que no estás cursado en esto de las aventuras: ellos son gigantes; y si tienes miedo, quítate de ahí, y ponte en oración en el espacio que yo voy a entrar con ellos en fiera y desigual batalla.

Y diciendo esto, dió de espuelas a su caballo *Rocinante,* sin atender a las voces que su escudero Sancho le daba, advirtiéndole que, sin duda alguna, eran molinos de viento, y no gigantes, aquellos que iba a acometer. Pero él iba tan puesto en que eran gigantes, que ni oía las voces de su escudero Sancho, ni echaba de ver, aunque estaba ya bien cerca, lo que eran ...[140]

Noch vor der Mitte des ersten Romanteils stoßen wir auf eine Episode, an deren Ende die – mögliche – Ursprungs-Intention der Parodie problematisiert oder überboten wird, weil dort der auktoriale Diskurs, welcher bis dahin zusammen mit Sancho Panza die Alltagswirklichkeit artikuliert hatte, trotz gleichsam ›räumlicher‹ Distanznahme Don Quijotes nicht mehr in Spannung zu dessen ›Wirklichkeit‹ steht, sondern beinahe Don Quijotes Wirklichkeit gegen die andere Wirklichkeit durchsetzt. Die Episode von der Befreiung der Galeerensklaven beginnt mit einer fast beiläufigen Beobachtung des ›Knappen‹: *Esta es cadena de galeotes, gente forzada del rey, que va a las galeras.*[141] Auch hier deutet Don Quijote nicht die Wirklichkeit Sanchos um; er interpretiert nicht. Vielmehr isoliert er einen einzigen Aspekt des Wahrgenommenen, jenen Aspekt nämlich, der in seinem Wahn ein Anlaß zu ritterlichem Handeln werden kann: *En resolución – replicó Don Quijote –: como quiera que ello sea, esta gente, aunque los llevan, van de por fuerza, y no de su voluntad ... Pues de esa manera ... aquí encaja la ejecución de mi oficio; deshacer tuertos y socorrer y acudir a los miserables.* Was sich am Ende der Episode – zwischen dem Erzähler und dem Leser – ereignen soll, kündigt ein ganz unerwartetes Ereignis im fiktionalen Geschehen an. Als Don Quijote ritterlich entschlossen auf die Vertreter der Santa Hermandad einstürmt, welche den Zug der angeketteten Galeerensklaven eskortieren, fällt er – dies eine Mal – nicht von seinem Pferd, und er bezieht auch keine Prügel, vielmehr stößt er den Oberschergen zu Boden und gibt so den Gefangenen Gelegenheit, sich von ihrer Kette zu befreien. Der Erzähler konstatiert *un no esperado acontecimiento*. Doch dann überzieht Don Quijote den Bogen *seiner* Wirklichkeit. Er verlangt von den Befreiten, nach Toboso zu ziehen, um vor der angebeteten Dulcinea die Taten ›ihres Ritters‹ zu preisen. Die so in die Pflicht der Wahnwelt Gesetzten aber sind geistesgegenwärtig. Sie versuchen sich mit Entschuldigungen aus der Affäre zu ziehen, die ihrem Befreier, »von dem sie bemerkt hatten, daß er nicht ganz richtig im Kopf war«, einleuchten sollen. Doch da all diese Argumente eine Wirklichkeit konnotieren, in der die ehemals Gefangenen auch nach ihrer Befreiung Verfolgte sein werden, bleibt ihr Sinn mit Quijotes Welt unvereinbar. Sie müssen sich seiner entledigen, um die Wirklichkeit ihrer Bedrohung und die Chance ihrer Rettung durchzusetzen:

Pasamonte, que no era nada bien sufrido, estando y enterado que Don Quijote no era muy cuerdo, pues tal disparate había cometido como el de querer darles libertad, viéndose tratar de aquella manera, hizo del ojo a los compañeros, y, apartándose aparte, comenzaron a llover tantas y tantas piedras sobre Don Quijote, que no se daba manos a cubrirse con la rodela; y el pobre de *Rocinante* no hacía más caso de la espuela que si fuera hecho de bronce. Sancho se puso tras su asno, y con él se defendía de la nube y pedrisco que sobre entrambos llovía. No se pudo escudar tan bien Don Quijote, que no le acertasen no sé cuántos guijarros en el cuerpo, con tanta fuerza, que dieron con el en el suelo; y apenas hubo caído, cuando fué sobre él el estudiante y le quitó la bacia de la cabeza, y dióle con ella tres o cuatro golpes en las espaldas y otros tantos en la tierra, con que la hizo casi pedazos. Quitáronle una ropilla que traía sobre las armas, y las medias calzas le querían quitar, si las glebas no lo estorbaran. A Sancho le quitaron el gabán, y, dejándole en pelota, repartiendo entre sí los demás despojos de la batalla, se fueron cada uno por su parte, con más cuidado de escaparse de la Hermandad, que temían, que de cargarse de la cadena e ir a presentarse ante la señora Dulcinea del Toboso.
Solos quedaron jumento y *Rocinante*, Sancho y Don Quijote; el jumento, cabizbajo y pensativo, sacudiendo de cuando en cuando las orejas, pensando que aún no había cesado la borrasca de la piedras,

que le perseguían los oídos; *Rocinante*, tendido junto a su amo, que también vino al suelo de otra pedrada; Sancho, en pelota, y temeroso de la Santa Hermandad; Don Quijote, mohinísimo de verse tan mal-parado por los mismos a quien tanto bien había hecho.

Natürlich könnte man den Relativsatz ›*a quien tanto bien había hecho*‹ einzig und allein auf die Sicht des Titelhelden zuord-nen – und so die Interpretationsperspektiven von der ›reinen Parodie‹ aufrechterhalten. Aber dagegen sprechen die Kon-texte: zugleich mit Don Quijote werden die unschuldigen Tiere Opfer der Steinigung (und welcher zeitgenössische Leser hätte wohl nicht an Steinigungs-Szenen aus dem Neuen Testament und aus den Heiligenviten gedacht?); der Überfall auf Don Quijote wird zu ausführlich und mit zuvielen Details der kalt-blütigen Grausamkeit erzählt, als daß man sich dem darin deut-lichen Appell an das Mitleid mit den Protagonisten hätte ent-ziehen können; er hatte den – einstigen – Galeerensklaven ja tatsächlich ›so viel Gutes getan‹. Schließlich gehörte es – nicht nur an dieser Stelle und nicht nur im *Quijote* – zum Habitus des Dichters Cervantes, den ›gesunden Menschenverstand‹ – und in dessen Namen zu handeln, könnten die Peiniger Don Quijotes durchaus für sich in Anspruch genommen haben – gegen das tätige Mitleid auszuspielen: »der gesunde Menschenverstand, diese völlig richtige Antwort auf den Anspruch einer organi-sierten Gesellschaft, tendiert dazu, eine bestimmte Eigenschaft zu verschleiern, die Don Quichotte in reichem Maße besitzt; es ist die Menschenliebe, die gegen die Ungerechtigkeit aufsteht. Von Don Quichottes Menschenliebe leiten sich gewisse antiau-toritäre und für seine Zeit revolutionäre Tendenzen ab. Der Protest kleidet sich in die Form ironischer Verdrehung: Don Quichotte hat immer unrecht, die anderen immer recht«.[142]

Im Widmungsbrief zum Zweiten Teil des *Quijote*-Romans berichtete Cervantes dem Grafen von Lemos, seinem Mäzen, daß er auf ein frühes Erscheinen dieses Textes hin gearbeitet hatte, weil ein Jahr zuvor, 1614, unter dem Namen des Licen-ciado Alonso Fernández de Avellanada aus Tordesillas bei Val-ladolid eine *Quijote*-Fortsetzung erschienen war. Wir können annehmen, daß Cervantes materielle Gründe für solche Eile hatte; aber er nahm das Buch des vorwitzigen Konkurrenten – und gewiß andere Anzeichen für den großen Erfolg des ersten

Quijote-Teils – zum Anlaß für eine Modifikation der Erzähl-
strategie. Mit ihr bezog sich sein Roman nicht mehr nur auf
andere Romane. Cervantes wählte eine höhere Ebene literarischer Autoreflexivität, indem er die Rezeption des ersten *Quijote*-Teils als Voraussetzung in die fiktionale Welt des zweiten
Quijote-Teils hereinnahm. Viele von den Personen, denen Don
Quijote und Sancho nun begegnen, haben den ersten Band seiner Geschichte gelesen und sind deshalb geradezu begierig, das
bereits in ihrer Phantasie nachvollzogene Spiel von der Konfrontation der Sinnwelten nun auch lebendig zu inszenieren. So
schuf sich Cervantes die Möglichkeit, Quijotes Ingenium mehr
Raum im Roman zu gewähren, weil er sich von der Konsequenz der parodistisch angelegten Fiktion entbunden hatte, den
Wahnideen Don Quijotes immer unmittelbar die Ansätze zu
ihrer alltagsweltlichen Entwicklung entgegensetzen zu müssen.
Empirische Daten der Rezeptionsgeschichte belegen, daß die
zeitgenössischen Leser an der Inversion von Wahn und Alltagsvernunft, wie sie uns fasziniert, nur wenig Spaß hatten: denn
der zweite Teil des *Quijote*-Romans teilte das Schicksal so vieler ›Fortsetzungen‹. Er wurde – alles in allem – nur ein mittel-
mäßiger Publikumserfolg.[143]

Der ›fahrende Ritter‹ und sein ›Knappe‹ stoßen hier zunächst
auf einen Adligen, welcher – obwohl (oder weil) er ›discreto‹
genannt wird – keine Ritterbücher und schon gar nicht deren
Parodien gelesen hat. Doch indem dieser Weggenosse den
Wahn Don Quijotes nicht auf seinen literarischen Ursprung
zurückführen kann, wird ihm der Wunsch unabweisbar, Aufschluß über dessen rätselhafte Identität zu gewinnen. Und so
vertiefen sich die beiden in ein Gespräch über Literatur, in dem
Cervantes seinen Titelhelden sagen läßt, was er offenbar selbst
als ein neues Verhältnis, eine Auflösung der überkommenen
Beziehungen zwischen gesellschaftlichem Stand und literarischem Urteil, als ein Obsoletwerden gewisser Prämissen der
aristotelischen Poetik erfahren hatte:

Y no penséis, señor, que yo llamo aquí vulgo solamente a la gente
plebeya y humilde: que todo aquel que no sabe, aunque sea señor y
príncipe, puede y debe entrar en el número del vulgo; y así, el que con
los requisitos que he dicho tratare y tuviere a la Poesía, será famoso y
estimado su nombre en todas las naciones políticas del mundo. Y a lo

que decís, señor, que vuestro hijo no estima mucho la poesía de romance, doime a entender que no anda muy acertado en ello, y la razón es ésta: el grande Homero no escribió en latín, porque era griego; ni Virgilio escribió en griego, porque era latino. En resolución: todos los poetas antiguos escribieron en la lengua que mamaron en la leche, y no fueron a buscar las extranjeras para declarar la alteza de sus conceptos; y siendo esto así, razón sería se extendiese esta costumbre por todas las naciones, y que no se desestimase el poeta alemán porque escribe en su lengua, ni el castellano, ni aun el vizcaíno que escribe en la suya.[144]

Wir verstehen es, daß solche Gedanken Don Quijotes Gesprächspartner ›Bewunderung abverlangten‹ – und ebenso sollten noch viele Protagonisten des zweiten Romanteils reagieren. Das trifft vor allem auf die kleine Gesellschaft eines Herzogshofs zu, die sich ein kurzweiliges Spiel damit macht, Don Quijotes ›Wahn‹, dem nun auch Sancho Panza mehr und mehr erlegen ist, mitzuspielen. So nutzen sie die blinde Habgier des – vermeintlichen – Bauerntölpels Sancho, um diesem die – von Don Quijote immer wieder aufgeschobene – Erfüllung des Versprechens vorzugaukeln, den ›Knappen‹ für seine ›Dienste‹ mit der Ernennung zum *gobernador* einer Insel zu entlohnen. Sancho erweist sich als denkbar weiser Herrscher – und er beschämt seine Gastgeber, die nicht allein Don Quijotes ›Wahn‹ und die Sinnwelt des Alltags voneinander absetzen, sondern auch davon ausgingen, daß der ›Verstand‹ eines Bauern nicht hinreiche, um das dem Verstand der Adligen reservierte Amt des Regierens auszufüllen. Lassen Don Quijote und Sancho Panza die Träger solchen Dünkels verwirrt zurück, so staunen diejenigen Protagonisten, welche sich ihnen mit Verstandesschärfe nähern: offenbar sollte die Weisheit in Quijotes Wahn nur dem Gefühl erfahrbar sein.

Schließlich holt Sansón Carrasco, den die besorgten Freunde aus Quijotes Heimatdorf ausgesandt haben, um ihn aus der nun von der Umwelt noch bekräftigten Verblendung nach Hause zu bringen, den ›Ritter‹ und seinen ›Knappen‹ in Barcelona ein. Er weiß, daß die von Don Quijote verzauberte Welt nur gleichsam ›von innen‹ noch aufzubrechen ist. So hat er sich als ›Ritter vom Silbernen Mond‹ verkleidet und fordert Don Quijote zu einem Duell, in dem er ihm nicht mehr den Schutz spielerischen Einverständnisses gewährt. Im Tjost vom Pferd gestoßen und in der Gewalt des ›Ritters vom Silbernen Mond‹ ist Don Quijote den Forderungen seines Bezwingers ausgesetzt:

– Vencido sois, caballero, y aun muerto, si no confesáis las condiciones de nuestro desafío.

Don Quijote, molido y aturdido, sin alzarse la visera, como si hablara dentro de una tumba, con voz debilitada y enferma, dijo:

– Dulcinea del Toboso es la más hermosa mujer del mundo, y yo el más desdichado caballero de la Tierra, y no es bien que mi flaqueza defraude esta verdad. Aprieta, caballero, la lanza, y quítame la vida, pues me has quitado la honra.

– Eso no haré yo, por cierto – dijo el de la Blanca Luna –: viva, viva en su entereza la fama de la hermosura de la señora Dulcinea del Toboso; que sólo me contento con que el gran Don Quijote se retire a su lugar un año, o hasta el tiempo que por mí le fuere mandado, como concertamos antes de entrar en esta batalla.[145]

Der fahrende Ritter Don Quijote, der ›wie aus einem Grab‹ spricht, stirbt in dieser Szene, auch wenn der Träger seines Namens sein Heimatdorf in der Mancha noch wiedersieht und ihn eine kurze Weile überlebt. Cervantes' Spiel mit den Sinnwelten und ihren Perspektiven ist hier an ein Ende gelangt, das nur noch eines kurzen, das Verstehen der Leser sichernden Ausklangs bedarf. Von der Ehre hatte in Cervantes' Roman nur jener Protagonist gesprochen, der im Alltag ein Wahnsinniger war. Er stirbt mit dieser Ehre, weil sie – auch – *die Würde des subjektiven Sinns* ist. Doch er hinterläßt seine Umwelt nicht – wie die *graciosos* und die ›gerechten Könige‹ auf Lopes Bühne – unverändert. Don Quijote hat der Umwelt die Bewunderung seiner selbst und ein anderes Verhältnis zu ihrem eigenen Sinn aufgezwungen, ebenso wie sein Wahn und seine Reden auf allen Fahrten die Gegenstände und Menschen in seiner Nähe verzaubert hatten. Und wie Don Quijote die bösen Riesen in Windmühlen verzaubert ›sah‹, will nun dem ehemals alltagsvernünftigen Sancho Panza das Ende der Zauberwelt von Don Quijote wie ein böser Zauber erscheinen:

Sancho, todo triste, todo apesarado, no sabía qué decirse ni qué hacerse; parecíale que todo aquel suceso pasaba en sueños y que toda aquella máquina era cosa de encantamiento. Veía a su señor rendido y obligado a no tomar armas en un año; imaginaba la luz de la gloria de sus hazañas oscurecida, las esperanzas de sus nuevas promesas deshechas, como se deshace el humo con el viento.[146]

In die Mancha zurückgekehrt, träumt der ehemalige Don Quijote noch einen sanften Traum von einer neuen Verzauberung des Alltags – diesmal als *pastor Quijotix*. Doch als er weiß, daß er sterben muß, weiß er auch, daß sein Ritterleben eine Illusion gewesen ist. Allerdings nicht allein dies. Mit derselben Gelassenheit, ja Heiterkeit, die uns in Cervantes' Prolog zum *Persiles* anrührte, erlebt auch der ehemalige Don Quijote seine letzten Stunden, weil er weiß, daß er ein gutes Leben – ein Leben in Güte – geführt hat:

> Yo me siento, Sobrina, a punto de muerte; querría hacerla de tal modo, que diese a entender que no había sido mi vida tan mala que dejase renombre de loco; que puesto que lo he sido, no qierría confirmar esta verdad en mi muerte. Llámame, amiga, a mis buenos amigos: al Cura, al bachiller Sansón Carrasco y a maese Nicolás el barbero, que quiero confesarme y hacer mi testamento.
>
> Pero de este trabajo se excusó la sobrina con la entrada de los tres. Apenas los vió Don Quijote, cuando dijo:
>
> – Dadme albricias, buenos señores, de que ya no soy Don Quijote de la Mancha, *sino Alonso Quijano*, a quien mis costumbres me dieron renombre de *Bueno*. Ya soy enemigo de Amadís de Gaula y de toda la infinita caterva de su linaje; ya me son odiosas todas las historias profanas de la andante caballería; ya conozco mi necedad y el peligro en que me pusieron haberlas leído; ya, por misericordia de Dios, escarmentando en cabeza propia, las abomino.[147]

Diese neue Identität wird sehr rasch von der diesseitigen – und auch von der jenseitigen – Welt bestätigt: als er Alonso Quijano die Sterbesakramente gespendet hat, sagt der Pfarrer zu dessen Freunden: *Verdaderamente se muere, y verdaderamente está de acuerdo Alonso Quijano el Bueno*.[148]

Wir haben am Ende dieser *Quijote*-Interpretation eigene Deutungspräferenzen nicht mehr von Hypothesen über mögliche Rezeptionsformen der Zeitgenossen abgehoben. Denn es steht ohnehin fest, daß die Leser des frühen XVII. Jahrhunderts am *Quijote* dort am meisten Spaß hatten, wo er als Parodie lesbar war. Wenn wir für unsere Interpretation den Anspruch dennoch aufrecht erhalten, ›historisch‹ zu sein, so deshalb, weil wir zeigen wollten, welche nachzeitigen Möglichkeiten der Sinngebung sich aus den historisch-spezifischen mentalitätsgeschichtlichen Voraussetzungen und dem ihnen gleichzeitigen Status literarischer Rede ergaben. In der Zeit der ersten Ausgrenzung von ›Literatur‹ zum sozialen Teilsystem ist der *Quijote* auch das, was man heute einen ›*Literaturroman*‹ nennt – und dies nicht allein wegen des parodistischen Bezugs auf die Ritterromane. Die Vielfalt der Stellen, an denen der literarische Diskurs auf sich selbst Bezug nimmt, ist kaum zu überblicken, und diese Literaturstellen sind vom Verlauf der Erzählung stets so perfekt motiviert, daß es schwer fällt, im Text überhaupt die Übergänge zu solchem Selbstbezug auszumachen. Immerhin zeichnen sich vielfach wiederkehrend drei einschlägige Sinnhorizonte ab. Da ist einmal die ›*Kritik des Ritterromans*‹ (etwa: I/6, I/32, I/47-50, II/18), welche – als Stellungnahme des Autors gelesen – in solch vielfältiger Wiederkehr an Komplexität gewinnt und an Eindeutigkeit verliert. Da gibt es ›*literarische und wirkliche Hirten*‹ (I/10 sqq., I/20 sqq., II/19, II/58), deren Welt erst dann idyllisch wird, wenn sie nicht mehr aus der diskursiven Tradition der ›Idylle‹ konstituiert ist. Da ist – zumal im zweiten Teil des Romans – das ›*Spiel mit der Fiktion vom arabischen Text-Original*‹ (I/9, II/2, II/8, II/41, II/59), welches Cervantes Gelegenheit gibt, den Prozeß des Romanerzählens als Thema des Romans vorzuführen. Man hat versucht, aus diesem Material die ›literarästhetische Position‹ von Cervantes herauszudestillieren. Doch wie alle Diskurse im *Quijote* wird auch die Poetologie in das Spiel der wechselseitigen Relativierung der Horizonte einbezogen, so daß die zeitgenössische Diskussion der Literatur-Spezialisten zwar Teil des inhaltlichen Repertoires ist, aber doch von ihrem außertextuellen ›Sitz im Leben‹ viel zu weit entfernt bleibt, als daß sie noch zum Ausgangspunkt für eine historische Deutung und Rekonstruktion taugen könnte.[149] Wenn man überhaupt ein Element dieses vielfachen Selbstbezugs der Literatur ernst nehmen kann, so Don Quijotes Besuch einer Druckerei in Barcelona. Wir meinen nicht die am fiktionalen Ort der Druckerei lokalisierten Dialoge über die Qualität von Übersetzungen, die Funktionen gewisser Gattungen, das Verhältnis zwischen dem Gewinn der Verleger und den Tantiemen der Autoren. Wichtig ist ganz einfach der Sachverhalt, daß auch die Romanwelt keine andere Vermittlung zwischen Autor und Lesern kennt als das *gedruckte Wort:*

Sucedió, pues, que yendo por una calle, alzó los ojos Don Quijote, y vió escrito sobre una puerta, con letras muy grandes: »Aquí se imprimen libros«, de lo que se contentó mucho, porque hasta entonces no había visto imprenta alguna, y deseaba saber cómo fuese. Entró dentro con todo su acompañamiento, y vió tirar en una parte, corregir en otra, componer en ésta, enmendar en aquélla, y, finalmente, toda aquella máquina que en las imprentas grandes se muestra. Llégábase Don Quijote a un cajón, y preguntaba qué era aquello que allí se hacía; dábanle cuenta los oficiales; admirábase, y pasaba adelante.[150]

Hier schließt sich ein im ersten Kapitel begonnener Kreis der Handlung. Don Quijote hatte *gedruckte Bücher* so gelesen, wie es im Zeitalter der *Manuskripte* üblich gewesen war: ohne die Fähigkeit, eine Grenze zwischen der Welt des Alltags und der Welt der Evasion auszumachen und zu respektieren, ohne ›Hirn‹ und ›Vernunft‹, aber mit einer expansiven Phantasie, von der sich sein Körper anstecken ließ, als ein einsamer Leser schließlich, der die Menschen in seiner Umwelt verzaubern mußte, um sie zu Komparsen im Reich seiner Lektüre-Phantasien werden zu lassen. Dieser Leser Don Quijote hatte noch nie gesehen, wie man gedruckte Bücher herstellte. Mit Interesse und Bewunderung ließ er sich belehren und kaum ein Kapitel später stirbt der Ritter Don Quijote – im Zweikampf besiegt.

Zugleich mit den Druckereien – und ebenfalls in den Städten – waren literarische Zirkel und ›Akademien‹ entstanden.[151] Auch wenn sie oft ganz explizit an die Tradition der spätmittelalterlichen ›Dichtungshöfe‹ anschlossen, gehörten die ›Akademien‹ so gut wie die Druckerei zur neuzeitlichen Literatur. Denn anders als die dichtenden Höflinge wußten ihre Mitglieder sehr gut, daß sie hier in eine Sphäre kultivierter urbaner Geselligkeit eintraten, die von ihrem Alltag abgesetzt war. Zwar war es der Ehrgeiz aller ›Akademien‹, mindestens einen prominenten Berufsliteraten in ihren Reihen zu haben, doch so sehr man sich auch um die Verwischung einer solchen Grenze bemühen mochte: sie wurden getragen vom Enthusiasmus poetischer Dilettanten. Als Räume eines – seiner selbst bewußten – Spiels waren die Akademien ausgefüllt von Ritualen, welche – so wie heute die Statuten eines Vereins – als Regelwerk festgeschrieben waren. Ein solches Ritual brauchten die Mitglieder der Akademien, weil ihr Spiel als Vergnügen nicht mehr einer prägnanten Funktion zugeordnet werden konnte, aus der sich Orientierungen für gemeinsames und komplementäres Verhalten ergeben hätten. Die Festschreibung der Regeln ermöglichte es aber auch, dieses Verhalten mit jener Akkuratesse und jener Betonung zu zelebrieren, welche ein wesentliches Element jeglicher Theatralisierung sind. Als Höhepunkte ihres sozialen Lebens veranstalteten die literarischen Akademien des XVI. und XVII. Jahrhunderts in regelmäßigen Abständen ausgelassene – geradezu ›karnevalistische‹ – Sitzungen, in denen Satiren auf Literaten, Gattungen und Texte vorgetragen wurden; vor allem aber Dichterwettbewerbe, welche zur Teilnahme mit ansehnlichen Preisen lockten: so mit silbernen Tassen, seidenen Schärpen, Edelsteinen und Ehrenringen, silbernen Zahnstochern und Statuetten aus Elfenbein.

Für jene Autoren, die darauf angewiesen waren, daß man ihre Bücher kaufte, ihre Dramen im Theater sah und Abschriften von ihren Gedichten herstellen ließ, boten die Akademien eine informelle Gelegenheit, in Kontakt mit dem Publikum ihrer Käufer zu treten. Dort erfuhren sie, wonach den Lesern der Sinn und der Geschmack stand, dort konnten sie aber auch selbst prägend auf Lesegewohnheiten und Rezeptionsbedürfnisse einwirken. Seit dem zweiten Jahrzehnt – und bis zur Mitte – des XVII. Jahrhunderts waren die Diskussionen solcher Zirkel in den spanischen Städten von *einem* Namen beherrscht, der bald schon zum Synonym für einen poetologischen Begriff wurde und so starke Faszination ausübte, daß er die Bedeutung einiger zunächst pejorativer Bezeichnungsvarianten neutralisierte: *cultismo / culteranismo / gongorismo*. Die Frage nach den historischen Voraussetzungen für diese Faszination, der sich kaum ein spanischer Dichtungsfreund entziehen konnte, ist leicht zu beantworten. In der oft hitzig geführten Debatte um Góngoras Lyrik vollzog sich die Distanznahme der Literatur gegenüber der ihr bis dahin auferlegten Verpflichtung, sich selbst durch Leistung und Funktionen für das Leben außerhalb der Literatur zu legitimieren. Eben deshalb ist das riesige Corpus der uns überlieferten Stellungnahmen ohne Ausnahme und Rest zwischen zwei Polen zu lokalisieren, welche die ›Unabhängigkeit‹ und die ›Legitimationsverpflichtung‹ der Literatur repräsentieren: zwischen dem Lob der Schönheit von Góngoras Sprache und der Klage über die dunkle – manchmal auch angeblich triviale – Semantik seiner Gedichte. Bei aller Heftigkeit der Polemik ließen viele der Góngora-Enthusiasten die von ihm aufgegebenen Schwierigkeiten des Verstehens und viele Góngora-Feinde die Eleganz seines Stils nicht unerwähnt und hielten sich so die Möglichkeit eines Konsenses offen. So zögerte nicht einmal Salcedo Coronel, der sich durch einen langen und viel gelesenen Kommentar als Góngora-Freund präsentiert hatte, den seinen Gedichten anhaftenden Mangel an nützlicher Belehrung herauszustellen:

Don Luis de Góngora es digno de estima grande por su ingenio; pero de que no fuera tan censurado de muchos a no escrivir los más de los versos grandes, cosa es clara ..., porque solamente contienen términos exquisitos, locuciones, metáforas perpetuas i remontadas, i un puro martirio del entendimiento para descifrarle, i lo que es peor, no hallar cosa de provecho, después de descifrado con tanto trabajo, más de essa estrañeza del dezir; que si bien descubre ingenio (que yo no se lo niego) i pretenden imitarle muchos, no produce sustancia ...[152]

Die andere Seite unserer – minimalen – Typologie der Góngora-Debatte illustriert eine Kommentar-Passage von Gaspar Buesso de Arnal, der ebensowenig wie Salcedo Coronel den Aspekt der semantischen Schwierigkeit von Góngoras Gedichten ausblendete, ihn jedoch als Anlaß zur Kritik entkräften wollte, indem er ihn auf die – inadäquate – Leser-Erwartung zurückführte, belehrt zu werden:

Por lo qual deuemos los españoles venerar mucho los versos de don Luis de Gongora, que verdaderamente escriuio con grande pureza de lenguaje materno, y grande propriedad, que es la maior gala de todo. Diganlo sus nunca bien alabados escritos, a pesar de muchas nuuecillas opuestas a tanto sol. Y assi en lo atildado de sus locutiones y en la alteza de sus conceptos discurrio siempre tan galante con las muchas noticias y de imitaciones, que si dexa vn hombre que le atiende de la mano el tiento de la enseñanza, como quien va por maroma a de dar con todo en el suelo. Y el no entendello, le ará blasphemar, no estando en lo que lee la culpa, sino en la mala disposition de parte de el lector ...[153]

Wir müssen uns fragen, warum Góngoras Werk für jene Debatte, in der sich die Ablösung der Literatur von ihren außerliterarischen Legitimationsverpflichtungen vollzog, zum Medium, ja sogar zum Anlaß wurde. Darüber hinaus ist plausibel zu machen, warum wir auf sein Werk gerade in einem Abschnitt der *Siglo de Oro*-Darstellung eingehen, in dem auch das Leben seines Erzfeindes Lope de Vega erzählt und der – auf den ersten Blick gewiß nicht ›gongorinische‹ – *Quijote* interpretiert wurde. Cervantes' kleine Eloge im *Viaje del Parnaso* aus dem Jahr 1614 ist zu sehr mit Topoi angefüllt, als daß wir aus ihr eine brauchbare Antwort entwickeln könnten:

> aquel que tiene de escribir la llave
> con gracia y agudeza en tanto extremo,
> que su igual en el orbe no se sabe,
>
> es don Luis de Góngora, a quien temo
> agraviar en mis cortas alabanzas,
> aunque las suba al grado más supremo.[154]

Für Luis de Góngora y Argote, der 1561 in Córdoba geboren worden war, bot das Milieu der Literatur nicht einmal jene bescheidende Chance eines sozialen Aufstiegs, die Cervantes und Lope trotz aller Rückschläge genutzt hatten.[155] Denn er stammte aus einer angesehenen und für ihre Bildung bekannten Adelsfamilie, als deren Sohn er zwischen Karrieren als Offizier, Geistlicher oder Hofmann nur zu wählen hatte. Weil er für das Kriegshandwerk zeit seines Lebens nur Verachtung aufbrachte und wohl auch kaum hinreichende Begabungen zeigte, um einen Ehrenposten in der höfischen Welt zu erlangen, verschaffte man Góngora schon bald eine kirchliche Pfründe in Córdoba, die ihm nicht mehr als die niederen Weihen abverlangte und auf die er bis zu seinem Tode angewiesen bleiben sollte. Kein Autor der spanischen Klassik trug so intensiv wie er zur Theatralisierung des Alltags bei, und keiner war ähnlich blind für die beginnende Dekadenz der Nation, obwohl auch kein anderer bedeutender Literat so permanent unter ihren Auswirkungen leiden mußte. Das Elend seiner Existenz vergegenwärtigt eindringlich eine von Fernando Lázaro Carreter zusammengestellte Sequenz einschlägiger Stellen aus Góngora-Briefen der zwanziger Jahre: ihr Wortlaut zeigt, wie alltagsnah die Verkleidungskünste der *graciosos* in den Dramen und der *pícaros* in den Romanen des frühen XVII. Jahrhunderts waren. Noch erstaunlicher ist freilich Góngoras Unfähigkeit, die freiwillige

Aufgabe kostspieliger Statussymbole – wie die Unterhaltung eines Wagens, die allein Adligen gestattet war, – auch nur in Erwägung zu ziehen:

Perico, mi paje, está peor tratado que los caballos de mi coche; yo ando que es vergüenza de vestido, con la misma ropa que el invierno, que diera calor, al no estar rota *(1622)*.

De 800 reales, no se puede pagar casa, ni vestir mi persona ni las de los pajes, sustentar dos criadas ... y mantener un coche que ma trae arrastrado *(1623)*.

Yo estoy la casa por cárcel, por falta de caballos *(1624)*.

El 18 de éste temo me echará en la calle de esta pobre vivienda mía el dueño de la casa y ... me hallo a los umbrales del invierno sin hilo de ropa, anticipados mis alimentos mes y medio para poder comer, reparar mi coche y curar a María Rogríguez *(1625)*.[156]

Man kann leicht verstehen, daß zum notorischen Spieler und Trinker wurde, wer alltäglich solche Diskrepanzen zwischen dem Selbstanspruch auf Repräsentation und der materiellen Grundlage für seine Verwirklichung zu bewältigen hatte. Luis de Góngora glaubte dort leben zu müssen, wo er in der Nähe des Königs und seines Hofes war; nie scheute er exorbitante Ausgaben, wenn dafür auch nur die kleinste Mehrung seiner gesellschaftlichen Reputation in Aussicht stand. Andererseits scheint es sein Selbstbild ausgeschlossen zu haben, in der Dichtung, welche ihn schon bald berühmt werden ließ, etwas anderes als ein Spiel zu sehen – jedenfalls hat er sich selbst um die Veröffentlichung seiner Werke nie bemüht.

Wer sein Leben und seine Dichtung so fraglos wie Góngora in höfische Traditionen einschrieb, der mußte an überkommenen Themenhorizonten festhalten. Das zeigen Góngoras berühmteste Werke, die *Fábula de Polifemo y Galatea*, wo er auf die antike Mythologie zurückgriff, und die *Soledades*, die erst 1636 gedruckt wurden, obwohl sie schon bald nach ihrer Entstehung in den Jahren 1613 und 1614 vieldiskutierte Texte waren. Das Unglück eines Schiffbruchs verschlägt in den *Soledades* einen schönen und liebeskranken Jüngling in bukolische Welten. Er wird von Ziegenhirten aufgenommen, bewundert die Landschaft, in der sie leben, nimmt an einer Wolfsjagd teil. Später stößt der Fremdling auf die Bewohner eines Bergdorfes, die zur Hochzeit rüsten und bleibt bei ihnen, um das bevorstehende Fest zu erleben. Er fährt mit Fischern auf das Meer hinaus, genießt die Naturpracht auf der von ihnen bewohnten Insel und sieht, wie eine vornehme Jagdgesellschaft aus einem Marmorpalast ausreitet. Hier endet die zweite *Soledad*. Góngora hat den dritten und den vierten Teil des geplanten Zyklus nie geschrieben. Der Titel des Werks spielt vielleicht an auf einen der Sinnhorizonte bukolischer Dichtung, der dort vor allem an Bedeutung gewann, wo sich diese an ein höfisches Publikum wandte: *menosprecio de la corte y alabanza de la aldea*. Man kann den Titel freilich auch auf den Namen des von Góngora gewählten Metrums, die *silva*, beziehen;[157] denn der von diesem Wort bezeichnete ›Wald‹ könnte metonymisch auf die bukolische Welt und ihre Abgeschiedenheit vom Treiben der Höfe und Städte verweisen. Unter allen Metren nun, welche sich die spanische Literatur in Aneignung des italienischen Formen-Repertoires erarbeitet hatte, räumte die *silva* den größten Spielraum der Variation und die größte Freiheit in der Umprägung alltagssprachlicher Syntax ein. Die *silvas* bestehen aus in ihrer Länge flexiblen Strophen von elf- und siebensilbigen Versen, für die ein bestimmter Modus der wechselseitigen Verbindung durch Reime nicht festgelegt ist. Wir geben die ersten Strophen der *Soledad segunda* wieder, um nachvollziehbar zu machen, wie Luis de Góngora das für die *silvas* spezifische Spiel von fixierten Formelementen und ihrer weitgehend freien Kombination nutzte. Die Schilderung des Meeres steht in einer Folge evozierter Erlebnisgegenstände zwischen dem Abschied des schiffbrüchigen Wanderers von den Bergbauern und seiner Begegnung mit der Welt der Fischer:

> Entrase el mar por un arroyo breve
> que a recibillo con sediento paso
> de su roca natal se precipita,
> y mucha sal no sólo en poco vaso,
>   mas su rüina bebe,
> y su fin, cristalina mariposa
>   – no alada, sino undosa –,
> en el farol de Tetis solicita.
>
> Muros desmantelando, pues, de arena,
> centauro ya espumoso el Océano

- medio mar, medio ría -
dos veces huella la campaña al día,
escalar pretendiendo el monte en vano,
de quien es dulce vena
el tarde ya torrente
arrepentido, y aun retrocedente.
Eral lozano así novillo tierno,
de bien nacido cuerno
mal lunada la frente,
retrógado cedió en desigual lucha
a duro toro, aun contra el viento armado:
no pues de otra manera
a la violencia mucha
del padre de las aguas, coronado
de blancas ovas y de espuma verde,
resiste obedecieno, y tierra pierde.[158]

Daß hier in sechsundzwanzig Versen ›nicht mehr‹ als das Einmünden eines Flusses ins Meer beschrieben wird, dürfte kaum einem mit Góngoras Sprache nicht vertrauten Leser nach der ersten Lektüre ganz deutlich sein. Dabei handelt es sich beileibe nicht um eine besonders verwirrende Passage aus dem Text der *Soledades*. Wie konnten dann aber jene Góngora-Interpretationen, welche auf die Wiederentdeckung dieses Lyrikers durch eine ›Generation‹ junger Poeten im Jahr 1927 folgten und deren Anspruch einlösten, daß solch komplizierte Sprachgestalt in semantische Eindeutigkeit überführbar sei,[159] wie konnten jene Interpretationen, die gewiß ein Ruhmesblatt der Hispanistik sind, Góngoras Gedichten immer wieder spezifische Potentiale außertextueller Wirklichkeitserschließung zusprechen? Dieser Eindruck entsteht nur dann, wenn man sich – gegen alle Widerstände – auf Góngoras Sprache einläßt: »Die Welt« scheint dann »im Zustand elementarer Bewegtheit, wie sie sich dem geistigen Auge vor aller Urteilsbildung auftut«.[160] Doch den erfahrenen Zusammenhang zwischen Sprachkomplexität und Erschließung eines elementaren Zustands der Dinge hat man kaum je plausibel erklären können.

Kehren wir zu der zitierten Textpassage zurück. Ihr Metaphernreichtum läßt das Thema – das Einmünden eines Flusses in das Meer – unter so vielen Perspektiven erscheinen, daß deren Überschneidung die gestalthafte Einheit des Vorstel-

lungsgegenstands aufbricht. Der Fluß will das Meer empfangen
(statt sich nur, wie wir zu denken gewohnt sind, in das Meer zu
ergießen); er eilt von dem Felsen seiner Quelle, die gleichsam
›seine Mutter‹ ist, auf das Meer zu, als ob er durstig wäre. Doch
der Fluß ist auch ein zu enges Gefäß, um das ganze Meer in sich
aufzunehmen: das Meer nimmt deshalb den Fluß auf. Von oben
betrachtet sieht diese Vereinigung des Flusses mit dem Meer
aus wie der Umriß eines Schmetterlings, doch dieser Umriß
wird nicht von Flügeln, sondern von Wellen gefüllt. Derselbe
Gegenstand ist aber auch das Meer, welches mit den Gezeiten
spülend die Formen des Sandstrands verändert, so wie ein Zen-
taur die Mauer einer Burg schleift. Und die Brandung wirkt wie
der immer aufs neue scheiternde Versuch, den Felsen der Küste
zu besteigen. Der Fluß ist aber auch eine Ader des Felsens, und
er flieht vor dem drängenden Meer, so als bereute er es, auf das
Meer zugegangen zu sein. Die Begegnung von Meer und Fluß
ist wie der ungleiche Kampf zwischen einem fast unverletzli-
chen und einem jungen Stier. Wie der Jungstier muß der Fluß in
diesem ungleichen Kampf gegenüber dem königlichen Meer
Boden verlieren.

Was in der Vorstellung als Simultaneität verschiedener Bilder
von identischem Naturgeschehen aufzurufen ist, kann in der
Sequenz des Textes nur als Nacheinander vorgegeben werden.
Und schon die bloße Verknüpfung dieses Nacheinanders der
Bilder und Perspektiven verlangt es, daß die Normen der Syntax und der semantischen Kohärenz, an die wir aus der Alltags-
sprache gewöhnt sind, immer wieder überschritten werden. Die
wesentliche – und den historischen Ort von Góngoras Sprache
erhellende – Beobachtung liegt jedoch in dem Sachverhalt, daß
die sequentiell geordneten verschiedenen Bilder des einen Na-
turgeschehens *nicht mehr in* einem *einheitlichen Blickpunkt
konvergieren*. Die Vielfalt der Bilder und Perspektiven erhält
und präsentiert im Medium der Sprache weit mehr Wahrneh-
mungen der Außenwelt als sonst auf der Ebene des Erlebens
vom menschlichen Bewußtsein registriert werden. Gerade dieser Überschuß an erhaltener Wahrnehmung gegenüber dem
Normalfall bewußten Erlebens aber kann suggerieren, daß Natur in Góngoras Sprache so vergegenwärtigt wird, wie sie war,
bevor das – selegierende – Auge des Menschen auf sie fiel.

Deshalb hat man zu recht auf die Nähe der Semantik von Góngoras Gedichten zur Kategorie der ›Elementarerfahrung‹ verwiesen; deshalb bordet diese Semantik immer wieder über die Grenzen der jeweils aus *einem* menschlichen Blickpunkt der Welterfahrung konstituierten Diskurse.

Solche Effekte hat Luis de Góngora wohl kaum intendiert. Ihm ging es darum, die anderen Dichter seiner Zeit in der Artistik der Sprachbeherrschung zu überbieten. Die in seiner Epoche erfahrbare Pluralität der Sinnwelten und Perspektiven fand in seinen Texten vielleicht deshalb einen so deutlichen Niederschlag, weil Luis de Góngora der komplexen Alltagswelt, in die ihn sein Leben stellte, orientierungslos, ja fast hilflos ausgeliefert war. Jenes Weltbild, das er ererbt hatte, konnte nur im permanenten Rausch bewahrt werden; es bot keine Anhaltspunkte mehr für die Selektion aus dem Angebot der Sinnvielfalt. So löst sich das scheinbare Paradoxon des literarhistorischen Sachverhalts auf, daß der retrogradeste Dichter der spanischen Klassik sich bis heute als ›der modernste‹ erweist, weil er jenes literarische Spiel mit den Sinnperspektiven, von dem die klassische spanische Literatur lebte, am weitesten trieb. Unsere These und die Beobachtungen, aus denen sie entwickelt wurde, finden Bestätigung auch in Gedichten, deren Form-Ambitionen weniger evident sind als die der *Soledades*. Nehmen wir ein Sonett auf die Stadt Madrid aus dem Jahr 1610 zum Beispiel:

DE MADRID

> Nilo no sufre márgenes, ni muros
> Madrid, oh peregrino, tú que pasas,
> que a su menor inundación de casas
> ni aun los campos del Tajo están seguros.
>
> Emula la verán siglos futuros
> de Menfis no, que el término le tasa;
> del tiempo sí, que sus profundas basas
> no son en vano pedernales duros.
>
> Dosel de reyes, de sus hijos cuna
> ha sido y es; zodíaco luciente
> de la beldad, teatro de Fortuna.

La invidia aquí su venenoso diente
cebar suele, a privanzas importuna.
Camina en paz, refiérelo a tu gente.[161]

Vier Eigenschaften kennzeichnen die neue Hauptstadt des spanischen Reichs in den vier Sonett-Strophen: die Quartette thematisieren den Raum von Madrid: die Stadt dehnt sich unaufhaltsam aus, und sie ist auf Felsgestein gebaut. Die Terzette evozieren die gesellschaftliche Sphäre: Madrid ist der Sitz der Königsfamilie und der Ort höfischer Intrigen. Doch keine dieser vier Eigenschaften läßt sich in eine eindeutige Wertung, in ein prägnantes Verhältnis umsetzen, welches zwischen Thema und Leser gestiftet wurde. Jede der vier Eigenschaften zerfällt in zwei gegenläufige Perspektiven. Großartig wie der Nil ›überschwemmt‹ die neue Hauptstadt den sie umgebenden Raum; aber damit wird auch das Chaos ihrer Struktur, das Fehlen einer urbanistischen Gestalt eingeblendet. Länger als Memphis, die Hauptstadt des Nilreichs, wird das auf Felsen gebaute Madrid bestehen; doch der felsige Grund erschwert alles Bauen, läßt die Hauptstadt auf Wüstenboden stehen. Sitz der Königsfamilie – und damit der Schönheit – ist Madrid; doch wo die Könige wohnen, da wird auch die Unberechenbarkeit des Schicksals besonders schmerzlich spürbar. Der gierige Neid herrscht in dieser Stadt; doch Opfer dieses Neides sind Protektion und Korruption. Mit dem Wort ›Neid‹ wird eine semantische Gestalt unter pejorativer Perspektive konstituiert; doch diese der Sprache implizite Verschmelzung von Thema und Perspektive zerbirst, wenn dem Neid ein Objekt (die Intrigen) zugeordnet wird, das ihn als moralisch gerechtfertigt erscheinen läßt. Unsere Alltags-Sprache und unsere von ihr geprägte Weltsicht lassen es nicht zu, daß ein Erlebnisgegenstand zugleich als ›Neid‹ und als ›gerechtfertigt‹ erfahren wird, ebenso wenig wie sie es gestatten, daß man die Mündung eines Flusses ins Meer zugleich als Hineindringen des Meeres in den Flußlauf und als Sich-Ergießen des Flusses in das Meer sieht.

Es ist wohl kein Zufall, daß Góngoras Gedichte gerade in einer Phase der Kulturgeschichte wiederentdeckt wurden, als sich die Malerei des Kubismus daran machte, in ihren Bildern Hinsichten simultan zu präsentieren, die dem Auge nie in

Gleichzeitigkeit gegeben sind. Noch einmal auf Góngora gewandt: man kann nicht von ›Neid‹ sprechen und das Referenzphänomen für ›gerechtfertigt‹ ansehen, so wie eben auch nicht die Vorderseite und die Rückseite eines identischen Wahrnehmungsgegenstandes zugleich erfaßt werden können. Ähnlich wie das Spiel der wechselseitigen Relativierung von Sinnwelten im *Quijote* ist auch der ›dunkle Sinn‹ von Góngoras Gedichten Objektivation einer historisch spezifischen Konvergenz. Der Alltag seiner Gegenwart war durch eine Pluralität von Sinnhorizonten gekennzeichnet; die Literatur hatte sich weit genug von der Welt pragmatischen Handelns entfernt, um mit solcher Pluralität ein Spiel spielen zu können. Aber anders als Cervantes versuchte der Adlige, Höfling, Priester Luis de Góngora nicht, eigenständig Elemente aus solcher Sinnpluralität zu selegieren und zu prägnanten Sinngestalten zusammenzufügen. *Er verhielt sich nicht als Subjekt* – und das bedeutete auch, daß er kaum eigene Sinnbildungsgesten zwischen die Gegenstände seiner Wahrnehmung und den Leser schob.

Ontologisierung des Imaginären
Entwirklichung des Alltags

Die gedruckten Bücher, in denen Luis de Góngoras Gedichte seit dem zweiten Drittel des XVII. Jahrhunderts einem breiteren Publikum zugänglich wurden, waren illustriert, und ihre Illustrationen stammten aus der Tradition der Emblematik.[162] »Am Übergang von der Renaissance zum Barock« war »im Zusammenwirken beider Epochen die bildliterarische Kunstform des Emblems« entstanden. Zuerst hatte der italienische Rechtsgelehrte und Humanist Andrea Alciati im Jahr 1531 ein mit Holzschnitten des Malers Jörg Breu versehenes *Emblematum liber* in Augsburg veröffentlicht.[163] Dieses Emblem-Repertoire wurde bis zum Ende des XVIII. Jahrhunderts mehr als einhundertfünfzigmal aufgelegt, und es eröffnet die Gattungsgeschichte der ›Emblembücher‹, aus der uns etwa sechshundert Titel bekannt sind. Wenn – wie im Fall von Góngoras Werken – einem Text Emblem-Bilder zugeordnet wurden, dann fungierten nicht nur die Bilder als visuelle Konkretisierung der

Textinhalte, sie versetzten auch umgekehrt den Text in den Status einer ›Interpretation‹ ihrer selbst (einer Interpretation übrigens, die auf allgemeingültiges Wissen zielte).

In den Emblembüchern hat sich eine spezifische dreipolige Beziehung zwischen Text und Bild institutionalisiert. Über dem Bild stand das meist in lateinischer Sprache artikulierte *motto*, welches den vom Bild repräsentierten Sinn in sentenzenhafter oder sprichwortartiger Bündigkeit formulierte. Unter dem Bild war die *subscriptio* zu lesen: sie war nicht nur eine gegenüber dem *motto* ausführlichere Paraphrasierung des Bildsinns, sondern entfaltete ihre Semantik auch in größerer Nähe zum Bild-Gegenstand, den sie nicht selten in die Diachronie einer kleinen Erzählung überführte. Die *subscriptio* schrieb sich zwischen der Abstraktheit des *mottos* und der Konkretheit des Bildes ein. Worauf es nun in unserem Zusammenhang vor allem ankommt, das ist der Sachverhalt, daß die Emblem-Bilder meist Szenen, Gestalten, Gegenstände aus der Mythologie aufgriffen. Denn da das mythologische Thema des Bildes von der *subscriptio* sprachlich artikuliert und vom *motto* auf das Abstraktionsniveau des Allgemeinmenschlichen gehoben wurde, wird deutlich, daß das Emblem-Bild genau jene Stelle besetzte, die in alltägliche Erfahrungsbildung den wahrgenommenen Gegenständen einer ›äußeren Wirklichkeit‹ zukommt. Und weil es sich bei den Gegenständen dieser Bilder fast immer um Mythologisches handelt, können wir behaupten, daß die Embleme Symptom einer *Ontologisierung des Imaginären* sind.

Die emblemtypische Beziehung von Bild-Wahrnehmung und Text-Sinn weist auf eine Krise in der Beziehung zwischen wahrgenommener Umwelt und jenen Beständen kollektiven Wissens, die zu ihrer Deutung bereit standen. Anders und im Blick auf die zwei zentralen Phasen menschlicher Sinnbildung formuliert: Erleben und Erfahren waren auseinandergerückt; zwischen der Thematisierung wahrgenommener Umwelt und der Auslegung thematisierter Umwelt öffnete sich ein Spielraum, der ihre bis dahin selbstverständlichen Zuordnungen problematisch werden ließ. Die Emblem-Repertoires hielten Erleben und Erfahrung, Thematisierung und Auslegung des Thematisierten noch – in doppeltem Sinn ›künstlich‹ – zusammen. Doch für diese Erhaltung der Korrelation von Erleben und Erfahren mußte ein Preis gezahlt werden, und er lag eben in der Substitution der Umwelt als Gegenstand der Wahrnehmung und der Thematisierung durch mythologische (und literarische) Sinnstrukturen, die sich im Emblem-Bild so manipulieren ließen, daß sie dem je gewollten Sinn entsprachen. Dieser in der Emblem-Mode vollzogenen Substitution entsprach außerhalb der Emblem-Repertoires eine Tendenz zur *Entwirklichung des Alltags*. Die Welt des Alltags, so kann man eine zentrale Erfahrungsprämisse der europäischen Kultur des XVII. Jahrhunderts paraphrasieren, sei bloßer Schein (›engaño‹), der als Schein entlarvt werden müsse (›desengaño‹), wenn man den ›eigentlichen‹ Sinn der Welt und des Lebens verstehen wolle. Gemeinsam prägten die Ontologisierung des Imaginären und die Entwirklichung des Alltags einen Habitus der Sinnbildung, den wir als mentalitätsgeschichtliches Äquivalent zu dem kulturgeschichtlichen Epochenbegriff ›Barock‹ ansehen können. Im Barock aber lagen die Sinnsphäre des Alltags und jene der Fiktion nicht mehr auf derselben Ebene der Wirklichkeitskonstruktion, wie es für die kurze historische Durchgangsphase der spanischen Klassik der Fall gewesen war. Man bewertete nun jene Sinnstrukturen, die wir ›ontologisierte Imagination‹ genannt haben, als Negationen der Alltagswirklichkeit – und genau dieses Negieren bezeichnet der spanische Begriff des ›desengaño‹. Die Sinnsphären des Alltags und der Imagination konnten nicht mehr in ein Spiel wechselseitiger Relativierung treten, und deshalb wohl erscheinen uns Barock-Texte heute oft ferner als beispielsweise der *Quijote* oder die *Soledades*.

Freilich ist es ein Privileg der historischen Retrospektive, jene Sinnstrukturen, welche im Barock die erlebte Alltagswirklichkeit negierten, als Fiktion erfahren zu können. Die Herausgeber der Emblembücher etwa hätten gewiß die These nicht akzeptiert, daß sie es selbst waren, welche die oft komplexen Symbol-Kontaminationen der Emblem-Bilder erfanden. Vielmehr glaubten sie, bis dahin verborgenen, in ihren Formen höchst vielfältigen Verflechtungen zwischen den Elementen des Kosmos auf die Spur gekommen zu sein. Michel Foucault hat dieses Weltbild ›la prose du monde‹[164] genannt, weil es einlud, die Welt zu lesen wie einen Prosa-Text. Wir haben im vorausgehenden Abschnitt begründet, warum wir im Gegensatz zu Foucault Don Quijotes Verzauberung der Welt durch das Wort *nicht* mit solcher Prosa-Lektüre der Welt identifizieren wollen. Hingegen folgen wir jener Interpretation Foucaults,[165] in der die Bildstrukturen der *Meninas* von Diego de Velázquez als idealtypische Vergegenwärtigung des barocken Verhältnisses zur Welt herausgearbeitet werden.[166] Dem Menschen als Subjekt – im Bild vertreten durch das Selbstporträt des Malers – kam im Weltbild jener Epoche die Aufgabe zu, wahrgenommene Wirklichkeit (hier: das spanische Königspaar, das dem Maler Modell sitzt) und ihre Repräsentationen (hier: das dem Betrachter von Velázquez' Gemälde nicht direkt einsehbare Doppelporträt, welches auf der Leinwand entsteht, und seine Reflexion durch einen Spiegel im Hintergrund des Bildraums) zusammenzuhalten. Doch so vielfältig die Beziehungen zwischen wahrgenommener Wirklichkeit und ihrer Repräsentation auch sein mögen – während die *meninas* auf das modellsitzende Königspaar blicken, und in der geöffneten Tür des Ateliers eine männliche Gestalt steht, deren Perspektive die gesamte Szene erfassen kann, führt keine Perspektive hin zum Betrachter des Bildes, um ihn in das repräsentierte Spiel der Repräsentation aufzunehmen. Die *Meninas* stehen als Bild des Barock historisch *vor* dem Vollzug der Selbst-Erfahrung, daß der Mensch seiner Umwelt Sinn gibt, statt einen unabhängig von ihm existierenden Sinn der Welt zu entziffern. Zwar hatten sich – zumal in Spanien – Autoren und Leser, Maler und die Betrachter ihrer Bilder, Herrscher und Untertanen schon seit Jahrhunderten als sinnkonstituierende Subjekte verhalten, aber noch hatten sie sich nicht in dieser Rolle selbst erfahren.

In Madrid regierte seit dem Jahr 1621 Philipp IV. – und mehr für ihn als mit ihm schon bald sein *privado,* der spätere Conde-Duque de Olivares. Wieder hatten sich an den Regierungsantritt eines neuen Königs fast leidenschaftliche Hoffnungen der spanischen Gesellschaft geknüpft, und der junge Monarch gab zunächst durchaus Anlaß, an die Erfüllung solcher Hoffnungen zu glauben. Was seine Epoche von der späten Regierungszeit Philipps II. und den zwei Jahrzehnten der Herrschaft von Philipp III. unterschied, das war der Schritt von der Verleugnung des Krisenerlebens hin zur Erfahrung der Krise[167] und die damit erschlossene Möglichkeit, politisches Handeln bewußt am Ziel der Krisenbewältigung auszurichten. So erließ Philipp IV. im Jahr 1623 eine Reihe von Verordnungen (›*pragmáticas*‹), welche das Ausufern der aufwendigen Kleidermode eindämmen sollten, weil diese während der vorausgehenden Jahrzehnte zu einem wesentlichen Faktor des volkswirtschaftlich ruinösen Überhangs der Importe des Landes über seine Exporte geworden war. Diesen *pragmáticas* fielen nun zwar die für uns so bizarren Halskrausen zum Opfer, aber wir sollten den auch dadurch bedingten Eindruck größerer historischer Nähe der Porträt-Figuren aus Velázquez' Epoche nicht überbewerten. Erleben des Körpers, Erleben des Alltags auf der einen Seite und die dem Körper wie dem Alltag andererseits auferlegten Sinnstrukturen standen weiterhin in einem Verhältnis der Spannung – auch wenn nun an die Stelle der Verleugnung des Körpers und des Alltags ihre Umsetzung in Erfahrung und eine solche Erfahrung treffende Entwirklichung getreten waren. Die Körperhaltung und die Gesten mögen in spanischen Königsporträts aus dem XVII. Jahrhundert gezwungen, linkisch, wahnhaft wirken – in ihrem Ornat und umgeben von den Insignien ihrer Macht repräsentieren diese Gestalten die noch ungebrochene Wirklichkeit der königlichen Rolle.

Eben dieser – für uns oft schockierende – Abstand zwischen Gestalt und Sinn der Repräsentation charakterisiert das barocke Königtum in Spanien. So war es dem Conde-Duque de Olivares nicht entgangen, daß trotz der außenpolitischen Befriedung in den ersten Jahrzehnten des XVII. Jahrhunderts Spaniens Rang als Weltmacht schon mehr auf Erinnerungen als auf bewahrter Stärke beruhte. Eben aus der Erinnerung an die glorreiche Vergangenheit spann er ein pompöses Konzept zur Wiedererlangung schon verlorener Macht. Er gab diesem Konzept den Namen ›*Austracismo*‹: gemeinsam sollten die spanische und die österreichisch-deutsche Linie des Habsburgerhauses erneut die Herrschaft über Europa gewinnen – und vielleicht hat die Ontologisierung des Imaginären nie fatalere Folgen gehabt. Die vom *Austracismo* motivierten außenpolitischen und militärischen Offensiven verlangten einen finanziellen Aufwand, den sich Spanien nicht mehr leisten konnte. Und deshalb geriet nun auch die innenpolitische Szenerie unter den Bann eines Begriffes, dem sich die einzelnen Ereignisse und Handlungen immer mehr entzogen. Gesetze und Erlasse eines neuen Zentralismus brachen – auf dem Papier endgültig – die Unabhängigkeitstradition der ehemaligen Königreiche, doch zu kaum einem Zeitpunkt der spanischen Geschichte war deren Entschlossenheit, sich der kastilischen Dominanz zu entziehen, einmütiger als gerade in jenen Jahrzehnten der Dekadenz. So verlor die spanische Krone nicht nur Zug um Zug Provinzen und Kolonien und mußte sich im Westfälischen Frieden des Jahres 1648, am Ende des Dreißigjährigen Krieges, Bedingungen diktieren lassen, mit denen das Land endgültig aus der Phalanx der Weltmächte schwand; auch Portugal gewann seine Unabhängigkeit zurück und in Katalonien waren die vierziger Jahre eine Phase der Aufstände gegen die kastilische Herrschaft.

Damals wurden in Spanien alte und neue Metaphern aus der Tradition des *contemptus mundi* im Alltag der Herrschaft zur Wirklichkeit. Das Bild von der *locura* der Welt konkretisierte und erfüllte sich im Leben des Conde-Duque de Olivares: er litt unter Depressionen und manischen Schüben, deren Zyklen sich in das Auf und Ab seines politischen Handelns einzeichneten.[168] Philipp IV. bewegte sich nicht nur in der theatralisierten Welt des beibehaltenen Hofzeremoniells; jedermann wußte, daß ihn Neigung und Hörigkeit über lange Jahre an eine Schauspielerin, die Calderona, banden, und im späten XVII. Jahrhundert sollte sich der aus dieser Beziehung hervorgegangene Sohn, Juan José de Austria, als ein seinem Halbbruder und dem legalen Erben der Macht, Karl II., weit überlegener Widersacher erweisen. Doch als dominante Wirklichkeit waren für diese Welt die Fassaden der ontologisierten Fiktionen von Belang, nicht der entwirklichte Alltag – und deshalb litt man kaum unter solcher Doppelbödigkeit der Existenz. Mit dem Nebeneinander von glühender Frömmigkeit und sexuellen Exzessen führte Philipp IV. ohnehin nur eine fast ehrwürdige Tradition des spanischen Königshauses zu ihrem Höhepunkt. Unter seiner Herrschaft kam Peter Paul Rubens nach Madrid, um die Gemächer des königlichen Palasts zu Kulissenwelten der Mythologie auszugestalten und um sich als Spion der spanischen Krone engagieren zu lassen. Und Velázquez stieg immer höher auf den Sprossen der höfischen Ehrenämter, während der König immer tiefer in Zahlungsrückstände für die von ihm vollendeten Bilder geriet.[169]

Es muß in den frühen dreißiger Jahren des XVII. Jahrhunderts gewesen sein, als Olivares einen Plan faßte, dessen Verwirklichung einmal nicht scheiterte – und dies wohl deshalb, weil alle an seiner Verwirklichung Beteiligten dem Willen und der Macht des Conde-Duque unterworfen waren. Um das Zentrum einer *huerta* aus dem Besitz seiner Frau an der Ostseite von Madrid, nahe dem Prado ›erwarb‹ er – durch Anordnungen zur Enteignung und zum Zwangsverkauf – ein weites Gelände, das er mittels aufwendiger Baumaßnahmen zu einem dem zeitgenössischen Idealkonzept entsprechenden Park verwandelte. In der künstlichen Welt dieses Parks, des *Buen Retiro*, konnte Philipp IV. 1635 einen neuen Palast beziehen, der schon bald erweitert wurde. Zu den Erweiterungsbauten gehörte auch der *Coliseo de las Comedias*, der als ›Theater Calderóns‹ in die Literaturgeschichte eingegangen ist.[170] Wir wissen, daß mit dem *Buen Retiro* eine politische Doppelstrategie von Olivares zu einer Parklandschaft und zu einem Ort der Kultur wurde. Er wollte sich mit dieser Huldigung an den Monarchen sozusagen vorsorglich dessen Gunst sichern (und damit das der Rolle des *privado* eigene Risiko des Verlusts königlicher Huld minimieren); aber der Prunk des *Retiro* sollte auch den Blick der ausländischen Gesandten am spanischen Königshof von Staatsbankrotten und Zahlungsschwierigkeiten ablenken. Dies alles war für die Zeitgenossen durchaus kein Geheimnis, vielmehr spricht unverhohlener Stolz aus dem Kommentar eines Chronisten über eine königliche *máscara*, zu der Philipp IV. im Februar 1637 lud:

Dicen los discursistas que tan grande acción ha tenido otro fin que el de recreación y pasatiempo, que fue también ostentación, para que el Cardenal Richelieu nuestro amigo sepa que aun hay dinero en el mundo que gastar y con que castigar a su Rey.[171]

Zugleich Vergnügungen des spanischen Königshofs und Medien politisch wirksamer Repräsentation waren auch die *comedias* und *autos*, die im *Coliseo* des *Buen Retiro* zur Aufführung kamen. Primär und prinzipiell wandten sie sich an das geschlossene Publikum der Hofgesellschaft, doch regelmäßig – zumal bei feierlichen Anlässen und an Festtagen – wurden der *Retiro* und sein Theater auch für die Bevölkerung von Madrid geöffnet. Die Zuschauer, die dann in den königlichen Park strömten, erlebten nicht nur das Welttheater auf der Bühne, sondern auch die Repräsentation ihrer eigenen Nation in den glanzvollen Fassaden der königlichen Bauten und Räume. Sebastian Neumeister hat gezeigt, daß sich aufgrund der spezifischen Raumarchitektur das Spiel auf der Bühne des *Coliseo* immer zur Königlichen Loge wenden mußte.[172] Und diese Ausrichtung auf den König als Zentrum und einzigen Bezugspunkt war selbst ein wesentlicher Teil des den Zuschauern gebotenen Spektakels. Offenbar konnte das Spiel der Theatralisierung nun nicht mehr den Raum des gesellschaftlichen Alltags ausfüllen.

Für die Zuschauer, die aus der Stadt in das Theater des *Retiro* kamen, blieb die dort entfaltete Repräsentation gewiß am Horizont der Erfahrung; nur im begrenzten und sich bewußt von der Gesellschaft absetzenden Milieu des Hofes scheint die Entwirklichung des Alltags durch ontologisierte Fiktionen gelungen zu sein. So ist es bezeichnend, daß sich die Biographien von Pedro Calderón de la Barca, dem Dichter dieser Welt, und von Lope de Vega Carpio, dem Idol des bunt gemischten Publikums der Stadt, nur einmal berührt haben. In der einschlägigen Anekdote allerdings wirken ihre Rollen gegenüber den historisch belegten Identitäten von Calderón und Lope eigentümlich vertauscht. Auf amourösen Pfaden durchbrach ein Freund der Jugendjahre Calderóns die Klausur just jenes Barfüßerinnen-Klosters, in dem Lopes Tochter Marcela gewiß auch für die Sünden ihres Vaters Vergebung erflehte. In einem Brief, der von väterlicher Sorge und Eifersucht, vom Pathos der Religiosität und dem Selbstbild der Rechtschaffenheit getragen war, verlangte Lope – am Ende erfolglos – Sühne und Genugtuung.[173]

Doch dieser Episode entsprach in Calderóns Leben gewiß nicht jene grundlegende Ambivalenz, die Lopes Biographie zu einem Roman machte. Ausgelassene Jugendjahre gehörten zu den gleichsam ›klassischen‹ Phasen eines höfischen Lebenslaufs, wie er Calderón de la Barca, der im Jahr 1600 als Sohn eines königlichen *Secretario de Hacienda* geboren wurde, vorbestimmt war; und wenn Calderón solche Ausgelassenheit überhaupt genossen haben sollte, dann gewiß ohne jene Exzesse, die

Lopes Biographie kennzeichnen. »Sein Leben war ein Anstieg in stolzer Ruhe und Beharrlichkeit, ohne Hemmungen, ohne Straucheln und Rückschläge, darum auch ohne seelische Erschütterungen.«[174] Standesgemäß besuchte er eine Jesuitenschule in Madrid, studierte Theologie und Jurisprudenz in Alcalá und Salamanca. Wie es in seiner Zeit üblich war, kämpfte er mit dem königlichen Heer in Italien und Flandern, und noch 1640 nahm er am Feldzug gegen die katalanischen Rebellen teil. Die Inszenierungen seiner bei der Hofgesellschaft beliebten *comedias* brachten ihm im Jahr 1636 die Aufnahme in den Santiago-Orden ein und nach der erst 1651 empfangenen Priesterweihe zunächst ein reich dotiertes Amt an der Kathedrale von Toledo, später den Ehrentitel eines königlichen Hofkaplans. Die ungefährdete Beliebtheit und Anerkennung von Calderón de la Barca bei den Mächtigen seiner Zeit zeigt sich auch darin, daß er seit der Jahrhundertmitte das Privileg für Aufführungen von *autos sacramentales* in Madrid besaß.

Die Welt in seinem dramatischen Werk illustriert jene Schicht höfisch-barocker Mentalität, mit der sich die spanische Monarchie nach innen und nach außen präsentieren wollte. Die Bühne war als Mittelpunkt der höfischen und der religiösen Feste jener Epoche ein Ort, wo sich die Nähe von Schauspiel-Welt und monarchischer Repräsentation bis hin zu Kongruenz und Identität verschränkte. Aus ihrem Stellenwert innerhalb der institutionalisierten Sinnstrukturen der Epoche werden die wichtigsten Charakteristika von Calderóns *comedias* verständlich. Zunächst einmal war bei aller internen Vielfalt das thematische Spektrum der Dramen Calderóns gegenüber Lopes *comedias* deutlich reduziert. Während für Lope de Vega die narrativen Potentiale der Stoffe ausschlaggebend für die Wahl seiner Bühnenhandlungen gewesen zu sein scheinen, können wir vermuten, daß Calderón vor allem an der Beziehbarkeit der Handlung auf abstraktere Sinnschichten des religiös-theologischen Wissens gelegen war – so wie auch die Herausgeber der Emblem-Bücher Bilder und Texte einander anpassen mußten. Eben deshalb fiel es Calderón leicht, seine für das Hoftheater entstandenen Stücke immer wieder in Versionen ›*a lo divino*‹ für Aufführungen am Fronleichnamstag umzuschreiben. Strukturen der Gesellschaft und Strategien ihrer Entwirklichung, alltäglicher

Menschenverstand und wahnhafte Phantasie standen hier nicht mehr in Beziehungen – auflösbarer – Spannung oder wechselseitiger Relativierung; vielmehr trug die Welt der Ideen und moralischen Prinzipien eindeutig den ›Wirklichkeitsakzent‹ gegenüber einer Alltagswelt, deren Verleugnung oder Beschönigung überflüssig geworden war.

Unter den noch heute gespielten Stücken von Calderón weist wohl der *Alcalde de Zalamea* aus dem Jahr 1642 die größte Nähe zu den *comedias* von Lope auf, der nicht umsonst denselben Stoff bearbeitet hatte. Auch hier wird eine Geschichte von der Wahrung der Untertanen-Ehre durch den gerechten König in die nationale Vergangenheit verlagert, als die nun freilich die Epoche Philipps II.– und nicht mehr die Zeit der Katholischen Könige – erscheint, genauer: die Jahre der Annexion Portugals nach 1580. Petro Crespo, ein reicher Bauer, nimmt einen Hauptmann der Besatzungstruppen auf und wird kurz darauf zum *alcalde* seines Dorfes – Zalamea – ernannt. Der Hauptmann vergewaltigt Crespos Tochter und antwortet mit Hohn auf dessen flehentliche Bitten, die Ehre der Familie durch die Eheschließung wiederherzustellen. Schließlich waltet Crespo trotz aller Bedenken als unerbittlicher Richter: er verurteilt den Mann, der seine Tochter geschändet hat, und läßt ihn ins Gefängnis werfen. Als ein General des Heeres die sofortige Auslieferung des Hauptmanns fordert, weigert sich Crespo, seine Entscheidung rückgängig zu machen, trotz dessen Drohung, das Dorf in Flammen aufgehen zu lassen. Nun erscheint der König am Ort der Handlung, um Crespo – natürlich – Recht zu geben, aber auch um die Freilassung des Gefangenen zu fordern. Doch dieser ist bereits hingerichtet worden – und damit hat Crespo seine gesetzlich festgelegten Kompetenzen überschritten. Wenn der dramatisierte Philipp II. dem Alcalde de Zalamea solchen Gesetzesbruch verzeiht, so bedeutet das, daß Calderón die Unteilbarkeit des Rechts über die institutionalisierte Aufteilung richterlicher Befugnisse triumphieren läßt:

> REY. – Pues, ¿cómo así os atrevisteis? . . .
> CRES. – Vos habéis dicho que está
> bien dada aquesta sentencia;
> luego esto no está hecho mal.

REY. – El consejo ¿no supiera
la sentencia ejecutar?
CRES. – Toda la justicia vuestra
es solo un cuerpo no más:
si este tiene muchas manos,
decid, ¿qué más se me da
matar con aquesta un hombre
que esta otra había de matar?
¿Y qué importa errar lo menos,
quien acertó lo demás?[175]

Trotz aller Ähnlichkeit der Handlung mit einem Drama wie *Fuenteovejuna* dürfen wir nicht übersehen, daß es hier nicht mehr um die Milderung von Härten des Alltagslebens durch die Institution des Königtums geht. In Philipps II. abschließender Einsicht vollzieht die Theaterwelt die Aufhebung der institutionellen Wirklichkeit durch ein moralisches Prinzip. Der ›künstliche Charakter‹ von Calderóns Ehrbegriff, seine Nähe zu dem, was wir heute ›soziales Prestige‹ nennen,[176] läßt sich viel deutlicher an seinen Gesellschaftsdramen fassen, ja die für den *Alcalde de Zalamea* skizzierte Interpretationsperspektive könnte wohl kaum Ergebnis einer Analyse sein, welche diesen Text isoliert von anderen Werken Calderóns betrachtete. In *El médico de su honra* wie in *A secreto agravio secreta venganza* ermorden Ehemänner ihre Frauen, weil sie durch deren *vermeintliche* Untreue ihre Ehre gefährdet sehen;[177] daß Calderón in keinem der beiden Fälle seinen Zuschauern nahelegen will, wahnhafte Eifersucht sei Grund und Motiv für solche Taten gewesen, geht aus der Kaltblütigkeit hervor – Calderón nennt sie ›Umsicht‹ (›*prudencia*‹) –, mit der er die Mörder zu Werke gehen läßt. Denn wenn der Mord dem scheinbar drohenden Verlust der Ehre zuvorkommen soll, dann muß natürlich auch vermieden werden, daß dieses schreckliche Präventivhandeln nun seinerseits den Verdacht aufkommen läßt, die Gatten hätten sich für den Verlust ihrer Ehre gerächt. In beiden Dramen rechtfertigt ein Schweigeversprechen des hinzugezogenen Königs die Bluttat, ja im *Médico de su honra* will der König den Mörder/ Gatten Don Gutierre sogar durch eine neue Verheiratung über den durch die Gefährdung seiner Ehre verursachten Schmerz hinweghelfen. Das geschieht – theatralisch genug – im Angesicht des Leichnams von Doña Mencía, deren Unschuld von der Dramenhandlung ebenso deutlich herausgestellt wird wie die ethische und gesellschaftliche Legitimität ihrer Ermordung:

REY. – ...
Cubrid ese horror que asombra,
ese prodigio que espanta,
espectáculo que admira,
símbolo de la desgracia.
Gutierre, menester es
consuelo; y porque le haya
en pérdida que es tan grande
con otra tanta ganancia,
dale la mano a Leonor;
que es tiempo que satisfaga
vuestro valor lo que debe,
y yo cumpla la palabra
de volver en la ocasión
por su valor y su fama.[178]

Zu beklagen ist nicht die ermordete Frau, sondern der geängstigte Mörder; die faktische Unschuld wiegt nichts gegen den Verdacht der Schuld; Ehre als allmächtiges Statussymbol negiert die Wirklichkeit des Handelns. Denn es ist nicht schon die Wirklichkeit des Handelns, welche die Ehre erhält oder gefährdet; vielmehr entscheidet der gesellschaftliche Schein, den das Handeln hinterläßt, über Leben und Tod.

Es gibt zwei Dramen von Calderón de la Barca, deren Titel zu den beliebtesten Kurzformeln für die Kennzeichnung barocken Lebensgefühls geworden sind und den Namen des Autors zu einer Metonymie für die Kultur seiner Epoche haben werden lassen: *La vida es sueño* und *El gran teatro del mundo*. Wenn hier das Leben ein ›Traum‹ ist und die Welt ein ›Theater‹, so begegnen wir dem mentalen Schema von der ›Entwirklichung des Diesseits‹ in seiner denkbar höchsten Abstraktion und Verallgemeinerung. Doch die beiden Stücke lassen sich nur im Hinblick auf ihre Inhalts-Form, nicht aber im Hinblick auf ihre Funktion als Parallelen zu den Gesellschaftsdramen mit ihrer Negation der Handlungs-Wirklichkeit durch den gesellschaftlichen Schein sehen. Legitimieren die Gesellschaftsdramen einen Ehrbegriff, den wir für künstlich ansehen, weil er nicht mehr in einer Ethik des Handelns fundiert war, so bieten *La vida es sueño* und vor allem *El gran teatro del mundo* Möglichkeiten der Kompensation für das Leben im Diesseits. Wenn man dieses Kompensationsangebot der kosmologischen Dramen als Horizont – und nicht als Parallele – auf die Gesellschaftsdramen zuordnet, so verliert der dort ontologisierte gesellschaftliche Schein seine Dominanz, und die dort entwirklichte Objektivität des Handelns kann den Wirklichkeitsakzent zurückgewinnen. Erst aus solchem Reflexiv-Werden des Schemas von ›Ontologisierung und Entwirklichung‹, vor dem Hintergrund der Entwirklichung zuvor ontologisierter Fiktion läßt sich der Erfolg von Calderóns Theater bei seinen Zeitgenossen verstehen, denen die Verleugnung der Krise ihrer Gesellschaft und Nation längst nicht mehr möglich war.[179]

Die Handlung von *La vida es sueño* weist eine eigentümliche Ähnlichkeit zu dem aus arabischen Erzähltraditionen stammenden *Libro de los engaños* auf, der für Alfons den Weisen geschrieben worden war, und mit dem wir uns im ersten Kapitel beschäftigt hatten. Auch in Calderóns Stück wird einem König – diesmal handelt es sich allerdings um den König von Polen – geweissagt, daß ein eben geborener Prinz Unglück über sein Haus bringen werde; auch hier verbannt der Vater den Prinzen, um die Erfüllung der Prophezeiung zu verhindern, kann aber endlich doch der Versuchung nicht widerstehen, den zum Jüngling herangereiften Sohn an den Hof zu holen. Er wird in einen tiefen Schlaf versetzt und zum Palast gebracht, doch sein aufbrausendes Verhalten zwingt den Vater zum Abbruch seines Experiments. Als der Prinz, ins Turmverlies der Verbannung zurückversetzt, wieder zu Sinnen kommt, bleibt für Clotaldo, seinen Aufseher, keine andere Wahl, als ihn davon zu überzeugen, daß die Szenen am Hof ein Traumbild gewesen seien. Doch er würde seiner Aufgabe nicht genügen, fügte er nicht hinzu, daß man auch im Traum gerecht handeln müsse. Diese Belehrung ist das Sinnzentrum des Dramas, dessen weiterer Verlauf sich nun leicht voraussehen läßt. Der Prinz durchlebt eine Krise, welche ihn an der Wirklichkeit seiner Existenz in der Verbannung und an der Traumhaftigkeit seiner Erlebnisse bei Hof zweifeln läßt. Schließlich wird er vom rebellierenden Volk aus dem Gefängnis befreit und besiegt seinen

Vater – doch er kann die empfangene Belehrung und die vollzogene Erfahrung nicht mehr vergessen. So erweist er sich am Ende – entgegen der fatalen Prophezeiung – als gerechter Herrscher, weil er das Diesseits mit seinen Versuchungen *(engaño)* als Scheinwelt zu entlarven weiß *(desengaño)* und sich allein dem Ziel widmet, gerecht zu handeln.

Die analoge komplexe Sinngestalt wird im *Gran teatro del mundo* noch direkter, prägnanter – und für Zuschauer unserer Gegenwart gewiß auch oft: noch penetranter – durch die Inszenierungsform der religiösen Allegorie artikuliert. Gott erscheint als *auctor* (und das bedeutet hier auch: als *autor de comedias*) und beruft einen König, einen Reichen, einen Landmann, einen Bettler, ein Kind und die Schönheit als Schauspieler (als ›Rollen‹ wie es im Text heißt) in sein Theater, die Welt. Am Ende des Spiels im großen Welttheater werden die Schauspieler belohnt und bestraft – und zwar je nachdem, wie gut oder schlecht sie ihre Rolle gespielt haben. Fast erübrigt es sich zu sagen, daß die Verteilung von Lohn und Strafe zu einer Umkehrung der vom Ensemble der Rollen konnotierten sozialen Hierarchie wird. Hier bedeutet ›Entwirklichung des Diesseits‹ nicht mehr Ausblendung des Handelns in seiner Wirklichkeit zugunsten des *gesellschaftlichen Scheins*. Und diese andere, in sicherer Hoffnung auf jenseitige Gerechtigkeit vollzogene Entwirklichung legt den Zuschauern eine Einstellung nahe, welche die diesseitige Wirklichkeit – trotz aller Kritik – unberührt läßt.

Im konzeptistischen Spiel mit den großen Begriffen, wie es Calderón-Interpretationen nahelegen, ergibt sich die nächste Begriffs-Inversion von selbst: in dem Maß, wie die – gemäß dem Stück: vermeintlich – wirkliche Welt auf der Bühne als Theater erfahrbar wird, verwandelt sich der Theaterraum nicht nur zu einer Metapher der Welt, sondern präsentiert sich als jener Ort, wo die kosmologische Wirklichkeit hinter allem Schein ans Licht kommt. Doch weiter geht das Jonglieren mit den Begriffen nicht. Die Inszenierung des Kosmos als Theater im Theater kann etwa *nicht* als Selbstverweis der Literatur gedeutet werden. Denn der Selbstbezug in Calderóns großem Spiel betont gerade nicht den theatralischen Charakter des Schauspiels, sondern versieht umgekehrt das Schauspiel mit dem Wirklichkeitsakzent, welcher der Welt außerhalb des Theaters abgesprochen wird. Dies war das Hauptanliegen der Drameninszenierungen im *Buen Retiro*. Unter Aufbietung der letzten finanziellen Ressourcen engagierte man die prominentesten – und teuersten – italienischen Spezialisten für in Mode kommende Bühnentechniken, welche kurz zuvor noch nicht geahnte Effekte hervorzubringen verstanden.[180] *Desengaño* kann als Leitbegriff also allein auf die Handlung von Calteróns Dramen bezogen werden; die Inszenierungspraxis hingegen war ein Fest des barocken *engaño*.

Es mag ihre Vorliebe für ›Schulen‹ und ›Generationen‹ als Ordnungskategorien gewesen sein, welche es der hispanistischen Literaturgeschichtsschreibung nahelegte, Tirso de Molina, der als einer der drei großen spanischen Dramatiker des XVII. Jahrhunderts (aber stets als Dritter!) kanonisiert ist, einer nach biographischen und institutionellen Zusammenhängen nicht belegbaren ›Schule Lope de Vegas‹ zuzuschlagen.[181] Sein Geburtsjahr (1584?) und sein Sterbejahr (1648) liegen ziemlich genau zwischen den Lebensdaten von Lope und Calderón; doch die Biographie dieses Mönches, Komturs und Superiors des Mercedarier-Ordens ähnelt in ihrer moralischen Makellosigkeit eher Calderóns Ernst als Lopes romanesken Ambivalenzen. Vor allem aber lassen sich jene *comedias*, die ihn berühmt gemacht haben, funktionstypologisch – wenn auch nicht chronologisch – auf ein Folgeproblem der in Calderóns Theater entfalteten religiösen Kosmologie beziehen. Jede Form der Entwirklichung diesseitigen Alltags – das gilt für den spätmittelalterlichen *contemptus mundi* ebenso wie für den barocken *desengaño* – impliziert die Gefahr, eine Vernachlässigung diesseitiger Handlungspflichten zu legitimieren. Damit aber verliert die Religion ihre wichtigste gesellschaftliche Funktion. Ist dies der Fall, dann können Sinnstrukturen der Entwirklichung zwar die Erfahrung sozialer Krisen mildern, aber sie tragen zugleich zur Potenzierung des sozialen Chaos bei.

Um diese Problematik konstituieren sich Tirso de Molinas Don-Juan-Drama ›*El burlador de Sevilla*‹, aber auch *El condenado por desconfiado*. Den Don-Juan-Stoff vom adligen Lebemann und unwiderstehlichen Verführer, der immer wieder menschliche Ehre und göttliches Gebot bricht, bis er sich schließlich im Wahn eigener Allmacht vor dem Grabmal des Vaters einer von ihm verführten Frau zur Blasphemie versteigt, um postwendend mit dem Tod bestraft zu werden, brauchen wir hier nicht ausführlich zu paraphrasieren. Immerhin ist es interessant zu erwähnen, daß diese Dramenhandlung auf das Leben von Don Juan de Tassis y Peralta zurückgehen soll und auf seinen Tod von der Hand eines maskierten Unbekannten im Jahr 1622;[182] offenbar war man geneigt, in dieser Ermordung eher eine ›Strafe Gottes‹ zu sehen als den Racheakt eines gehörnten Ehemannes oder eines in seiner Familienehre getroffenen Vaters. Doch wer auch immer der Mörder des historischen Don Juan gewesen sein mag – im Drama ist es Gottes Wille, der sich mit der kurzen Rückkehr von Don Gonzalo ins Reich der Lebenden manifestiert. Zunächst allerdings versucht Don Juan das Erschrecken über die unerwartete Folge seiner blasphemischen Worte zu verarbeiten, indem er sich einredet, die Erscheinung von Don Gonzalo sei ein *engaño*:

DON JUAN
¡Válgame Dios! Todo el cuerpo
se ha bañado de un sudor,
y dentro de las entrañas
se me hiela el corazón.
Cuando me tomó la mano,
de suerte me la apretó,
que un infierno parecía:
jamás vide tal calor.
Un aliento respiraba,
organizando la voz,
tan frío, que parecía
infernal respiración.
Pero todas son ideas
que da la imaginación:
el temor y temer muertos
es más villano temor,
que si un cuerpo noble vivo,
con potencias y razón
y con alma, no se teme,
¿quién cuerpos muertos temió?[183]

Gewiß macht die bewundernswerte Kühnheit, mit welcher Don Juan der Einladung Don Gonzalos zu einem schaurigen

Nachtmahl folgt, einen nicht geringen Teil jener Faszination aus, mit der dieser Stoff die Rezipienten mehrerer Jahrhunderte in seinen Bann geschlagen hat. Doch Tirso de Molina dürfte wenig an solchen dramatisch fruchtbaren Ambivalenzen gelegen haben. Es ging ihm darum zu zeigen, daß mit der Entwirklichung des Diesseits nicht auch schon Gottes Gebot aufgehoben, in seinem Absolutheitsanspruch gemildert und in seiner Erfüllung aufschiebbar geworden war. Deshalb muß Don Juan am Ende Reue fühlen, und deshalb muß diese Reue zu spät kommen:

> DON JUAN
> ¡Que me abraso, no me aprietes!
> Con la daga he de matarte.
> Mas ¡ay! que me canso en vano
> de tirar golpes al aire.
> A tu hija no ofendí,
> que vio mis engaños antes.
> DON GONZALO
> No importa, que ya pusiste
> tu intento.
> DON JUAN
> Deja que llame
> quien me confiese y absuelva.
> DON GONZALO
> No hay lugar; ya acuerdas tarde.
> DON JUAN
> ¡Que me quemo! ¡Que me abraso!
> ¡Muerto soy!
>
> (Cae muerto.)[184]

Die Don Juan-Figur ist in ihrer Rezeptionsgeschichte zum Archetyp des zugleich erlebnishungrigen und erlebnisunfähigen Menschen geworden, zur literarischen Modellfigur männlicher Hysterie. Wir werden sehen, wie man sich in der Romantik um eine Milderung des Krankheitsbildes bemühte, indem man ihm wenigstens *eine* wahre Liebe zugestand, welche dann auch bei seiner Errettung von ewiger Verdammnis ins Gewicht fallen sollte. Diese motivgeschichtliche Wandlung des Don Juan läßt vermuten, daß das Symptom der ›Erlebnisunfähigkeit‹ in einem mentalitätsgeschichtlichen Zusammenhang mit der Epoche des Barock stand. Eine Korrelation von ›Erlebnishunger‹ und ›Ontologisierung des Imaginären‹, von ›Erlebnisunfähigkeit‹ und ›Entwirklichung des Alltags‹ zeichnet sich ab.

Im *Condenado por desconfiado* hat Tirso de Molina die theologischen und gesellschaftlichen Folgen der Diesseits-Entwirklichung nicht über das Motiv der allzu späten Reue, sondern aus der Perspektive allzu früher Heilsgewißheit thematisiert. Ein selbstgerechter Einsiedler namens Paolo erlebt im Traum seine Verdammung zu ewigen Höllenstrafen und bittet Gott um die Offenbarung des ihm vorbestimmten Schicksals. Für diesen impliziten Wunsch nach Heilsgewißheit wird er bestraft. Es ist der Teufel in Gestalt eines Engels, der ihm einflüstert, daß er im Jenseits das Los eine Räubers namens Enrico teilen werde. Da verliert die bisherige Frömmigkeit des Einsiedlers ihre Motivation, und er wird selbst zu einem Räuber, der abgefeimt genug ist, den – vermeintlichen – Schicksalsgenossen Enrico gefangenzunehmen. Doch er bemüht sich – allein im Gedanken an das eigene Leben im Jenseits – diesen zu bekehren, und bleibt ohne Erfolg. Schließlich stirbt Enrico im Zustand der Gnade, weil er sich vom Flehen seines Vaters kurz vor dem eigenen Tod zur Umkehr bewegen ließ. Paolo, der als ebenso frommer wie heilsgewisser Einsiedler in die Dramenhandlung eingetreten war, kann dieses Exempel nicht verstehen und stirbt als Räuber, als eine sichere Beute der Hölle. Man lernt: ›späte Reue‹ wird nur dann von ›jenseitigem Erfolg‹ gekrönt, wenn die ihr vorausgehenden Sünden nicht schon im Vertrauen auf die Möglichkeit späterer Umkehr vollzogen werden (das ist der Fall Enricos); Handeln nach dem göttlichen Gebot ist auf der anderen Seite dann kein Verdienst, wenn es allein von der Hoffnung auf jenseitige Belohnung motiviert wird (das ist der Fall von Paolo).

Es fällt schwer, in einer Darstellung des spanischen Barocktheaters Monotonie zu vermeiden. ›Diesseits / Jenseits‹, ›Verstellung / Entlarvung‹, ›Schein / Sein‹, ›Entwirklichung / Ontologisierung‹ – das sind Begriffspaare, die zwar leicht verständlich sind, wenn man erst einmal die Bewegung ihres beständigen Vexierspiels erfaßt hat, deren Abstraktheit es aber andererseits verhindert, daß man über sie die Welt des XVII. Jahrhunderts in ihrer Besonderheit erfährt. Freilich lag deren Alterität gerade in der Distanz von öffentlichen Sinnstrukturen der Repräsentation gegenüber dem Alltag einer verfallenden Gesellschaft. Demgegenüber haben die *Prosa-Diskurse* den Vorzug, daß die auch hier zentrale Geste des *desengaño* gerade nicht durch die Ontologisierung von Ideen, Erinnerungen, Phantasien ausgeglichen wird. An der Stelle von ›eigentlich wahrem‹ Sinn mit Anspruch auf kollektive Verbindlichkeit dominiert in der Prosa eine *stoische Haltung* als Kontrapunkt zu der in ihrem ›Scheincharakter‹ entlarvten Welt des Alltags. Hier taucht – abgesetzt von allen Rollen des barocken Theaters – die Figur der Subjektivität wieder auf und tritt in ein doppeltes Spannungsverhältnis gegenüber der Gesellschaft. Damit stehen die Fragen zur Klärung an, wie das Subjekt das eigentlich unerträgliche Leben in der Gesellschaft erdulden und wie es sich diesem Leben entziehen kann; wie es das Subjekt – auf der anderen Seite – vermag, in eigenverantwortlichem Handeln gebildeten Sinn dem bloßen Schein entgegenzusetzen. Der mit der ersten Frage umschriebene Aspekt sozusagen ›passiver Subjektivität‹ begründet unter den Prosa-Autoren des spanischen Barock eine Faszination durch die alttestamentarische Gestalt des Dulders Hiob; der komplementäre Aspekt ›aktiver Subjektivität‹ rückt das politische Handeln Fernandos von Aragón ins Zentrum des Interesses.

Am Ende seines im Jahr 1626 als Buch veröffentlichten, aber schon etwa fünfzehn Jahre vorher geschriebenen Schelmenromans ›*La vida del Buscón llamado don Pablos*‹ läßt Francisco de Quevedo den *pícaro* und Titelhelden den durchaus gattungskonformen Entschluß fassen, seinem Leben durch die Auswanderung in die Neue Welt eine Wende zu geben. Der Text schließt mit dem Satz: *Y fueme peor, como v. m. verá en la segunda parte, pues nunca mejora su estado quien muda solamente de lugar, yo no de vida y costumbres.*[185] Das ist natürlich ein stoisches Motiv, und weil es diesen Schelmenroman beschließt, können wir behaupten, daß der *Buscón* am Ende der Gattungsgeschichte der Picaresca steht. Denn das Hauptmerkmal in der Erzählstruktur der Picaresca war ja die fortschreitende Konvergenz von Protagonisten-Ich und Erzähler-Ich gewesen, eine Konvergenz, die durch den Erfahrungsgewinn des Helden in der Abfolge seiner Abenteuer bedingt gewesen war, während der stoische Schlußsatz des *Buscón* die Distanz zwischen Erzähler-Ich und Protagonisten-Ich ostentativ aufrecht-erhält.[186] Daß auch Quevedo selbst in Distanz zur Sinngestalt des Schelmenromans getreten war, läßt schon die pointierte Kürze der fiktionsimmanenten *Carta dedicatoria* vermuten, welche jene Sprachhandlung zu einer lakonischen Formel – sozusagen zu einer ›Pflichtübung‹ – reduziert, mit der Schelmenromane sich ethisch zu legitimieren pflegten:

Habiendo sabido el deseo que v. m. tiene de entender los varios discursos de mi vida, por no dar lugar a que otro (como en ajenos casos) mienta, he querido enviarle esta relación, que no le será pequeño alivio para los ratos tristes. Y porque pienso ser largo en contar cuán corto he sido de ventura, dejaré de serlo ahora.[187]

Bei der weiteren Lektüre gewinnt man den Eindruck, daß Quevedo die gattungstypischen narrativen Elemente und Aktanten übernahm, jedoch zum einen den durch ihre Verknüpfung gebildeten Sinn aufhob (der Weg des *Buscón* ist gerade nicht ein Prozeß) und zum anderen die vorgegebenen Sinngestalten so auffüllte, daß dem Leser dreierlei deutlich wurde: diese Gestalten sind bloßer Schein; dieser Schein existiert nicht ›an sich‹, sondern wird von Menschen bewirkt; in dieser Auffüllung überkommener Sinnfiguren entstehen ›groteske Gestalten‹.[188] Wenn nun aber nicht mehr eine Entwicklungslinie in der Biographie des *pícaro* und eine Spannung zwischen Erzähler-Ich und Protagonisten-Ich Thema des *Buscón* ist, dann können wir vor allem die zentralen Kapitel als eine geradezu philosophische *mise en abîme* lesen. Denn dort wird Don Pablos Mitglied einer Gaunerbande und lernt, deren gigantischen Kleiderfundus zu nutzen, um sich – in je verschiedener Weise – so in der Gesellschaft zu präsentieren, daß er aus der Selbst-Präsentation Gewinn schlagen kann. Was in den ersten Kapiteln des dritten Buches von Quevedos *Buscón* der Alltag der falschen Bettler ist (die Angst des frühen XVI. Jahrhunderts vor der Verstellung wird im Barock zu einem literarischen Spiel), nämlich die Zusammenstellung perfekt täuschender Kleidermasken aus einer Vielfalt von ›an sich‹ inadäquaten Teileelementen, das kann man im dritten Kapitel des ersten Buches bei der Beschreibung des geizigen Licenciado Cabra als Verfahren des Erzählers beobachten. Die Metaphern in dieser Passage entsprechen den Einzelelementen der Kostüme, das fertige Kostüm hat sein Äquivalent in Cabras grotesker Gestalt:

El era un clérigo cerbatana, largo sólo en el talle, una cabeza pequeña, pelo bermejo (no hay más que decir para quien sabe el refrán), los ojos avecindados en el cogote, que parecía que miraba por cuévanos, tan hundidos y escuros, que era buen sitio el suyo para tiendas de mercaderes; la nariz, entre Roma y Francia, porque se le había comido de unas búas de resfriado, que aun no fueron de vicio porque cuestan dinero; las barbas descoloridas de miedo de la boca vecina, que, de pura hambre, parecía que amenazaba a comérselas; los dientes, le faltaban no sé cuántos, y pienso que por holgazanes y vagamundos se los habían desterrado; el gaznate largo como de avestruz, con una nuez tan salida, que parecía se iba a buscar de comer forzada de la necesidad; los brazos secos, las manos como un manojo de sarmientos cada una. Mirado de medio abajo, parecía tenedor o compás, con dos piernas largas y flacas. Su andar muy espacioso; si se descomponía algo, le sonaban los güesos como tablillas de San Lázaro. La habla ética; la barba grande, que nunca se la cortaba por no gastar, y él decía que era tanto el asco que le daba ver la mano del barbero por su cara, que antes se dejaría matar que tal permitiese; cortábale los cabellos un muchacho de nosotros. Traía un bonete los días de sol, ratonado con mil gateras y guarniciones de grasa; era de cosa que fue paño, con los fondos en caspa. La sotana, según decían algunos, era milagrosa, porque no se sabía de qué color era. Unos, viéndola tan sin pelo, la tenían por de cuero de rana; otros decían que era ilusión; desde cerca parecía negra, y desde lejos entre azul.[189]

Wir sehen, wie das Beschreibungsverfahren hier in die Entwirklichung des Beschreibungsgegenstands mündet: die Farbe von Cabras Soutane läßt ›sich nicht mehr bestimmen; die einen glaubten, sie sei aus Froschhaut‹ – und vielleicht *war sie nur eine Sinnestäuschung.* Analoges läßt sich von der Erzählstruktur des *Buscón* sagen: ihr Bezug auf die Gattungstradition des Schelmenromans läßt den Leser die Linie einer biographischen Erzählung erwarten, doch eine solche Linie gibt es hier nicht: *La vida del Buscón* löst sich in eine Sequenz von Szenen auf, deren Reihenfolge ohne Veränderung des Sinns variieren könnte.

Im *Buscón* setzte Francisco de Quevedo an die Stelle der entwirklichten Gegenstände semantische Konstrukte, die aus mimetischer Beziehung zur Wirklichkeit weitgehend gelöst waren, anders formuliert: ›Literatur‹ trat an die Stelle entwirklichter Realität. Eine ganz ähnliche Formel läßt sich auf seine frühen politischen Traktate anwenden: hier trat ›Tradition‹ an die Stelle der kritisierten Gegenwart. Angesichts der besonderen Beliebtheit, die Quevedo heute beim spanischen Lesepublikum als widerborstiger Klassiker genießt, ist dies gewiß ein ernüchternder Befund. Doch Traktaten wie ›*España defendida y los tiempos de ahora*‹ aus dem Jahr 1609, der erst 1655, nach dem Tod Quevedos, in ihren beiden Teilen veröffentlichten *Política de Dios y gobierno de Cristo*, der *Constancia y paciencia del Santo Job en sus pérdidas, enfermedades y persecuciones* und Quevedos Kommentar zu einem Brief des Katholischen Königs an den Vizekönig von Neapel kann man zwar beliebig viele zeitkritische Aspekte abgewinnen, aber kaum programmatische Gedanken, die sich ohne – hermeneutisch problematische – Sympathie mit dem Autor auf die Zukunft seiner Gegenwart zuordnen ließen. *España defendida* zeigt als eine Widerlegung ausländischer Kritik an der spanischen Politik und als Zurückweisung ausländischen Spotts über die spanische Gesellschaft, wie das frühe Nationalbewußtsein aus einer dialektischen Bewegung zwischen der *leyenda negra* und dem Glauben an eigene heilsgeschichtliche Sendung entstand.[190] Quevedo scheint einen Diskurs begründet zu haben, dessen Bedeutung durch das Anwachsen solcher Provokationen im Zeitalter der Aufklärung entscheidend gesteigert werden sollte. Der Kommentar zum Brief des Fernando von Aragón hebt vor allem die Unabhängigkeit in dessen politischem Handeln hervor; doch der historische Kontext läßt uns vermuten, daß es Quevedo weniger um ein Lob neuzeitlicher Subjektivität ging als um eine Kritik an Philipps IV. Abhängigkeit von seinem *privado*, dem Conde-Duque de Olivares. Und dieses Anliegen kam schließlich in der *Política de Dios* ganz offen zur Sprache:

De ninguna manera conviene que el rey yerre; mas si ha de errar, menos escándalo hace que yerre por su parecer, que por el de otro. Nada ha de recelar tanto un rey como ocasionar desprecio en los suyos; éste sólo por un camino le ocasionan los reyes, que es dejándose gobernar ... A los grandes del negocios lleva Dios Nuestro Señor a sus discípulos, aquí y al huerto. Y si quiere ver vuestra majestad en los reyes la diferencia que hay de llevar a ser llevados, una vez sola que Cristo nuestro redentor fué llevado de un ministro, el ministro fué el demonio, porque en otro no hubiera descaramiento para atreverse a llevarle ... El corazón de los reyes no ha de estar en otra mano que en la de Dios. El Espíritu Santo lo quiere así porque el corazón del rey en la mano de Dios está sustentado, favorecido y abrigado; y en la de los hombres, oprimido y preso y apretado.[191]

Solche überdeutlichen Anspielungen auf den allmächtigen *privado* setzten Quevedo dem Verdacht aus, der anonyme Autor eines 1639 in Spanien zirkulierenden ›offenen Briefs‹ gegen Olivares zu sein; und dieser Verdacht führte zu einer vierjährigen Haft, die Francisco de Quevedo erst nach dem Sturz von Olivares – physisch und psychisch gebrochen – verlassen durfte. Doch das unbestreitbare Verdienst, diese ungleiche Konfrontation gewagt zu haben, sollte uns nicht zu einer Fehleinschätzung von Quevedos politischer Position verleiten. Wie Calderón de la Barca war er am Hof Philipps II. aufgewachsen: sein Vater war Sekretär, seine Mutter eine Hofdame der Königin gewesen. Es folgten der obligate Besuch einer Jesuitenschule, das Studium in Alcalá und Valladolid. Dann kehrte Quevedo an den Hof zurück, um schon bald mit dem Herzog von Osuna nach Italien zu ziehen, wo er – freilich auf verlorenem Posten – wichtige politische Missionen übernahm. Quevedos Kritik an der spanischen Gesellschaft seiner Zeit war Kritik im Namen der Orthodoxie. Erst während seiner letzten Lebensjahre zeigte die Suche nach mystischer Gottesbegegnung das Ende solcher orthodoxer Hoffnungen an.

Was Quevedo als Autor freilich schon unter seinen Zeitgenossen enorm populär machte, das war neben der konzeptistischen Sprachartistik seiner Gedichte vor allem das am Text des *Buscón* illustrierte Talent zur Groteske. Für dieses Talent schuf er sich Raum in den jenseitigen Traumwelten der 1627 erschienenen *Sueños*, die von grotesken Gestalten bevölkert sind. In der folgenden Textpassage nimmt er Bezug auf einen Protagonisten aus der spanischen Geschichte, der im zweiten Kapitel unseres Buches eine Rolle spielte, auf den Dichter und Magier Enrique de Villena:

... descubrióse una grandísima redoma de vidrio. Dijéronme que llegase, y vi jigote, que se bullía en un ardor terrible, y andaba danzando por todo el garrafón, y poco a poco fueron juntándose unos pedazos de carne y unas tajadas, y déstas se fué componiendo un brazo, un muslo y una pierna, y al fin se coció y enderezó un hombre entero. De todo lo que había visto y pasado me olvidé, y esta visión me dejó tan fuera de mí, que no diferenciaba de los muertos.

– Jesús mil veces – dije –. ¿Qué hombre es éste, nacido en guisado, hijo de una redoma?

En esto oí una voz que salía de la vasija, y dijo:

– ¿Qué año es éste?

– De seiscientos y veintidós – respondí.

– Este año esperaba yo.

– ¿Quién eres-dije –, que, parido de una redoma, hablas y vives?

– No me conoces? – dijo –. La redoma y las tajadas, ¿no te advierten que soy aquél famoso nigromántico de Europa? ¿No has oído decir que me hice tajadas dentro de una redoma para ser inmortal?

– Toda mi vida lo he oído decir – le respondí –; mas túvelo por conversación de la cuna y cuento de entre dijes y babador. ¿Qué, tú eres? Yo confieso que lo que más llegué a sospechar fué que eras algún alquimista, que penabas en esa redoma, o algún boticario. Todos mis temores doy por bien empleados por haberte visto.[192]

In den *Sueños* wird nicht nur zu Wirklichkeit, was die Leser für Märchen oder Lüge hielten, der Blick aus dem fiktionalen Jenseits entwirklicht selbstverständlich auch die vermeintliche diesseitige Realität. Die Bewohner der Höllentiefen und Parnaß-Höhen sprechen aus, was in Quevedos Alltag tabuiert war. Aber anders als Calderón ließ er nicht einmal aus der Perspektive des Jenseits das Bild einer gerechten diesseitigen Ordnung entstehen. In der posthum veröffentlichten Satire ›La Fortuna con seso y la hora de todos‹ entmachtet der Göttervater Jupiter die Glücksgöttin, um in seiner fiktionalen Welt eine unter Quevedos Zeitgenossen einsetzende Forderung zu erfüllen: der gesellschaftliche Rang der Menschen sollte nur noch von ihren Taten abhängen. Doch bald schon wird das himmlische Experiment abgebrochen. Jupiter hat eine Erfahrung gewonnen, die ihn zum Stoiker macht: nicht das ›Walten des blinden Schicksals‹ macht das Leben in der Gesellschaft so unerträglich, sondern der – von ihrem Stand ganz unabhängige – Charakter der Menschen:

– He advertido que en esta HORA, que ha dado a cada uno lo que merece, los que, por verse despreciados y pobres, eran humildes, se han desvanecido y demoniado, y los que eran reverenciados y ricos,

449

que, por serlo, eran viciosos, tiranos, arrogantes y delincuentes, viéndose pobres y abatidos, están con arrepentimiento y retiro y piedad:
de lo que se ha seguido que los que eran hombres de bien se hallan
hecho pícaros y los que eran pícaros, hombres de bien. Para la satisfacción de las quejas de los mortales, que pocas veces saben lo que nos
piden, basta este poco de tiempo, pues su flaqueza es tal, que el que
hace mal cuando puede, lo deja de hacer cuando no puede, y esto no es
arrepentimiento, sino dejar de ser malos a más no poder. El abatimiento y la miseria los encoge, no los enmienda; la hora y la prosperidad los hace hacer lo que si las hubieran alcanzado siempre hubieran
hecho.[193]

In den Jahren von Francisco de Quevedos Haft, schrieb ein
Zeitgenosse, der es sich in der Welt des untergehenden spanischen Weltreichs weit besser einzurichten wußte, einen überaus
erfolgreichen politischen Traktat, der als Paradigma für den
barocken ›Tacitismus‹ gewiß weit repräsentativer ist als Quevedos *Política de Dios*. Er hieß Diego de Saavedra Fajardo, war
Mitglied des Consejo de Indias und später Gesandter der spanischen Krone bei den Friedensverhandlungen von Münster, und
sein Buch hatte den Titel ›*Idea de un príncipe político-cristiano*‹.
Was man ›Tacitismus‹ nannte, war eine Bündelung von Elementen aus antiker Anthropologie, höfischer Verhaltenslehre
und christlicher Theologie, die – von deutlicher Ablehnung des
Machiavellismus motiviert – das politische Handeln an überkommenen Normen orientieren sollte.[194] Wie fest ein bestimmter Horizont thematischer Faszinationen in barocker Mentalität eingerastet war, zeigt ein Überblick zum Gesamtwerk von
Saavedra Fajardo. Er schrieb einen *Diálogo entre Mercurio y
Luciano* mit dem Obertitel ›*Locuras de Europa*‹, dessen fiktionale Gesprächspartner – aus dem Jenseits natürlich – die sich
formierende *Leyenda negra* zurückwiesen und als vorgeblich
objektive Beobachter der Geschichte die Polemik umzukehren
suchten. In den *Introducciones á la politica y razon de Estado
del Rey Catolico don Fernando* finden wir dasselbe Repertoire
politischer Handlungsnormen wie in der *Idea de un príncipe
político-cristiano*, doch die in der *Idea* als Exempel dominierenden Westgotenkönige sind hier durch die Taten und Tugenden
des Katholischen Königs ersetzt. Und schließlich gab Saavedra
Fajardo auch seine Gedanken und Werturteile zur Literatur in

der Inszenierungsform einer Traumallegorie und unter dem Titel ›*República literaria*‹ zum besten. Was diesem auf dem politischen Parkett seiner Epoche erprobten Pragmatiker stets gelang, nämlich die Entfaltung eines wohlstrukturierten Normengebäudes, war Francisco de Quevedo nie gelungen: bei ihm löste sich der Vorsatz, dem chaotischen Alltag seiner Zeit wenigstens konzeptuelle Ordnung entgegenzustellen, stets in satirische Kritik oder groteske Phantasie auf. Doch mittlerweile haben wir den Eindruck gewonnen, daß die Prägnanz von Normen, Konzepten und Begriffsoppositionen bei Autoren des XVII. Jahrhunderts offenbar ein Symptom für ihre Distanz zum zeitgenössischen Alltag ist, daß ihre Texte deshalb noch lange nicht Perspektiven der Alteritätserfahrung öffneten und gegenüber unserem historischen Interesse deshalb eigentümlich flach bleiben.

Unter ähnlichen Faszinationen wie die Traktate von Quevedo und Saavedra Fajardo steht das Werk von Baltasar Gracián. Was Gracián jedoch mit Quevedo verbindet und von Saavedra Fajardo absetzt, ist die Unfähigkeit, sein Denken auf den geraden Bahnen von ontologisierten Fiktionen zu halten, während er sich von Quevedo durch die besondere Richtung solcher ›Abweichung‹ unterscheidet. Gracián debütierte im Jahr 1638 mit einer Schrift, deren Titel ›*El Héroe*‹ an die diskursiven Traditionen des spanischen Tacitismus mit geradezu akribischer Perfektion anschloß: Seneca, Aristoteles, Tacitus werden schon im Vorwort genannt, bereits im ersten Kapitel folgt Fernando von Aragón, und auch die Erwähnung der Katholischen Königin läßt nur bis zum zweiten Kapitel auf sich warten. Aber impliziter Leser des *Héroe* ist nicht mehr, wie es spätestens seit Machiavellis Zeiten üblich geworden war, ein *príncipe* mit der Verpflichtung zum politischen Handeln, sondern der an Selbsterziehung und an seiner ›Bildung‹ wie an einem ästhetischen Gegenstand interessierte Rezipient als Individuum: *Aquí tendrás una, no política, ni aun económica, sino una razón de estado de ti mismo, una brújula de marear a la excelencia, una arte de ser ínclito con pocas reglas de discreción.*[195] Gracián wechselte die Perspektive der aufgenommenen Tradition und mit ihr den Anwendungsbereich des barocken Begriffspaars ›*engaño/desengaño*‹. Mit ihrem neuen Bezug auf die Interaktionen des gesellschaftlichen Alltags veränderten sich auch die anschließbaren Wertfelder. An der Stelle von ›engaño‹, stehen nun Formulierungen wie ›violentar sus pasiones‹, ›solapar con destreza‹, ›no ser entendido‹, ›ocultar‹; ›desengaño‹, wird ersetzt durch ›descifrar‹, ›ser entendido‹, ›desmentir‹:

Atienda, pues, el varón excelente, primero a violentar sus pasiones; cuando menos, a solaparlas con tal destreza, que ninguna contrat[r]eta acierte a descifrar su voluntad. Avisa este primor a ser entendidos, no siéndolo; y pasa adelante a ocultar todo defecto, desmintiendo las atalayas de los descuidos y deslumbrando los linces de la ajena obscuridad.[196]

Hier folgt das seit Fernando del Pulgar überlieferte Exempel von der Katholischen Königin, die nicht einmal bei den Geburten ihrer Kinder einen Schrei oder ein Stöhnen über ihre Lippen kommen ließ. Doch Gracián verlor sich nie in der Fülle seiner Einzelbelege. Sogleich werden den Handlungsformen ›descifrar‹ und ›ocultar‹ Begriffe von entsprechenden Charaktermerkmalen, Fähigkeiten und Kompetenzen zugewiesen. Auf ›descifrar‹ wird ein Begriff zugeordnet, der von Prädikaten wie ›juicio‹, ›sindéresis‹, ›prudencia‹ bezeichnet wird; auf ›ocultar‹ die Bedeutung von ›ingenio‹ und ›agudeza‹.[197]

Während der vierziger Jahre seines Jahrhunderts hat Baltasar Gracián diese doppelseitige Konzeption vom Handeln des Subjekts in der Gesellschaft in einer Serie weiterer Traktate mehr und mehr verfeinert. Unter ihnen steht der obligate *Don Fernando el Católico* aus dem Jahr 1640 naturgemäß der Tradition des politischen Traktats am nächsten, während der sechs Jahre später erschienene *Discreto* am ehesten Parallelen zur zeitgenössischen französischen *honnêteté*-Diskussion aufweist. Zwischen *Fernando el Católico* und dem *Discreto* erschien die Schrift *Agudeza y arte de ingenio* im Jahr 1642, in der, wie schon der Titel verrät, nur eine von den beiden Seiten der Verhaltenskunst, nämlich die Selbstpräsentation, thematisiert wird. Genauer noch: es geht um die Modi der Selbstpräsentation im sprachlichen Handeln, dessen Elemente und Wirkungen Gracián anhand einer Fülle von antiken und zeitgenössischen Texten rekonstruiert und in systematischen Zusammenhang rückt. So gesehen ist *Agudeza y arte de ingenio* eine Rhetorik. Wichtigster Anwendungsbereich der Rhetorik war im Spanien des XVII. Jahrhunderts die Predigt, deren Formen und Strategien durch die Praxis der Jesuiten von Grund auf verändert worden war.[198] Gracián selbst war Mitglied der Societas Jesu und hatte als Kanzelredner Berühmtheit erlangt. Seine eng mit den Aktivitäten des Ordens verknüpfte Biographie macht es nötig, noch einmal auf jene Thesen über die Bedeutung der Jesuiten für eine Geschichte der Subjektivität zurückzukommen, die wir am Beginn dieses Kapitels formuliert hatten. Daß Gracián nur eine seiner Schriften, nämlich den geistlichen Traktat *Comulgatorio* unter eigenem Namen veröffentlicht hat, muß uns dabei nicht weiter erstaunen. Bemerkenswert ist hingegen zum einen, daß er wesentliche Phasen seiner intellektuellen Entwicklung bereits als Mitglied des Ordens durchlebte, in den er 1619 achtzehnjährig eingetreten war; zum anderen daß es nie einen offenen Konflikt zwischen der Societas Jesu und ihrem Mitglied Baltasar Gracián gab. Denn immerhin artikulierte Gracián seine Philosophie der Subjektivität und Individualität weitgehend unabhängig von theologischen Sinnhorizonten. Wenn man sich deshalb vergegenwärtigt, daß Gracián nicht nur eine Disziplinierung durch seinen Orden erspart blieb, sondern daß er sogar um 1643 zum Rektor des Jesuitenkollegs von Tarragona ernannt wurde, dann liegt es in der Tat nahe, den Jesuitenorden als eine Enklave der Bewahrung und weiteren Entfaltung von Subjektivität in der spanischen Gesellschaft des XVII. Jahrhunderts anzusehen. Ganz gewiß waren der Subjektivität auch im Jesuitenorden markante Grenzen gesetzt, die Gracián ganz offenbar zu respektieren wußte. Doch die Prägnanz solcher Grenzziehungen scheint auch die Bedingung der Möglichkeit einer Entlastung von den Auswirkungen gesellschaftlicher Involution gewesen zu sein.

Wir haben bisher nur eine Schicht und eine Serie von Schriften aus Graciáns Werk berücksichtigt, und für sich allein genommen würden ihm diese Bücher gewiß einen hervorragenden Platz in der spanischen Kulturgeschichte sichern. Daß ihm eine solche Stellung aber auch im europäischen Zusammenhang zukommt,[199] ist vor allem durch den in der Aphorismen-Sammlung *Oráculo manual* und in dem allegorischen Roman *El Criticón* aus dem Jahr 1658 vollzogenen Schritt von der Philosophie der Subjektivität zu einer *Philosophie der Indivi-*

dualität begründet. Wir sprechen von einer ›Philosophie der Individualität‹, weil hier die schon zuvor entwickelte Lehre von den kommunikativen Handlungen des Subjekts in Beziehung zu einem kritischen Bild von der Gesellschaft seiner Zeit gesetzt wurde. Graciáns »Vereinzelung machte ihn nicht einsam, denn sie bestand ja eben darin, daß seine Subjektivität sich durchgeläutert hatte und nur noch den Ausgangspunkt einer kritischen Auseinandersetzung mit allen von seiner Mitwelt bezogenen Positionen hergab«.[200] Allegorische Inszenierungsform dieser Problematik im *Criticón* ist der ›in einem Diskurs gefaßte Kursus des menschlichen Lebens‹,[201] den die Protagonisten Critilo und Andrenio als barock-philosophische Replik auf das Paar Don Quijote und Sancho Panza durchschreiten.[202] Der von der Weg-Metapher repräsentierte Prozeß ihrer Erkenntnis bezieht sich zunächst allein auf einen ›Kosmos jenseits der Zivilisation‹,[203] auf die Natur, deren Strukturen und Korrespondenzen sie als ›Prosa der Welt‹ entziffern:

Así es, respondió Critilo, que todo este universo se compone de contrarios y se concierta de desconciertos. Uno contra otro, exclamó el filósofo: no hay cosa que no tenga su contrario con quien pelee, ya con victoria, y con rendimiento. Todo es hacer y padecer. Si hay acción, hay repasión. Los elementos, que llevan la vanguardia, comienzan a batallar entre sí, siguiéndoles los mistos, destruyéndose alternativamente. Los males acechan á los bienes, hasta la desdicha la suerte. Unos tiempos son contrarios a otros.[204]

Doch bald schon treten Critilo und Andrenio in die Welt der Gesellschaft (›*mundo*‹) ein, die sie natürlich ebenfalls als eine feindliche Sphäre erleben:

Ya estamos en el mundo, dijo el sagaz Critilo al incauto Andrenio, al saltar juntos en tierra. Pésame que entres en él con tanto conocimiento, porque sé te ha de desagradar mucho. Todo cuanto obró el supremo Artífice está tan acabado, que no se puede mejorar; mas todo cuanto han añadido los hombres es imperfecto. Criólo Dios muy concertado y el hombre lo ha confundido. Digo, lo que ha podido alcanzar; que aun donde no ha llegado con el poder, con la imaginación ha pretendido trabucarlo. Visto has hasta ahora las obras de la naturaleza y admirádolas con razón; verás de hoy adelante las del artificio, que te han de espantar. Contemplado has las obras de Dios; notarás las de los hombres y verás la diferencia. ¡Oh cuán otro te ha de

parecer el mundo civil del natural y el humano del divino! He preve-
nido en este punto, para que ni te admires de cuanto vieres ni te
desconsueles de cuanto experimentares.²⁰⁵

Erst jetzt werden den Wanderern nicht mehr allein Akte des
›Entzifferns‹ und die Kompetenz des ›Urteils‹ abgefordert,
sondern auch *ingenio* und *agudeza.* Diesen Schritt vollzieht
Gracián vor allem deshalb, weil die Berührung der Wanderer
mit der ›feindlichen‹ Gesellschaft den Blickstrahl ihrer Erkenntnis nach innen richtet. Die für Individualität charakteristische Spannung zwischen Subjekt und Gesellschaft macht
Autoreflexivität notwendig, und dort, wo sich der Blick der
allegorischen Wanderer nun nach innen richtet, gewinnt der
Romandiskurs Anklänge an die Sprache der Mystik. Solche
Ähnlichkeit mag von dem gemeinsamen Thema und den besonderen Schwierigkeiten seiner intellektuellen Erfassung bedingt
sein. Für einen bewußten Rückgriff Graciáns spricht allerdings
die Überschrift jenes Kapitels im *Criticón,* in dem Critilo und
Andrenio beginnen, sich selbst zum Gegenstand der Erkenntnis zu machen: ›Mora *anatomía del hombre*‹.

Eternizaron con letras de oro los antiguos en las paredes de Delfos y
mucho más con caracteres de estimación en los ánimos de los sabios
aquel célebre sentimiento de Biante: *Conócete á ti mismo.* Ninguna de
todas las cosas criadas yerra su fin, sino el hombre. El solo desatina,
ocasionándole este achaque la misma nobleza de su albedrío. Y quien
comienza ignorándose mal podrá conocer las demás cosas. ¿Pero de
qué sirve conocerlo todo, si á sí mismo no se conoce? ...
A los principios, prosiguió Andrenio, rudamente me reconocía; pero,
cuando pude verme á toda luz y por extraña suerte acabé de contem-
plarme en los reflejos de una fuente, cuando advertí era yo mismo el
que creí otro, no podré explicarte la admiración y gusto que allí tuve:
remirábame, no tanto necio, cuanto contemplativo. Lo primero que
observé fué esta disposición de todo el cuerpo, tan derecha, sin que
tuerza á un lado ni á otro.²⁰⁶

Auf den Pfaden zur fremden Welt der menschlichen Psyche
werden Critilo und Andrenio von immer neuen Führern geleitet, deren Kompetenz im Verstehen und in der Entlarvung von
Selbsttäuschungen Stufe um Stufe wächst. Doch entscheidend
für den historischen Stellenwert von Graciáns Philosophie ist
die Tatsache, daß dieser Weg der Erkenntnis des Erkenntnis-

subjekts entgrenzt ist und zu keiner definitiven Wahrheit mehr führt.[207]

Mindestens als eine Ahnung muß der gut zehn Jahre vor dem *Criticón* entstandene *Oráculo manual* diese erkenntnistheoretische Position bereits impliziert haben. Denn Graciáns Aphorismen zu *juicio* und *ingenio*, zu *descifrar* und *ocultar* rechnen eigentlich nicht mehr mit einem absoluten Begriff der Wahrheit; sie zeichnen Strategien des kommunikativen Handelns, die nur noch an dessen Wirkungen orientiert sind. Diese Bedingung des Daseins wird nur noch beklagt, und es ist diese Klage, welche Gracián auch hier auf Hiob zurückgreifen läßt: *Milicia es la vida del hombre contra la malicia del hombre: pelea la sagacidad con estratagemas de intención. Nunca obra lo que indica; apunta, sí, para deslumbrar: amaga al aire con destreza, a ejecutar en la impensada realidad, atenta siempre a desmentir.*[208] Im einhundertfünfzigsten Aphorismus des *Oráculo manual* kleidet Gracián seine These vom relativen, allein an seinen Wirkungen zu bemessenden Wert des menschlichen Handelns in die Metapher vom Marktwert der Waren:

Saber vender sus cosas. No basta la intrínseca bondad dellas: que no todos muerden la substancia, ni miran por dentro. Acuden los más a donde hay concurso; van porque ven ir a otros. Es gran parte del artificio saber acreditar: unas veces celebrando, que la alabanza es solicitadora del deseo; otras, dando buen nombre – que es un gran modo de sublimar – desmitiendo siempre la afectación. El destinar para solos los entendidos, es picón general, porque todos se lo piensan, y, cuando no, la privación espoleará el deseo. Nunca se han de acreditar de fáciles, ni de comunes, los asuntos: que más es vulgarizarlos que facilitarlos; todos pican en lo singular, por más apetecible, tanto al gusto, como al ingenio.[209]

Was Baltasar Gracián – und ganz offenbar auch seinen Lesern – so geläufig war, daß er es als eine Metapher verwenden konnte, um einen komplizierten Sachverhalt aus seiner Philosophie der Individualität darzulegen, nämlich der Sachverhalt von der Wechselbeziehung zwischen Nachfrage und Warenwert, hatten ausgerechnet jene unter seinen Zeitgenossen nie verstanden, die für die Politik und für die Wirtschaft des spanischen Königreiches verantwortlich waren. In dieser Tatsache liegt der Hauptgrund für die Beschleunigung der nationalen Dekadenz im XVII. Jahrhundert. Die Denk-Schwelle kann nicht in der (auch bei Gracián nicht ausdrücklich vollzogenen) Identifizierung des Geldes als Ware gelegen haben. Denn schon im Jahr 1556 hatte – um nur ein Beispiel zu nennen – Martín de Azpilcueta im Blick auf die wirtschaftlichen Folgen des Imports von Edelmetallen aus den amerikanischen Kolonien die folgende Reflexion angestellt:

... Todas las mercaderías encarecen por la mucha necesidad que hay, a poca quantidad dellas; y el dinero, en quanto es cosa vendible, trocable o conmutable por otro contrato, es mercadería, por lo susodicho, luego también él se encarece por la mucha necesidad y poca quantidad del ... siendolo al igual, en las tierras do ay gran falta de dinero, todas las cosas vendibles, y aun las manos y trabajos de los hombres se dan por menos dineros, que do ay abundancia del, como por la experiencia se ve que en Francia, do ay menos dinero que en España, valen mucho menos el pan, el vino, paños, manos y trabajos de hombres y aun en España, en tiempo que avía menos dinero, por mucho menos se davan las cosas vendibles ... La causa de lo cual es, que el dinero vale más donde y quando ay falta del, que donde, y quando ay abundancia ...[210]

Es ist fast gespenstisch, aus der historiographischen Retrospektive nachzuvollziehen, wie die spanische Krone während der folgenden Jahrzehnte ihre permanenten – und wachsenden – Zahlungsschwierigkeiten durch den immer mehr forcierten Import amerikanischen Goldes und später amerikanischen Silbers zu bewältigen versuchte und damit Krisen provozierte, welche die Wirtschaft des Landes ruinierten. Als der Strom von Gold und Silber nach 1600 dünner zu fließen begann,[211] suchten die Herrschenden Zuflucht in anderen, aber ebenso improbaten Maßnahmen. Sie stellten Münzen mit großen Anteilen an billigem Kupfer zu unverändertem Nennwert her, und prägten bereits im Umlauf befindliches Geld immer dann um, wenn die Schulden der Krone solche Maßnahmen nahelegten. So provozierten – vor allem zwischen 1634 und 1656[212] – immer neue Kriege unter dem Banner des *Austracismo* immer neue Inflationen, deren Dynamik durch Maßnahmen gebremst werden mußte, die ihrerseits deflationäre Situationen zur Folge hatten. Der Erhöhung und Senkung des Münzwertes durch Umprägung muß dieselbe Einstellung zugrunde gelegen haben, die dem barocken Publikum auch die Ontologisierung des Imaginären und die Entwirklichung des Alltags so leicht werden ließ. Doch hier scheiterte das Spiel der Repräsentation: so wenig wie sich der Markt den auf die Münzen geprägten Ziffern unterwarf, waren die europäischen Mächte vom Theaterdonner des *Austracismo* beeindruckt, konnte die Gegenreformation die neuen Formen der Frömmigkeit zurückdrängen.

Was den Kollaps der spanischen Wirtschaft angeht, so verlangt es die historische Gerechtigkeit, wenigstens einen ›mildernden Umstand‹ geltend zu machen. Denn selbst wenn die Verantwortlichen verstanden hätten, daß allein die Förderung der nationalen Produktivität und damit des Binnenmarktes geeignet waren, die inflationär-deflationären Krisenzyklen zu beenden, wäre aufgrund eines mit der Pestepidemie um 1600 beginnenden drastischen Rückgangs der Bevölkerungszahl der Preis der Arbeitskraft gestiegen. Kein Wunder, daß der Conde-Duque de Olivares schließlich sogar hinter den Habitus des Vexierspiels mit den Repräsentationen zurückfiel: er stellte – heimlich und gegen horrende Honorare – Alchimisten und Goldmacher ein.[213] Als er 1643 seiner Ämter enthoben wurde, stand der spanischen Gesellschaft der Tiefpunkt ihrer Geschichte noch bevor.

Verlorene Zukunft / Verwunschenes Ende

Es gibt einen zweiten Garcilaso in der spanischen Literaturgeschichte, den man deshalb durch den Namenszusatz ›el Inca‹ von dem Ritter-Poeten aus der Zeit Karls V. unterscheidet, weil er im Jahr 1539 als Sohn des Kapitäns Garcilaso de la Vega aus dem Gefolge Gonzalo Pizarros und der Prinzessin Isabel Chimpu Ocllo, einer Enkelin des vorletzten Inkas, geboren war.[214] 1560 schiffte sich Gómez Suárez de Figueroa – so der Name des Inkas Garcilaso – nach Spanien ein, wo er zunächst in dem kleinen andalusischen Ort Montilla, seit 1588 aber in Córdoba wohl das beschauliche und bescheidene Leben eines *hidalgos* bis zu seinem Tod am 24. April 1616 geführt hat. Daß in seinen Adern indianisches Blut floß, hat ihm offenbar nie Nachteile oder Diskriminierungen eingebracht. Im Gegenteil:

der Titel des ersten, im Jahr 1590 unter seinem Namen veröffentlichten Buchs, einer Übersetzung der *Dialoghi* von Leone Hebreo, zeigt, daß er sogar mit einer gewissen Faszination seiner Herkunft zumindest unter den Gebildeten seiner Zeit gerechnet haben muß. Er lautet: *La Traducción del Indio de los Tres Diálogos de Amor de León Hebreo.* Erst sieben Jahre vor und ein Jahr nach seinem Tod erschienen – nun in Lissabon – jene beiden Werke, die ihn berühmt machen sollten: die *Primera parte de los Comentarios Reales* und die *Historia General del Perú.* Das *Proemio* und das erste Kapitel zu den *Comentarios Reales* geben näheren Aufschluß über sein Identitäts-Bewußtsein.[215] Einerseits präsentierte er sich stolz als *natural de la ciudad del Cozco, que fué otra Roma en aquel Imperio,* aber andererseits griff er auf dieselbe Formel zurück wie jeder andere spanische Autor seiner Zeit, um das Ziel seiner Autorschaft anzugeben: *no con pretensión de otro interés más que de servir a la república cristiana, para que se den gracias a Nuestro Señor Iesucristo y a la Virgen María su Madre.* Wodurch er sich zum Dienst an der ›christlichen Republik‹ berufen fühlte, das war nach Auskunft des Textes seine allen bisherigen Chronisten überlegene Kompetenz in der eigenen Muttersprache; weder könne er mehr als ergänzendes Wissen über seine Heimat beitragen, noch sich an den großen philosophisch-kosmologischen Diskussionen (etwa über die Pluralität der Welten) beteiligen: *no es aqueste mi principal intento, ni las fuerzas de un indio pueden presumir tanto.*

Der lange Text seines Buches bestätigt, was sich schon im Vorwort abzeichnet: der Inka Garcilaso hofft einerseits auf die Faszination seiner Leser durch die Alterität der Neuen Welt, und er möchte andererseits die Geschichte der Inkas in den Rahmen der christlichen Heilsgeschichte integrieren. Die zweite Absicht muß ihn wohl auch bewogen haben, gleich nach der Bescheidenheitsformel von den ›schwachen Kräften des Indianers‹ denn doch in der Diskussion über die Pluralität der Welten entschieden Position zu nehmen:

… mas confiado en la infinita misericordia digo, que a lo primero se podrá afirmar que no hay más que un mundo, y aunque llamamos Mundo Viejo y Mundo Nuevo, es por haberse descubierto éste nuevamente para nosotros, y no porque sean dos, sino todo uno. Y a los que todavía imaginaren que hay muchos mundos, no hay para qué responderles, sino que se estén en sus heréticas imaginaciones hasta qué en el infierno se desengañen dellas.[216]

Der doppelten Intention des Inka Garcilaso fügt sich dann auch die Form seines Diskurses. Erzählungen über die verschiedenen Vorgänger-Reiche der Inkas und über das Reich der Inkas selbst wechseln ab mit ›ethnologischen‹ Beschreibungen ihrer jeweiligen Sitten und Gebräuche. Deutlich ist auch sein Bestreben, den wichtigsten Übergang im geschichtlichen Verlauf von der spanischen Eroberung weg hin zum Sieg der Inkas über ihre unmittelbaren Herrschafts-Vorgänger zu verlegen. In einer Textpassage, die als Testament des letzten Inkas präsentiert wird, finden sich deshalb die folgenden ›letzten Worte‹ an seine Untertanen: *Yo os mando que obedezcáis y sirváis como a hombres que en todo os harán ventaja.*[217] Andererseits bemüht sich Garcilaso aber auch, einen schroffen Kontrast zwischen der barbarischen Unkultur – und vor allem den anthropophagen Riten – der Vorgänger-Reiche und der Zivilisation der Inkas zu zeichnen, die uns in diesem Buch gleichsam als ›Christen ohne Christianisierung‹ begegnen. Selbst eine Kongruenz von christlichen Symbolen und Inka-Symbolen wird postuliert:

Los españoles, cuando ganaron aquella imperial ciudad e hicieron templo a nuestro sumo Dios, la (sc.: la cruz) pusieron en el lugar que he dicho, no con más ornato del que se ha referido, que fuera muy justo la pusieran en el altar mayor muy adornada de oro y piedras preciosas, pues hallaron tanto de todo, y aficionaran a los indios a nuestra santa religión con sus propias cosas, comparándolas con las nuestras, como fué esta cruz, y otras que tuvieron en sus leyes y ordenanzas muy allegadas a la ley natural, que se pudieran cotejar con los mandamientos de nuestra santa ley, y con las obras de misericordia, que las hubo en aquella gentilidad muy semejantes, como adelante veremos. Y porque es a propósito de la cruz, decimos, que como es notorio, por acá se usa jurar a Dios y a la cruz para afirmar lo que dicen, así en juicio como fuera de él ...[218]

Im vorausgehenden Kapitel hatten wir drei Expansionswelten des spanischen Imperiums unterschieden und diesen drei Welten drei Zeithorizonte zugeordnet: Amerika, die Neue Welt, war dort als ›Zukunft des Imperiums‹ erschienen. Daran läßt sich nun die Tatsache anschließen, daß Spaniens Ende als Weltmacht nicht schon durch die Niederlagen in europäischen Kriegen besiegelt, sondern erst dann irreversibel wurde, als die Einfuhr südamerikanischer Edelmetalle die Wirtschaft des Landes zerstört hatte. Die Weltmacht ging unter, weil sie ihren Zukunftshorizont verlor. Im Werk des Inkas Garcilaso erschien nun, wie wir gesehen haben, die präkoloniale Kultur als eine Vergangenheit des spanischen Imperiums. Sein letztes Buch, die *Historia General del Perú*, kann deshalb das Wirtschaftschaos – den Verlust der Zukunft – mit der Entdeckung Amerikas – der *ehemaligen* Zukunft – korrelieren. Zunächst wird allerdings die Entdeckung der Neuen Welt als so etwas wie der ›größte Coup der Weltgeschichte‹ dargestellt: *la porfía de siete u ocho años que gastó el buen Colón en su demanda, y los diez y seis mil ducados prestados han enriquecido España y todo el mundo viejo de la manera que hoy está.*[219] Nur wenige Seiten danach zitiert der Inka Garcilaso aber die in jenen Jahren gängige Meinung, daß die amerikanischen Reichtümer zu moralischer Dekadenz geführt hätten, um fortzufahren:

... si han crecido las rentas de los ricos para que ellos vivan en abundancias y regalos también han crecido las miserias de los pobres para que ellos mueran de hambre y desnudez, por la carestía que el mucho dinero ha causado en los mantenimientos y vestidos; que aunque sea pobremente, ya los pobres el día de hoy no se pueden vestir ni comer por la mucha carestía; y que ésta es la causa de haber tantos pobres en la república, que mejor lo pasaban cuando no había tanta moneda, que aunque entonces por la falta de ella eran las limosnas más cortas que las de ahora, les eran más provechosas por la mucha barata que había en todo.[220]

Das Lob der Entdeckung Amerikas als Voraussetzung für den spanischen und europäischen Reichtum und ihre Verurteilung als Anfang moralischer und wirtschaftlicher Dekadenz bleiben als zwei – bloß zitierte – Meinungen nebeneinander stehen. Obwohl der Autor wußte, daß die erste der beiden Meinungen seiner Heimat zum Ruhm gereichte, wollte er sie doch offenbar nicht als die eigene vertreten: vielleicht überwog die Krisen-Erfahrung schon zu stark, als daß sie eine eindeutig positive Bewertung der Kolonialisierung zugelassen hätte. Aber ebenso wenig wie er die erste Meinung stützen wollte, konnte er die zweite ablehnen – denn das wäre zu einer peinlichen Apologie geraten. Anders formuliert: ein Lob der Eroberung war dem Inka Garcilaso aufgrund ihrer Folgen bereits undenkbar geworden, aber er konnte sich auch nicht zu ihrer Verurteilung entschließen.

In einer Serie von sechs Vorlesungen, die er 1933 auf einem Sommerkurs der Madrider Universität in Santander zur ›Spanischen Dichtung des Goldenen Zeitalters‹ gehalten hat, benannte Karl Vossler aus geistesgeschichtlicher Perspektive ähnliche Gründe für den Niedergang des Weltreichs. Der steile politische Aufstieg im frühen XV. Jahrhundert und eine Blütenpracht kultureller Erfindungen habe die »Träger und Freunde der Poesie an einen Dauerzustand hoher Begeisterung und Trunkenheit« gewöhnt, in dem sie »die Ernüchterung« gescheut und »den Anblick der ethisch-politischen Wirklichkeit« gemieden hätten.[221] Die Religion sei »in den Jahren der Gegenreformation starr, konventionell, äußerlich«[222] geworden. Satiriker und Kritiker hätten sich in »zahllosen kleinen Einzelheiten«[223] verloren. Ohne Berücksichtigung solcher kultur- und mentalitätsgeschichtlicher Komponenten wird man nicht verstehen können, daß sich die Innensicht der spanischen Gesellschaft seit der Mitte des XVII. Jahrhunderts den grotesken Phantasiewelten Quevedos annäherte. Denn wenn es richtig ist, daß Strukturen kollektiven Sinns Gesellschaften in Distanz zu ihrer dinglichen Umwelt setzen, dann wird verständlich, warum *Magie* als Beschwörung des Materiellen einen Alltag überflutete, dessen Phänomene kaum mehr gedeutet wurden, weil die dabei zu vollziehenden Erlebnisse und Erfahrungen unerträglich geworden waren. Während auf der Hofbühne das Gegensatz-Spiel von ›wirklichem Jenseits‹ und ›unwirklichem Diesseits‹ ungeahnte, geradezu ›klassische‹ Prägnanz erreichte, vermengten sich im Alltag das soziale Chaos, die Angst vor der nicht mehr zu verdrängenden Krise und die Elemente erstarrter Religiosität zu einem grausigen Amalgam.[224] Beim Versuch seiner Rekonstruktion freilich ist man auf nebulöse Zeugnisse mündlicher Überlieferung und auf die Horrorgeschichten des XVII. Jahrhunderts angewiesen. Festzustehen scheint lediglich, daß um die Mitte des XVII. Jahrhunderts das Madrider Frauenkloster San Plácido fast zu einem ›sakralen Raum‹ der Magie geworden war. Hier soll der Conde-

Duque de Olivares umringt von elf Nonnen (die Zahl sollte an die Zahl der Apostel ohne Judas erinnern) in einem Beichtstuhl seiner Frau beigewohnt haben, um den Bann ehelicher Unfruchtbarkeit zu brechen. Tatsächlich habe sich eine – hysterische – Schwangerschaft eingestellt, die elf Monate später ihr Ende im Ausfluß ›einer großen Menge von Wasser und Blut‹ fand.[225] Ebenfalls in San Plácido soll Philipp IV. seine beiden großen Leidenschaften, die Religion und die Sexualität, in schwerüberbietbarer Synthese vereint haben, indem er eine als Tote geschminkte und mit dem Leichenhemd angetane Nonne in ihrer Zelle vergewaltigte.[226]

Wenn sie auf seinen Nachfolger, Karl II., zu sprechen kommen, dann verschweigen auch die seriösesten Geschichtsbücher seinen Beinamen nicht: man nannte ihn ›den Verwunschenen‹. In der Tat glaubte der letzte spanische Monarch aus der Habsburger Linie, daß er vom Teufel besessen war, und hoffte nicht nur in jeglicher Notlage darauf, dessen Unterstützung durch magische Praktiken herbeizwingen zu können, sondern setzte sich auch selbst exorzistischen Riten aus. Deshalb folgte Karl II. ganz anderen Ratschlägen als seinerzeit Olivares, um die Kinderlosigkeit seiner beiden Ehen zu beenden (die letztlich aber doch zum Aussterben der Habsburgerlinie führen sollte): er trank allmorgendlich »ein Viertel Salböl«;[227] er ließ den Leichnam seines Vaters exhumieren, um jenen Sohneskuß nachzuholen, den er Philipp IV. auf dem Totenbett verweigert hatte, weil neben dem Sterbenden das wundertätige Skelett eines Heiligen gelegen war;[228] er rang sich durch, einen vermeintlichen Wolfsmann an seinem Hof zu halten. Karl II. besuchte lieber *autos da fé* auf der Plaza von Madrid als Theateraufführungen im Coliseo del Retiro. Der Konjunktur der Magie entsprach in der Literaturgeschichte ein Zeitraum, den die Handbücher zu überspringen pflegen, weil sie ihn nur mit insignifikanten Namen füllen können: Mateos Fragoso, Juan Bautista Diamante, Antonio Solíz y Rivadeneyra, José de Candizares, Antonio de Zamora.[229] Es ist gewiß kein Zufall, daß all diese Gestalten aus der zweiten Hälfte des XVII. Jahrhunderts von einer südamerikanischen Dichterin überstrahlt werden: Sor Juana Inés de la Cruz. In ihren Gedichten hat sie das Formenrepertoire der barocken Lyrik zu immer neuen Differenzierungen getrieben und – wie sonst nur wenige andere Autoren – um zahlreiche Varianten erweitert.[230] Doch ihr Werk, das der Autorin eine stupende Gelehrsamkeit bestätigt, ohne daß es die schon Jahrzehnte zuvor institutionalisierten Sinnhorizonte überschreitet, scheint ohne Auswirkungen auf die *spanische* Literatur der folgenden Jahrhunderte geblieben zu sein.

Aber ließe sich nicht wenigstens behaupten, daß Graciáns Schriften zentrale philosophische Motive der europäischen Aufklärung vorweggenommen haben – und deshalb diese leeren Jahrzehnte sozusagen ›überbrücken‹? Gewiß erinnern die im *Oráculo manual* und im *Criticón* entfalteten Reflexionen an die stoische Geste des ›Rückzugs von der Gesellschaft‹, wie sie uns in der französischen Moralistik gegen Ende des XVII. Jahrhunderts begegnet – und Graciáns Philosophie der Individualität überbietet diese Debatte sogar bei weitem in Differenziertheit und Prägnanz. Darüber hinaus kann man in diesem ›stoischen Rückzug von der Gesellschaft‹ eine Vorform jener Rolle des ›philosophe‹ sehen, die zum Subjekt der französischen Aufklärung werden sollte.[231] Aber selbst wenn Gracián sich aus solch kritischer Distanz – wie die *philosophes* – an ein reformwilliges Publikum hätte wenden wollen: eine solche Rezipientenschicht gab es in der spanischen Gesellschaft um die Mitte des XVII. Jahrhunderts nicht oder nicht mehr. Die Jahrzehnte des wirtschaftlichen Niedergangs hatten eine ohnehin schmale *clase media* aufgerieben;[232] und diese Absenz mag die eigentümliche Abstraktheit der auf gesellschaftliche Gruppen bezogenen Begriffe im Diskurs Graciáns erklären.[233]

Der Rückgriff auf das – dann schon verklärte – ›Goldene Zeitalter‹ sollte erst in der spanischen Kulturgeschichte des XVIII. Jahrhunderts zu einem zentralen Gestus werden. Mit der ihm eigenen Drastik hat Claudio Sánchez Albornoz festgestellt, daß die spanische Kultur nach 1650 an ein Ende gekommen war: *Todas las grandes figuras literarias españolas murieron antes de Westfalia o en seguida, con la excepción única de Calderón; y entre los grandes pintores españoles sólo Murillo alcanzó a vivir hasta el último tercio del siglo XVII. Después ... Sobrevino la noche y el silencio – no tuvimos ni siquiera buenos capitanes – y España no se apartó de Europa para seguir su propia vida, como suele decirse, sino que no vivió, duró; duró en*

464

un somnoliento y casi inconsciente letargo, a lo largo de dilata-
das e inacabables décadas. Durante ellas ni siquiera logró sobre-
vivir aislada pero auténticamente.[234]

Der Escorial

Unterschrift von der Hand Philipps II.

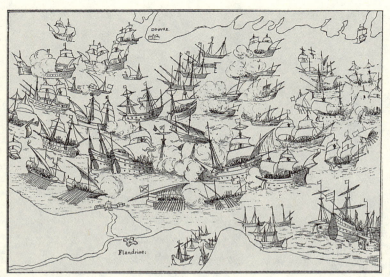

Die spanische Armada im Ärmelkanal

Gerichtstag der Inquisition auf der Plaza Mayor von Madrid

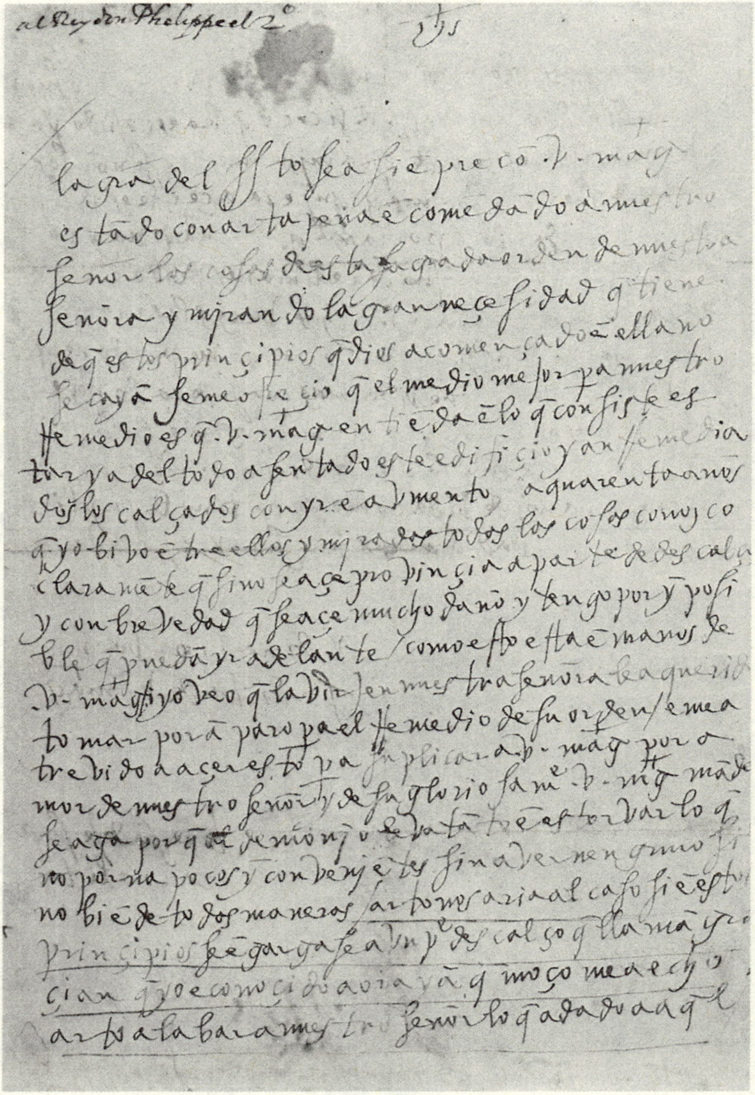

Brief der Teresa von Avila an Philipp II.

Miguel de Cervantes

Lope de Vega

Pedro Calderón de la Barca

Francisco de Quevedo

Luis de Góngora y Argote

Karte des Zentrums von Madrid

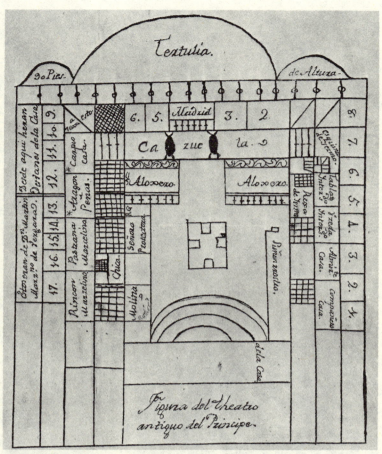

Grundriß des Teatro del Príncipe

Szene aus der Comedia de la fiera, el rayo y la piedra *von Calderón*

Aufführung im Teatro del Príncipe

1700-1833

Das Äquivalent zum historischen Prozeß der Aufklärung war in Spanien eine Reformbewegung, welche von der seit 1700 regierenden bourbonischen Monarchie eingeleitet und bis kurz vor das Jahrhundertende entscheidend gestaltet wurde. Sie stand unter dem Ziel, das wirtschaftlich ruinierte und intellektuell erschöpfte Land aus der Lethargie zu führen. Als Ergebnis dieser Bewegung bildeten sich gewandelte Strukturen kollektiven Sinns heraus, die von Tabuzonen des Wissens umgeben und um spezifische Faszinationen zentriert waren. Neben den Ergebnissen der Reform bestanden freilich Traditionen aus den vorausgehenden Jahrhunderten fort – und traten immer wieder in Spannung zu den neuen Sinnschichten. Bevorzugter Ort solcher Konfrontation waren Debatten über den Rang der intellektuellen Traditionen Spaniens. In der zeitgenössischen Literatur und Kunst hingegen zeichneten sich neue Ausdrucksformen erst ab, als die Reformer unter den wachsenden Druck der durch die Französische Revolution verängstigten Machthaber gerieten: es entstanden Werke, an denen bis heute Begrenzungen und Ambivalenzen der Vernunftkultur exemplarisch erfahrbar werden. Diese Ambivalenzen ihrer Handlungsformen zwischen Reformgeist und Traditionalismus erwiesen in einer von politischen Umbrüchen erfüllten Phase der spanischen Geschichte nach 1800 erstaunliche Konstanz. Literarische Gattungen leisteten dazu ihren Beitrag, indem sie in allegorischem Gestus Vorgaben für die Strukturierung des immer komplexer werdenden Alltagslebens stifteten. Erst ab etwa 1830 entstanden wieder Räume der Kommunikation, neue Themen, Formen und Funktionen der Literatur, die nicht mehr vom Reformgeist des XVIII. Jahrhunderts geprägt waren. Ihre historische Voraussetzung scheint das Bewußtwerden einer nationalen Polarisierung gewesen zu sein, die im nun entstehenden Mythos von den ›zwei Spanien‹ eine bis heute gängige Gestalt fand.

Selbstbilder

Diego de Torres Villarroel wurde im Jahr 1693 – also noch zu Lebzeiten des letzten spanischen Habsburger-Königs, – in Salamanca als Sohn eines Buchhändlers geboren, und er starb als siebenundsiebzigjähriger Emeritus der Universität in derselben Stadt, während mit Karl III. der nach Philipp V. und Ferdinand VI. dritte Bourbonen-König schon im elften Jahr seine aufgeklärt-absolutistische Herrschaft über das Land ausübte. Daß Diego de Torres Villarroel unter seinen spanischen Zeitgenossen ein hochberühmter Mann geworden war, verdankte er vor allem den *Almanaques,* welche er seit 1721 jährlich unter dem Pseudonym ›*Gran Piscator de Salamanca*‹ herausgab. Der Herausgeber-Name ›*Piscator*‹ gehörte zu den Konventionen jener damals in Spanien überaus beliebten Gattung, doch kaum ein anderer ›*piscator*‹ hatte mit seinen Prophezeiungen, die im Zentrum der *almanaques* standen, soviel Glück gehabt wie Don Diego. In aller Munde war sein Name, seit er – ohne für uns noch rekonstruierbare Anhaltspunkte – 1724 den Tod des Infanten Ludwig *en el rigor del verano*[1] vorausgesagt hatte und der Thronfolger tatsächlich am 31. August desselben Jahres starb. Noch weit erstaunlicher ist eine Ankündigung, welche über seine eigene Lebenszeit hinaus, nämlich auf das Jahr 1790, terminiert war und der französischen Monarchie eine radikale Wendung ihres günstigen Schicksals zuschrieb:

> Cuando los mil contarás
> con los trescientos doblados
> y cincuenta duplicados
> con los nueve dieces más,
> entonces, tú lo verás,
> mísera Francia, te espera
> tu calamidad postrera
> con tu rey y tu delfín,
> y tendrá entonces su fin
> tu mayor gloria primera.[2]

Um nicht einmal ein halbes Jahr verfehlte diese Prognose den Beginn der Französischen Revolution. Doch Torres Villarroel war nicht allein populärer Prophet und Herausgeber von Almanachen, nicht allein Professor für Mathematik an der ehrwürdigen salmantinischen Universität: er verdingte sich auch als Arzt und als Kolporteur, als Eremit, Theologe und Pfarrer, als Tänzer und Stierkämpfer. Und neben den *almanaques*, neben Komödien, Satiren und Romanzen verfaßte er auch Bücher wie eine ›*Anatomía de lo visible e invisible*‹, ›*La vida natural y católica*‹, ›*Vida de la venerable madre Gregoria de Santa Teresa*‹, ›*Visiones y visitas con D. Francisco de Quevedo por la corte*‹, ja sogar eine ganz offenbar um Aufrichtigkeit bemühte Autobiographie. Daß man es in so vielen verschiedenen Berufen, in so deutlich auseinanderstrebenden Gattungen – vor allem aber mit Prophezeiungen – zu Erfolg, Ansehen und Berühmtheit bringen konnte, deutet uns an, wie folgenreich jener Zusammenbruch kollektiver Sinnstrukturen und die ihn begleitende Rückkehr magischen Denkens, die wir für die Zeit nach 1650 in der spanischen Kultur konstatiert hatten, noch für die ersten Jahrzehnte des XVII. Jahrhunderts blieben.

Doch das Leben und das Werk von Diego de Torres Villarroel sind nicht nur Symptome dieses kommunikativen Milieus, seine typischen Erfahrungsformen werden – unter einer ihrerseits zeittypischen Perspektive – sogar in den Schriften unseres bizarren Mathematikprofessors thematisch. So häufig und mit so unübersehbarer Affektivität ist etwa in seiner Autobiographie von der Angst vor bösen Geistern, von unheimlichen Erscheinungen und von ihrer Überwindung ›in christlichem Vertrauen‹ die Rede, daß die Vermutung naheliegt, Torres habe seine Identität erst in der Konfrontation mit solchen Schimären gebildet:

La valentía del corazón, la quietud del espíritu y la serenidad del ánimo, que gozo muchos años ha, es la única parte que se le puede envidiar á mi naturaleza, mi genio ó mi crianza. De niño tuve algún temor á los cuentos espantosos, á las novelas horribles y á las frecuentes invenciones, con que se estremecen y se espantan las credulidades de la puerilidad y los engaños de la juventud y la vejez; pero ya ni me asustan los calavernarios, ni me atemorizan los difuntos, ni me produce la menor tristeza la posibilidad de sus apariciones. Crea el que lee, que según sosiega la tranquilidad de mi espíritu, sospecho que no me inquietaría mucho ver ahora delante de mí á todo el purgatorio. Este valor (que más parece desesperado despecho) aseguro que es hijo de una resignación cristiana; pues, siendo Dios el único dueño de mi vida, sé que estoy debajo de sus disposiciones y providencias, y es imposible rebelarme á sus decretos (...). Por la soledad, la noche, el campo y las crujías melancólicas, me paseo sin el menor recelo, y nunca se me han puesto delante aquellas fantasmas, que suele levantar en estos sitios la imaginación corrompida ó el ocio y el silencio, grandes artífices de estas fábricas de humo y ventolera. Las brujas, las hechiceras, los duendes, los espiritados, y sus relaciones, historias y chistes, me arrullan, me entretienen y me sacan al semblante una burlona risa, en vez de introducirme el miedo y el espanto.[3]

Nur wenige Seiten nach solch mutigen Worten erzählt Torres Villarroel, wie er sich als mittelloser junger Mann in Madrid anwerben ließ, um Nachtwache in dem von Klopfgeistern heimgesuchten Palais einer Gräfin zu halten. Doch so sehr die adlige Herrschaft am Ende auch den Mut des Nachtwächters Torres Villarroel zu schätzen und belohnen wußte, hier, im Gestus narrativer Vergegenwärtigung eines Jugenderlebnisses, scheint all jene – vorsichtig spöttische – Distanz verflogen, mit der der Autor zuvor versucht hatte, seine Leser zu beeindrukken:

Retumbaron, inmediatamente que quedé en la obscuridad, cuatro golpes tan tremendos que me dejó sordo, asombrado y fuera de mí lo irregular y desentonado de su ruido. En las piezas de abajo, correspondientes á la crujía, se desprendieron en este punto seis cuadros de grande y pesada magnitud, cuya historia era la vida de los siete infantes de Lara, dejando en sus lugares las dos argollas de arriba y las dos escarpias de abajo, en que estaban pendientes y sostenidos. Inmóvil y sin uso en la lengua, me tiré al suelo, y ganando en cuatro pies las distancias, después de largos rodeos, pude atinar con la escalera. Levanté mi figura, y, aunque poseído del horror, me quedó la advertencia para bajar á un patio, y en su fuente me chapucé, y recobré algún poco del sobresalto y el temor. Entré en la sala; vi á todos los contenidos en su hojaldre, abrazados unos con otros, y creyendo que les había llegado la hora de su muerte. Supliqué á la excelentísima, que no me mandase volver á la solicitud necia de tan escondido portento; que ya no era buscar desengaños, sino desesperaciones. Así me lo concedió su excelencia, y al día siguiente nos mudamos á una casa de la calle del Pez ...[4]

Torres Villarroel war so sehr wie irgendein Zeitgenosse aus seiner Umwelt Opfer der Geister-Angst, wir dürfen vermuten, daß der Tod des Infanten ihn selbst so sehr wie seine Leser von einer geheimen divinatorischen Gabe überzeugte, und wir wissen, daß seine akademischen Kompetenzen nur dort herausragen konnten, wo weit und breit kein urteilsfähiger Fachkollege in Sicht war – wie im Fall einer *oposición*, welche Torres auf den seit Jahrzehnten vakanten Lehrstuhl für Mathematik in Salamanca brachte. Dennoch präsentierte er sich in der *Vida* – auch darin ein durchaus typischer Repräsentant der Gesellschaft, in der er lebte – immer wieder mit dem Gestus distanzierter Überlegenheit, und zwar nicht nur, wenn er auf Geisterangst, sondern auch, wenn er auf den Erfolg seiner *almanaques* und auf die Rivalität seiner Professoren-Kollegen zu sprechen kam: *Todas las cátedras de las universidades estaban vacantes, y se padecía en ellas una infame ignorancia. Una figura geométrica se miraba en este tiempo como las brujerías y las tentaciones de San Antón, y en cada círculo se les antojaba una caldera donde hervían á borbollones los pactos y los comercios con el demonio. Esta rudeza, mis vicios y mis extraordinarias libertades me hicieron infelices mis trabajos y aborrecidas con desventura mis primeras tareas.*[5] Zwar setzen das Imperfekt und das adverbiale ›en este tiempo‹ die hier geschilderte Situation in zeitliche Ferne zum Akt des Erzählens, doch Torres Villarroel sah auch in den Jahren nach 1773, als er diese Passage der *Vida* schrieb, solche Situationen als nicht überwunden an. Daß er die eigene Epoche, deren höchst spezifische Gunst kaum jemand so erfolgreich wie er zu nutzen verstand, als Zeit radikaler Dekadenz erfuhr, das belegt noch viel markanter als Torres' Autobiographie die Erzählstruktur der gleichzeitig entstandenen *Visiones y visitas con D. Francisco de Quevedo por la corte*.

Für Torres Villarroel, der sich – zumal in seiner Poesie – geradezu sklavisch an Quevedos bewundertes Vorbild hielt und dem kein Lob mehr schmeichelte als die öffentliche Rolle eines ›Quevedo des neuen Jahrhunderts‹,[6] mag es eine Reihe von Motiven gegeben haben, um auf die Tradition der Traumerzählung zurückzukommen (die *Visiones* sind übrigens auch unter dem Titel ›Sueños morales‹ erschienen): er kultivierte so eine Gattung, für deren Beliebtheit wohl vor allem die Rezeption von Quevedos Werken gesorgt hatte; er gewann die Möglichkeit, Don Francisco in der Traum-Fiktion auferstehen zu lassen und sich selbst im Gespräch mit dem großen Vorbild zu präsentieren; er deutete dem versierten Leser die Wiederaufnahme des – wie wir gesehen haben: im vollsten Sinn des Wortes – konservativen Blicks von Quevedo auf die Gesellschaft an; und er verschaffte sich die Möglichkeit, zugleich die Kultur des vergangenen Jahrhunderts zu verherrlichen und erneut die als dekadent präsentierte eigene Zeit zu verhöhnen. Daß schließlich der Gang des Erzählers mit dem wiedererstandenen Quevedo durch das – exakt beschriebene – Madrid der Mitte des XVIII. Jahrhunderts in einer Traumvision entfaltet wurde, mochte man als Hyperbel der Verachtung für die eigene Gegenwart lesen, so als ›könne es doch eigentlich gar nicht wahr sein‹, was man auf solchen Wegen erlebte: *Con don Francisco de Quevedo me sacó mi fantasía por esa Corte a ver los disfraces de este siglo, y juntos hemos notado la alteración de su tiempo al que hoy gozamos.*[7] Die grobschlächtige – und intellektuell durchaus schlichte – Kontrastierung des in seinen ›Verkleidungen‹ – warum auch immer – ›unauthentischen‹ eigenen Jahrhunderts mit der – ebenso selbstverständlich – ›kosmologisch richtigen‹ Vergangenheit kehrt mit jeder einzelnen Erfahrung wieder, die der Autor den offenbar schon als ›Meister des *desengaño*‹ kanonisierten Quevedo vollziehen läßt. *Estas tiendas hervían antes en todo género de personas,* ruft der von keinem Kunden beehrte Besitzer eines Buchladens aus, als Quevedo und Torres über seine Schwelle treten, *vendíanse los libros, continuábase el comercio. Hoy se nos sale la vida por los agujeros de la hambre. Mal haya la edad tan bruta, siglo irracional;*[8] und ungläubig erkundigt sich Quevedo: *¿Es verdad lo que este hombre está gritando? Porque es cierto que si lo es, es infamia de la nación y aun de la naturaleza. En mi siglo empezó a declinar algo el estudio de las letras; pero no faltaba algún favor en los señores, y lograban estimación los estudiosos.* Man mag den Sachverhalt, daß die Traumwandler Torres und Quevedo nicht – im Traum! – auf den Gedanken kommen, wenigstens aus Mitleid ein Buch zu kaufen, als subtile Kritik oder als signifikantes Versehen des Autors deuten; die gewohnte Stillage seines Humors jedenfalls pendelt sich dort wieder ein, wo endlich ein Käufer den Laden beehrt und – natürlich und ausgerechnet – ein Kochbuch verlangt.

Daß an die Stelle geistvoller Subtilität des Verhaltens die schamlos körperliche Zurschaustellung des Lasters getreten sei, war den Lesern ohnehin schon ganz am Beginn der *Visita* nahegelegt worden. Denn Torres – der Protagonist – besteht darauf, daß Quevedo seine Halskrause ablegt (durch die, erinnern wir uns, das Gesicht ›als Ausdruck des Geistes‹ vom Körper abgesetzt werden sollte), und gewiß nicht zufällig folgt unmittelbar auf diese Szene ein Gestus des *desengaño:*

– ¿Conque no hay dueñas ni hipócritas en tu siglo? – dijo Quevedo.
– No, amigo – respondía –; ya no se dejan guardar las doncellas, ni hay quien afecte ayunos ni disciplinas, pues hasta las apariencias de virtuosos han aborrecido los hombres. Ahora se hace adorno de la destemplanza, gala del vicio, y pompa de la disolución.[9]

Zu jenem Typ des Epochenselbstbildes, den wir anhand zweier Texte von Torres Villarroel illustrieren möchten – und der, wie man noch sehen wird, weit spezifischer ist als der bloße Topos einer ›*laudatio temporis acti*‹ –, gehörte auch eine stereotype Schuldzuschreibung für die konstatierte Dekadenz. Sie deutete sich übrigens schon in der Rede des Erzählers von den *disfraces de este siglo* an, denn sie fällt auf jene Zeitgenossen, welche französische Moden – nicht nur in ihrer Kleidung – angeblich ›blind‹ und ohne Bewahrung kultureller Differenzqualitäten übernehmen. Seit dem XVIII. Jahrhundert bezeichnete der Name ›*petimetre*‹ – eine verballhornte Form des französischen Syntagmas ›*petit maître*‹ – eben diese Typisierung im sozialen Wissen der Spanier. Doch den paradigmatischen Wert des folgenden ausführlichen Zitats aus der zehnten ›*Visión*‹ müssen wir durch die Bemerkung relativieren, daß es sich hier um eine außergewöhnlich aggressive Ausgestaltung dieses Wissenselements handelt:

Con su maleta de tafetán a las ancas del pescuezo, venía por este camino un mozo puta, amolado en hembra, lamido de gambas, muy bruñidas las enaguas de las manos; más soplado que orejas de juez, más limpio que bolsa de poeta, más almidonado que roquete de sacristán de monjas y más enharinado que rata de molino; hambriento de bigotes, estofado de barbas, echados en almíbar los mofletes; tan ahorcado del corbatín, que se le asomaba el bazo a la vista, imprimiendo un costurón tan bermejo en los párpados, que los ojos parecían siesos. Era, en fin, un monicaco de estos que crían en la Corte como perros finos con un bizcocho y una almendra repartido en tres comidas. Venía, pues, columpiándose sobre los pulgares como danzarín de ma-

roma, con sus vaivenes de borracho, ofendiendo las narices de cuantos le encontraban con sus untos, aceites e inciensos. Paróse enfrente de un balcón, y mi discreto difunto se quedó también observándolo.
...

– Dime, Torres – dijo mi difunto –, ¿qué mozo es éste y otro mil vagabundos que he visto rodar por esa Corte?

– A éstos – respondí yo – los crían sus padres para secretarios del Rey, y vienen a parar en veredores de tabaco con dos reales y medio al día de pre. Éstos gastan tocador y aceite de sucino porque padecen males de madre; gastan polvos, lazos, lunares y brazaletes, y todos los disimulados afeites de una dama. Son machos, desnudos; y hembras, vestidos. Malogran los años y el alma en estas insolentes ocupaciones; y el oficio que ves es el empleo de su vida, porque acusan como infame el trabajo y el retiro. Viven haciendo votos a la lujuria y promesas a la fornicación; y después de bien bañados en la desenvoltura que has visto en este mentecato, marchan pos las calles de la Corte a chamuscar doncellas y encender casadas.[10]

Das in den *Visiones* entfaltete Repertoire von Themen und denselben Gestus des Hohns hat Torres Villarroel auch in eine Serie von Sonetten gekleidet, die wir dem Leser (damit er ›geneigt‹ bleibt) ersparen wollen.[11] Dort könnten wir auch (sein Wunschbild von) Francisco de Quevedo wiederfinden, und dazu – neben den barbarisch ungebildeten Gelehrten und den putzsüchtigen Damen – auch die *rameras* und *criadas,* welche für Torres Villarroel die gesellschaftliche Welt in ein Chaos verwandelten, weil sie sich als *señoras* ausgaben. Nie jedoch stoßen wir in diesem durch die Kontrastierung mit einer glorifizierten Vergangenheit so stark überzeichneten Gegenwartsbild auf eine Zukunftsperspektive: die Aufhebung der geschilderten Dekadenz zu denken, scheint Torres Villarroel nicht möglich gewesen zu sein. Historisch bedeutsam werden solche Beobachtungen aber vor allem durch den Sachverhalt, daß man auch ein gutes halbes Jahrhundert später eben dieses Selbstbild der spanischen Gesellschaft bei ganz anderen Autoren unverändert wiederfinden kann: den Zorn angesichts der selbstvergessenen Anpassung an französische Moden, die Konfrontation solcher ›Verkleidung‹ in allen Bereichen gesellschaftlichen Verhaltens mit dem Glanz des vergangenen Jahrhunderts, das Ausbleiben einer Zukunftsperspektive. Wüßten wir nicht, daß die folgende *Definición de un petimetre* aus der Feder von Juan Pablo Forner stammt, der im Madrid der achtziger und frühen neunziger Jahre des XVIII. Jahrhunderts so etwas wie die Rolle eines ›zornigen jungen Konservativen‹ spielte, so fehlten uns die Argumente *gegen* eine Zuschreibung auf Diego de Torres Villarroel – oder ein gutes Dutzend anderer Autoren aus der ersten Jahrhunderthälfte:

> Yo visto, ya ve usted, perfectamente;
> Mis medias son sutiles y estiradas;
> Las hebillas, preciosas y envidiadas;
> Los calzones, estrechos sumamente:
> Charretera á la corva cabalmente;
> Mis muestras, de *Cabrier,* muy apreciadas,
> Mis sortijas, en miles valüadas;
> Sombrero de tres altos prepotente:
> Sé un poco de frances y de italiano;
> Pienso bien, me produzco á maravilla;
> Soy marcial, á las damas muy atento:
> ¿Tengo, señor, razon de estar contento?
> ¿Qué me falta? ... No más que una cosilla:
> Temor de Dios y algun entendimiento.[12]

Die von diesem Blickwinkel abhängigen Werturteile Forners waren von erstaunlicher Konsequenz. Er gehörte nämlich zu den in der nationalen Literatur der Vergangenheit und der Gegenwart bewanderten Spezialisten des Jahrhundertendes, die nicht einmal – wie viele Zeitgenossen – das spanische Theater für die Einflüsse französischer Poetologie offenhalten und so eine Zukunftsperspektive für die Überwindung gegenwärtiger Dekadenz in Aussicht stellen wollten. 1782 erschien Forners Buch *Exequias de la lengua castellana, sátira menibea,* wo diese poetologische Position über die auch den Autoren des *Siglo de Oro* so teure Inszenierungsform der ›Parnaßreise‹ entfaltet wurde. Dort führt ein Jenseits-Bewohner – durchaus ›opportunistisch‹, wenn man bedenkt, daß er sich an einen fiktionalen ›Cervantes‹ wendet, – ganz unzweideutig aus, wie wenig vom spanischen Theater in Forners Gegenwart zu halten sei. Und bezeichnenderweise erachtet er – obwohl Forner überzeugter Monarchist war – das damals von Seiten der Krone intensiv geförderte neoklassische Drama nicht als eine Lösung, von dessen Übernahme, Aneignung und Einbürgerung sich manch ein spanischer Autor, manch ein Kritiker und gewiß auch wichtige Gruppen ihres Publikums eine Erneuerung der spanischen Literatur in unmittelbarer Zukunft erhofften:

... en las comedias que se han escrito para los teatros de medio siglo acá ya no se ven sino absurdos, delirios y disparates enormes e intolerables, en que no hay ni sombra de las bellezas de *Lope* o *Calderón* ... En suma, en nuestro teatro ha sucedido lo que en todas las cosas humanas cuando llegan a cierto grado. Ingenios muy grandes, cuales lo fueron casi todos los dramáticos de los siglos anteriores, descargándose de todas las rigideces del arte y extraviándose del camino recto de la imitación, alma de la poesía, escribieron dramas, situaciones y lances excelentes ... hay comedias suyas que no deben nada a las más célebres de las extranjeras. Pasó la época de estos grandes hombres; hicieron amables sus defectos porque tal es el privilegio de los entendimientos superiores. Vinieron después de ellos copleros míseros que continuaron la depravación, aumentándola cada vez más, creyendo desatinadamente que en ella consistía la belleza dramática ... siguiéndose de aquí que el teatro haya llegado al ultimo extremo de depravación, viéndose en él sólo delirios y ninguna belleza ... [13]

Noch häufiger ist in den Quellen zur spanischen Kultur des XVIII. Jahrhunderts ein anderes Selbstbild belegt, das zwar einerseits – wie Torres Villarroel oder Forner – die Gegenwart als Phase einer Krise thematisiert, aber diese Krise doch in grundlegend andere historische Erklärungszusammenhänge rückt. Obwohl es unter den Hispanisten üblich geworden ist, dieses andere Selbstbild in den Vordergrund zu rücken, war es das Weltbild einer intellektuellen Minderheit. Es blieb vom ersten Drittel bis zum Ende des XVIII. Jahrhunderts ähnlich konstant wie das Dekadenzbewußtsein der Traditionalisten. Die wesentliche Prämisse einer Sammlung von Essays im Gestus aufklärerischer Kritik, die der Benediktinerpater Benito Jerónimo Feijóo y Montenegro seit dem Jahr 1728 unter dem Titel ›*Teatro crítico universal*‹ – und unter dem wirkungsvollen Schutz der Monarchie – veröffentlichte, war die Diagnose eines *atraso que se padece en España*,[14] eines ›Rückstands‹, den Feijóo vor allem – aber durchaus nicht allein – auf dem Gebiet der Naturforschung feststellte. Als Symptom seines Bewußtseins von einer nationalen Krise dürfen wir solche Formulierungen deshalb bewerten, weil Feijóo dem gegenwärtigen *atraso* die vergangenen *glorias de España* entgegenstellte: *España, á quien hoy desprecia el vulgo de las naciones extranjeras, fué altamente celebrada en otro tiempo por las mismas naciones extranjeras en sus mejores plumas.*[15] Der für unsere Fragestellung entscheidende Unterschied zum Krisenbild eines Torres oder eines Forner liegt in der ›Schuldzuschreibung‹, mit anderen Worten: in Feijóos Thesen bezüglich der Gründe, welche die spanische Kultur seines eigenen Jahrhunderts in jenen ›Rückstand‹ gegenüber den konkurrierenden europäischen Nationen hatten geraten lassen. Als begeisterter Leser der Schriften jener Autoren, welche wir heute die ›französischen Frühaufklärer‹ nennen, war Feijóo weit davon entfernt, ›kulturelle Überfremdung‹ für die Dekadenz verantwortlich zu machen; vielmehr kritisierte er die mangelnde Bereitschaft der spanischen Gesellschaft zur Revision ihres Wissens, die ›Trägheit‹ gängiger Meinungen – seine französischen Zeitgenossen hätten solche Meinungen ›préjugés‹, genannt – angesichts der Einsichten neuzeitlicher Wissenschaft. Als Manifestationen solcher Trägheit problematisierte er die umgreifende Legitimationsfunktion des lateinischen Sprichworts ›vox populi vox Dei‹, griff er *el corto alcance de algunos de nuestros profesores* an, *la preocupacion que reina en España contra toda novedad, el errado concepto de que cuanto nos presentan los nuevos filósofos se reduce á unas curiosidades inútiles, la diminuta ó falsa noción que tienen acá muchos de la filosofía moderna, un celo pío sí, pero indiscreto y mal fundado; un vano temor de que las doctrinas nuevas en materia de filosofía traigan algun perjuicio á la religion, la emulacion, ya personal, ya nacional, ya faccionaria.*[16] Im *Prólogo al lector* zum ersten Band des *Teatro crítico* wird deutlich, wie sich – anders als bei Torres Villarroel und Forner – durch die Selbstzuschreibung auch Horizonte zu ihrer Überwindung eröffneten – und damit auch die im anderen Selbstbild ausbleibende historische Zukunftsdimension.[17] ›*Inpugnar errores comunes*‹ und ›*desengañar*‹ – das sind die auf kollektives Glück der Nachwelt gerichteten Schlüsselkonzepte in Feijóos Programm, wobei Objekt des ›*desengaño*‹ nun natürlich nicht mehr, wie noch kaum hundert Jahre zuvor, die Alltagserfahrung ist, sondern umgekehrt gerade die barocke Entwirklichung der Alltagserfahrung und ihre im sozialen Wissen sedimentierten Folgen. Bezeichnenderweise freilich evozierte Feijóo die durch *desengaño* zu erreichende glückliche Zukunft – und damit auch die Anerkennung der eigenen Leistung – in einem Konditionalsatz: *En caso que llegue á triunfar la verdad, camina con tan perezosos pasos la victoria, el autor mientras vive sólo goza el vano consuelo de que le pondrán la corona de laurel en el túmulo.* Ebenso weit wie von der pompösen Selbstgewißheit späterer geschichtsphilosophischer Prognosen bleibt Feijóo auch von der Attitüde intellektueller Arroganz entfernt, mit der etwa die französischen Enzyklopädisten nur wenige Jahrzehnte später Leistungen der Experimentalwissenschaft gegen überkommenes Wissen kehren sollten. So stellt er besonders den subjektiven Vollzug von Erfahrungen als Voraussetzung des *desengaño* heraus – womit natürlich auch, wie zuzugeben Feijóo nicht ansteht, die Überzeugungskraft seiner These schwindet, man sei in kollektiven Irrtümern befangen. Hier zeichnen sich bald die Grenzen des aufklärerischen Denkens ab, dessen kritischer Impetus in Spanien vor der christlichen Kosmologie Halt machen mußte. Natürlich werden wir auf diese ›Grenzen‹ noch ausführlich eingehen; vorerst begnügen wir uns mit einem Zitat, in dem Feijóo den subjektiven Vollzug kritischer Erfahrung exemplifiziert und dessen durchaus bescheidener Gestus uns ebenso rührend wie symptomatisch erscheint:

Siendo yo muchacho, todos decían, que era peligrosisimo tomar otro qualquiera alimento poco despues del chocolate. Mi entendimiento, por cierta razón, que yo entonces acaso no podria explicar muy bien, me disuadia tan fuertemente de esta vulgar aprehension, que me resolví á hacer la experiencia, en que supongo tuvo la golosina pueril tanta, ó mayor parte, que la curiosidad, Inmediatamente despues del chocolate, comí una buena porcion de torreznos, y me hallé lindamente, asi aquel dia, como mucho tiempo despues; con que me reia á mi salvo de los que estaban ocupados de aquel miedo.[18]

Mit Feijóos *Teatro crítico universal* haben wir uns auf den Kanon der kultur- und literarhistorischen Darstellungen der spanischen Aufklärung eingelassen, und damit ist es fast unvermeidlich geworden, daß wir die Kontinuität des im frühen XVIII. Jahrhunderts von Feijóo – und anderen – entworfenen Weltbildes anhand eines Textes von Gaspar Melchor de Jovellanos belegen. Zu der beliebten Formel, welche den Padre Feijóo als ›spanischen Fontenelle‹ apostrophiert, läßt sich allerdings im Hinblick auf Jovellanos wohl kaum ein Äquivalent finden, denn man müßte wohl den Stellenwert von Montesquieu, Rousseau und Necker zusammennehmen, um Jovellanos' Rolle in der geistigen Elite Spaniens am Jahrhundertende angemessen herauszustellen. Die Bewunderung, welche Jovellanos in diesem Milieu – mindestens bis 1789: ganz allgemein und ungebrochen – genoß, machte ihn zu einem ›Festredner vom Dienst‹, und so nimmt es nicht Wunder, daß ihn die *Real Sociedad Económica de Madrid* beauftragte, am 8. November 1788 den Nekrolog auf den ›aufgeklärt-weisen‹ König Karl III. zu halten. Gewiß läßt sich unser Eindruck, daß Jovellanos hier die Grundlinien des schon bei Feijóo anzutreffenden nationalhistorischen Selbstbildes mit seltener Prägnanz und Entschlossenheit zog, auf den besonderen situationalen Rahmen zurückführen: am Lebensende Karls III. hatten die Reformbemühungen der spanischen Monarchie einen später nie mehr überbotenen Höhepunkt ihrer Wirkung erreicht, und noch hatte jene – bald unter dem Eindruck der Französischen Revolution in Gang kommende – Rückzugsbewegung nicht eingesetzt, welche die Herrschaft Karls IV. in den Jahren zwischen 1789 und 1808 charakterisieren sollte. Jovellanos konnte es sich jedenfalls leisten, dem in seiner Lobrede entworfenen Verlauf der spanischen Geschichte scharfe Konturen zu geben. Ihren Tiefpunkt sah er in den Jahrzehnten nach dem Ende des Dreißigjährigen Krieges, dessen Folgen – so Jovellanos' Variante der Selbstzuschreibung von Dekadenz-Gründen – ohne *ciencia económica*, ohne *ciencia del Estado*[19] nicht zu überwinden gewesen wären: *mientras Alemania, Flándes, Italia sepultan los hombres, tragan los tesoros y consumen la sustancia y los recursos del Estado, la nacion agoniza en brazos de los empíricos que se habían encargado de su remedio. A tan triste y horroroso estado habían los malos estudios reducido á nuestra patria, cuando acababa con el siglo XVII la dinastía austriaca.*[20] Mit der Verengung des Krisengrunds von ›kollektiver Trägheit gegenüber Innovationen‹ hin zum ›Mangel an wirtschaftswissenschaftlicher Reflexion und von ihr geleiteter Praxis‹ hielt sich Jovellanos einerseits die Möglichkeit offen, andere Kulturleistungen der nationalen Nahvergangenheit als so etwas wie ein ›identitätsstiftendes

Erbe‹ herauszustellen; und er konnte andererseits die Hoffnung aussprechen, daß nun, da mit der Herrschaft der bourbonischen Könige jener Mangel längst überreich kompensiert sei, der Fortschritt nicht mehr verhindert werden könne:

Todos se afanan por gozar de este rico tesoro; las luces económicas circulan, se propagan y se depositan en las sociedades, y el patriotismo, lleno de ilustracion y celo, funda en ellas su mejor patrimonio ... Pero á tí, oh buen Cárlos, á tí se debe siempre la mayor parte de esta gloria y de nuestra gratitud. Sin tu proteccion, sin tu generosidad, sin el ardiente amor que profesabas á tus pueblos, estas preciosas semillas hubieran perecido. Caídas en una tierra estéril, la zizaña de la contradiccion las hubiera sofocado en su seno. Tú has hecho respetar las tiernas plantas que germinaron, tú vas ya á recoger su fruto, y este fruto de ilustracion y de verdad será la prenda mas cierta de la felicidad de tu pueblo ...
Sembró en la nacion las semillas de luz que han de ilustraros, y os desembarazó los senderos de la sabiduría.[21]

Der Verweis auf die Vernachlässigung staats- und wirtschaftspolitischer Reflexionen als Krisengrund, die genaue Begrenzung des Tiefpunkts der nationalen Geschichte auf die Jahre zwischen 1648 und 1700, die Dynamisierung vager Zukunftshoffnungen zum teleologisch fundierten Fortschrittsoptimismus – das waren die drei wichtigsten Perspektiven, durch die das in seinen Grundstrukturen konstante Selbstbild des aufgeklärten Spanien unter Karl III. Prägnanz gewann. So wie sie Gaspar Melchor de Jovellanos erzählte, konnte die Geschichte Spaniens nun auch in die philosophischen Entwürfe der Menschheitsgeschichte, eben den ›Kollektivsingular von Geschichte‹[22] eingepaßt werden. Diese aufklärerische Menschheitsgeschichte war ein teleologischer Mythos von der inneren Entfaltung und der wachsenden Dominanz des menschlichen Bewußtseins, weshalb im Spanien nun der Kanon der für die Nationalgeschichte bedeutsamen Ereignisse umgeschichtet werden mußte. Erst jetzt war es auch hier möglich, zusammen mit der Entdeckung der Neuen Welt Gutenbergs Erfindung als ein Tor zur eigenen Gegenwart zu erfahren, während bis dato die Geschichtserinnerung der Spanier nur die eminente Bedeutung der Druckkunst für die Herrschaft der Katholischen Könige erfaßt hatte. Dem Erfinder der Druckkunst aber, so

schrieb der junge Poet Quintana im Jahr 1800, gebühre ›immer-
während Weihrauch‹, weil er Entscheidendes zur Unterwerfung der physischen Kraft durch die intellektuellen und spirituellen Gaben des Menschen beigetragen habe:

> Ante él por siempre humea
> el perdurable incienso
> que trato el orbe a GUTTENBERG (sic) tributa:
> breve homenaje a su favor inmenso.
> ¡Gloria a aquél que la estúpida violencia
> de la fuerza aterró, sobre ella alzando
> a la alma inteligencia!
> ¡Gloria al que, en triunfo la verdad llevando,
> su influjo eternizó libre y fecundo!
> ¡Himnos sin fin al bienhechor del mundo![23]

Die beiden skizzierten Strukturtypen kollektiver Identität
schlugen nach 1700 in die Verfügbarkeit des historisch so fol-
genreichen *Mythos von den zwei Spanien* um. Sehr bald schon
sollte sich erweisen, daß das Funktionspotential dieses Mythos
mit immer neuen gesellschaftlichen und politischen Polarisie-
rungen keinesfalls ausgeschöpft war. Seine Bedeutsamkeit
zeigte sich vielmehr auch – und vor allem – in der Neutralisierung der von ihm zunächst gestifteten Antagonismen, wann
immer das – intern durchaus prekäre – nationale Selbstwertge-
fühl von außen in Frage gestellt wurde. Der berühmteste Fall
einer solchen ›Neutralisierung‹ wurde ausgelöst durch die französische *Encyclopédie méthodique* und hat Masson de Morvil-
liers, einem ihrer weniger bekannten Autoren zu gewiß uner-
hofftem und ebenso unverdientem Ruhm verholfen.[24] Dabei
hatte der Geograph Masson lediglich jene Mischung aus Elementen der *leyenda negra* mit verschiedenen Perspektiven des
zeitgenössischen Krisen-Selbstbilds der Spanier übernommen,
die damals zum Grundwissen gebildeter Europäer gehörte und
die schon der Chevalier de Jaucourt – kaum weniger spöttisch-
aggressiv – im Spanien-Artikel der ersten *Encyclopédie* von
d'Alembert und Diderot reproduziert hatte:

Enfin l'inquisition, les moines, la fierté oisive des habitans, ont fait
passer en d'autres mains les richesses du Nouveau-Monde. Ainsi ce
beau royaume, qui imprima jadis tant de terreur à l'Europe, est par
gradation tombé dans une décadence dont il aura de la peine à se

relever. Peu puissant au-dehors, pauvre & foible au-dedans, nulle industrie ne seconde encore dans ces climats heureux, les présens de la nature.[25]

Masson ließ sich keines der Motive aus diesem Repertoire entgehen. Teils liest sich sein Spanien-Artikel wie eine Etüde rhetorischer Amplifikation und Variation zu einem gegebenen Thema, teils konkretisiert und belegt er die Motive und Themen durch spezielle Bezüge: so heißt es ganz offenbar in Bezug auf die einsetzende Kanonisierung von Feijóos Schriften: *Que peut-on espérer d'un peuple qui attend d'un moine la liberté de lire & de penser?*[26] Wenn man verstehen will, was diesen höchst konventionellen Text zu einem über Jahrhunderte wirkenden Trauma für das kulturelle Selbstbewußtsein der Spanier hat werden lassen, so ist man auf eine Auswertung der – übrigens bis heute in ihrer Fülle nicht systematisierten – Rezeptionsbelege angewiesen. Hier zeigt sich dann, daß vor allem *eine* Passage aus Massons Artikel seinen spanischen Lesern zur Obsession wurde:

Aujourd'hui le Danemark, la Suède, la Russie, la Pologne même, l'Allemagne, l'Italie, l'Angleterre & la France, tous ces peuples, ennemis, amis, rivaux, tous brûlent d'une généreuse émulation pour le progrès des sciences & des arts! Chacun médite des conquêtes qu'il doit partager avec les autres nations; chacun d'eux, jusqu'ici, a fait quelque découverte utile qui a tourné au profit de l'humanité! Mais que doit-on à l'Espagne? Et depuis deux siècles, depuis quatre, depuis dix, qu'a-t-elle fait pour l'Europe? Elle ressemble aujourd'hui à ces colonies faibles et malheureuses, qui ont besoin sans cesse du bras protecteur de la métropole: il nous faut l'aider de nos arts, de nos découvertes; encore ressemble-t-elle à ces malades désespérés qui, ne sentant point leur mal, repoussent le bras qui leur apporte la vie![27]

Es muß also wohl der arrogante Gestus der Herablassung – zumindest eher als Verweise auf konkrete Dekadenz-Symptome oder auf schwer zu widerlegende Vorwürfe – gewesen sein, die Einstufung noch hinter jenen Nationen, die Masson offenbar als ›Nachhut der Aufklärung‹ ansah, die auch härteste Selbstkritik überbietende Abwertung der ganzen spanischen Kulturgeschichte – wozu die Spanier keine ironische – und schon gar nicht eine selbstironische – Distanz nehmen konnten. Dabei hätte Massons im Druck erwiesene Inkompetenz – er schrieb etwa über *Lopès de Vega* und *Guillón de Castro* – hinreichend Anlaß geboten, seine Provokation leicht zu nehmen. Statt dessen kam es zu einem diplomatischen Eclat: schon unmittelbar nach dem Erscheinen jenes Bandes der *Encyclopédie méthodique,* der Massons Spanien-Artikel enthielt, legte der Graf von Aranda als spanischer Gesandter beim französischen Hof förmlichen Protest ein und erreichte die Maßregelung des Autors sowie des zuständigen Zensurbeamten, zeitweilig sogar die Einstellung der Produktion für die *Encyclopédie méthodique,* welche Panckoucke, der ebenso versierte wie einfallsreiche Verleger, nur mit größter Mühe und nicht ohne erhebliche Verluste rückgängig machen konnte. Die Regierung in Madrid billigte ihrerseits nicht nur Arandas Intervention mit allen Zeichen des diplomatischen Pathos, sie stornierte auch über Monate die Auslieferung aller Exemplare der *Encyclopédie méthodique* an ihre dreihundertdreißig spanischen Subskribenten und beauftragte die damals sonst kaum beschäftigte Inquisition mit einer intensiven Analyse des gesamten Werkes. Knapp ein Jahr später, Ende 1784, reagierte auch die spanische Akademie, indem sie einen Preis für die beste Schrift zu dem Thema ›*Apología o defensa de la Nación, ciñéndose solamente a sus progresos en las ciencias y las artes*‹[28] ausschrieb. Wie so viele Akademiepreise des XVIII. Jahrhunderts wurde auch dieser nie vergeben, doch er motivierte Juan Pablo Forner zu seiner bis heute berühmtberüchtigten *Oración apologética por España y su mérito literario,* die nicht nur Gleiches mit Gleichem vergalt, sondern einer ganzen Generation traditionalistisch gesinnter Spanier ihr nationales Trauma von der Seele schrieb. Nicht umsonst belohnte ihn der Minister Floridablanca mit sechstausend Reales fürstlich für das Manuskript. Heute hingegen will es zunächst unbegreiflich erscheinen, daß ein Autor von Forners unbestreitbarer Bildung – auf der Basis einer ironischen Applikation des aufklärerischen Nützlichkeits-Kriteriums – alle seit dem Mittelalter erreichten Fortschritte der Wissenschaften in Bausch und Bogen als dem wahren Glück der Menschen schädlich abtun konnte.[29] Allerdings dürfen wir nicht ganz vergessen, daß wir dasselbe – wenn auch argumentativ anders fundierte – kulturpessimistische Werturteil als eine höchst bedeutsame Variante aufklärerischen Denkens zu akzeptieren, ja zu bewundern bereit sind, wenn es uns bei der Lektüre eines kanonisierten Textes der Epoche – etwa im ersten *Discours* von Rousseau – begegnet.

Historisch wichtig ist an diesem Ereignis allerdings weniger das Verhältnis der Spanier des XVIII. Jahrhunderts zu den Verächtern ihrer Kultur, sondern der Sachverhalt, daß Kritik dieses Schlages – wie schon gesagt – seither die durchaus markanten Gegensätze zwischen den beiden nationalen Spanienbildern zu neutralisieren vermögen. Das zeigt paradigmatisch eine erst vor wenigen Jahren wiederentdeckte Schrift aus den späten sechziger oder frühen siebziger Jahren mit dem Titel ›*Defensa de la Nación Española contra la Carta Persiana LXXVIII de Montesquieu*‹, die mit an Sicherheit grenzender Wahrscheinlichkeit José Cadalso zugeschrieben werden kann.[30] Denn obwohl Cadalso – ganz im Gegensatz zu seinem Generationsgenossen Forner – nicht nur das Spanien seiner Gegenwart in ein höchst kritisches Licht rückte und bemüht war, die Krise des XVIII. aus der Geschichte des XVI. und XVII. Jahrhunderts zu erklären, obwohl er wissenschaftlichen und künstlerischen Anregungen aus dem Ausland Zeit seines Lebens mit intensivem Interesse begegnete, reagierte er doch auf eine Spanien-Kritik, die Jahrzehnte vor seiner Geburt entstanden und ungleich humorvoller als Massons *Encyclopédie*-Artikel war, mit einer seinen Argumenten jede Differenziertheit nehmenden Schärfe im Stil von Forners *Oración apologética*. Dabei hatte Montesquieu in der Rahmenfiktion der *Lettres persanes* den achtundsiebzigsten Brief ›einem Franzosen, der sich in Spanien aufhält‹, zugeschrieben – nicht etwa einem der ›persischen‹ Korrespondenten –, und nur am Ende äußert der Perser Rica den Wunsch, nun auch den Brief eines in Frankreich reisenden Spaniers lesen zu können, denn der ›würde seine Nation sehr wohl rächen‹. Wie immer man diese seine Spanien-Passage einfassenden Sätze deuten will – sie hätten jedenfalls den spanischen Lesern die Möglichkeit einer Relativierung von Montesquieus Kritik eröffnen können, ja sogar eine Lektüre, welche die überzogene Spanien-Kritik des ›in Spanien wohnenden Franzosen‹ als Satire auf französische Arroganz ansähe. Für uns ist übrigens – einmal ganz abgesehen von Cadalsos Reaktion – auch die Beobachtung interessant, daß sich alle Besonderheiten der spanischen Gesellschaft des frühen XVIII. Jahrhunderts, die in Montesquieus Text aufs Korn genommen werden, mit unserer Formel von der ›Ontologisierung der Fiktion / Entwirklichung des Alltags‹ erfassen lassen. Montesquieu – oder sein erfundener ›in Spanien lebender Franzose‹ – ist fasziniert (verwirrt?) angesichts eines sozialen Verhaltens, das all seine praktischen Konsequenzen auszublenden bereit ist, um andererseits der Aktualität von bloßen Gesten und Zeichen höchste, ja ausschließliche Beachtung zu schenken:

La gravité est le caractère brillant des deux nations (sc.: des Espagnols et des Portugais); elle se manifeste principalement de deux manières: par les lunettes et par la moustache. Les lunettes font voir démonstrativement que celui qui les porte est un homme consommé dans les sciences et enseveli dans de profondes lectures, à un tel point que sa vue en est affoiblie; et tout nez qui en est orné ou chargé peut passer, sans contredit, pour le nez d'un savant. Quant à la moustache, elle est respectable par elle-même, et indépendamment des conséquences (...).

On conçoit aisément que des peuples graves et flegmatiques comme ceux-là peuvent avoir de l'orgueil: aussi en ont-ils. Ils le fondent ordinairement sur deux choses bien considérables. Ceux qui vivent dans le continent de l'Espagne et du Portugal se sentent le coeur extrêmement élevé, lorsqu'ils sont ce qu'ils appellent *des vieux Chrétiens,* c'est-à-dire qu'ils ne sont pas originaires de ceux à qui l'Inquisition a persuadé dans ces derniers siècles d'embrasser la religion chrétienne. Ceux qui sont dans les Indes ne sont pas moins flattés lorsqu'ils considèrent qu'ils ont le sublime mérite d'être, comme ils disent, *hommes de chair blanche* ... Un homme de cette conséquence, une créature si parfaite, ne travailleroit pas pour tous les trésors du Monde et ne se résoudroit jamais, par une ville et mécanique industrie, de compromettre l'honneur et la dignité de sa peau.[31]

Es fehlt nicht an weiteren Beispielen, denen Montesquieus Sprachkunst mühelos einen ganzen Bogen komischer Effekte abgewinnt: die eifersüchtigen spanischen Ehemänner würden ihre Frauen nie mit einem von Kugeln durchlöcherten Soldaten oder mit einem senilen Beamten alleinlassen, sie jedoch bedenkenlos den rhetorischen und physischen Verführungsstrategien eines Franziskaners aussetzen; die Inquisition verurteile bedenkenlos Juden zum Tod auf dem Scheiterhaufen, doch zum Ritual der Exekution gehöre eine förmliche Entschuldigung bei den Opfern; die Spanier hätten einen neuen Kontinent in seiner ganzen Weite entdeckt und erschlossen und dennoch ganze Volksstämme in den bergigen Gegenden der Iberischen Halbinsel noch nicht einmal kennengelernt. Cadalsos *Defensa* antwortete symmetrisch[32] auf die einzelnen Facetten dieses Spanien-Bilds – und dies auf zwei Ebenen. Zum einen wurden die Gegenstände von Montesquieus Satire zu Tugenden umgedeutet: so präsentiert Cadalso die *gravedad* als Treue, Gewissenhaftigkeit und Verläßlichkeit.[33] Zum zweiten richtet er selbst – und dies nicht allein im Namen Spaniens, sondern in der Rolle eines Verteidigers *aller* europäischen Völker – pauschale Vorwürfe gegen Frankreich, die freilich in keinerlei semantischer Beziehung zu Montesquieus Spott stehen und somit dessen Kritik auch keinesfalls entkräften. So war von militärischer Ruhmsucht der Spanier bei Montesquieu nicht die Rede, was Cadalso nicht daran hinderte, diese als ein Laster der Franzosen anzuprangern, und schließlich anzudeuten, wie groß in Wirklichkeit die Überlegenheit der Spanier gerade auf diesem Gebiet sei: *pués si por cada rey triunfante que hemos tenido hiciésemos con ceremonias de idolatría una plaza de Victoria como la de París, sería Madrid tan grande como la mitad de Europa.*[34]

Heute ist als kommunikationstheoretisches Wissen wiederentdeckt, was schon seit der Antike in jedem Rhetorik-Handbuch stand: nichts ist weniger geeignet, Spannungen abzubauen und Konflikte in Konsens zu überführen, als ein solcher symmetrischer Gestus der Kommunikation. Doch wenn wir uns nun von der nationalen Einheitsfront der Apologie wieder der internen Konkurrenz der beiden Spanien-Bilder zuwenden, dann gewinnen wir den Eindruck, daß Konsensbildung auch gar nie das Ziel der Kommunikation war. Denn jener Antagonismus zwischen Traditionalisten und Reformern, den die apologetische Wendung nach außen neutralisierte, kehrte da stets wieder, wo verschiedene Apologien intern diskutiert wurden. So widmete der *Censor,* die herausragende und von der Regierung Karls III. nicht nur tolerierte, sondern sogar zeitweilig geförderte Zeitschrift reformorientierter Meinungsbildung, gleich eine ganze Serie von Ausgaben der Polemik gegen Forners *Oración apologética,* welche in einem ruinösen Sprach-Experiment gipfelte: man gab Forners Text im *Censor* wieder, ersetzte jedoch die Namen ›*España*‹ und ›*españoles*‹ durch ›*Africa*‹ und ›*africanos*‹, um zu erweisen, daß solche Zurückweisungen von Kritik am Ende nur das Spanienbild der ausländischen Kritiker über Gebühr bestätigten. Diese Kritik an der spanischen Kritik einer französischen Spanien-Kritik scheint aber doch die Verschärfung der dem *Censor* verordneten Zensurpraxis veranlaßt und schließlich zum Ende der Zeitschrift geführt zu haben: denn mit Forner mußte sich ja – etwa – auch der Minister Floridablanca angegriffen fühlen, der ja seiner Begeisterung über die *Oración apologética* in klingender Münze Ausdruck gegeben hatte.[35] Noch eindrucksvoller – nämlich anhand zweier Werke eines und desselben Autors – läßt sich solches Umschlagen von Selbstkritik in Apologie, von Apologie in Selbstkritik illustrieren, wenn wir José Cadalsos *Defensa de la Nación Española* seinen 1789 zum ersten Mal – posthum – erschienenen *Cartas marruecas* entgegenhalten. Was uns der intertextuelle Bezug der Textform und der fiktionsimmanenten Sprechrolle auf die *Lettres persanes* bereits annehmen läßt, bestätigt Cadalsos *Introducción*. Es geht ihm zwar auch hier um eine Auseinandersetzung mit ausländischer Kritik an der spanischen Kultur und Gesellschaft, wie sie sich seit der humorvollen Selbstkritik in Cervantes' »unsterblichem Roman bei mehr oder weniger unparteiischen Autoren der gebildetsten Nationen Europas vervielfacht«[36] hatten; doch bevor er noch die erste Zeile dieser ›marokkanischen Briefe‹ zum besten gibt, kündigt Cadalso an, daß sie keinen der beiden von ihm erwarteten Lesertypen werde befriedigen können. Im Gegenteil:

... un español de los que llaman rancios, irá perdiendo parte de su gravedad, y casi casi llegará a sonreírse cuando lea alguna especie de sátira contra el amor de la novedad; pero cuando llegue al párrafo siguiente y vea que el autor de la carta alaba en la novedad alguna cosa útil, que no conocieron los antiguos, tirará el libro al brasero y exclamará: ¡Jesús, María y José! Este hombre es traidor a su patria. Por el contrario, cuando uno de estos que se avergüenzan de haber nacido de este lado de los Pirineos vaya leyendo un panegírico de muchas cosas buenas que podemos haber contraído de los extranjeros, dará sin duda mil besos a tan agradables páginas; pero si tiene la paciencia de leer pocos renglones más, y llega a alguna reflexión sobre lo sensible que es la pérdida de alguna parte de nuestro antiguo carácter, arrojará el libro a la chimenea y dirá a su ayuda de cámara: esto es absurdo, ridículo, impertinente, abominable y pitoyable.[37]

Cadalsos Diskurs schlägt als eine doppelt ausgerichtete Satire der beiden spanischen Lesertypen in eine Apologie seiner eigenen Position um, weil er sich vornimmt, das Thema des *carácter national* endlich nicht mehr in der Form der ans Ausland gerichteten Apologie zu traktieren. Und diese Individualisierung der Position seiner Sprachhandlung beleuchtet Cadalso – in der fiktionalen Rolle des ›Brief-Herausgebers‹ – mit unübersehbarer Selbstgefälligkeit:

Para ... la imparcialidad que reina en ellas (sc.: las *Cartas*), es indispensable contraer el odio de ambas parcialidades. Es verdad que este justo medio es el que debe procurar seguir un hombre que quiera hacer algún uso de su razón; pero es también el de hacerse sospechoso a los preocupados de ambos extremos ... Pero mi amor propio me consolará (como suele a otros en muchos casos), y me diré a mí mismo: yo no soy más que un hombre de bien, que he dado a luz un papel, que me ha parecido muy imparcial, sobre el asunto más delicado que hay en el mundo, que es la crítica de una nación.[38]

Nun wäre es ungerecht gegenüber Cadalso, wollte man anhand der *Cartas marruecas* lediglich den Gestus der Individualisierung seines Diskurses herausarbeiten. Denn ganz explizit läßt er am Ende des zweiten Briefs den marokkanischen Korrespondenten einen komplizierten – und, wie wir in der historischen Retrospektive feststellen können: singulären – Weg beim Entwerfen eines Bilds von der spanischen Gesellschaft einschlagen: er will die Geschichte der Nation in all ihren Nuancen kennenlernen, um ihre Identität verstehen zu können. Der dritte, vierte und fünfte Brief entfalten dann in der Form einer konzisen Erzählung, welche in der Antike einsetzt, die Ergebnisse dieser Bemühung. Als besonders folgenreiche Geschichtstatsachen werden der Übergang des spanischen Reichs an das Haus Habsburg im Moment seiner günstigsten inneren und äußeren Konjunktur, die Nutzung dieses Machtpotentials für die zentraleuropäischen Interessen der neuen Monarchie und die Entdeckung der Neuen Welt – vor allem hinsichtlich ihrer wirtschaftlichen Folgen – herausgestellt. Überraschenderweise aber bleibt eine Wertung dieser besonders unterstrichenen Ereignisse aus: *No entraré en la cuestión tan vulgar de saber si estas nuevas adquisiciones han sido útiles, inútiles o perjudiciales a España. No hay evento en las cosas humanas que no pueda convertirse en daño o en provecho, según lo maneje la prudencia.*[39] Knapp zwei Jahrhunderte eher hatte der Inka Garcilaso schon diese Frage formuliert – und ebenfalls unbeantwortet gelassen. Das, was seine Antwort verhindert hatte, war dort die Ambivalenz zwischen dem Erleben erster Symptome des spanischen Niedergangs und dem Stolz des Sohns einer Inkaprinzessin auf die Reichtümer seiner Heimat gewesen. Cadalso hingegen verweigerte eigentlich nicht die Antwort, sondern hob die Berechtigung der Frage nach dem Wert historischer Ereignisse auf, weil er die Menschen als verantwortlich für die Geschichte sah und analog dazu auch die Nationen mit der Verantwortung für ihr Schicksal konfrontierte. Solchem Umgang mit dem Wissen von der Vergangenheit begegnen wir allerdings bei kaum einem anderen spanischen Autor des XVIII. Jahrhunderts.

Der in Cadalsos Epoche dominante Stil des Denkens, die Außenpolitik der Krone, der Alltag der Wirtschaft waren jedenfalls geprägt vom Antagonismus der beiden nationalen Selbstbilder, die auch je verschiedene Bezugsetzungen zwischen dem Ausland und der eigenen Tradition vorgaben. Nun ist man gewohnt, solche Konfigurationen kollektiven Sinns, kaum daß sie identifiziert sind, auf wohl abgrenzbare ›Trägerschichten‹ oder leicht aufzudeckende ›Klasseninteressen‹ zuzuordnen, und die beiden identifizierten Spanienbilder legen in der Tat vertraute Assoziationen nahe: Pauschalnegation der ausländischen Einflüsse und Pauschalaffirmation der – neu zu befestigenden – nationalen Tradition als Attitüde von Adel und Klerus; selektives Verhalten zur Tradition wie zu den ausländischen Anregungen als Disposition einer ›bürgerlichen Mittelschicht‹ und – vielleicht mit Abstrichen – der am Modell des aufgeklärten Absolutismus orientierten Monarchie? Gegen solche Spekulation muß einmal der hinsichtlich der spanischen Geschichte bis Mitte des XIX. Jahrhunderts prinzipiell relevante Verdacht verkehrt werden, daß die Rede vom ›Mittelstand‹ oder gar vom ›Bürgertum‹ eine Folge der Projektion von Verlaufs- und Strukturschemata aus der Vergangenheit der zentraleuropäischen Nationen auf die spanische Geschichte sein könnte; hinzu kommt in unserem Fall die Beobachtung, daß gerade die Traditionalisten Torres Villarroel und Forner aus gebildeten, aber nicht adligen Familien stammten, während – einmal ganz abgesehen vom Milieu des aufgeklärt-absolutistischen Hofes – die beiden herausragenden Vertreter der spanischen Reformbewegungen des XVIII. Jahrhunderts zum einen – Feijóo – ein ranghoher Ordensgeistlicher, zum anderen – Jovellanos – der Sproß einer altadligen (wenn auch verarmten) Familie waren. Es gibt also Anlaß, eine Grundvoraussetzung sozialhistorischer Rekonstruktions-Praxis zu modifizieren: während wir es gewohnt sind, bestimmte Konfigurationen kollektiven Sinns als Symptome bereits formierter gesellschaftlicher Gruppen und ihrer Interessen anzusehen, scheinen die beiden dominierenden Selbstbilder der spanischen Gesellschaft im XVIII. Jahrhundert eher *Katalysatoren* bei der Ausbildung sozialer Gruppen und ihrer Interessen gewesen zu sein. Diese Umkehrung des Abfolgeschemas ›gesellschaftliche Gruppeninteressen / Konfigurationen kollektiven Sinns‹ mag nun auch erklären, warum wir dem Antagonismus von den ›zwei Spanien‹ und seinen situationsspezifischen Aktualisierungen in Spanien noch heute begegnen.

Nun ist die Rekonstruktion von Genese und Gestalt des Mythos der ›beiden Spanien‹ nicht allein eine Vorgabe für die Darstellung der spanischen Geschichte zwischen dem XVIII. Jahrhundert und unserer Gegenwart (sie erklärt etwa, warum während des Unabhängigkeitskriegs gegen Napoleon im frühen XIX. Jahrhundert zwei – davor und danach rivalisierende – Gruppen gemeinsam für nationale Selbstbestimmung kämpfen konnten). Sie hilft auf der anderen Seite auch zu erkennen, wie massiv der Zugang zum XVIII. Jahrhundert in der spanischen Geschichte durch die zwei eben in jener Epoche entstandenen und seither tradierten Deutungsschemata vororientiert ist. Übrigens hatte schon Benito Pérez Galdós vor mehr als hundert Jahren diese Alternative in der historiographischen Bewertung des spanischen XVIII. Jahrhunderts beschrieben: *Dudamos si (sc.: el siglo XVIII) es causa de los males de todas clases que aún afligen a nuestra sociedad, o si le debemos no haber caído en otros peores. Ignoramos si fué él quien nos trajo a nuestra actual postración o si, por el contrario, nos ha hecho seguir, aunque algo rezagados, la marcha de la civilización europea.*[40] Aber haben wir überhaupt eine Möglichkeit – und Anlaß –, uns dieser Vororientierungs-Alternative zu entziehen? Wenn wir die beiden nationalen Selbstbilder – wie üblich – mit ›Klasseninteressen‹ koppeln, dann handeln wir uns die Erwartung ein, daß gleichsam ›naturgesetzlich‹ früher oder später die reformistisch-bürgerliche Konzeption der nationalen Geschichte über den Traditionalismus dominiert haben müsse. Nun hat bekanntlich der Schritt hin zu solcher Dominanz – wenn er denn so in Spanien überhaupt je vollzogen worden ist – auf der Iberischen Halbinsel besonders lange auf sich warten lassen, so daß die Parteinahme für das reformerische Spanienbild mit dem Preis bezahlt werden muß, die spanische Geschichte der vergangenen drei Jahrhunderte stets unter dem Vorzeichen einer ›menschheitshistorischen Verspätung‹ oder gar einer ›Verfehlung ihrer Bestimmung‹ zu erzählen. Dagegen wollen wir versuchen, Spaniens nationalhistorische Identität gerade nicht über das eine oder das andere Selbstbild zu denken, sondern von der Prämisse ausgehen, daß eben die Modi des Zusammenspiels beider Selbstbilder bestimmend für den Verlauf der spanischen Geschichte waren.

Statt über die Schemata der Klassenkampf-Historiographie wollen wir versuchen, die Identität der modernen spanischen Geschichte über die Spezifik kollektiver Zeitvorstellungen zu erfassen.[41] Soweit wir bis jetzt das im spanischen XVIII. Jahrhundert entstandene reformerische Geschichtsbild rekonstruiert haben, liegt seine Zuordnung auf jenen aus der französischen wie der deutschen Geschichte vertrauten Typ des ›historischen Bewußtseins‹ nahe, dessen Ursprünge dort – mindestens – auf das frühe XVIII. Jahrhundert zurückgehen, dessen Offizialisierung und Institutionalisierung sich aber erst im XIX. Jahrhundert vollzogen. Die Gegenwart wird als Durchgangsphase auf einer teleologischen Progreß-Linie erfahren, welche aus ›dunkler‹ (bis ›halbbelichteter‹) Vorzeit hin zu menschheits- oder nationalgeschichtlicher Erfüllung in der (näheren oder ferneren) Zukunft führen soll. Kein Geringerer als José Antonio Maravall hat in einer eindrucksvollen Abhandlung nachgewiesen, daß der ›Geschichtsgedanke‹ der spanischen Reformer im XVIII. Jahrhundert diesen – und vielen anderen – Kriterien genügte, aus denen sich unser Bild vom historischen Bewußtsein der

bürgerlichen Ära konstituiert.[42] Sollen wir also doch noch –
trotz unseres Abschieds von der Klassenkampfhistoriographie –
die spanische Geschichte auf die Bahnen einer ›Geschichte des
Bürgertums‹ bringen müssen? Kaum in Frage stellen läßt sich
Maravalls Beobachtung einer Kongruenz zwischen den jeweiligen Zukunftshorizonten im spanischen Geschichtsdenken seit
dem XVIII. Jahrhundert und im historischen Bewußtsein zen-
traleuropäisch-geschichtsphilosophischer Prägung. Und auch
die Tatsache, daß man sich zur Vergangenheit – zumal zur
kulturellen Überlieferung – selektiv und nicht pauschal negie-
rend verhielt, erweist sich als eine Parallele. Jedoch kann man
nun gegen Maravall – einen gewichtigen Unterschied im Hinblick auf die Reaktualisierungsmöglichkeiten der Vergangenheit als Vorgabe für gegenwärtiges und zukünftiges Handeln
postulieren.

Diesen Problemhorizont hatte ja vor allem das deutsche Geschichtsdenken in seiner Diskussion um den Begriff des ›sentimentalischen Verhältnisses zur Geschichte‹ ausgeleuchtet:
schon die aufklärerische Geschichtsreflexion war zu der Erfahrung gelangt, daß die Rückwendung auf die Vergangenheit sich
unter der Horizont-Gewißheit von der Unwiederbringlichkeit
des Gewesenen vollziehen mußte.[43] In dem Maß wie diese Prämisse des Umgangs mit der Geschichte das Selbstgefühl jeweiliger Gegenwarten und ihr Handeln prägte, entpuppte sich – um
es in paradoxaler Form zu formulieren – Aufklärung als Romantik. Wir wollen nun die starke These riskieren, daß es eine
›spanische Romantik‹ in diesem Sinn – also hinsichtlich der
temporalen Prämissen ›sentimentalischer‹ Erfahrungsbildung –
nie gegeben hat. Zum Beleg verweisen wir vorab auf die Diskussionen des XVIII. Jahrhunderts über die nationalliterarische
Tradition Spaniens, auf die Aktualisierung nationaler Geschichte in den Debatten der Cortes von Cádiz und auf die
spanische Rezeption der Spanien-Begeisterung in der deutschen
Romantik als drei kommunikative Milieus, wo sich die Umsetzung von Vergangenheit in Vorgaben für je gegenwärtiges
Handeln ganz unproblematisch – also auch: ganz unsentimentalisch – vollzog.

Wenn sich unsere These erhärten läßt, der zufolge eine Rekonstruktion der Temporalaspekte in den nationalen Selbstbil-

dern zu einer Verschiebung des Implikationsverhältnisses von
›Aufklärung‹ und ›Romantik‹ führt, dann muß natürlich auch
die Bedeutung der uns vertrauten Epochenbegriffe ›Aufklärung‹ und ›Romantik‹ in ihrer Anwendung auf die spanische
Geschichte erheblich modifiziert werden. Das Bewußtsein von
dieser Notwendigkeit verschafft uns aber noch einmal Entlastung von problematischen Vorgaben und Zwängen der historiographischen Darstellung. Wir können uns etwa die Hilfs-
konstruktion des Epochenkonzepts ›Vorromantik‹ ersparen,
deren Applikation auf das XVIII. Jahrhundert in Spanien angesichts der Kontinuität in der Diskussion über nationale Geschichte unangebracht ist. Indem wir uns die Verschiedenheit
des Zukunftshorizonts der spanischen ›Aufklärung‹ im Vergleich – vor allem – zur deutschen Romantik bewußt machen,
befreien wir uns aber vor allem von der obsessiven Suche nach
jenen typologischen ›Mosaiksteinchen‹, durch deren Einfügung
ins Epochenbild für Spanien doch noch eine ›respektable Aufklärung‹ erzwungen wird. Mit einer anderen Metapher formuliert: unser Blick auf die spanische Aufklärung braucht dann
nicht mehr den Vergrößerungseffekt eines Mikroskops, durch
den aus vereinzelten, marginalen Phänomenen typologisch eindeutige Epochenprofile werden.[44] Schließlich: wenn die Darstellung der spanischen Kultur des XVIII. Jahrhunderts nicht
mehr eine Geschichte abgeben muß, an deren Ende strahlend
das ›bürgerliche Denken‹ steht, dann kann man es sich auch
leisten, sehr genau nach dem Verhältnis des Denkens, des Handelns und der Texte von Reformern zu der – von den Traditionalisten nicht selten aggressiv-lachend bejahten – intellektuellen
Stagnation zu fragen. Man braucht das Jahr 1700 nicht mehr zu
einem historiographischen Bollwerk gegen das Fortwirken der
nationalen Krise auszubauen.[45]

Aufriß

In dem auf uns gekommenen Textcorpus aus dem spanischen
XVIII. Jahrhundert dominieren die aufklärerisch inspirierten
Gedenkschriften und Moraltraktate, Satiren und Festreden.
Dieser Eindruck mag verstärkt sein durch jene hermeneutische

Vororientierung, welche der spanischen Geschichte um jeden Preis ›ihre Aufklärung‹ attestieren möchte; aber es wäre zumindest nicht überraschend, wenn künftige empirische Untersuchungen erwiesen, daß der Verbalisierungsdrang der Reformer den Kommunikationsraum des geschriebenen Worts weitgehend besetzt hielt. Wie groß das Gewicht des Traditionalismus dennoch gewesen sein muß, das bleibt – vorerst – am eindrucksvollsten mittelbar zu erfahren, nämlich durch das äußerst verhaltene Fortschreiten der Bemühungen um ›Aufklärung‹. Gewiß, Jovellanos zeichnete die schon in Feijóos Schriften angelegte nationale Selbstkritik ungleich prägnanter, er hatte eine weit dichtere und konkretere Vorstellung von der erhofften Zukunft kollektiven Glücks. Doch jenes Ausgreifen der Kritik auf immer weitere, für den Staat immer neuralgischere Felder der Erfahrung, jenes Umschlagen von Kritik in moralisch fundierte Forderungen und schließlich in Zukunftsprogrammatik, wie es uns vor allem aus der französischen und englischen Geschichte der Epoche vertraut ist, können auch ihre entschiedensten Apologeten für die spanische Aufklärung nicht in Anspruch nehmen. Was sich an Graciáns Diskurs abzeichnete, galt kaum verändert auch noch für Reformer wie Jovellanos und Campomanes, für Literaten wie Meléndez Valdés und Moratín: die wenigen Leser, welche zur Umsetzung von Kritik und Programmatik disponiert waren, kannten die Autoren meist persönlich.

Eben dieser unter einer Verlaufsperspektive fast statische Charakter der Aufklärungsbemühungen in Spanien hat uns bewogen, die Zeit zwischen 1700 und 1790 synchron – in der Struktur eines ›Aufrisses‹ – darzustellen. Dieser Aufriß setzt zwei Ebenen der historischen Phänomene und der historiographischen Rekonstruktion voneinander mit dem Ziel ab, Raum für das Verstehen ihrer Wechselbeziehung zu schaffen: eine *epistemologische Ebene,* wo sowohl die spezifischen Begrenzungen aufklärerischer Kritik und Programmatik in Spanien als auch ihre typischen Faszinationen durch bestimmte Themenhorizonte und ihre metonymischen Verdichtungen auf ›Leitmotive‹ verzeichnet werden sollen; eine *institutionengeschichtliche Ebene,* auf der epochentypische Rollen und Rollenkonfigurationen neben Orten und Milieus der Kommunikation zu beschreiben sind. Natürlich liegt uns trotz dieses Umschaltens auf eine synchrone Darstellungsperspektive nichts an einer radikalen Negation jeglichen Prozeßaspekts. Jene Verdichtung und jener Prägnanzgewinn, die wir schon erwähnt haben, um die Werke von Feijóo und Jovellanos in Kontrast zu rücken, finden sich auch bei anderen Autoren und auf anderen Phänomenebenen. Weil aber höhere Prägnanzstufen die Rekonstruktion historischer Phänomene erleichtern, gewinnen innerhalb unseres Aufrisses Materialien aus der Regierungszeit Karls III., aus den Jahren 1759 bis 1788 also, einen deutlichen qualitativen Überhang. Dennoch wollen wir an der Behauptung festhalten – und dies mit guten Gründen[46] –, daß sich an der Grundstruktur der ›spanischen Aufklärung‹ zwischen den frühen Jahrzehnten und dem Ende des XVIII. Jahrhunderts ›nichts Wesentliches geändert hat‹.

In ihrem Zusammenspiel implizieren die Rede von Aufklärungs- und Reformbemühungen im spanischen XVIII. Jahrhundert, mit der dieses Kapitel fast selbstverständlich begann, und das Postulat eines Hiats im kulturhistorischen Prozeß, mit dem das vorausgehende Kapitel endete, schon die Feststellung, daß jener Reformgeist und seine Konkretisierungen ihre wesentlichen Impulse aus dem Ausland empfingen: vor allem durch zielgerichtete Maßnahmen der neuen bourbonischen Monarchie, welche nach dem Tod des kinderlos gebliebenen Karl II. seit dem Jahr 1700 – gegen erhebliche Widerstände – ihren Erbfolgeanspruch auf den spanischen Thron durchgesetzt hatte. Natürlich wollen wir nicht einer simplen ›Filiationsgeschichte‹ das Wort reden: in den Prozessen ihrer Vermittlung, Rezeption und Amalgamierung mit vorgängigen Wissensbeständen gerannen solche Impulse zu einer spezifischen epistemologie- und institutionengeschichtlichen Gestalt, um deren Spezifik es uns in diesem Kapitel ja vor allem gehen wird. Doch diese – zunächst selbstverständlich anmutende – Sicht auf die Ursprünge der spanischen Aufklärung muß gegen zwei ihr widersprechende und untereinander konträre Positionen begründet werden, welche sich übrigens mühelos mit den Ausläufern der zwei Spanienbilder in der Historiographie korrelieren lassen. Auf der einen Seite hat man immer wieder – und wohl über Gebühr – die Tatsache herausgehoben, daß sich trotz allen Niedergangs schon in der zweiten Hälfte des XVII. Jahrhunderts in Spanien eine von den Anregungen der Bourbonen-Monarchie noch ganz unabhängige Rezeption ausländischer Wissenschaft und ausländischer Philosophie vollzog, ja man ist sogar so weit gegangen, Linien autochthoner Entwicklung von der Dekadenzphase des Barock hin zur Aufklärung zu ziehen. Die unter dem Banner dieses Postulats ausschwärmenden kulturhistorischen Fährtensucher betreiben – ob das nun ihre ausdrückliche Absicht ist oder nicht – die (Re-)Integration Spaniens in einen gemeineuropäischen Kursus kulturhistorischer Entwicklung, auf dem es dann zur diskursiven Rolle der spanischen Nation wird, einen ›Vorsprung‹ des Auslands wettzumachen.

Dieser Perspektive steht diametral entgegen eine Tendenz, jegliche Auswirkung des Monarchie-Wechsels und damit verbundenen Wandels im Stil der Politik und in der Tonalität der Kultur – wenigstens für die Jahrzehnte der Regierung des ersten Bourbonen, Philipps V., zwischen 1700 und 1746 – überhaupt zu leugnen und somit einen ›Wendepunkt‹ nicht vor der Jahrhundertmitte zu suchen: *El reinado de Felipe V es la prolongación de la decadencia anterior, atenuada en algunos aspectos, agravada en otros.*[47] Auch diese Sichtweise spielt die Bedeutung des kulturellen Einflusses aus Frankreich herunter, aber sie nimmt die Auswirkungen der Krise nach 1650 weit ernster – so ernst, daß sie die Meinung nahelegt, die Reformbemühungen hätten mit einer Verspätung eingesetzt, welche zu erheblich war, um auch nur eine minimale Erfolgschance gehabt zu haben. Wer sich mit dem Ziel der Vermittlung zwischen diesen beiden Thesen dem Jahrhundert zwischen 1650 und 1750 in der spanischen Kultur nähert, der wird sehen, daß beide Standpunkte je eine Reihe von Phänomenen zu ihrer Begründung anführen können. Sehr bald wird der Eindruck hinzukommen, daß die kulturhistorische Situation an der Peripherie der Iberischen Halbinsel, vor allem in vielen der großen Küstenstädte eher für eine das Jahr 1700 überbrückende Kontinuität spricht, während die intellektuelle Produktion des Landesinneren – zumal Kastiliens – mit der Ausnahme weniger isolierter Zirkel in Madrid weit länger in der Lethargie verharrte. Der Kontrast zwischen dem in Galizien geborenen und in der asturischen Stadt Oviedo wirkenden Benediktiner Feijóo und Torres Villarroel, Mathematikprofessor in Salamanca, Geisteraustreiber und Prophet in Madrid, ist gewiß paradigmatisch.

Es waren vor allem Kastilien und die Hauptstadt Madrid gewesen, welche unter Berufung auf den Wortlaut des Testaments Karls II. den Erbfolgeanspruch der Bourbonen unterstützt hatten, während die Küstenregionen – allen voran Katalonien – in der Hoffnung auf ein Nachlassen des Zentralisierungsdrucks für Thronprätendenten aus dem Hause Habsburg ins Feld gezogen waren. Aus dieser Konstellation wird verständlich, warum Saint-Simon, der als Gesandter der französischen Krone zu Beginn der zwanziger Jahre mehrfach nach Madrid reiste, um dort eine Doppelhochzeit zwischen Prinzen und Prinzessinnen der beiden bourbonischen Linien politisch anzubahnen und juristisch unter Dach und Fach zu bringen, vor allem zwei Eindrücke mitnahm und in seinen *Mémoires* notierte: die überraschende Gewißheit, daß Philipp V. und sein aus Frankreich stammendes Gefolge ohne Probleme ihren Ort in den spanischen Traditionen, in den politischen Strukturen des Landes und in der Anerkennung ihrer Untertanen gefunden hatten; die Bestürzung aber auch über das Ausmaß, in dem diese Umwelt Philipp V., seine Familie und seine Höflinge verändert, ja sogar mit ihrer Trägheit und ihrer Furcht vor Geistererscheinungen infiziert hatte. Wer sich bei einer historischen Bewertung der ersten Hälfte des XVIII. Jahrhunderts an Saint-Simons Porträt des spanischen Königs französischer Herkunft hält, der wird sich in mancher Hinsicht an seinen Vorgänger, den letzten Habsburger auf dem spanischen Thron, erinnert fühlen und deshalb geneigt sein, der These von der Fortdauer der Dekadenz-Situation bis etwa 1750 zuzustimmen:

Le Roi d'Espagne a un sens fort droit, beaucoup de religion, une grande peur du diable, un grand éloignement des vices dans lui et dans les autres, et un grand fonds d'équité. La délicatesse de sa conscience ne se borne pas aux scrupules ordinaires, surtout de la vie commune; mais il s'en pourroit faire quantité sur sa vie publique et sur les devoirs de la royauté, singulièrement pour l'administration des finances et des dettes dont beaucoup sont criantes, et pour leurs causes et pour leurs suites, sans paroître y donner aucune attention. Sa confiance aussi pour son confesseur ne se borne pas à ce qui fait la matière ordinaire des confessions. Ignorant au possible et entièrement conduit sur la religion et la justice comme la plupart des princes timides et peu éclairés qui ne savent pas distinguer le fonds de la simple écorce, il s'attache servilement à celle-là comme étant de perception et de pratique, et de dispense plus aisée. Cette disposition donne au confesseur, quel qu'il soit, étant qu'il l'est, un crédit principal qui balance supérieurement tous les autres … Méfiant de soi et des autres, ce qui le rend silencieux, embarassé et particulier jusqu'à la messéance, quoiqu'il ne dise jamais rien mal à propos, et qu'il parle même assez souvent avec justesse et dignité. Mais sa contenance, sa peine à se résoudre à dire deux mots, et l'excès de sa timidité et de son embarras, et qui est à un point qui ne se peut comprendre, défigure le plus souvent ce qu'il dit … Dur infiniment pour les autres, sans exception de ce qu'il a paru le mieux aimer, même ses femmes, il craint fort les maladies et surtout la mort, prend un soin excessif de sa santé, dont il est esclave, sans l'être pourtant des avis des médecins qu'il estime le plus, et a fait succéder un repos presque continuel à un exercice et à un travail de corps immodéré … Esclave de ses habitudes comme les princes de sa famille, peu touché des services bons et mauvais, de récompenser ni de punir, il n'a pas été difficile, en plusieurs temps, de reculer et d'abattre ceux qui l'on porté sur le trône, et d'avancer et d'élever ceux qui ont le plus démérité. Nul portrait de Charles II, qui l'a appelé à sa succession, dans pas une de ses maisons, nul homme de ceux qui ont travaillé au fameux testament et qui l'ont bien soutenu depuis, qui soit resté en place. Une éducation de cadet entre deux frères d'apparence impétueuse, a eu en lui de trop grandes et trop fortes suites. Il ne connoît de plaisir que celui de la chasse et celui du mariage, et si quelque chose peut abréger une très longue vie que son tempérament nerveux, vigoureux, sain et de bonne complexion lui promet, ce sera trop de nourriture et d'exercice conjugal, dans lequel il cherche à s'exciter par quelques secours continuels … Il aime assez la danse, et, quoique courbé et désagréablement planté sur ses jambes, il danse en vieux danseur et avec majesté, maître de sa danse et qui a bien dansé autrefois. Le bal est le seul spectacle de cour qui le tire du particulier, mais encore par quelque complaisance pour la reine … Une grande paresse d'esprit et une plus grande encore de volonté et de sentiment est peut-être ce qui définira mieux ce prince si difficile à l'être.[48]

Diesem Bild von einem König und einem Hof, die in Kabalen und Hörigkeit, in einer von Teufelsangst motivierten Bigotterie und stumpfer Völlerei, in mechanischer Sexualität und in nur

noch die Langeweile bannenden, immer gleichen Spielen dahin-
lebten, könnten auch die Vertreter jener These über den Beginn
der spanischen Aufklärung zustimmen, die eine Kontinuität
undogmatisch-kritischen Denkens über die Schwelle des Jahres
1700 hinweg belegen wollen. Iris M. Zavala hat etwa gezeigt,
daß bereits die für die europäischen Gelehrten so faszinierende
Kometen-Beobachtung des Jahres 1680 in Spanien von zwei
verschiedenen Diskussions-Milieus, unter zwei ganz verschiedenen Interessen, nämlich unter astrologischen und astronomischen Vorzeichen aufgegriffen wurde.[49] Doch die Zirkel der
Rezeption und Vermittlung – wohl kaum je der Produktion –
neuer ›wissenschaftlicher‹ Erkenntnisse, welche sich in Spanien
verborgen halten mußten und wahrscheinlich in der Küsten-
stadt Valencia ihre höchste Konzentration erreichten, befaßten
sich nicht allein mit Ereignissen wie dem Kometen-Flug, sondern nahmen auch verschiedene der für das spanische XVIII.
Jahrhundert charakteristischen Reform-Debatten in ihrer Themenwahl vorweg. Nicht selten an diskursive Traditionen des
Siglo de Oro anschließend, befaßten sie sich mit dem Bevölke-
rungsrückgang und seinen Folgen für die Wirtschaft, mit den
Interferenzen zwischen den vor allem in Kastilien fortbestehen-
den Traditionen der Viehzucht und den Reformbestrebungen
in der Landwirtschaft, mit dem Konsum von Luxusgütern und
der Abhängigkeit von ausländischen Importen, mit der Korruption in der Verwaltung und der verbleibenden Macht der
Inquisition. Hier wurden auch die Schriften von Descartes,
Gassendi und englischen Staatsphilosophen gelesen und entstanden vereinzelt Vorformen einer ›kritischen‹ Historiographie wie der anonyme *Breve desengaño crítico de la historia de
España.* Diese intellektuelle Bewegung macht tatsächlich eine
Nuancierung des Bildes von Spaniens Dekadenz am Ende des
XVII. Jahrhunderts notwendig – zumal der komplementäre Beweis geführt werden kann, daß die Zahl der in Spanien publizierten ›wissenschaftlichen‹ Bücher in den ersten Jahrzehnten
der Bourbonenherrschaft zunächst rückläufig war.

Andererseits kann aber im Blick auf die spanische Kulturgeschichte des XVIII., XIX., und XX. Jahrhunderts gar nicht geleugnet werden, daß den am Vorbild Richelieus und Ludwigs
XIV. ausgerichteten Maßnahmen der neuen Monarchie ein weit

langfristigerer und in seiner Wirkung breiterer Erfolg beschieden war, auch wenn einige der neuen königlichen Institutionen erst Jahrzehnte nach ihrer Gründung den gewünschten Einfluß zu entfalten begannen. Zu ihnen gehört die schon im Jahr 1712 eingerichtete *Biblioteca Nacional*, der 1713 die *Real Academia de la Lengua*, 1738 die *Real Academia de la Historia*, 1752 die *Real Academia de Bellas Artes* und schließlich 1770 das voruniversitäre Bildungsinstitut der *Reales Estudios de San Isidro* folgten.[50] Die ersten über eine gewisse Dauer lebensfähigen Zeitschriften Spaniens verdankten ihre Entstehung in den meisten Fällen königlicher Initiative oder zumindest königlicher Protektion, und sie waren ganz auf die Vermittlung ausländischen Wissens und die Propagierung seiner Bedeutung ausgerichtet. Selbst der als wirtschaftspolitische Maßnahme rundum gescheiterte Versuch, den Erfolg von Colberts Merkantilismus in Spanien zu wiederholen, brachte sozusagen als ›Nebenprodukt‹ eine Reihe offenbar viel gelesener Publikationen hervor, als deren bedeutendste Gerónimo de Uztáriz' *Teoría teórica, y práctica de comercio y marina* aus dem Jahr 1724 gilt. Schließlich ist bemerkenswert, daß es ein königliches Dekret war, welches jegliche Polemik gegen die kritischen Schriften des Padre Feijóo untersagte. Ohne die von der neuen französischen Monarchie vermittelten Impulse und ohne die von ihr geschaffenen, ja durchgesetzten Freiräume der Kommunikation wären jene Leistungen historisch nicht vorstellbar, welche heute den Anspruch hispanistischer Historiker fundieren sollen, in Spanien habe sich eine wirkungsvolle Aufklärungsbewegung vollzogen.

Wir wollen aber noch einmal daran erinnern, daß diese Bewegung bis zum Ende des XVIII. Jahrhunderts – ja vielleicht bis hinein in die dreißiger Jahre des XIX. Jahrhunderts – weit davon entfernt war, einen in seinen Manifestationen stagnierenden Geist des Traditionalismus problematisieren oder gar brechen und verdrängen zu können. Die Schwäche, ja oft sogar die Gefährdung des Fortbestehens der intellektuellen Reformbestrebungen lag vor allem an der Schwierigkeit, sich ein eigenes, vermittelte Anregungen produktiv aufgreifendes Publikum zu schaffen. So kennzeichnete über ein gutes Jahrhundert das Nebeneinander von traditionsbewußten Epigonen und – nur insgeheim – von ausländischen Vorbildern inspirierten Reformern auch – und vor allem – die *Literatur* in Spanien. In Einzelfällen kam es zwischen beiden Seiten zu – mehr oder weniger fruchtbaren – Berührungen, aber auch zu Spannung, Konkurrenz und Polemik, wie wir sie bereits im Verhältnis der beiden nationalen Selbstbilder beobachtet haben. Doch weder gegenseitige Anregung noch die in Wechselwirkung wachsende Diskrepanz, sondern eben das Nebeneinander war der Regelfall. In formgeschichtlicher Hinsicht gilt für die *Poesie* der Epoche, daß das Repertoire von Vers- und Strophentypen, welches sich schon im frühen XVII. Jahrhundert beobachten läßt, keine wesentlichen Reduktionen oder Erweiterungen erfuhr.[51] Allerdings fand innerhalb dieses Bestands eine Bewegung hin zu wachsender Dominanz elfsilbiger gegenüber den achtsilbigen Versformen und zu reimlosen Strophen mit Versen von ungleicher Länge ihre Fortsetzung. Ein so klares Fazit kann man ziehen, weil auf formgeschichtlicher Ebene die beiden Hauptströmungen der spanischen Poesie des XVIII. Jahrhunderts, nämlich die Góngora-Nachfolge und der erneut verstärkte Rekurs auf die klassische Antike, konvergierten. Gewiß ist es einem Vorurteil gegenüber allem ›Epigonentum‹ zuzuschreiben, daß die Poesie der Góngora-Imitatoren in den einschlägigen literarhistorischen Darstellungen stets als Kontrastfolie für andere, höher bewertete Formen erscheint: »Palabras rimbombantes, metáforas descomunales, violentas antítesis e hipérboles monstruosas constituían los adornos de lo que ellos llamaban poesía, y que, en realidad, no era otra cosa que locuacidad necia y disparatada. Usaban estos poetas aquellos versos que Gallardo llama de empeño, tales como sonetos retrógrados y con eco, de rima encadenada y estrújula, acrósticos y pentacrósticos, laberintos y ensaladas ..., que contribuían a hacer más extravagante la degeneración poética.«[52] Man stößt freilich auf erhebliche Begründungsschwierigkeiten, wenn man gegenüber dieser Tradition, welche wohl aus Gründen diskursiver Kontinuität über Epochen- und Kapitelgrenzen hinweg nicht selten auch ›*Escuela de Sevilla*‹ genannt wird, die zum Grundbestand hispanistischer Wertungstradition gehörende Hochschätzung der zeitgenössischen ›*Escuela de Salamanca*‹ fundieren will. Denn auch die Poeten der *Escuela de Salamanca* griffen mit der bukolischen Dichtung des *Siglo de Oro* eine Tradition auf, der Góngora

nicht fern gestanden war. Allerdings lassen die Biographien
einiger Autoren dieser Gruppe die Vermutung zu, daß es die im
akademischen Unterricht vermittelte Lektüre lateinischer und
griechischer Klassiker war, welche dem Ausufern der Tropen-
und Metaphern-Bombastik gewisse Grenzen setzte. Sucht man
nach einer Möglichkeit, diese doppelte filiationsgeschichtliche
Rückbindung der Escuela de Salamanca um einen positiven In-
novationsaspekt zu erweitern, dann bietet sich wohl am ehesten
das Hinüberspielen der einst als Idealwelt erfahrenen bukolischen Szenerie in anakreontische Rokoko-Frivolität an. Sprachliche Andeutungen können etwa in der folgenden Ode von Meléndez Valdés anzügliche Bilder der Imagination stimulieren:

> Teniendo su paloma
> Mi Fili sobre el halda,
> Miré á ver si sus pechos
> En el candor la igualan;
>   Y como están las rosas
> Con su nieve mezcladas,
> El lampo de las plumas
> Al del seno aventaja.
>   Empero yo, con todo,
> Cuantas palomas vagan
> Por los vientos sutiles,
> Por sus pomas dejára.[53]

Beim deutschen Leser mögen sich hier Assoziationen zur zeitgenössischen Poesie des ›Göttinger Hains‹ einstellen – und in
der Tat handelt es sich ja dort wie bei der Escuela de Salamanca
um die textuelle Objektivation von Rollenspielen in einer uns
weitgehend fremdgewordenen Tonlage studentischer Fröhlich-
keit. José Cadalso, den sein Beruf als Militär – zunächst beinahe
zu seiner Verzweiflung – aus Madrid in die salmantinische Provinz verschlagen hatte, war es, der in der Rolle eines intellektuellen Mentors eine kleine Gruppe von Literaturfreunden um
sich versammelte, unter denen heute Meléndez Valdés der mit
Abstand bekannteste ist. Der studentisch-gesellige Charakter
dieses Kreises ist uns textuell nachvollziehbar geblieben über
die Rollenspiel-Namen seiner einzelnen Mitglieder, über die
häufig in fiktionalem Kontext verwendeten Elemente epistola-
rischer Kommunikation zwischen ihnen, über die in den Titeln

mancher Gedichte festgehaltenen Anlässe des Schreibens: Namens- oder Geburtstage, Reisen, gemeinsam gefeierte Feste. Als Cadalso 1774 nach einem vierjährigen Aufenthalt Salamanca verließ, wirkte das von ihm angeregte Spiel noch über Jahrzehnte als ein – freilich mehr und mehr verblassender – *genius loci* fort, unter dessen Einfluß Autoren wie Forner, Quintana, Cienfuegos und Somoza zeitweilig standen. Sie und andere Poeten vollzogen seit dem letzten Jahrzehnt des XVIII. Jahrhunderts in Auseinandersetzung mit der damals dramatischen Zuspitzung der innen- und außenpolitischen Szenerie ihres Landes eine Verschiebung des poetischen Themenspektrums, die wir heute als weit einschneidender erfahren als alle Divergenzen zwischen gongorinischer und neoklassizistischer Formensprache. Vor allem für Meléndez Valdés scheinen die bukolisch-anachreontischen Vorstellungswelten einen moralischen Status zurückgewonnen zu haben, der es nahelegte, in der Feier des stoisch-philosophischen ›Rückzugs aufs Land‹ Kritik am ›Sittenverfall‹ des Hofs und der Hauptstadt zu üben.[54] Andere unter seinen poetisch inspirierten Zeitgenossen verherrlichten die Reformtaten des bereits wenige Jahre nach seinem Tod in der Erinnerung der Nation verklärten Königs Karl III. oder des Ministers Godoy, dem Karl IV., der Sohn jenes beinahe ›philosophischen‹ Herrschers, nicht nur alle Regierungsgeschäfte, sondern auch das Bett der Königin überlassen hatte.[55] Auch vor menschheitsgeschichtlichen Horizonten machte die Poesie nun nicht mehr halt, wie uns Quintanas schon zitierte Ode auf die Erfindung der Druckkunst oder eine ganze Phalanx von Gedichten belegen, welche sich als Hymnen auf den Freiheits- oder Vernunftbegriff präsentieren, um nach pathetischen Auftakt-Versen sogleich zur Kritik an ihrer vermeintlichen Entgrenzung und Pervertierung in der Französischen Revolution kommen. Die Schulung an antiker Formensprache, wie sie die Escuela de Salamanca kennzeichnet, mag man als eine Vorbedingung für das Ausufern dieser klassizistischen Gedanken-Dichtung ansehen. Funktionsgeschichtlich bedeutsamer ist die Beobachtung, daß zugleich mit der Verschiebung des Themenspektrums auch die Freiheit der Poesie zur Durchbrechung vorgegebener Vers- und Strophenformen erneut zunahm.

Das anachreontische Spiel der Studenten-Poeten von Salamanca spielte im späten XVIII. Jahrhundert auch der Hof – freilich vor ungleich aufwendigeren Kulissen. Karl IV. ließ sich im Park der Sommerresidenz von Aranjuez, einige Wegstunden südlich von Madrid, »ein verspieltes, mit viel Seide, Porzellan und Uhren ausgestattetes Landhaus«[56] bauen, dem er den Namen ›Casa del Labrador‹ gab, und die prächtigen Skizzen für Tapisserien, die uns aus dem Werk des jungen Goya vertraut sind, zeigen in idyllischer – und ganz selten auch ironisch oder satirisch erscheinender – Perspektive Szenen des ländlichen Lebens, deren Gestalten anmuten wie als Bauern verkleidete Höflinge. Im Genuß einer imaginierten, oft aber auch spielerisch verkörperten Sphäre von Naturnähe und Natürlichkeit traf sich der Geschmack des Hofes mit dem vieler gebildeter Untertanen. Zu einem solchen Medium der ›freien Bestimmung‹ – wie Meléndez Valdés' mit Kant den hier zugrundeliegenden Sachverhalt beschrieb – wurden die vom aufgeklärten Königtum geförderten, geschützten und propagierten Formen des Theaters nie. Ignacio de Luzán, dessen *Poetica – reglas de la poesía en general y de sus principales especies* zuerst im Jahr 1737 und dann noch einmal 1789 erschien, war gewiß kein ›spanischer Boileau‹. Seine *Poetica* ist vor allem eine Kompilation poetologischer Präzepte und poetischer Erfahrungen von stupender Gelehrsamkeit, und man kann eigentlich gar nicht übersehen, wie konsequent er sich um eine Vermittlung zwischen dem aus Frankreich und aus Italien rezipierten aristotelischen Regelwerk einerseits und nationalen Literatur-Traditionen andererseits bemühte, also jene Synthese anvisiert, die den salmantinischen Poeten ein Vierteljahrhundert später so mühelos gelang. Dabei versuchte er – durchaus im Argumentationsstil des XVIII. Jahrhunderts – den poetologischen Regeln ihren offenbar als aggressiv empfundenen Innovationscharakter, ihre Fremdheit zu nehmen, indem er sie sozusagen als überzeitliche ›Urformen‹ menschlichen Ausdrucks präsentierte.[57] Aus den nationalen Traditionsbeständen traf lediglich den *culteranismo*, der untrennbar mit Góngoras Namen verbunden war, Luzáns Verurteilung, während er von Lope und Calderón eher mit Worten der Bewunderung sprach:

Es cierto que si un Lope de Vega, un don Pedro Calderón, (...) hubieran a sus naturales elevados talentos unido el estudio y arte, tendríamos en España tan bien escritas comedias, que serían la envidia y admiración de las demás naciones, cuando, ahora, son, por lo regular, el objeto de sus críticas y de su risa. Mas, con pérdida lastimable, vemos malogradas tantas y tan peregrinas prendas de que los dotó la naturaleza; solamente, porque engañados de ese común error, pretendieron que su ingenio sólo bastaba para acertar en todo, sin reparar que quien camina a ciegas, sin luz ni guía, por erradas sendas, sólo puede esperar caídas y precipicios, debiendo, los que se excuse, más al favor de un acaso, que a la prevención de un discurso.[58]

Nun gab es zumal unter den Bühnendichtern durchaus Autoren, die bereit waren, sich an den von Luzán vermittelten Strömungen der Poetik zu orientieren: Nicolás Fernández de Moratín war selbst im Jahr 1763 mit einer dramenpoetologischen Schrift ›Desengaños al teatro español‹ hervorgetreten, deren Schärfe Luzáns Kritik am Theater des Siglo de Oro bei weitem übertraf, und er verfaßte höchst regelbewußte Tragödien zu Themen aus der nationalen Geschichte. Sein Sohn, Leandro Fernández de Moratín, der den Kennern um die Jahrhundertwende als ein Dichter von überzeitlichem Rang galt,[59] war der Autor eines schmalen Corpus von Komödien, das zwar in seinem thematischen Spektrum wie eine Anthologie zu den zentralen Faszinationen der spanischen Aufklärung anmutet, aber im Ausspielen von Variations- und Konfliktmöglichkeiten aus der Struktur der Kleinfamilie und in der Gestaltung der Dialoge programmatisch Molières Vorbild folgte. Gaspar Melchor de Jovellanos erwies sich als ein Kenner der damals neuesten dramenpoetologischen Diskussion des französischen Nachbarreichs,[60] als er sein Bühnenstück ›El delincuente honrado‹ nach jenem Modell des Schauspiels verfaßte, das die klassizistischen Kritiker zunächst spöttisch ›comédie larmoyante‹ und seine nachzeitigen Bewunderer ›drame bourgeois‹ nannten. Zwar bezog Jovellanos sein zentrales Motiv – das Duellantentum und dessen ethische wie juristische Verurteilung – aus der spanischen Geschichte, doch daraus wurde unter dem Einfluß der in Frankreich entstandenen Form eine Handlung, in der Klassengegensätze eine ungewohnte und für die zeitgenössische spanische Gesellschaft wohl auch wirklichkeitsfremde Bedeutung erlangten. Der bürgerliche Titelheld wird vom Marqués de Montilla gefordert und geht aus dem Duell (auf das er sich nur nach gezielten Beleidigungen seines Widersachers einläßt) als Sieger hervor. Wenig später heiratet er die in diese Vorgeschichte nicht eingeweihte Witwe seines Kontrahenten. Doch das junge Glück ist – erwartungsgemäß – von kurzer Dauer, weil ein pflichtbesessener Richter – als Jovellanos den *Delincuente honrado* schrieb, war er selbst als Richter in Sevilla tätig – das auch in der spanischen Gesellschaft des späten XVIII. Jahrhunderts illegale Geschehen verfolgt hat und sich daher gezwungen sieht, den bewährten Ehren- und jungen Ehemann zum Tode zu verurteilen. Nun setzt ein Wettstreit der Tugend ein: Anselmo, der Freund des Duellanten, will Schuld und Strafe auf sich nehmen; der pflichtbewußte Richter (er heißt nicht umsonst ›Don Justo‹) bleibt bei seiner Entscheidung, auch nachdem sich – ganz theatertypisch – herausgestellt hat, daß der Verurteilte sein Sohn ist; die ehemalige Witwe und neue Ehefrau Laura erweist großherziges Verständnis gleich für alle Beteiligten. Doch das tränendrückende Stück endet nicht nur glücklich, sondern auch mit einem Schluß in bester nationalliterarischer Tradition: kurz bevor es zu spät ist, wird Don Justos Sohn, Lauras Mann und Anselmos Freund durch ein königliches Begnadigungs-Dekret gerettet. Für eine flexiblere, der Subjektivität des richterlichen Urteils mehr Freiraum einräumende Praxis der Rechtsprechung wollte Jovellanos plädieren, obwohl schon der Schluß seines Stückes ein gewisses, in der Handlung angelegtes Potential von Kritik und Programmatik eilends in Wohlgefallen neutralisiert.

Der *Delincuente honrado* vergegenwärtigt des weiteren einen Grund für die Probleme bei der Adaptation ausländischer Theaterformen im spanischen XVIII. Jahrhundert. Diese Formen waren in Frankreich – wie jede andere Gattung – aus und in bezug auf spezifische gesellschaftliche Rahmenbedingungen entstanden; diese Rahmenbedingungen waren ihrerseits den Texten als Implikate eingeschrieben – so wie etwa eine unter moralisierender Perspektive präsentierte Spannung zwischen Adel und Bürgertum in der *comédie larmoyante*. Unter differenten gesellschaftlichen Bedingungen aber verloren solche Implikate ihre Funktion und mußten ersetzt werden. Genau das trifft auf die Spannung zwischen den Klassen in Jovellanos'

Schauspiel zu: sie konnte im spanischen Theater nicht in Auseinandersetzung der Klassen-Repräsentanten einer Lösung zugeführt werden, sondern bedurfte zu ihrer Aufhebung – wie schon in den *comedias* des Goldenen Zeitalters – einer königlichen Intervention, eines *rex ex machina*. Eine weitere Interferenz zwischen dem klassizistischen Dramentyp und den spezifischen Erwartungen des spanischen Theaterpublikums mag in diesem Zusammenhang noch schwerer gewogen haben. Es ist offensichtlich, daß die meisten jener berühmten ›Regeln‹ der Dramenproduktion in dem Effekt zusammenliefen, die Reflexionsbereitschaft der Zuschauer durch die Minimierung des Angebots an visueller und auditiver Theater-Sinnlichkeit zu aktivieren. Ein dieser Appellstruktur komplementärer Prozeß der Publikums-Disziplinierung[61] hatte aber in Spanien nie stattgefunden: noch im späten XVIII. Jahrhundert waren die lautstarken Publikumsinterventionen im Gegenteil eine Attraktion des Theaterbesuchs, ja es war unter den Besuchern der beiden großen Schauspielhäuser von Madrid, dem *Teatro del Príncipe* und dem *Teatro de la Cruz,* geradezu ein ›Teamgeist‹ entstanden: das beweisen die hellblauen und die goldfarbenen Hutbänder, mit denen die Stammgäste des einen und des anderen Theaters ihre Gruppenzugehörigkeit symbolisierten, und die Gruppennamen ›*polacos*‹ und ›*chorizos*‹. Dieses Publikum war an die Illusions-Effekte der Theatermaschinen gewohnt, an aufwendige Kulissen, an Prügelszenen, an Guitarrenmusik und an die – im Siglo de Oro von den polymetrischen Texten garantierte – Vielfalt der Sprechrhythmen und Stimmlagen. Weil sie auf all diese Verfahren und Effekte kaum verzichten konnten, blieben die Zuschauer in ihrer Mehrheit einer trivialisierten Form von Calderóns Typ der nationalen *comedia* treu. Diese sogenannten ›*comedias de teatro*‹ nutzten weiterhin alle Errungenschaften der Bühnentechnik, entführten das Publikum in ferne Länder und jenseitige Welten, präsentierten den Kosmos als eine von Zauber und Gegenzauber beherrschte Sphäre.[62]

Zwischen solchen Spektakeln und den am Vorbild Racines ausgerichteten Tragödien gab es natürlich keine Vermittlungsmöglichkeit. Deshalb wohl beobachten wir im spanischen Theater des XVIII. Jahrhunderts – ganz im Gegensatz zur zeitgenössischen Poesie – eine sich verschärfende Konkurrenz zwischen den nebeneinander bestehenden Formen. Weniger zur Rettung der Moral auf der Bühne als mit der Absicht, geschmacksbildend zu wirken, griff die staatliche Zensur in diese Spannung ein: ganze Gattungen der nationalen Theater-Tradition wurden mit Aufführungsverboten belegt – so im Jahr 1765 die *autos sacramentales* und im Jahr 1778 die wegen ihrer Prügelszenen überaus beliebten *entremeses*. Unter solchen Rahmenbedingungen hatte das Schauspiel natürlich seine an der Wende vom XVI. zum XVII. Jahrhundert gewonnene Autonomie längst wieder verloren: es wurde zu einem Instrument aufgeklärt-absolutistischer Reformpolitik, dessen Wirkungspotential in dem Maß sank, wie es den Verordnungen von Ministern und Zensoren gefügig wurde. Am Ende dieser Entwicklung waren Dramenautoren und Schauspieler nicht mehr wie zur Zeit Lope de Vegas die Idole der gesamten Gesellschaft von Madrid, sondern nur noch Statisten in der Welt des Hofes. So zeigen etwa vier aufeinander folgende Eintragungen aus dem Monat Februar 1797 in einem Tagebuch, das der Dramenautor Leandro Fernández de Moratín mit penibler Genauigkeit und in einer eigenartigen Vermischung lakonischer Kürze mit makkaronischer Sprachenvielfalt führte, daß es sein wahrer Beruf war, dem ›Principe de la Paz‹ genannten Minister Godoy die Stunden der Muße durch Konversation aufzuheitern:

Febrero de 97

4 Calle de Queen; *Palacio, ubi vidi Príncipe Pacis; chez ille, bene receptum.* / cum Don Joaquín, jardins; Secretaría Stato, vidi Ofiziales.

. . .

7 chez Bernabeu. / *chez Príncipe Pacis,* ubi Mahonesita aegra; chez Paquito.

8 chez Interino, vido Diccionarios; chez Bernabeu, *ubi cum Forner y Príncipe Pacis manger.* / *chez ils, Comedia,* chez Paquito.

9 *ici Príncipe Pacis, cum il chez Interino, vidi Diccionarios;* Calles. / chez Causídico; Calles.[63]

Während Leandro Fernández de Moratín mit Godoy speiste, *diccionarios* bewunderte und gelegentlich auch einen Bordellbesuch nicht verachtete,[64] mußte Ramón de la Cruz, dem die Begeisterung jenes Publikums der Schauspielhäuser gehörte, das Moratíns Komödien bestenfalls Respekt zollte, einen durchaus mediokren Posten in den *Contadurías de Penas de Cámara y Gastos de Justicia* bekleiden und war Zeit seines Lebens in größten Schwierigkeiten, den finanziellen Unterhalt für seine Familie zu sichern.[65] Ramón de la Cruz war der Meister des *Sainete,* einer Gattung, die sich wie die *entremeses* aus dem Aufführungs-Kontext der *comedia* des Siglo de Oro heraus entwickelt hatte, ebenfalls auf belehrende Intentionen verzichtete, aber im Gegensatz zu den *entremeses* davon lebte, daß sie Szenen des Alltagslebens (vor allem Szenen aus dem Alltagsleben des ›Volkes‹ von Madrid) in den Rahmen des Theaters stellte. Wir brauchen auf die Einwände der an der aristotelischen Poetik ausgerichteten Kritiker des *sainete* nicht im Detail einzugehen – wichtig ist in unserem Zusammenhang einzig der Sachverhalt, daß es solche Kritiken gab, daß es Ramón de la Cruz deshalb über einige Jahre für angezeigt hielt, eher klassizistische Komödien als *sainetes* zu schreiben, daß er aber auch in den *sainetes* den Toleranzspielraum der gelehrten Kritik und der staatlichen Zensur nie provokativ überschritt. Man duldete die Sainetes, obwohl der mimetische Ehrgeiz des Autors den poetologisch Bewanderten fremd blieb:

... quantos han visto mis saynetes, reducidos al corto espacio de 25 minutos de representación, (después de rebajar el punto de vista con la decoración a veces nada á propósito y las actitudes, tan mal estudiadas como los versos); digan si son copias ó no de lo que ven sus ojos y de lo que oyen sus oídos; si los planes están arregeados ó nó al terreno que pisan; y si los quadros no representan la historia de nuestro siglo. En quanto á la verdad, la imitación, y la disposición de las figuras, á fé que tienen mas de historia que la que yo tengo entre las manos ...[66]

Die *sainetes* stehen der großen Theatertradition des Siglo de Oro weit näher als ihre Gattungsgeschichte zunächst vermuten läßt. Denn auch auf sie trifft die Formel zu, Ort der theatralischen Verdichtung einer theatralisierten gesellschaftlichen Welt zu sein. Freilich hatte die von Ramón de la Cruz aufgegriffene Theatralisierung nicht die gesamte Gesellschaft umfaßt: es ging in den meisten der über vierhundert überlieferten *sainetes* um vielfältige Versuche, Standesgrenzen *durch Anpassung an den Lebensstil je anderer sozialer Gruppen* tentativ zu überschreiten: so um den ›philosophischen‹ Rückzug aufs Land, die Bemühung der Bauern, in Madrid seßhaft zu werden,

die modische Begeisterung privilegierter Schichten der Hauptstadt für das Leben der *majos* (das waren die Bewohner der
Viertel an der Peripherie der Hauptstadt), den Ehrgeiz einer
diffusen (und von Ramón de la Cruz schon so genannten) ›*clase
media*‹, ihren sozialen Aufstieg durch Nachahmung adligen
Verhaltens zu betreiben. All jene Transgressionen hat Ramón
de la Cruz auf der Bühne durch die Bewegung zwischen je
verschiedenen Räumen konkretisiert und meist auch als Durchbrechung bestimmter Moralvorschriften erfahrbar gemacht. All
diese Transgressionen provozierten ein Lachen, in dem sich
letztlich die Überzeugung befestigte, daß die Hierarchie der
Stände Teil einer unaufhebbaren göttlichen Kosmologie sei. In
den folgenden Versen aus dem Stück *El Espejo de los padres*
artikuliert der Protagonist – ein *petimetre* – eben diesen für die
Zuschauer eitlen Wunsch nach der Durchbrechung aller Standesgrenzen:

> Es un espacio absoluto
> ó una esfera imaginada,
> donde las gentes de vasto
> espíritu civil dilatan
> la conciencia y las ideas
> útiles, sin limitarlas
> al estrecho mundo que
> nos muestra la cosmografia.[67]

Gewiß gibt es in der spanischen Literatur des XVIII. Jahrhunderts keine narrative Gattung, die so deutlich und erfolgreich
wie das *sainete* die besonders vielgestaltigen Traditionsvorga-
ben des Siglo de Oro präsent gehalten hätte. Gewiß, auch im
Bereich der *Erzählungen* können wir ein Nebeneinander von
überkommenen Textschemata und ausländischen Modellen ausmachen. Aber dies sollte uns nicht zwei allgemeine, besonders
relevante Sachverhalte vergessen lassen. Zum einen: das Klima
der Aufklärung war dem Erzählen – nicht allein in Spanien –
wenig zuträglich. Das mag damit zusammenhängen, daß es den
Aufklärungsbewegungen – zumal solchen, die der Gesellschaft
von absolutistischen Regierungen verordnet wurden – um die
Vermittlung eines Wissens ging, das sich als endgültiges Wissen
präsentierte. Bei allem Gewicht, das man der Subjektivität des
Erfahrungsprozesses verleihen wollte, scheinen aufgeklärte Au-

toren doch ein Risiko ganz besonders gefürchtet zu haben, das sich im Erlebnisstil der Erzählung nie ganz ausschließen läßt: das Risiko nämlich, dem Leser die Bildung von Erfahrungen im – narrativen – Kursus einer Sequenz von Erlebnissen selbst zu überlassen. Zum zweiten: die Geschichte des europäischen Romans scheint während des XVII. und des XVIII. Jahrhunderts – zumal in England und Frankreich – vor allem von einer wachsenden Polarisierung zwischen Subjekt und Gesellschaft, zwischen sozialen Normen und Selbstverfügung im Handeln gelebt zu haben. Dafür sprechen die gattungsgeschichtlichen Bewegungen der immer neuen Antithese von ›Roman und Antiroman‹, aber auch – als Endpunkt einer Entwicklungsphase – Rousseaus autobiographische *Confessions*, wo der Gestus radikaler Offenheit in der Lebensbeichte gegen die Normierungs- und Kontrollansprüche der Gesellschaft gekehrt wird. In der höchst spezifischen – und kurzfristigen – mentalitätsgeschichtlichen Konstellation des frühen XVII. Jahrhunderts hatte Cervantes im *Quijote* eben diese Polarität zum ersten Mal literarisch ausgespielt; aber schon Baltasar Gracián hatte ausgehend von der Prämisse, daß die Gesellschaft eine subjektfeindliche Sphäre sei, in expliziter Hinwendung an einzelne Leser Reflexionen und Maximen für soziales Handeln unter dieser Bedingung formuliert. Schließlich bot das schon immer als ›Schein‹ präsentierte und im Akt des *desengaño* besiegbare Diesseits der Subjektivität keine Reibungsfläche, und provozierte deshalb auch nicht – wie etwa in Frankreich oder England – eine Solidarisierung der sich selbst zu Trägern der Tugend erklärenden Subjekte, die auf Veränderung der Gesellschaft zielte.

Der Befund scheint paradox, ist aber dennoch leicht nachvollziehbar: gerade weil die in der Gegenreformation befestigten Normen und Ansprüche der Gesellschaft in Spanien für die dort früh entstandene Subjektivität unerträglich gewesen waren, hatte sich schon bald der Habitus des *desengaño* als ein Überlebensmodus eben der Subjektivität verbreitet. Mit diesem Allheilmittel gegen gesellschaftliche Leiden ausgestattet, konnte man es sich aber leisten, hier und da je nach Motivationslage auf die gesellschaftlichen Sinnangebote – sozusagen mit einem ›prinzipiellen *desengaño*-Vorbehalt‹ – einzugehen. Dafür bietet die von uns nachgezeichnete Geschichte von der

Entstehung der beiden nationalen Selbstbilder in Spanien eine Fülle von Belegen. Wo aber die Spannung zwischen Subjektivität und den normativen Vorgaben kollektiven Sinns aufgehoben war – und damit sind wir wieder bei unserer Ausgangsthese angelangt –, blieb jene Bedürfnislage aus, die in anderen Ländern während der Aufklärung als Triebfeder für die Geschichte des Romans wirkte.

Die narrative Gattung, welche unter diesen Voraussetzungen – und zwar bei Traditionalisten wie Reformern – im XVIII. Jahrhundert einen Aufschwung verzeichnete, war die *Satire*. Denn ihre Entstehungsbedingung ist die Konkurrenz von Standpunkten, Wissensbeständen, Lebensformen – aber nicht die Polarisierung von Subjekt und Gesellschaft. José Francisco de Isla, dessen satirischer Roman *Fray Gerundio de Campazas* noch im XIX. Jahrhundert so populär war, daß sein Titelheld einer erfolgreichen satirischen Zeitschrift den Namen geben konnte und bis heute unter gebildeten Spaniern bis zur Sprichwörtlichkeit populär geblieben ist, repräsentiert diese gattungspragmatische These geradezu idealtypisch. Er stammte aus einer betuchten Adelsfamilie, hatte Jurisprudenz und Geschichte studiert, bevor er – offenbar mit Glanz – das anspruchsvolle Bildungscurriculum der Societas Jesu durchlief, wurde *catedrático* für Philosophie und Theologie in den Städten Medina, Segovia, Santiago de Compostela, Pamplona, San Sebastián und Valladolid (bezeichnenderweise nicht in Salamanca, dessen Universität den gelehrten Spaniern seiner Zeit als Paradefall nationaler Rückständigkeit galt), und er war den einflußreichsten Ministern seiner Zeit freundschaftlich verbunden. So prominent war Isla durch eine Reihe satirischer Schriften geworden, daß er es sich leisten konnte, auf die ihm anvertraute, politisch bedeutsame Rolle des Beichtvaters der Königin zu verzichten, um sich ganz seinem großen Roman, dem *Fray Gerundio*, zu widmen. Schon der Name des Titelhelden läßt ahnen, daß gongorinischer Sprachschwulst die Zielscheibe von Islas Spott war, was schon deshalb nahelag, weil ja die Entwicklung eines streng funktionalen Stils religiöser Sprache zu den Ruhmesblättern der Jesuiten gehörte. Natürlich repräsentieren Fray Gerundios barocke Syntax, mit der das Verstehen seiner meist aus Dorftölpeln zusammengesetzten Auditorien prinzipiell überfordert ist, seine Vorliebe für stets mißverstandene lateinische Zitate, sein wortverliebtes Abgleiten in die Zonen der Häresie, natürlich repräsentiert dieser groteske Diskurs metonymisch ein ganzes gesellschaftliches Milieu des historischen und intellektuellen Stillstands. José Francisco de Isla hatte freilich, um hinsichtlich der Wirkung seiner Satire ganz sicher zu gehen, bestimmte Protagonisten den einzelnen Stationen von Fray Gerundios Lebensweg zugeordnet, welche seine Leser mit Akribie auf die zum Lachen freigegebenen Objekte verwiesen. So wie im folgenden Zitat sind der barocke Diskurs und fiktionsimmanente – aber in ihrer Funktion doch auktoriale – Kommentare immer wieder konfrontiert:

»Si es verdad lo que dice el Espíritu Santo por boca de Jesucristo, ¡ay, infelice de mí!, que voy a precipitarme, o es preciso confundirme. El oráculo pronuncia, que ninguno fue en su patria, predicador ni profeta: *Nemo profeta in patria sua.* Pues, ¿cómo atrevido yo, presumí este día ser, predicador en la mía? Pero teneos, señores, que también para mi aliento, leo en las Sagradas Letras, que no a todos hace fuerza, la verdad del Evangelio: *Non omnes obediunt Evangelio.* ¿Y qué sabemos si es ésta, alguna de aquellas muchas, que, como siente el filósofo, se dicen sólo *ad terrorem?*«

Esta entradilla puso en la mayor suspensión al grueso del auditorio, pareciéndole que era imposible encontrar con introducción más feliz ni más oportuna. Pero el magistral, que de propósito se había metido en el confesionario del cura (el cual estaba en frente del púlpito) y había cerrado la celosía de la parte anterior, para observar a su gusto a fray Gerundio sin peligro de turbarle, apenas le oyó romper en dos disparates o en dos blasfemias heréticas tan garrafales como dudar si era verdad lo que había dicho el Espíritu Santo por boca de Jesucristo, y suponer que muchas verdades del Evangelio eran sólo para espantar y poner miedo, de pura vergüenza bajó los ojos ...[68]

So entschieden wie Isla der Welt der absolutistischen Reformen angehörte, so deutlich knüpfte die Form seines Diskurses an Traditionen an, welche der beflissene Literarhistoriker über Quevedo zu Erasmus, von der mittelalterlichen Klerikersatire bis zu den antiken Tropen und Topoi lustvoll verlängern kann. Von Innovationsehrgeiz war der Autor des *Fray Gerundio* jedenfalls nicht geplagt, und so bemühte er sich auch erst gar nicht, die lange Reihe der stets um dieselbe Perspektive der Komik zentrierten Situationen narrativ zur Linie einer Entwicklung zu gestalten. Geradezu abrupt brach er diese Sequenz dann auch ab – und zwar mit dem unter Literaten des XVIII. Jahrhunderts beliebten Rekurs auf die Herausgeber-Fiktion des *Quijote*. Die Geschichten von Fray Gerundio waren zuvor fiktionsimmanent als Übersetzung von ›Papieren‹ präsentiert worden, die ein armenischer *coepíscopo* einem – natürlich geistlichen – ›Herausgeber‹ übergeben hatte. Als dieser nun im letzten Kapitel von Islas Buch einen *inglés de autoridad ... que había sido muchos años catedrático de lenguas orientales en la Universidad de Oxford* empfängt, muß er erfahren, daß der *coepíscopo* ein Schwindler war. Natürlich entbehrt der fiktionsinterne Schwindel nicht einer fiktionsexternen Wahrheit; denn – wie der Professor aus Oxford feststellt – in vielen Städten Spaniens pflegt man tatsächlich jenen Predigtstil, dessen Exotik den ›Herausgeber‹ so gänzlich überzeugt hatte: *tengo por cierto que en varios lugares de España se practicarán distributivamente todas las extravagancias que supone la fingida instrucción de Pero Rubio.*[69] Sollten aber einem Leser immer noch Zweifel an der Zielrichtung der Satire geblieben sein, so wird auch seine Rezeption durch die letzten Sätze des *Fray Gerundio* justiert; der – fiktionale – ›Herausgeber‹ verwandelt sich in den – historisch authentischen – Autor, dem wohl kein Zeitgenosse Sympathie für die Vorbilder von Fray Gerundio unterstellen wollte.

Zu so prägnant konstruierten satirischen Erzählungen bot sich den Traditionalisten wie den Reformern im Spanien des XVIII. Jahrhunderts stets hinreichender Anlaß. Weit größere Schwierigkeiten, für ihre Romane einen ›Sitz im Leben‹ zu finden, hatten jene Autoren, welche sich an den zeitgenössischen literarischen Modellen des Auslands zu orientieren suchten. Pedro Montengón etwa scheint in allen Diskursen beschlagen gewesen zu sein, die gegen Ende des XVIII. Jahrhunderts als zeitgemäß gelten konnten. Er war als Sophokles- und Ossian-Übersetzer hervorgetreten, hatte die sagenhaften Ursprünge der Stadt Venedig in forciert poetischen Tönen neu erzählt, ein Motiv aus Marmontels – nicht zuletzt wegen der Intervention der französischen Zensur – überaus erfolgreichen Roman *Bélisaire* narrativ weitergesponnen – und so konnte es fast nicht ausbleiben, daß er sich auch – und zwar im Jahr 1786 – in einem spanischen *Emile*-Seitenstück unter dem Titel ›*Eusebio*‹ versuchte. Das gewiß redlich verdiente Verdikt der Inquisition wurde dem rousseauistischen *Eusebio* zuteil, und die Literarhistoriker hegen den Verdacht, daß diese Intervention nicht unerheblich zum erstaunlichen Erfolg von Montengóns Buch beitrug.[70] Der für das XVIII. Jahrhundert unerläßliche Brief-, Liebes- und Reflexionsroman in *Pamela*-, *Héloïse*- und *Werther*-Nachfolge stammt von José Mor de Fuentes und heißt *La Serafina*. Ganz ähnlich wie das *drame bourgeois* in Jovellanos' *Delincuente honrado* erfuhr auch diese empfindsame Gattung in ihrer spanischen Konkretisation eine mentalitätsgeschichtlich signifikante Verschiebung. Denn wo dem Leiden des fiktionalen Individuums an der Gesellschaft nicht die Alltagserfahrung einer Lesergruppe entsprach, mußten die für Richardson, Rousseau und den jungen Goethe als *Grundierung* für die ekstatische Selbstbespiegelung wichtigen Beschreibungen der situationalen Rahmen in den Vordergrund treten. Und damit kommt die *Serafina* einer anderen Vorliebe des hispanistisch-literarhistorischen Diskurses durchaus entgegen: man kann sie als ›Vorläuferin‹ des *Costumbrismo* klassifizieren, jener zunächst journalistischen, dann ›literarisch‹ gearbeiteten Praxis der Beschreibung gesellschaftlicher und regionaler Milieus, welche in der spanischen Literatur des XIX. Jahrhunderts herausragende Bedeutung hat.[71]

Wie sehr die für das europäische XVIII. Jahrhundert neuen Romanformen der Erfahrung einer Polarisierung von Individuum und Gesellschaft als Disposition bedurften, das zeigt vielleicht am eindrucksvollsten die *Vida* von Torres Villarroel, mit der wir dieses Kapitel begonnen hatten. Für einen Leser, der weiß, in wievielen – oft bizarren – Rollen sich das Leben von Torres vollzog, wie sehr er in einer Welt zu Hause war, deren intellektuelles und affektives Klima weit entfernt von jedem Begriff der ›Neuzeit‹ ist, bleibt die Lektüre seiner Autobiographie erstaunlich flach. Noch am interessantesten sind – zumindest für einen Literarhistoriker – der *Prólogo al lector* und die *Introducción*, denn dort glaubt man zunächst der Komplexität von Torres' Persönlichkeit und seinem Temperament in einem ganzen Bogen rhetorischer Tonlagen und in einer verwirrenden Fülle von Gründen zu begegnen, mit denen offenbar der Entschluß eines Autors, sein eigenes Leben ausführlich zu erzählen und diese Erzählung zu veröffentlichen, im XVIII. Jahrhundert noch legitimiert werden mußte. Wirklichen Aufschluß über Torres' autobiographische Motivation gibt die einleitende Sequenz allerdings nicht. Einer Antwort auf diese Frage scheinen jene Forscher am nächsten zu kommen, welche – ausgehend von der Tatsache, daß Torres Villarroel im Alter von sechsundvierzig Jahren begann, die Autobiographie zu verfassen[72] –, auf seine erst nach mehreren Jahren aufgehobene Verbannung aus Spanien verweisen. Torres wurde vorgeworfen, in Ehrenhändel verstrickt gewesen zu sein, – und deshalb liegt es nahe, daß für ihn – wie für so viele Vorläufer in der Geschichte der Autobiographie – der Wunsch nach öffentlicher Apologie und Rehabilitation ein erster Impuls für das Erzählen der Lebensgeschichte war.[73] Die Rolle des vielbewunderten nationalen Propheten, welche Torres als Herausgeber seiner erfolgreichen Almanache spielte, war wohl mit der Trivialität des ihm angelasteten Vergehens, mit polizeilicher Verfolgung und mit der Schmach des Exils nicht zu vereinbaren.[74] Wenn wir diese Motivation nur als einen ersten ›Impuls‹ bewertet haben, so deshalb, weil Torres erst beim Schreiben – oder angesichts der ersten Leserreaktionen? – das romaneske Potential seiner Lebensgeschichte entdeckt zu haben scheint: *La pobreza, la mocedad, lo desentonado de mi aprehensión, lo ridículo de mi estudio, mis almanaques, mis coplas y mis enemigos, me han hecho* hombre de novela, *un estudiantón extravagante y un escolar, entre brujo y astrólogo, con visos de diablo y perspectivas de hechicero.*[75] Ganz in einem Gestus, welcher dieser präsentierten Identität entspricht, verweist Torres dann auch explizit auf die Motivation des Geldes, das mit einem erfolgreichen Buch zu verdienen sei: *y si te parece mal que yo gane mi vida con mi Vida, ahórcate, que á mí se me da muy poco de la tuya.*[76] Wenn unsere Vermutung zutrifft, daß der primäre apologetische Impuls für die Autobiographie Torres zu der – sekundären – Einsicht brachte, daß es einen Leser-Markt für seine *Vida* gab, dann lassen sich wohl zahlreiche Passagen in *Prólogo* und *Introducción* als Zeichen für Torres' Bemühung lesen, solchen Erfolg durch das Einschreiben seines Buchs in beliebte Gattungsmuster zu sichern. Da war natürlich zuerst das Modell der *picaresca*, dem zu genügen Torres mit unzähligen Hinweisen auf seine *locura* nicht müde wird, das er aber auch ganz explizit benennt: *en Torres no es virtud, humildad y entretenimiento escribir su vida, sino desvergüenza pura, truhanada sólida y filosofía insolente* de un picarón *que ha hecho negocio en burlarse de sí mismo, y gracia estar haciendo zumba y gresca de todas las gentes del mundo.*[77] Aber auf der anderen Seite stoßen wir nun auch auf ein unmißverständliches Abweisen der kurz zuvor geweckten *pícaro*-Erwartung in einer Passage, wo autobiographische Form und Individualisierung so miteinander korreliert werden, als habe Torres schon an die Hypothesen seiner textpragmatisch interessierten Interpreten gedacht: *Paso, entre los que me conocen y me ignoran, me abominan y me saludan, por un Guzmán de Alfarache, un Gregorio Guadaña y un Lázaro de Tormes; y ni soy éste, ni aquél, ni el otro; y por vida mía, que se ha de saber quien soy.*

Doch weder das eine noch das andere, weder die pikareske Karnevalisierung noch die narrative Individualisierung sollte Torres Villarroel gelingen. In kaum einer seiner autobiographischen Stationen entdeckt der Leser – wenigstens der Leser unserer Gegenwart – Komik, und keiner seiner zahlreichen *autoretratos* überschreitet die Schwelle, die zwischen Typenbeschreibung und Individual-Porträt liegt:

Yo he probado todos los vicios y todas las virtudes, y en un mismo día me siento con inclinación á llorar y á reir, á dar y á retener, á holgar y á padecer, y siempre ignoro la causa y el impulso de estas contrariedades. A esta alternativa de movimientos contrarios he oído llamar locura; y si lo es, todos somos locos, grado más ó menos; porque en todos he advertido esta impensada y repetida alteración.[78]

Torres' *Vida* konnte weder zum Schelmenroman noch zu einem spanischen Vorläufer von Rousseaus *Confessions* werden, weil ihr Sinnhorizont nicht mehr der historisch spezifischen Erfahrungskonstellation der *picaresca* entsprach und weil sie ebensowenig auf das Erleben jener Polarisierung von Gesellschaft und Individuum zurückging, welche die *Confessions* vielleicht in die schärfste, gewiß aber in die pathetischste Form der Gesellschaftskritik umschlagen ließ.[79] Torres Villarroels vielfältige Roman-Rollen können deshalb nicht in einen Prozeß münden, an dessen Ende die Gestalt der Individualität steht; sie sind gleichsam ›parataktische‹ Phasen des subjektiven Sich-Einlassens auf spezifische Sinnwelten, aus denen die Gesten des *desengaño* immer wieder herausführten. Der gestaltlosen – oder genauer: sich nicht zur Gestalt konturierenden – Subjektivität entspricht eine wachsende Inkohärenz der narrativen Struktur. Das letzte von insgesamt sechs Büchern der *Vida* beispielsweise füllt Torres Villarroel mit Dokumenten und Gedenkschriften aus seinen vielfältigen Auseinandersetzungen mit der Universität Salamanca,[80] um sich ohne Ironie und mit der denkbar konventionellsten Formel von seinen Lesern zu verabschieden:

A tantos cuantos he dicho estoy de vida, salud, ocupaciones y medios, el que hubiere menester algo de estas mercadurías acuda breve, porque no puede tardar mucho el desbarate de esta feria, que le serviré de balde y á contento, sin otra recompensa, paga ni gratitud que la de encomendarme á Dios para que me envíe una muerte, no como la ha merecido mi vida, sino como la promete su misericordia á los pecadores tan obstinados como yo, que llegan arrepentidos á las puertas de su piedad justa, santa y poderosa. Amen.[81]

Es gibt aber doch *einen* narrativen Text – genauer: eine kurze Erzählung in Dialogform – aus der spanischen Literatur des XVIII. Jahrhunderts, welche dem Leser die Einsamkeit des Individuums in der Gesellschaft nacherlebbar macht. Das sind die *Noches lúgubres* von José Cadalso, die in sechs Folgen zwischen Dezember 1789 und Januar 1790 posthum von der Zeitschrift *Correo de Madrid* veröffentlicht wurden, bis ins dritte Viertel des XIX. Jahrhunderts zu den Lieblingsbüchern der spanischen Leser gehörten und die Frage nach den historischen Bedingungen für die Entstehung eines so ›typisch romantischen‹ Textes Jahrzehnte vor der Romantik aufgeworfen haben. Die *Noches lúgubres* sind das Gespräch zwischen einem Totengräber und dem jungen Tediato, dessen Name auch schon fast seine ganze Geschichte enthält: nach dem Tod seiner Geliebten wird Tediato von einem ebenso radikalen wie unabweisbaren Ekel (›taedium‹) an der Gesellschaft erfaßt, der zu dem bald in die Tat umgesetzten Wunsch nach einer Exhumierung der jungen Leiche führen muß. Als er sich von dem schillernd ausgemalten Zerfall des geliebten Körpers überzeugt hat und in einer zufälligen Begegnung mit dem Sohn des Totengräbers vom Leid und der Not der Totengräberfamilie angerührt worden ist, beschließt Tediato, die Impulse der Partnerliebe nun in karitative Zuwendung umzupolen. So kann er am Ende dem angesichts solchen Sinneswandels verdutzten Leichengräber Lorenzo mitteilen: *El gusto de favorecer a un amigo debe hacerte la vida apreciable, si se conjuran en hacértela odiosa todas las calamidades que pasas. Nadie es infeliz si puede hacer al otro dichoso. Y, amigo, más bienes dependen de tu mano que de la magnificencia de todos los reyes.*[82]

Trotz ihres Untertitels – ›*Imitando el estilo de las que escribió en inglés el Doctor Young*‹ – boten die Szenerie der *Noches lúgubres* und Cadalsos Biographie den – zumal im XIX. Jahrhundert – auf die Fusion von ›Leben und Werk‹ fixierten Lesern eine naheliegende Chance, die Frage nach der Entstehungsmöglichkeit dieses ›vorromantischen‹ Textes Jahrzehnte vor der Wende zum XIX. Jahrhundert als beantwortet anzusehen: Cadalso hatte sich in den frühen siebziger Jahren in die prominente Madrider Schauspielerin María Ignacia verliebt, die Aufrichtigkeit und Inbrunst dieser Liebe damit unter Beweis gestellt, daß er das nicht unerhebliche, soeben von seinem Vater ererbte Vermögen gänzlich verbraucht hatte – und danach hatte diese Geschichte eine bemerkenswerte Wendung genommen. María Ignacia scheint sich nämlich nicht von Cadalso ab- und dem ebenfalls ihren Reizen erlegenen Minister Aranda zugewandt zu haben, vielmehr hielt sie an ihrer Liaison mit Cadalso fest und kam nun ihrerseits für den gemeinsamen Lebensunterhalt auf. Bald jedoch starb Cadalsos Geliebte, und es gibt hinreichend Belege für die existentielle Krise, in die der junge Autor durch diese Erfahrung geriet. Was lag also für einen empfindsamen Leser näher, als ›hinter Tediato den romantischen José Cadalso zu vermuten‹.[83]

Gewiß wird sich nie der definitive Gegenbeweis zu der Vorstellung antreten lassen, Cadalso habe – wie Tediato – María Ignacias Grab geöffnet. Doch es gibt eine andere Verstehensperspektive für diesen – im zeitgenössischen nationalen Kontext – signifikant atypischen Text. Ähnlich wie bei Cadalso sind nämlich die Themenhorizonte ekstatischer Liebe und gesellschaftlicher Vereinsamung in einem Roman verknüpft, bei dem auch das Datum der Entstehung und der Veröffentlichung das Prädikat ›romantisch‹ rechtfertigen, nämlich in Benjamin Constants *Adolphe*. Parallel zum Fall Cadalsos war auch die *Adol-*

phe-Rezeption und -Interpretation von der Prämisse beherrscht, daß es sich bei diesem Buch um eine kaum verschlüsselte autobiographische Darstellung von Constants langer und wechselvoller Liaison zu Madame de Staël handele. Wir sehen von den – teilweise markanten, aber in diesem Zusammenhang unwichtigen – thematischen Differenzen zwischen den *Noches lúgubres* und dem *Adolphe* ab, um zu unserer These zu kommen, welche wieder zu einer Biographie-bezogenen Erklärung führen wird. Am Beginn des Lebens von Cadalso wie von Constant steht der durch ihre Geburt bedingte Tod der Mutter; die Erziehung Cadalsos wie die Constants wurde von ihren weltgewandt-erfolgreichen Vätern einer ganzen Phalanx von Tutoren und exklusiven Bildungsinstitutionen in verschiedenen Ländern anvertraut; beide fanden sich in die Verfügungen ihrer Väter, um gerade in solcher Resignation affektiv wachsende Distanz zu nehmen. Weder Cadalso noch Constant fanden ihre Lebensform in einem jener Berufe, für die sie durch Herkunft und Bildung durchaus qualifiziert gewesen wären; beide fanden aber in der Liebe – zu María Ignacia und zu Madame de Staël – nicht nur erotische Erfüllung, sondern auch Schutz und Fürsorge. Wenn man dieser Serie der parallelen Erfahrungen noch den Verweis auf die ebenso frappierenden Parallelen zur Biographie Rousseaus beifügt,[84] dann sind die weiteren argumentativ-rekonstruierenden Schritte unserer sozialpsychologischen These leicht vorhersehbar. Das Zentralthema des europäischen Romans vom XVII. bis ins XIX. Jahrhundert, nämlich die Polarisierung von Gesellschaft und Individuum, konnte von solchen Autoren besonders intensiv vergegenwärtigt werden, deren persönliches Schicksal mit der Auflösung überkommener gesellschaftlicher Hierarchien zu tun hatte. Deshalb ist ein komplexer Lebensweg Schauplatz der Einsamkeit des Individuums bei Rousseau und bei Constant, während sich die Szenerie bei Cadalso auf nur einen Dialog verengt. Nun könnte man einwerfen, daß Cadalso gewiß nicht der einzige gebildete Spanier war, dessen Leben von Anbeginn unter dem Trauma des Todes seiner Mutter bei der Geburt stand, während er offenbar sehr wohl als einziger unter seinen Zeitgenossen die Polarisierung von Gesellschaft und Individuum in romantischer Perspektive zum Thema eines Romans machte. Seine *Memoria de los acontecimientos más particulares de mi vida* legt immerhin eine Antwort auf die Frage nahe, welche gesellschaftliche Erfahrung als Bedingung für die Besonderheit seines Werkes zu jener individuellen Erfahrung hinzutrat, die er mit Rousseau und Constant teilte. Das war – neben dem frühen Tod der Mutter und der nie vollzogenen Identifikation mit dem Vater – der Eindruck des in Frankreich und England erzogenen jungen Mannes, daß er das Leben in seinem *Vater*land Spanien als ein Fremder zu beginnen habe:

Nací a mi tiempo, regular, muriendo mi madre del parto ...

Llegó mi padre a la posada y dos horas después llegamos a ella mi ayo y yo cansados de esperar a mi padre, que ya estaba dentro. Le besé la mano: me dio un beso en la frente; casi, casi nos enternecimos, y a un tiempo mismo dijo mi padre: ¿no dije yo que éste era mi hijo? Y yo ¿no dije que éste era mi padre? ...

Pasé con toda prontitud a Londres, porque las órdenes de mi padre no eran capaces de interpretación ...

Mi padre volvió a Madrid a seguir sus ideas en la Corte, y me escribió que volviese a Paris a estar un año en la Academia. Lo ejecuté con igual puntualidad ...

Al año tuve orden para volver a España, y entré en un país que era totalmente extraño para mía, aunque era mi patria. Lengua, costumbres, traje, todo era nuevo para un muchacho que había salido niño de España, y volvía a ella con todo el desenfreno de un francés, y toda la aspereza de un inglés.[85]

Ein letztes Mal läßt sich das Nebeneinander von Textformen des Siglo de Oro und solchen, die aus dem Ausland übernommen waren, beobachten, wenn wir von einem sehr weiten Literaturbegriff ausgehen und dann gehen können, daß in der spanischen Kultur des XVIII. Jahrhunderts zugleich bestimmte, ganz bewußt der aufklärerischen Intention der Wissensvermittlung (und ihren verschiedenen gesellschaftlichen Niveaus) unterstellte Diskurse adaptiert und die literarischen Gattungen der nationalen Vergangenheit als Räume für das Spiel der Imagination erschlossen wurden. Auf der einen Seite standen Tierfabeln, deren narrativer Kursus nicht mehr den – in dieser Gattung: simulierten – Erwerb von Erfahrungen ermöglichte, sondern diese Erfahrungen als in ihrer Gestalt prägnante Konzepte artikulierte und zur Übernahme empfahl, standen operationale Gattungen wie *discursos, cartas, diálogos* und die für Kommunikation zwischen den ›untertänigsten Reformern‹ so wichtigen *memorias* und *informes*. Auf der anderen Seite avancierten einige Texte aus der nationalen Vergangenheit des Mittelalters und des Siglo de Oro – allen voran der *Quijote* – zur Pflicht- und Vorzugslektüre aller Gruppen von Gebildeten, wobei die Skala der für die Hochschätzung des *Quijote* genannten Gründe von den Dialog-Exkursen über Probleme der Renaissance-Poetik bis hin zur *locura* des Titelhelden reichte.

Um nun endlich den epistemologie-geschichtlichen Aufriß zum spanischen XVIII. Jahrhundert vor einer konturenschärfenden Kontrastfolie entwickeln zu können, rufen wir Grundelemente der mitteleuropäischen Aufklärungsbewegungen in Erinnerung, wobei wir betonen, daß wir von einem heuristischen Interesse geleitet werden, nicht von der Absicht, die ›spanische Aufklärung‹ als eine ›defiziente Aufklärung‹ zu bewerten. *Erstens:* im weltgeschichtlichen Vergleich gewinnt die europäische Aufklärung des XVIII. Jahrhunderts ihre Spezifik durch die Konsequenz, ja die Radikalität, mit der die Entwicklung eines neuen Wissens, welches als Basis für die Kritik und schließlich als Substanz der Ersetzung überkommener Strukturen kollektiven Sinns fungierte, auf menschliche Erfahrung zurückgeführt und allein durch sie legitimiert wurde. Aufklärerisches Wissen war anthropozentrisches Wissen. Der für die Diskurstraditionen der Aufklärung so zentrale Naturbegriff bezog sich zunächst allein auf die Bedürfnisse und die Erkenntnismöglichkeiten des Menschen, wobei nie in Frage gestellt wurde, daß diese Erkenntnismöglichkeiten und die von ihnen erschlossenen Handlungschancen – mindestens – den Funktionen menschlicher Selbsterhaltung genügen würden. Das neue Bild der Menschen von sich selbst und ihrem Verhältnis zu der sie umgebenden Welt scheint eine Katalysatoren-Wirkung auf die intensivste Phase des über Jahrhunderte währenden Übergangs von einer stratifizierten (›feudalen‹) zu einer funktional differenzierten (›bürgerlichen‹) Gesellschaft gehabt zu haben.[86] Denn wenn sich das Leben der Menschen nun nicht mehr innerhalb der Grenzen jeweiliger Stände vollzog und wenn Identität nicht mehr mit Ständezugehörigkeit gleichzusetzen war, dann konnte dem Bewußtsein von der ›menschlichen Natur‹

eine Doppelfunktion zukommen: es steigerte als ein Prinzip primärer Indeterminiertheit die Bereitschaft des einzelnen Menschen zur Übernahme verschiedener und wechselnder Rollen in verschiedenen sozialen Systemen; es wirkte aber zugleich als ein Identitäts-Ersatz, auf den sich diese verschiedenen Rollen allemal zuordnen ließen.

Zweitens: wie jede Aufklärungsbewegung realisierte sich auch die europäische Aufklärung als ein Prozeß der Kritik an überkommenem Wissen und – vor allem – an den Institutionen, in denen sich traditionelles Wissen objektiviert hatte. Der Gestus dieser politisch zu Buche schlagenden Kritik war ein durchaus moralischer:[87] denn wenn das neue Wissen anthropozentrisches Wissen war und für sich beanspruchte, ›in der Natur der Menschen‹ fundiert zu sein, dann mußte jegliches von ihm abweichende Wissen als ›unmenschlich‹ erscheinen und deshalb seine Legitimität verlieren. Wer sich für ›aufgeklärt‹ hielt, wer glaubte, ›der menschlichen Natur‹ inne geworden zu sein, dem stand es frei, sowohl sich selbst als ›verfolgte Tugend‹ zu pathetisieren (und prinzipiell ins Recht zu setzen), als auch ›die anderen‹ entweder als ›mit Vernichtung drohendes Laster‹ zu dämonisieren oder aber als ›vormenschliches, animalisches, kindisches Relikt‹ zu verlachen.

Drittens: in dem Maß, wie die europäische Aufklärung sich selbst als einen Prozeß der Kritik und Entpragmatisierung überkommenen Wissens, der Erfindung und der Institutionalisierung neuen (anthropozentrischen) Wissens erfuhr, distanzierte sie sich von den Sinnhorizonten der Vergangenheit, um die Erfüllung all ihrer eigenen Implikate, Hoffnungen und Versprechungen als einen Sinnhorizont der Zukunft (und mithin als einen Bezugspunkt jeglichen aufgeklärten Handelns in der Gegenwart) zu etablieren. Erfahrungsraum und Erwartungshorizont traten auseinander, um die Dimension ›neuzeitlich bewegter Zeit‹ (mit anderen Worten: des ›historischen Bewußtseins‹ im bis heute gültigen Sinn des Wortes) zu eröffnen.[88] Am Zukunftshorizont der Aufklärung waren subjektive Bedürfnisse und soziale Anforderungen bis hin zum Ideal ihrer totalen Kongruenz (sie genau bezeichnet Rousseaus Begriff von der *volonté générale*) vermittelt. Doch die Erwartung so vollkommener Harmonie sollte Folgelasten zeitigen, welche die Geschichte Europas im XIX. Jahrhundert prägten (und vielleicht am Ende des XX. Jahrhunderts immer noch prägen):[89] die fortgesetzte Verschiebung der Einlösung aufklärerischer *promesses de bonheur* führte in eine erneute Polarisierung von Gesellschaft und Individuum, welche nun nicht mehr von einer Hoffnung auf ihre zukünftige Aufhebung entlastet wird.

Wenn wir nun also vom Begriff der menschlichen Natur als Legitimitätstitel, von einer im Namen der Moral artikulierten Institutionenkritik als Vollzugsform, von einer Verzeitlichung der Erfahrung und des Handelns als Resultat der ›europäischen Aufklärung‹ ausgehen können, dann läßt sich der ebenso vage wie gewisse Eindruck von einer spezifischen *Begrenzung der spanischen Reformbewegungen* des XVIII. Jahrhunderts spezifizieren und in Prägnanz überführen.[90] So fällt auf, wie häufig der Naturbegriff in Bildern der von sanften Tieren bewohnten und in (ganz unkastilisch) üppiger Vegetation prangenden Landschaft oder mittels der Evokation des sittenstrengen, weil von Ehrgeiz und Verstellung freien Lebens der Bauern konkretisiert wird. Diese letztlich allegorischen Beschreibungen findet man auch in der zeitgenössischen französischen Literatur, und die für die Familie Ludwigs XVI. gebauten ›Weiler‹ in den Gärten von Versailles sind Spuren eines komplementären, nun von der Einstellung der Allegorese geprägten Verhaltens zur Natur. Was in den Schriften der spanischen Aufklärer aber ausbleibt, das ist jener Erkenntnisprozeß, in dem der Mensch sozusagen ›die Natur in sich selbst‹ entdeckt und in dessen Folge er sich als eine letzte, durch keine Skepsis mehr zu hintergehende Instanz der Sinngebung einsetzt. In den spanischen Texten des XVIII. Jahrhunderts erscheint nie der Mensch, sondern allein – und höchstens – die außermenschliche Natur als Objekt der Erkenntnis, und diese Erkenntnis führt dann notwendig zurück zu Gott als dem Schöpfer der Natur und der Quelle allen Wissens. ›Naturaleza‹ ist das Leitwort einer nicht mehr nur an die Offenbarung gebundenen Welt- und Gotteserfahrung, aber der Begriff impliziert nie den Appell zur Entwicklung eines anthropozentrischen Weltbilds. Je nach Bedarf kann ›*naturaleza*‹ gegen die Enge einer auf den Kanon der Heiligen Schriften und auf ihre eigenen Dogmen fixierten Theologie und gegen die ethische Verblendung der Städter-Gesellschaft gekehrt werden, aber er lenkt die Bewegung der Reflexion in der einen wie in der anderen Ausprägung doch immer wieder auf die Instanz des Schöpfergottes zurück. Eben deshalb wird der Naturbegriff der Aufklärung auch noch an einer dritten Front der Kritik verwendbar: er ist auch Gegenbegriff und Leitkonzept menschlicher Selbstbescheidung gegenüber der sündhaften intellektuellen Selbstgenügsamkeit der ›Philosophen‹. All diese semantischen und pragmatischen Facetten illustriert idealtypisch Félix María Samaniegos Fabel ›*El pastor y el filósofo*‹, in der – wie in auffällig vielen spanischen Tierfabeln jener Zeit – die Tiere nicht als Protagonisten, sondern als Objekte der Erkenntnis fungieren, weshalb dann die an ihrer Beobachtung gewachsene Weisheit des *pastor* gegen die abstrakte Bücher-Gelehrsamkeit des *filósofo* – und ganz nebenbei auch gegen die Sittenverderbnis der Stadt – gekehrt werden kann:

> De los confusos pueblos apartado,
> Un anciano Pastor vivió en su choza,
> En el feliz estado en que se goza
> Del vivir ni envidioso ni envidiado.
> No turbó con cuidados la riqueza
> A su tranquila vida,
> Ni la extremada mísera pobreza
> Fué del dichoso anciano conocida.
> Empleado en su labor gustosamente
> Envejeció, sus canas, su experiencia
> Y su virtud le hicieron, finalmente,
> Respetable varon, hombre de ciencia.
> Voló su grande fama por el mundo;
> Y llevado de nueva tan extraña,
> Acercóse un Filósofo profundo
> A la humilde cabaña,
> Y preguntó al Pastor: »Dime, ¿en qué escuela
> Te hiciste sabio? ¿Acaso te ocupaste
> Largas noches leyendo á la candela?
> ¿A Grecia y Roma sábias observaste?
> ¿Sócrates refinó tu entendimiento?
> ¿La ciencia de Platon has tú medido,
> O pesaste de Tulio el gran talento,
> O tal vez, como Ulíses, has corrido
> Por ignorados pueblos y confusos,

Observando costumbres, leyes y usos? –
»Ni las letras seguí, ni como Ulíses
(Humildemente respondió el anciano),
Discurrí por incógnitos países.
Sé que el género humano
En la escuela del mundo lisonjero
Se instruye en el doblez y en la patraña.
Con la ciencia que engaña
¿Quién podrá hacerse sabio verdadero?
Lo poco que yo sé me lo ha enseñado
Naturaleza en fáciles lecciones:
Un ódio firme al vicio me ha inspirado;
Ejemplos de virtud da á mis acciones.
Aprendí de la abeja lo industrioso,
Y de la hormiga, que en guardar se afana,
A pensar en el dia de mañana.
Mi mastin, el hermoso
Y fiel sin semejante,
De gratitud y lealtad constante
Es el mejor modelo,
Y si acierto á copiarle, me consuelo.
Si mi nupcial amor lecciones toma,
las encuentra en la cándida paloma.
. . .
Por último, *en el libro interminable*
De la naturaleza yo medito;
En todo lo creado es admirable:
Del ente más sencillo y pequeñito
Una contemplacion profunda alcanza
Los más preciosos frutos de enseñanza. –
»Tu virtud acredita, buen anciano
(El Filósofo exclama),
Tu ciencia verdadera y justa fama.
Vierte el género humano
En sus libros y escuelas sus errores;
En preceptos mejores
Nos da naturaleza su doctrina.[91]

Solange aber die Erfahrung der Menschen unweigerlich ein-
mündete in das Verstehen der göttlichen Schöpfung und der
daraus für den Menschen erwachsenden Verpflichtungen,
mußte die in ihr fundierte Kritik die Religion aussparen, welche

eben dieses Weltbild etabliert hatte und für sich in Ausschließlichkeit das Recht seiner immer neuen Vermittlung in Anspruch nahm. Religionskritik wäre in der spanischen Aufklärung so undenkbar gewesen wie das – erst in unserer Gegenwart einsetzende – Herausrücken des Menschen aus dem Zentrum des Weltbilds in den Schriften eines *philosophe* aus dem XVIII. Jahrhundert. Mit kaum noch zu steigernder Deutlichkeit – und gewiß ohne Vorbehalt – hatte der Padre Feijóo dem kritischen Impetus der Reformer – und damit auch seinem eigenen Werk – spezifische Legitimitätsgrenzen vorgezeichnet: *la teología y la filosofía tienen bien distinguidos sus límites, y . . . ningun español ignora que la doctrina revelada tiene un derecho de superioridad sobre el discurso humano, de que carecen todas las ciencias naturales; . . . por consiguiente, en éstas, como en proprio territorio, pueden discurrir con franqueza; á aquella sólo doblar la rodilla con veneracion.*[92] Anzeichen für eine Differenzierung zwischen den hier explizit der Kritik entzogenen theologischen Inhalten und den kirchlichen Institutionen finden sich kaum: weder die Ausweisung der Jesuiten aus Spanien im Jahr 1767 darf als ein Indiz in dieser Richtung verstanden werden – denn sie erfolgte in Absprache mit dem Vatikan –, noch das Fortleben der Gattung ›Priestersatire‹, die auch und, wie wir gesehen haben, gerade von Geistlichen gepflegt wurde. Vor staatlichen Zwangsmaßnahmen zur Nutzung – oder gar zum Verkauf – brachliegenden Ackerlands im Besitz der Kirche (›manos muertas‹) scheuten selbst die aufgeklärtesten Minister zurück, obwohl die meisten im königlichen Auftrag und mit königlicher Billigung verfaßten Gedenkschriften zur Landreform gerade einen solchen Schritt dringend nahelegten. In einem vom religiösen Schöpfungsgedanken beherrschten Weltbild war die Ablösung jeglicher Institution von der Anciennität der Kirche (oder der Monarchie) undenkbar. Denn ihr Alter rückte Institutionen ja zeitlich näher an den göttlichen Schöpfungsakt heran, und schon allein daraus erwuchsen Kirche und Monarchie eine gegen jede Problematisierung immune Legitimität und eine nie zu brechende Autorität. Vor dem Horizont eines christlich-kosmologischen Weltbildes und unter der Herrschaft von Institutionen, deren Legitimität durch Anciennität garantiert war, konnten auch mit Nachdruck betriebene

Reformprojekte nicht die Dynamik ›neuzeitlich bewegter Zeit‹ erlangen. Gewiß, in Jovellanos' Lobrede auf Carlos III. und sogar im Prolog von Feijóos *Teatro crítico universal* hatten wir Zukunftshoffnungen gefunden, und diese Beobachtung war uns angesichts des gänzlichen Ausbleibens dieser Dimension in den Diskursen der Traditionalisten wichtig gewesen. Doch Erfahrungsraum und Erwartungshorizont waren noch nicht in Distanz gerückt. Vielmehr blieben Erfahrungen aus der nationalen Vergangenheit die wirksamsten Orientierungen für das Handeln. So muß die Zukunft der Reformen weniger als eine gänzlich ›neue Zeit‹ erlebt worden sein denn – und nichts anderes stellt letztlich der Begriff der ›Re-Form‹ ja in Aussicht – als Rückkehr zu einem in der Vergangenheit bereits realisierten Zustand kosmologisch ›richtiger‹ Ordnung.

Die dem Reformdenken in Spanien konzedierten Spielräume waren in der Tat so eng, daß sich doch noch einmal die Frage stellt, ob es denn sinnvoll, das heißt hier: im Hinblick auf die Pragmatik historiographischer Diskurse praktisch sei, von einer ›spanischen *Aufklärung*‹ zu sprechen. Auf der anderen Seite wäre es verfehlt zu glauben, die Aufklärungs-Rezeption durch die spanische Kultur des XVIII. Jahrhunderts sei angesichts der den rezipierbaren Sinnstrukturen gesetzten Grenzen gänzlich ohne Folgen geblieben. Vielmehr gelangt man zu dem Eindruck, daß die Erfahrung solcher Strukturen die Interessenausrichtungen der gebildeten und reformbereiten Spanier gerade dort in vielfacher Weise verschob und veränderte, wo sie auf Grenzen stieß. Außerdem konstituierten durchaus nicht alle neuen Bezirke des Lernens und Lehrens, des Erfahrens und Handelns Felder des Wissens, welche man als bloß ›reduziert aufklärerisch‹ klassifizieren könnte. Für all diese neuen Sinnbezirke läßt sich eine assoziative Verbindung hin zur Episteme der Aufklärung annehmen, doch zusammengenommen gewinnen sie eine durchaus eigenständige geistes- und mentalitätsgeschichtliche Identität. Das gilt vor allem für die Faszination durch außermenschliche Natur als Erkenntnisobjekt, für die – Kirche und Monarchie aussparende – Kritik an den Formen gesellschaftlichen Verkehrs in der Hauptstadt des Landes (wobei von Belang ist, daß das Prädikat ›Corte‹ sowohl ›Hof‹ als auch ›Hauptstadt‹ bedeutete), für die Suche nach Zuständen vollkommener kosmologischer Ordnung in der nationalen Vergangenheit. Übrigens haben inhaltsorientierte quantitative Analysen zu den spanischen Zeitschriften des XVIII. Jahrhunderts erwiesen, daß eben diese Faszinationen, die wir nun im einzelnen kurz charakterisieren wollen, auch in quantitativer Hinsicht eine hervorragende Stellung im Schrifttum der Epoche einnahmen.[93]

Spätestens seit der Mitte des XVIII. Jahrhunderts wurde die *Debatte um Reformen der nationalen Landwirtschaft* immer mehr zum Ort des Reformdenkens – aber gleichzeitig auch zum Bezugspunkt für die traditionalistische Verteidigung des *status quo*. Zweifellos hatten die damals auch in Frankreich hochgeschätzten Theorien der Physiokraten hier die erste Anregung gegeben, doch in keiner anderen Gesellschaft sollten sie so eindeutige Dominanz erlangen wie in der spanischen. Der *Informe sobre la Ley Agraria*, den Gaspar Melchor de Jovellanos nach ausgedehnten Reisen und Recherchen für die *Sociedad Económica de Madrid* erstellte und den diese Gesellschaft 1795 in gedruckter Form dem *Supremo Consejo de Castilla* vorlegte, läßt uns erkennen, welche spezifische Konfiguration von Interessen und Grenzen des Denkens die Landreform zu einem so herausragenden Thema machte. Unter dem historisch signifikanten Titel ›*Estado progresivo de la agricultura*‹ begann Jovellanos den *Informe* (die Pragmatik dieser Gattung läßt sich zwischen den uns vertrauten Diskursformen des ›Gutachtens‹ und der ›Denkschrift‹ lokalisieren) mit einer Skizze zur Geschichte der spanischen Landwirtschaft. Sie gerät in der Spanne zwischen der römischen Kolonialisierung und dem Beginn des XVIII. Jahrhunderts zu einer Dekadenzgeschichte, wobei jedoch wichtig ist, daß mit dem Verweis auf den Reichtum der Iberischen Halbinsel im augusteischen Zeitalter ganz offenbar ein für die Reformpläne der Gegenwart zentraler Beweis geführt werden sollte: der Beweis nämlich, daß der spanische Boden unter weisen Gesetzen und verantwortungsbewußter Verwaltung durchaus Reichtum produzieren kann: *... hasta la paz de Augusto no pudo gozar el cultivo en España ni estabilidad ni gran fomento. Es cierto que desde aquel punto la agricultura, protegida por las leyes y perfeccionada por el progreso de las luces que recibió la nación con la lengua y costumbres roma-*

nas, debió lograr la mayor extensión, y este sin duda fué uno de sus mas gloriosos períodos.[94] Unmittelbar nachdem er am Tiefpunkt der landwirtschaftsgeschichtlichen Kurz-Erzählung angelangt ist, aus der wir zitieren, eben am Beginn des eigenen Jahrhunderts, entfaltet Jovellanos das Leitmotiv seiner auf den folgenden Seiten artikulierten Kritik und Programmatik:

A poco que se medite sobre esta materia, se conocerá que la agricultura se halla siempre en una natural tendencia hácia su perfeccion; que las leyes solo pueden favorecerla animando esta tendencia; que este favor, no tanto estriba en presentarle estímulos, como en remover los estorbos que retardan su progreso; en una palabra, que el único fin de las leyes respecto de la agricultura debe ser proteger el interés de sus agentes, separando todos los obstáculos que pueden obstruir ó entorpecer su accion y movimiento. Este principio, que la Sociedad procurará desenvolver en el progreso del presente Informe, está primeramente consignado en las leyes eternas de la naturaleza, y señaladamente en la primera que dictó al hombre su omnipotente y misericordioso Criador, cuando, por decirlo así, le entregó el dominio de la tierra. Colocándole en ella, y condenándole á vivir del producto de su trabajo, al mismo tiempo que le dió el derecho de enseñorearla, le impuso la pension de cultivarla, y le inspiró toda la actividad y amor á la vida que eran necesarios para librar en su trabajo la seguridad de su subsistencia. A este sagrado interés debe el hombre su conservacion, y el mundo su cultura.[95]

Die Landwirtschaft als Gegenstand der Reform ermöglicht Reformdenken unter zwei Sonderbedingungen. Zum einen macht sie den *retour à la Nature* zu einer Rückbesinnung auf die göttliche Schöpfungsordnung, ja auf den Wortlaut der *Genesis*. Zum zweiten hebt sie die Notwendigkeit auf, den Menschen zum Schöpfer neuer Gesetze zu machen, deren Wirkungen erst von der Zukunft zu erhoffen wären. Selbstverständlich meint Jovellanos mit der scheinbar so demütigen ›Rückkehr zur Schöpfungsordnung‹ Gesetze zur Aufhebung der *manos muertas* und – genauer – zur Brechung des in der kastilischen Landwirtschaft damals herrschenden Privilegs der Viehzucht. Als ob er besorgt sei, daß diese Andeutungen von den Lesern nicht realisiert werden könnten, schließt er den *Informe* dann auch mit einer ebenso untertänigen wie deutlichen Aufforderung an den König ab:

Dígnese, pues, vuestra alteza de derogar de un golpe las bárbaras leyes que condenan á perpétua esterilidad tantas tierras comunes; las que exponen la propiedad particular al cebo de la codicia y de la ociosidad; las que prefiriendo las ovejas á los hombres, han cuidado mas de las lanas que los visten que de los granos que los alimentan; las que estancando la propiedad privada en las eternas manos de pocos cuerpos y familias poderosas, encarecen la propiedad libre y sus productos, y alejan de ella los capitales y la industria de la nacion; las que obran el mismo efecto encadenando la libre contratacion de los frutos, y las que gravándolos directamente en su consumo, reunen todos los grados de funestra influencia de todas las demás.[96]

Vorausgesetzt ist, daß solche Maßnahmen den öffentlichen und den privaten Reichtum in gleicher Weise bis hin zum *último punto de la humana felicidad* fördern würden.[97] Allerdings wäre für Jovellanos ein Zustand, in dem die Spannungen zwischen Staat und Individuen aufgehoben wären, jene Konvergenz von Staat und Individuum, wie sie sich im Begriff der *volonté générale* artikulierte, undenkbar gewesen, weil für ihn die hierarchische Beziehung zwischen Herrschern und Untertanen zentrales Element einer unaufhebbaren kosmologischen Ordnung war.

Die eben zitierte, den *Informe* abschließende Aufforderung an den König legte neben bestimmten gesetzgeberischen Maßnahmen auch eine spezifische Förderung von Erziehung und Ausbildung nahe: *Instruya vuestra alteza la clase propietaria en aquellos útiles conocimientos sobre que se apoya la prosperidad de los Estados, y perfeccione en la clase laboriosa el instrumento de su instruccion, para que pueda derivar alguna luz de las investigaciones de los sábios.*[98] Im Programm solcher und anderer flankierender Maßnahmen zur Reform der *Ley agraria* wird zum einen deutlich, daß sich der Politiker Jovellanos doch nicht – wie der Philosoph Jovellanos – ganz auf die ›natürliche‹ Tendenz der Landwirtschaft zu ihrer Vervollkommnung‹ verlassen wollte. Zum zweiten ist interessant zu sehen, wie hier Erziehung – anders als ›Bildung‹ im Sinn des deutschen Idealismus – als Vermittlung gruppenspezifischer Kompetenzen geplant wird. In Campomanes' *Discurso sobre la educación popular de los artesanos, y su fomento* aus dem Jahr 1775 gesellt sich zum Vorschlag der Vermittlung berufsspezifischen Fachwissens dann auch die Forderung nach einer Unterweisung in christlicher Moral, die einem vagen Begriff von ›Zivilmoral‹ explizit vorgeordnet wird:

Es tambien de considerar, que estos jóvenes aprendices de las artes, necesitan instruirse en aquellos conocimientos cristianos, morales y útiles, que son precisos en el resto de la vida; y para poder portarse con una honradez y decencia, que les haga apreciables y bien quistos. De estas tres clases de rudimentos son los primeros, los que pertenecen á la religion. Debe cuidar todo maestro, de que sus hijos y aprendices sepan muy bien la doctrina cristiana; vayan á misa los dias festivos, y cumplan con el precepto anual de la iglesia á lo menos; y que unos y otros vivan con honestidad, desempeñando todas las demas obligaciones de cristianos ... Los maestros de primeras letras, y los párrocos están obligados á dar esta enseñanza, y á celar en que nadie sea flojo en tomarla; haciendo exámenes, y eligiendo para todos continuas, y prudentes medidas.[99]

Was solche Erziehung vom emphatischen Begriff der ›Bildung‹ abhebt, ist nicht etwa die Komponente religiöser Unterweisung, sondern deren strikte Funktionalisierung. Denn in Campomanes' Konzept bleibt die religiöse Seite der Erziehung auf die Integration des einzelnen Menschen in die Gesellschaft bezogen, sie wird nicht als ein Instrument der Selbsterfahrung oder als ein Weg hin zur Entdeckung der Menschlichkeit gesehen.

Aber kehren wir noch einmal zu den Problemen der Landreform zurück, an deren Horizont komplementäre Programme – etwa solche der Erziehung – allererst auftauchten, wenn die Frage nach der Verwirklichung hochfliegender Programme gestellt wurde. Gewiß lag aus spanischer Sicht der größte Vorzug dieses Themas in der Möglichkeit, Reformpläne sozusagen ›in Gottes Hand zu legen‹ und als Rückkehr zu einer kosmologischen Ordnung zu denken. Für die Illustration solcher Konzepte stand ein jedermann vertrautes Bildfeld bereit; denn das ersehnte Ende des Interessenantagonismus zwischen Landbesitzern und Bauern konnte man als eine Umkehrung des Mythos von der Vertreibung der Menschen aus dem Paradies erzählen. Nichts anderes tat Meléndez Valdés, als er dem allmächtigen Godoy eine hymnische Dankes-Epistel widmete, weil dieser – stets um sein Ansehen als Reformer besorgt – den

spanischen Bischöfen in einem ›patriotischen Brief‹ die Lektüre
des physiokratischen *Semanario de Agricultura* nahegelegt
hatte:

> ... En miserables pajas
> Sumida yace la virtud; fallece
> El padre de familias, que al Estado
> Enriqueció con un enjambre de hijos;
> Gime entre andrajos la inocente virgen,
> Por su indigna nudez culpando al cielo;
> O el infante infeliz transido pende
> Del seno exhausto de la triste madre.
> Las lágrimas, los ayes desvalidos
> Calmad, humano, en la infeliz familia;
> Y vedla en su indigencia áun celebrando
> A su buen rey, en su defensa alegre
> Ansia verter su sangre generosa;
> Vedla humilde adorar la inescrutable
> Providencia, y con frente resignada,
> Religiosa en su mísero destino,
> Besar la mano celestial que oprime
> Tan ruda su cerviz, y le convierte
> El pan que coge en ásperos abrojos.

Allein vom König und seinen Ministern, so fährt Meléndez
Valdés fort, hänge es ab, aus diesem Jammertal ein Land werden zu lassen, in dem Milch und Honig fließe:

> Los anchos llanos de Castilla, ora
> Desnudos, yermos, áridos, que claman
> Por frescura y verdor, verán sus rios
> Utiles derramarse en mil sonantes
> Risueños cauces, á llevar la vida
> Por sus sedientas abrasadas vegas.
> Desplegará sus gérmenes fecundos
> La tierra, y alzarán su frente hermosa
> Mil verdes troncos, su nudez cubriendo.
> ...
> Mieses, ganados, perfumadas frutas
> Doquier, y paz, y cándida alegría;
> Volveránse un jardin los agrios montes;
> Todo se animará; sobre la patria
> Sus faustas alas tenderá la alegre
> Prosperidad, y al indio en largos rios

La industria llevará nuestras riquezas.
   El labrador, que por instinto es bueno,
Lo será por razón, y el vicio en vano
Querrá doblar su corazon sencillo.
Será su religion más ilustrada;
Y el que ora bajo el esplendente cielo,
Abrumado de afan, siente y no admira,
Cual el buey lento que su arado arrastra,
El activo poder que le circunda
De su Hacedor, la diestra protectora
Ostentada doquier, ya en el milagro
De la germinacion, ya de las flores
En el ámbar vital, ó el raudo viento
En el Enero rígido, en la calma
Del fresco otoño, en la sonante lluvia,
En la nieve fecunda; en todo, en todo
Podrá, instruido, levantar la frente,
Llena de gozo, á su inefable Dueño ...[100]

Das Thema der Landwirtschaft ermöglichte nicht allein ein
Reformdenken ohne Auflehnung gegen die christliche Kosmologie, es war nicht allein an Bildfelder aus dem Alten Testament
– und, selbstverständlich, der antiken wie neuzeitlichen Buko-
lik-Tradition – anschließbar, es führte auch zur Kritik am gesellschaftlichen Leben der Hauptstadt (und des Hofes). Daraus
entstand eine zweite Faszination um den Gegensatz ›Corte‹/
›aldea‹. Über diese Konzepte war das Thema der Landreform
mit der Polemik gegen Überfremdung der Sitten und sittlichen
Depravierung verbunden; zugleich verlieh sie dem *veraneo* der
Privilegierten die Aura einer philosophischen Geste. In einem
der ersten Gedichte von José Cadalso – *Carta a Augusta, ma-
trona que, inclinada a la filosofía, empieza a fastidiarse de la
corte* – können wir diese semantische Veredelung des Müßig-
gangs nachvollziehen:

¡Egregia Augusta mía!
me dices en tu carta celebrada
que a la filosofía
alguna vez te sientes inclinada;
recíbela en tu pecho, persuadida
que ella es el solo bien de nuestra vida.
   ...

De la corte te ausenta,
el filosófo en ella es despreciado,
pues ni finge, ni ostenta,
ni adula, ni es ansioso, ni es osado.
Vente a la aldea; su sencilla vida
a la naturaleza es parecida.
...

... Ni el paje primoroso,
ni la criada antigua y estimada
un almuerzo suntuoso
presentará en vajilla bien labrada,
pero la leche blanca cual tu frente
permitirás mi mano te presente.
...

Después que estés vestida,
visita no tendrás ni concurrencia
en que esté establecida
murmuración, mentira ni demencia;
un sencillo pastor y su pastora
a saludar vendrán a su señora.
...

Después que hayas comido,
si buscas el descanso y el reposo,
ya te tengo escogido
un paraje encantado y delicioso
en una parte del jardín de casa,
por donde el Ebro en miniatura pasa.[101]

Solche Verniedlichung der ländlichen Welt, wie sie hier ein
Miniatur-Ebro und fast Gartenzwerg-dekorative Landbewohner suggerieren, gehörte damals zu den Modetrends der Hauptstadt. Von der Begeisterung der Privilegierten für die *majos* war
schon die Rede, und so wollen wir an dieser Stelle lediglich
festhalten, daß die Ausrichtung am französischen Kleidergeschmack und die uns aus den Bildern Goyas vertraute Maskerade in Volkstrachten durchaus nicht antagonistische Geschmackpräferenzen der Reichen waren.[102] Beide Stilarten der
Kleidung ließen sich ja auch als Symbolisierung einer philosophischen Attitüde präsentieren: auf der einen Seite als Rückbesinnung auf Natürlichkeit und Authentizität (›casticismo‹),
auf der anderen Seite als traditionskritische Weltoffenheit. Es

scheint nur ein Thema gegeben zu haben, in dessen Diskussion sich die verkleideten *majos* und die von ihren Feinden mit diesem Wort verspotteten *petimetres* prinzipiell stritten. Das war die im XVIII. Jahrhundert längst nicht mehr neue, aber besonders heiß geführte Debatte über den Stierkampf, den die *afrancesados* oder *petimetres* als ein der Nation zur Schande gereichendes ›barbarisches Ritual‹ verbieten, die *majos* aber als identitätsstiftende *fiesta nacional* fördern wollten.[103] Erst damals löste die Figur des *toreador* den hoch zu Roß sitzenden Adligen als Stierkämpfer ab, und erst durch diese Substitution und die von ihr erschlossenen Identifikationsmöglichkeiten scheint die *corrida* zu einem Zuschauervergnügen für die wirklichen *majos* geworden zu sein. Man konnte Stierkampfbegeisterung also zunächst in doppeltem Sinn als Ausdruck einer philosophischen Einstellung interpretieren: als Hinwendung zur ländlichen Welt und als Rückbesinnung auf die Authentizität des Volkscharakters. Dennoch beweisen die sukzessiven Stierkampfverbote der Jahre 1786, 1790 und 1805, wie ambivalent das Verhältnis des aufgeklärten Absolutismus zu den *toros* war. Überhaupt lehrt das Thema ›*Corte/aldea*‹, daß Ambivalenzen der Deutungs- und Wertungs-Perspektiven unerläßliche Voraussetzung für die Entstehung von solchen Faszinationen waren. *Majos* und *afrancesados* konnten sich einerseits für philosophische, reformerische Geister halten, andererseits aber gemeinsam dem traditionalistischen Verdikt gegen gesellschaftliche Mobilität anheim fallen, wie es sich in den *Sainetes* konkretisierte.

Eine dritte Faszination repräsentiert solche Ambivalenz geradezu idealtypisch: dennoch wollen wir es hinsichtlich des Themas ›*Luxus*‹ bei einem kurzen Hinweis belassen, weil die Diskussion über ›Luxus‹ auch am intellektuellen Horizont der zentraleuropäischen Aufklärungsbewegungen eine bedeutende Rolle spielte (und also nicht zu den Besonderheiten der spanischen Episteme im XVIII. Jahrhundert gehörte) und weil dieses Thema – mindestens unter einer seiner zwei Perspektivierungen – auch der Faszination ›*Corte/aldea*‹ zugeordnet werden kann.[104] Unter dieser – negativen – Perspektive waren Luxusbedürfnisse das skandalöseste aller Symptome für den Sittenverfall der Hauptstadt, und zur Verschärfung des Verdikts trug der

Sachverhalt bei, daß sie als ein Gegengewicht zu den Wirtschaftsreformen erfahren wurden. Denn Luxus machte Importe notwendig und hatten deshalb Kapitalabfluß zur Folge. Auf der anderen Seite hatte man – wenigstens zu Beginn des XVIII. Jahrhunderts – unter dem Einfluß der merkantilistischen Doktrin Luxusbedürfnisse (vor allem jene des Auslands) als Marktchancen interpretiert und die ungebrochene Luxusentfaltung des spanischen Hochadels als Gegengewicht zur Dekadenz in die Waagschale des kollektiven Selbstbewußtseins geworfen.

Für gänzlich unstandesgemäß hielt man Luxus jedenfalls – und immer – dann, wenn er als Lebensstil der diffusen *clase media* beobachtet wurde. In der Literatur tauchte er so perspektiviert regelmäßig als Strategie allzu ehrgeiziger Mütter aus der Mittelschicht auf, welche die Verheiratung ihrer Töchter mit vergreisten, dummen oder verarmten Repräsentanten höheren sozialen Rangs betrieben. Damit sind wir bei einer vierten Faszination angelangt, welche uns exemplarisch die Komödien von Leandro Fernández de Moratín, aber auch eine Reihe von Goyas Gemälden und Radierungen vergegenwärtigen.[105] Selbstverständlich setzt schon der in ihrer Luxusentfaltung stets zutage tretende schlechte Geschmack die ehrgeizigen Mütter ins Unrecht. In Moratíns erfolgreichstem Stück ›El sí de las niñas‹ ist es sogar der standesüberlegene Bräutigam selbst, der einsieht, daß seine Verheiratung mit einem jungen Mädchen ›naturwidrig‹ wäre und – gewiß zur Freude des Publikums – seiner gleichaltrigen Beinahe-Schwiegermutter die Leviten liest. Fast überflüssig ist es anzumerken, daß ein junger Liebhaber ›mit verzaubernden Augen‹ – wie die am Ende doch noch zum Guten bekehrte Mutter bewundernd eingestehen muß – schon bereit steht, um die Hand der *niña* zu erbitten. Das Schlußwort aber hat der (zu) alte Fast-Bräutigam:

El y su hija de usted estaban locos de amor, mientras usted y las tias fundaban castillos en el aire, y me llenaban la cabeza de ilusiones, que han desaparecido como un sueño ... Esto resulta del abuso de la autoridad, de la opresion que la juventud padece; estas son las seguridades que dan los padres y los tutores, y esto lo que se debe fiar en el sí de las niñas ... Por una casualidad he sabido a tiempo el error en que estaba ... ¡Ay de aquellos que lo saben tarde![106]

Diese ›jungen Mädchen‹ repräsentierten über die unvermeidliche Konfrontation mit ihren autoritären Eltern den Weg hin zur Subjektivität des Handelns. Moratín hielt ihnen in seinen Komödien neben dem glücklichen Hafen der Liebesheirat auch noch den Eintritt ins Kloster offen. Bemerkenswert ist nun aber gerade, daß *eine* Lösungsmöglichkeit für solche Partnerkonflikte in der spanischen Literatur des späten XVIII. Jahrhunderts ausgespart blieb: die Liebesheirat, die sich auch – und ganz besonders intensiv[107] – Leandro Fernández de Moratín ein Anliegen sein ließ, durfte offenbar keinen gesellschaftlichen Aufstieg mit sich bringen. Das Verdikt gegen soziale Mobilität wurde als zweite Perspektive des Faszinationstyps ›El sí de las *niñas*‹ zwar nicht explizit artikuliert, machte aber das erhebliche Gewicht aus, welches der Maßregelung der ehrgeizigen Mutter beigemessen wurde. Und dieser Befund ist bemerkenswert: denn Positivierung der Subjektivität (fast gegen den Willen der potentiellen Subjekte) geht hier einher mit der Ablehnung gesellschaftlicher Veränderung.

Höchstens die Beurteilung der verschiedenen Phasen und der einzelnen Leistungen nationaler Vergangenheit boten der Subjektivität eine solche Bewährungschance, welche als bloß theoretische den strategischen Vorteil hatte, die zu bewahrenden Institutionen der Gegenwart denkbar wenig in Mitleidenschaft zu ziehen. Es gab aber auch gewichtige politische Gründe für den erstaunlichen Stellenwert, welcher der Rückwendung auf die nationale Vergangenheit in der spanischen Kultur des XVIII. Jahrhunderts zukam: die Auseinandersetzung mit der Erfahrung einer radikalen Krise, die Verteidigung gegen ausländische Kritiker, die Schwierigkeit, Vorstellungen erfolgreicher Reformen am Zukunftshorizont des Denkens zu lokalisieren. Doch für einen Zusammenhang mit der in ihren Handlungsräumen eingeschränkten Subjektivität spricht die Tatsache, daß innerhalb dieser Zuwendung auf die nationale Vergangenheit die *Diskussion um die Geschichte der Nationalliteratur*, die Diskussion um einen Phänomenbereich also, von dessen Beurteilung nichts – oder jedenfalls nur sehr wenig – für die Legitimität gegenwärtiger Institutionen abhing, einen Schwerpunkt bildete. Das ist die fünfte und letzte Faszination, mit der wir uns hier beschäftigen wollen.[108] Dabei müssen wir vorab eine für unser Verstehen wichtige Unterscheidung treffen. Bereits mehrfach sind wir auf Debatten eingegangen, in denen es um die Konkurrenz zwischen der spanischen Literatur des Siglo de Oro einerseits und der am Kanon aristotelischer Regelpoetik orientierten Literatur des Auslands ging. Hier handelte es sich um eine Fragestellung, in deren Beantwortung paradigmatischen Texten der Vergangenheit poetologisch orientierende Funktion zugestanden oder abgesprochen wurde. Daneben stoßen wir auf einen anderen Diskussionsbereich, wo der Wert einer Lektüre von Texten der Vergangenheit im Vordergrund steht, ohne daß die möglichen Auswirkungen solcher Lektüre auf die Produktion neuer Texte in den Blick käme. Wir können also einen poetologischen von einem ästhetischen Fragehorizont unterscheiden. Das gewiß bemerkenswerteste Ergebnis, welches diese doppelte Faszination hervorgebracht hat, ist eine Vergegenwärtigung der spanischen Literatur des Mittelalters, welche im zeitgenössischen Europa ihresgleichen suchte. Die Bewegung erreichte ihren buchgeschichtlichen Höhepunkt in einer *Colección de Poesías Castellanas anteriores al siglo XV*, die Tomás Antonio Sánchez zwischen 1779 und 1790 veröffentlichte. Sie enthielt »das Poema del *Cid*, das Libro de Aleixandre, die restlichen Werke Berceos (die ›Vida de Santo Domingo de Silos‹ war … bereits 1736 durch Fray S. Vergara unter Mitarbeit Sarmientos herausgebracht worden), das ›Libro de Buen amor‹, die ›Carta Proemio‹ des Marqués de Santillana sowie einige Bruchstücke anderer Dichter«.[109] Der Prolog des Herausgebers zeigt, daß es nicht die ästhetische Einstellung war, die seine Tätigkeit geleitet hatte und welche er von den Lesern der neu edierten Texte des Mittelalters erwartete, sondern ein historisches Interesse, genauer: ein Interesse an jenen Bereichen der nationalen Vergangenheit, welche hinter einer Geschichte der Fakten, Schlachten und Könige verborgen geblieben waren: *Siempre hé creido que un gran caudal de nuestra lengua, de nuestra historia, de nuestras costumbres y literatura antiguas, yacia como mudo entre las tinieblas del mas profundo olvido y abandono.*[110] Ähnliche Belege lassen sich in fast beliebiger Vielzahl ausmachen, und unter ihnen verdiente vielleicht Jovellanos' Kommentar zum *Libro de buen amor* als Paradigma einer vom Geist der eigenen Zeit geprägten Lektüre besondere

Beachtung. Denn er vermochte – ausgerechnet – in diesem Text nichts anderes zu sehen als eine »altehrwürdige kulturgeschichtliche Äußerung ..., die wie alle anderen kulturellen Äußerungen der einheimischen Vergangenheit der Geschichtswissenschaft nützt«.[111] Neben solchen, vom hehren Ideal der Gelehrsamkeit motivierten Lektüren gewann eine andere Rezeptionsweise mittelalterlicher Texte an Einfluß, die wir nun doch – bei allen Vorbehalten gegen die unbedachte Anwendung dieses Begriffs auf die spanische Kulturgeschichte – als ›romantisch‹ typisieren sollten. Für Leser wie Antonio de Capmany oder den Padre Juan Andrés stehen nämlich nicht mehr die Texte des *mester de clerecía* oder die ihrer formalen Artistik bewußte Gelehrtenpoesie im Vordergrund des Interesses, sondern die Romanzendichtung. Ein Capmany glaubte zunächst, affektive Qualitäten in solchen Texten aufzuspüren, Werte, welche ihm in der Gesellschaft seiner Zeit verloren schienen, um dann in seiner Alteritätserfahrung ein Indiz für den Weg hin zur Erfahrung der ›wahren‹ nationalen Identität zu finden:

DICHOS Y ESPRESIONES, producidas con GRACIA, SAL y FINEZA ... vivísimas PINTURAS, y REPENTINAS COMPARACIONES, no imitables ni imitadas ... VEHEMENCIA EN EL SENTIR ... PRONTITUD Y CALOR en el CONCEBIR! y FACILIDAD, GUALLARDÍA, BRIO, y DONAYRE en el PRODUCIR ... Quando el INGENIO Y LA IMAGINACIÓN, que es HERENCIA COMÚN DE UNA REGION FELIZ, se estragan con el arte, que es decir, se rebelan contra la RAZÓN, ESTA FUERA MEJOR BUSCARLA EN LA CHOZA, Y EN LA ALDEA, donde tubo su primer morada. ALLÍ SE CONSERVA SIEMPRE RÚSTICA, PERO SIEMPRE LIMPIA Y PURA EN SU PRIMITIVA LUMBRE ... La ciencia de una nación se podría hallar en los escritores, ... pero EL CARÁCTER ORIGINAL DE SU TALENTO se ha de buscar EN EL PUEBLO porque solo en él LA RAZÓN Y LAS COSTUMBRES SON CONSTANTES, UNIFORMES Y COMUNES.[112]

Es gibt allerdings einen Aspekt in der Wiederentdeckung spanischer Romanzen während des XVIII. Jahrhunderts, der zu aufklärerisch wirkt, als daß er sich mit der ›sentimentalischen‹ Komponente der Romantik assoziieren ließe: als der Erziehungseifer der Regierung Carlos' III. im Jahr 1767 ein Verbot der offenbar als obszön geltenden zeitgenössischen Romanzendichtung durchgesetzt hatte, stand man nicht an – und hier tat sich besonders Meléndez Valdés hervor –, ernsthafte Bemühungen zu unternehmen, um die ›dem Volk‹ nun verbotene, eigene Form der Literatur durch eine oktroyierte Rezeption der – eben von den Gelehrten geschätzten – mittelalterlichen Romanzen zu ersetzen.

All diese Tendenzen, welche die Faszination durch Literatur der nationalen Vergangenheit ausmachten, konvergierten in einem sämtliche Geschmacksrichtungen und Lesergruppen vereinenden *Quijote*-Enthusiasmus. Zweifellos kann man solche Vielfalt in der Einmütigkeit wirkungsästhetisch auf die Polyvalenz der von Cervantes erfundenen Textstruktur zuschreiben, und bestimmt darf man auch den funktionsgeschichtlichen Sachverhalt nicht vernachlässigen, daß der *Quijote* wohl das einzige Werk der spanischen Kultur war, das während des XVIII. Jahrhunderts auch im Ausland ohne Abstriche anerkannt wurde. Trotzdem bleibt das Faktum bemerkenswert, daß in Spanien schon so vergleichsweise früh *ein* Text – im vollen Sinn des heutigen Wortgebrauchs – *als nationaler Klassiker* kanonisiert war. Dabei finden sich durchaus Rezeptionsweisen, welche uns mit ihrer orthodoxen Fundierung in der Regelpoetik und durch ihren aufklärerischen *esprit géométrique* wie Anti-Lektüren des *Quijote* anmuten. So wurde etwa der aus Valencia stammende Jesuit Gregorio Mayans y Siscar in seiner 1738 erschienenen *Vida de M. de Cervantes Saavedra* nicht müde, die Literaturexkurse des Buchs dankbar herauszustellen und die Vielfalt der eingelegten Erzählungen sowie die Kunst ihrer Verknüpfung zu loben – so als sei der Ritter von der traurigen Gestalt und das Verhältnis zu seiner Welt nicht mehr als das strukturelle Gerippe eines Literaturromans. Den Titelhelden selbst teilte er säuberlich in zwei Rollen, deren eine der Kritik der Ritterromane diene und deren andere beherzigenswerte literarische Urteile vermittle:

En Don Quijote se nos representa un *valiente maniático*, que pareciéndole muchas cosas de las que ve semejantes a las que leyó, sigue los engaños de su imaginación y acomete empresas, en su opinión hazañosas, en la de los demás disparatadas, cuales son las que los antiguos libros caballerescos refieren de sus héroes imaginarios, para cuya imitación bien se echa de ver cuánta erudición caballeresca era necesaria en un autor que á cada paso había de aludir á los hechos de aquella innumerable caterva de caballeros andantes …

Fuera de sus manías, habla Don Quijote como hombre cuerdo, y son sus discursos muy conformes a razón. Son muy dignos de leerse los que hizo sobre el siglo de oro, ó primera edad del mundo, poéticamente descrita, sobre la manera de vivir de los estudiantes y soldados; sobre las distinciones que hay de caballeros y linajes; sobre el uso de la poesía ...[113]

In einer dreiundzwanzig Jahre später geschriebenen Deutung wurde der *Quijote* gegen Fénelons Erziehungsroman *Télémaque,* einen der großen europäischen Bucherfolge der Epoche, geradezu lustvoll ausgespielt. Man kann dahinter die uns nun schon vertraute Xenophobie vieler Spanier des XVIII. Jahrhunderts, ja sogar einen offen gegenaufklärerischen Gestus vermuten, und wird dennoch den Eindruck kaum abweisen wollen, daß diese deutlich vom Nationalstolz geprägte Lektüre sehr nahe bei der *Quijote*-Rezeption der deutschen Romantik liegt:

... podemos decir que en *Telémaco* es defecto ser uno en muchos, y en *D. Quixote* perfección ser siempre uno solo ... Fénelon quiere autorizar sus pensamientos con los labios de la mentida Deidad de las Ciencias: Cervantes burla y hace ridículos los delirios de los otros con el inimitable exemplo de un verdadero y rematadissimo Loco ... Dirá alguno acaso mui inclinado a los partos extrangeros que el *Telémaco* tiene más método, más orden: que está más bien digerido, más vestido y adornado. El *Quijote* más despilfarrado, digámoslo así, más desnudo, más desquadernado y esparcido por acá y por allá ... Que el *Telémaco* es como una bella y rica Dama que con la preciosidad, abundancia, buen gusto de sus adornos y atavíos realza otro tanto su hermosura, su gracia, y con suave violencia lleva como prisioneros los ojos que se atreven a mirarla. Mas el *D. Quixote* es sólo como una moza robusta, frescona, bien hecha, agraciada, pero vestida de un tosco refaxo de sayal burdo, a la castellana, unos grandes pendientes maragatos, zuecos serranos u asturianos, y que está como oliendo a la Cozina.[114]

Noch zu betrachten bleiben uns die *Orte der Kommunikation,* an denen jene Grenzen und Faszinationen des Denkens, welche den Grundriß der spanischen Kultur im XVIII. Jahrhundert bestimmen, zu Diskursen wurden. Dabei ist an erster Stelle die staatlich-königliche *Zensur* zu nennen. Wir erinnern noch einmal an die strikten Verbote ganzer literarischer Gattungen, ja ganzer Kulturformen, welche die *autos sacramentales,* die *entremeses,* die ›plebejischen‹ Romanzen, die Stierkämpfe und –

darauf werden wir noch näher eingehen – im Jahr 1791 für eine gewisse Zeit das gesamte Pressewesen betrafen – um das angesichts schier unzähliger Einzelfälle kaum überschaubare Gebiet der Zensur ausländischer Bücher und Zeitschriften erst gar nicht zu thematisieren. Solche Verdikte waren freilich – zumindest in der Epoche Carlos' III. – nicht selten bloß flankierende Maßnahmen zu kulturellen Reforminitiativen, welche nicht allein das Gewicht nationaler Traditionen für das Publikum unterschätzten, sondern auch bei reformwilligen Gruppen Widerstand gegen ›kulturelle Überfremdung‹ weckten. Immerhin war die Regierung zwischen der Mitte und dem letzten Jahrzehnt des XVIII. Jahrhunderts bemüht, soweit als eben möglich ohne den ›Arm‹ der Inquisition auszukommen, dessen Effizienz in jenem Zeitalter man ohnehin nicht allzu hoch veranschlagen sollte: wenn die Inquisitoren oft Jahre nach dem Erscheinen von Büchern und Zeitschriften gewisse Passagen in ihren Texten tilgten, so ähnelte diese Praxis einem magischen Ritual.

In der Abfolge und in der Funktion ihrer einzelnen Gattungen gleicht die Geschichte der *spanischen Presse*[115] der zeitgenössischen Pressegeschichte anderer europäischer Länder, wobei entlang der Jahrzehnte hier das Auf und Ab von absolutistischer Toleranz und Repression, die Ambivalenz zwischen Förderung und Verbot besonders deutlich wird. Fast ausnahmslos konnten die Zeitschriften der ersten Jahrhunderthälfte mit staatlicher Protektion rechnen, und fast alle entsprachen sie dem Modell der französischen *correspondances,* wie der Untertitel des *Diario de los Literatos de España,* das zwischen 1737 und 1742 erschien, besonders deutlich werden läßt: *En que se reducen á compendio los escritos de los autores españoles, y se hace juicio de sus obras.* Erste Symptome einer Gattungsentwicklung waren dann Tendenzen der Ausdifferenzierung. So beschränkte sich der *Mercurio Literario* auf *correspondances* aus dem kulturellen Bereich, während der *Mercurio Histórico y Político* wie die *Memorias para la Historia de las Ciencias y Bellas Artes* ausschließlich Übersetzungen von Artikeln aus französischen Zeitschriften präsentierten. Die Erweiterung dieses zunächst recht bescheidenen Spektrums um die Gattung der meinungsbildenden Zeitschrift darf man gewiß mit einer generellen Veränderung des kulturellen Klimas zu Beginn der Regierungszeit von Carlos III. in Zusammenhang bringen – das legt schon allein eine Vielzahl neuer Zeitschriften aus den frühen sechziger Jahren der Epoche nahe, in denen Sprechrollen erschienen, um den Ort der vertretenen Meinung mehr oder weniger deutlich zu lokalisieren: *Cajón de Sastre Literato, o Percha de Maulero Erudito* (1760), *El Duende Especulativo sobre la Vida Civil* (1761), *El Pensador* (1765), *El Pensador Cristiano* (1763), *El Beliamis Literario* (1765) – von dem zwischen 1781 und 1787 veröffentlichten *Censor* war schon im Zusammenhang mit der Debatte über den Spanienartikel in der *Encyclopédie méthodique* die Rede. Meist waren diese Rollennamen zugleich Pseudonyme einzelner Autoren, welche im Alleingang die wenigen Seiten ihrer Zeitschriften füllten. Die Tatsache, daß sie bestrebt waren, stets im voraus über einen Vorrat von bereits im Manuskript fertiggestellten Nummern zu verfügen, um die Sequenz des Erscheinens für den Fall eines punktuellen Zensur-Verbots nicht unterbrechen zu müssen, veranschaulicht die Labilität eines ›aufgeklärten‹ Kommunikationsraums unter absolutistischer Herrschaft. Vielleicht entspricht der Bereich der Presse am ehesten dem – bereits mehrfach kritisierten – Bild einer ›Aufklärung *en miniature*‹. Denn die Zahl solcher meinungsbildender Blätter war respektabel, aber weil sich ihr Abonnentenkreis weitgehend aus den Beamten des absolutistischen Staats rekrutierte, spielte sich in ihnen eine ganz bewußte Selbstzensur ein, über die sogar ab und an in ihren Artikeln räsonniert wurde.[116]

Was sich unter solchen Bedingungen nicht entfalten konnte, war ein Kommunikationsraum aufgeklärter Öffentlichkeit, denn zu ihrem Selbstverständnis gehörte das radikale Postulat einer Freiheit der Partizipation, Themenwahl und Meinungsäußerung, und an die Verwirklichung dieser Postulate war die Hoffnung auf einen ›Konsens unter Privatleuten‹ geknüpft, aus der sich in Frankreich schon bald Vorformen des Parlaments entwickeln sollten.[117] In Spanien hingegen ließ sich nicht einmal in engen Zirkeln der Glaube an die Verwirklichung dieses Freiheitspostulats aufrecht erhalten, und andererseits mußten auch – und gerade – allzu deutliche Maßnahmen kultureller Reform seitens des Staates den Prozeß der Meinungsbildung behindern. Einer solchen staatlichen Initiative verdankte das markanteste

Milieu der Reform-Diskussion seine Existenz, nämlich die *Sociedades Económicas de Amigos del País*.[118] Im Jahr 1765 war – noch aus einer lokalen Initiative – in der baskischen Provinz Guipúzcoa eine *Sociedad Bascongada de Amigos del País* entstanden, deren Mitglieder sich – den programmatischen Namen der Gemeinschaft durchaus ernst nehmend – primär um Maßnahmen der Wirtschaftsförderung bemühten, aber doch auch durch ihre gemeinsame Begeisterung für das Denken des Auslands verbunden waren. Sechs Jahre später griff Campomanes im Auftrag des *Consejo de Castilla* das Modell der *Sociedad de Vascongada* in seinem *Discurso sobre el fomento de la industria popular* auf, in dem Gruppen und Einzelpersonen aus allen Teilen des Landes aufgerufen und ermutigt wurden, ähnliche Institutionen ins Leben zu rufen. Campomanes' *Discurso* wurde mit der für die Zeit erstaunlichen Auflage von 30 000 Exemplaren gedruckt und von der Regierung an ausgewählte Adressaten versandt. Darüberhinaus wandten sich Minister und Staatsbeamte im Rahmen dieser breit angelegten Initiative mit dem Vorschlag, *Sociedades* ins Leben zu rufen, auch an einzelne Untertanen – die sich diesem Ansinnen nur selten entzogen. Das Ergebnis war eindrucksvoll: schon wenige Jahre später war Spanien von einem Netz aus *Sociedades de Amigos del País* überzogen, wobei sich für hier kein Gefälle zwischen den Küstenregionen und dem Inland konstatieren läßt.[119] Im Zentrum der Aktivitäten stand die Frage nach den Realisierungsmöglichkeiten – hochfliegender und bescheidener – Projekte der Landreform: auf dieses Thema waren die im XVIII. Jahrhundert unvermeidlichen öffentlichen Preisaufgaben der Akademien und auch ihre Bemühungen um Wissensvermittlung zentriert. Mit je deutlichen regionalen Schwerpunkten kamen aber auch die Möglichkeiten zur Förderung erster Industriezweige und des Handels zur Sprache. Schließlich gehört es zu den historischen Verdiensten der *Sociedades*, daß sie der über Jahrhunderte geführten Diskussion um die ethische Legitimität und die praktische Umsetzung der Armenfürsorge eine neue Wendung gaben: staatlich geförderte Berufsausbildung in *Escuelas patrióticas* wurde als ein langfristiges Konzept entwickelt. Sicher läge man falsch, wenn man die *Sociedades Económicas de Amigos del País* als ein ›spanisches Äquivalent zur aufgeklärten Öffentlichkeit‹ einschätzen wollte. Denn in ihrer Geschichte manifestierte sich besonders deutlich das Dilemma staatlich geschaffener und zugleich limitierter Räume der Reformdiskussion: es gab Zeiten, in denen die Regierung Themen für Debatten, ja ganz konkrete Aufgaben vorgeben mußte, um in den *Sociedades* mehr als eine Fassade des Reformwillens zu erhalten, während ihre Mitglieder auf der anderen Seite untertänigst bedacht waren, ihre immer wiederkehrende Forderung nach *desamortizaciones* nicht zu deutlich und vor allem: nicht zu energisch vorzutragen.

Unter dem labilen Gleichgewicht von absolutistischer Anregung und Protektion, Denkvorschriften und Zensur bildeten sich nun durchaus spezifische Rollen des Handelns und der Selbstpräsentation aus. Denn während die *philosophes* in Frankreich – einzeln oder im Idealbild einer Gemeinschaft – wieder als ›Subjekt der Aufklärung‹ agierten, konnten die Feijóo, Cadalso, Jovellanos oder Meléndez Valdés gewiß nicht die Illusion hegen, ›Subjekt der Reformen‹ zu sein. Richtung und Grenzen der nationalen Veränderung waren von den Regierungen stets vorgegeben, und deren Vertreter ließen sich diese Gängelung des Reformdenkens auch zu keinem Augenblick aus der Hand nehmen. Die für das Selbstverständnis der *philosophes* typische Bewegung zwischen dem Rückzug in die Einsamkeit der Reflexion und der direkten Hinwendung an ein sich formierendes Publikum[120] und das Ideal eigenständiger Sinnsetzung lagen in der spanischen Gesellschaft des XVIII. Jahrhunderts jenseits der Grenze des Möglichen. Die Reformer mußten sich damit begnügen, offiziell erschlossene – und sozusagen ›freigegebene‹ – Sinnhorizonte auszufüllen und waren bei der Vermittlung der Ergebnisse ihres Denkens auf staatliche Toleranz und Unterstützung angewiesen. Das bedeutete aber auch, daß Staat, Kirche und Traditionalisten für sie nie zu einem ebenso pauschalen wie kompakten Feindbild zusammenwachsen konnten, wie es in anderen Ländern die Profilierung der Aufklärer ganz wesentlich unterstützte. Wie eng selbst noch die Reform-Spielräume der absolutistischen Herrschaft waren, zeigt die Geschichte des *Motín de Esquilache*. Esquilace, ein Minister Carlos’ III. von italienischer Herkunft, den die Spanier ›Esquilache‹ nannten, hatte gewiß eine für die Reformbewegung förderliche Abgrenzung von einem Feindbild im Sinn, als er 1766 anordnete, die traditionellen *sombreros* und *capas*, welche zu Symbolen der Traditionswahrung und des Widerstands geworden waren, beschneiden zu lassen. Doch er hatte den elitären Charakter der von ihm betriebenen und vertretenen Politik unterschätzt: Seine Provokation führte zu einer spontanen Solidarisierung von Adligen, Klerikern und dem ›Volk‹ von Madrid, so daß König und Hof gezwungen waren, die Hauptstadt zu verlassen, der ›ausländische‹ Minister geopfert werden mußte und Carlos III. allen Anlaß hatte, auf Jahre seine Treue gegenüber den nationalen Traditionen unter Beweis zu stellen.[121] Diese Episode legt es nahe, die Ausweisung der Jesuiten aus Spanien im darauf folgenden Jahr als einen erneuten – bewußten oder unbewußten – Versuch zur Etablierung einer ›Feindgruppe‹ zu deuten – und diesmal war der König erfolgreicher, weil die intellektuelle und politisch-strategische Überlegenheit der Jesuiten allenthalben Gegner auf den Plan gerufen hatte. Vor allem aber zeigt uns die Geschichte des *Motín de Esquilache*, daß nicht allein die Reformer jeglichen Angriff auf den Staat unterlassen mußten, sondern daß es sich auch der Staat keinesfalls leisten konnte, die seinen eigenen Reformen feindlichen Gruppen für die Angriffe der Reformer freizugeben. So blieb es denn bei der vagen Polemik gegen den Sittenverfall in der Gesellschaft der Hauptstadt, von dem sich abzugrenzen freilich die meisten Reformer selbst große Schwierigkeiten hatten. Aufklärerische Kritik ohne Feindbild konnte aber nicht zu Kritik im Namen der Moral werden, weil sie nicht die Möglichkeit hatte, aus der Rolle ›verfolgter Tugend‹ zu sprechen. Vor allem jedoch war den Reformern – und zwar viel deutlicher als den Traditionalisten – auch ihr Lachen erstickt: denn es fehlte ja nicht nur an identifizierbaren Bezugsgruppen und Bezugspersonen für ihren Spott, sondern auch an einem Publikum, mit dem sie sich – im Lachen – gegen gemeinsame Feinde hätten solidarisieren können und dürfen.

Wer sich als glühender Patriot präsentierte, mußte darauf achten, den pathetischen Begriff ›Nation‹ nicht mit Zukunftserwartungen zu erfüllen, zu denen nur gesellschaftliche Veränderung hätte führen können; wer – eigentlich ganz im Sinne der Monarchie – auf das Vorbild des Auslands verwies, galt rasch als ein Verräter des Vaterlands; wer nationale Identität in der Kultur des ›Volkes‹ suchte, mochte sich plötzlich in der Gemeinschaft der Traditionalisten finden. So mußten die spanischen Reformer ohne Polemik à la Voltaire, Selbstgerechtigkeit à la Rousseau und Experimentierfreude à la Diderot auskommen. Ihre Gestalt war von Selbstbeherrschung, von der Internalisierung äußerer Norm und Begrenzungen geprägt; sie hatten nur dann eine Existenzberechtigung, wenn sie bereit waren, die schwersten Aufgaben zu übernehmen, welche die staatlichen Reformprojekte bereithielten, und sich bemühten, es allen Gruppen der Gesellschaft recht zu machen. Selbstkontrolle statt Selbstfeier, Beamtenernst statt Tränen des Lachens oder Tränen des Selbstmitleids – das waren ihre hervorstechenden Charakterzüge und Rollenverpflichtungen.[122]

Gaspar Melchor de Jovellanos entsprach dieser Rolle so vollkommen, daß man sich fast fragen könnte, ob seine einhellige Kanonisierung zum bedeutendsten Repräsentanten der spanischen Aufklärung allein seinen Leistungen zuzuschreiben ist, oder ob sie nicht auch aus der Möglichkeit resultiert, an seinem Beispiel emblematisch Grundzüge der spanischen Kulturgeschichte des XVIII. und frühen XIX. Jahrhunderts zu vergegenwärtigen. Wir wollen die wichtigsten Phasen aus Jovellanos' Biographie erzählen und zwar zum einen, um diese Grundzüge der spanischen Mentalitäts- und Geistesgeschichte des XVIII. Jahrhunderts noch einmal zu vergegenwärtigen; zum anderen, um entlang der Linie von Jovellanos' Leben zur Krisenphase des spanischen Reform-Absolutismus zu kommen, zu den Jahren der Wende vom XVIII. zum XIX. Jahrhundert.[123] Man kann es als einen signifikanten Zufall oder als eine wichtige Vorbedingung seiner Biographie ansehen, daß Gaspar Melchor de Jovellanos in einer nördlichen Küstenprovinz, genauer: in der asturianischen Stadt Gijón, geboren wurde – und zwar (wie sein Vorname bereits vermuten läßt) am 5. Januar des Jahres 1744. Man spendete dem schwächlichen Neugeborenen noch am selben Tag die Nottaufe – doch der erste Abschnitt seiner Biographie erbringt nicht nur den Beweis des Überlebens, sondern zeigt auch, daß der spätere Reformer schon sehr bald entschlossene Schritte unternahm, um dem traditionalistischen Milieu seiner Familie zu entkommen. Diese Familie gehörte –

wie nicht weniger als ein Sechstel der Familien in Asturias, von wo die *Reconquista* ihren Ausgang genommen hatte, – dem Adel an, doch die Einkünfte aus schmalem Landbesitz, einer kleinen Eisenhütte und dem Amt des Vaters in der Stadtverwaltung von Gijón reichten zusammengenommen wohl gerade aus für den Unterhalt der fünfzehn Köpfe zählenden Familie. Eine standesgemäße Bildung konnten Jovellanos' Eltern schon nicht mehr bestreiten, und es sollte für seine intellektuelle Entwicklung ausschlaggebend werden, daß er einen Teil der Studienjahre als Stipendiat verlebte. Zunächst besuchte Gaspar Melchor die Lateinschule in Gijón, anschließend wählte er das Fach ›Philosophie‹ an der Universität der ebenfalls asturianischen Stadt Oviedo. Später sollte der Bildungsreformer Jovellanos sein Interesse an Problemen der öffentlichen Erziehung durch die schwierigen Erfahrungen jener Jahre begründen.

1757, im Alter von dreizehn Jahren also, empfing er die niederen Weihen, um – zur Entlastung der angespannten Familien-Finanzen – eine kirchliche Pfründe übernehmen zu können, zu der ihm seine Tante, eine Äbtissin, verholfen hatte. Doch schon wenig später schrieb sich Jovellanos als Student beider Rechte an der Universität von Avila ein, die nicht nur auffällig viele junge Asturianer zu ihren Studenten zählte, sondern – was heute niemand mehr mit dem Namen dieser Stadt verbinden würde – als ein Umschlagzentrum des in Spanien um die Jahrhundertmitte noch mit gestrengen Augen betrachteten neuen Gedankenguts aus dem Ausland galt. Während dieser Jahre wurden dem vorbildlichen Studenten kleine Ämter übertragen, und als er im Jahr 1763 sein Studium als *bachiller y licenciado* beider Rechte abschloß, verschaffte ihm der wegen seiner liberalen Ideen angefeindete Bischof von Avila ein Stipendium an der Universität Alcalá zur Vertiefung seiner Kenntnisse auf dem Gebiet des kanonischen Rechts. Hier, so erinnerte sich Jovellanos später, entdeckte er die Welt, den Denkstil der Wissenschaften – und zugleich scheint sich auch die endgültige Ablösung vom Milieu seiner Familie vollzogen zu haben. In Alcalá wurde der weiterhin brillante Student schon bald von seinen Professoren mit Lehr-Vertretungen beauftragt, hier knüpfte er Freundschaften, die über sein ganzes Leben dauern sollten und entdeckte in Arias de Saavedra offenbar eine Vaterfigur – die Korrespondenz mit ihm währte über Jahrzehnte und Jovellanos begann seine Briefe an den älteren Freund stets mit der Anrede ›mi papá‹. Als er 1765/66 für einige Monate nach Asturias zurückkehrte, sah Jovellanos seine Heimat mit neuen Augen: er begann, systematisch Notizen über die Kunst in dieser Provinz und über den Stand ihrer Wirtschaft zu machen.

Sein Rückweg aus Gijón nach Kastilien führte Jovellanos in die Hauptstadt Madrid – und hier wurde (offenbar in intensiven Gesprächen mit den Freunden aus Alcalá) zum Entschluß, was sich im Verlauf seiner Studienjahre bereits abgezeichnet hatte: er revidierte für sich die Verfügung seiner Familie, welche ihn für den Weg zu einem hohen Kirchenamt vorbestimmt hatte, und da man offenbar auch in den Kreisen der Regierung bald auf seine Begabung aufmerksam wurde, empfing Jovellanos Ende Oktober 1767 eine Ernennung zum *alcalde de cuadra de la Real Audiencia de Sevilla*. Dieses Datum markiert einen Übergang von der Emanzipation aus dem Milieu seiner Geburt unter dem Einfluß neuer, zunächst noch in ihrem Status prekärer Gedanken hin zu jenen zwei Jahrzehnten, in denen Jovellanos zum fleißigsten, vielseitigsten und schließlich prominentesten Diener der königlichen Reformprojekte wurde. Wir können mit dieser Rolle leicht sein äußeres Erscheinungsbild assoziieren, wie es damals Jovellanos' Freund Ceá Bermúdez beschrieb:

Era de estatura proporcionada, más alto que bajo, cuerpo airoso, cabeza erguida, blanco y rojo, ojos vivos, piernas y brazos bien hechos, pies y manos como de dama, y pisaba firme y decorosamente por naturaleza, aunque algunos creían que por afectación. Era limpio y aseado en el vestir, sobrio en el comer y beber, atento y comedido en el trato familiar, al que arrastraba con voz agradable y bien modulada y con una elegante persuasiva todas las personas de ambos sexos que le procuraban; y si alguna vez se distinguía con el bello, era con las de lustre, talento yo educación, pero jamás con las necias y de mala conducta. Sobre todo, era generoso, magnífico y aun pródigo en sus cortas facultades; religioso sin preocupación, ingenuo y sencillo, amante de la verdad, del orden y de la justicia; firme en sus resoluciones, pero siempre suave y benigno con los desválidos; constante en la amistad, agradecido a sus bienhechores, incansable en el estudio y duro y fuerte para el trabajo.[124]

Auf der Reise nach Sevilla, seiner ersten Wirkungsstätte, wurde zur Gewohnheit, was sich beim Besuch der asturianischen Heimat angebahnt hatte: Jovellanos bemühte sich um Erfahrungen und Informationen über Wirtschaft und Lebensformen in allen Orten und Landstrichen, durch die ihn sein Weg führte. In Sevilla selbst, das damals als spanisches Zentrum des *esprit encyclopédique* galt, konnte er den schon in Avila und Alcalá angebahnten Kontakt mit dem Denken der europäischen Aufklärung verstärken. Selbstverständlich wurde er Mitglied der *Real Sociedad Económica de Sevilla,* bei deren Debatten und praktischen Aktivitäten er sich vor allem in drei Bereichen hervortat. Das waren einmal die Erfahrungen mit dem Richteramt, in das er berufen war. Wir haben bereits gesehen, daß Jovellanos in seinem 1774 erschienenen Rührstück *El delincuente honrado* für eine Würdigung der je besonderen Tatumstände und für einen Freiraum der richterlichen Urteilsfindung eintrat. Hinzu kamen Bitt- und Denkschriften über Funktion und Organisation der Polizei, zur Abschaffung der Folter, zur Reform des Verhörs und der Gefängnisse. Daneben stand ein – wie gesagt: offenbar biographisch motiviertes – Engagement für Fragen der Erziehung. Jovellanos polemisierte als Beamter der aufgeklärten Monarchie gegen die Schulpraxis der Jesuiten und entwarf unter der Losung eines ›método ilustrado‹ Grundzüge für ein Ideal-Curriculum. Schließlich erwarb sich Jovellanos in Sevilla, was seiner Identität als Reformer bislang gefehlt hatte: eine Systematisierung und Disziplinierung des spontanen Interesses an Fragen der nationalen Wirtschaft durch ein Studium der politischen Ökonomie. Daneben erarbeitete er sich das einschlägige spanische Schrifttum seines Jahrhunderts – merkantilistischer wie physiokratischer Prägung – und wurde für einige Jahre zu einem glühenden Verehrer Condillacs. Bald schon manifestieren sich seine neuen Kenntnisse in weiteren Denkschriften – so zum andalusischen Wirtschaftszweig der Ölherstellung und zu einer Reform des regionalen Bankenwesens.

Seine Kenntnisse, sein Fleiß und sein Eifer hatten Gaspar Melchor de Jovellanos bald schon zu einer über die reformorientierten Kreise Sevillas hinaus bekannten Gestalt werden lassen. Und er selbst scheint solche Anerkennung als Ermutigung erfahren zu haben. Als Jovellanos im Jahr 1778 zugleich ein höchst prestigeträchtiges Verwaltungsamt in der Provinz und ein weniger prominenter Posten der Rechtspflege in Madrid angetragen wurden, entschied er sich für die Hauptstadt – und damit für die Möglichkeit, seine Kompetenzen in der Praxis der Reformen wirksam werden zu lassen. Die wahrgenommene Chance muß all seine Kräfte in Anspruch genommen haben – so sehr, daß seine poetischen Versuche und seine Aktivitäten als Dramenautor mit der Übersiedlung nach Madrid ein Ende fanden. Schon bald fiel der Blick des allseits einflußreichen Campomanes auf Jovellanos, und ihm verdankte er die Mitgliedschaft in den Königlichen Akademien für Geschichte, Kunst, Sprache, Kanonisches Recht und Zivilrecht sowie die Mitwirkung in der *Real Sociedad Económica Madrileña* und dem *Consejo de Ordenes*. Es gibt wohl kaum ein Thema der Reformdiskussionen auf den Gebieten der Wirtschaft und der Erziehung, zu dem Jovellanos in den Jahren bis 1790 nicht Stellung genommen hätte – und auch an der uns bereits vertrauten Polemik gegen den Sittenverfall der Hauptstadt war er mit Artikeln im *Censor* beteiligt, freilich – wenn man dem Zeugnis der Texte trauen darf – mit deutlich geringerem Einsatz. Unter dem Einfluß der Reformkreise und im Dienst der Regierung von Madrid kultivierte Gaspar Melchor de Jovellanos schon bald zwei früh zu Tage getretene Ausrichtungen seines Interesses. Zum einen gewann die historische Rekonstruktion als Voraussetzung und Basis für Analyse und Kritik gegenwärtiger Institutionen in seinen Schriften stetig an Gewicht. Zum anderen unternahm er – nun im Auftrag verschiedener Ministerien – monatelange Reisen (vor allem) durch die westlichen Provinzen Spaniens, um die seit Jahrzehnten mit eigenem Auge gewonnenen Beobachtungen in perfekter Systematisierung und mit der Hoffnung einzureichen, eine solide Grundlage für staatliche Reformgesetze und Förderungsmaßnahmen bereitgestellt zu haben.

Verschiebungen

Während einer dieser Reisen, als er im Sommer des Jahres 1790 in Salamanca einen neuen Studienplan für das dortige *Colegio Imperial* ausarbeitete, erreichte Jovellanos die Nachricht von der Verhaftung seines Reformer-Freundes Cabarrús durch die staatliche Polizei. Mit diesem Ereignis geriet sein Lebensweg unter den Einfluß eines neuen politischen Klimas in der Umgebung des Hofes, welches Jahrzehnte der Bewegung – und am Ende des Umbruchs – in der spanischen Geschichte einleitete. Mit der Abreise nach Madrid am 20. August 1790 und mit dem Entschluß, trotz seines Wissens um die Hoffnungslosigkeit eines solchen Schritts bei Campomanes für die Freilassung von Cabarrús einzutreten, endete Jovellanos' öffentliche Rolle im Dienst des Absolutismus; und auf den Tag der Abreise aus Salamanca nach Madrid ist auch seine erste uns überlieferte Tagebucheintragung datiert. Statt einer Antwort auf seine Bittschreiben empfing Jovellanos in der Hauptstadt nur die dringende Aufforderung, nach Asturias zu reisen, um mit der Arbeit an einem schon Monate zuvor in Auftrag gegebenen Bericht über Bergbau, Häfen und Straßen in seiner Heimatprovinz zu beginnen. Er war mit den Verkehrsformen der Regierung vertraut genug, um die Erneuerung dieses Befehles als Exilierung aus der Hauptstadt zu verstehen. Jovellanos' Kompetenzen und Interessen waren zu vielfältig, als daß er sich nicht auch in Gijón unverdrossen – und diese Facette gehört zur Rolle des spanischen Reformers – seinen Aktivitäten – gewidmet hätte, was für ihn stets bedeutete: der Realisierung alter Pläne. Zwar nahm er – unverdrossen eben – den Wortlaut des Regierungsauftrags ernst, aber sein Herz hing nun schon an der Gründung und Förderung einer Schule, des *Real Instituto Asturiano*, dessen Einrichtung 1791 durch ein königliches Dekret gewährt worden war. Um seine Vorstellungen von einer praxisorientierten, auf eigene konkrete Erfahrung der Schüler fundierten Ausbildung zu realisieren, scheute Jovellanos auch nicht den Einsatz der bescheidenen Finanzen seiner Familie. Das *Instituto* wurde zunächst in einem Gebäude aus dem Besitz seines Bruders untergebracht, und obwohl der Erfolg dieser Schule und eines ihm angegliederten Lesekabinetts mit Café und Billardtischen alle Erwartungen übertraf, reichten doch die Schulgelder, ja selbst eine Spendensammlung unter den betuchten Familien von Gijón und den reichen asturianischen Auswanderern in den Kolonien nie für ihren Unterhalt.

Niemand scheint mehr überrascht gewesen zu sein als Jovellanos selbst über eine Depesche, mit der ihm im Oktober 1797 seine Ernennung zum *Ministro de Gracia y Justicia* mitgeteilt wurde. Wie es zu dieser Berufung und wie es wenige Monate später zur abrupten Abberufung kam, haben auch akribische Historiker nicht im Detail rekonstruieren können. Doch soviel steht fest, daß die zwischen der Rolle eines allmächtigen Favoriten des Königspaars und der Rolle des Aufklärers und Reformers tief ambivalente Gestalt Godoys zumindest die treibende Kraft hinter Jovellanos' Ernennung war. Er selbst scheint geahnt zu haben, daß man in Madrid seines mittlerweile einzigartigen nationalen Ansehens als Reformer bedurfte, ohne andererseits bereit zu sein, ihm für die Realisierung von Reformen nötigen Handlungsspielraum zu gewähren. Schon bei der ersten Begegnung mit Godoy in der Hauptstadt schlug Skepsis auf der Seite von Jovellanos in persönliche Abneigung um. Nie während seines ganzen Lebens wirkte Jovellanos auf seine Umwelt so gelähmt wie während der acht Monate seines Ministeramts. Er selbst hat diese Zeit offenbar wie einen bösen Traum erfahren. Seine Tagebucheintragungen setzen kurz nach der Ankunft in Madrid aus und beginnen neu wenige Tage nach der Absetzung mit den folgenden Worten: *Escribo con anteojos, que ¡tal se ha degradado mi vista en este intermedio! ¡Que de cosas no han pasado en él! Pero serán omitidas o dichas separadamente.*[125] Die Regierung wahrte bei diesem erzwungenen Abgang die Form: Jovellanos wurde zum Mitglied des *Consejo de Estado* ernannt. Aber er verstand auch hier die Sprache der Macht: erneut kehrte er nach Gijón zurück und widmete sich ganz dem *Real Instituto*. Während der folgenden Jahre gingen in Madrid immer wieder Klagen und Denunziationen über den rechtschaffenen Reformer ein, deren Gewicht schlagartig zunahm, als das Vorwort zu einer geheim gedruckten und verkauften spanischen Übersetzung von Rousseaus *Contrat social* Jovellanos in ihrer Einleitung als leuchtendes Vorbild der spanischen Aufklärer feierte. Von nun an wurde sein Lebenswandel von königlichen Spionen minutiös beobachtet, bis Jovellanos am 13. März 1801 – ›in seinem Bett‹, wie es sich für solche Szenen gehört, – festgenommen wurde. Es begann eine siebenjährige Haftzeit, die er zunächst in Barcelona, dann auf Mallorca verbrachte. Ihre Bedingungen waren in nichts mit den Privilegien prominenter Häftlinge der Epoche vergleichbar: »Ni siquiera el capitán general se atreve a resolver los menores problemas. Si Jovellanos tiene que confesarse, si se hace preciso que pasee o que tome las aguas, la consulta a Madrid resulta imprescindible, y sólo se le permite hacer lo que Caballero (s.c.: der zuständige Minister) autoriza. Y no puede decirse que sus concesiones fuesen muy generosas, pues no le autorizaban sino hacer ejercicio ›en la terraza del Castillo‹, o a tomar baños de mar acompañado del gobernador, un oficial y dos soldados.«[126]

Zunächst legte der immer noch unverdrossene Jovellanos (selbstredend gänzlich erfolglos) förmlichen Protest gegen seine Verhaftung ein, dann fügte er sich in sein Schicksal und begnügte sich damit, im Briefwechsel mit wenigen Freunden die Beziehung zu seiner Umwelt aufrecht zu halten, wobei er die aus Vorsicht beschlossene Konzentration seiner Briefe auf kunstgeschichtliche Fragen allzu mild als einen Tausch der *estudios serios por los agradables* kommentierte.[127]

Natürlich bedeuteten die Abdankung Carlos’ IV. und die Besetzung Spaniens durch die napoleonischen Heere im Frühjahr 1808 die Freiheit für Jovellanos. Dennoch folgte er – anders als viele seiner alten Freunde, die es vorher auch verstanden hatten, sich mit der Herrschaft von Carlos IV. zu arrangieren, – einer in einem persönlichen Brief vorgetragenen Bitte ›des Tyrannen‹ (um hier schon die Sprache des spanischen Befreiungskrieges zu verwenden) auf Mitwirkung in der neuen Regierung nicht. Jovellanos hatte sich die Entscheidung schwergemacht: denn auch er erkannte in der fremden Herrschaft eine Chance der Liberalisierung, und klar wie nur wenige unter seinen Zeitgenossen sah er auf der anderen Seite voraus, daß eine nationale Befreiung in den Zwang des Absolutismus zurückführen konnte. In der Zeit zwischen September 1808 und Januar 1810 versuchte er, in der *Junta Central* eine Vermittlerrolle zwischen den beiden – allein durch den gemeinsamen Feind geeinten – antagonistischen Gruppen des Befreiungsheers, zwischen den Republikanern und den Traditionalisten, einzunehmen. Er blieb aber ohne jeglichen Erfolg, und in diesem Scheitern wird deutlich, daß sich Jovellanos trotz seines eminenten Ansehens überlebt hatte. Ein neues Zeitalter war angebrochen, in dem auch für spanische Reformer hochfliegende Projekte und (nie in Kraft tretende) Verfassungstexte wichtiger wurden als minutiöse Beobachtung und die Bescheidung auf das Mögliche:

Nadie más inclinado a restaurar y afirmar y mejorar; nadie más tímido en alterar y renovar ... Desconfío mucho de las teorías políticas; y más, de las abstractas. Creo que cada nación tiene su carácter; que éste es el resultado de sus antiguas instituciones; que si con ellas se altera, con ellas se repara; que otros tiempos no piden precisamente otras instituciones, sino una modificación de las antiguas; que lo que importa es perfeccionar la educación y mejorar la instrucción pública; con ella no habrá preocupación que no caiga, error que no desaparezca, mejora que no se facilite.[128]

Als Jovellanos bei der Auflösung der *Junta* an ihrem und dem Standort des neuen Parlaments, in Cádiz, gezwungen wurde, sich gegen den Vorwurf der Korruption zu verteidigen, zog er sich – nun freiwillig und verdrossen – aus dem öffentlichen Leben zurück. Er schiffte sich nach Gijón ein, wo er nach einer stürmischen Reise zum letzten Mal angelangte. Die Sterbens-Worte des – erst auf dem Totenbett delirierenden – Reformers im November 1811 sollen gewesen sein: *mi sobrino ..., Junta Central ..., la Francia ..., nación sin cabeza ..., ¡desdichado de mí!*[129]

Jener Umschlag des politischen Klimas am Hof, der seit 1790 immer mehr Jovellanos' Lebensweg prägte, hatte sich schon während des letzten Jahrzehnts der Herrschaft von Carlos III. in sinkendem Optimismus und wachsender Gereiztheit des Publikums – erinnern wir uns an die Reaktion auf den Spanien-Artikel der *Encyclopédie méthodique* – abgezeichnet, war mit dem Beginn der Regierung von Carlos IV. und seiner ebenso ungebildeten wie unberechenbaren Gattin María Luisa im Jahr 1789 alltäglich geworden und fand in dem blutjungen Manuel Godoy, einem Sproß des niederen Adels, der nach seiner erstaunlichen Karriere vom Mitglied der Palastwache zum Liebhaber der Königin schon 1792 zum Minister ernannt wurde, einen talentierten, skrupellosen – und manchmal auch jovialen – Vollstrecker. Auf die Nachricht von der Erstürmung der Bastille reagierte die spanische Regierung mit einer absoluten Informationssperre,[130] der eine Stornierung aller Projekte und Institutionen der Reform folgte. Zwar war man bemüht, diesen Umschlag nicht als Bruch gegenüber der Herrschaft des bewunderten und beliebten Carlos III. erfahrbar werden zu lassen – und im Handeln Godoys kann man sogar das Bestreben erkennen, sich selbst als Reformer historischen Ruhm zu erwerben, – aber die uns zugänglichen Texte aus den neunziger Jahren – welcher sozialen Gruppe, welcher Gattung sie auch immer zuzuschreiben sind – zeigen uns doch, daß sich der Stellenwert von Begriffen wie ›Tradition‹, ›Volk‹, ›französische Kultur‹, erstaunlich verschoben hatte. Spätestens mit der Enthauptung Ludwigs XVI. fand der Widerstand der Traditionalisten am Hof gegen jeden Reformansatz ein Argument von kaum überbietbarem Angstpotential. Juan Pablo Forner nutzte auch diesen Anlaß für ein Sonett, durch dessen Pathos und qualvolle Syntax fast so etwas wie ›Schadenfreude‹ klingt:

> Á LA MUERTE DE LUIS XVI.
> Al córte infame de crüel cuchilla
> Cae la cabeza que á las leyes santas
> Órgano fué supremo, y veces tantas
> Las dió á la tierra en prepotente silla.
> La de Occidente augusta maravilla
> Ludibrio yace de rebeldes plantas;
> Estremece el ejemplo altas gargantas,
> Y un tanto el ceño del poder se humilla.
> Pueblo que la adoró, sin llanto ahora,
> Yerta la mira derramando en hilos
> Desde mano soez sangre inocente.
> Así el que sirve al que le manda adora;
> Contra el débil señor vibra los filos;
> Si éste los vibra, sirve reverente.[131]

Doch nicht allein in den Augen der Traditionalisten nahmen die Ereignisse der Französischen Revolution dem Reformgeist seine Legitimität. Die Erfahrung, daß solches Geschehen sich der lenkenden Kraft menschlicher Vernunft nicht fügte,[132] lähmte – in Frankreich wie in Spanien – auch jene Zeitgenossen, die im Gegensatz zu Forner die Exekution des Königs als eine

›gerechte Strafe‹ für Jahrhunderte des Despotismus verstehen wollten. So blieb allein die vage Hoffnung auf eine Zukunft, in der die Macht der Vernunft sich endlich offenbaren würde. Doch das war eine Hoffnung, die den Vernunftanspruch aller vorausgehenden Pläne und Reformen unvermeidlich dementierte:

> ¿Qué importará que el yugo
> Rompa del monstruo odioso,
> Justa una vez, el hacha del verdugo?
> ¿Brotará acaso de su sangre impía
> El ansiado reposo?
> No; brotará frenética anarquía,
> Y, abriendo un nuevo abismo,
> De ella á su vez sangriento despotismo.
> ...
> ¿No amarga hoy á la vida
> De un rey pío y humano,
> Enhiesto siempre, el hierro parricida?
> ¿No se revuelve la licencia loca,
> Que disfrazada en vano,
> Predica paz cuando al motín provoca,
> Y con audaz doctrina
> La sociedad por sus cimientos mina?
> ...
> Tú, cuya luz divina
> Las flotantes esferas
> Guia perenne, plácida ilumina;
> Tú, sublime Razón, que desde el cielo
> A mil orbes imperas,
> ¿Consentirás que del morador el duelo
> Te befe en su miseria,
> Y al espíritu rija la materia?
> Del alto firmamento
> Desciende, y á mis cantos
> Benigna imprime tu celeste aliento.
> Da á mi ardor anunciar al universo
> Tus oráculos santos;
> Que revelando del error perverso
> La audacia y la falsía,
> Del bien yo al hombre mostraré la vía.[133]

Dieser Abschnitt in unserer Darstellung der spanischen Kultur des XVIII. und frühen XIX. Jahrhunderts steht unter dem Titel ›Verschiebungen‹. Er soll zum einen in Zusammenhang gebracht werden mit der nun schon zum Teil referierten Veränderung innen- und außenpolitischer Konstellationen, mit der sich auch die Bedingungen intellektueller Produktion und Rezeption wandelten: wir haben das an der Biographie von Jovellanos nachvollziehen können. Die historische Spezifik dieses Wandels kann vielleicht das Bild einer ›tektonischen Verwerfung‹ in den Blick bringen: die Themen und Schichtungen kollektiver Sinnhorizonte gerieten sozusagen ›unter wachsendem Druck von Außen und Innen‹ in Bewegung; doch – langfristig gesehen – veränderten sich weder ihre Substanz noch ihre Wechselbeziehung einschneidend. Vielmehr gewannen diese Schichten kollektiven Sinns ein zerklüftetes Profil. Bestimmte Sinnbezirke wurden tabuiert, andere erlangten – manchmal nur kurzfristig – herausragende Bedeutung, neue Beziehungen wechselseitiger Kompatibilität und Exklusion zeichneten sich ab. Die Tektonik-Metapher deutet aber auch an, daß der Begriff ›Verschiebung‹ zum zweiten im Sinn des von der Psychoanalyse begründeten Gebrauchs Anwendung findet. In dieser ›tektonischen Verwerfung‹ nämlich verloren bestimmte Zonen der Erfahrung die Verbindung zu den vorher gängigen symbolischen Repräsentationen und traten in Zusammenhang mit neuen Zeichenrepertoires. Solche Verschiebungen an den Horizonten kollektiven Sinns ließen die Welt der spanischen Gesellschaft an der Wende vom XVIII. zum XIX. Jahrhundert schon für die Zeitgenossen widersprüchlich und verwirrend erscheinen, und umso mehr erschweren sie der Nachwelt das historische Verstehen.

Versuchen wir etwa, uns in die Lage eines jener Reformer zu denken, die während der Regierungszeit Carlos III. in eine öffentliche Rolle hineingewachsen waren und nationales Prestige gewonnen hatten. Sie sollten sich auch nach 1789 in der Gesellschaft weiter als Reformer präsentieren, denn der Eindruck politischer und kultureller Kontinuität mußte gewahrt bleiben; aber sie konnten ihre Rolle nun nicht mehr im Gestus der intellektuellen Offenheit gegenüber dem Ausland leben und ebenso wenig über eine Zuwendung zum ›Volk‹ und seinen

Traditionen. Die Zukunft war als Projektionsraum für Hoffnungen und Programme konsequenter als je zuvor verschlossen. So konnte man sich allein auf den König und seine Umgebung berufen, wenn man der Erwartung nach reformerischer Rollenkontinuität genügen wollte, was aber nur unter der Voraussetzung möglich war, das tägliche Erleben zu verleugnen, in dem Carlos IV. weder als ›aufgeklärter Monarch‹ noch als ›Vater des Volkes‹ erschien. Es mag an dieser komplexen Konstellation gelegen haben, daß für viele unter den ehemaligen Reformern – und nicht nur für sie – Manuel Godoy zum Symbol für alle enttäuschten Hoffnungen, zum Objekt aller aufgestauten Aggressionen wurde, und dies, obwohl sein Handeln – zumindest weit mehr als das des ungleichen Königspaars – manche Hoffnungen hätte aufrechterhalten können. Auf der anderen Seite hatte zwar kein Ereignis dieser Jahrzehnte so intensive Angst in den Kreisen des bourbonischen Hofes geweckt wie die Enthauptung des Bourbonen Ludwig XVI. durch die französischen Revolutionäre; doch da das Spiel der europäischen Politik die spanische Krone schon bald in eine Koalition mit dem revolutionären Frankreich getrieben hatte, war auch hier eine primäre Beziehung zwischen Erfahrung und Symbolisierung zerschnitten. Ebenso wenig konnte man die vom Beispiel der französischen Ereignisse geschürte Furcht vor dem Volk manifestieren, da gerade die unterprivilegierten Schichten der spanischen Gesellschaft die sicherste Stütze der Monarchie waren. So konzentrierte sich alle Zukunftsangst des Hofes auf die Reformer, und aus übertriebener Angst wurde Phobie, weil man es ihnen ja – paradoxerweise – nicht befehlen oder erlauben wollte, ihre öffentliche Rolle abzulegen.

Wir kehren noch einmal zu der Episode von Jovellanos' Berufung in das Amt des Justizministers zurück, um uns im Detail zu vergegenwärtigen, welche Möglichkeiten des Reagierens für ihn und seine Freunde in einer Situation verblieben, in der sie von einer und derselben Instanz einerseits angehalten waren, weiterhin die Rolle von ›Reformern‹ zu spielen (ohne daß ihnen der Rekurs auf eines der diese Rolle repräsentierenden Symbolrepertoires offengestanden hätte), und in der sie, sobald sie versuchten, solchen Anforderungen zu genügen, Angst weckten und zur Zielscheibe für solche Angst bannende Präventiv-

Maßnahmen wurden. Es wirft ein helles Licht auf die chaotische Amtsführung der Madrider Regierung, daß Jovellanos zunächst – auf der Rückkehr von einer Fahrt durch die Provinz Asturias nach Gijón – von der Nachricht überrascht wurde, zum Botschafter der spanischen Krone in Rußland ernannt worden zu sein. Diese schon wenige Tage später dementierte Information ließ ihm zunächst noch die Möglichkeit offen, die für seine Freunde überraschende Bestürzung, welche ihn ergriff, als Schmerz über den nun anstehenden Abschied von der Heimat zu deuten:

Sigue el 16 de octubre. – Me había yo retirado a escribir en el Informe al señor Lángara, cuando oí que acababan de llegar de Oviedo mi sobrino Baltasar y el oficial Linares. Iba a salir, cuando éste entró ofreciéndome sus brazos y dándome la enhorabuena. »¿Cómo? Está Vm. hecho embajador de Rusia«. Lo tengo yo burla; se afirma en ello. »Hombre, me da un pistoletazo. ¡Yo a Rusia! ¡Oh, mi Dios!« Se sorprende, cuida de sosegarme; entramos al cuarto de la Señora. Baltasar confirma la triste noticia. Me da las cartas; abro temblando dos con sello: una de Lángara, otra de Cifuentes; ambas, enhorabuena, con otras mil; nada de oficio; mil otras. Luego, un propio enviado por el administrador Faes. Varias cartas, entre ellas el nombramiento de oficio. Cuanto más lo pienso, más crece mi desolación. De un lado, lo que dejo; de otro, el destino a que voy; mi edad, mi pobreza, mi inexperiencia en negocios políticos, mis hábitos de vida dulce y tranquila. La noche, cruel.
...
El 29, cumplidos dos meses de ausencia, a Gijón... Me reciben diputados de la villa, clero, comisario, Peñalva, Llanos y mil gentes; muchos alumnos; después, todos; al fin, mucho pueblo; artillería, cohetes, vivas, general alegría. Yo sólo lloro de pena de dejar un pueblo que me ama y de gozo de ser amado. Enhorabuenas, versos de Bango y Reconco. Comida con los que me acompañaron y muchos amigos, y a beber. Correo: mil cartas. Cabarrús me conjura a que vaya precipitadamente; sospecho que él haya influído en el nombramiento; si así no, seremos amigos; ha hecho mi desgracia, y pues me conoce, debe conocerlo.
...
Lunes, 23 de octubre y siguiente... Todo alegría por de fuera; todo en mi aflicción por lo que me aguarda, por lo que pierdo en abandonar un pueblo que me quiere bien, y una dulce residencia que me encanta.[134]

Eine Woche nach der letzten hier zitierten Tagebuchnotiz empfing Jovellanos einen persönlichen Brief von Godoy, der sich anläßlich des Friedensschlusses mit der französischen Republik im Sommer 1795 den pompösen Titel ›Príncipe de la Paz‹ zugelegt hatte. Von Beginn vermutete Jovellanos hinter jeder Handlung, jeder Äußerung des allmächtigen Ministers eine Intrige oder eine Lüge – zum Indiz dafür konnte für ihn etwa die Tatsache geraten, daß Godoy sich an eine bis heute in Spanien gültige Regel der Höflichkeit gehalten hatte: er hatte sein Schreiben, das er einem Brief von Jovellanos' Freund Cabarrús beilegen ließ, nicht in einem Kuvert verschlossen. Einen Tag später diskutierte Jovellanos mit seinem Bruder über den Wortlaut einer Antwort. Während sein Bruder eine offene Ablehnung an Godoy, den Symbolträger aller Enttäuschungen forderte, schlug Jovellanos, der aufgerufen war, durch die Annahme des Angebots vor der Gesellschaft die Kontinuität des staatlichen Reformwillens zu belegen, den Umweg einer Ausrede vor:

Lunes, carta confidencial del señor príncipe de la Paz, en los términos más honrosos y humanos, que cautiva de nuevo mi reconocimiento e hizo inevitable mi desgracia; venía abierta e inclusa en otra del conde de Cabarrús, mi amigo, con nuevas instancias sobre el viaje. Otra de Arias, con plan de gastos, demostrativo de que no necesito empeñarme. Refiérese a los de su amigo Jara.
Martes, diferencias con Paula (sc.: Jovellanos' Bruder) sobre la contestación al Príncipe (pues la pide franca). Yo, que manifestando mi íntima gratitud, debía insistir en una colocación más tranquila y conforme a mis conocimientos; él, que nada.[135]

Als Jovellanos zwei Wochen danach das Schreiben mit der Berufung zum *Ministro de Gracia y Justicia* empfing, schien niemand auch nur ähnlich wie er für dieses Amt qualifiziert. Nun konnte aber Jovellanos sein Erschrecken nicht mehr auf den Abschied vom Vaterland schieben. Es wurde ihm bewußt, wie undurchschaubar auch für ihn die politische Lage während seiner Jahre in Gijón geworden war:

Lunes, 13. – ... ¡Adiós felicidad; adiós quietud para siempre! Empieza la bulla, la venida de amigos y la de los que quieren parecerlo; gritos, abrazos, mientras yo, abatido, voy a entrar a una carrera difícil, turbulenta, peligrosa. Mi consuelo, la esperanza de comprar con ella la restauración del dulce retiro en que escribo esto (sc.: el Real Instituto Asturiano); haré el bien, evitaré el mal que pueda; ¡dichoso yo si vuelvo inocente!, dichoso si conservo el amor y opinión del público que pude ganar en la vida obscura y privada.[136]

Neun Tage später traf Jovellanos in der Hauptstadt ein. Der erste Madrider Tagebucheintrag weckt den Eindruck, daß ihm nun gänzlich die Initiative des Handelns entglitten war. Jovellanos scheute vor der Begegnung mit den Vertretern der Regierung zurück. Man spürt die Angst, nun erleben zu müssen, daß er sich auf ein Milieu eingelassen hat, dessen Selbst-Präsentation als Garant der Reform-Kontinuität nur aus der Distanz der Provinz – halbwegs – glaubhaft war. Jovellanos schob solche Berührungsängste auf sein Äußeres, auch noch als er eine Einladung zur Mittagstafel im Hause Godoys empfing. Doch sein unverdrossener, in Exzessen der Pflichterfüllung disziplinierter Mut verstellte ihm jeglichen Ausweg. Godoy, der Geliebte der Königin, der Favorit des Königspaares, der Sündenbock der Reformer präsentierte sich wie ein ›orientalischer Despot‹, wie das Schreckensbild im politischen Diskurs der Aufklärung. Er erscheint *zugleich* mit seiner Frau, einer Verwandten der Königin, und der Königin, seiner Geliebten. Für diesen einen Moment lehnt sich Jovellanos' Körper auf – das Denken des ins Licht der Öffentlichkeit gezerrten Reformers scheint ohnehin längst von jener Lähmung befallen, von der es sich während der kommenden Monate nie befreien sollte. Der Körper nimmt das von Godoy angebotene Essen nicht an, Jovellanos verläßt die Tafel des Príncipe de la Paz, er empfindet Ekel:

Miércoles, 22. – ... Sin vestir, a la casa del Ministerio; no se puede evitar el ver algunas gentes; me apura la indecencia del traje; entre otros, Lángara; luego, su mujer. Conversación con C. y S.; todo amenaza una ruina próxima que nos envuelva a todos; crece mi confusión y aflicción de espíritu. El príncipe *[de la Paz]* nos llama a comer a su casa; vamos mal vestidos. A su lado derecho, la princesa; al izquierdo, en el costado, la Pepita Tudó... Este espectáculo acabó mi desconcierto; mi alma no puede sufrirle; ni comí, ni hablé, ni pude sosegar mi espíritu; huí de allí; en casa toda la tarde, inquieto y abatido, queriendo hacer algo y perdiendo el tiempo y la cabeza. Carta a Paula. Por la noche, a la Secretaría de Estado con Cabarrús; luego, S.; conversación acalorada sobre mi repugnancia; no hay remedio; el sacrificio es forzoso; más aún sobre la remoción del objeto de la ira y persecución..., nada basta... A casa, en el colmo del abatimiento.[137]

Erinnern wir uns an einen oben zitierten Text des jungen Jovellanos aus der Zeit seiner Ernennung zum königlichen Richter in Sevilla. Er habe, so hieß es dort, trotz seines angenehmen Äußeren den Frauen stets allein mit seinen geistigen Gaben zu gefallen gesucht. Reformer im Spanien des späten XVIII. Jahrhunderts sein, hieß offenbar auch, seinen Körper in selbstauferlegter Askese aus dem Sinn verlieren. Diese Disposition mag erklären, warum Jovellanos in einer einschlägigen *Memoria* die Geschichte der *diversiones y espectáculos*[138] in Spanien als eine Fortschrittsgeschichte erzählt hatte, deren Prinzip ein Prozeß der Substitution physischer Kraft durch Intellekt und Geschmack war und an derem argumentativem Ziel die Forderung nach einem Verbot der Stierkämpfe stand. Und es wundert uns nun auch nicht mehr, daß Jovellanos den jungen Poeten der *Escuela de Salamanca,* die dem in den späten siebziger Jahren bereits weithin bekannten und bewunderten Autor Proben ihrer anakreontischen Poesie geschickt hatten, ohne Zögern empfahl, sich ernsthafteren Themen zu widmen: der *moral filosofía* und dem *sangriento furor de Marte.*[139] In der Tat schlugen Jovellanos' »Patriotismus, sein didaktischer Eifer und sein Mangel an poetischer Empfindsamkeit« die jungen Bewunderer in Bann: *Mi musa ha desmayada... yo voy perdiendo el gusto y las musas me van dejando,*[140] stellte schon wenig später Meléndez Valdés unter dem Eindruck seiner Kritik fest.

Nun wird gewiß niemand behaupten wollen, daß alle gebildeten und reformwilligen Spanier jener Epoche zölibatär gelebt hätten oder daß ihre Sinnlichkeit versehrt gewesen wäre. Vielmehr haben wir der Episode von Jovellanos' Begegnung mit Godoy deshalb so breiten Raum gegeben, weil sie uns eine historisch überaus folgenreiche Schwäche des Reformdiskurses vergegenwärtigt. Eine Instanz der Sinngebung und des Handelns, welche sich gegen die von Staat und Herrscher repräsentierten Sinnhorizonte hätte stellen können, war in diesem Diskurs nicht vorgesehen. Subjektive Selbsterfahrung, mithin auch Erfahrung des eigenen Körpers, war nicht vorgesehen, im Konfliktfall wurde der Selbsterfahrung ›offizieller Sinn‹ oktroyiert.

Wo aber die Rahmenbedingungen solcher Disziplinierung schärfer wurden, konnten sich die körperlichen Erfahrungen und Bedürfnisse den Weg hin zu ihrer Manifestation freibrechen und dann ohne jegliche Bändigung durch die Vernunft zutage treten. Es mochte Jovellanos gelungen sein, den dichtenden Jünglingen in Salamanca ihr Spiel mit den Andeutungen erotischer Blicke sauer werden zu lassen. Aber unter ihren Zeitgenossen gab es einen Leandro Fernández de Moratín, der nicht nur Komödien nach klassizistischem Schnittmuster schrieb und einen über Jahre – eher unlustig – gepflegten *noviazgo* am Ende zu einer Brieffreundschaft werden ließ, sondern auch – wie schon erwähnt – beliebter Kunde in den Bordellen von Madrid war. Sein Vater, Nicolás Fernández de Moratín, hatte vernunftdurchherrschte Tragödien verfaßt, aber auch einen *Arte de las putas,* in dem jener verstohlen-verspielte Blick auf den weiblichen Körper, den Jovellanos seinen salmantinischen Bewunderern übelnahm, in physische Brutalität umschlug:

> Llévala al cuarto y si la ropa ofende
> la vista, ropa fuera y en pelota
> como la borra métela en la cama
> dispuesta para el fin, y muchas veces
> bajo un vestido rústico y villano
> te encontrarás la Venus del Ticiano
> como buen bebedor en mala capa.
> Este gran golpe a un necio se le escapa
> y es el mejor bocado y más seguro.
> Si no ven muselina en la mantilla,
> las alas de la cofia por de fuera,
> y ambos ganchos brillando en la cotilla
> lo escupen: hacen mal, que esta simpleza
> sólo agrada, mas no hace la belleza.[141]

Eben jener Nicolás Fernández de Moratín war einer der Apologeten des Stierkampfs, der *ferocidad de los toros* und des *valor de los españoles.*[142]

Was an Spaniens politischer Geschichte bis zum Beginn des Unabhängigkeitskrieges im Jahr 1808 vor allem deutlich wird, ist die Tatsache, daß Hof und Regierung nicht allein das Denken und Handeln der Reformer gelähmt hatten; vielmehr war die Nation durch das gespaltene Verhältnis der Herrschenden zu Frankreich, das zugleich Bündnispartner war und als beständige, unberechenbare Drohung erfahren wurde, erneut in eine Situation grundsätzlicher Passivität gedrängt und zum Spielball im Konflikt zwischen England und Frankreich geworden. In Frankreich hatte das Konsulat unter der Vorherrschaft Bonapartes – und später das napoleonische Empire – mit dem Erbe des *Directoire* auch die 1795 angeknüpften Bündnisbeziehungen zu Spanien übernommen. Nichts lag für Napoleon näher, als dem maroden Partner, der immer noch als eine bedeutende Seemacht galt, eine – selbstverständlich sekundäre – Rolle bei der Durchsetzung jener Kontinentalsperre zuzuweisen, durch die England in die Knie gezwungen werden sollte. Eine solche Strategie bot sich aus geopolitischen Gründen umso mehr an, da gerade Portugal aus der den europäischen Nationen vom Empire aufgezwungenen Einheitsfront ausscherte. Spanien bezahlte seine Willfährigkeit im Jahr 1805 mit der an Frankreichs Seite erlittenen Niederlage in der Seeschlacht von Trafalgar, die wie eine Wiederholung des Schicksals der *Invencible* erfahren worden sein muß. Doch zu jenem Zeitpunkt war die Verflechtung der spanischen Außenpolitik mit Napoleons Gigantomanie schon nicht mehr auflösbar, und sie sollte sich bald als eine für die Monarchie tödliche Umarmung erweisen.

Am Madrider Hof hatte die immer offenbarer werdende Abhängigkeit vom Empire mittlerweile der Gruppe von Godoys Feinden, die sich um den – Carlos IV. in nichts, es sei denn an Brutalität und Skrupellosigkeit überlegenen – Prinzen Fernando, den späteren Fernando VII., scharte, ein denkbar simples Projekt eingegeben: nämlich einen geheimen Pakt mit England, der zur Entmachtung Godoys und zur Abdankung von Carlos IV. führen sollte. Überzeugungen spielten hier die geringste Rolle, und deshalb suchten die ›Verschwörer‹ zugleich auch Kontakte zu Frankreich, wenn immer Godoys Handeln als Ansatz einer Distanzierung vom Empire interpretierbar war. Diese Konstellation führte zu der denkwürdigen Situation, daß zwei Fraktionen des Hofes geheime Verbindungen zu Frankreich pflegten. Doch noch war Fernandos *camarilla* Godoy nicht gewachsen. Dieser schloß im November 1807 mit der französischen Regierung einen Vertrag, welcher Napoleons Heer den freien Durchzug durch Spanien nach Portugal garantierte und als Gegenleistung eine Dreiteilung Portugals in Aussicht stellte: von ihr sollte vor allem Godoy mit der Überschreibung eines eigenen kleinen Königreichs profitieren. Nur wenige Tage später mußte der Infant im Escorial dem Kabinett und seinem Vater seine Umsturzpläne eingestehen, und Carlos IV. setzte in einer pathetischen Botschaft die Nation in Kenntnis dieser Machenschaften. Doch waren damit die inneren Spannungen nicht zum Stillstand gekommen. Denn die französische Armee fiel im März des folgenden Jahres nicht als Bündnis-, sondern als Besatzungstruppe in Spanien ein. Der Hof weilte in Aranjuez, und nun war es Manuel Godoy, der den König zum Widerstand gegen die Soldaten des vertragsbrüchigen Empire überreden wollte. Carlos IV. fügte sich – vielleicht ein wenig zögernder, als es üblich geworden war –, aber Godoy sollte doch nicht mehr Gelegenheit haben, die Scharte seiner Fehleinschätzung der französischen Bündnistreue auszuwetzen. Mitglieder des Hochadels – man sprach von einer ›revuelta de los privilegiados‹ – und das an solchen Tagen nach Auskunft der Geschichtsbücher stets aus dem Hintergrund heraustretende ›Volk‹ lauerte ihm am 17. März 1808 in seiner Residenz in Aranjuez auf, zerstörten und verbrannten deren gesamtes Mobiliar. Carlos IV. verstand und handelte prinzipiell zu spät; aber im Chaos des Frühjahrs 1808 hatte er immerhin schon nach einem Tag eingesehen, daß es angeraten war, die Entlassung Godoys zu unterzeichnen, und nach zwei Tagen akzeptierte er auch die eigene Abdankung zugunsten Fernandos VII., der nun wieder »Nuestro muy caro hijo« geworden war. Vielleicht verstand er gar nicht die Ironie der Worte, mit denen er sich *cual padre tierno* von ›seinen Völkern‹ verabschiedete: seine angegriffene Gesundheit bedürfe der Schonung in einem milderen Klima und in der Ruhe des Familienlebens.[143]

Dann begann ein Wettlauf der konkurrierenden spanischen Marionetten Napoleons nach Bayonne, wo der Kaiser der Franzosen fast geduldig harrte. Fernando VII. erreichte das Ziel als erster, wenige Tage vor Godoy und noch einmal wenige Tage vor dem ehemaligen Königspaar. Die folgenden Tage markieren den absoluten Tiefpunkt in der an melodramatischen und komischen Szenen so reichen Geschichte der spanischen Monarchie – denn sie entbehrten selbst jenes Hauchs des Unheimlichen und des Verwunschenen, welcher dem letzten Habsburger, Carlos II., die in seinem Beinamen ›el enhechizado‹ kondensierte Identität eingebracht hatte. Immerhin war Napoleon, der sich freilich nie durch besondere Subtilität seines Geschmacks ausgezeichnet hatte, beeindruckt, und vielleicht schwang sogar Erinnerung an den enthaupteten Ludwig XVI. mit, als er den seinem unglücklichen Verwandten so verblüffend ähnlich sehenden Carlos IV. ›wie einen neuen König Priamos‹ erlebte.[144] Auch politisch setzte der Kaiser auf den phlegmatischen Familienvater; Fernandos VII. Tauschangebot – Erhalt der Krone gegen spanische Provinzen für Frankreich – hatte er ausgeschlagen. Mit Carlos IV. schloß Napoleon in herzlichem Einvernehmen einen Vertrag, durch den ihm – und das hieß: seinem Bruder Joseph – die spanische Krone nicht mehr kostete als das Jagdschloß Compiègne nördlich von Paris, eine Apanage für den König, die Königin und den am Ende rührend getreuen Godoy, der auch in der Sterbestunde María Luisas an ihrem Bett harren sollte, während ihr der Bettgemeinschaft entwöhnter Gemahl sich in seinen neuen Jagdgründen unter milderem Himmel tummelte.[145] Kaum weniger zuvorkommend wurde auch Fernando VII. bedient – allerdings achtete man auf räumliche Distanz zwischen den zwei Generationen des spanischen Königshauses und brachte ihn in einem Anwesen auf der Nordostseite der Pyrenäen unter. In Bayonne hatte Carlos IV. den definitiv letzten Abschiedsbrief ›an seine Völker‹ unterschrieben. Dort war erneut von *paternal amor* und *constantes desvelos* die Rede, von *extraordinarias circunstancias*, von seinem *aliado y caro amigo el Emperador de los franceses*, in dessen Hände er ebenso pflicht- wie ehrbewußt das Schicksal Spaniens gelegt habe, um der Nation *desórdenes y movimientos populares, la desolación de las familias, y la ruina de todos* zu ersparen und den Ausschließlichkeitsanspruch de *nuestra sagrada religión* zu sichern.[146] Zu sehr war der Name von Carlos IV. wohl im Bewußtsein der Spanier mit den Godoys assoziiert, als daß sie sich viel um seine Vatergefühle geschert hätten. Doch nur erstaunlich wenige Untertanen wollten den Berichten über die klägliche Rolle Fernandos VII. in Bayonne und über sein Einvernehmen mit dem französischen Kaiser Glauben schenken. Hier wirkte gewiß die seit Beginn der Französischen Revolution der Nation von der spanischen Regierung auferlegte Frankophobie nach – und wohl niemand ahnte weniger als Fernando, wie königlich sich diese Maßnahme auszahlen sollte.

Am Beginn des Unabhängigkeitskrieges des spanischen Volkes gegen die französische Fremdherrschaft stand also die Weigerung, die für das Handeln der Königsfamilie schon seit langem charakteristischen Ambivalenzen und Widersprüche zu verstehen. Am 2. Mai 1808, als sich in Bayonne allerseits Zufriedenheit über den Konsens zwischen Napoleon, Carlos IV. und Fernando VII. breit machte, kursierte in Madrid das Gerücht, daß der neue König entführt worden sei und daß nun auch noch die im königlichen Palast verbliebenen Prinzen verhaftet werden sollten. Es kam zu jener Auflehnung gegen die Franzosen und ihre Söldnertruppen, die Goyas berühmtes Bild *El dos de mayo* in unserer Erinnerung gehalten hat; und bald schon galt diese Erhebung als Symbol eines über Jahre dauernden, am Ende erfolgreichen Widerstands. Nur wenige Spanier waren bereit, die Herrschaft des neuen Königs, Napoleons Bruder Joseph, zu stützen – und dies trotz manifester Vorteile, die ihnen winkten, und trotz durchaus aufrichtiger Absichten auf Josephs Seite, die sogar in einen latenten Konflikt mit dem – noch – allmächtigen Kaiser führten: sie straften den bald entstehenden Mythos vom Alkoholiker *Pepe Botella* als Usurpator des spanischen Throns Lügen. Unter denen, welche sich auf die Seite der französischen Herrschaft schlugen, war freilich der Anteil der ehemaligen Reformer überproportional groß. Zu ihnen gehörten Meléndez Valdés, Goya, Moratín, Quintana – Jovellanos' Ablehnung war ein Ausnahmefall, vielleicht sogar die Folge einer spezifischen Realitätsferne nach dem langjährigen Exil. Bis vor wenigen Jahren kam diesen kompromißbereiten Reformern unter dem Namen ›afrancesados‹ in der spanischen Geschichtsschreibung die denkbar schlechteste Rolle zu. Es ist ein besonderes Verdienst des Historikers Miguel Artola, die Motivationskonstellation der *afrancesados* bis ins Detail rekonstruiert und so eine Umwertung ihres Stellenwerts im Geschichtsbewußtsein der Spanier eingeleitet zu haben. Diese Motivkonstellation läßt sehr deutlich eine Prägung durch die im letzten Jahrzehnt des XVIII. Jahrhunderts unter äußerem

Druck verschobenen Sinnhorizonte der spanischen Reformbewegung erkennen.[147] Die *afrancesados* fürchteten den Rückfall in die Mentalität des Traditionalismus ebenso sehr wie das revolutionäre Vordringen des ›Volkes‹. Die Fortführung des Reformwerks, dessen Notwendigkeit ihr vordringliches Anliegen blieb, war für sie allein im institutionellen Rahmen einer Monarchie denkbar – wobei ihre Vorstellungen von der Kontrolle des Königtums viel vager gewesen zu sein scheinen, als dies der prägnante Begriff der ›konstitutionellen Monarchie‹ nahelegt. Frankophilie – oder gar Revolutionsbegeisterung – war gewiß nicht mehr die dominante intellektuelle Disposition in jenen Kreisen. Sie waren höchstens bereit, das kleinere Übel eines ausländischen Herrscherhauses zu akzeptieren, um zu vermeiden, daß Spanien in einem über Jahre dauernden Krieg zu einer Wüste würde. Und mit dieser Befürchtung sollten sie ja auch Recht behalten.

In ihrer radikalen Entschlossenheit, Spanien von den französischen Besatzern zu befreien, begegneten sich zwei vorher über lange Jahre – und bald wieder – antagonistische Gruppen, deren Mentalität und deren Zukunftsvisionen zu Ende des XVIII. Jahrhunderts aus dem Spektrum legitimer Sinnvorgaben herausgedrängt worden waren. Vielleicht erklärt gerade diese Isolation ihre Verstehensbarriere angesichts des Handelns der königlichen Protagonisten in Aranjuez und in Bayonne. Wie anders hätten sie sonst ausgerechnet Fernando VII. für eine patriotische Gestalt halten können, der sie schon bald mit dem Beinamen ›el deseado‹ eine unverdiente Aura verliehen? Freilich mangelt es nicht an Indizien, die uns zeigen, wie prekär die Gemeinsamkeit zwischen diesen beiden Lagern trotz des gemeinsamen Feinds, trotz der gemeinsamen Distanznahme von den *afrancesados* auch noch nach Jahren gemeinsamen Kampfes und gemeinsamer Erfolge blieb. Da sind einmal – dem Literarhistoriker natürlich besonders willkommen – die Marschlieder des Unabhängigkeitskriegs, deren Texte einen zunächst erstaunlichen Grad von Abstraktion und Unverbindlichkeit aufweisen. In diesem Meer semantischer Unbestimmtheit waren allein der Name Napoleons und die ihm gewidmeten Beschimpfungen referentialisierbar, schon die Gründe für seine Perhorreszierung mußten ausgespart bleiben, und das galt ebenso für die Motive und Ziele des Widerstands. Allein Prädikate wie ›gloria‹, ›patria‹, ›honra‹ oder ›victoria‹ waren unbestimmt genug, um die Strophen gemeinsamen Gesanges füllen zu können:

LOS DEFENSORES DE LA PATRIA

Partamos al campo,
Que es gloria el partir;
La trompa guerrera
Nos llama á la lid:
La patria oprimida,
Con ayes sin fin
Convoca á sus hijos,
Sus ecos oíd.

¿Quién es el cobarde,
De sangre tan vil,
Que en rabia no siente
Sus venas hervir?
¿Quién rinde sus sienes
A un yugo servil
Viviendo entre esclavos,
Odioso vivir?

Placeres, halagos,
Quedaos á servir
A pechos indignos
De honor varonil;
Que el hierro es quien solo
Sabrá redimir
De afrenta al que libre
Juró ya vivir.

MARCHA DE NUESTROS EJERCITOS CONTRA
LOS FRANCESES

Patricios, la gloria
Brilló de la España;
Volemos con saña,
Con gozo a vencer.
Victoria, victoria
Plausible resuena,
Victoria nos llena
De inmenso placer.

Los grillos tenaces
Que vil, engañoso,
Feroz, ambicioso,
Nos puso el frances,
Rompimos audaces;
Audaces corramos
Los grillos pongamos
Con furia á sus piés.
A guerra nos llama
La patria en despecho,
Y guerra en el pecho
Comienza á gritar.
En guerra se inflama
El valle, la sierra,
Los vientos...[148]

In den Debatten der Cortes de Cádiz, des ersten spanischen Parlaments, das im Sommer 1810 zusammentrat, um anstelle der in Verruf geratenen *Junta General* den Widerstandskrieg zu organisieren und zugleich eine neue politische Ordnung vorzubereiten, dominierten die aus dem Wissen über die nationale Geschichte geschöpften Argumente. In keiner Hinsicht unterschied sich der Stil dieser Volksvertretung ähnlich deutlich von der gut zwei Jahrzehnte zuvor begründeten französischen Parlamentstradition.[149] Damit bewahrten und intensivierten die Cortes de Cádiz das wohl markanteste Charakteristikum der spanischen Kultur im XVIII. Jahrhundert. Auch in diesem über die Debatten des ersten spanischen Parlaments gespannten Vergangenheitshorizont traten Risse zutage, welche auf die historische Situationsabhängigkeit der hier zelebrierten nationalen Einheit verweisen. Oft wurden diametral entgegengesetzte Initiativen und Gesetzesvorschläge der beiden Parlaments-Gruppen mit der Erinnerung an identische Ereignisse der Vergangenheit begründet. So spitzte sich etwa ihre Auseinandersetzung in der Debatte um Beibehaltung oder Abschaffung der Inquisition zu, obwohl Traditionalisten wie Demokraten sich auf die Autorität der Katholischen Könige beriefen. Die Demokraten – und Feinde der Inquisition – gingen davon aus, daß die Katholischen Könige die Inquisition als ein auf die politischen Notwendigkeiten ihrer Zeit bezogenes Instrument mit bloßer

ideologischer ›Bemäntelung‹ geschaffen hatten; die Traditionalisten – und Verteidiger der Inquisition – führen ins Feld, daß
die von Isabel und Fernando begonnene Förderung eines Teils
der Rechtspflege in der Verantwortlichkeit der Religion bis in
die Gegenwart bindend sei, und sie spielten damit auf die
Präambel der neuen Konstitution von Cádiz an, in welcher der
Anspruch des Katholizismus, verbindliche Religion für alle
Spanier zu sein, erneut festgeschrieben worden war:

La religión fue el pretexto en este principe (sc.: Fernando el Católico)
para introducir una medida que al principio parecía sólo dirigida contra los que excitaban la animosidad nacional, que con tanta astucia y
artificio se procuraba excitar, pero que en realidad, después de adop-
tada sin recelo ni sospecha, iba a poner en las manos del rey un medio
seguro de hacerse formidable y absoluto, como lo fueron él y sus
sucesores... La Inquisición era un medio que lo salvaba todo, coho-
nestando su establecimiento con el interés de la religión; así como hoy
día sirve de pretexto para sostenerla después del convencimiento y
odio universal de los hombres ilustrados...[150]

...las Cortes de Toledo de 1480 no pidieron la Inquisición ni la
aprobaron, y..., sin embargo, los Reyes Católicos la establecieron en
septiembre del mismo año. Pero ¿qué se infiere de esto? ¿Que fue
ilegal su establecimiento? Nada menos que eso. ¿Ha sido nunca de la
atribución de las Cortes el intervenir en la instalación de los tribuna-
les? Si aún ahora, después de la Constitución, no toca esto a las Cortes,
¿cómo había de ser atribución suya, en aquellos tiempos antiguos en
que las Cortes solo tenían voto consultativo?[151]

Die mit dem zweiten dieser beiden Zitate in unseren Blick gekommene Präambel der spanischen Konstitution von 1812 lautete: *La religión de la Nación española es y será perpetuamente
la católica, apostólica, romana, única verdadera. La nación la
protege con leyes sabias y justas, y prohibe el ejercicio de cualquier otra.* Kein Geringerer als Karl Marx hat diese Worte benutzt, um aufzuzeigen, wie »sich in der Konstitution von 1812
unverkennbar die Symptome eines Kompromisses zwischen
den liberalen Ideen des achtzehnten Jahrhunderts und den
finsteren Traditionen der Pfaffenherrschaft«[152] trafen. Dieser
›Kompromiß‹ freilich war fundiert in einer mentalen Figur,
welche die spanische Geschichte weit langfristiger und tiefgrei-
fender geprägt hat, nämlich in der paradoxalen Mischung exaltierter Subjektivität mit kollektiven Sinnstrukturen, deren Ver-

bindlichkeit gerade Subjektivität radikal beschnitt. Kaum ein im Europa des XIX. Jahrhunderts entstandener Verfassungstext garantierte ähnlich entschlossen der Individualität so weite Freiräume wie die Konstitution von Cádiz; kein anderer Verfassungstext aber auch knüpfte an die Rechte des Staatsbürgers die Zwangsmitgliedschaft in einer Religionsgemeinschaft.

Dieselbe Struktur scheint auch in der *Guerilla* durch, in jener die Aufmarschpläne der napoleonischen Heere durchkreuzenden Taktik des Widerstands, die seit dem Unabhängigkeitskrieg des spanischen Volkes zum Vorbild für alle populären Erhebungen gegen Berufsarmeen geworden ist. In den unberechenbaren Aktionen der Widerstandskämpfer objektivierten sich individuelle Initiativen, doch ihre Wirkung summierte sich in dem für die Dauer des Unabhängigkeitskriegs gemeinsamen Ideal nationaler Selbstbestimmung. Marx verglich die Guerilla mit der Gestalt des Don Quijote: »So wie Don Quixote mit seiner Lanze gegen das Schießpulver protestiert hatte, so protestierten die Guerillas gegen Napoleon, nur war der Erfolg ein anderer. ›Diese Guerillas‹, sagt die ›Oestreichische militärische Zeitschrift‹, (...) ›trugen sozusagen ihre Basis in sich selbst, und jede Unternehmung gegen sie endete mit einem verschwundenen Objekte‹«.[153]

Nicht nur für Marx-Zitate gab unser Blick auf Grundstrukturen der spanischen Mentalitätsgeschichte an der Wende vom XVIII. zum XIX. Jahrhundert Anlaß. Mehrfach haben wir auch auf Gemälde und Radierungen von Francisco Goya hingewiesen. Anlaß für solche Verweise war nicht die bloße Tatsache, daß Goya – wie jeder andere Maler – Menschen, Gegenstände, Symbole, Stimmungen seiner Zeit im Bild festgehalten hatte. Vielmehr rückte Goyas Werk diese Themen durch die für ihn charakteristischen Perspektiven und Farben in eine Konstellation, wie sie außerhalb seiner Epoche und – vor allem – außerhalb der spanischen Gesellschaft kaum hätten entstehen können. Wir wollen am Ende dieses Abschnitts – wenigstens in Ansätzen – zeigen, daß der außergewöhnlich enge (und nicht nur mimetische) Bezug von Goyas Bildern auf die spanische Geschichte seiner Epoche nicht etwa im Widerspruch zu seiner – gegen Ende unseres Jahrhunderts wohl noch steigenden – Aktualität steht, sondern deren Bedingung ist. Mit anderen

Worten: wir wollen zeigen, daß jene ›Verschiebung‹, unter deren Druck die spanischen Reformbewegungen des XVIII. Jahrhunderts in der Dekade der Französischen Revolution versiegten, eine von der Vernunft niedergehaltene Kehrseite der europäischen Aufklärung zutage brachte, welche uns unter den Sinnperspektiven unserer Gegenwart erst langsam einzuholen beginnt.

Der Lebensweg von Francisco Goya y Lucientes war nie so geradlinig wie die Biographie von Gaspar Melchor de Jovellanos und über lange Jahre weniger brillant – aber all seine Phasen sind für die spanische Gesellschaft jener Epoche repräsentativ. 1746 als Sohn eines Vergolders und seiner aus verarmtem Adel stammenden Ehefrau in der Nähe der Stadt Zaragoza geboren, durchlief Goya eben in Zaragoza eine für das Spanien seiner Zeit durchschnittliche schulische Ausbildung und nahm mit etwa zwanzig Jahren – ohne Erfolg – an Malwettbewerben in Madrid teil, wobei er sich an dem vom Hofmaler Mengs repräsentierten – durchaus sterilen – Klassizismus orientierte. 1771 unternahm er die für einen jungen Maler damals unerläßliche Reise nach Italien, um sich 1773 in Madrid mit der Schwester eines Malerkollegen zu verehelichen, der auf der Leiter des beruflichen Erfolgs bereits um einige – bescheidene – Sprossen höher gestiegen war. Ihm verdankte Goya wohl eine Annäherung an den Hof, der zugleich Instanz verbindlicher Geschmacksurteile und Treffpunkt der potentesten Auftraggeber war. Doch noch bis zum Beginn des folgenden Jahrzehnts sollte Goya auf königliche Aufträge warten müssen – sieht man einmal von Skizzen zur Anfertigung von Gobelins für die königlichen Schlösser ab. Dann, schon in der Mitte seines Lebens, setzte eine atemberaubende Phase des Aufstiegs ein. Goya wurde Mitglied – und bald Dozent – der Königlichen Kunstakademie San Fernando. Er malte zahlreiche Porträts von Mitgliedern der Königsfamilie, von prominenten Reformern – unter ihnen Jovellanos, Meléndez Valdés, Moratín –, die Herzogsfamilien von Alba und von Osuna überhäufen ihn mit Aufträgen. Und der Provinzler aus Zaragoza, der so lange auf solchen Zuspruch hatte warten müssen, genoß sein Ansehen in vollsten Zügen. Er zeigte sich überaus besorgt um die Eleganz seiner Pferdewagen, und in zahlreichen Briefen an seinen in

Zaragoza verbliebenen Freund Martín Zapater präsentierte er sich – wohl über die Maßen – als mit allen Milieus der Hauptstadt vertraut, als bis an die Grenze seiner Kräfte beschäftigt (und noch über diese Grenze hinaus gefragt), als ausgezeichneter Protégé und Freund des Königs. Von all diesen Auszeichnungen sollte Zapater natürlich in Zaragoza berichten – manchmal legte ihm Goya dies sogar ausdrücklich nahe –, aber auf der anderen Seite war ihm keine Ausflucht gegenüber den von seinem neuen Reichtum angezogenen Bittstellern in der Heimatstadt zu fadenscheinig:

Madrid a 2 de Mayo de 1789: También he besado la mano a los Reyes y he sido recibido con alguna particularidad.
Sin fechar: oy he hido a ber al Rey mi Sr. y me ha recivido muy alegre, me ha ablado de las viruelas de mi Paco [sc.: Goyas Sohn] (que ya lo sabia, le he dado razon y me a pretado la mano y se ha puesto a tocar el violin). Hiba con miedo por que á avido persona de mi profesión que a dicho en el mismó quarto que yo no le queria servir, y otras cosas que acen los ombres biles, a mi, sin saber porque, me quieren los mas de la servidumbre y los que abia delante que no se quien son se le echaron encima y afearon mucho el echo; y no mas en confuso me contaron lo que te digo.
20 de febrero de 1790 / Paradero desconocido: Hoy he entregado un Quadro al Rey que me habia mandado acer él mismo, para su Hermano el Rey de Nápoles, y he tenido la felicidad de aberle dado mucho gusto de modo que no sólo con las expresiones de su boca me ha eloxiado sino con las manos, por mis ombros medio abrazandonos, y hablándome mal de los Aragoneses y de Zaragoza; ya puedes considerarlo que esto interesa, etc. ... Yo no puedo mas que lo que boy haciendo, mi situación es muy diferente de lo que pensaran muchos, porque gasto mucho, porque ya me meti en ello y porque quiero. Tanbien ay la circunstancia de ser yo ombre tan conocido que de los Reyes abajo todo el mundo me conoce y no puedo reducir tan fácil mi genio como tal bez otros lo arian...[154]

Solche Töne widersprechen der gängigen Annahme, Goya habe in den Gruppenporträts der Familie von Carlos IV., ›deren Figuren beziehungslos wie Marionetten nebeneinander stehen‹, eine profunde Kritik am Absolutismus üben wollen – mit einer Subtilität, die ihn freilich vor dem Verstehen seiner tumben Auftraggeber geschützt habe. Die gegenläufigen Brief-Zeugnisse können wir durch die Ergebnisse unserer Rekonstruktion des Rollen-Selbstverständnisses der spanischen Reformer des späten XVIII. Jahrhunderts nur bestätigen – und noch schwerer wiegt ein spezifisch kunsthistorisches Argument. Unter der Mode der Empfindsamkeit und ihrer Konkretisation in der Feier der familiären Privatsphäre stehend, hatte man Goya nahegelegt, auf die bis dahin für Königsporträts üblichen piktoralen Gesten und Gruppierungs-Muster zu verzichten. So indiziert die berühmte ›Beziehungslosigkeit der Figuren‹ keineswegs kritische Intentionen (und nicht einmal ›vorbewußte Kritik‹), sondern einfach eine Phase des Übergangs in der Gattungsgeschichte des Gruppenporträts.¹⁵⁵ Wie wenig Goya zeitlebens an der Objektivation irgendeiner politischen Meinung durch seine Bilder lag, das zeigt die Sequenz der Überarbeitungen eines 1809/10 im Auftrag der Stadt Madrid als Teil einer Allegorie der Hauptstadt gemalten Porträts von Joseph Bonaparte. Schon 1812 übermalte er – wieder im Auftrag der Stadt Madrid – das Porträt mit der Aufschrift ›Constitución‹, um noch vor Jahresende – nach der Rückkehr des französischen Königs auf den spanischen Thron – die ursprüngliche Fassung wieder herzustellen. Als 1813 Fernando VII. seinen Einzug in Madrid hielt, mußte erneut das Wort ›Constitución‹ eingesetzt werden – und schließlich scheint es Goya nicht weiter gekümmert zu haben, daß ein anderer Maler an derselben Stelle ein Porträt des zurückgekehrten Bourbonen unterbrachte.¹⁵⁶

Ein ganz anderer Ton der Negativität allerdings, dessen Komplexität den satirischen Geist der Aufklärung weit hinter sich ließ, sollte sich in Goyas Werk unter spezifischen Bedingungen und Erfahrungen festsetzen, die bemerkenswerte Affinitäten zum Schicksal von Jovellanos nach 1790 aufweisen. Aus dem Jahr 1790 ist ein Brief an Martín Zapater überliefert, der – sieht man von der Anrede ›demoñiejo‹ ab – mit Verfügungen bezüglich einer seiner Familie in Zaragoza gewährten Geldanleihe beginnt, um dann plötzlich in ein Lob der Onanie umzuschlagen. Darauf folgt wie eine Beschwörung die Versicherung, daß er, Goya, keine unter einer langen Reihe der Gattungen von Geistern und Kobolden fürchte – außer den Menschen. Den Körper Zapaters aber liebe er:

Embiame esa cuenta, demoñiejo, que a tanto tiempo que la deseo y si pudiera ser sin incomodarte te enbiaria lo que ha gastado mi Hermana, desde que tu pagaste, para no deber nada que me gusta mucho, y no puedo vibir siempre que me acuerdo, con sosiego, y me pongo de muy mal umor, asta que me echo la mano al ombligo – que te ries? pues azlo, azlo y beras que buen efecto te causa y aora lo necesitas por ser el tiempo de los malos pensamientos, palabras y obras: gracias a mi tia Lorenza, que me lo enseñó – yo confieso que me aturdi al principio, pero aora? ya, ya, ya, ni temo a Brujas, duendes, fantasmas, balentones Gigantes, follones, malandrines, etc. ni ninguna clase de cuerpos temo sino a los humanos, y el tuyo es el que mas quiere.

Goya[157]

Ist es nun wirklich bemerkenswert, daß die Monster beginnen, seine Phantasie zu besetzen, als sich Goya dem eigenen Körper zuwendet? War das nicht einfach die Männerfröhlichkeit seiner Epoche? Nicht von der Hand weisen läßt sich zunächst die Tatsache, daß solche Bilder in seinen Briefen gerade während der frühen neunziger Jahre auftauchten, die auch Goya mit den Folgen der Verschiebung von Machtstrukturen und Sinnstrukturen in Spanien konfrontierten. Er hatte geglaubt, prominent genug zu sein, um die Arbeit für die königliche Gobelin-Manufaktur einzustellen, war aber bald zu Selbstbezichtigung wegen solchen ›Geistes der Rebellion‹ und damit zu der sehr konkreten Erfahrung der enger gewordenen Grenzen seiner Freiheit gezwungen worden. So wie Jovellanos zwei Jahre zuvor – wenn auch in einer für den unverdrossenen Reformer kaum vorstellbaren Hektik und Verwirrung – verließ Goya im Herbst 1792 die Hauptstadt und bat erst in Briefen aus dem fernen Andalusien seine Freunde, bei Hof das obligate Beurlaubungsgesuch vorzulegen. Während er in Cádiz weilte, befiel ihn im Januar 1793 eine Krankheit, deren Verlauf und Folgen für die Zeitgenossen rätselhaft war – und für die Historiker rätselhaft blieb. Fest steht allein, daß Goya seit seiner Genesung taub war, und heute ist man sich darüber einig, daß seine psychische Verfassung bei dieser Krise eine wesentliche Rolle spielte.[158] Während der Zeit seiner Rekonvaleszenz schrieb Goya Briefe an Zapater, die von Verzweiflung – über die Krankheit – und von Sehnsucht – nach der körperlichen Nähe des Freundes – sprachen:

Mio de mi Alma, estoy en pie, pero tan malo que la cabeza no se si esta en los ombros, sin ganas de comer, ni de ninguna cosa. Solo, solo, tus cartas me gustan y solo tu, no se que me sucede ay de mi, que te he perdido y perdido, el que te idolatra acaba con la esperanza de que as de pasar los ojos por estos borrones y se consuela.

El mayor vien de cuantos llenan el corazón, acabo de recivir la ynapreciable tuya, sí si que me abibas mis sentidos con tus discretas y amistosas producciones, con tu retrato delante me parece que tengo la dulzura de estar contigo, ay mio de mi alma, no creyera que la amistad podia llegar al periodo que estoy esperimentando, ni acierto con la pluma mirando tu copia siempre, que no he podido ocultar de que la vieran algunos concurrentes, y me llenó de gozo de que digan que es de lo mejor que he echo, de actitud, de bella cabeza, de apasionarsen (sic) al original, ay que alaja me as prestado para mi consolacion... Ben, ben luego que ya he compuesto el cuarto que hemos de vivir juntos y dormir (remedio que echo mano cuando me asaltan mis tristezas). Yo aun no he enpezado a trabajar en nada ni he tenido con mis males humor la semana que viene empezare si Dios quiere... Escribo con la confianza de que no te molestaran mis Bobadas si de que te reiras un rato, quien pudiere berte leerlas! ¡ah, toma, toma mis abrazos de tu

Menguante.[159]

Daß Goyas Krise typisch für das Schicksal der spanischen Intellektuellen gegen Jahrhundertende war, deuten signifikante Modifikationen in der Darstellung seit langem vertrauter Themen während der Monate vor seiner Flucht nach Andalusien an. In diesem Zeitraum entstanden sowohl das berühmte Gemälde einer Hochzeit, in deren Mittelpunkt die strahlende, unverwechselbar spanische Schönheit der jungen Braut und das affenartige Gesicht auf dem verwachsenen Körper des Bräutigams stehen (hier wird das *Sí de las niñas* den seit jeher privilegierten Schichten angelastet, denen auch der augenzwinkernde Priester angehört), und das ›El Telele‹ genannte Bild, auf dem die ›Mädchen aus dem Volk‹ mit grinsenden Gesichtern eine Strohpuppe männlicher Gestalt prellen. Es war – wie bei Jovellanos – Goyas Körper gewesen, in dem sich jener Ausbruch gegen die erdrückende Enge und die verwirrenden Ambivalenzen der Sinnhorizonte manifestierte, welche die innere und äußere Kontrolle seines Handelns unmöglich machten. Doch – anders als Jovellanos – blieb es für Goya nicht bei einer Reaktion des Rückzugs. Sein Körper hatte eine bleibende Beschädigung davongetragen – die Taubheit setzte ihn in Distanz zur Gesellschaft.

Auf der anderen Seite aber gewann Goya doch ein gewisses Gleichgewicht in seiner Höflings-Rolle zurück. Ein Brief aus dem Frühjahr 1798, als Jovellanos noch Justizminister in Madrid war, zeigt, daß *er* ohne Zögern Godoys Einladungen anzunehmen bereit war und über die Bemühung des Ministers, die Zeichensprache der Tauben zu lernen, so stolz war wie einst über die Umarmungen des Königs:

Martín mio. Antes de ayer llegue de Aranjuez y por eso no te he respondido. El Ministro se ha escedido en obsequiarme llebandome consigo a paseo en su coche aciendome las mayores expresiones de amistad que se pueden acer, me consentia comer con capote porque acia mucho frio, aprendio a ablar por la mano, y dejaba de comer por ablarme... ay tienes una carta que lo acredita, no se si podras leer su letra que es peor que la mia: No la enseñes ni digas nada y buelbemela a embiar.[160]

Die Schreckensszenen menschlicher Existenz, das Ungeziefer der Hölle, die Macht des menschlichen Körpers über die Sinne, all jene Bilder und Erfahrungen, welche durch den Ausbruch der Krise in Goyas Bewußtsein gelangt waren, sollten bis zum Lebensende sein Werk erfüllen, für das die öffentliche Bewunderung weiter zunahm.[161] In den ersten Jahren nach Flucht und Krankheit, in den ersten Jahren der Taubheit malte er Themen wie den ›Hof der Irren‹, ›Schießerei in einem Militärlager‹, ›Schiffbruch‹, ›Bandit ermordet eine Frau‹, ›Bandit zieht eine Frau aus‹. Einer Einladung des Herzogs von Alba folgend, reiste Goya im Mai 1796 wieder nach Andalusien, diesmal nach Sevilla. Der Herzog von Alba starb im darauffolgenden Monat, und Goya kehrte nicht vor dem März des nächsten Jahres nach Madrid zurück. Das ist die Zeit, aus der ein Skizzenbuch Einblick in die Szenen erotischer Freizügigkeit um die fröhlich verwitwete Herzogin Cayetana gewährt; wo jenes Porträt der wegen ihrer Schönheit und ihrer Leidenschaftlichkeit berühmten Mitdreißigerin entstand, auf dem die Herzogin zwei Ringe mit den eingravierten Namen ›Alba‹ und ›Goya‹ trägt und auf die in den Sand vor ihren Füßen geschriebenen Worte deutet: ›*solo Goya*‹. Goya behielt dieses Bild in seinem Haus und sollte später die Worte im Sand übermalen. Auf dem einundsechzigsten der 1799 veröffentlichten *Caprichos* wird Cayetanas Gestalt von Monstern durch die Lüfte getragen: *Volaverunt*. In einem am 2. August 1800 geschriebenen Brief an Zapater brüstete sich Goya mit dem Drängen der Herzogin auf die Fertigstellung der bei ihm in Auftrag gegebenen Porträts, ja er scheint den Eindruck suggerieren zu wollen, solches Drängen sei ihm lästig;[162] und schließlich vermutet man, daß Cayetana Modell für die beiden um die Jahrhundertwende entstandenen Versionen der *Maja* ›gelegen‹ hat. Keinesfalls wollen wir das kunsthistorische Rätselspiel neu beginnen, ob Goya – wirklich – der Liebhaber der Herzogin von Alba und ob die Herzogin von Alba – wirklich – das Modell der *Maja* gewesen sei. Kunsthistorisch bedeutsam ist allein die Tatsache, daß die Herzogin von Alba wie keine andere Zeitgenossin die Verhaltens- und Kleidermode des *majismo* repräsentierte und hoffähig machte und daß Goya in den Jahren der fortgesetzten Begegnungen mit Cayetana dem Themenhorizont ›Volk‹ eine neue Dimension gab. Nicht mehr aus einer Attitüde milder Herablassung und zwanghaft philanthropischer Aufmerksamkeit erschienen seither die ›Gestalten aus dem Volk‹ in seinen Gemälden und Radierungen; nun konnte die aggressive Sinnlichkeit ihrer Körper anziehend und im Sog dieser Anziehung bedrohlich wirken.

All diese neuen Faszinationen und Obsessionen Goyas vereinten sich in der wahnhaft bewegten Bildwelt von achtzig unter dem Titel ›Caprichos‹ versammelten Radierungen und traten dort in eine vieldeutige Beziehung mit den etablierten, aber dennoch prekär gewordenen Sinnhorizonten von Reform und Aufklärung. Nur während zweier Tage, am 19. und am 20. Februar 1799, wurden die *Caprichos* zum Verkauf angeboten – und zwar in einem Parfum- und Likörgeschäft nahe bei Goyas Madrider Wohnung, in der *Calle del Desengaño*.[163] Nicht mehr als siebenundzwanzig Exemplare der Sammlung fanden Käufer, bevor Goya die Restauflage offenbar deshalb zurückzog, weil ein einflußreicher Freund, mit dessen Protektion er rechnete, seinen Posten in der Regierung verloren hatte. Später übergab er die Druckplatten – um die heute meist mit den Drucken reproduzierten Subscriptiones bereichert – der königlichen Kunstsammlung. Auffälliger und verwirrender vielleicht als bei irgendeinem anderen Werk Goyas tritt eine Sphäre der Vieldeutigkeit zwischen Bildwelt und Betrachter, deren Dichte sich im Prozeß der Deutung noch potenziert. Verschiedene, die Rezeption der *Caprichos* vorstrukturierende Entscheidungen Goyas haben gewiß zur Steigerung dieses Effekts beigetragen – eine ganz andere Frage ist es, ob dies sein bewußtes Ziel war. Die Probleme beginnen mit dem Titel: das spanische Prädikat ›*capricho*‹ kann ›Vorstellungsbild‹ bedeuten, aber ebenso eine ›unwiderstehliche Begierde‹ bezeichnen und schließlich auch auf Kunstwerke angewandt werden, die einen Kanon von Regeln der Produktion durchbrechen und dabei eine Eigengesetzlichkeit des Gelingens durchsetzen.[164] Im *Diario de Madrid* erschien am 6. Februar 1799 ein Prospekt der Sammlung, dessen Wortlaut in der Harmlosigkeit seines defensiven Vernunftgestus kaum zu überbieten war. Die Bedeutung des Sammlungs-Titels wurde vereindeutigt: *Formas y actitudes que solo han existido hasta ahora en la mente humana.*[165] Die Möglichkeit konkreter Referentialisierung einzelner Bildgehalte wird von der Absicht des Künstlers abgesetzt: *en ninguna de las composiciones que forman esta coleccion se ha propuesto el autor, para ridiculizar los defectos particulares á uno ú otro individuo.* Für die ›eigentliche‹ Absicht steht ein Versatzstück aus der abgegriffenen Exordialtopik der literarischen Satire: *persuadido el autor de que la censura de los errores y vicios humanos (aunque parece peculiar de la eloqüencia y la poesia) puede tambien ser objeto de la pintura: ha escogido como asuntos proporcionados para su obra, entre la multitud de extravagancias y desaciertos que son comunes en toda sociedad civil, y entre las preocupaciones y embustes vulgares, autorizados por la costumbre, la ignorancia ó el interés, aquellos que ha creido mas aptos á subministrar materia para el ridículo, y ejercitar al mismo tiempo la fantasia del artifice.* Für eine – die Schlichtheit dieser Erklärung dementierende – Potenzierung der Vieldeutigkeit sprechen nun allerdings zwei von Goya kurz vor der Veröffentlichung der *Caprichos* vorgenommene Eingriffe: er rückte das heute wegen seiner Subscriptio ›*El sueño de la razón produce monstruos*‹ berühmteste Bild von der ersten an die dreiundvierzigste Stelle der Sammlung – vielleicht deshalb, weil dieses Motto, verstanden als Glorifizierung der die Alpträume und Grillen bannenden Vernunft, dem Betrachter eine Blickrichtung nahegelegt hätte, von der vielfältige Sinnschichten der *Caprichos* ausgeblendet worden wären. Er löste bestimmte, nach dem Kriterium der Themengleichheit gebildete Bild-Sequenzen auf – und mag mit der Entscheidung für einen beständigen Themenwechsel die Aggressivität der Wirkung gemildert haben. Aber welche Intention stand hinter den Subscriptiones, die Goya wahrscheinlich als Beigabe zu dem Carlos IV. überreichten Exemplar der Sammlung schrieb? Sie sind – zunächst einmal – dem heutigen Rezipienten in den allermeisten Fällen nur sehr schwer verständlich, weil sie auf Ereignisse, Konversationsthemen, Redeweisen höchst begrenzter Aktualität anspielen.[166] Aber war ihnen die Funktion zugedacht, Eindeutigkeit des Verstehens – in den vom Medium des Bildes gesetzten Grenzen – zu sichern, oder sollten sie – umgekehrt – gerade den von Goya gesetzten, prägnanten Sinn verschleiern? Wir können lediglich, ausgehend von zwei neben Goyas Subscriptiones erhaltenen Kommentar-Serien, feststellen, daß auch die Deutungen der Zeitgenossen untereinander erheblich divergieren.

Vertrauter als die Kommentare und in seinen Implikationen auflösbar – ist für uns das Themenrepertoire der *Caprichos*. Dem ›Sittenverfall der Hauptstadt‹ und dem ›Sittenverfall des Volkes‹, dem ›Problem der Erziehung‹ und dem ›*Sí de las niñas*‹, der ›intellektuellen Borniertheit des Klerus‹ und der ›Grausamkeit der Inquisition‹ können wir jeweils mehrere Bilder zuordnen. In einigen Fällen wird die Bedeutung durch solche Zuordnung festgelegt. Das gilt – etwa – für die Nummern 14 (›*El sí de las niñas*‹ / gegen die Privilegierten), 20 (›Sittenverfall der Hauptstadt‹ / gegen die Prostituierten), oder 53 (›intellektuelle Borniertheit des Klerus‹ / gegen den Stil der Predigt und des klerikalen Unterrichts). In anderen Fällen eröffnen sich neue Verstehensmöglichkeiten für Themen, die Goya wahrscheinlich im Zustand eindeutiger Perspektivierung aufgriff. So wird man zunächst das in stumpfsinniger Angst stierende Kind des vierten *capricho* als ein ›Opfer der Erziehung‹ sehen: *La negligencia, la tolerancia y el mimo hacen á los niños antojadizos, obstinados, golosos, peritosos e insufribles; llegan a grandes y son niños todavía.* Aber – auf dieses Detail nimmt der Schluß des zitierten Kommentars Bezug – das verängstigte, daumenlutschende ›Kind‹ hat das ältliche Gesicht eines Kretins, es ist verschwenderisch reich gekleidet und stützt sich auf eine Sänfte, die seiner Körpergröße entspricht. Wenn man alle diese Einzelheiten zur Kenntnis nimmt, dann kann das Verstehen wie ein Vexierbild in die dem Eindruck des ersten Blicks gegenläufige Bedeutung umschlagen, nach der bei minderbegabten Kindern – zumal aus den privilegierten Schichten – auch die intensivste Zuwendung nicht fruchtet: *Los hijos de los grandes se ativorran de comida, se chupan el dedo y son siempre niñotes, aun con barbas, y así necesitan que los lacayos los llevan con andaderas.*

Die Metapher des ›Vexierbildes‹ verweist auf *prägnante Vieldeutigkeit* des Sinns – und sie trifft sozusagen eine ›Zwischenebene‹ der *Caprichos*. Viele Bilder – wenn nicht ihre Mehrzahl – lassen sich nämlich gar nicht mehr in abgegrenzte Sinngestalten überführen, und mit der Überschreitung dieser Grenze geht Vieldeutigkeit des Sinns in den Widerstand der Bildgehalte gegen die Sinngebung über. Auf dem fünfundsechzigsten *capricho* wird eine fettleibige alte Frau, die einen Sonnenschirm (?) in ihrer rechten Hand hält, und deren Füße ineinander verschränkt sind wie sonst nur die Füße von Affen, von monströs verwachsenen Gestalten zwischen Mensch und Tier, die ihren Körper in wollüstigen Gesten umfangen, durch die Lüfte getragen. Die Subscriptio ›*¿Donde va mama?*‹ macht die Konsternation des Betrachters nur noch intensiver. Der hilflose Kommentar – *Madama es hidrópica y la mandan pasear. Dios quiera que se alivie* – läßt uns schmunzeln, aber wer könnte einen ›besseren‹ Kommentar vorschlagen? Stehen wir nicht an der Grenze der Möglichkeit von Sinnbildung? Eine dürre Greisengestalt hält im neunundsechzigsten *capricho* einen in der Hüfte abgewinkelten Kindeskörper an den Beinen fest und entfacht mit dem Flatus, der aus dem After des Kindes dringt, ein Feuer. Hohlwangige und hohläugige Menschengestalten blicken nackt und mit aufgesperrten Mäulern den schmunzelnden Greis an. Die Subscriptio besteht aus einem Wort: *Sopla*. Alle Kommentare beziehen das Bild auf den sexuellen Mißbrauch von Kindern. Aber geht das Sinn-Angebot des neunundsechzigsten *capricho* 69 wirklich in einer mimetischen Beziehung auf?

Ob es nun Goyas Absicht war oder nicht – die *Caprichos* führen zu einer Erfahrung von den Grenzen der menschlichen

Sinngebung und von einem die Sinngestalten erdrückenden Gewicht, das ihr die Dinge entgegensetzen. Vor allem der menschliche Körper wird zum Emblem für die Unmöglichkeit, Physis und Materie ganz mit Sinn zu durchdringen und der gestalthaften Prägnanz des Sinns zu unterwerfen. Wir hatten vor unserer kurzen Analyse der *Caprichos* vermutet, daß diese Monster und vor allem diese undurchdringlichen Körper aus Goyas subjektiver Erfahrung auf die Bildflächen seiner Werke gelangt waren. Jene Erlebnisse gehörten zu dem historischen Augenblick, in dem sich die seit je her prekären Horizonte der spanischen Reformbewegungen unter Außen- und Innendruck verschoben und für viele Reformer kollabierten. Gewiß, die Monster, die Schreckensvisionen, die aggressive Erotik der Körper in Goyas Werk sind nicht identisch mit den Geistern, dem Aberglauben, der magischen Praxis, welche die spanische Gesellschaft im späten XVII. Jahrhundert beherrschten. Daß er bestimmte Symbol- und Bildtraditionen ›zitieren‹ konnte, ist für unsere Interpretation nebensächlich. Aber dennoch besteht ein historischer Zusammenhang zwischen den Goldmachern eines Conde-Duque de Olivares, den Orgien eines Felipe IV., den an Carlos II. vorgenommenen Exorzismen auf der einen und Jovellanos' Handlungslähmung, Goyas rätselhafter Krankheit, den *Caprichos* auf der anderen Seite. Weil im XVII. Jahrhundert der ›involutive‹ Sinnhorizont der Gegenreformation zusammengebrochen war, den man über die spanische Gesellschaft gestülpt hatte, konnte der ›progressive‹ Sinnhorizont des Rationalismus und der Aufklärung, den man ihr im XVIII. Jahrhundert verordnete, nie wirklich greifen. Doch obwohl es kaum einen geschichtlichen Sachverhalt von größerer nationaler Spezifik geben kann als die mentalitätsgeschichtliche Sequenz, welche unser Verstehen hin zu den Monstern in Goyas *Caprichos* führt, ist die in den *Caprichos* kondensierte Erfahrung mehr als die Erfahrung vom Scheitern der Reformen und der Aufklärung *in Spanien*. Die Grenzen und der Widerstand, den die Dinge der menschlichen Vernunft entgegensetzen können, gelangten – freilich viel später – auch in das Feld des Erlebens jener Gesellschaften, welche aus einer ›gelungenen Aufklärung‹ hervorgegangen sind. Deshalb können die Betrachter des späten XX. Jahrhunderts dem von Goya in das Zentrum seiner

Sammlung gerückten Leitmotiv ›*El sueño de la razón produce monstruos*‹ – die Doppeldeutigkeit in der Verknüpfung der Substantive ›*sueño*‹ und ›*razón*‹ über die Partikel ›*de*‹ nutzend – einen zweiten Sinn geben, der vielleicht keinem der zeitgenössischen Kommentatoren vorschwebte. Nicht nur der *Schlaf der Vernunft* läßt Schreckensvisionen aufziehen, sondern auch der hypertroph-anthropozentrische *Traum von ihrer grenzenlosen Macht*.[167] Und gegen unseren Vernunft-Wunsch nach erneuter Depotenzierung der gestaltlosen Sinnvielfalt und nach Vereindeutigung stellen wir die bemerkenswerte Prämisse des Goya-Verständnisses von José Ortega y Gasset:

Si... comenzamos por suponer que Goya era un intelectual, habemos empleado una vez más el principio de la *virtus domitiva*. Yo me atrevería a decir más: si esta suposición lograse plena eficacia sobre nosotros aniquilaría la delicia más peculiar que Goya nos produce y que envuelve todas las demás de su arte – el choque casi constante con el carácter equívoco de su obra en virtud del cual nuestra contemplación se convierte en una lucha permanente con aquélla y con nosotros mismos, porque no sabemos ante lo que vemos qué debemos pensar, si está bien o está mal, si significa esto o más bien lo contrario, si el autor quiere lo que hace o hace lo que sale sin querer; en fin, si es un genio trascendente o un maníaco. Si la vacilación viniese a término y pudiésemos resolvernos por lo uno o lo otro, habría concluído la fruición y con ella el más personal placer, y Goya habría dejado de ser esa cosa única en la historia del arte que es Goya.[168]

Variationen

Der Sieg des spanischen Volkes über die französischen Besatzungsheere war zweifellos ein Ereignis von welthistorischer Bedeutung. Sieht man aber einmal davon ab, daß die Vertreibung von Napoleons Truppen seither als ein – kleines – Gegengewicht zur *Leyenda negra* in die Waagschale des nationalen Prestiges geworfen werden kann, so war die Bilanz dieser gigantischen kollektiven Leistung für die spanische Nation eindeutig negativ. Denn auf der einen Seite folgte dem Abzug der französischen Truppen eine Restauration der Bourbonenherrschaft unter Fernando VII., welche dem Reformgeist nicht einmal mehr als einem legitimationsträchtigen Symbol Raum ließ.[169] Zum anderen – und hier bestätigten sich die schlimmsten Befürchtungen der *afrancesados* – ließen die fünf Jahre des Krieges die Iberische Halbinsel als ein verwüstetes Land zurück, dem nun auch jegliche Kraft fehlte, dem nicht zuletzt durch das Beispiel des spanischen Volks beflügelten Prozeß der Emanzipation seiner amerikanischen Kolonien entgegenzutreten. In Goyas *Desastres de la Guerra*, an denen er seit dem Jahr 1809 arbeitete, treten jeden ›höheren Sinn‹ verweigernde Szenen der Brutalität und des Zynismus, der Zerstörung und der Qual an die Stelle der gängigen Heroisierung des Unabhängigkeitskriegs. Das Erleben restaurativer Enge und Repression scheint verdichtet in den wie eine Übersteigerung der *Caprichos* wirkenden *pinturas negras*, mit denen Goya während einer historischen Enklave von drei liberalen Jahren zwischen 1820 und 1823 die Wände seines Landhauses bei Madrid, der *Quinta del Sordo*, füllte. Als die Regierungen der europäischen Restauration Fernando VII. wieder in seine Rolle absoluter, ja despotischer Herrschaft eingesetzt hatten, bat Francisco Goya – wie schon 1792 – um vorübergehende Beurlaubung von seinen Ämtern und Pflichten: er wolle sich einer Badekur in Frankreich unterziehen. Diese Reise wurde seine Emigration, zu der ihn – den immer noch hochgeschätzten Hofmaler – keine Bespitzelung oder Verfolgung zwang. Er ließ sich in Bordeaux nieder und pflegte dort den Umgang mit Leandro Fernández de Moratín, dem als prominentem *afrancesado* das Exil auferlegt worden war. Auf einer Reise nach Madrid wurde Goya sogar die Pensionierung vom Amt des Hofmalers unter Fortzahlung des Gehaltes gewährt. Gelähmt starb er am 16. April 1828 in Bordeaux und wurde dort beerdigt. Zu seinen letzten Werken gehören vier dort entstandene Stierkampf-Lithographien.

Das in Goyas Werk gegenwärtige Spanien hatte jeden Glanz einer ehemaligen Weltmacht verloren. Auch das ist eine Bedingung für seine nationale Modernität. Auf der anderen Seite war die Kultur in Spaniens amerikanischen Kolonien schon während des XVIII. Jahrhunderts immer weiter aus den begrenzten Sinnhorizonten des Mutterlandes herausgetreten. Eine historische Rekonstruktion dieses für die Geschichte der spanischen Literatur und die Geschichte der Literaturen in Mittel- und Südamerika wichtigen Prozesses steht bis heute aus – wohl nicht zuletzt deshalb, weil man auf der einen Seite die Eigenständigkeit der in den Kolonien während der ersten beiden Jahrhunderte der Kolonisierung entstandenen Literaturen überbetont hat, um dann auf der anderen Seite gerade den spanischen Einflüssen während des XIX. und XX. Jahrhunderts allzuviel Gewicht beizumessen. Aus beiden Tendenzen entsteht ein Eindruck der Kontinuität, vor dem eben der Prozeß wechselseitiger Distanzierung nicht in den Blick kommen kann. Unter den Laien-Eliten der spanisch-amerikanischen Kolonien des XVIII. Jahrhunderts jedenfalls wurden Leitbegriffe und Werke der europäischen Aufklärung beileibe nicht mehr bloß über die Vermittlung des Mutterlandes rezipiert.[170] Es gab eine spezifische, im Blick auf die Erfahrungen und Interessen jener Eliten historisch gut nachvollziehbare Aneignung aufgeklärter Staats- und Naturphilosophie, deren Auswirkungen auf die lateinamerikanischen Unabhängigkeitsbewegungen dem Verhältnis zwischen ›Aufklärung‹ und ›Revolution‹ in Frankreich vergleichbar ist. Rousseaus Konzeption vom ›Gesellschaftsvertrag‹ wurde aus der Höhe philosophischer Abstraktion in die Niederungen der Kolonialgeschichte projiziert, um die moralische Illegitimität des Kolonialstatus zu erweisen. Die vor allem über Werke von Montesquieu und Voltaire verbreitete ›Klimatheorie‹ gewann in Lateinamerika besondere Aktualität – nicht weil sich mit ihr die Annahme einer universalen ›menschlichen Natur‹ gegen die Erfahrung der kulturellen Ausdifferenzierung retten ließ, sondern weil man mit ihr – umgekehrt – die Unumkehrbarkeit eines einmal begonnenen Differenzierungsprozesses postulieren konnte. Schließlich stützte der normativ gewordene Naturbegriff, so trivial er auch bei fortschreitender Konkretisierung[171] wurde, den Anspruch auf gleichsam ›natürliche‹ Überlegenheit von Ländern, deren tropische Fauna und Flora noch kaum domestiziert waren. Versucht man, einen Gesamteindruck über die Aneignung aufklärerischer Sinnhorizonte in Lateinamerika zu formulieren, so muß der Feststellung, daß alle wesentlichen Elemente aufklärerischen Denkens unter je spezifischen Modifikationen in den spanisch-amerikanischen Kolonien wiedergefunden werden können, der Sachverhalt gegenübergestellt werden, daß die in der Rezeption umgeformten Sinnpartikel ihre Wechselbeziehungen der Limitierung und der

Prägnanzsteigerung weitgehend verloren hatten. Deshalb wurden auf der einen Seite manche dieser Begriffe und Ideen nie als Handlungsorientierung wirksam, während andere Sinnelemente in immer neuen Wucherungen bis an die Grenze der Groteske gesteigert wurden. Unter dem im frühen XIX. Jahrhundert noch pathosgeladenen Ehrentitel ›República‹ traten Nationen in die Weltgeschichte, deren Geschick seit dem Schritt in die Unabhängigkeit bis in unsere Gegenwart – mit nur kurzen Unterbrechungen – stets in den Händen offen diktatorischer militärischer *Juntas* lag. Simón Bolívar, der seit seinem Frankreich-Aufenthalt während der Jahre des Empire im Bann der Gestalt Napoleons stand, legte der nach ihm benannten Republik ein Verfassungsprojekt vor, in dem die Besetzung des Präsidentenamtes durch Erbfolge geregelt sein sollte. Weil derselbe Bolívar auch 1819 noch nicht verstanden hatte, daß die Moral in den nachrevolutionären Gesellschaften zu einer Angelegenheit der familiären Privatsphäre geworden war, verstieg er sich zum Hirngespinst eines ›staatlichen Organs öffentlicher Moral‹, dessen Umrisse für Leser unserer Gegenwart nun sogar schon jenseits der Grenze zum Grotesken liegen:

Art. 1° El Poder Moral de la República reside en un cuerpo compuesto de un presidente y cuarenta miembros, que bajo la denominación de Areópago, ejerce una autoridad plena e independiente sobre las costumbres públicas y sobre la primera educación.
Art. 2° El Areópago se compone de dos Cámaras:
Primera: De Moral.
Segunda: De Educación.
...
Art. 16° Las funciones que debe ejercer el Aerópago, reunidas sus dos Cámaras en una sola, son:
... Quinta. Distribuir premios c coronas cívicas cada año a los ciudadanos que más se hayan distinguido por rasgos eminentes de virtud y patriotismo, y despojar de estos mismos premios a los que después de haberlos obtenido se hayan hecho indignos de llevarlos. Estos se celebrarán en una junta pública con la mayor solemnidad.
Sexta. Declarar eminentemente virtuoso, héroe o grande hombre a los que se hayan hecho dignos de tanta recompensa. Sin que haya precedido esta declaratoria, el Congreso no podrá decretar ni erigir ninguna estatua ni otros monumentos públicos en memoria de nadie.
Séptima. Proclamar con aplauso en las juntas de que se ha hablado

arriba los nombres de los ciudadanos virtuosos, y las obras maestras de moral y educación. Pregonar con oprobio e ignominia los de los viciosos, y las obras de corrupción y de indecencia; y designar a la veneración pública los institutores e institutrices que hayan hecho mayores adelantamientos en sus colegios.[172]

Der historische Moment des Übergangs von einer – trotz aller regionalen Unterschiede – gemeinsamen Distanznahme gegenüber dem Mutterland bis hin zur Pluralität der nationalen Literatur- und Kulturgeschichten Lateinamerikas konnte deshalb mit den Ereignissen faktischer politischer Unabhängigkeit zusammenfallen, weil mit solcher Abtrennung auch der zuvor wichtigste Faktor zur Bildung von gemeinsamen Strukturen kultureller Nationalidentität verloren ging: nämlich jenes kollektive Selbstbild der ›verfolgten Tugend‹ (in den amerikanischen Kolonien auch: der ›gefährdeten Natur‹), mit dem sich die spanischen Reformer – wie wir gesehen haben – nie identifizieren durften, während der spanische Staat die Antagonisten-Rolle des ›Verfolgers der Tugend (›Zerstörers der Natur‹)‹ für seine Kolonien spielte.[173] Die in den südamerikanischen Kulturen des XIX. Jahrhunderts vielfältigen Variationen des sogenannten ›Indigenismo‹, welche unter ihrer gemeinsamen Funktionsperspektive, der Ausbildung jeweiliger kultureller Nationalidentität, vergleichbar sind, lassen uns ein spezifisches Dilemma erkennen, welches den Abstand zur Kultur des Mutterlandes schlagartig wachsen ließ, weil es sich in Spanien nie einstellte. Da die (faktisch meist eher an europäischen Mythen denn an der Überlieferung der Eingeborenen orientierte) vorkoloniale Geschichte *und* die Geschichte der Kolonialzeit gemeinsam Nationalidentitäten konstituieren sollten, forderte die Kompatibilisierung von Eingeborenenkultur und europäisch-spanischer Kultur eine konzeptuelle Abstraktion, mit der diese Nationalidentitäten Gefahr liefen, in einen unspezifischen Menschheitsbegriff überzugehen; wenn aber andererseits Geschichte und Kultur der vorkolonialen Phase ausgeblendet wurden, verlor man die wichtigste Möglichkeit zur Absetzung eigener Identität von jener des Mutterlandes.[174]

Der Leitbegriff ›*Variationen*‹ über diesem Abschnitt in unserer Darstellung der spanischen Kultur nach 1800 soll eine oft unterschlagene kulturgeschichtliche Kontinuität hervorheben, welche sich über den Unabhängigkeitskrieg und *Cortes de Cádiz*, über die Restauration und den Verlust der meisten amerikanischen Kolonien, schließlich auch über das sogenannte ›*Trienio liberal*‹ und das für die spanische Geschichte sprichwörtliche ›dunkle‹ dritte Jahrzehnt des XIX. Jahrhunderts bis in die Monate vor dem Tod Fernandos VII. im Jahr 1833 durchhielt. Dabei ist diese Phase auf der Ebene der politischen Ereignisse oft durch eine aufgeregte Bewegtheit gekennzeichnet, die – wie wir noch sehen werden – für die zeitgenössischen Funktionen der Literatur sehr wichtig war. Doch man kann die von diesen Ereignissen bedingten Konfigurationen von Herrschaft und Unterdrückung als *Variationen über einer konstanten Struktur* betrachten. Die Struktur besteht aus einem Horizont von vier politischen Positionen und vier sie repräsentierenden Gruppen, deren Inhalte, Vertreter und wechselseitigen Beziehungen im wesentlichen unverändert blieben, während sich ihr jeweiliger Abstand von den Positionen und Wirkungsfeldern politischer Machtausübung zwischen 1813 und 1833 mindestens dreimal grundlegend wandelte. ›*Doceañistas*‹ wurden die an radikalen Positionen der französischen Aufklärung und Revolution orientierten Spanier genannt, und zwar deshalb, weil sie vor allem der Verfassung des Jahres 1812 ihre im europäischen Kontext ›progressive‹ Prägung gegeben hatten. Ihre Ideologie war beherrscht vom Konzept der ›Volkssouveränität‹, das sie für prinzipiell unvereinbar mit jeglicher Form der Monarchie hielten – auch wenn sie unter dem Zwang der Notwendigkeit politischer Kompromisse zeitweilig dieses Prinzip lockerten.[175] Das politische Denken der *afrancesados* – und seine Konsequenzen – haben wir bereits charakterisiert und dabei ist deutlich geworden, daß für sie eine in ihren Handlungsspielräumen konstitutionell limitierte Monarchie den politischen Notwendigkeiten entsprach, während sie von dem pathetischen und mit Zukunftshoffnungen aufgeladenen Volksbegriff radikalerer Gruppen Distanz nahmen. ›*Jovellanistas*‹ hießen Gruppen, deren politisches Ideengut sich von jenem der *afrancesados* nur graduell unterschied – etwa schien ihnen die Positivierung des Staatsrechts in einer Verfassung durch den Rückgriff auf nationale Traditionen ersetzbar. Besonders folgenreich für die *Jovellanistas* war die ihren Kollektivnamen erklärende Entscheidung, angesichts der zentralen Handlungsalternative des Jahres 1808 die Einladung zur Unterstützung der napoleonischen Monarchie auszuschlagen, um sich am nationalen Widerstand gegen die Besetzung zu beteiligen. Anders als im Fall der drei charakterisierten Gruppen kann die Identität des sogenannten ›Traditionalismus‹ nicht auf der Ebene der Ideengeschichte, sondern allein mentalitätshistorisch beschrieben werden. Das liegt nicht etwa daran, daß man dem ›Traditionalismus‹ die gesamte, ungebildete weil leseunkundige Landbevölkerung, den Großteil der spanischen Gesellschaft also, zuschlagen muß; vielmehr gab es für diese Landbevölkerung – ebensowenig wie für den weitgehend traditionalistischen Klerus und Teile des Adels – kein im neuzeitlichen Sinn des Wortes ›politisches‹ Bewußtsein, sondern allein die Prämisse, daß jegliche Institutionen durch ihr Alter legitim werden oder bleiben mußten. Erst an der Wende von den zwanziger zu den dreißiger Jahren scheint dieser spanische Traditionalismus ein Gefühl für die eigene Identität und damit auch den Status einer ›politischen Position‹ gewonnen zu haben.

Als Fernando VII. im Frühjahr 1814 als in den vollen Genuß seiner ererbten Rechte eingesetzter König Einzug in Madrid hielt, und – entgegen wiederholten Versprechungen aus der Zeit seines französischen Exils – in einem ersten Erlaß die Verfassung des Jahres 1812 aufhob, wußten *Doceañistas* und *Jovellanistas*, daß die Stunde der Flucht ins Exil, meist nach England, gekommen war, während viele *afrancesados* dieselbe Entscheidung für sich schon Monate vorher, zum Zeitpunkt des Zusammenbruchs der napoleonischen Herrschaft, getroffen hatten.[176] Mit dem Staatsstreich des Generals Riego erlangte 1820 eine offenbar vor allem von liberalen Geheimbünden getragene Bewegung für drei Jahre die Macht – und mit ihr konnten sich *Doceañistas*, *Jovellanistas* und wohl auch ehemalige *afrancesados* identifizieren. Der Sitz der Regierung wurde erneut nach Cádiz verlegt, abgesehen von wenigen Ausnahmen kehrten die Exilanten nach Spanien zurück, Fernando VII. schwor einen (Mein-)Eid auf die Verfassung, war aber faktisch ein Gefangener des neuen politischen Systems. Die erneute Zerschlagung des spanischen Konstitutionalismus durch ein französisches Heer, das unter dem mythisch klingenden Namen ›*Cien mil hijos de San Luis*‹ ins historische Wissen der Spanier eingegangen ist, war eine von den Kräften der europäischen Restauration beschlossene und unterstützte Maßnahme. Sie zwang erneut *Doceañistas*, *Jovellanistas* und die ehemaligen *afrancesados* zur Flucht aus der Heimat, welche die meisten Exilanten – nach einem Aufbruch, der noch überstürzter war als zehn Jahre zuvor – über Gibraltar in die Fremde führte. Erst zu Beginn der dreißiger Jahre ermutigten deutliche Anzeichen für Liberalisierungstendenzen in der Politik der spanischen Monarchie mehr und mehr Exilanten zur Rückkehr.

Diese Dynamik der politischen Ereignisse prägte entscheidend die Biographien zahlreicher gebildeter Spanier, die im letzten Viertel des XVIII. Jahrhunderts geboren waren. So floh der durch seine Dramen und Gedichte ebenso wie durch seine Aktivitäten als liberaler Politiker bekannte Manuel José Quintana 1813 nach Frankreich, um wenig später aber doch verhaftet und zwischen 1814 und 1820 in der Festung Pamplona gefangen gehalten zu werden. 1823 wurde ihm verboten, seinen Wohnsitz in Badajoz zu verlassen, und tatsächlich konnte Quintana erst im Jahr 1828 wieder nach Madrid zurückkehren. Alberto Lista war im Jahr 1775, also während der Regierungszeit Carlos' III., geboren worden und gehörte am Beginn des XIX. Jahrhunderts zu den bekanntesten *afrancesados*. Zwischen 1813 und 1817 lebte er im französischen Exil; während des Trienio Liberal wurde er zum Rektor des Colegio San Mateo in Madrid ernannt, war einer der Herausgeber des neuen *Censor* und hielt Vorlesungen zur Geschichte der spanischen Literatur am neugegründeten Ateneo. Die Jahre zwischen 1823 und 1833 mußte er erneut im Exil, zunächst in Paris, dann in London, verbringen.

Die oft durch solche Bewegtheit in den Lebensgeschichten hindurch gewahrte Kontinuität der politischen Positionen und Ideen ist auch begriffsgeschichtlich faßbar. Als besonders ergiebig erweist sich jenes semantische Feld, auf dem ›die spanische Gesellschaft‹ als Denotat begriffliche Komplexität über je besondere Sinnhorizonte von Geschichte und Politik gewann. Dabei tauchte nur eine einschlägige Bezeichnung in den Reden und Schriften aller vier Gruppen auf und wurde entsprechend häufig vor allem in Situationen gebraucht, wo Diskurse die

Entstehung von ›Gruppen-Koalitionen‹ befördern oder deren Kontinuität sichern sollten. Es ist das Prädikat ›*nación*‹, welches wohl deshalb allenthalben pathetisch klang, weil es zwar den Begriff von der spanischen Gesellschaft als Einheit mit ihrer Geschichte und der gegenwärtigen Politik verband, diese Konnotationsebenen aber in einer Vagheit beließ, welche die Konkretisierung den Rezipienten anheimstellte – freilich ohne daß diese sich immer ihres Beitrags zur semantischen Konturierung bewußt gewesen wären. Zu größerer semantischer Prägnanz führen die verschiedenen Gebrauchstypen des Wortes ›*pueblo*‹, dessen diskursiver Stellenwert durch Vieldeutigkeit, nicht durch Vagheit bestimmt war. Sein Gebrauch in der Pluralform ›*pueblos*‹ indizierte stets jenen traditionellen Situationsrahmen, in dem sich ›die Herrschaft‹ an ›ihre Untertanen‹ wandte und diese Korrelation zwischen Wortform und Situationstyp war in dem Sachverhalt fundiert, daß die Pluralform ›*pueblos*‹ an das Selbstverständnis der spanischen Monarchie von ihrer kosmologischen Bestimmung erinnerte, demzufolge die Vielzahl von Völkern der Iberischen Halbinsel durch das eine Königtum zusammengehalten – und geschichtstheologisch: erhöht – war. In der Singularform hingegen wurde ›*pueblo*‹ immer mit Ansprüchen der gesamten Gesellschaft (oder ihres größeren Teils) auf politische Selbstbestimmung assoziiert. Die Grundfigur dieser Bedeutung war in Anlehnung an den politischen Begriff der ›Volkssouveränität‹ geprägt: *la máxima de la soberania del Pueblo es opuesta al principio de derecho divino.*[177] Nicht ohne latenten Widerspruch konnte das Volk als Souverän im konstitutionell-monarchischen Denken dem König sozusagen ›als Vertragspartner‹ gegenübertreten: *Hay entre el Príncipe y el pueblo ciertas convenciones que se renuevan con juramento en la consagración de cada rey.*[178] Ebenso häufig bezog sich das Prädikat ›*pueblo*‹ aber auch auf die von jeweiligen Minderheiten abgesetzte Mehrheit der Mitglieder einer Gesellschaft, deren Anspruch auf politische Dominanz sich dann – ganz formal – eben auf diese quantitative Überlegenheit stützte: *La nobleza siempre aspira distinciones; el pueblo siempre intenta igualdades: éste vive receloso de que aquella llegue a dominar; y la nobleza teme que aquél no la iguale.*[179] Wo immer ›*pueblo*‹ nicht mehr die Gesamtheit der

Mitglieder einer Gesellschaft meinte, wird es schwer, zwischen einem rein formalen, politischen Mehrheitsbegriff und einem gleichsam ›soziologischen‹ Begriff vom ›niederen‹, (entweder ›zu Unrecht seiner Rechte beraubten‹ oder ›über die von Gott gesetzten Standesgrenzen drängenden‹) Volk zu unterscheiden. Wenn diese ›soziologische‹ Sinnschicht durch das Prädikat ›pueblo‹ ins Spiel kam, konnte man – in der einen oder in der anderen Richtung – eine besonders starke affektive Komponente im Wortgebrauch erwarten. Hier liegt wahrscheinlich der Grund für die Beobachtung, daß der ›soziologische‹ Volksbegriff häufig durch andere Prädikate als ›pueblo‹ repräsentiert wurde. Denn von solchen Substitutionen konnte man sich eine Vereindeutigung eben der je intendierten affektiven Tönung des Begriffs erhoffen. Doch während des ersten Drittels des XIX. Jahrhunderts war diese Differenzierung noch kaum gangbar, weil die semantische Differenzierung von Prädikaten wie ›plebe‹, ›plebeyos‹, ›multitud‹, ›masa(s)‹ in der spanischen Sprache nur wenig entwickelt und kaum institutionalisiert war. Hier sollte sich später eine für die spanische Geschichte besonders folgenreiche Entwicklung der Semantik anbahnen.

So wie man begriffsgeschichtlich eine Konstanz der politisch-sozialen Grundkonfiguration von den Jahren des Unabhängigkeitskriegs bis hin zum Ende der Herrschaft Fernandos VII. nachweisen kann, belegt die im frühen XIX. Jahrhundert fortgeführte Auseinandersetzung über die spanische Literatur der Vergangenheit und ihren je gegenwärtigen Wert eine Kontinuität intellektueller Sinnrahmen über die Jahrhundertgrenze hinweg. Denn noch im zweiten und im dritten Jahrzehnt des XIX. Jahrhunderts bewahrte die uns bereits vertraute Debatte zwischen pauschaler Kanonisierung der spanischen Literatur früherer Epochen und ihrer spätestens seit Luzán gängigen Kritik durch die aristotelische Regelpoetik ihre verletzende Aggressivität und Bitterkeit. Gewisse Verschiebungen waren freilich eingetreten. So stand mehr und mehr Calderóns Werk im Brennpunkt der Auseinandersetzungen; so wurden nun Typen der literarischen Wertung – und das zeigt ihre über den Handlungsbereich literarischer Produktion und Rezeption hinausgreifende Bedeutung – explizit mit politischen Positionen korreliert. Vor allem aber sorgte die Spanien-Begeisterung der deutschen Romantiker für europäisches Aufsehen – und spanische Aufregung.

Ausgerechnet dem Sproß einer hanseatischen Kaufmannsfamilie, der zudem noch ein Schüler des norddeutschen Aufklärers Campe gewesen war, nämlich Johann Nikolaus Böhl, war es vorbehalten, dem Spanien der Restauration durch eine höchst subjektive Rezeption der Schriften von August Wilhelm Schlegel und deren Propagierung im höchst exaltierten Gestus des katholischen Konvertiten eine gewiß unverhoffte Legitimationschance zu eröffnen. Böhl war einer der für das Milieu der deutschen Aufklärung typischen kulturellen Dilettanten, der im Rahmen seiner Ausbildung als Kaufmann nach Cádiz, zu der dortigen Filiale des väterlichen Betriebs, gekommen war. Er begeisterte sich ebenso schnell für die spanische Literatur vergangener Jahrhunderte wie für Francisca de Larrea, die eine standesgemäße Erziehung in England genossen hatte. Wenige Jahre nach ihrer Heirat siedelten Johann Nikolaus und Francisca nach Deutschland über, wo sich die junge Frau – trotz ihrer englischen Erfahrungen – nie akklimatisieren konnte. Schon bald kehrte sie – von ihren Kindern begleitet, aber ohne den Gatten – nach Cádiz zurück. Johann Nikolaus scheint die Trennung aufs Gemüt geschlagen zu sein. Denn 1813 vollzog er seine Konversion zum Katholizismus und nach der bald erfolgten Wiedervereinigung des Paares sah er es als seine Mission an, den Spaniern zu lehren, was der Wert ihrer kulturellen Tradition und was wahres Nationalbewußtsein sei:[180]

Los españoles han hecho un papel en la historia, que la mezqina envidia de los tiempos modernos se ha esmerado en obscurecer. Haciendo de vanguardia de la Europa contra la irrupcion de los fieros musulmanes, no cesaban de oponerles una barrera viva renovada de continuo. La fundacion de sus reynos, desde Pelayo hasta la conquista de Granada, fué una sola aventura, caballeresca. Y debemos confesar que la religion de Jesucristo, triunfante de tan grande superioridad de enemigos, es cosa prodigiosa. El español acostumbrado á pelear al mismo tiempo por su independencia y su religion, las amó igualmente. Así es que el antiguo castellano era fiel á su Dios y á su rey hasta la última gota de su sangre, esclavo de su honra, altivo para con los hombres, pero humilde ante todo objeto sagrado, sóbrio, sério, y austero... Solo en España ha sobrevivido el espíritu caballeresco á la caida de la misma caballería... Si la poesía moderna se funda sobre los sentimientos religiosos, sobre el heroismo, el honor, y sobre el amor, en España precisamente habia de adquirir su mas alta perfeccion... Hay enfermedades del entendimiento tan epidémicas, que no se puede librar de ellas una nacion, si no inoculándoselas. Tal es la filosofia moderna. Los españoles parecen haberse libertado con solo unas viruelas volantes ó locas, mientras que las señales de una irrupcion maligna desfigura las fisonomías de las demas naciones. En su existencia peninsular han pasado en modorra el siglo XVIII; y en efecto, ¿que mejor podian haber hecho?... Los españoles debian aprender á admirar por convencimiento lo que han amado hasta aquí por inclinacion; y sin hacer caso de la crítica bastarda del siglo filosófico, poner todo su conato en componer en el mismo sentido que sus grandes modelos...[181]

Weder Theorie noch Ironie, weder Aggressivität noch Desinteresse konnten Johann Nikolaus' Eifer bremsen. Er zog seinen ehemaligen Freund José Joaquín de Mora, der bis dahin damit zufrieden gewesen war, sich während der Restauration in der Rolle des ›liberalen‹ *enfant terrible* und Kenners der ausländischen Literatur zu gefallen, in eine öffentliche Polemik, aus der bald leidenschaftliche Feindschaft erwuchs, so sehr Mora auch bemüht war, auf die schwersten persönlichen Vorwürfe mit Humor oder doch wenigstens mit Fassung zu reagieren; er gewann seine Frau als – ebenso verbissene – Mitstreiterin; er gab schon bald den Kaufmannsberuf mit all seinen finanziellen Segnungen auf, was umso schwerer wog, als Böhl nur mit Mühe Herausgeber und Verleger für die Veröffentlichung seiner proliferierenden Schriften fand. Wenigstens lohnte ein (ebenso blindes wie) mildes Schicksal seinen Einsatz im Jahr 1820 mit der Aufnahme in die Real Academia. Wirklich folgenreich aber waren die Reduktionen in Böhls Lektüre der deutschen Romantiker, welche den Sinn ihres epochemachenden Anliegens, der Stiftung eines neuen, ›sentimentalischen‹ Verhältnisses zur Kultur der Vergangenheit, in ihr genaues Gegenteil umkehrte. Denn einem Novalis, Tieck, Friedrich Schlegel oder August Wilhelm Schlegel kam es ja genau auf die Erfahrung an, daß die ›romantische‹ Zeit des Mittelalters unwiederbringlich verloren und nur noch in der Versenkung einsamer Lektüre erahnbar war, während Böhl den Spaniern die Rückkehr zu dieser Epoche als ein leicht erreichbares Ziel schilderte.[182]

In den meisten Geschichten der spanischen Literatur ist freilich gleich von drei ›Romantiken‹ die Rede. Wohl ausgehend von der so überaus pathetischen Verwendung der Begriffe *›pueblo‹* und *›nación‹* hat man in den Jahren des Unabhängigkeitskriegs einen ›*Romanticismo popular*‹ entdecken wollen; Böhls verunglückte Rezeption der deutschen Frühromantiker trägt den Namen ›*Romanticismo histórico*‹, und wegen ihrer Gleichzeitigkeit mit einer Phase beschleunigter Veränderung in der politischen Geschichte spricht man von der spanischen Literatur der dreißiger Jahre als einem ›*Romanticismo liberal*‹. Die Namen ›*Romanticismo popular*‹ und ›*Romanticismo histórico*‹ sind problematisch, weil ihre historischen Bezugsphänomene deutlich machen, daß romantische Literatur und Kunst in Spanien bis zum Ende der zwanziger Jahre des XIX. Jahrhunderts schon deshalb nicht entstehen konnten, weil die Zeit als Horizont des Erfahrens und Handelns dort noch nicht ›historisch‹ geworden war, noch nicht als ein irreversibler Prozeß der Phänomene gedacht wurde. Literaturgeschichtlich hat sich dieser Sachverhalt vor allem in einer erstaunlichen Kontinuität von Themen und Formen objektiviert. Bis unmittelbar vor den – dem Beispiel französischer Literaten nachempfundenen – Bruch des romantischen Dramas mit den Traditionen der Vergangenheit in den frühen dreißiger Jahren beobachten wir das aus dem XVIII. Jahrhundert vertraute Nebeneinander von drei Inszenierungstypen des Theaters: es gab Dramen mit Stoffen aus der nationalen Geschichte, das Gesellschaftsdrama, das weiterhin um die Familie und spezifischer um die Spannung zwischen ›ehrgeiziger Partnerwahl‹ der Mütter und ›natürlicher Partnerwahl‹ der Töchter zentriert war, und schließlich die vor allem auf die Effekte der Bühnentechnik ausgerichteten Stücke, deren Spielraum sich für Adaptationen des französischen *mélodrame* öffnete.[183] Gegenüber der Konstanz von Themen und Strukturen war jedoch für die beiden zuerst genannten Dramentypen mit Beginn des Unabhängigkeitskriegs eine markante Funktionsspezifizierung eingetreten. Die übernommenen Stoffe wurden nun mit solcher Genauigkeit auf die sich rasch verändernden Konstellationen der Alltagspolitik bezogen, daß es durchaus angebracht ist, die Stücke mit der Einstellung der Allegorese zu lesen.

Francisco Martínez de la Rosas Komödie ›*Lo que puede un empleo*‹ etwa wurde während des heroischen Jahres 1812 in Cádiz uraufgeführt, während die zum Sitz der *Cortes* gewordene Stadt von französischen Truppen belagert war. Ihre Handlung birgt kaum Überraschungen. Das unvermeidliche Liebespaar steht kurz vor der hochzeitlichen Verwirklichung aller Träume, als der Kleriker Melitón (der Name taucht häufig bei spanischen Varianten der Tartuffe-Rolle auf, denn er läßt die Bedeutung des Adjektivs ›*melifluo*‹ = ›honigflüssig, süßholzraspelnd‹ anklingen) eine Intrige spinnt: es gelingt ihm, Carlotas adlig-traditionalistischen Vater Fabián von den Gefahren einer Verbindung mit der liberalen Familie Teodoros zu überzeugen. Doch Luis, der liberale Vater, stellt dem Heuchler – natürlich erfolgreich – eine Falle. In einem gefälschten Brief wird Melitón ein hoch dotierter Posten auf der Seite der liberalen Politiker angeboten. Dessen schlagartiger Sinneswandel und ein diesbezüglich klärendes Gespräch zwischen den künftigen Schwiegervätern machen den Weg zur Hochzeit – zur Koalition zwischen der traditionalistischen und der liberalen Familie – frei. Keine Frage, wie Martínez de la Rosa seine Komödie verstanden haben wollte: der im Unabhängigkeitskrieg und in den *Cortes* stets prekäre Status des Zusammenwirkens von Traditionalisten auf der einen, *Jovellanistas* und *Doceañistas* auf der anderen Seite, wird auf das Schuldkonto des intriganten Klerus geschoben, der seine Einkünfte und seinen Einfluß durch die neue politische Situation gefährdet sieht. Bald schon sollte die Geschichte solch schlichten Optimismus der ›Liberalen‹ widerlegen.

Im Jahr 1816, also schon nach der politischen Restauration, schrieb der 1791, nur vier Jahre nach Martínez de la Rosa, geborene Duque de Rivas im Rückgriff auf die Aktantenkonstellation der Maurenromanzen die Tragödie *Aliatar,* welche die Epoche der *Reconquista* mit Spaniens politischem Schicksal im frühen XIX. Jahrhundert verbindet. Diese Bezugsetzung zwischen nationaler Geschichte und eigener Gegenwart lag – zumal nach dem Unabhängigkeitskrieg – nahe und war nicht nur bei den Dramenautoren entsprechend beliebt. Die Christin

Elvira – so heißt die Allegorie der spanischen Nation nicht nur beim Duque de Rivas – genießt Vorzugsbehandlung in der Gefangenschaft des edlen Mauren Aliatar, der sich in sie verliebt hat. Ismán, ein ebenfalls in Elvira verliebter, jüdischer Sklave des Aliatar ist selbstlos genug, Elviras Verlobten heimlich in die Festung seines Herrn zu schleusen. Der christliche Ritter besiegt den edlen Heiden in heldenhaftem Kampf – doch vorerst scheidet auf dem Feld der Ehre allein Ismán aus dem Leben. Blind vor Rachsucht tötet Aliatar die vermeintliche Verräterin Elvira, und legt selbst Hand an sich, noch bevor ihn der nun um seine schönsten Hoffnungen betrogene christliche Verlobte seinerseits in den Tod befördern kann. Kein Zweifel, so wie Elvira die Allegorie der spanischen Nation ist, repräsentiert Aliatar das napoleonische Frankreich in der Phase seines Zusammenbruchs, Ismán die *afrancesados* (als Jude steht er zwischen Mohammedanern und Christen, und der Autor scheint die *afrancesados* zwischen der französischen und der spanischen Nation einordnen zu wollen); Elviras Verlobter schließlich entspricht dem spanischen Traditionalismus, und deshalb hieß die politische These im Drama des Duque de Rivas: als Spanien in der Restauration mit der Herrschaft des Traditionalismus wieder den Status von Unabhängigkeit und Selbstbestimmung erreichte, sei die Nation gestorben. Ähnlich beliebt wie die Reconquista war als Exempelstoff im frühen XIX. Jahrhundert die Auseinandersetzung zwischen Carlos I. und den um die Wahrung ihrer Unabhängigkeit kämpfenden *comuneros* der spanischen Städte. Eine genaue Aufdröselung der dramatisch-allegorischen Rollenverteilungen können wir uns hier ersparen. Vor allem Autoren im Exil griffen gerne auf diese historische Konstellation zurück, weil sie ihnen die Möglichkeit bot, die eigene Situation als Verweigerung eines Versöhnungsangebots nach der Niederlage im heroischen Kampf zu präsentieren. So verzichtet der *comunero* und Titelheld in Rivas' Tragödie *Lanuza* auf seine Elvira, weil Bedingung der Heirat ein Verzicht auf die Freiheit und die Bitte um königliche Verzeihung gewesen wären.

Hat man einmal eine Interpretationsschablone für solche Dramen gefunden, dann erschließt sich fast selbstverständlich auch der intendierte Sinn der zeitgenössischen Poesie, deren kanonisierte Autoren fast alle das Exilantenschicksal teilten. Hier zeichnet sich eine spezifische Konvergenz zweier bis ans Ende des XVIII. Jahrhunderts noch nebeneinander stehender Diskursformen ab: die allegorische Bezeichnungsebene der Texte war von Motiven und Formen der Anakreontik besetzt, welche mit Konzept-Konfigurationen auf der Bedeutungsebene korreliert werden sollten, deren Typik uns aus den philosophisch-politischen Oden und Hymnen der Jahrhundertwende vertraut sind. Da aber nun das Thema des Exils immer wieder im thematischen Zentrum steht, wird die Szenerie der Anakreontik eintönig: stets grüßt Elvira (oder ›Elisa‹ oder eine andere Dame, deren Vornamen mit ›E‹ beginnt) von einem Ufer über das trennende Meer ihren Geliebten, der das andere Ufer nicht verlassen kann:

EL SACRIFICIO AL AMOR
En el mediodía
Se asoma mi amor
Por el alto otero
Donde paso yo.

De faz tan hermosa
Envidioso el sol
Certero la hería
Con dardo traídor.

No, no, virgen mía,
Mi loca afición
Te hará ni un instante
Sufrir más dolor.

Huye a la enramada
Te ruego, veloz,
Y sufra esta pena
Mi tierna pasión.[184]

Tatsächlich hatte der Autor dieser *Letrilla,* Serafín Estébanez Calderón, 1824 die spanische Heimat über das ›mittägliche‹ Gibraltar verlassen. Weniger ist dem Gesamt-Sinn der Allegorie zu trauen. Denn daß er sich trotz allen Heimwehs bis 1825 die Rückkehr versagen mußte, hatte wohl in der Angst um das eigene Leben eine mindestens ebenso starke Motivation wie in der Sorge um das Schicksal des Vaterlands. Das Leid der Exilanten jedenfalls hat Elvira/Spanien die politischen Leiden der ebenso obskurantistischen wie repressiven Restauration der zwanziger Jahre nicht erspart.

Der für Drama und Poesie passende allegorische Interpretations-Schlüssel hilft allerdings kaum, den Zugang zu Sinnstrukturen und Funktionen der spanischen Erzählgattungen nach 1800 zu eröffnen. Dennoch trugen auch die Übersetzungen ausländischer Romane und die Genese der neuen Diskursform des *Costumbrismo* zur Depotenzierung von Ambivalenzen und zur Strukturierung der Erfahrungen in einer komplexer werdenden Gesellschaft bei. Das einschlägige Lieblingsproblem der Literaturgeschichten ist freilich das ›Ausbleiben des spanischen Romans‹ in der ersten Hälfte des XIX. Jahrhunderts. Zum Teil, so glauben wir, ist das Problem bereits im zweiten Abschnitt dieses Kapitels mit der These gelöst worden, daß die Evolution des spanischen Romans während des XVIII. Jahrhunderts versiegte, weil ihr die Erfahrung einer Polarisierung von Individuum und Gesellschaft als Bezugshorizont fehlte. Eine in ihrer Struktur ähnliche Erklärung wollen wir nun für das ›verspätete Einsetzen des *realistischen* Romans‹ im XIX. Jahrhundert vorschlagen. Denn wenn es richtig ist, daß das realistische Erzählen als eine die europäischen Nationen übergreifende Diskursform von der Ahnung lebte, daß unter dem Eindruck einer ›Beschleunigung‹ der Zeit und angesichts einer rasch fortschreitenden ›Ausdifferenzierung‹ sozialer Räume kein gemeinsames Bild von der Wirklichkeit mehr alle Mitglieder der jeweiligen Gesellschaften verband, dann können die Sozialstrukturen und Mentalitäten in Spanien frühestens seit der Mitte des XIX. Jahrhunderts einen Realismus-affinen Sitz im Leben geboten haben. Freilich mißt die Rede von einem ›Hiat in der Gattungsgeschichte des Romans‹ die spanische einmal mehr am Beispiel der französischen Literatur. Denn natürlich wurde auch während des späten XVIII. und des frühen XIX. Jahrhunderts in Spanien literarisch erzählt, allerdings – und das macht dann die Besonderheit der narrativen Diskurse aus, welche die Spanier damals lasen, – unter der gewiß vorbewußten Prämisse, daß man dem Erleben wachsender gesellschaftlicher Komplexität

mit vergleichsweise einfachen Verfahren der Sinngebung bei-
kommen konnte. Mit dieser Voraussetzung können wir den
Erfolg der spanischen Übersetzungen von Texten verstehen,
deren Sinnstrukturen Hell und Dunkel, Gut und Böse so eindeutig kontrastierten wie Bernardin de Saint-Pierres *Paul et
Virginie* (1798 übersetzt / 21 Auflagen bis 1850), Chateau-
briands *Atala* (1801 übersetzt / 30 Auflagen bis 1850), oder
Walter Scotts *Ivanhoe* (1825 übersetzt / 79 Auflagen bis
1850).[185] Tolerieren – und genießen – konnte man auch die
französischen Bestseller-Romane der Madame de Genlis und
von Sophie Cottin, da sie dem unvermeidlichen Leser-Eva-
sionsangebot eines Sündenfalls der Heldin stets zerknirscht
Selbstbestrafung (meist in Form jenes ›Todes an gebrochenem
Herzen‹, dessen literarische Konjunktur damals einsetzte) folgen ließ:[186] *al bello sexo estaba reservada la gloria de restituir-
nos esta interesante parte de la literatura* (sc.: *la novela*) ...;
*adornando con el verdor del honor, de la generosidad y de la
virtud el árbol corrompido de las ficciones, nos devolvieron sus
óptimos frutos.*[187]

Die Gattung des ›*Costumbrismo*‹ lassen die Literarhistoriker
gewöhnlich um 1830 einsetzen – gewiß nicht zuletzt deshalb,
weil sich zu Beginn der dreißiger Jahre des XIX. Jahrhunderts
ohnehin eine Fülle von Innovationsphänomenen in der spanischen Literatur ausmachen lassen. Doch gegen diesen Konsens
stellen wir die Behauptung, daß sich die Entstehung des Costumbrismo als einer journalistischen Diskursform mit spezifischer Funktion schon zweieinhalb Jahrzehnte zuvor abzeichnete. Allerdings trifft zu, daß zeitgenössische Autoren und
Leser – wohl unter dem Eindruck der französischen *Tableaux
parisiens* – erst viel später auf die Eigenständigkeit des costumbristischen Diskurses aufmerksam wurden und daß sie ihn
dann in der Folge dieser Erfahrung aus dem Publikations- und
Kommunikationskontext der Zeitungen herauszulösen begannen.[188] Zweifellos fand im frühen Costumbrismo der Journalisten eine funktionsgeschichtliche Linie ihre Fortsetzung, welche im XVIII. Jahrhundert keine andere Gattung so markant
wie die *Sainetes* repräsentierte. Denn das zunächst alleinige –
und über Jahrzehnte bevorzugte – thematische Feld des Costumbrismo war die durch Interaktion über Standesgrenzen,

durch Aufstiegsehrgeiz, durch alle sozialen Gruppen erfassende Kleidermoden – und, selbstredend, auch durch den vielbeklagten ›Sittenverfall‹ – zunehmend als verwirrend erlebte Welt der Hauptstadt Madrid. Was den Costumbrismo von den Sainetes absetzte, war die Einführung einer Erzählerrolle, auf die als Sprachhandlungssubjekt der neue Diskurs zugeordnet wurde. Dieser ›costumbristische Erzähler‹ war seinerseits ein literarhistorischer Nachfolger der auf Meinungsbildung abgestellten Autoren-Fiktion aus dem Journalismus im Zeitalter Carlos' III. Seine Korrelierung mit dem thematischen Feld der Madrider Gesellschaft ist ein Symptom dafür, daß man angesichts steigender Komplexität des Erfahrungsgegenstandes den Lesern nun nicht mehr – wie es noch der Autor und die Schauspieler der Sainetes getan hatten – die sichere Einlösung des intendierten Sinns zutraute. Die einzelnen Namen, mit denen die costumbristische Erzählerrolle bald in einer rasch wachsenden Zahl verschiedener Artikel-Serien konkretisiert wurde – *Crispín Carmillo* (1802), *Diógenes* (1803), *Misántropo* (1805), *El Palurdo* (1817), *El Pobrecito Holgazán* (1820), *El Viejo Verde* (1828), *El Solitario* (1831) –, verweisen auf eine konstante Grundbedingung für die Konstitution solcher Figuren: die fiktionalen Erzähler des Costumbrismo mußten das traditionalistische Milieu der Provinzen denotieren, damit – zunächst – der ihnen zugeschriebene ›Kulturschock‹ beim Eintritt in die Welt der Hauptstadt plausibel wurde und – anschließend – in eine Madrid-Deutung münden konnte, die jegliche Phänomene des Wandels abwertete und alle Anzeichen historischer Kontinuität als ›eigentliche Wirklichkeit‹ herauskehrte. 1830, als aus dem *Costumbrismo* eine literarische Gattung wurde, konnte Ramón de Mesonero Romanos – als Erfinder eines *Curioso Parlante* der prominenteste aller costumbristischen Autoren – als Programm artikulieren, was sozusagen ›hinter dem Rücken‹ von Autoren und Lesern schon über Jahrzehnte die Pragmatik dieses Diskurses gewesen war:

Los españoles, aunque más afectos en general de los antiguos usos, no hemos podido menos que participar de esta metamorfosis, que se hace sentir tanto más en la corte por la facilidad de las comunicaciones y el trato con los extranjeros. Añádense a estas causas las invasiones repetidas dos veces en este siglo, la mayor frecuencia de los viajes exteriores,

el conocimiento muy generalizado de la lengua y la literatura france-
sas, el entusiasmo por sus modas, y, más que todo, la falta de una
educación solidamente española, y se conocerá la necesidad de que
nuestras costumbres hayan tomado un carácter galo-hispano, peculiar
del siglo actual... No pudiendo permanecer tranquilo espectador de
tanta falsedad... me propuse... presentar al público español cuadros
que ofrezcan escenas de costumbres propias de nuestra nación, y más
particularmente de Madrid, que, como corte y centro de ella, es el foco
en que se reflejan las lejanas provincias.[189]

Mesoneros' Furcht vor der hier als Grund für das verwirrende
Bild der Hauptstadt Madrid angeführten kulturellen Überfremdung und vor dem Verlust einer spezifisch spanischen Identität
der Lebensformen mag auch eine Reaktion auf den um 1830
endlich einsetzenden Wandel des politischen Klimas zum Ausdruck bringen. Trotz der stattlichen Lebensleistung von drei
Ehen war es Fernando VII., dem König der spanischen Restauration, bis ins Jahr 1829, als er ein letztes Mal zum Witwer
wurde, nicht gelungen, seine wichtigste Rollenverpflichtung
mit der Zeugung eines Infanten zu erfüllen. Und da frustriert-
abschätzige Passagen aus Briefen seiner ersten Gattin das Gerücht genährt hatten, solches Ungenügen sei keineswegs das
Produkt eines physischen Zufalls, konnte sich Fernandos Bruder, Carlos María Isidro, konkrete Hoffnungen auf die Nachfolge des unter Gichtanfällen dahinsiechenden Königs machen.
Unter solch düsteren Vorzeichen trat die dreiundzwanzigjäh-
rige Nichte des königlichen Brüderpaares, María Cristina de
Borbón, die Tochter des sizilischen Königs, offenbar in einem
himmelblauen Kleid, das bald die spanischen Liberalen auf
›Himmelblau‹ als ihre Symbolfarbe festlegen sollte, auf die
Bühne der Geschichte und – vermutlich in Weiß – mit ihrem
Onkel vor den Traualtar. Ihr Körper sollte alles Munkeln über
die königliche Potenz Lügen strafen, denn bald schon schenkte
sie einer Infantin das Leben, die auf den höchst verpflichtenden
Namen Isabel getauft wurde, und bis zum Tod Fernandos VII.
im Jahr 1833 reichte die Zeit sogar noch für eine zweite
Schwangerschaft, deren Frucht erneut eine Prinzessin, Luisa
Fernanda, war. Die Freude von Carlos María Isidro, dem Onkel der Infantin, muß sich in Grenzen gehalten haben, denn er
verlor die Anwartschaft auf den sicher geglaubten Thron. Doch

zunächst bemühte er sich, mit der Nutzung eines höchst verwirrenden Rechtszustands das Schicksal doch noch zu seinen Gunsten zu wenden. In der Tradition der spanischen Monarchie hatte bis ins XVIII. Jahrhundert das salische Erbfolgerecht gegolten, welches beim Ausbleiben männlicher Nachfolger eines Königs die Krone der weiblichen Nachkommenschaft zuwies. Diese Verfahrensregelung hatte man nach 1700 aber aufgehoben, um die vielerseits befürchtete Möglichkeit einer Vereinigung der Reiche von Frankreich und Spanien unter einem Herrscher kurz nach der Thronbesteigung Felipes V. auszuschließen. In einer *Pragmática Sanción* des Jahres 1789 allerdings und in der Konstitution von Cádiz war Spanien zum salischen Erbfolgerecht zurückgekehrt. Dennoch sollte es der ansehnlichen und moralisch gefestigten, sympathischen und – fast – allseits beliebten, besonders aber überraschenderweise gegenüber liberalen Ideen und Ratgebern aufgeschlossenen Königin María Cristina nicht erspart bleiben, sich während der wenigen Jahre ihrer Ehe mit Fernando VII. zwischen der Pflege des moribunden Königs und einem Machtkampf mit dessen Bruder, ihrem Onkel Carlos, aufzuteilen. Sie sollte diesen Machtkampf gewinnen, weil die letzte von zahlreichen, unter Verfügungen gegensätzlichen Inhalts gesetzten Unterschriften ihres Gatten die gemeinsame Tochter Isabel als Nachfolgerin und María Cristina selbst bis zum Zeitpunkt von Isabels Volljährigkeit als Regentin einsetzte. Ein dieser Bezeichnung wohl nur mit Mühe würdiger ›Staatsstreich‹, der in den Geschichtsbüchern mit dem Namen des königlichen Sommerschlosses ›La Granja‹ assoziiert ist, und ganz im Sinne María Cristinas einem Kabinett liberaler Minister zur Macht verholfen hatte, muß bei dieser Wendung der spanischen Politik ein nicht unerhebliches Gewicht gehabt haben. Der *Golpe del Estado de La Granja* und der Antritt der Regentschaft durch María Cristina nach dem Tod Fernandos VII. im Jahr 1833 markieren den Übergang zu einem neuen Stil der Herrschaft, den eine gewandelte Tonalität der politischen Diskurse und Mentalitäten, aber auch erweiterte – freilich nie unbegrenzte – Spielräume der Kultur kennzeichnen. Spanien war in die Epoche des *Moderantismo* eingetreten.

Die Zeit des Übergangs von der Restauration zum Moderantismo war vor allem durch die allgemeine Scheu gekennzeichnet, diesen Wandel als Einschnitt oder gar als ›Revolution‹ darzustellen und zu erfahren. Darüber hinaus beruhte die begrenzte Liberalisierung der folgenden Jahrzehnte auf der Bedingung, die sich um den frustrierten Beinahe-König Carlos scharenden hartnäckigen Anhänger des Geistes der Restauration wie die in der Nachfolge der Doceañistas stehenden Demokraten und Republikaner vom Spiel der Macht auszuschließen. Umrahmt von so mächtigen und aggressiven Feindesgruppen zur politischen Rechten und Linken, bedurften zur Stützung der Monarchie bereite Liberale wie die eine Liberalisierung tolerierenden Monarchisten beständig der Unterstützung des Heers, das zum politischen Stabilitätsgaranten wurde. Unter einer historischen Langzeitperspektive ist eben dieses eigentümliche Konstrukt des Moderantismo die Resultante aller Fortschritte und Rückschläge in den spanischen Reformbewegungen des XVIII. und frühen XIX. Jahrhunderts. Vielleicht wäre der den Moderantismo tragende Kompromiß zwischen gemäßigten Monarchisten und zurückhaltenden Liberalen nie zustande gekommen, wenn sich nicht gerade rechtzeitig zu der günstigen Konstellation der Erbfolgekrise erstmals eine kollektive Selbsterfahrung von jener Polarisierung der spanischen Gesellschaft verbreitet hätte, welche die absolutistischen Reforminitiativen mehr als ein Jahrhundert zuvor initiiert hatten. Mit der Einsicht in die stets drohende und nie aufhebbare Gefahr einer Spaltung der Nation in zwei Lager wurde zum einen ihre Bewältigung zu einem politischen Thema, zum anderen der ›Mythos von den zwei Spanien‹ zu einem prägenden Faktor des Nationalbewußtseins und zu einem variantenreichen literarischen Motiv. José María Blanco White, der nach seinem Aufstieg zu einem angesehenen Journalisten im englischen Exil keinen Anlaß sah, ins Klima des sich anbahnenden Moderantismo zurückzukehren, ging der einschlägige Diskurs schon 1831 erstaunlich leicht und deutlich von der Feder:

El sistema de Educación español está condenado a ampliar, año tras año, la brecha que separa ya el país en dos partes absolutamente inconciliables. La lucha que amenaza agotar los órganos vitales de España no es la de pobres contra ricos o hidalguía contra nobleza y corte: es una contienda que proviene de una animosidad intelectual, resultado lógico de la oposición existente entre la educación establecida y la que, fundada en las reformas mal concebidas a que nos hemos referido antes, los españoles más lúcidos se procuran como pueden. El odio recíproco de estas dos categorías de españoles no puede imaginarse sin un conocimiento completo de sus circunstancias respectivas. El clero (esto es, la porción del mismo sinceramente fanática) acapara todas las riquezas y honores y considera su influencia y privilegios inseparablemente ligados a la gloria del Cielo y de su propio país. Alrededor de su núcleo compacto se alinean supersticiosos e ignorantes, una masa enorme, cuyo orgullo mental no conoce otra recompensa que la de imponer por la fuerza el respeto a lo que ellos mismos reverencian. En una mal oculta aunque no franca oposición a esta falange ingente, se alza un grupo, cada vez mayor, compuesto de personas de todas las clases y profesiones que, cualquiera que sea su falta de información profunda en otras materias, son capaces, no obstante, de juzgar el escaso valor e índole nociva del saber de sus adversarios. Es innegable que cuanto talento e información real existe en el país se halla, sin duda alguna, en este bando...

Si cualquiera de los dos bandos tuviese suficiente poder para subyugar al otro, la fiebre intelectual del país sería menos violenta y cabría esperar alguna crisis en una fecha próxima; pero ni la Iglesia ni los liberales (pues tales son en realidad las dos facciones opuestas) tienen la posibilidad más remota de desarmar al adversario. La contienda debe prolongarse desgraciadamente por un tiempo indefinido, durante el cual los dos sistemas de educación rivales que existen en el país están condenados a proseguir su obra de convertir a la mitad de los españoles en extranjeros y enemigos de la otra mitad.[190]

Wir haben José Blanco White am Ende dieses Kapitels nicht nur deshalb so ausführlich zitiert, weil dieser Text ein historisches Zeugnis für die Genese des ›Mythos von den zwei Spanien‹ ist. Die von ihm nur skizzierten analytischen und prognostischen Perspektiven können darüber hinaus gegenüber der Historiographie unserer Gegenwart die Aktualität eines Problematisierungspotentials beanspruchen. Denn alles andere als selbstverständlich ist bis heute – innerhalb und außerhalb Spaniens – die Einsicht, daß der mindestens bis hin zum Bürgerkrieg des XX. Jahrhunderts für die Geschichte des Landes so ausschlaggebende Antagonismus zweier gesellschaftlicher Blöcke nicht in den kanonisierten Klassenbegriffen aufgeht. Vielmehr fand in dem Zwang zur – jedenfalls und stets: vehementen – Parteinahme für das eine oder für das andere Spanien die nationale Tradition exaltierter Subjektivität erstmals einen Rahmen stabiler Institutionalisierung, und den an diesen Rahmen gestellten Anforderungen konnten der Moderantismo und seine nur selten weniger fadenscheinigen Nachfolgetendenzen bis ins XX. Jahrhundert genügen, weil es eben über Jahrhunderte zu einer nationalen Tradition geworden war, jene exaltierte Subjektivität im Vertrauen auf die Kraft des *desengaño* in Distanz zu den Horizonten offiziellen Sinns zu halten.

Diese Verstehensperspektive hätten wir verfehlt, wenn wir dem historiographischen Usus gefolgt wären, die Geschichte der spanischen Aufklärung allein auf die Cortes von Cádiz und die Verfassung des Jahres 1812 zu beziehen. Denn Cádiz markiert als Symbol jene Ereigniskonstellation in der spanischen Geschichte, die sich am ehesten mit einer ›bürgerlichen Revolution‹ – wenn auch mit einer gescheiterten – verwechseln läßt. Aber wem wäre mit einer solchen ›Ehrenrettung‹ gedient, die uns auf die Suche nach Schrumpfformen von Klassenantagonismen und Klassendominanzen setzte, um den Blick auf ganz anders konturierte Faktoren, Katalysatoren und Widerstände historischer Bewegung zu verstellen? Brechen wir die Rechtfertigung für die Konzeption dieses Kapitels mit einem Beispiel ab, bevor sie beginnt, sich selbst zu dementieren. In einer ebenso kenntnisreichen wie intelligenten Abhandlung über »Den spanischen Revolutionszyklus im 19. Jahrhundert« schrieb der Leipziger Historiker Manfred Kossok:

Eines der kompliziertesten Probleme für die historisch-vergleichende Analyse des spanischen Revolutionszyklus stellt die Bestimmung des *Charakters der Hegemonie* dar. Im Unterschied zu den französischen Revolutionen von 1789 bis 1870 ist keine der spanischen Revolutionen von einer »reinen« und »ungeteilten« Hegemonie der Bourgeoisie gekennzeichnet. Die Bourgeoisie als revolutionsprägende Klasse ist entweder *noch nicht* oder *nicht mehr* in der Lage, ihre »eigene« Revolution aus eigener Kraft zu führen.[191]

Bertolt Brecht im Ohr, möchte man fragen: warum schafft eine ihren Konzepten so treue, ›progressive‹ Historiographie die spanische Geschichte nicht einfach ab, um der spanischen Bourgeoisie die im XIX. Jahrhundert verpaßte Chance der Hegemonie noch einmal, jetzt eben im späten XX. Jahrhundert, einzuräumen?[192]

Fassade der Real Academia Española de la lengua

Colegio de San Bartolomé o de Anaya in Salamanca

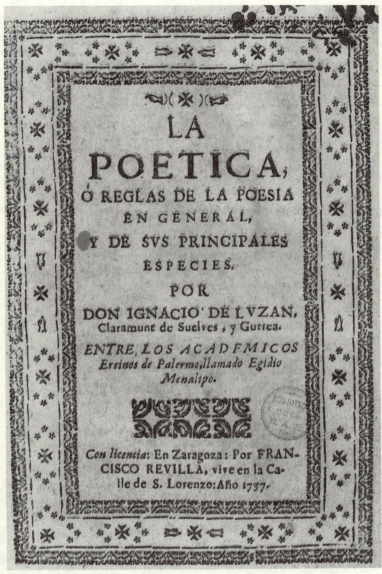

Titelseite der Poetik von Ignacio Luzán, erschienen in Zaragoza 1737

EL CENSOR,

OBRA PERIODICA.

TOMO PRIMERO.

QUE CONTIENE LA
Dedicatoria, y los veinte y tres
primeros Discursos publica-
dos en el año de 1781.

*Sunt bona, sunt quaedam mediocria, sunt
mala plura,
Quae legis hic: aliter non fit, Auite, liber.*

EN MADRID.

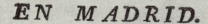

Con las licencias necesarias: Año
de 1781.

Titelseite der Zeitschrift ›El Censor‹ (Madrid, 1781)

CARTAS

SOBRE LOS OBSTÁCULOS

QUE LA NATURALEZA,

LA OPINION Y LAS LEYES

OPONEN Á LA FELICIDAD PÚBLICA:

ESCRITAS

POR EL CONDE DE CABARRUS

AL Sr. D. GASPAR DE JOVELLANOS,

Y PRECEDIDAS DE OTRA

AL PRÍNCIPE DE LA PAZ.

BARCELONA:

En la imprenta de la Viuda de don Agus-
tin Roca, impresor de cámara de S. M.

---

*Titelseite der ›Briefe des Conde de Cabarrús über die Hindernisse, die
die Natur, die öffentliche Meinung und die Gesetze dem Gemeinwohl
entgegenstellen‹*

INFORME
DE LA SOCIEDAD ECONÓMICA
DE ESTA CORTE
AL REAL Y SUPREMO CONSEJO
DE CASTILLA
EN EL EXPEDIENTE DE LEY AGRARIA,
EXTENDIDO
POR SU INDIVIDUO DE NUMERO
EL S.ʳ D. GASPAR MELCHOR DE JOVELLANOS,
á nombre de la Junta encargada de su formacion, y con
arreglo á sus opiniones.

CON SUPERIOR PERMISO.

MADRID: EN LA IMPRENTA DE SANCHA,

IMPRESOR DE LA REAL SOCIEDAD.

AÑO DE M.DCC.XCV.

Titelseite des ›Berichts der Wirtschaftsgesellschaft der Hauptstadt an den Königlichen Höchsten Rat von Kastilien über die Vorlage eines Gesetzes zur Landwirtschaft, vorgelegt von dem ordentlichen Mitglied Gaspar Melchor de Jovellanos‹

Pablo Olavide

Benito Jerónimo Feijóo

Diego de Torres de Villarroel

Gaspar Melchor de Jovellanos

Die Familie von Carlos IV., gemalt von Goya

Das Capricho ›Volaverunt‹ von Goya

›El sueño de la razón produce monstruos‹

Mit dem Ende der Restaurationsepoche eröffnete sich ein begrenzter Freiraum für die Aneignung romantischer Sinnhorizonte, vor allem für das vielfach variierte Motiv von der Konfrontation des großen Individuums mit der Gesellschaft, dessen Struktur auch ein literarisches Weiterspielen des Mythos von den ›zwei Spanien‹ ermöglichte. Doch die Leiden des Individuums erschienen gemildert durch ein literarisches Jenseits, das alle Spannungen zwischen Norm und Bedürfnis neutralisierte. Dieselbe Weltbild-Harmonie konstituierte aber auch eine Grenze für die politische Liberalisierung, an der in den siebziger Jahren des XIX. Jahrhunderts die erste spanische Republik scheiterte. An ihre Stelle trat seit 1875 eine erneut restaurative Wirklichkeitskonzeption, in der die – nicht zuletzt von der Literatur beförderte – Oberschichten-Illusion von nationaler Modernität eine eklatante Unbeweglichkeit der Machtstrukturen kaschierte. Erst mit dem Verlust der letzten überseeischen Kolonien Spaniens im Jahr 1898 kondensierten sich die bis dahin vereinzelten und vagen Stimmen des Protests im Diskurs einer neuen Intellektuellengeneration. Er war durch exaltierte Individualitätsstilisierungen gekennzeichnet, vor allem aber von dem aufklärerischen Anspruch, aus der Kritik kollektiver Illusionen zukunftsbezogene Orientierungen für die Nation zu entwickeln, und schließlich von der romantischen Hoffnung, solche Orientierungen in vergessenen Aspekten der Nationalidentität entdecken zu können. Die Wirkung dieses Diskurses profitierte von der Krise des monarchistisch-restaurativen Staats, dessen Überleben seit 1923 eine Militärdiktatur sichern mußte. Gerade die erneute Repression freilich steigerte ihrerseits wieder das Engagement und das Selbstbewußtsein der Intellektuellen – bis hin zum flagranten Erfahrungsverlust gegenüber einem Alltag, in dem die tradierten Rollen der Individualität längst angesichts eines Prozesses der Dichotomisierung von menschlichem Intellekt und menschlicher Physis in einen Prozeß der Auflösung eingetreten waren. Die Illusionen der Literaten hinsichtlich ihres politischen Einflusses wurden im spanischen Bürgerkrieg zu

tödlichen Illusionen. Weil der Tod der Literaten in seiner Tri-
vialität ein Symptom für den bis dahin kaum wahrgenommenen
Funktionswandel ihrer Diskurse war, starb mit den Literaten
auch ein seit der frühen Neuzeit in Europa dominierender Be-
griff von ›Literatur‹.

Tod in der Literatur

Am 13. Februar 1837, an einem grauen und kühlen Montag
gegen acht Uhr abends, hatte sich der Journalist und Poet Mariano José de Larra durch einen Pistolenschuß in die Stirn, im
achtundzwanzigsten Jahr stehend, das Leben genommen.[1] Drei
Tage später begleitete ein pompöser Trauerzug Larras Leiche
durch die Straßen von Madrid zum *Cimenterio del Norte*, wo
um vier Uhr nachmittags die Beisetzung stattfand. Diese Beerdigung war ein außergewöhnliches Ereignis für die zweihun-
derttausend Bewohner zählende Hauptstadt Madrid, und aus
der Retrospektive können wir sie als eine frühe Manifestation
jener damals neuen Stimmung, jenes neuen Geistes der spanischen Intellektuellen deuten, welche man später ›*Romanticismo*
liberal‹ genannt hat. Luis Sanclemente freilich, der Mariano
José Larras Trauerzug mit eigenen Augen gesehen hatte, notierte in einem Brief an seinen Bruder, den Marqués de Mon-
tesa, lediglich mit Verwunderung die ihn besonders beeindruk-
kenden Details:

Doce pobres de San Bernardino, con hachas encendidas, rompían la
marcha: seis a cada lado. Luego, dos filas de gente lucida como de
cuarenta y tantos, de levita o frac, de bigotes y patillas o de patillas y
pera, o de pera y barba, o más o menos afeitados, o más o menos
barbilucios y barbipoblados. Presidía o hacía el duelo el apolíneo
Veguita. En medio de todos ellos iba el enlutado carro fúnebre tirado
por cuatro caballos enlutados hasta las orejas, y arrastrando bayetas,
por dos agujeritos, de los cuales asomaban los ojos, que era cosa de
ver. Sobre el negro carro y sin ribetes amarillos descollaba el féretro, y
sobre éste, en su más elevada parte, hacia la cabeza, llamaban la atención unos libritos empastados (los artículos de »Fígaro«) y una corona
de laurel. Por fin y postre, baga y contera iban cuatro berlinas simonas
y un bombé que dijeron ser del conde de las Navas. Atravesaron la
calle Mayor, Puerta del Sol, calle de la Montera y la de Fuencarral.

Mucha gente los siguió ociosa, curiosa y acuciosa de ver el fin y remate de tal pompa fúnebre. El cual fue (después del responso del cura, que estaría en el cementerio, pues allí no se vio ni cura, ni cruz, ni nada que oliese a catolicismo) una perorata o panegírico del difunto, que declamó el conde de las Navas . . .[2]

Der Conde de Navas blieb beileibe nicht Larras einziger Grabredner. Unter den zahlreichen Zeitgenossen, welche mit pathetischen Versen auf Larras Freitod ein Emblem der spanischen Romantik zu gestalten begannen, ragte José Zorrilla hervor, ein zwanzig Jahre junger Mann aus Valladolid, der erst wenige Monate zuvor in die Hauptstadt gekommen war und eben an jenem 15. Februar 1837 mit einem Mal zu einem Liebling des literarischen Publikums werden sollte. Daß Zorrillas Initiationsakt ein so stupender Erfolg beschieden war, macht die literarhistorische Bedeutsamkeit von Larras Begräbnis augenfällig, auf die wir bereits angespielt haben; seine Verse zeigen, wie die spanischen Poeten in der Feier von Larras Tod Bewußtsein von einem neuen politischen und kulturellen Klima gewannen. Denn der Stilisierung von Larras Gestalt lag eben jene semantische Struktur des kontrapunktischen Verhältnisses zwischen ›feindlicher Gesellschaft‹ und ›in Einsamkeit leidendem Individuum‹ zugrunde, deren Ausbleiben den Typus des spanischen ›Reformers‹ im XVIII. und im frühen XIX. Jahrhundert vom mitteleuropäischen ›Aufklärer‹ oder ›philosophe‹ abgesetzt hatte. Larra erscheint in Zorrillas Versen als Dichter-Märtyrer, dessen Schicksal sich vollzieht, indem er sein eigenes Leben verzehrt, um das unwirtliche Diesseits erträglicher zu gestalten:

> Acabó su misión sobre la tierra,
> y dejó su existencia carcomida,
> como una virgen al placer perdida
> cuelga el profano velo en el altar.
> Miró en el tiempo el porvenir vacío,
> vacío ya de ensueños y de gloria,
> y se entregó a ese sueño sin memoria,
> ¡que nos lleva a otro mundo a despertar!
>
> Era una flor que marchitó el estío,
> era una fuente que agotó el verano;

ya no se siente su murmullo vano,
ya está quemado el tallo de la flor.
Todavía su aroma se percibe,
y ese verde color de la llanura,
ese manto de yerba y de frescura
hijos son del arroyo creador.

Que el poeta, en su misión
sobre la tierra que habita,
es una planta maldita
con frutos de bendición.

Duerme en paz, en la tumba solitaria
donde no llegue a tu cegado oído
más que la triste y funeral plegaria
que otro poeta cantará por ti.
Esta será una ofrenda de cariño
más grata, sí, que la oración de un hombre,
pura como la lágrima de un niño,
memoria del poeta que perdí.

Si existe un remoto cielo
de los poetas mansión,
y sólo le queda al suelo
ese retrato de hielo,
fetidez y corrupción;
    ¡digno presente por cierto
se deja a la amarga vida!
¡Abandonar un desierto
y darle a la despedida
la fea prenda de un muerto![3]

Zwar sprach Zorrilla vom ›Fluch‹ des Dichterschicksals (*el poeta ... es una planta maldita*), doch er führte die Spannung zwischen dem Märtyrer-Individuum und dem Sinnhorizont der Gesellschaft auch nicht so weit, daß die Hoffnung auf ein Fortleben Larras ›in einem fernen Dichter-Himmel‹ ausgeschlossen gewesen wäre. Aber was aus der Perspektive theologischer Dogmatik eigentlich wie eine Inkonsequenz des – katholisch getauften – Dichters Zorrilla bewertet werden müßte (und beinahe als eine Verletzung seiner Amtspflichten seitens jenes Pfarrgeistlichen, dessen Entscheidung dem Selbstmörder

Larra ein christliches Begräbnis konzedierte[4]), macht gerade den dominanten Sonder-Gestus der *spanischen* Romantik aus. In den Jahren nach Larras Tod sollte ihr die – logisch unmögliche – Versöhnung zwischen der gesellschaftlichen Exzentrität des Dichters und dem für die Gesellschaft weiterhin maßgeblichen christlichen Sinnhorizont zur Gewohnheit werden, und jene Gewohnheit stattete den Moment des Übergangs einer ›eigentlich‹ verlorenen Seele ins Jenseits mit besonderer Faszination aus: denn gerade an jenem unmöglichen Ort zwischen dem diesseitigen Leben des Sünders (oder gar Selbstmörders) und dem Beginn des ›ewigen Lebens‹ seiner Seele lokalisierte die kollektive Imagination einen göttlichen Gnadenakt, der dem Wunsch nach Vereinbarkeit von romantischem Individualismus und christlicher Kosmologie entsprach.

Im Normalfall interpretierte die proto-theologische Rationalisierung solchen Wunschdenkens den göttlichen Gnadenakt gegenüber dem verstorbenen Dichter als Akt der Gerechtigkeit und ließ des Poeten Verdienste gegenüber anderen Menschen seine Sündenlast überwiegen. Zorrillas vielbewunderter Auftritt am Grab von Mariano José de Larra jedoch ermöglichte komplexere Auslegungen. In einem Gedicht, das wir in der Nummer des *Museo Artístico Literario* vom 15. Juni 1837 finden, stattet das ›Ich‹ des Verstorbenen dem jungen Dichterkollegen Dank dafür ab, daß es ›durch dessen Gesang‹ zu Reue und Umkehr erweckt worden sei, welche sich am Ende als ›doch nicht zu spät‹ erwiesen hätten. Für den verstorbenen Dichter wird der überlebende Dichter zum Priester, zum Vermittler mit Gott:

> Bendición! ... bendición!!! sonó tu canto,
> *poeta del dolor, bardo sombrio,*
> y al corazon llegó cual himno santo
> el eco de tu voz angelical:
> eco de los misterios, que revela,
> hiriendo el alma lo que el alma quiere;
> armónico cantar, que nunca muere,
> creacion del espíritu inmortal.
>
> Mi pobre ser desesperado y triste
> arrojado en el polvo blasfemaba

y ciego en su dolor, solo miraba
la cadena, los grillos, la prision:
y vibrante agitó tu lira el viento
y trémulo escuché la melodía,
y del pecho que siempre maldecía
clamé en hondo suspiro, bendicion!!!...

Este llanto de consuelo
que mis ojos humedece,
el corazon te lo ofrece,
melancólico cantor.
Y solo á tí le ofreciera,
á tí que me has descubierto
que es del mundo en el desierto
cada lágrima una flor.

Mi sacrificio recibe,
porque en tí solo contemplo
el sacerdote y el templo
del Dios que siempre adoré.
Sea humilde la plegaria,
débil el acento sea
con tal de que en él se vea
un sentimiento, una fé.[5]

Es war wohl nicht zu übersehen, daß wir das Ereignis von Mariano José de Larras Begräbnis unter der Perspektive einer spezifischen These beleuchtet haben, und diese These heißt: die Stilisierung Larras zum Dichter-Märtyrer entsprach einem – um 1837 noch neuen – kollektiven Bedürfnis seiner gebildeten Zeitgenossen. Das muß freilich keineswegs heißen, daß Larra nicht ›wirklich‹ ein leidvolles Leben gelebt hätte. Vielmehr macht uns Larras Biographie zum ersten verstehen, warum gerade sein Tod zu einem epochemachenden Ereignis stilisiert werden konnte, zum zweiten – und zugleich – zeigt sie, daß es vor dem Hintergrund der durchaus zögerlichen Öffnung der spanischen Gesellschaft hin zum Ideal des liberalen Kommunikationsraums immer noch besonderer (und kontingenter) Voraussetzungen bedurfte, um auf die Bahn eines ›romantischen Lebens‹ zu gelangen.

Mariano José de Larra wurde 1809 in Madrid geboren. Sein

Vater war Militärarzt im Dienst des Königs Joseph Bonaparte. Natürlich hatte die Familie dieses *afrancesado* 1813 vor den Verfolgungen der bourbonischen Restauration fliehen müssen – und eben deshalb verbrachte Mariano José de Larra bis 1818 fünf Jahre seiner Kindheit in Frankreich, genauer in Bordeaux und in Paris. Ganz allmählich, wie ein halbes Jahrhundert vor ihm Cadalso, muß auch der neunjährige Larra zum Zeitpunkt seiner Rückkehr das Vaterland als fremd und seine Sprache als ungewohnt erfahren haben, und gewiß wurde diese Exzentrität seiner Biographie noch durch einen einjährigen Aufenthalt in Navarra von 1822 bis 1823 gesteigert, mit dem der Vater seine zunächst in Madrid ausgeübte Tätigkeit als Arzt am Hof unterbrach. 1825 sah sich Mariano José de Larra, nun schon Student in Valladolid, am neuen Wohnort seiner Familie mit einem Erlebnis konfrontiert, das auch seine engste soziale und affektive Umwelt zu einem Spannungsfeld werden ließ: mit sechzehn Jahren hatte er sich sterblich in eine junge Dame jener Stadt verliebt, der er im Überschwang nachpubertärer Begeisterung alle denkbaren Prädikate der Schönheit und Tugend zudichtete, um dann entdecken zu müssen, daß die Angebetete zugleich die Geliebte seines Vaters war. Larra setzte sein Medizinstudium 1826 in Valencia fort, wechselte aber schon bald nach Madrid, wo immer mehr die eigene Dichtung und die Freundeskreise verschiedener Literaten – vor allem im Café *Parnasillo* – zu einer Chance wurden, die Exzentrizität des jungen Lebenslaufs in eine exzentrische öffentliche Rolle umzusetzen. Seit Februar 1828 gab er unter dem typisch costumbristischen Pseudonym ›*El Duende satírico del dia*‹ eine Monatsschrift heraus, deren einzelne Nummern – durchaus gattungskonform – Milieus und Institutionen aus den späten Jahren der Regierungszeit Fernandos VII. thematisierten: die Cafés von Madrid, die *Corrida*, Zeitschriften, das – erst vorsichtig sich manifestierende – ›literarische Publikum‹. Zunächst wählte Larra die gängige Perspektive des ›neutralen Beobachters‹:

No sé en qué consiste que soy naturalmente curioso; es un deseo de saberlo todo que nació conmigo, que siento bullir en todas mis venas, y que me obliga más de cuatro veces al día a meterme en rincones excusados por escuchar caprichos ajenos, que luego me proporcionan materia de diversión para aquellos ratos que paso en mi cuarto y a veces en mi cama sin dormir; en ellos recapacito lo que he oído, y río como un loco de los locos que he escuchado. Este deseo, pues, de saberlo todo me metió no hace dos días en cierto café de esta corte donde suelen acogerse a matar el tiempo y el fastidio dos o tres abogados que no podrían hablar sin sus anteojos puestos, un médico que no podría curar sin su bastón en la mano, cuatro chimeneas ambulantes que no podrían vivir si hubieran nacido antes del descubrimiento del tabaco ... Yo, pues, que no pertenecía a ninguno de estos partidos, me senté a la sombra de su sombrero hecho a manera de tejado que llevaba sobre sí, con no poco trabajo para mantener el equilibrio, otro loco cuya manía es pasar en Madrid por extranjero.[6]

Obwohl sich, wie wir sehen, der *Duende Satírico* als Beobachter ebenso sorgfältig tarnte wie seine literarischen Vorgänger zu Jahrhundertbeginn, war es sein Anliegen nicht mehr, einen neutralen, objektiven Blickpunkt gegenüber den auseinanderstrebenden sozialen Gruppen und ihrem Wissen zu bewahren. Wohl kein anderer costumbristischer Autor trug so sehr dazu bei, die Gattung in die Dynamik einer sozialen Temporalisierung hineinzuführen wie Larra. Diese Innovation objektivierte sich durch sein Gespür für Milieus und Themen, in denen sich die Welt des alten und des neuen Spanien überlagerten oder gar in Konflikt traten; sie fand ihre literarische Artikulation in der metonymischen Repräsentation solcher Milieus und Konflikte durch bestimmte Gegenstände, welche die eine oder die andere Welt konnotierten. Dazu gehörte der *cocido*, der im Haus eines *Castellano Viejo* serviert wurde: *engorrosísimo, aunque buen plato; cruza por aquí la carne; por allá la verdura; acá los garbanzos; allá el jamón; la gallina por derecha; por medio el tocino; porizquierda los embuchados de Extremadura.*[7] Noch markanter ließe sich diese Technik anhand des Symbols vom *brasero*, dem Kohlebecken, rekonstruieren, in dem – wie Bachtin gesagt hätte – die ›Stimmen‹ von nostalgisch dem alten Spanien verbundenen Autoren wie Mesonero Romanos[8] den aggressiven Tönen des vorsichtig fortschrittsfreundlichen Larra ›begegneten‹: *¿No pudiera introducirse el uso de las comodísimas chimeneas para las casas sobre todo más espaciosas, como se hallan adoptadas en toda Europa? ¿Tanto perderíamos en olvidar los mezquinos y miserables braseros que nos abrasan las piernas, dejándonos frío el cuerpo y atufándonos con el pestífero carbón,* *y que son restos de los sahumadores orientales introducidos en nuestro país por los moros?*[9] Indem der Costumbrist Larra seine Rollennamen vom ›*Duende Satírico del día*‹ über den ›*Pobrecito Hablador*‹ zum ›*Figaro*‹ modifizierte, entwickelte und adaptierte er einen neuen, gemäßigt engagierten Ton des politischen Schriftstellers, wie ihn eben die politische Öffnung des *Moderantismo* ermöglichte. Doch wir haben die Fährte von Larras Biographie im Jahr 1828 verlassen und müssen deshalb festhalten, daß sich seine Position zu jener Zeit durchaus noch mit der Typologie des Reformers aus dem XVIII. Jahrhundert vereinbaren ließ. Diesen Sachverhalt belegt der Kontrast zweier Sonette, deren eines in konventionellsten royalistischen Floskeln der freudigen Überraschung des ›Untertanen‹ Larra über die Schwangerschaft der jungen Königin María Cristina Ausdruck gibt, während das andere mit kaum überbietbarem Zynismus eine Prostituierte wegen ihrer Abtreibungsversuche schilt. Nicht etwa weil diese als unmoralisch empfunden worden wären, sondern weil sie den Stolz ihrer ›Freier‹ verletzen:

CON MOTIVO DE HALLARSE ENCINTA
NUESTRA MUY AMADA REINA DOÑA
MARIA CRISTINA DE BORBON
(1830)
Soneto

Guarda ya el seno de Cristina hermosa
vástago incierto de alta dinastía,
y ya la Patria conocer ansía
de quién ha de ser madre cariñosa.

Tú Amor, que al pie del ara religiosa
a los esposos enlazaste un día,
recuerda que el ibero te pedía
directa sucesión, larga y dichosa.

Y hoy que anuncia el alegre clamoreo
el don felice, que esperando queda,
vive también el general deseo:

Tú, desde ahora, sobre el regio fruto
vela incesante, por que España pueda
rendirle pronto de su fe tributo.

¿Por qué, Delia, trabajas de contino
y sofaldada yaces sudorosa,
si con pesada carga fatigosa
siempre estás empezando tu camino?
    ¿Cuál das a tu labor hondo destino,
que nunca de ella se trasluce cosa?
¿En qué pozo insondable, cuidadosa,
escondes tanto que te dan sin tino?
    ¿Por qué tus ojos siempre centellantes
me llaman al trabajo, si a porfía
después deshaces lo que hicieras antes?
    Así también de noche deshacía
por frustrar Penelópe a sus amantes
la tela que labraba por el día.[10]

Kaum weit von diesem doppelt perspektivierten Thema dürften
Larras Gedanken und Sorgen um 1830 entfernt gewesen sein.
Denn 1829 hatte er sich mit Pepita Wetoret y Velasco, *graciosa
joven de su misma edad*,[11] verheiratet, mit der er bald drei
Kinder haben sollte. Aber wohl noch im selben Jahr begann
jene tragisch-außereheliche Liebesbeziehung, die zum biographischen Grundrepertoire des echten romantischen Dichters
gehörte: sie galt Dolores Armijo de Cambronero, der aus an-
gesehener Madrider Bürgerfamilie stammenden Gattin eines
Kavallerieleutnants. Das Verhältnis zu Dolores Armijo muß so
leidenschaftlich und bewegt gewesen sein wie Schicksale von
Liebespaaren im romantischen Theater. Eine kurze Episode mit
einer beim Madrider Publikum Furore machenden italienischen
Opernsängerin, durch die Larra nach seiner Ehefrau auch seiner Geliebten untreu wurde, blieb ebensowenig aus wie eine für
Freunde und klatschsüchtige Zeitgenossen geheimnisvolle
Reise, die ihn zunächst zu einem Treffen mit Dolores in die
tiefe Provinz von Badajoz, dann aber nach London und Paris
führte.
Romantische Literatur und romantisches Leben jedenfalls
rückten in Larras letzten Jahren so eng aneinander, daß es für
den Literarhistoriker kaum mehr ausmachbar ist, ob das Leben
die Literatur oder die Literatur das Leben inspirierte. Zur ima-

ginären Identifikationsfigur Larras wurde der schon im frühen XV. Jahrhundert legendäre Trobador Macías, denn die aus seinen traurigen Liedern extrapolierten Träume von idealer Liebe ermöglichten ihm eine der Zeitstimmung um 1835 gemäße – und folglich auch beim Publikum überaus erfolgreiche – Sublimierung der eigenen Liebe zu Dolores Armijo, welcher in einer Dramenversion und in einer Romanversion der unvermeidliche (nun freilich ent-allegorisierte) Name ›Elvira‹ gehörte. Der bittersüßen Tragik solcher Selbstpräsentation, mit der er zugleich die Gesellschaft und sich selbst ins Unrecht setzte, konnte Larra nicht widerstehen: *Ya es en vano: / Mortal la herida siento*, das sind die (beinahe) letzten Worte des auf dem Theater sterbenden Macías; von eigener Hand zum Tode getroffen läßt ihn Elvira wissen: *Dichosa / muero contigo*. Aber Larra stand auch nicht an, in einem Brief aus Paris seinen Verleger um finanzielle Unterstützung der verlassenen Gattin zu bitten und ihn zugleich vor allen Illusionen amouröser Annäherung an jene *infeliz y víctima de mi crueldad*[13] zu warnen.

All das scheint auf ein von der gewählten Perspektive auferlegtes Ende in unserer Darstellung von Larras Biographie hinauszulaufen: sein Freitod wäre ein *Tod in der Literatur*, den sein romantisch stilisierter Individualismus vorgegeben und seine romantischen Texte antizipiert hätten. Und obwohl wir in der Tat genau diese These vertreten wollen, sind doch eine Einschränkung und die Auseinandersetzung mit einer potentiell kritischen Rückfrage angebracht. Die Einschränkung: natürlich soll nicht geleugnet werden, daß Larra unter dem Chaos seiner romantischen Liebesbeziehungen gelitten und am Ende aus Verzweiflung seinem Leben ein Ende gesetzt hat. Die kritische Rückfrage geht aus von einem Larra-Bild, das seit 1837 immer wieder von ›fortschrittlichen‹ spanischen Intellektuellen gehegt wurde und gerade in den letzten Jahren eine neue Konjunktur erreicht hat. War der siebenundzwanzigjährige Selbstmörder Larra nicht ein Opfer der ›politischen Verhältnisse‹ in Spanien, ein Märtyrer historischer Rückständigkeit? Wir haben bereits angedeutet, daß er sich gegen Ende seines Lebens – ausgehend von costumbristischer Distanz in der Gesellschaftsschilderung – immer mehr der Rolle eines politisch engagierten Schriftstellers angenähert hatte. Und man wird zunächst noch einen Schritt weiter in dieser Richtung gehen müssen, weil Larra seit dem Sommer 1836 ganz entschieden bemüht war, selbst aktiv – eben nicht nur als Journalist – in das politische Leben seiner Zeit einzugreifen. Am 6. August 1836 wurde er als Abgeordneter von Avila in die Cortes gewählt, doch diese Wahl wurde durch ein *pronunciamiento* zunichte gemacht, mit dem nur wenige Tage später der liberale Flügel des Moderantismo sein politisches Gewicht steigern und für einige Zeit stabilisieren konnte. Seither gerieten die politischen Kommentare Larras immer düsterer, pessimistischer, ja verzweifelter, so daß es sich anbietet, eine direkte Linie von dieser Erfahrung hin zu seinem Freitod zu ziehen. Am 2. November 1836 veröffentlichte er in ›El Español‹ jenen berühmten Artikel ›El Dia de Difuntos de 1836‹, der eine solche Deutung unabweisbar zu machen scheint: Madrid wird dem fiktionalen Erzähler zu einem immensen Friedhof, seine Gebäude und Institutionen sind Gräber, und die Inschriften auf diesen Gräbern negieren fast akribisch jeden Gedanken an eine positive Zukunft:

– ¿Qué monumento es éste? – exclamé al comenzar mi paseo por el vasto cementerio –. ¿Es él mismo un esqueleto inmenso de los siglos pasados o la tumba de otros esqueletos? ¡El Palacio! Por un lado mira a Madrid, es decir, a las demás tumbas; por otro mira a Extremadura, esa provincia virgen ... como se ha llamado hasta ahora ... En el frontispicio decía: »Aquí yace el trono; nació en el reinado de Isabel la Católica, murió en La Granja de un aire colado«. En el basamento se veían cetro y corona y demás ornamentos de la dignidad real. La Legitimidad, figura colosal de mármol negro, lloraba encima. Los muchachos se habían divertido en tirarle piedras, y la figura maltratada llevaba sobre sí las muestras de la ingratitud.
¿Y este mausoleo a la izquierda? La armería. Leamos:
Aquí yace el valor castellano, con todos sus pertrechos. R. I. P.
Los Ministerios: Aquí yace media España; murió de la otra media ...
Alguno de los que se entretienen en poner letreros en las paredes había escrito, sin embargo, con yeso en una esquina, que no parecía sino que se estaba saliendo, aun antes de borrarse: Gobernación. ¡Qué insolentes son los que ponen letreros en las paredes! Ni los sepulcros respetan.
¿Qué es esto? ¡La cárcel! Aquí reposa la libertad del pensamiento.
¡Dios mío, en España, en el país ya educado para instituciones libres![14]

Gewiß, die Bilder von der Steinigung der Legitimität, vom Kampf der ›zwei Spanien‹ auf Leben und Tod, von der Gefangenschaft der bürgerlichen Freiheit – das sind Motive, welche es jedem nachzeitigen ›Progressismus‹ gestatteten, Larra zu beerben. Doch es bedarf kaum großer interpretatorischer Subtilität, um zu erkennen, daß die gesteinigte ›Legitimität‹ die vom *Pronunciamiento* des Jahres 1836 nicht hinreichend respektierten Rechte der Monarchie meint, und daß folglich jenes in Gestalt der Ministerien zu Tode gebrachte ›halbe Spanien‹ gerade *nicht* das Spanien des prätendierten Fortschritts ist. Diese Textlektüre ergänzt nur die von José Luis Varela vor kurzem neu zur Geltung gebrachten Belege über die Hintergründe von Larras politischem Engagement:[15] Larras Kandidatur und Wahl zum Abgeordneten für Avila war Teil einer seitens der Monarchie betriebenen politischen Strategie, ihre moderate Öffnung hin zum Liberalismus – gegen die *progresistas* – unter Kontrolle zu halten. Larras Niederlage war synonym mit einem – freilich winzigen – Schritt hin zu politisch-bürgerlichen Rechten, seine Verzweiflung entspricht einer Niederlage der moderaten Version des Moderantismo. Wer die politische Geschichte Spaniens im XIX. Jahrhundert mit der kaum überschaubaren Zahl von *pronunciamientos* und dem geradezu ekstatischen Wimmeln von Umschwüngen der Dominanz und Wiederkünften der Entmachteten kennt, der mag verwundert darüber sein, daß sich Larra ganz offenbar von seiner politischen Enttäuschung nicht mehr erholte. Doch hier scheint eine zweite – für uns ebenso fremde wie für seine Epoche typische – Grenzverwischung im Spiel gewesen zu sein. In dem Maß wie sein Leben mehr und mehr ›Literatur‹ wurde, überlagerten sich auch private und politische Enttäuschung, bis sie offenbar zu einem undurchdringlichen Horizont der Depression geworden waren. Fast hundert Jahre später kennzeichnete Manuel Azaña als Präsident des *Ateneo* – also noch bevor er Minister und dann Präsident der Zweiten Republik wurde – dieses die liberale Romantik seines Landes charakterisierende Syndrom mit folgenden Worten: *El drama resulta de considerar en la intimidad calurosa de su ser personal lo que cada uno amó y pensó, tejiéndolo con sus deseos en acción, y verlos arrollados por lo que pudieron llamar fatalidad, para nosotros simple historia …*[16]

Larra nahm sich am 13. Februar 1837 das Leben, ohne aus der politischen Enttäuschung zurückgekehrt zu sein – aber auch unmittelbar im Anschluß an einen Besuch von Dolores Armijo, die ihm mitteilte, daß sie – um dem melodramatischen Liebesspiel ein Ende zu setzen – ihrem Mann folgen würde, der sich, die Schande des Hahnreis fliehend, als Provinzialoffizier auf den Philippinen verdingt hatte. Kühler – und wohl auch noch prägnanter – als Azaña beurteilt Varela den Stellenwert dieses Todes für das nachzeitige Larra-Bild: »mediante el pistoletazo ... se coloca Larra en la vanguardia de su época. Y habrá que reconocer que no se engañó demasiado al confiar gran parte de su renombre al modo de decirnos adiós, complementado éste ... por el carácter de manifestación que se dió a su entierro.«[17] Mariano José de Larra muß im Moment des tödlichen Schusses in einen Spiegel geblickt haben.[18] Auch dieses Detail legt nahe, daß er *in der Literatur* starb: auf einer Bühne der Selbstrepräsentation, das eigene Leiden erleidend und genießend, vielleicht schon mit der Vorstellung, wie der Nachvollzug dieses Leidens seine Mitwelt beeindrucken mußte.

Die spärlichen Dokumente eröffnen uns – ohne freilich Gewißheit zu geben – die Möglichkeit, diese Geschichte bis zu einem ›perfekt romantischen‹ Ende zu erzählen. Ohne Zweifel schiffte sich Dolores Armijo im Frühjahr 1837 nach den Philippinischen Inseln ein. Doch es scheint nicht ausgeschlossen, daß das Schiff, welches sie zu neuer Vereinigung mit ihrem Gatten bringen sollte, am Kap der Guten Hoffnung sank.[19] Der Kavallerieleutnant Cambronero, ihr Gatte, jedenfalls starb am 7. Oktober 1840 in Manila. Und auch um ein Nachwort sind wir nicht verlegen. An Larras Grab hatte sich der junge José Zorrilla einen Namen als Dichter gemacht, der über das ganze XIX. Jahrhundert nicht verblassen sollte: vom spontanen Pathos seines Mitleidens waren die Zeitgenossen beeindruckt gewesen. 1876, also neununddreißig Jahre später, gestand Zorrilla ein, daß jener dichterische Initiationsakt ein durchaus kalkulierter Erfolg gewesen war: *por más que me avergüence y me humille tal confesión, no quiero morir sin hacerla. La muerte de Larra fue el origen de mis versos leídos en el cementerio. Su cadáver llevó allí aquel público, dispuesto a ver en mí un genio salido del otro mundo a éste por el hoyo de la sepultura; sin las*

extrañas circunstancias de su muerte y de su entierro hubiera
quedado yo probablemente en la oscuridad y tal vez muerto en
la más abyecta miseria.[20]

Die Formen dichterisch-romantischer Selbstrepräsentation –
und retrospektiv: ihre so problematischen Folgen – hatten sich
vom Tod Larras bis hin zu diesem Geständnis Zorrillas kaum
verändert. Allenfalls indiziert Zorrillas Offenheit, daß es die
spanischen Dichter im Lauf des XIX. Jahrhunderts lernten, ihre
Rolle besser und bewußter zu beherrschen, daß sie – zunächst –
weniger Gefahr liefen, am Ende Opfer ihrer Selbststilisierung
zu werden. Aber wir haben die Darstellung der Jahre 1833 bis
1939 in der spanischen Literaturgeschichte doch ganz bewußt
mit Larras Tod als literarischem Ereignis begonnen, weil wir
glauben, daß jene spezifische Form der Selbststilisierung aus
der doppelten Entgrenzung zwischen ›Leben‹ und ›Literatur‹,
›privater Erfahrung‹ und ›politischer Erfahrung‹ weit über die
kanonisierten Epochengrenzen der Romantik hinaus charakte-
ristischer Gestus und prägendes Schicksal für die spanischen
Literaten war. Wir werden versuchen, Schritt für Schritt einen
Horizont historischen Verstehens für diesen Sachverhalt zu
entfalten, aber wir wollen doch auch vorab zugeben, daß uns
die eindrucksvolle Kontinuität des Phänomens mit erheblichen
Darstellungsschwierigkeiten konfrontiert. Ihnen versuchen wir
beizukommen, indem wir längs der chronologischen Linie verschiedene Modi der Selbststilisierung voneinander absetzen,
was – selbstredend – ohne eine ganz bewußte Selektion des
Belegmaterials und ohne dessen ganz bewußtes Arrangieren
undenkbar gewesen wäre. Die romantische Stilisierung des Li-
teratenlebens scheint in den letzten Jahrzehnten des XIX. Jahrhunderts für weite Kreise der Gesellschaft in eine Stilisierung
des Alltags ausgeufert zu sein. Auf diesen als stilisiert – und
folglich auch als illusionär – erkannten Alltag reagierten seit der
Wende zum XX. Jahrhundert verschiedene ›Generationen‹ junger Intellektueller mit dem selbstbewußten Gestus nationaler
Desillusionierung – noch bis vor wenigen Jahren hätte man
gesagt: nationaler ›Ideologiekritik‹. Doch auch dieser Anspruch
auf Selbst-Desillusionierung sollte sich als illusionär erweisen –
und in erschreckenderer Weise als man es je von irgendeinem
Akt romantischen Freitods sagen konnte, der sich ja typischer-

weise vor einem selbstgestifteten Sinnhorizont vollzog. Wir deuten die *physische Vernichtung* einer ganzen Phalanx großer spanischer Intellektueller im Bürgerkrieg als Symptom für den Sachverhalt, daß – spätestens – mit Beginn des XX. Jahrhunderts alle Ansprüche von Literatur und Wissenschaft auf direkte Orientierung der sozialen Praxis und der politischen Macht obsolet geworden waren.

Doch kehren wir zurück in die dreißiger Jahre des XIX. Jahrhunderts. Wie sah der kulturhistorische Horizont aus, vor dem als Hintergrund Larras Biographie zu einem paradigmatischen Fall wurde? Seinem Todesjahr 1837 kommt jedenfalls ein besonderer historiographischer Symbolwert zu, denn während dieses Jahres lassen sich Stadien der Konsolidierung in verschiedenen Bereichen und auf verschiedenen Ebenen der Gesellschaft ausmachen, mit denen die Ergebnisse eines Prozesses liberaler Öffnung, wie er sich etwa seit 1830 abzeichnet, weitgehend irreversibel wurden. Zu diesen Errungenschaften gehören der Verzicht des Staates auf Zensur und – komplementär – die Verbriefung des Prinzips freier Meinungsäußerung in der Konstitution eben des Jahres 1837, welche die Historiker als Folge des Pronunciamiento von *La Granja* aus dem Vorjahr interpretieren, jenem Pronunciamiento also, das Larras kaum begonnene politische Karriere abrupt unterbrach. Der ›freiheitliche‹ Charakter der neuen Verfassung bewährte sich mit dem Schutz des Individuums gegen Ansprüche der Gesellschaft und Pressionen des Staats, so daß es wohl berechtigt ist zu sagen, jene Polarisierung von ›Gesellschaft und Individuum‹, die Larras Leben und Larras literarische Welt charakterisierte, habe 1837 ihren gesetzlichen Rahmen erhalten.

Von nun an konnten auch die ›romantischen Formen‹ in der Literatur zu Konventionen werden. Diese Entwicklung fand ihren mittelbaren Niederschlag bis hinein in die Metren der zeitgenössischen Poesie. Sie ist zum einen gekennzeichnet durch den nun fast zur Verpflichtung werdenden Wechsel verschiedener Formen innerhalb einzelner Texte, zum zweiten durch eine Tendenz hin zu längeren Versformen.[21] Mit der Polymetrie versuchten die Dichter der Jahrhundertmitte ganz offenbar jenem Anspruch gerecht zu werden, der ein halbes Jahrhundert später den Durchbruch hin zur lyrischen Sprache der ›freien Rhythmen‹ bewirken sollte: sie wollten ein flexibles Medium zur Artikulation individueller Affekte ausbilden. Die Entwicklung hin zu längeren Versformen (sie vollzog sich im wesentlichen mit einer Substitution sieben- und neunsilbiger durch zehn- und zwölfsilbige Verse) zeigt zunächst einmal die romantische Tendenz hin zu einem markant narrativen Habitus der Poesie an. Anlaß zum Erzählen – auch – in der Poesie muß die Faszination durch die Einmaligkeit menschlicher Schicksale, eben durch ekstatisch gesteigerte Individualität gewesen sein, denn sie läßt sich ja nicht in Typologie und Beschreibung, sondern allein erzählend vergegenwärtigen. Was die poetisch vergegenwärtigte Individualität nun mit Larras Leben, Leiden und Tod teilt, das ist – weitgehend im Gegensatz zu den zeitgenössischen spanischen Dramen – das Genießen der Ausweglosigkeit oder – pathetischer formuliert – der Verzicht auf eine text- (und lebens-)schließende Versöhnung.

Bezeichnenderweise weist denn auch die Biographie von José de Espronceda, jenem Barden ekstatisch-unglücklicher Individualität, der in den Literaturgeschichten zur epochalen Symbolfigur der spanischen Lyrik geworden ist, unübersehbar Parallelen zum Leben von Mariano José de Larra auf. 1808, also nur ein Jahr vor Larra in der Provinz Extremadura geboren, waren es im Fall Esproncedas nicht die politischen Taten des Vaters, sondern eigene konspirative Umtriebe in der Welt der spanischen Freimaurerei, welche ihn schon bald polizeiliche Verfolgung, Gefängnishaft und seit 1826 das Los der Emigration erfahren ließen. Wie in Larras Leben gibt es auch für Espronceda die eine große und – selbstverständlich – tragische Liebe, nämlich seine Liaison mit Teresa Mancha, der Gattin eines Kaufmanns, die er wahrscheinlich im portugiesischen Exil kennenlernte, im Jahr 1831 entführte, um nach der Geburt einer gemeinsamen Tochter ihre Liebe 1836 zu verlieren. Biographisch früh, mit einer für seine Epoche extrem konsequenten Fortschrittsposition und – nach 1837 – auch erfolgreicher als Larra suchte Espronceda Bestätigung und Einfluß im neuen Handlungsraum der Politik. Immerhin ernannte man ihn 1841 zum Sekretär der spanischen Botschaft in den Niederlanden; jedoch wurde Espronceda in dieses Amt nie wirklich eingeführt, da er nur wenige Wochen später als Abgeordneter von

Almería siegreich aus den Parlamentswahlen hervorging. Am 23. Mai 1842 starb er bewundert und von vielen betrauert in Madrid – ohne Hand an sich gelegt zu haben. Wenn nun José de Espronceda deshalb der letzte Grad zur Vervollkommnung in der literarischen Stilisierung seines Lebens abgeht, so lassen doch die Konsequenz und der Variantenreichtum, mit denen er ekstatisch-tragische Individualität besang, nichts zu wünschen übrig. Charakteristisch ist für sein Werk gewiß die unverhohlene Aggressivität der Protagonisten gegen Gesellschaft und Konvention, und die bis heute ungebrochene Popularität von Esproncedas *Canción del pirata* erweist die sympathetische Disposition seiner Leser gegenüber solchen Außenseiterfiguren:

> »Allá muevan feroz guerra
> Ciegos reyes
> Por un palmo más de tierra:
> Que yo tengo aquí por mío
> Cuanto abarca el mar bravío,
> A quien nadie impuso leyes.

> Y no hay playa
> Sea cual quiera,
> Ni bandera
> De esplendor,
> Que no sienta
> Mi derecho
> Y dé pecho
> A mi valor.

> *»Que es mi barco mi tesoro,*
> *Que es mi Dios la libertad,*
> *Mi ley la fuerza y el viento,*
> *Mi única patria la mar.*

> …

> »¡Sentenciado estoy a muerte!
> Yo me río:
> No me abandone la suerte,
> Y al mismo que me condena
> Colgaré de alguna antena,
> Quizá en su propio navío.

>»Y si caigo,
¿Qué es la vida?
Por perdida
Ya la di,
Cuando el yugo
Del esclavo,
Como un bravo,
Sacudí.

>»*Que es mi barco mi tesoro,
Que es mi Dios la libertad.
Mi ley la fuerza y el viento,
mi única patria la mar.*[22]

Kaum eines der Gedichte Esproncedas kommt ohne diese Art der Todes-Evokation aus, in der sich die Unvereinbarkeit zwischen der Enge des Diesseits und dem alle Schranken brechenden Freiheitsdrang des Individuums artikuliert. Denn wodurch sollte man das heroische Unabhängigkeitspathos des Piraten noch brechen, wenn er selbst das über ihn verhängte Todesurteil mit Verachtung straft? Angesichts dieser Motivkonstellation war für einen spanischen Autor – zumal in der traditionsbewanderten Epoche der Romantik – der Rekurs auf den Don-Juan-Mythos geradezu unausweichlich. Er vollzog sich in Esproncedas Ballade vom *Estudiante de Salamanca*, der zynisch wie Don Juan die Liebe aller Frauen genießt, ohne je sich selbst zu verlieben, und der am Ende dem Locken einer geheimnisvollen Frauengestalt ebenso kaltblütig folgt wie Don Juan die Einladung des Steinernen Gastes angenommen hatte. Natürlich führt der Weg ins Jenseits, doch im Gegensatz zu Tirso de Molina begnügt sich Espronceda nicht mit der Darstellung dieses Schritts in den Abgrund und seiner Perspektivierung als ›gerechter Strafe‹. Montemar, der Student von Salamanca, durchwandert hinter seiner verhüllten Führerin ein Totenreich mit dantesken Dimensionen, aus dem es nun freilich keinen Rückweg mehr gibt. Doch nicht nur der Tod ist die Strafe für den neuen Don Juan; Espronceda läßt sich auch den grausigen Effekt der Verheiratung mit dem Skelett einer ehemaligen Geliebten Montemars nicht entgehen:

Y entonces la visión del blanco velo
Al fiero Montemar tendió una mano,
Y era su tacto de crispante hielo,
Y resistirlo audaz intentó en vano:

Galvánica, cruel, nerviosa y fría,
Histérica y horrible sensación,
Toda la sangre coagulada envía
Agolpada y helada al corazón ...

Y a su despecho y maldiciendo al cielo,
De ella apartó su mano Montemar,
Y temerario alzándole su velo,
Tirando de él la descubrió la faz.

¡Es su esposo! ,¡ los ecos retumbaron,
¡La esposa al fin que su consorte halló!!
Los espectros con júbilo gritaron:
¡Es el esposo de su eterno amor!!

Y ella entonces gritó: ¡Mi esposa!! Y era
(¡Desengaño fatal!, ¡triste verdad!)
Una sórdida, horrible calavera,
La blanca dama del gallardo andar! ...[23]

Natürlich heißt/hieß die Braut mit dem ›schrecklichen Toten-
kopf‹ Elvira, doch bei allem erwiesenen Traditionsbewußtsein
ist Montemars Reise ins Totenreich doch mehr als eine bloße
Expansion des Don-Juan-Mythos in seiner aus dem XVII.
Jahrhundert überlieferten Gestalt. Den literarischen Stellenwert
des *Estudiante de Salamanca* macht nämlich erst der Sachver-
halt aus, daß er eine Neuperspektivierung des alten Themas ist.
Noch angesichts der wahrhaft grausigen Bestrafung bewahrt
Montemar nicht allein seinen kaltblütigen Mut, sondern eben-
so – und im Gegensatz zu jenen Don-Juan-Figuren, welche
sich mit verspäteter oder gerade noch rechtzeitiger Reue vom
Zuschauer oder Leser verabschieden – seine Menschen- und
Todesverachtung. So geht er denn die ihm angetragene Jenseits-
Ehe ein, ohne deshalb aus der Rolle des Spötters zu fallen:

Por mujer la tomo, porque es cosa cierta,
Y espero no salga fallido mi plan,

> Que en caso tan raro y mi esposa muerta,
> Tanto como viva no me cansará.

Die Möglichkeit, solche Strophen als weitere Belege für die epochentypische Verwischung der Grenze zwischen ›Leben‹ und ›Literatur‹ in Anspruch zu nehmen, erscheint zunächst problematisch. Aber hätte Espronceda diese stupende Todesverachtung nicht auch für sich selbst in Anspruch nehmen mögen? Immerhin ist es ja bezeichnend, daß jenes Fragment gebliebene Gedicht (kein romantischer Poet ohne nachgelassenes Fragment!), in dem Espronceda seinen individuellen Blick auf den Kosmos hatte festhalten wollen, den Titel ›El Diablo Mundo‹ trägt. Und hier, in dem berühmten zweiten Gesang, der von seiner Liebe zu Teresa Mancha inspiriert ist, werden dann auch das literarische Motiv und die prätendierte autobiographische Erfahrung in jene Nähe gebracht, welche unser Bild von der spanischen Romantik erwarten läßt. Anspielend auf Teresas frühen Tod nur wenige Monate nach dem Bruch mit Espronceda (auch sie starb 1837) schreibt der ehemalige Liebhaber nach just demselben Schema, das auch der Elvira des Totenreichs zu literarischem Leben verholfen hatte: *Los ojos escaldados de tu llanto / Tu rostro calavérico y hundido / Unico desahogo en tu quebranto, / El histérico, ¡ay!, de tu gemido ...*[24] Doch anders als Montemars Elvira kommt die literarische Teresa des autobiographischen Espronceda in den Genuß einer Stilisierung zum heroischen Individuum: keine Träne kann ihr ›vertrocknetes Herz‹ auf dem Sterbebett hervorbringen, Gott hört ihr Rufen nicht – und sie verflucht Gott. Unter dem christlichen Vorzeichen der Versöhnung mit Gott war ein solches Ende unerträglich und deshalb wohl auch literarisch undenkbar. Unter dem Titel ›El Diablo Mundo‹ jedoch wurden Teresas Blasphemien zum definitiven Erweis ihrer radikalen Todesverachtung, so daß Espronceda am Ende des ›Zweiten Gesangs‹ die Stimmen der tragischen Liebenden in einem Hymnus auf die Individualität neu vereinen konnte:

> Gocemos, sí; la cristalina esfera
> Gira bañada en luz: ¡bella es la vida!
> ¿Quién a parar alcanza la carrera
> Del mundo hermoso que al placer convida?
> Brilla radiante el sol, la primavera

Los campos pinta en la estación florida:
Truéquese en risa mi dolor profundo ...
Que haya un cadáver más, ¡qué importa al mundo![25]

Solche Töne standen am Beginn der Ausprägung eines bald auf
nationaler Ebene höchst erfolgreichen Musters der Selbststilisierung, das – wohl nicht zuletzt wegen der unübersehbaren
Anlehnung an außerspanische Modelle – einen historischen
Einschnitt markiert. Wir werden uns in diesem Kapitel noch
eingehender mit dem – im Grunde paradoxen – Phänomen des
›Individualismus als nationalem Muster der Selbststilisierung‹
beschäftigen, wollen aber schon an dieser Stelle erwähnen, was
fast tautologisch erscheinen mag: eben die Bedeutung, welche
die zunächst literarischen Rollen des heroischen Individualismus am Horizont nationaler Muster der Sozialisation und der
Selbststilisierung erlangen sollten, macht die erstaunliche Präsenz der romantischen Poesie und des romantischen Theaters
beim spanischen Publikum bis hinein in die Gegenwart verständlich.

Gegenüber diesen Sinnstrukturen trat ein anderes Epochen-
charakteristikum der europäischen Romantik, nämlich das sentimentalische Verhältnis zur Geschichte, in Spanien deutlich in
den Hintergrund. Bei Espronceda etwa bleiben die Rekurse auf
Szenen der Vergangenheit relativ selten, und wo sie denn einmal belegt sind, wirkt das historische Kolorit ausnehmend
matt. Wie schon über das ganze XVIII. Jahrhundert, so war
auch in den Jahrzehnten der Romantik die Breite und Intensität
des Wissens über die nationalkulturelle Vergangenheit eindrucksvoll, aber die Evokation dieses Wissens scheint noch
ganz von je gegenwärtigen Problemen abhängig gewesen zu
sein, genauer: sie war bestimmt von den je punktuellen Möglichkeiten, den Anliegen der eigenen Zeit mit dem Wissen über
die Vergangenheit eine allegorische Gestalt zu verleihen. So war
etwa Espronceda die grausige Ehegeschichte von Pedro I. und
Blanche de Bourbon willkommen, um in einem Drama die
Schrecken der Tyrannei für ein identifikationsbereites Publikum zu vergegenwärtigen. Es ging hier nicht um den Versuch
der Rettung einer verlorenen Welt unter der Furcht oder der
Gewißheit seiner Uneinlösbarkeit, sondern eher darum, in ei-

649

ner noch als christlich erfahrenen Welt Räume für die illusionäre Befriedigung von Bedürfnissen zu finden, die nun schon Bedürfnisse des XIX. Jahrhunderts waren. Wo dieser Prozeß – wie im Werk von Espronceda – den Gestus des ekstatischen und todesverachtenden Individualismus annahm, blieb das Erscheinen vergangener oder ferner Welten punktuell. Doch die zeitliche und räumliche Ferne der Imaginationswelten konnte auch ein Sinnhorizont sein, der das provozierende Neue verdeckte und seine Wirkungen dämpfte. Der Piaristen-Pater Juan Arolas etwa galt seinen Zeitgenossen als ein wahrer Spezialist für poetische Evokationen des Mittelalters und des Orients, und er verstand es sehr wohl, seine Gedichte auf jene harmlose Funktion zuzuschreiben, die man in der deutschen Sprache seiner Zeit das ›Grillenvertreiben‹ nannte:

> Plácenme historias pasadas
> De andante caballería
> Y en ser las noches llegadas
> Olvidar penas del día
> Con los cuentos de las hadas
>
> Y luego en lecho de flores,
> Si las hadas me dejaron,
> Ir soñando los amores
> Que tuvieron y cantaron
> Los antiguos trovadores.[26]

So oft Arolas seinen Lesern solche Wege scheinbar unverfänglicher Evasion vorzeichnete, so sicher führte er sie auch zu Bildern der Sinnlichkeit, welche selbst der über jede Anmutung psychoanalytischen Spekulierens erhabene Literaturhistoriker José Manuel Blecua als *obsesión continua y persistente*[27] charakterisierte. Wo Arolas' bevorzugte Traumwelten – das christliche Mittelalter und der Orient – den Ort ihrer semantischen Fusion hatten, nämlich im Bild des mittelalterlich-islamischen Andalusien, da scheint die Intensität der schwülen Konnotationen auch ihren Höhepunkt erreicht zu haben. So weckt er die Erinnerung seiner Leser an das körperliche Leiden unter glühend-heißen südlichen Sommertagen, um sie die Begierde des Mauren-›Königs‹ Hixén nach Halewa, seiner Lieblings-Konkubine, nacherleben zu lassen:

Un día ...: nunca el sol su rayo altivo
Lanzó con más ardor, ni más hermoso
Fué el pensil y la sombra del olivo,
Para gozar del celestial reposo

Sediento del halago y del cariño,
Buscaba Hixén los suspirados lazos,
Y cual sus juegos inocente niño,
Apetecía el rey tiernos abrazos.

Während so Hixéns Libido ihrem Kulminationspunkt entgegenschwillt, schlummert Halewa – aufs Moos einer kühlen Grotte gebettet und an den Leib ihres Liebhabers, eines Spielmanns, geschmiegt – schon den Schlaf der Entspannung, der auf die Glut der Umarmung folgt. Hixéns Zorn ist ›infernalisch‹. Er erschlägt mit eigener Hand den ruhenden Sänger und übergibt die einst wie ein Kleinod gehegte Halewa der Wollust von sechs Negersklaven:

A lóbrega mazmorra es arrastrada
Por seis esclavos negros ...: ¡ah! su lloro
De alfójar puro y tímida mirada
No pueden doblegar a esquivo moro.[28]

Zu unserem Eindruck von der Unvereinbarkeit eines Lebens in solchen Phantasien mit der klösterlichen Keuschheit, die sich Arolas auferlegt hatte, paßt die Tatsache, daß er seine Tage in zunächst stumpfem, dann aber mehr und mehr zur Gewalttätigkeit drängendem Wahn beendete.

Arolas war freilich nicht nur ein Poet, welcher der verbotenen Sinnlichkeit einen Raum imaginären Auslebens erschuf; sein Name repräsentiert im Diskurs der Literaturgeschichten auch eine regionale Variante der spanischen Romantik, deren Schauplätze Barcelona (wo Arolas als Sproß einer wohlhabenden Kaufmannsfamilie geboren wurde) und Valencia (sein Sterbeort) waren. Nun läßt sich aber in der katalanischen und valencianischen Romantik – und insofern gerät uns Arolas' zweite literarhistorische Rolle eigentlich zu einem Problem – nun doch jenes sentimentalische Verhältnis zur eigenen Vergangenheit ausmachen, das wir bei den kastilischen Dichtern vermißt hatten. Denn in der Rückwendung auf die Geschichte ihrer Region entdeckten Katalanen und Valencianer eine Identität, die für sie in der Gegenwart des XIX. Jahrhunderts kaum mehr spürbar war. Die Bemühungen um ihre Wiederherstellung führten zu einer eindrucksvollen *Renaixença*, in der wir den historischen Ursprung des heutigen katalanischen Regionalismus ausmachen können.[29] Seit 1859 fanden in Barcelona jährlich Dichterspiele in der Inszenierungsform jener spätmittelalterlichen Rituale statt, welche wir in unserer Darstellung des spanischen ›Herbsts des Mittelalters‹ beschrieben haben: sie trugen den Namen *›Jocs Florals‹*. Was nun die sentimentalische Komponente der *Renaixença* hervorbrachte, war offenbar die Erfahrung, daß sich eine verlorengegangene kulturelle Identität – und eine im XIX. Jahrhundert nur noch wenig gesprochene, kaum mehr geschriebene Sprache als ihr Kernbereich – nicht ohne weiteres erneuern ließen. Die Re-Regionalisierung der Kultur in Katalonien war deshalb – langfristig gesehen – erfolgreich, weil man sehr früh ein Bewußtsein von den Schwierigkeiten ihrer Realisierung gewann und deshalb auch eher als andernorts gezielte Bemühungen und Maßnahmen, etwa eine ›Regional-Philologie‹, in ihren Dienst stellte. Aber dieses Ausscheren aus einer Kontinuität des kulturellen Traditionalismus war – im Rahmen der damaligen spanischen Gesellschaft – eine Sonderentwicklung.

Auf der anderen Seite zeigt uns das Schauspiel gegen Mitte des XIX. Jahrhunderts – zumal die Welt des Schauspiels in Madrid –, daß nicht allein die Vergegenwärtigung der nationalen Vergangenheit problemlos und ›unsentimentalisch‹ gelingen konnte, sondern darüber hinaus in der Fiktion Sinnstrukturen entstanden, in deren Rahmen die Vorgaben *eines christlich-kosmologischen Weltbilds mit den Ansprüchen des Individuums kompatibel* wurden – anders als in der zeitgenössischen Poesie. Die funktionsgeschichtliche Ausdifferenzierung von Poesie und Schauspiel mag mit dem Sachverhalt zu tun haben, daß eine Zuspitzung und Pathetisierung der ›literarischen‹ Konflikte zwischen Individuum und Gesellschaft in der für Lyrik typischen Rezeptionssituation ›einsamer Lektüre‹ kaum Anstoß erregten, während sie auf Dauer im öffentlichen Aufführungsraum des Theaters als untragbar empfunden worden wäre. So läßt sich denn auch über fast zehn Jahre die Spur einer Entwicklung verfolgen, in welcher die auf der Bühne vergegenwärtigten Leiden des Individuums unter der Gesellschaft zu – in unseren Augen höchst prekären, für die Zuschauer der Epoche aber hochwillkommenen – Versöhnungen geführt wurden. Das neue, ›romantische‹ Schauspiel um die Mitte der dreißiger Jahre stand noch ganz unter dem Einfluß französischer Vorbilder, deren Triumph viele spanische Autoren während der Jahre ihrer Emigration aus unmittelbarer Nähe erlebt hatten. Alcalá Galianos Prolog zu dem 1834 aufgeführten Stück *El moro expósito* des Duque de Rivas folgt weitgehend den Argumenten und Positionen von Victor Hugos *Préface de Cromwell* (1827). Mit *Don Alvaro o la fuerza del sino*, dem nächsten Werk des Duque de Rivas, setzte sich auch beim Madrider Publikum des Jahres 1835 der Eindruck durch, daß ein neuer Abschnitt des nationalen Schauspiels, ja der nationalen Kultur begonnen habe. Dieser *Don Alvaro* nämlich reihte sich zwar auf der einen Seite durchaus würdig in die Traditionslinie gleichnamiger Liebhaber aus der Geschichte der spanischen Literatur ein; in die Nähe des Don-Juan-Typus gerät er mit seinem grausigen Ende jedoch sozusagen ›gegen eigenen Willen und Veranlagung‹ – mit anderen Worten: weil sein Leben unter einem blinden (und eben nicht einem gerechten) Schicksal zu stehen scheint. Schon die Genealogie dieses romantischen Helden läßt den Zuschauer eine unheilvolle Konstellation wittern: er ist Sproß der Liebe einer Inkaprinzessin zu einem verräterischen Vizekönig von Peru. Daher kann es auch nicht ausbleiben, daß Alvaros Werbung um die Hand Leonors, eines Fräuleins aus sevillanischem Adel, abgewiesen wird; doch andererseits konnte Alvaro im zweiten Drittel des XIX. Jahrhunderts gewiß mit dem sympathiegetragenen Verständnis des Publikums für seinen Entschluß rechnen, Leonor kurzerhand zu entführen. Daß er dann auf der Flucht Leonors standesstolzen Vater zur Strecke bringt, läuft zwar (in der Dramenhandlung) Alvaros Absichten wiederum entgegen, wird aber dennoch von den Liebenden (wie man nach-freudianisch sagen würde) ›depressiv verarbeitet‹: Leonor vollzieht den in solchen Fällen literarisch opportunen Schritt ins Kloster, Alvaro reiht sich todesmutig in das spanische Heer ein. Natürlich lassen die Verfolger – und mit ihnen die Macht des Schicksals – nicht locker. Im Feldlager fordert Carlos, ein erster Bruder Leonors, Alvaro zum Duell und unterliegt. Nun sucht auch Don Alvaro Seelenfrieden in einem Kloster, ohne freilich sein mönchisches Inkognito gegenüber Alfonso, dem zweiten der Leonor-Brüder, auf die Dauer wahren zu können. Alfonso weiß sehr wohl, wie man einen Don Alvaro – gegen alle Entschlossenheit zur Buße und Sühne – durch Beleidigungen zu einem neuerlichen Duell provoziert, das dem Provokateur freilich – und hier kann man wenigstens eine sekundäre Gerechtigkeit walten sehen – den Tod einbringt. Dieses zweite Duell bleibt aber nicht ohne Folgekomplikationen. Aufgeschreckt vom Kampfeslärm eilt Leonor zur Walstatt – zur Überraschung Alvaros, der nicht wußte, wie nahe bei seinem Kloster ihre Einsiedelei war, und ganz im Sinne der schlimmsten Befürchtungen (der schmutzigen Phantasie?) ihres schon sterbenden Bruders Alfonso, der sich in seiner Rächer-Rolle nun doppelt legitimiert sieht: ihm bleibt gerade noch Zeit und Gelegenheit, die Schwester zu töten, bevor er selbst das Zeitliche segnen muß. Im Anblick von so viel ›Blindheit des Schicksals‹ aber geht dem armen Don Alvaro selbst die christliche Buß- und Sühnegesinnung als Restmotivation zum Überleben verloren. Er stürzt sich von einem Felsen, der glücklicherweise in der Nähe des Kampfplatzes zum Absprung bereitsteht, allerdings nicht ohne sich vorher in irrtümlicher Selbstdiagnose – und das ist gewiß die kaum überbietbare Klimax romantisch-individualistischer Verstrickung – als einen Verbündeten Satans identifiziert zu haben. Während in der Schlußszene die Gemeinschaft jener Mönche die Szene betritt, in der Don Alvaro als Padre Rafael irdische Versöhnung mit der göttlichen Weltordnung gesucht hatte, konkretisiert der Felsabgrund zwischen den verschreckten Fratres und dem sich zu Tode stürzenden Don Alvaro die romantische Distanz zwischen Gesellschaft und Individuum:

Hay un rato de silencio; los truenos resuenan más fuertes que nunca, crecen los relámpagos y se oye cantar a lo lejos el Miserere a la Comunidad, que se acerca lentamente.

Voz. (*Dentro.*)
Aquí, aquí. ¡Qué horror!
(*Don Alvaro vuelve en sí, luego huye hacia la montaña. Sale el padre Guardián con la Comunidad, que queda asombrada.*)

P. GUARDÍAN	¡Dios mío! ... ¡Sangre derramada! ¡Cadáveres! ... ¡La mujer penitente!
TODOS LOS FRAILES	¡Una mujer! ... ¡Cielos!
P. GUARDIÁN	¡Padre Rafael!
D. ALVARO	(*Desde un risco, con sonrisa diabólica, todo convulso, dice*): Busca, imbécil, al padre Rafael ... Yo soy un enviado del infierno, soy el demonio exterminador ... Huid, miserables.
TODOS	¡Jesús, Jesús!
D. ALVARO	Infierno, abre tu boca y trágame. Húndase el cielo, perezca la raza humana; exterminio, destrucción ... (*Sube a lo más alto del monte y se precipita.*)
EL P. GUARDIÁN Y LOS FRAILES	*Aterrados y en actitudes diversas.*) ¡Misericordia, Señor, misericordia!³⁰

Ins Jenseits brauchte der Duque de Rivas seine Zuschauer nicht mehr zu führen, denn für Don Alvaro, das Opfer des blinden Schicksals, ließ sich weder jenes Stehvermögen der Kaltblütigkeit erwarten, das Espronceda im *Estudiante de Salamanca* seine Leser selbst im Angesicht von grausigen Skeletten an Montemar bewundern läßt, noch konnte man es einem gütigen Theater-Gott zumuten, seine dramenschließende Selbstinterpretation zu dementieren.

Zum Stil dieses Dramas paßt der Gestus einer weiteren Variante unter den für spanische Autoren typischen Lebensläufen, welche der Duque de Rivas ebenso vollkommen verkörperte wie sein Zeitgenosse und Theater-Rivale Martínez de la Rosa. Zu ihnen gehören die Teilnahme am Unabhängigkeitskrieg, das Exil während der Restaurationsjahre, der literarische Triumph und das zwischen Machtpositionen und erneuter Exilierung schwankende politische Schicksal im Milieu des Moderantismo. Auf vergleichsweise ruhigen Bahnen hingegen bewegte sich das Leben von Juan Eugenio Hartzenbusch, der es als Sohn eines aus Deutschland eingewanderten Kunsttischlers bis zum Direktor der *Biblioteca Nacional* brachte und mithin eine ganz andere Form der Prägung einer Alltagsexistenz durch die Literatur präsentiert. Viel stiller ist denn auch seine Version des – noch immer auf der Bühne unversöhnten – Gegensatzes zwischen Individuum und Gesellschaft, nämlich das im Epochenjahr 1837 uraufgeführte und auf ein seit dem sechzehnten Jahrhundert belegtes Erzählmotiv zurückgehende Drama *Los amantes de Teruel*. Die ›Liebenden von Teruel‹ sind ein Romeo-und-Julia-Paar, dessen Geschichte den poetischen Zauber zu verlieren droht, als das Mädchen die Heiratspläne ihrer Familie verwirklicht (weil ihr wahrer Geliebter *nach* dem Ablauf einer vereinbarten Frist in die Heimatstadt zurückkehrt) und sich um nichts in der Welt einen letzten – nun freilich ehebrecherischen – Kuß entringen läßt. Gut romantisch stirbt der Liebhaber auf der Stelle. Doch Isabel, zugleich unglückliche Gattin und unglückliche Liebhaberin, gewinnt sich die Herzen des Publikums zurück, indem sie nun ihrerseits während der Totenmesse dem Verstorbenen jenen zuvor verweigerten Kuß auf die Lippen haucht und – zu wirklich guter Letzt – selbst stirbt. Hier wird schon suggeriert, daß der Tod eine ›bessere Welt‹ sei als das Leben in jener Gesellschaft, welche die Liebenden nicht zueinander kommen ließ. Aber eine Hochzeit im Jenseits wagte Hartzenbusch noch nicht, und zu einer Vergebung vor dem göttlichen Richterstuhl bestand hier kaum Anlaß. Kein Zweifel, dieses Dramenende ist viel versöhnlicher als Don Alvaros Klippensturz, Montemars Verehelichung mit dem verliebten Skelett oder das Bühnenende des unglücklichen Macías. Eine Versöhnungsformel, die den Alltag der Zuschauer und Leser als Gegengewicht zu den tragischen Akzenten der Individualitäts-Stilisierung wieder genießbar werden ließ, hatte Hartzenbusch allerdings nicht zur Hand.

Tatsächlich beweist eine Vielfalt von zeitgenössischen Witzblättern und literarischen Parodien, daß die individuelles Unglück vergegenwärtigende Todes- und Jenseitsfaszination noch keinen ›Sitz im Leben der Zuschauer‹ und mithin noch keinen funktionsgeschichtlichen Ort gefunden hatte. Zu ihren Parodien aus dem Jahr 1837 gehörte die Komödie *¡Muérete y verás!* von Bretón de los Herreros, der das Sinnstrukturmuster von passionierter Liebe und Todesfaszination in ein zeitgenössisches Szenario transponierte, um es als unnötiges Leiden stiftende Attitüde zu entlarven. Die Freunde Pablo und Matías sind gemeinsam aus ihrer Heimatstadt Zaragoza in den Krieg gegen die Karlisten gezogen. Matías kehrt allein aus der Schlacht zurück und überbringt aufrichtigen Herzens die – irr-

tümliche – Nachricht vom Heldentod des Freundes Pablo. Er
wirbt um Pablos Geliebte, die schöne Jacinta, und verständlicherweise – wenn auch entgegen allen Konventionen wahrhaft
romantischer Liebe und allen Verpflichtungen romantischer
Schwüre – nimmt Jacinta sein Heiratsangebot an. Ausgerechnet
beim Hochzeitsmahl taucht – natürlich und bloß verspätet –
Pablo auf, und das zentrale parodistische Element von Bretóns
Stück liegt in der Selbstverständlichkeit, mit der ihn die meisten
Gäste und vor allem die – unnötig – schuldbewußte Jacinta
zunächst als Erscheinung aus dem Jenseits identifizieren:

(*Al aparecer D. Pablo retrocede Jacinta aterrada; las demás señoras
chillan, y una o dos se desmayan en brazos de los caballeros que las
rodean, volviendo en sí á pocos momentos; D. Froilán se queda ex-
tático; ... D. Matías calla, entre dudoso y amostazado; D. Antonio y
D. Lupercio dan muestras de admiración, y el Notario se esconde detrás
de la mesa.*)

JACINTA.	¡Cielos!
NOTARIO.	¡Oh!
MATÍAS.	¡Don Pablo!
FROILAN.	¡Es él!
ELIAS.	¡Lindas figuras!
DAMA 1ª	¡Qué espanto!
FROILAN.	¡Yo no lo dije por tanto!
JACINTA.	¡Aparta, sombra cruel!
GALAN 3º	(*Haciendo aire á una dama que está desmayada y en breve recobra el sentido.*) ¡Señora! ...
DAMA 2ª	¡Qué horrible vista!
JACINTA.	Yo tengo más miedo que ella. ...
JACINTA.	La imagen de mi conciencia veo en su rostro fatal. ...
JACINTA.	Yo confieso mi locura, Pablo, y te pido perdón.
MATÍAS.	¿Locura?
JACINTA.	Ten compasión de una frágil criatura.[31]

657

Pablo fällt es um so leichter, die Stimme einer un-romantischen Alltagsvernunft sprechen zu lassen und Jacinta den peinlichen Moment zu ersparen, in dem sie gestehen müßte, gleich zwei ›einzigen‹ Männern ihre ›ganze‹ Liebe geschenkt zu haben, als er weiß, daß Jacintas Schwester Isabel nur auf einen Wink wartet, um die Seine zu werden. Mit diesem Typ des glücklichen Dramenendes, in dem sich Vernunft und Bescheidenheit lachend über die geheuchelte Gefühlsekstase hinwegsetzen – aber auch mit der gegen romantische Prosa gesetzten Versform –, gelangt Bretóns Parodie unversehens in die Nähe der neoklassischen *Comedia* aus der Zeit um 1800. Nun zeigt uns aber die Geschichte des spanischen Dramas nach den bewegt-bewegenden Anfängen der Romantik, daß die weltkluge Gelassenheit des Spätheimkehrers Pablo einem neuen Publikumsbedürfnis nach individualistischer (Selbst-)Stilisierung nicht mehr genügen konnte. Das Problem der Kompatibilität zwischen dem neuen Persönlichkeits-Ideal und dem in seiner Bündigkeit vom Moderantismo nie relativierten offiziellen Sinnhorizont der christlichen Ethik sollte erst 1844 Zorrillas *Don Juan Tenorio* lösen – und zwar (nach einer verhaltenen Publikumsreaktion auf die Uraufführung am 28. März 1844[32]) so erfolgreich, daß das Stück bis ins letzte Drittel des XX. Jahrhunderts hinein fester Bestandteil der spanischen Theaterspielpläne blieb, verbindlicher Sozialisationsinhalt für jeden auch nur halbwegs gebildeten Spanier, und aus historischer Perspektive ohne Zweifel als ein Emblem für die Ideologie, das Weltbild und das Alltagsbewußtsein des nun auch in Spanien an gesellschaftlicher Bedeutung gewinnenden Mittelstands gelten kann.

Gewiß brauchen wir nicht noch einmal die Grundstruktur des Don-Juan-Mythos zu vergegenwärtigen und können uns sogleich auf jene strukturelle Variante konzentrieren, durch die Zorrilla aus dem barocken *memento mori* eine scheinbar christliche Legitimation für den Individualismus des XIX. Jahrhunderts gemacht hat. Diese Variante läßt vor den Augen der Zuschauer das Sterben von Don Juan im Zeitlupentempo ablaufen. Vor allem jener ›unmögliche Moment‹ zwischen dem physischen Tod und der göttlichen Entscheidung über das Schicksal seiner Seele ist derart gedehnt, daß die Schlußsequenz des Mythos im *Don Juan Tenorio* einen eigenen ›Zweiten Teil‹

des Dramas mit drei Akten (gegenüber den vier Akten des ›Ersten Teils‹) in Anspruch nimmt. Don Juan ist nach Sevilla zurückgekehrt und erfährt dort auf dem Friedhof, daß sein verstorbener Vater das gesamte Familienvermögen für den Bau eines überdimensionalen Mausoleums bestimmt hat, um allen vergangenen und zukünftigen Opfern seines Sohnes eine Grabstätte zu bieten, die Zeugnis für das Schuldbewußtsein und die Reue der Familie ablegen soll. Doch diese Nachricht erschüttert Don Juan zunächst überhaupt nicht in seiner überlieferten Rolle des zynischen *Spötters: No os podéis quejar de mí, / vosotros a quien maté; / si buena vida os quité / buena sepultura os dí.*[33] Dann aber führt ihn sein gottloses Flanieren durch die laue Friedhofssommernacht (*la acción se supone en una tranquila noche de verano, y alumbrada por una clarísima luna*, heißt es in der einschlägigen Szenenanweisung) vor das Grab der Doña Inés, der von ihm aus dem Kloster entführten und zum Tode gebrachten Tochter von Don Gonzalo, dem ›Steinernen Gast‹. Kaum hat der zynischste aller Liebhaber sein Antlitz in einem ersten Anflug von Bedauern verhüllt, da verhüllt auch schon ein geheimnisvoller Dampf die Statue der ehemals Geliebten, und zusammen mit den Grabesblumen verdichtet sich die unvermeidliche Friedhofs-Trauerweide zu deren Erscheinung. Als Botschafterin aus dem Jenseits berichtet Doña Inés dem seiner Rolle nun nicht mehr ganz sicheren *burlador* von ihrem Versuch, seine unreine mit ihrer reinen Seele freizukaufen und von der Entscheidung Gottes, den Richterspruch über ihr eigenes ewiges Schicksal bis zum Augenblick von Don Juans Tod aufzuschieben:

SOMBRA.	Yo soy doña Inés, don Juan,
	que te oyó en su sepultura.
JUAN.	¿Conque vives?
SOMBRA.	Para ti;
	mas tengo mi purgatorio
	en ese mármol mortuorio
	que labraron para mí.
	Yo a Dios mi alma ofrecí
	en precio de tu alma impura,
	y Dios, al ver la ternura
	con que te amaba mi afán,

me dijo: »Espera a don Juan
en tu misma sepultura.
Y pues quieres ser tan fiel
a un amor de Satanás,
con don Juan te salvarás,
o te perderás con él.
Por él vela: mas si cruel
te desprecia tu ternura,
y en su torpeza y locura
sigue con bárbaro afán,
llévese tu alma don Juan
de tu misma sepultura«.

JUAN. (*Fascinado.*)
¡Yo estoy soñando quizás
con las sombras de un Edén!

SOMBRA. No: y ve que si piensas bien,
a tu lado me tendrás;
mas si obras mal, causarás
nuestra eterna desventura.
Y medita con cordura
que es esta noche, don Juan,
el espacio que nos dan
para buscar sepultura.[34]

Von dieser Stelle an wird das Wort ›*fascinado*‹ noch viele Male
als Anweisung für die vom Don-Juan-Darsteller zu zeigende
Betroffenheit im Text erscheinen. Es bezeichnet die für den
bürgerlichen Don Juan des XIX. Jahrhunderts konstitutive
Ambivalenz zwischen der durchgehaltenen *Entschlossenheit*,
von Atheismus und Zynismus als Grundelementen seines Charakters nicht zu lassen, und seiner *Unfähigkeit*, sich in dem
noch verbleibenden letzten Tag des Erdenlebens den nun deutlich gewordenen Verpflichtungen gegenüber der Seele von
Doña Inés – und gegenüber seiner eigenen Seele – zu entziehen.
Kaum ist jedenfalls der Bühnen-Rauch abgezogen, da ist aus
dem *burlador* die in der Literatur des XIX. Jahrhunderts so
beliebte Figur des tragischen Agnostikers geworden, mit der
sich – etwa – so viele Generationen deutscher Abiturienten
über das Memorisieren und Deklamieren des ersten großen
Faust-Monologs identifizieren sollten. In der Gestalt von
Zorrillas Don Juan spricht der Agnostiker wie folgt:

¡Cielos! ¿Qué es lo que escuché?
¡Hasta los muertos así
dejan sus tumbas por mí!
Mas sombra, delirio fue.
Yo en mi mente la forjé;
la imaginación le dio
la forma en que se mostró,
y ciego vine a creer
en la realidad de un ser
que mi mente fabricó.
Mas nunca de modo tal
fanatizó mi razón
mi loca imaginación
con su poder ideal.
Sí, algo sobrenatural
vi en aquella doña Inés
tan vaporosa, a través
aun de esa enramada espesa;
mas ...! bah! circunstancia es ésa
que propia de sombras es.
¿Qué más diáfano y sutil
que la quimera de un sueño?[35]

Doch nach so viel Schwanken und Blässe des Gedankens entläßt Zorrilla Don Juan dann zunächst wieder auf die vertrauteren Bahnen des Mythos vom *burlador*. Er stößt auf zwei Verbündete und Bewunderer seiner rauschenden sevillanischen Jugendjahre und lädt sie zu einem Gelage auf sein Haus – allerdings nicht ohne, nun wieder ganz der alte Don Juan, zu deren starrem Erstaunen auch noch die Friedhofsstatue von Inés' Vater zu Tisch zu bitten. Und kaum hat sich die rechte Stimmung in der feucht-fröhlichen Männerrunde eingestellt, da muß auch schon der Steinerne Gast durch die Tür der Trinkstube eindringen (*los muertos se han de filtrar / por la pared; adelante*, ermutigt ihn Don Juan). Die leiblichen Gäste fallen in Ohnmacht, und der Gast aus dem Jenseits teilt Don Juan mit, daß auch er nun eine Rolle in jenem Sonderverfahren spiele, welches Gott der liebenden Doña Inés zur Rettung von Don Juan zugestanden hat:

Al sacrílego convite
que me has hecho en el panteón,

para alumbrar tu razón
Dios asistir me permite.
Y héme que vengo en su nombre
a enseñarte la verdad;
y es: que hay una eternidad
tras de la vida del hombre.
Que numerados están
los días que ha de vivir,
y que tienes que morir
mañana mismo, don Juan.
. . .
Dios, en su santa clemencia,
te concede todavía,
don Juan, hasta el nuevo día
para ordenar tu conciencia.[36]

Der tragische Agnostiker freilich ist nicht zu überzeugen – denn wenn er zu überzeugen wäre, dann hörte er auf, tragisch zu sein. Diesmal bietet sich ihm ja sogar die Möglichkeit, die Erscheinung als einen Hokuspokus seiner Zechgenossen zu ›denunzieren‹. Aber die reagieren ihrerseits auf den Vorwurf ausgesprochen gereizt und unterstellen Don Juan, ihnen ein Schlafmittel verabreicht zu haben, um sich hernach – entlastet von störender Widerrede der Zeugen – neuerlich seines kühlen Blutes im Angesicht des angeblichen Jenseitsgastes brüsten zu können. Diese Anmutung geht Don Juan selbstverständlich zu weit, und er fordert die beiden zum Duell vor seinem Haus.

Der Zuschauer begegnet dem Titelhelden zu Beginn des dritten Aktes im Zweiten Teil von *Don Juan Tenorio* wieder vor dem Grab Don Gonzalos, der nicht von der Tafel Don Juans verschwunden war, ohne die vom Mythos vorgegebene Gegeneinladung auszusprechen. Don Juan zeigt wachsende Schwierigkeiten, seine gewohnte Fassung wiederzugewinnen. Diesmal ist es das Fehlen der Grabesstatue, das ihn verwirrt: *¡Falta de allí su estatua ...! Sueño horrible / déjame de una vez ... No, no te creo, / Sol, huye de mi mente* fascinada, / *fatídica ilusión ...*[37] Und nun läßt Zorrilla alle Zügel romantischen Inszenierungsschwulstes schießen:

Este sepulcro se cambia en una mesa que parodia horriblemente la mesa en que cenaron en el acto anterior don Juan, Centellas y Avellaneda. – En vez de las guirnaldas que cogían en pabellones sus manteles, de sus flores y lujoso servicio, culebras, huesos y fuego, etcétera. (A gusto del pintor.) Encima de esta mesa aparece un plato de ceniza, una copa de fuego y un reló de arena. – Al cambiarse este sepulcro, todos los demás se abren y dejan paso a las osamentas de las personas que se suponen enterradas en ellos, envueltas en sus sudarios. Sombras, espectros y espíritus pueblan el fondo de la escena.[38]

Don Juan kämpft einen bewunderungswürdigen Kampf gegen solche Kulissen, die der Zuschauer des Jahres 1844 gewiß schon längst als Verweis auf das christliche Jenseits identifiziert hat, aber auch einen Kampf gegen die verbleibende Zeit seines Lebens, die theaterwirksam durch das Stundenglas rinnt. Doch selbst der von Gott zum Bewährungshelfer auserkorene Don Gonzalo scheint angesichts von Don Juans atheistischer Dickköpfigkeit – angesichts seiner bewundernswerten Konsequenz? – nun zunehmend nervös zu werden und gibt ihm den Wink, daß schon *un punto de contrición* zu seiner Rettung genüge. Darin sieht nun seinerseits Don Juan ein durch überzogene Großzügigkeit unfaires Angebot: *¡Imposible! ¡En un momento / borrar treinta años malditos / de crímenes y delitos!*[39] Und so wird er denn endlich zum Zuschauer eines Leichenzuges, der – wie ihm Don Gonzalo eingestehen muß – sein eigener Leichenzug ist. *Tarde* – zu spät –, das ist das Schlüsselwort des anschließenden Dialogs. »Zu spät«, so sieht Don Juan ein, dringt das Licht des Glaubens in sein Herz. *Ya es tarde*, muß ihm auch der Steinerne Gast sagen, dem nun – nach scheinbar gescheiterter Mission – die Aufgabe zukommt, Don Juan trotz aller Rührung über seine späte Reue ins Jenseits zu überführen. Das wäre jedenfalls der theologisch eben noch verantwortbare Dramenschluß. Doch da öffnet sich das Grab der Doña Inés für einen letzten und entscheidenden Liebesmonolog:

> Yo mi alma he dado por ti,
> y Dios te otorga por mí
> tu dudosa salvación.
> Misterio es que en comprensión
> no cabe de criatura:
> y sólo en vida más pura
> los justos comprenderán
> que el amor salvó a don Juan
> al pie de la sepultura.[40]

Inés gebietet der Totenmusik und den Totenglocken Stille, sie weist die Skelette und die Grabesstatuen auf ihre Plätze zurück. Unter hochzeitlichem Blumenregen auf dem verwandelten Friedhof hat Don Juan eine letzte monologische Gelegenheit, dem staunenden und erleichterten Publikum mitzuteilen, was er endlich erkannt hat: *es el Dios de la clemencia / el Dios de Don Juan Tenorio:*

Las flores se abren y dan paso a varios angelitos que rodean a doña Inés y a don Juan, derramando sobre ellos flores y perfumes, y al son de una música dulce y lejana, se ilumina el teatro con luz de aurora. Doña Inés cae sobre un lecho de flores, que quedará a la vista en lugar de su tumba, que desaparece.[41]

Welche Liebe ist nun jene Liebe, die ›Don Juan rettet‹, die es erreicht, daß am Ende wenigstens *ein* gemeinsames Bett, nämlich das mit Doña Inés geteilte Totenbett mehr bleibt als eine Episode in der Karriere des Verführers? Da ist natürlich zuerst die Liebe der Doña Inés, die dem Liebhaber das ewige Leben erkauft zu haben scheint. Aber sie allein kann wohl für ein christlich sozialisiertes Publikum nicht ausreichen, um das Dramenende plausibel zu machen. Denn selbstverständlich hätte Gott auch anders handeln können, ja eigentlich als der ›Allgerechte‹ anders handeln müssen. Hier taucht der alte Konflikt auf zwischen dem Prinzip der ›Werkgerechtigkeit‹, an das sich ein allgerechter Gott logischerweise gebunden haben müßte, und jener absoluten Souveränität, welche der Gottesgestalt eines jeden Monotheismus zukommt. Dieser Problematik ganz offenbar gewärtig, greift Zorrilla auf ein bewährtes Hilfsmittel christlicher Theologie zurück und läßt Doña Inés prophylaktisch verkünden, daß die göttliche Entscheidung – wie vieles andere – für den in sich begrenzten menschlichen Verstand unergründlich sei. Darüber hinaus mag es ja auch ein weiteres Vollkommenheitsprädikat gewesen sein, nämlich die ebenfalls menschliches Verstehen überschreitende Liebe Gottes zu den Menschen, welche zum Gnadenwalten gegenüber Don Juan (*Dios te otorga . . .*) führte.

Aber muß nicht Don Juan doch schon vor seinem Tod wenigstens *eine* Handlung zu der Möglichkeit seiner gerechten Rettung beigetragen haben? Die Frage stellt sich nicht nur im

Kontext theologischen Argumentierens, sondern auch im Hinblick auf das Selbstbild jenes auf seine Individualität stolzen Menschen, um dessen Gewissensberuhigung es doch in diesem Drama geht. Ganz unabhängig von den Überlegungen, welche Zorrilla bei der Arbeit am *Don Juan Tenorio* leiteten, zeigt jedenfalls die Rezeptionsgeschichte des Dramas, daß seine Zuschauer – ganz im Sinn einer glücklichen Formel, mit der man jüngst die romantische Form der Liebe zu kennzeichnen versucht hat: *der Mann liebt das Lieben, die Frau liebt den Mann*[42] – wenigstens *einen* Augenblick ausmachen wollten, in dem der sonst so genußsüchtige und selbstbezogene Don Juan wirklich verliebt war; so verliebt, daß sich der Zuschauer, welcher in Don Juan die Apotheose seiner eigenen Selbststilisierung zum Individuum sah, in Don Juans Liebe selbst genießen konnte. Diesen ›wahrhaft verliebten Don Juan‹ fanden die Rezipienten in einem Monolog aus dem Vierten Akt im Ersten Teil von *Don Juan Tenorio*, und es wird uns nicht verwundern, daß ihre Begeisterung gerade eine Textpassage kanonisierte, in welcher der Titelheld die Harmonie seines eigenen Liebesfühlens mit den Empfindungen der Geliebten in der sie umgebenden Natur erlebt:

> ¡Ah! ¿No es cierto, ángel de amor,
> que en esta apartada orilla
> más pura la luna brilla
> y se respira mejor?
> Esta aura que vaga, llena
> de los sencillos olores
> de las campesinas flores
> que brota esa orilla amena;
> esa agua limpia y serena
> que atraviesa sin temor
> la barca del pescador
> que espera cantando el día.
> ¿no es cierto, paloma mía,
> que están respirando amor?
> ...
> ¡Oh! Sí bellísima Inés,
> espejo y luz de mis ojos;
> escucharme sin enojos,
> como lo haces, amor es:

mira aquí a tus plantas, pues,
todo el altivo rigor
de este corazón traidor
que rendirse no creía,
adorando, vida mía,
la esclavitud de tu amor.[43]

Noch heute kann jedes spanische Schulkind diese Verse rezitie-
ren, und noch heute gehört es – natürlich nicht nur in Spanien –
zum Repertoire mittelständischer Liebesformen, an der Liebe
der Frau besonders ihre Hingabe zu bewundern und die Liebe
des Mannes, wo es denn gewünscht wird, zu einer in göttliche
Sphären reichenden Schönheit zu hypostasieren. Ganz ähnliche
Töne finden sich schon bei Zorrillas französischen Zeitgenossen: in Benjamin Constants autobiographischem Roman so
deutlich wie in Victor Hugos Liebesgedichten. Aber worin liegt
dann der besondere funktionsgeschichtliche Stellenwert des
Don Juan Tenorio für den Alltag der spanischen Gesellschaft
im XIX. Jahrhundert? Ein Ansatz zur Antwort auf diese Frage
liegt in der semantischen Differenziertheit, mit der Zorrilla in
der textuellen Ausdehnung des ›unmöglichen Moments‹ zwischen physischem Tod und göttlichem Richterspruch die Vermittlung zwischen exaltierter Individualität und christlicher
Kosmologie zu bewerkstelligen suchte. In Hugos Lyrik etwa
war die Möglichkeit, solche Hypostase der Geschlechterliebe
bis ins Jenseits zu verlängern, nur eine Dreingabe, die angesichts fortschreitender Säkularisierung mehr und mehr an Bedeutung verlor, während für Zorrilla und sein spanisches Publikum offenbar alles von der Suggestionskraft dieser ›Lösung‹
abhing. Denn wo die christliche Moral als offizieller Horizont
des Alltagshandelns nie aufgehoben war, da konnte der Individualismus nur um den Preis jener erzwungenen Vermittlung
legitim werden.

Außerdem gehört der *Don Juan Tenorio* zu jenen für literarhistorische Interpretation idealen Fällen, wo eine im Text objektivierte strukturelle Inkohärenz Symptom für eine ideologische Inkohärenz ist. Die Reue des Bühnen-Don-Juan kommt
theologisch zu spät, nämlich erst in jenem Augenblick der Dramenhandlung, wo ihm bewußt wird, daß er *im Jenseits* seine
eigene diesseitige Beerdigung miterlebt.[44] Zorrillas Don Juan

kann vor seinem Tod nicht Reue zeigen, weil dann die Einheit
der Rolle des Individualisten *und* Agnostikers zusammenbrä-
che; aber er muß doch auf der anderen Seite vor seinem Ableben Reue zeigen, um den vom religiösen Wissen vorgegebenen
Minimalbeitrag zu seiner eigenen Rettung zu leisten. Aus diesem nicht aufhebbaren Widerspruch entsteht der ›unmögliche
Moment‹ seiner Rettung. Aber die semantische und theologische Unmöglichkeit der einschlägigen Szene hat ihre erstaunliche Wirkung keinesfalls beeinträchtigt, sondern entscheidend
mitbedingt. Zorrillas Don Juan präsentierte in der Bühnenwirklichkeit überzeugend, was seine Zuschauer in der Alltagswirklichkeit glauben wollten. Dieser eigenartig gedehnte
Tod in der Literatur entlastete ein den christlichen Normen
immer weniger entsprechendes Alltagsleben von der Jenseits-
furcht. Anders formuliert: mit *Don Juan Tenorio* am Horizont konnte man ein (fast) orthodoxer Katholik bleiben und
doch ein Bourgeois des XIX. Jahrhunderts werden.

Unter dieser Perspektive zeigt Zorrillas *Don Juan Tenorio*
eine Richtung an, in die sich der gesellschaftliche Ort der Literatur im Spanien des XIX. Jahrhunderts verschoben zu haben
scheint. Immer weniger war sie auf der einen Seite eine Instanz,
die offizielles Wissen, verbindliche Handlungsnormen des Staates und der Kirche objektivierte; aber auf der anderen Seite
vollzog sich nun in der Literatur auch nicht mehr jener Gestus
des *desengaño*, mit dem sich die Subjektivität seit der Epoche
Philipps II. so oft einen Freiraum der Evasion und Entlastung
unter dem Horizont christlicher Kosmologie geschaffen hatte.
Ebensowenig kann man sagen, daß die spanische Literatur seit
der Epoche der Romantik zwischen ›offiziellem Wissen‹ und
›Alltagserfahrung‹ vermittelt hätte, wie das in anderen europäischen Gesellschaften nach 1800 der Fall war.[45] Denn jene Rolle
der neuen Individualität, die sie mit dem christlichen Weltbild
zu vermitteln schien, war eher illusionäre Selbststilisierung
denn Teil der Alltagswirklichkeit; und folgerichtig waren auch
›der Gott und die Religion von *Don Juan Tenorio*‹ schon kon-
taminierte Formen überlieferter Religiosität, die sich – wie wir
gesehen haben –, mit theologischer Orthodoxie nicht mehr in
Einklang bringen ließen. Mehr als zwischen offiziellem Wissen
und Alltagserfahrung zu vermitteln, wurde die spanische Lite-

ratur im XIX. Jahrhundert zum *Medium illusionärer Individualität und illusionärer Gesellschaftlichkeit*, zur Quelle für eine schon bald dominierende Sinnwelt, die weder ›Literatur‹ noch ›Alltag‹ war.

Auch der *Carlismo*, in dem immer neue Wellen militärischer Aggression – vor allem aus den Provinzen am nordwestlichen Rand der Pyrenäen – nach dem Tod Fernandos VII. die Ansprüche seines Bruders auf den Thron gegen die Regentin María Cristina – und nach 1843 gegen ihre Tochter Isabel II. – durchzusetzen suchten, lebte vor allem von einer religiösen Motivation. Bei aller archaischen Grausamkeit gewann der Carlismo die Unterstützung einer Mehrheit der spanischen Kleriker und zeitweise auch des Vatikans durch sein Eintreten für einen orthodoxen Katholizismus, an dessen Stelle im Moderantismo ein zu mehr Konzessionen mit neuen Legitimitäts- und Wertvorstellungen bereites Christentum zu treten drohte. Bis in die sechziger und siebziger Jahre des XIX. Jahrhunderts erzeugte das Ansteigen und Abnehmen dieses feudal-ultramontanen Drucks aus den nördlichen Provinzen ein permanentes Klima politischer Instabilität in Madrid. Dort konnten sich im begrenzten Freiraum des neuen Liberalismus immerhin zwei konkurrierende Repräsentationsformen der neuen Mentalität, eben Moderantismo und Progresismo, etablieren – und je nach dem Stand der militärischen Auseinandersetzungen gelang es der einen oder der anderen Gruppe, das Vertrauen der engsten Umgebung der Regentin (und später Monarchin) zu gewinnen. Wir wollen darauf verzichten, den in seinen Einzelbewegungen für historisches Verstehen kaum relevanten Zickzackkurs der Regierungswechsel nachzuzeichnen, und statt dessen die charakteristische, bald zum Ritual erstarrte Handlungsform des Machtübergangs in jenen Jahrzehnten, den *pronunciamiento*, beschreiben. Zu Recht hat man den *pronunciamiento* einen ›romantischen Akt‹[46] genannt, denn der Griff der einen oder anderen politischen Gruppierung nach der Macht präsentierte – und verbalisierte – sich stets als spontane (ja oft geradezu ›unpolitische‹) Reaktion im Namen des Volkes und der Krone auf ›von der anderen Seite‹ angeblich verschuldete Mißstände und Notlagen. *Pronunciamientos* pflegten mit der Proklamation eines Offiziers zum neuen Machthaber in der militärischen Welt einer Kaserne zu beginnen, richteten sich über eine pathetische Adresse an die anderen Heeresteile wie an das Volk und ließen der Krone (falls sie nicht schon zuvor in das Komplott einbezogen war) in all jenen Fällen nur minimalen Handlungsspielraum, wo sich die Mehrheit des Heeres auf die Seite des neuen ›Diktators‹ stellte. Nicht mehr zeigen die pronunciamientos an als das Fehlen institutionalisierter und allgemein akzeptierter Formen des Machtwechsels und der Rekrutierung politischen Personals. Nie gefährdeten oder beeinträchtigten solche Ereignisse allein die Dominanz des Moderantismo, denn in der Abwehr gemeinsamer Feinde – vor 1868: der Carlisten, danach: des Proletariats – überwogen während des ganzen XIX. Jahrhunderts die Gemeinsamkeiten zwischen Moderados und Progresistas (später Konservativen und Liberalen) bei weitem ihre ideologischen Divergenzen und persönlichen Rivalitäten. So konnte denn auch 1836 das von den Reformern im späten XVIII. und frühen XIX. Jahrhundert mit so viel missionarischem Eifer vertretene Projekt der *desamortizaciones* verwirklicht werden, jene neue Agrargesetzgebung, welche die landwirtschaftliche Nutzung oder den Zwangsverkauf von bisher brachliegendem Boden aus dem Besitz des Hochadels und der Kirche verordnete. Zwar wurde die Regierung Mendizabal, in deren Verantwortung der Schritt vollzogen worden war, noch im selben Jahr gestürzt, aber kein Machthaber des XIX. Jahrhunderts sollte es mehr wagen, an dieser grundlegenden Veränderung der nationalen Wirtschaftsstruktur zu rühren. Denn mit den *desamortizaciones*, genauer: mit dem Erwerb vor allem kirchlicher Ländereien durch wohlhabende Familien des schmalen Mittelstands, erfuhr die landwirtschaftliche Produktivität eine erhebliche Verbesserung, was in jenen Jahrzehnten einer bemerkenswerten demographischen Expansion besonders wichtig war; darüber hinaus symbolisierte die breite Verschiebung von Grundbesitz auch eine langsame Bewegung vom Ständesystem hin zu einem Klassensystem.

Der philanthropische Traum der Physiokraten von einer Beendigung des harten Loses der Bauern freilich ging keineswegs in Erfüllung. Vielmehr brachte der nur zögernd in Gang kommende Prozeß der Modernisierung in Spanien Institutionen und wirtschaftliche Organisationsformen hervor, die einerseits in ihrer Summe nicht mehr waren als ein schwacher Abglanz des in anderen europäischen Ländern während des zweiten Viertels des XIX. Jahrhunderts einsetzenden Hochkapitalismus, andererseits aber doch auch die kollektive Illusion der Spanier nährten, ›auf der Höhe der Zeit‹ zu sein. So wurde 1831 die Börse von Madrid eröffnet, und die Banken reagierten auf dieses Ereignis mit einer gemäßigten Veränderung ihres Geschäftsgebarens.[47] Die ersten Eisenbahnen auf der Iberischen Halbinsel verkehrten ab 1848 zwischen Barcelona und Mataró, ab 1851 zwischen Madrid und Aranjuez[48] – zweieinhalb Jahrzehnte nach dem Beginn dieser Revolution des Transportwesens in England. Jedenfalls erregten solche Gesten der Modernisierung, wie bescheiden auch immer ihre Auswirkungen bleiben mochten, Bewunderung und beförderten das nationale Selbstbewußtsein. Zur großen Symbolfigur des spanischen Kapitalismus wurde José de Salamanca y Mayol, ein Arztsohn aus Málaga, dessen schwindelerregenden Aufstieg und unaufhaltsamen Fall seine Zeitgenossen verfolgten wie ein romantisches Schauspiel. Es war übrigens eben derselbe Salamanca, der 1844 die Rechte für die Einrichtung der Bahnlinie Madrid–Aranjuez erworben hatte, und kaum ein Ereignis vermag uns eindrucksvoller die Begeisterung der spanischen Gesellschaft in der Mitte des XIX. Jahrhunderts für Inszenierungen einer Symbolwelt aus feudalen Erinnerungen und fortschrittsgläubigen Träumen zu vergegenwärtigen als die Einweihung dieser Eisenbahnlinie am 7. Februar 1851.[49]

Früh am Morgen feierte der Kardinal-Erzbischof von Toledo im Bahnhofsgebäude an der *Puerta de Atocha* in Gegenwart der gesamten Königsfamilie und des Kabinetts ein Pontifikalamt und segnete anschließend die Lokomotiven. Als Isabel II. dann Schlag zwölf Uhr auf dem Bahnsteig erschien, donnerten Ehrensalven der Madrider Garnison, und eine Militärkapelle ließ die *Marcha Real* ertönen. Die Lokomotiven und alle Waggons des Zugs nach Aranjuez waren überreich geschmückt, und man munkelte, daß der für die Monarchin reservierte Salonwagen in seinem verschwenderischen Luxus die Waggons anderer europäischer Könige bei weitem übertraf. Das Einlaufen des Zuges in Aranjuez verschönten dann Gesänge sämtlicher Chöre aus dem *Teatro Real,* und für die Rückfahrt hatte sich José de

Salamanca eine besonders aufsehenerregende Huldigung ausgedacht: die Schienen endeten vor dem Königspalast und waren auf den letzten hundert Metern der Strecke aus Silber statt aus Eisen gefertigt. Natürlich war Salamanca auch beim Bau seiner eigenen, palastartigen Villa wenige Jahre später kein Preis zu hoch, um den Baron de Rothschild und andere Vorbild-Figuren zu überbieten. Er erwarb, wo immer er ihrer habhaft werden konnte, die bedeutendsten Gemälde aus der großen spanischen Kunsttradition und ließ sich von dem prominenten costumbristischen Schriftsteller Estébanez Calderón auch gleich die passende Privatbibliothek einrichten. Besonders stolz war man aber darauf, daß es Salamanca gelungen war, den Leibkoch Napoleons III. durch ein geradezu traumhaftes Gehaltsangebot für seine Dienste zu verpflichten.[50] Gern ließ sich die Königsfamilie zu den rauschenden Festen in dieser Villa einladen, doch daß die Feudalität seines Lebensstils nicht allein von der Gästeliste abhing, wird ex negativo aus einem Brief deutlich, den Salamanca seiner Tochter just an jenem Tag schrieb, da er den jungen König Alfons XII. Mitte der siebziger Jahre zum ersten Mal geladen hatte. Dort heißt es: *Mañana no sé de qué viviré.*[51] Unter derselben Perspektive hat auch José Luis Aranguren im Kontext seiner mentalitätsgeschichtlichen Untersuchungen zur spanischen Gesellschaft des XIX. Jahrhunderts diese Symbolfigur charakterisiert: »el financiero de mayor renombre de todo el siglo XIX, Salamanca, mucho menos creador que derrochador de riqueza, ejercía su oficio de hombre de negocios, como el duque de Osuna el de Grande de España, suntuariamente, a la gran manera tradicional española, como quien juega al póker.«[52]

Schon der Blick auf das journalistische Werk von Mariano José de Larra hatte gezeigt, daß der *Costumbrismo* jener Jahrzehnte dem historisch interessierten Leser unserer Gegenwart weit mehr bietet als ein ›Abbild‹ der zeitgenössischen Gesellschaft. Wenn unsere im vorausgehenden Kapitel begründete These zutrifft, daß der Costumbrismo um 1830 nicht allein durch die Rezeption vergleichbarer Diskursformen aus dem benachbarten und bewunderten Frankreich ein Bewußtsein seiner selbst gewann, sondern auch die neue Funktion übernahm, für seine Leser Orientierung angesichts einer Alltagswelt zu schaffen, welche durch eine verwirrende Vielfalt gleichzeitig neuer Phänomene gekennzeichnet war, dann dürfen wir den Costumbrismo der dreißiger, vierziger und fünfziger Jahre als eines jener literarischen Sonderphänomene ansehen, deren Darstellungs-Prägnanz den konventionellen Erfahrungsstrukturen ihrer Epoche voraus war. Doch zugleich mit diesem Funktionswandel vollzogen die costumbristischen Autoren und ihr Publikum auch einen medienpragmatisch zukunftsweisenden Schritt. Im Jahr 1836 erschien der *Semanario pintoresco español*, mit dem die moderne Epoche der spanischen Pressegeschichte begann. Seine historische Bedeutung liegt nicht einmal primär in der – bereits vom Titel angezeigten – Innovation, die erste (noch durch Holzschnittechnik) bebilderte Zeitschrift in Spanien gewesen zu sein. Viel wichtiger ist zum einen die im *Prospecto* (der Null-Nummer) stolz hervorgehobene Motivation der Herausgeber durch ein kapitalistisches Prinzip: *vender mucho para vender barato, y vender barato para vender mucho*; zum zweiten ihre unter aller Deklamation hehrer Ziele der Volkserziehung nicht zu verbergende Erwartung, daß der eigene Alltag – oder zumindest stilisierte Bilder aus dem eigenen Alltag – ein faszinierendes Thema für die Freizeitlektüre eines mit dem Beginn der Presse-Massenproduktion immer diffuseren Publikums abgeben müßte: *se presentan a nuestro pincel los cuadros críticos de costumbres, en los cuales, bajo una agradable ficcion, se ponen en movimiento personajes que forman el tipo de carácter que se quiere representar. En esta seccion la tendencia natural y el deber de españoles nos guiará frecuentemente a preferir la pintura de las costumbres de nuestra nacion ...* Noch in den dreißiger Jahren folgten auf den (bis 1857 erscheinenden) *Semanario pintoresco español* weitere illustrierte Zeitschriften unter der Dominanz des costumbristischen Diskurses, so der *Observatorio pintoresco* (April bis Oktober 1837) und *Fray Gerundio – Periódico satírico de política y costumbres* (1839 bis 1842). Später erschienen – neben vielen anderen illustrierten Periodika – *El Iris semanario enciclopédico* (1841), *El Museo de las familias – lecturas agradables e instructivas* (1843 bis 1871), *El Fenix – periódico universal, literario y pintoresco e ilustrado, con profusión de viñetas y hermosos grabados en piedra y litografía, cuero y madera* (1844 bis 1849), *El Mentor de las fami-*

lias (1849 bis 1851), *La Ilustración – Periódico universal* (1849 bis 1857) bis hin zur *Ilustración Española y Americana* (ab 1869), die über Jahrzehnte zur Lieblingslektüre des spanischen Mittelstands werden sollte, und der zur typischen Gestalt der illustrierten Presse des XX. Jahrhunderts eigentlich nur noch die Photographien fehlten.[53]

Mit unübersehbarem Stolz registrierten nun all diese illustrierten Familienzeitschriften – im europäischen Vergleich: spärliche – Fortschrittssymbole der großen spanischen Städte, zumal Madrids. Schon eine oberflächliche Lektüre führt freilich zu dem Eindruck, daß solche Fortschrittsbejahung nicht ganz ungebrochen ist. So erscheint im Einleitungsartikel der ersten Nummer des *Teatro social del siglo XIX por Fray Gerundio* dem fiktionalen Autor eine Allegorie des XIX. Jahrhunderts – *gallardo mancebo de apuesta y gentil figura, y elegantemente vestido*[54] –, deren Körperteile und Gliedmaßen sich Zug um Zug in Embleme der neuen Zeit verwandeln. Der linke Fuß wird zu einem Raddampfer, der rechte Fuß zu einer Lokomotive; aus der linken Hand der Erscheinung schlagen Flammen, und kaum sind diese Flammen als ein Symbol der Industrie gedeutet, da führt sie die rechte Hand zum Herzen, um auf die untrennbare Verbundenheit von Industrie und Börse zu verweisen: *juraría que es una bolsa la que de allí ha sacado y tiene empuñada ... de lo que infiero ... que este señor SIGLO XIX debe tener la bolsa en el corazón, ó acaso el corazón en la bolsa.*[55] Schließlich verwandeln sich die Gesichtszüge des *gallardo mancebo* in ein Relief aus all jenen Metallen, welche in den Bergwerken des frühen Industriezeitalters gefördert wurden. Dann verschwindet die Erscheinung, und sie hinterläßt einen unerträglichen Gestank, den der Betrachter als Anzeichen beginnender Verwesung deutet: das XIX. Jahrhundert wird so schnell vergehen, wie es die Welt überfallen hat.

Wir sehen, welch große Bedeutung die von Reinhart Koselleck vor allem aus deutschen, französischen und englischen Quellen erschlossene Zentralerfahrung der ›Zeitbeschleunigung‹ auch für die spanische Gesellschaft gehabt haben muß; und doch ist es gerade der Costumbrismo, in dem sich eine spezifische Resistenz, um im Bild zu bleiben: eine spezifische Trägheit, objektiviert. So überrascht es uns denn auch nicht, daß im *Fray Gerundio* eine feste Rubrik unter dem Titel *Movimiento universal del mundo* eingerichtet wurde und daß diese Rubrik mit folgenden Sätzen begann:

Moverse, andar, no estarse quieto; he aqui el gusto, el furor, la necesidad del siglo. El Siglo XIX es el siglo del movimiento continuo. Los hombres sienten un hormigueo que no les permite permanecer en estado de quietud: parecen picados de la tarántula, o acometidos del baile de San Vito, ó que circula por sus venas azogue en lugar de sangre, ó que tienen vapor por linfa, y que en vez de alguna entraña nacen con una locomotiva en el cuerpo.[56]

Die Dokumentationsdichte costumbristischer Texte ermöglicht es, aus der chronologisch geordneten Sequenz jeweiliger Stadtbeschreibungen den Eintritt der spanischen Gesellschaft in ein neues Zeitalter als Prozeß räumlicher Expansion und sozialer Transformation bis hin zu ungeahnten Details nachzuvollziehen.[57] Auf einem anderen diskursiven Niveau beobachten wir erneut eine Trägheit gegenüber historischer Bewegung: die Symbole für Innovation und Fortschritt werden ein ums andere Mal so umgeformt, daß ein den von ihnen denotierten Phänomenen zunächst impliziertes ›Glücksversprechen‹ immer wieder zu Bedrohlichkeit wird. In einem costumbristischen Bilderbogen mit achtzehn Szenen gesellschaftlichen Lebens, den die Madrider Zeitschrift *La Semana – Periódico universal* am 24. Juni 1850 veröffentlichte,[58] müssen die Passanten vor den gefährlichen Pferdedroschken fliehen; wechselt eine Dame aus besten Kreisen ihre Liebhaber so oft, daß sie sich endlich entschließt, eine Warteliste zu führen; macht die Fülle seiner sozialen Verpflichtungen und Vergnügen für einen Lebemann die Nacht zum Tag und den Tag zur Nacht. Doch kein anderes Thema erreichte als Emblem der Grunderfahrung, daß diese neue Gesellschaft eine ›verkehrte Welt‹ sei, die Bedeutung des Tanzes, der in den Varianten ›Gesellschaftstanz‹ und ›Ballett-Tanz‹ bei nicht weniger als sechs der achtzehn Bilder im Zentrum steht. In der Tat muß diese zunächst als Mode aus Frankreich übernommene Tanz-Begeisterung die große Passion des zeitgenössischen Madrid gewesen sein. Doch der Text des Bilderbogens legt ausgerechnet einem Dramenautor einen Monolog in den Mund, durch den die einschlägige Selbsterfahrung zu einer ambivalenten Erfahrung wird:

Un autor dramático contempla los trofeos, aun esparcidos por el tablado donde acaban de lucir sus habilidades dos bailarinas.

Al verlos, su enjuto cuerpo queda petrificado y como herido por *el rayo*.

»He aquí, esclama, los progresos que ha hecho la civilizacion del mundo.«

»Las coronas se inventaron para la cabeza, y ahora se hacen para los pies, ni mas ni menos que las botas y los zapatos«. »Hasta dónde no serán capaces de elevar el arte dramático los adelantos del gusto moderno ...«[59]

Wo der costumbristische Diskurs den medialen Kontext der Zeitungen und des Journalismus überschritt und sich als eigenständige literarische Form präsentierte, wurden aus solchen Ambivalenzen, welche Alltagserleben interpretierten und Alltagserfahrungen präfigurierten, markante Strukturen inhaltlicher und formaler Innovation. So erschien 1843 das costumbristische Kollektivwerk ›*Los españoles pintados por sí mismos*‹, welches – zumindest, was den Titel angeht, – für dies eine Mal direkt an ein französisches Vorbild, ›*Les Français peints par eux-même*‹ (1840-1842), anschloß und Beiträge der prominentesten Costumbristen wie Artikel anderer bekannter Literaten versammelte. Dieses Autorenspektrum erweist zum einen, daß der Costumbrismo nun zu einem anonymen Diskursschema geworden war, sich vom Personalstil einiger weniger Journalisten abgelöst hatte; zum anderen führte solche Öffnung dazu, daß nun alle Beiträger die Texte mit ihren bürgerlichen Namen zeichneten, weil ja nur die wenigsten unter ihnen über einen in der Öffentlichkeit bekannten costumbristischen Rollennamen verfügten. In den *Españoles pintados por sí mismos* stehen sich zwei deutlich unterscheidbare Textformen gegenüber: der *tipo* und die *escena*.[60] In der *tipo*-Form wird kollektives Wissen artikuliert, genauer: Erfahrungen über das alte Spanien. Die *escenas* hingegen stellen den Leser vor die Aufgabe, die textuelle Evokation von scheinbar unstrukturierten gesellschaftlichen Situationen, wie sie die Welt der spanischen Großstädte um 1843 ausmachten, selbst in Erfahrungsgestalten zu überführen. Beide Textformen bedurften jedenfalls der Rolle des distanzierten Beobachters nicht: die Objektivität des Wissens über *tipos* war als Teil des kollektiven Wissens nicht mehr problematisch, in den *escenas* hingegen ging es noch nicht um die Objektivität von Erfahrung, sondern – zuerst und vor allem – um ihre bloße Ermöglichung angesichts einer durch zahlreiche Innovationsphänomene immer komplexer werdenden Umwelt. Damit wird verständlich, warum in *tipo*-Texten das Imperfekt und das Präsens in *escena*-Texten dominiert; warum *tipo*-Texte keine Beobachterperspektive brauchen, während in Erlebnissequenzen von *escena*-Texten immerhin auf die Perspektive von erlebenden Subjekten verwiesen wird, die – statt distanziert zu sein – vom dargestellten Geschehen fast immer betroffen sind. Wo immer nun die Beobachter von *escenas* Opfer der neuen gesellschaftlichen Welt sind, können wir – leichter als bei der Beschreibung von *tipos* – erkennen, welche die Grundstrukturen jenes Wissens waren, vor dem als Hintergrund die Erfahrung der neuen Welt zur Erfahrung einer feindlichen Welt wurde.

Werfen wir noch einmal einen Blick auf den Bilderbogen aus *La Semana*. Wenn die Verehrung der Füße (von Tänzerinnen) Indiz einer ›verkehrten Welt‹ ist, dann wird als ›kosmologisch richtig‹ die Distribution von Werten auf einer räumlich-vertikalen Achse (von oben nach unten) angesehen. Wenn das schweißtreibende Polka-Tanzen im Sommer, das nächtliche Treiben des jungen Lebemannes, das winterliche ›Flanieren‹ der Bettler auf den Straßen Madrids mit Ironie, Spott und Kritik bedacht werden, wenn die gradlinige Fahrt der schnellen Pferdegespanne und der eilende Lauf des Ballett-Freundes zum Theater eine Gefahr für die Passanten sind, dann scheint Zeit als Form des Erlebens noch dominant zyklisch strukturiert, mit anderen Worten: dann hat die ›Progreßlinie des Fortschritts‹ das Erfahrungsprinzip von der ›Wiederkehr des Gleichen‹ noch nicht verdrängt. Weit mehr als aus expliziten Wertungen und Kontrasten ergibt sich die Hauptfunktion des Costumbrismo während der dreißiger und vierziger Jahre aus Überlagerungen von solchen temporalen Grundstrukturen des Wissens. Sie erfassen Folgen einer – freilich nur partiellen – Verzeitlichung des Bewußtseins in der spanischen Gesellschaft, indem sie dem Nebeneinander von Altem und Neuem Gestalt geben und es als Kontrast erfahrbar machen. Es war Mesonero Romanos, der damals berühmteste costumbristische Autor, welcher in einer

Nachbemerkung zu seinen Beiträgen in den *Españoles pintados por sí mismos* daran erinnerte, daß solche Orientierung stiftende Gegenüberstellungen sich nie bis hin zu soziologischer Vollständigkeit würden kumulieren können: *No concluyeríamos nunca si hubiéramos de trazar uno por uno todos los tipos antiguos de nuestra sociedad, contraponiéndolos a los nacidos nuevamente por las alteraciones del siglo.* Und er fuhr fort mit einem – aus unserer Perspektive gleichsam: letzten – Versuch, die Statik der überkommenen Wissensstrukturen zu arretieren, weil er die Wandlungen von *costumbres* als ›Verkleidungen‹ des immer gleichen menschlichen Charakters interpretierte: ob ›Zeit‹ für ihn (noch) zyklisch oder (schon) linear konstituiert war, läßt sich nicht ausmachen. Jedenfalls aber scheint Mesonero Romanos die historische Relativität des in seiner Gegenwart Neuen als einen Ausgleich, eine Kompensation für das Schwinden des Alten erfahren zu haben: *El hombre en el fondo, siempre es el mismo, aunque con distintos disfraces en la forma ... Andarán los tiempos, mudaránse las horas, y todos estos tipos, hoy flamantes, pasarán como nosotros a ser añejos y retrógrados, y nuestros nietos nos pagarán con sendas carcajadas las pullas y chanzonetas que hoy regalamos a nuestros abuelos.*[61]

Wenn wir ein letztes Mal den Sachverhalt unterstreichen, daß die costumbristischen Texte aus der frühen Mitte des 19. Jahrhunderts nicht schlicht ›Abbildungen‹ der zeitgenössischen spanischen Gesellschaft waren, sondern deren – je standortgebundene – Interpretationen, dann dürfte plausibel werden, warum wir ihnen in funktionsgeschichtlicher Perspektive die Schriften der Ideologen des Moderantismo an die Seite stellen. Unter ihnen ragen Juan Donoso Cortés und Jaime Balmés hervor. Beide wurden nicht müde, das vom spanischen Staat repräsentierte und propagierte offizielle Wissen, nämlich die aus den Dogmen katholischer Theologie deduzierten Weltanschauungs-Varianten, mit anderen zeitgenössischen Weltanschauungen – religiösen wie laizistischen – zu kontrastieren. Das zeigt der Titel von Balmés Traktat ›*El protestantismo comparado con el catolicismo en sus relaciones con la civilización europea*‹ (1844) wie Donoso Cortés' *Ensayo sobre el catolicismo, el liberalismo y el socialismo* (1851). Anders als das vom *Costumbrismo* vermittelte Wissen allerdings wurden die Wertungen und Argumente solcher Schriften von vornherein als Stellungnahme ihrer Autoren identifiziert und zogen diese in die Sphäre politischer Alltagspolemik, während der nun literarisch nobilitierte Costumbrismo kaum merklich, aber am Ende wirksam, zur Entgrenzung zwischen Alltag und Fiktion beitrug. Doch wie der liberale Spiel-Raum des Moderantismo, so setzte auch diese Entgrenzung als Bedingung ihrer Möglichkeit signifikante Gesten der Sinn-Begrenzung voraus. Ein *Index librorum prohibitorum* aus dem Jahr 1848 betraf Bücher in spanischer oder französischer Originalsprache und Übersetzung, deren Hereinnahme in die Literarisierung des Alltags das labile Gleichgewicht zwischen Aufrechterhaltung der überkommenen Kosmologie und Hypostasierung des Individuums hätte gefährden können. Zu ihnen gehören religionskritische Schriften der europäischen Aufklärung (vor allem von Addison und Voltaire), geschichtsphilosophisch fundierte Reflexionen und Programme zum Verfassungsrecht (von Condorcet und Charon, besonders – meist ohne Autorenangabe – Traktate aus dem Jahrzehnt der Französischen Revolution), politisch-ökonomische Reformvorschläge (etwa Schriften von Jovellanos und verschiedene Nummern der aufklärerischen Zeitschrift *El Censor*), pornographische Texte (unter denen der *Arte de las putas* des älteren Moratín nicht fehlen konnte) – vor allem aber in erstaunlicher Breite zeitgenössische Romane des europäischen Auslands von Diderots *Jacques le Fataliste* über Hugos *Notre-Dame de Paris* bis hin zu nicht weniger als zwölf Titeln aus der Romanproduktion der Georges Sand.[62] Aus der während des XVIII. und frühen XIX. Jahrhunderts zunächst einmal kaum wahrgenommenen, jedenfalls nie wirklich intendierten Marginalisierung der Gattung ›Roman‹ war mittlerweile eine veritable Furcht und – als Kehrseite dieser Furcht – eine geradezu magische Hoffnung geworden, mittels einer strikt gehandhabten Roman-Zensur die Grundfesten des Moderantismo unangreifbar zu machen.

Diese Rahmenkonstellation läßt uns verstehen, warum die – formgeschichtlich kaum überraschende – Integration costumbristischer Szenen und Typenbeschreibungen in durchaus konventionelle Erzählstrukturen, warum – anders formuliert – der Beginn des ›costumbristischen Romans‹ mit der beständigen

Versicherung der Autoren einherging, daß es sich hier ›eigentlich gar nicht‹ um Romane handele. So schrieb Fernán Caballero (das ist das – männliche – Pseudonym von Cecilia Böhl de Faber, der Tochter des Romantik-beflissenen Nikolaus Böhl de Faber) in einem 1853 verfaßten Vorwort zu ihrem erstmals 1849 publizierten Roman *La Gaviota*:

Apenas puede aspirar esta obrilla a los honores de la novela. La sencillez de su intriga y la verdad de sus pormenores no han costado grandes esfuerzos a la imaginación. Para escribirla no ha sido preciso más que recopilar y copiar. Y en verdad no nos hemos propuesto componer una novela, sino dar una idea exacta, verdadera y genuina de España, y especialmente del estado actual de su sociedad, del modo de opinar de sus habitantes, de su índole, aficiones y costumbres. Escribimos un ensayo sobre la vida íntima del pueblo español, su lenguaje, creencias, cuentos y tradiciones. La parte que pudiera llamarse novela sirve de marco a este vasto cuadro, que no hemos hecho más que bosquejar. Al trazar este bosquejo sólo hemos procurado dar a conocer lo natural y lo exacto, que son, a nuestro parecer, las condiciones más esenciales de una novela de costumbres. Así es que en vano se buscarán en estas páginas caracteres perfectos ni malvados de primer orden como los que se ven en los melodramas; porque el objeto de una novela de costumbres debe ser ilustrar la opinión por medio de la verdad sobre lo que se trata de pintar; no extraviarla por medio de la exageración.[63]

Cecilia/Fernán fährt fort mit einer höchst konventionellen Schematisierung der fiktionalen Welt ihres ›Romans‹. Dazu unterscheidet sie in der Gesellschaft ihrer Gegenwart vier Grundtypen von Spaniern: jene, die der *raza antigua* angehören und ebenso alles National-Traditionelle pflegen wie sie alles Ausländische ablehnen; ihre semantisch-symmetrischen Antagonisten, zu denen, so erfährt man, vor allem die Einwohner der großen Städte zu rechnen seien und denen die Autorin deutlich weniger Sympathie schenkt als den *españoles de raza antigua*; eine dritte Gruppe von Zeitgenossen, die ›absurderweise‹ das Traditionelle wie das Ausländisch-Neue ablehnen; und schließlich ›die Mehrheit‹, jene Spanier nämlich, die bei aller Offenheit gegenüber dem Ausland nicht auf nationale Identität verzichten wollen: *no quieren dejar remolcar, de grado o por fuerza, y precisamente por el mismo idéntico carril de aquella civilización, a nuestro hermoso país.*

Natürlich ist dem Insistieren der Fernán Caballero auf dem
›rein referentiellen‹ Charakter ihres (Nicht-)Romans so wenig
Glauben zu schenken wie der angeblichen ›Neutralität‹ der costumbristischen Beobachter-Rolle, natürlich steht von vornherein fest, daß allein die Tradition den positiven Anteil nationaler
Identität ausmachen – getrost wörtlich nehmen kann man hingegen die ebenfalls im Vorwort herausgehobene Schlichtheit
der Handlungs-Struktur. Fernán Caballero erzählt die Geschichte des deutschen Chirurgen Fritz Stein, der sich im Jahr
1836 einschifft, um im spanischen Heer als Arzt zu dienen, und
auf der Reise die Bekanntschaft des Duque de Almansa – selbstredend: eines Idealbilds des altadligen Spaniers – macht. Wegen
eines humanitären Akts aus dem Heer ausgestoßen und unter
einer gefährlichen Verletzung leidend, verschlägt es Stein zwei
Jahre später in das andalusische Dorf Villamar und dort wird er
– wie anders – gesundgepflegt. Schon hat er die beschauliche
Karriere des Landarztes eingeschlagen, da ruft man ihn ans
Krankenbett der armen Fischerstochter María, genannt ›La Gaviota‹ (*Gaviota ... se aplica familiarmente a la mujer gritona,
imprudente, atolondrada y de ásperos modales*[64]), und er entdeckt schon bald deren stupende Gesangsbegabung, weshalb er
unvermeidlich zunächst von Marías Arzt zu ihrem Musiklehrer, dann von ihrem Musiklehrer zu ihrem Gatten avanciert.
Drei Jahre müssen vergehen, bis der Zufall nun auch den Duque de Almansa nach Villamar verschlägt und Fritz Stein die
Chance gibt, diesen (mit der für einen deutschen Arzt selbstverständlichen Kompetenz) vor dem nach einem Jagdunfall
drohenden Verlust eines Beins zu retten. Wie sein Retter wird
auch der Duque auf Marías weibliche Reize und ihre Stimme
aufmerksam, doch (*noblesse oblige*) er konzentriert sich ganz
auf die Förderung ihrer künstlerischen Ader, so daß endlich im
sevillanischen Palast der Almansa die bis zur Schwelle des
Weltruhms aufstrebende Karriere Marías beginnen kann. Soviel
soziale Mobilität allerdings wollen Fernán Caballero und ihre
Leser dem Mädchen aus der Fischerhütte nicht konzedieren: sie
muß sich in den Torero Pepe Vera verlieben, folgt diesem –
zunächst mit ihrem Mann – nach Madrid, kehrt nicht (im Erfolg undankbar geworden) nach Villamar ans Sterbebett ihres
Vaters zurück, bleibt relativ unbeeindruckt von der verzweifel-

ten Abreise ihres Gatten, der bald den erwartbaren Ehebruch aufdecken und in Kuba an Gelbfieber sterben wird. Die Strafe folgt auf dem Fuß: trotz einer ihre Stimme bedrohenden Lungenentzündung wohnt María jenem Stierkampf bei, bei dem Pepe den Tod findet. Sie selbst verliert neben dem Liebhaber natürlich auch ihre Stimme und gleitet auf der Leiter des gesellschaftlichen Ansehens um so viele Stufen herab, wie sie unter der Protektion des Chirurgen Stein und des Duque de Almansa aufgestiegen war. Vier Jahre später – und am Ende des Romans – ist sie mit ihrem alten Verehrer, dem Dorfbarbier von Villamar, verheiratet. Im Leben des Dorfs hatte sich inzwischen nichts verändert. Diesen Status, fühlt man sich zu sinnieren angehalten, hätte María auch ohne Umwege und ohne das Unglück so vieler haben können.

Szene für Szene wird den Lesern von *La Gaviota* vermittelt, was sie über deutsche Chirurgen, spanische Granden, arme andalusische Fischer, Toreros, Dorfbarbiere etc. ohnehin ›wissen‹, und die Handlung des Romans führt sie hin zu einer tröstlichen Retrospektive: ›Schuster (Fischerstochter), bleib bei deinem Leisten (Fischerdorf)‹. Jegliche semantische Komplexität, welche sich in ihre Erzählung und deren Gestalten einzuschleichen droht, unterdrückt die Autorin mit bewundernswerter Konsequenz. Wir beschränken uns auf ein Beispiel für diese – ihre einzige – Virtuosität. Als der Duque de Almansa von Marías ehebrecherischer Beziehung zu dem Torero Pepe erfährt, könnte es (einem anderen Schlag von Romanautorin) ›allzu menschlich‹ erscheinen, daß der hohe Herr die Chance zur Verwirklichung eigener erotischer Wunschträume gekommen sähe. Nicht so bei Fernán Caballero:

Cuando el duque estuvo solo, se paseó largo rato. A medida que se calmaba la agitación producida por la terrible sorpresa que se había apoderado de su alma al oír la revelación de Stein, se iba asomando a sus labios la sonrisa del desprecio. El duque no era uno de esos hombres de torpes inclinaciones, estragados y vulgares, para los cuales los desórdenes de la mujer, lejos de ser motivo de desvío y repugnancia, sirven de estimulante a sus toscas pasiones. En su temple elevado, altivo, recto y noble no podían albergarse juntos el amor y el desprecio; los sentimientos más delicados, al lado de los más abyectos. El desprecio iba, pues, sofocando en su corazón toda ilusión como la nieve apaga la llama del holocausto en el altar en que arde. Ya no existía para él la mujer a quien había cantado en sus versos, y que en sus sueños le había seducido.[65]

Der eindimensionale Roman-Herzog kehrt zu seiner Herzogin zurück (sie heißt ›Leonor‹: auch dieser Name wird rollen-typisch), die, zeitweilig keines Blickes von ihrem Gatten ge-würdigt, keusch, stumm und geduldig ausgeharrt hatte, solange der im Bann der Sängerin aus dem Fischerdorf stand. Es liegt nahe zu vermuten, daß Cecilia Böhl de Faber eine Affinität zu dieser still leidenden Leonor empfunden haben könnte. Denn als sie selbst zwölf (*sic*) Jahre alt war, beschrieb ihr Vater voll Zufriedenheit die Tochter mit folgenden Worten: *Gracias a una vigilancia constante he conseguido que ahogue desde un princi-pio las lágrimas y los caprichos; de esta suerte, no sólo no se hace pesada para nadie, sino que también se acostumbra a dominarse a sí misma. Es especialmente fuerte, anda ya bien, mas aún habla poco, cosa que por lo demás no me preocupa lo más mí-nimo . . .*[66]

Cecilia Böhl de Faber war 1796 in der Schweiz, auf einer Reise ihrer Eltern, geboren worden. Ihr Vater, der protestanti-sche und im Geist der Aufklärung gebildete Kaufmann aus Hamburg, hatte ihre Mutter, die irische Katholikin, in Cádiz geheiratet; aus dem scheinbar kühlen Hanseaten wurde ein ei-fernder Konvertit und ein eher naiver Romantik-Adept, aus der sittenstrengen Mutter die Muse eines literarischen Salons (und die geistesgestörte Tyrannin der Familie während ihrer letzten Lebensjahre); als älteste Tochter eines solch erstaunlichen Paa-res verbrachte Cecilia ihre Kindheits- und Jugendjahre unter der beständig sich wandelnden Orientierung verschiedenster Erziehungsprogramme – teils in Andalusien, teils in Hamburg. Zweifellos verfügte sie über jenes Quantum an Voraussetzun-gen für eine problematische persönliche Identität, in der wir nun schon einige Male eine Motiv-Konstellation für das Entste-hen von Romanen in der angeblich ›romanlosen‹ Zeit der spani-schen Literatur entdeckt haben; für das Entstehen von Roma-nen allerdings, deren narratives Bewegungsprinzip die – wie immer gearteten – Spannungen zwischen positiven Helden und reprimierender Gesellschaft waren. Cecilia/Fernán hatte gelernt, der Welt nicht mit ihren eigenen Problemen zur Last zu fallen. Das mag der Grund für ihre Bemühung gewesen sein, den Lesern zum einen Mißtöne im Verhältnis zwischen positiven Helden und Gesellschaft zu ersparen, und zum anderen die für eine Dame unschickliche Rolle der Romanautorin unter dem streng gewahrten[67] Anonymat des Männer-Namens ›Fernán Caballero‹ zu verbergen. Ganz den literarisierten Vorstellungen vom Leben scheint jedenfalls auch die erste von drei Ehen der Cecilia Böhl de Faber entsprochen zu haben. Neunzehnjährig verheiratete sie sich mit dem sieben Jahre älteren Antonio Planells y Bardají aus Ibiza, der Rittmeister eines in Granada stehenden Regiments war – und dies nur wenige Wochen nach ihrer ersten Begegnung.[68] Cecilias Eltern scheinen sich vom vermeintlichen Reichtum dieses Schwiegersohns eine Absicherung in drohenden Finanzschwierigkeiten, aber auch die Erfüllung eigener Träume von romantischer Liebe erwartet zu haben, während der Bräutigam selbst durch diese Heirat in Rekordzeit eine mit seinen Offizierskollegen eingegangene Wette gewann. Das junge Paar schiffte sich nach Puerto Rico ein, Cecilia erlitt *intimos y amargos sinsabores*, und noch vor dem Ende des ersten Ehejahres erlag der vermeintlich hoffnungsvolle Rittmeister einem Hirnschlag.

Erst im Herbst 1818 konnte Cecilia Böhl de Faber nach Andalusien zurückkehren, und im Frühjahr 1822 ging sie eine zweite Ehe ein, die wieder ganz die – für die Epoche typischen – ›schönsten Hoffnungen‹ ihrer Familie erfüllen sollte: sie wurde die Frau des Marqués de Arco-Hermoso, inspirierte – offenbar in größerem Stil als ihre Mutter – einen literarischen Salon und begann, selbst Texte zu schreiben. Nachdem er einen fast zweijährigen Kampf mit der Cholera überwunden hatte, starb der Marqués im März 1835 ›an einer Erbkrankheit‹. Ende 1836 segnete auch Cecilias Vater, Johann Nikolaus Böhl de Faber, das Zeitliche, und 1837, im Epochenjahr der spanischen Romantik, scheint sie bei der Wahl ihres dritten Gatten endlich der eigenen, literarisch inspirierten Vorstellung vom Leben gefolgt zu sein. Sie verband sich mit Antonio Arrón de Ayala, dem Sproß einer ebenso angesehenen wie verarmten Familie aus Ronda, der siebzehn Jahre jünger als seine mittlerweile eheerfahrene Gattin war und bereits zum Zeitpunkt der Heirat an Tuberkulose litt. Voller Begeisterung ergriff Cecilia die Rolle der opferbereiten Ehefrau: so folgte sie etwa einem damals gängigen therapeutischen Verfahren und trug Kleidungsstücke des Tuberkulosekranken auf ihrem eigenen Leib; sie scheute keinerlei Ausgaben, und sie pflegte mit blindem Enthusiasmus ein vages künstlerisches Talent des jungen Arrón. Als dieser sich jedoch eines Tages entschloß, den ihm angeblich angebotenen Posten eines spanischen Konsuls in Sidney zu übernehmen, stellte sie ihm kaum Hindernisse in den Weg. Sie beklagte sich auch nicht, als er nach einer kurzen Rückkehr gen London reiste, ›um sich um seine finanziellen Angelegenheiten zu kümmern‹, und selbst den Selbstmord Arróns im Jahr 1859 scheint sie mit Gelassenheit getragen zu haben: ›Fernán Caballero‹ war immerhin gegen Ende der sechziger Jahre zu einem in Spanien bekannten Autorennamen geworden. Die letzten Briefe an seine Frau zeigen, daß sich der tuberkulöse Konsul der spanischen Krone in Sidney auf das literarische Sterben verstand. Er schilderte sich als vom Wahnsinn bedroht und stellte den Selbstmord – aus finanziellen Nöten – als einen letzten Akt der Liebe gegenüber jener Frau dar, vor deren Fürsorge er doch auf den fünften Kontinent geflohen war:

Mi buena y querida Cecilia, cuando recibas esta mi ultima carta ya habrás recibido el cruel golpe que mi atroz destino, mi flaqueza, mi razón extraviada y esa atracción irresistible del abismo me fuerzan a darte. La consideración de que si yo permanezco en este mundo sólo es para causarte pesadumbres, y que más vale una grande que acabe con ellas de una vez, es lo que me decide. ¡Hija mía, qué veintidós años de miserias y penas te ha costado casarte conmigo! Y por remate, para que el resto de tus días lo pasaras cuidando de un loco, pues siento a la locura apoderarse de mi cerebro con su mano de hierro. ¡Qué corona de martirio vas a llevar al cielo, santa y querida criatura![69]

Ein anderer Aspekt solch feinfühliger Todes-Inszenierung brachte Arrón sogar die Verewigung durch folgende Notiz in einer englischen Zeitung ein:

Suicide. On Thurday (sic) a gentleman, said to be Spanish Consul for Australia, shot himself in Bleinheim (sic) Park. It appears (sic) that on is (sic) person were found three letters, one addressed ... to the Duke of Marlborough ... he begs that his grace wil (sic) pardom (sic) him for selecting his park for a place in wich (sic) to end his life, and observes that he has a feeling wich (sic) may be a childish one, that objets (sic) that he sould (sic) die in cultivated fields, were (sic) cottages are, and railroads eross (sic), and sings (sic) of life exist, therefore he has selected Blenheim Park for his porpose (sic), and prays that duke (sic) will cause him to be buried at the spot where he has died, and cause a cross to be put up note the place, according to the Spanisk (sic) custom.[70]

Dieser schauerlich-schöne Tod markierte *keinen* Einschnitt im Leben der Cecilia Böhl de Faber. Denn aus der opferbereiten Ehefrau war eine von der höchsten Gesellschaft hofierte Literatin geworden, die unter vielfachen Angeboten der finanziellen Protektion wählen konnte. Den Vorschlag des Gemahls von Königin Isabel II., noch zu Lebzeiten von Antonio de Arrón ihren Wohnsitz in ein Kloster bei Aranjuez zu verlegen, hatte sie abgelehnt, um sich dem Einfluß der dort ansässigen Sor Patrocinio zu entziehen, einer stigmatisierten Nonne, deren Macht über die verschiedenen (untereinander rivalisierenden) Mitglieder der Königsfamilie in der europäischen Geschichte des 19. Jahrhunderts wohl nur noch mit der Rolle Rasputins am Zarenhof vergleichbar ist. Seit 1857 lebte Cecilia/Fernán dann im Alcazar von Sevilla, und bis 1868, dem Jahr ihrer erzwungenen Abdankung, kam die Königin Isabel II. für ihren Unterhalt auf, während die Infantes Duques de Montpensier (während einer kurzen Zeit erste Kandidaten für die Nachfolge Isabels II.) das Gespräch mit der berühmten Autorin suchten. 1877 ist Fernán Caballero – allerseits verehrt – in Sevilla gestorben.

Dem Bild von Cecilias/Fernáns Charakter entspricht der Eindruck, daß sie ihr Ansehen bei Hof mit durchaus ›feiner Zurückhaltung‹ nutzte. Andere Literatinnen ihrer Zeit waren gieriger und skrupelloser. Zu ihnen gehörten Carolina Coronado und vor allem Gertrudis Gómes de Avellanada, die – um nur ein Beispiel zu nennen – bei einem Wettstreit der *Composiciones poéticas en elogio de la augusta clemencia de Nuestra Excelsa Reina Doña Isabel II* im Jahr 1845 unter zwei verschiedenen Namen gleich die beiden – hochdotierten – ersten Preise einheimste. Anlaß zur Preis-Stiftung durch den Finanzmagnaten Vicente Beltrán de Lis war die Aufhebung eines Todesurteils durch die blutjunge Königin gewesen, die erst zwei Jahre zuvor gekrönt worden war. Schon zwei Strophen aus *La Cle-*

mencia. Oda en elogio … de Doña Isabel II. führen uns in eine
Sphäre gestauter Erotik, die sich damals wohl allenthalben noch
in den trivialsten Bildern und Floskeln mitteilte:

> El cetro, de poder temible signo,
> en esa mano angélica y suave
> es la sagrada llave
> que abre las puertas del perdón benigno.
> Si por tributo digno
> llanto de amor y gratitud lo baña,
> no temas, que no empaña
> su resplandor brillante,
> y al suelo de tu España
> es ese llanto riego fecundante.
>
> ¡Sí, noble suelo hispano, él te fecunde
> y haga brotar tus lauros inmortales!
> De los labios reales
> aquella voz que por tus campos cunde
> es aura que difunde
> de la más bella flor plácido aroma:
> eco de otra paloma
> que nueva oliva alcanza
> y te anuncia que asoma
> por tu horizonte el iris de bonanza.[71]

Nur selten konnte Cecilia/Fernán die Verbitterung über soviel
Erfolg ihrer Rivalinnen halbwegs unter geheuchelter Bewunderung kaschieren: *¡Dichosa doña Gertrudis, tan bien dotada por
Apolo … Tanto a ella como a la Coronado les hace falta una
cosa que no se tiene si no se adquiere desde la cuna: educación;
por lo que, si les sobra el genio, les falta* comme il faut, *el tacto y
la cultura poética.* Oder: *somos muy amigas la Avellaneda y yo,
por ser, al parecer, nuestras sendas muy opuestas, así como nuestros caracteres. Esto probará que no es preciso asemejarse para
quererse. Es una mujer buenísima, aunque yo quisiera que para
su propia felicidad su sangre corriera menos apresurada y su
espíritu se elevase menos a esas regiones tan altas …; así sucede
que no está* a son aise *en la atmósfera y (sic) a todos nos rodea.*[72]
Gerade die von der Avellaneda angeblich verfehlte Nähe zur
Alltagswelt aber nahm Fernán Caballero für sich immer wieder
in Anspruch: *He repetido varias veces que no escribo novelas,*

puesto que la tendencia de mis obritas es combatir lo novelesco, sutil veneno en la buena y llana senda de la vida real. Esto es hacer una innovación dando un giro nuevo a la apasionada novela, trayéndola a la sencilla senda del deber y de la naturalidad.[73] Was ihre zeitgenössischen Leser Fernán Caballero freilich zu danken wußten, das war gerade die Literarisierung des vermeintlich so wirklichkeitsnah geschilderten Alltags: *En* La Gaviota *la acción es casi nula; todo lo que constituye su fondo puede decirse en poquísimas palabras; ¡rara prueba de ingenio en el autor haber llenado con la narración de sucesos muy vulgares dos tomos en los que ni sobra una línea ni decae un solo instante el interés, ni cesa un solo punto el embeleso del lector! Consiste esto en la encantadora verdad de sus descripciones, en la grande animación de sus diálogos, y más que todo, en el conocido sello de vida que llevan todos los personajes, desde el primero hasta el último.*[74] Bezeichnenderweise konnte der begeisterte Kritiker solch ›bezaubernde Wahrheit der Beschreibung‹ (das Oxymoron von der ›bezaubernden Wahrheit‹ ist symptomatisch für den Widerspruch zwischen der angestrebten Wirklichkeitsnähe des Textes und seiner Funktion) eigentlich gar nicht in allen Passagen des Romans entdecken: am liebsten, lesen wir, wäre er mit seiner Imagination während der ganzen Lektüre in der heilen Traditionswelt des andalusischen Dorfs Villamar verweilt.

Am Ende bleiben die costumbristischen Romane der Fernán Caballero – trotz aller taktvollen Zurückhaltung in den Beziehungen der Autorin mit dem Hof – geradezu idealtypische Konkretisationen des *estilo isabelino* in der Literatur: *la intolerancia para hablar de verdad sobre las cosas y vivir una vida verdadera.*[75] Stilprägend hatte schon Isabels II. Mutter, die Regentin María Cristina, seit dem Tod ihres königlichen Gatten, Fernando VII., gewirkt. Nach nur dreimonatiger Trauer war ihr ein junger Bürgerlicher aus der Palastwache, Fernando Muñoz, – zur linken Hand und heimlich – angetraut worden. Samt seinem Freundeskreis und seiner Familie sollte der natürlich bald geadelte Muñoz entscheidenden Einfluß auf das politische Handeln der Königsfamilie und damit tatsächlich auf die Geschicke der spanischen Nation erlangen; aber trotz dieser Evidenz hielt María Cristina am Status der königlichen Witwe fest.

So gelang es ihr denn, wie eine Hofdame spöttisch bemerkte, ›heimlich verehelicht und öffentlich schwanger‹[76] zu sein. Die christliche Moral erlebte die Öffentlichkeit anscheinend als im Leben der Regentin unberührt (wenigstens nach dem Herbst 1841, als sie auf einer Reise nach Rom und nach Ablegung der Generalbeichte die Absolution vom Papst erhielt[77]). Das ihre morganatische Ehe umhüllende offizielle Schweigen wollte María Cristina im Staatsinteresse wahren. So konnte sie 1847 mit dem ruhigsten Gewissen in einem Brief an ihre jungverheiratete königliche Tochter schreiben:

Pude ser flaca, no me avergüenzo del pecado que sepultó el arrepentimiento; pero jamás ofendí al esposo que me destinó la Providencia, y sólo cuando ningún vínculo me ataba a los deberes de la fidelidad jurada, di entrada en mi corazón a un amor que hice lícito ante Dios para que disculpase el secreto que guardé a mi pueblo. Digo estas cosas para que no te sirvan de escudo a relaciones dictadas por el antojo. Debéis volver a la paz matrimonial para evitar críticas acerbas. Esto es muy conveniente para la tranquilidad del pueblo español.[78]

Als Mutter und Ex-Regentin hatte María Cristina schon im Frühjahr 1847, wenige Monate nach der Verheiratung Isabels II. mit Don Francisco de Asís María de Borbón, ihrem Vetter väterlicher- und mütterlicherseits, allen Anlaß zur Besorgnis. In der historischen Retrospektive muß die Frage offenbleiben, wie der Hof je etwas anderes als permanente Krisen-Anlässe von dem jungen Herrscherpaar hatte erwarten können. Isabels sexuelle Erregbarkeit (die man durch ein Hautleiden intensiviert glaubte) war ihrer engeren Umgebung seit langem bekannt. Vor allem aber wußte man um die ›physische und psychische Unfähigkeit‹[79] des Francisco de Asís zum Vollzug der Ehe. So spielte sich schon bald eine Sequenz von Aktionen und Reaktionen unter den Hauptprotagonisten des spanischen Hofes ein, welche über gut zwei Jahrzehnte wieder und wieder mit nur wenigen Varianten ablief, um Auslöser zahlloser politischer Unruhen zu werden.

Phase eins: Isabel II. bricht in ihren intimen Beziehungen zu einem Liebhaber – ihre Vorliebe gehörte (wie das auch für ihre weiblichen Untertanen charakteristisch war) Tanz- und Reitlehrern – die Konventionen königlicher Diskretion, der politische Einfluß einer sich um den jeweiligen Favoriten rasch versammelnden Lobby wird identifizierbar. *Phase zwei:* der königliche Gemahl reagiert auf solche Störung des Gleichgewichts zwischen den *camarillas* am Hof so, als sei er in seinem männlichen Stolz verletzt: er verweigert Isabel II. die vom Protokoll geforderte Begleitung bei offiziellen Anlässen. *Phase drei:* Politiker und persönliche Ratgeber auf beiden Seiten des bizarren Paares versuchen Druck auszuüben, um den (von jedermann als Schein-Frieden durchschauten) Ehe-Frieden wiederherzustellen. Darüber kommt es nicht selten zur Entlassung von Ministern und Ministerpräsidenten. *Phase vier:* immer wieder gelingt es Gottesmännern und Gottesfrauen – allen voran der im Zweifelsfall eher Don Francisco de Asís protegierenden Sor Patrocinio –, mit der Evokation schrecklichster Sündenstrafen Isabel II. zum Einlenken zu bewegen. *Phase fünf:* die Königin geht ein neues Liebesverhältnis ein.[80] Wenn immer diese bemerkenswerte Maschinerie in Gang geriet, hing das politische Schicksal Spaniens von in hitziger Erregung getroffenen Zufallsentscheidungen ab. So versuchte Don Francisco de Asís im April 1857, begleitet von einem ehemals carlistischen General, in eine unter Vorsitz der Königin tagende Kabinettssitzung einzudringen; der Ministerpräsident Narváez verweigerte ihm den Zutritt. Es kam zu einem Handgemenge, das für den Begleiter des königlichen Gemahls und für Narváez' Adjutanten einen tödlichen Ausgang nahm.[81] Viel erstaunlicher ist es freilich, daß die Historiker die Geburt eines Thronfolgers, des späteren Alfonso XII., am 28. November 1857, kommentarlos registriert haben. Es scheint ihnen einzig und allein an dem Erweis gelegen zu sein, daß Isabel II. auch den mit der Mutterrolle verknüpften Erwartungen nicht gerecht wurde. Besonders anschaulich wirkt eine einschlägige Szene aus der Zeit des Exils, nämlich Isabels am 5. Juni 1870 in Paris offiziell vollzogener Thronverzicht zugunsten des Infanten. Nachdem die Königin alle politischen Rechte ihrem ›hochgeliebten Sohn Don Alfonso, dem Prinzen von Asturias‹, abgetreten hatte, schrieb das Zeremoniell dem Zwölfjährigen vor, sich dem wogenden mütterlichen Busen zu einer förmlichen Umarmung des Dankes zu nähern. Statt dessen soll der Thronfolger einen Höfling bei der Hand genommen haben, um ihm sein neues Veloziped zu zeigen.[82]

Angesichts weitestgehender, mit dem Geist des 19. Jahrhunderts kaum mehr vermittelbarer religionspolitischer Konzessionen, durch die sich der Vatikan 1851 die Distanznahme von den Karlisten und die Unterstützung des Madrider Hofs hatte honorieren lassen, verwunderte es wohl kaum einen Zeitgenossen, daß der Papst noch 1868, im Jahr jener ›glorreichen Revolution‹, die zur Ersten spanischen Republik führen sollte, eben Isabel II., der ebenso bigotten wie nymphomanen spanischen Königin, die *Rosa de Oro* verlieh, das öffentliche Symbol kirchlicher Anerkennung ihrer ›exemplarischen Tugenden‹. Die so Geehrte genoß die Auszeichnung auf ihre Weise:

Cuando, al término de la ceremonia, el palatino cortejo de plumas, bandas, espadines y mantos se acogió a los regios estrados, la Reina Nuestra Señora hubo de pasar a su camarín para aflojarse el talle. La Doña Pepita Rúa acudió, pulcra y beatona: Era dueña del tiempo fernandino, una sombra familiar en las antecámaras reales. La Señora, al aflojarle la opresa cintura las manos serviles de la azafata, suspiró, aliviándose: Estaba muy conmovida y olorosa de incienso: En la capilla, oyendo leer la salutación del Santo Padre, casi se transportaba, y el ahogo feliz del ceremonial veníale de nuevo. La Reina sentíase desmayar en una onda de piedad candorosa, y batía los párpados ...[83]

Was sich wie die Indiskretion eines Höflings aus dem Jahr 1868 liest, ist Teil eines Textes, den Ramón del Valle-Inclán Mitte der zwanziger Jahre unseres Jahrhunderts geschrieben und 1927 unter dem Titel ›*La Corte de los milagros*‹ in Buchform, Ende 1931 dann noch einmal, aufgeteilt in dreiundvierzig Folgen, in der Tageszeitung *El Sol* veröffentlicht hat. Eine imponierende Dichte historischer Dokumentation und seine hier durchaus gezügelte Imagination genügten Valle-Inclán, um einen Text entstehen zu lassen, dessen groteske Effekte keinen Vergleich mit jenen Stücken scheuen müssen, die er der von ihm geschaffenen, zwischen Surrealismus und Expressionismus stehenden Gattung des *esperpento* zuordnete. Valle-Inclán machte seine Leser vertraut mit der Wunderwelt des isabelinischen Hofes und ihren schillernden Protagonisten: mit der sanguinischen königlichen Skandalnudel, mit dem leise zähen Widerstand leistenden impotenten Königsgemahl, mit den leichtfüßig tanzenden und die Gunst ihrer Launen konsequent nutzenden Liebhabern Isabels, mit der stigmatisierten Sor Patrocinio, die sadistisch ihre grenzenlose Macht über die Herrscherin genoß. Innerhalb weniger Jahrzehnte war der Alltag des isabelinischen Hofs zur Motivation für ein literarisches Experiment geworden: ohne flagrante Brechung der historiographischen Referenz-Verpflichtungen und ohne des für die Literatur des frühen XX. Jahrhunderts üblichen Phantasie-Aufwands zu bedürfen, hatte jene Welt für die Nachgeborenen alle Züge des *esperpento* angenommen. Skandalös war allerdings schon um die Mitte des XIX. Jahrhunderts für viele Spanier ihr ›Wunder-Hof‹ gewesen. Isabels II. Thron stürzte, als nach zwei Jahrzehnten ihrer Herrschaft jene spontane Sympathie aufgebraucht und ins Gegenteil verkehrt war, mit der ihr Volk 1844 die Krönung der Tochter Fernandos VII. bejubelt hatte. Die Faszination des ›literarisierten Alltags‹ war am Ende doch auf abgegrenzte gesellschaftliche Kreise beschränkt geblieben.

Illusion der Alltäglichkeit

Am 25. November 1885 um viertel vor neun Uhr morgens starb im *Palacio del Pardo*, an der westlichen Peripherie von Madrid, der spanische König Alfonso XII., drei Tage vor seinem achtundzwanzigsten Geburtstag. Unmittelbare Todesursache waren Erstickungsanfälle; sie waren aufgetreten, nachdem der schon seit längerer Zeit an Tuberkulose leidende Sohn Isabels II. sich auf einem herbstlichen Spaziergang eine Erkältung zugezogen hatte. Nach gut zehn Jahren seiner Regierung genoß Alfonso XII. eine fast unzeitgemäße Popularität bei allen Schichten der spanischen Gesellschaft. Unter den Gründen für solche Popularität sollte man den durchaus pessimistischen Erwartungshorizont nicht unterschätzen, zu dessen Entstehen im XVIII. und im XIX. Jahrhundert fast alle Monarchen der bourbonischen Dynastie, zumal Isabel II., beigetragen hatten. Doch auch sein immer wieder unter Beweis gestelltes Bewußtsein von der Bedeutung seiner Rolle und eine – im positiven Sinn des Wortes – ›naive‹ Freundlichkeit waren Charakterzüge, die Alfonso XII. als bis heute letzten spanischen König in den *Romancero* eingehen ließen. So war es ganz selbstverständlich, daß die wöchentlich erscheinende Zeitschrift *La Ilustración Espa-*

ñola y Americana – wie die übrige spanische Presse – ihre Ausgabe vom 30. November 1885 fast ausschließlich dem Tod des Königs widmete. Im Zentrum der *Ilustración Española y Americana* vom 30. November 1885 vergegenwärtigte auf der siebten und achten von insgesamt sechzehn Seiten eine großformatige Darstellung die ›Letzten Augenblicke Seiner Majestät des Königs Alfonso XII.‹ (vgl. S. 912). Comba, der herausragende Zeichner in den frühen Jahren der spanischen Illustriertenpresse, hatte das Bild hergestellt und die von ihm erfaßte Szene mit folgenden Worten beschrieben:

En los últimos momentos de la vida del Rey hallábase la reina doña María Cristina junto al lecho de su esposo, y en la misma regia cámara estaban el Dr. Riedel, el cardenal Benavides y el Conde de Morphy. Cuando la Reina, que espiaba anhelante los movimientos del enfermo, oyó decir al Dr. Riedel que todo había concluido, y comprendió la tremenda realidad, cayó desplomada á la cabecera de la cama, besando la mano derecha de su infortunado esposo; el cardenal Benavides cumplía los deberes de su sagrado ministerio; el doctor no pudo reprimir las lágrimas, y ocultó su semblante entre las manos; el Conde de Morphy, fiel secretario de S. M., corrió desolado á anunciar la fatal noticia á la Reina madre y á las Infantas, que esperaban con angustiosa zozobra en la pieza-despacho, contigua á la alcoba del Rey.[84]

Vorbildlicher – und erwartungskonformer – hätte ein König nicht sterben können. An seinem Totenbett waren vollständig all jene Personen versammelt, denen familiäre Bande oder offizielle Ämter solche Nähe vorschrieben. Die Königin-Mutter, *persona ingrata* selbst für die engagiertesten Monarchisten (und es war im Jahr 1885 nicht mehr ganz selbstverständlich, daß man Monarchist war), die nur nach wiederholten Versprechen des Wohlverhaltens (und immer wieder auf begrenzte Zeit) aus ihrem französischen Exil zurückkehren durfte, scheint für dies eine Mal den politisch gebührenden Abstand gehalten zu haben. Den Prinzessinnen war der Anblick ihres sterbenden Vaters erspart geblieben. Jene vier Personen aber, die dem König im Todeskampf beistehen durften und mußten, hatten getan, was ihres Ranges und ihres Amtes war: die Königin war in Ohnmacht gefallen (denn mehr noch als jede andere vorbildliche Gemahlin stirbt eine Königin ›mit ihrem Gemahl‹); für den Kardinal war mit dem Tod des Monarchen jene Situation eingetreten, welche fast mehr noch als die Agonie seine Gegenwart rechtfertige (denn erst jetzt war alle Hoffnung auf Hilfe im Diesseits geschwunden); umgekehrt konnte der Leibarzt nun, da seine Kunst am Ende war, den persönlichen Gefühlen – objektiviert in Tränen, die er nicht unterdrücken wollte – freien Lauf lassen (und so vielleicht auch Hilflosigkeit zum Ausdruck bringen); der Sekretär des Königs hatte ein letztes Mal die Verbindung zu seiner Umwelt herzustellen, indem er unverzüglich die Todesnachricht den nächsten Angehörigen überbrachte.

Wir können sicher sein, daß dieser Text und das Bild, welches er erläutert, nicht als Idealisierung erfahren wurden. Denn Comba fährt fort:

Esta escena es la que he reproducido en mi dibujo, rigorosamente exacto. Los detalles son también auténticos: la cama era de hierro, dorada, y la cubría una colcha blanca; en la pared de la cabecera había dos tapices de Goya que representaban escenas de manolos y majas, y en las paredes laterales, tapices de Teniers, figurando asuntos de caza; al lado derecho de la cama, un sillón, y más allá una mesa de noche con un album de retratos de la Real familia; dos cortinas cerraban la alcoba, y la cámara exterior, que tiene tres balcones (cerrado el del centro, para evitar la luz), aparecía sencillamente decorada con tapices de Teniers, una araña de cristal que representa el navío *Santísima Trinidad*, un barómetro, un lavabo y una mesita.

Nuestros suscritores deben considerar esta página artística de nuestro eficaz artista Juan Comba, como fiel reproducción de la verdad.

Gewiß sollte diese Aufzählung der im Sterbezimmer des Königs befindlichen Gegenstände – das zeigt auch der letzte Satz des vorausgehenden Zitats – den Authentizitätsanspruch von Combas Zeichnung sichern, denn im Gegensatz zu den unvermeidlich interpretationsbedürftigen Gesten der Personen und zu ihren (im Bild ja immer nur konnotativ faßbaren) Bewegungen war das textuelle Repertoire dieser Gegenstände ja bloß eine Verdopplung ihrer Präsenz im Bild. Dennoch mag sich bei heutigen Lesern und Betrachtern – im Hinblick auf die evidente Funktion der Authentifizierung – das Gefühl einstellen, daß es der Liste von Gegenständen an Kontingenz mangelt: allzu eindeutig entsprechen das einfache Eisenbett und das Album mit Porträts seiner nächsten Verwandten dem Bild eines Königs, mit dem sich jeder Bürger identifizieren konnte; allzu perfekt sind die Verdunkelung und das Barometer an die Spezifik des Krankheitsbilds angepaßt. Dennoch, die Gegenstände konnte Comba gesehen haben – nicht aber die Reaktionen der Personen, die Alfonso XII. im Moment seines Todes beistanden. Gerade deswegen ist es bemerkenswert, daß für beide Schichten der Bild- und Text-Referenz derselbe Authentizitätsanspruch erhoben wurde: wir zitieren die den beiden Beschreibungen vorausgehenden Sätze, in denen von Comba entgegengenommene Berichte der königlichen Diener und seine eigene Augenzeugenschaft gleichsam zu *einer* Quelle fusioniert werden:

Nuestro colaborador artístico Sr. Comba, que llegó al palacio del Pardo pocos minutos después de haber espirado S. M. el Rey (q. e. p. d.), ha reproducido con rigorosa exactitud aquella suprema escena en el dibujo que publicamos en las páginas 320 y 321. Nuestro compañero y amigo nos facilita además los siguientes datos: »Cuando llegué al palacio del Pardo acababa de espirar S. M. el Rey; algunos fieles servidores del augusto finado me refirieron, con voz ahogada por la pena, el doloroso acontecimiento; logré entrar en seguida (gracias á distinciones singulares que no olvidaré nunca) en la regia estancia donde un Rey joven y lleno de esperanzas había rendido su espíritu al Creador ... Y embargando mi corazón por la pena ante el funebre cuadro que se ofrecía á mi vista, dejé correr el lápiz sobre el papel y consigné exactamente hasta los menores detalles de la escena, según pude reconstituirla con fidelidad, por la relación de aquellos servidores del Monarca.«

Zwei für uns selbstverständliche Fragen wurden nicht gestellt: ob die erschütterten Diener des Königs ›mit ihren tränenerstickten Stimmen‹ überhaupt imstande waren, Comba den genauen Verlauf der Sterbeszene wiederzugeben (ob sie selbst diese Szene miterlebt hatten, ob sie nicht – in ihrer angeblichen Erschütterung – das Geschehen idealisierten, ob sie – gerade gegenüber einem Journalisten, der sich ganz offenbar ›erkenntlich erweisen wollte‹, – aus eigenem Interesse den Bericht entstellten); und ebenso bleibt die Frage aus, ob denn Combas Imagination – setzt man einmal die Authentizität des Diener-Berichts voraus – die Sterbeszene überhaupt mit der gleichen Exaktheit zu (re-)produzieren konnte wie die Gegenstände im Sterbezimmer Alfonsos XII., die ja auch einige Zeit nach dem Ableben des Königs dort stehen geblieben sein mochten. Combas Zeichnung, sein Kommentar und das Ausbleiben solcher Fragen sind symptomatisch für das Verhältnis zwischen künstlerischer Darstellung und Wirklichkeit in Spanien gegen Ende des XIX. Jahrhunderts. Man war bereit, ja begierig, sich – von Kunst, Literatur, Medien – immer wieder bestätigen zu lassen, daß die Wirklichkeit so war, wie man sie sehen wollte. Und man wollte, daß die spanische Wirklichkeit dem Alltag der anderen, für ›modern‹ gehaltenen Nationen möglichst ähnlich sei.[85] Bis in den Tod also wollten die Leser der ›Ilustración Española y Americana‹ den König seine Rolle erfüllen sehen: mit der Würde des Souveräns, in dessen physischer Nähe nur wenige Personen – kraft ihres Amtes oder ihrer eigenen Würde – sich aufhalten durften; in der glorreichen Tradition spanischer Geschichte, an ein die das Schiff des Kolumbus darstellende Leuchter und Goyas Wandteppiche erinnerten; aber eben auch als Bürger-König, dessen Sterbebett sich kaum von den Betten seiner Untertanen unterschied und der sich – wie es seine Untertanen auch von sich selbst geglaubt hätten – bis zum letzten Atemzug als liebender Familienvater bewährte.

Daß die Bilder von der Alltäglichkeit eine Illusion sein konnten, dazu trug eine neue Zeitschriften-Gattung, nämlich die *Illustrierte* bei. Im November 1885 konnte die *Ilustración Española y Americana* bereits auf ein fast sechzehnjähriges, überaus erfolgreiches Bestehen zurückblicken:[86] ihr Gründer, Abelardo de Carlos aus Cádiz, hatte eine auf costumbristische Beiträge spezialisierte Wochenschrift (*Museo Universal*) und eine Mode-Revue (*La Moda Elegante e Ilustrada*) vereinigt, in einem scharfen Wettbewerb schon bald die einzige Konkurrenz, *La Ilustración de Madrid*, ausgeschaltet. Erst 1891 sollte ihm in *Blanco y Negro* eine neue Herausforderung begegnen, mit der dann ein langsamer und langer Niedergang der *Ilustración* begann; dies wohl vor allem deshalb, weil die Redaktion von *Blanco y Negro* mit der Ausblendung politischer Informationen und Kommentare der Ausdifferenzierungstendenz der Presseorgane entgegenkam und darüber hinaus auch eher die technischen Vorteile der Photographie zu nutzen verstand. Natürlich wollen wir nicht behaupten, daß mit der Photographie der illusionäre Charakter der in den Illustrierten inszenierten Alltäglichkeit verschwand. Im Gegenteil: die Photographie sollte bei der Absicherung ihres Authentizitäts-Anspruchs gerade jene Probleme eliminieren, die uns die Rekonstruktion von Combas Perspektive auf den Tod Alfonsos XII. ermöglicht hatten.

Vorerst freilich erfüllte sich die intendierte Wirkung der vermeintlichen graphischen Augenzeugenberichte ganz ohne Abstriche. Der Zeichner Comba genoß als ›Künstler‹ – und als ›Chronist‹ – erstaunlichen Ruhm, den zu feiern auch die Konkurrenz, im Fall des folgenden Zitats: die Tageszeitung *El Imparcial*, anläßlich des Todes von Alfonso XII. nicht anstehen durfte:

Ante los escaparates de las librerías se detienen los transeúntes para ver las hermosas páginas de *La Ilustración Española y Americana*, que contiene la historia del reinado de Alfonso XII. Los modernos periódicos de grabados serán con el tiempo inapreciables documentos de valor histórico. Allí, día a día, el lápiz y el cincel han estampado los accidentes todos de la vida nacional: Comba, el distinguido artista del periódico de los señores de Carlos, ha sido el cronista.[87]

Die Illustrierten in anderen Ländern waren seit der Mitte des XIX. Jahrhunderts in ähnliche Funktionen hineingewachsen – sie alle scheinen ein Bild vom Alltag entworfen zu haben, welches das ›Wissen‹ ihrer Leser ›von der Wirklichkeit‹ bald stärker prägte als die unmittelbaren Erfahrungen.

Entgegen einem (seinerseits gut begründeten) metahistorischen Gebrauch des *Alltags*-Begriffs in der Soziologie wollen wir dieses Konzept hier auf eine spezifische Struktur in den Gesellschaften des XIX. Jahrhunderts beziehen. Anders als unter den Bedingungen ständischer Hierarchie wurde der Alltag zu einer Sphäre des Verhaltens, in der sich die Angehörigen aller sozialen Schichten begegnen konnten. Zwar waren ihre Rollen bei solchen Begegnungen noch komplementär und autoritätsgeprägt, doch die Spannung zwischen ›Ständebewußtsein‹ und ›Interaktion‹, die Polarisierung zwischen ›Individuum‹ und ›Gesellschaft‹ *sollten* als aufgehoben gelten. Daß dieser Anspruch weitgehend realisiert wurde, war wohl vor allem einer Doppelungsstruktur des Alltags zuzuschreiben, seiner Auffaltung in eine Sphäre der praktischen Zwecke und eine Sphäre der Freizeit (zu der natürlich auch Literatur und Kunst gehörten). Literatur und Kunst rückten nun näher denn je an die Welt der Zwecke heran – nicht umsonst wiesen sie ihre besondere Qualität in der zweiten Hälfte des XIX. Jahrhunderts gerade über ihre ›Realitätsnähe‹ aus. Realistische Literatur war dennoch nie ›ein Abbild der Welt‹, vielmehr stellte sie eben den Alltag so dar, wie er sein *sollte*. Literatur und Kunst gewannen über die bloße Funktion der Konstitution von Wirklichkeit hinaus deshalb auch bald die Funktion, deren Übereinstimmung mit den Bedürfnissen des Individuums zu suggerieren. ›Man‹ starb nun nicht mehr wie Larra – nicht einmal mehr in der Literatur – am Konflikt zwischen exaltierten Individual-Ansprüchen und gesellschaftlichen Normen, und der Tod war längst nicht mehr Schwelle hin zu einem jenseitigen Reich, wo das im Diesseits Unversöhnliche harmonisiert werden konnte. Angesichts dieser Tendenz zur Aufhebung aller Spannungen durfte und konnte, wie wir gesehen haben, auch ein populärer König in den Reportagen der Illustrierten wieder als König sterben, ohne dort an Individualität zu verlieren.

Wenn wir nun in bezug auf Spanien von einer durch Literatur beförderten ›Illusion der Alltäglichkeit‹ reden, so meinen wir damit nicht schon den – anderswo in gleichem Maße gültigen – Sachverhalt, daß zur ›Wirklichkeit‹ des bürgerlichen Alltags‹ die über verschiedenste Medien vermittelte Erfahrung gewiß ebenso viel wie die direkte Erfahrung der Bürger beitrug. Vielmehr wollen wir mit dem Begriff ›Illusion der Alltäglichkeit‹ den spezifischen Status ›bürgerlicher Alltäglichkeit‹ in Spanien gegen Ende des XIX. Jahrhunderts herausheben. Denn ›Alltag‹ – im oben beschriebenen Sinn – wurde dort ja geradezu als ein Emblem ausländischer Fortschrittlichkeit angesehen, und bis hin zum Ende des XIX. Jahrhunderts war die spanische Gesellschaft darum bemüht, die Erfahrung von der eigenen Rückständigkeit durch die Inszenierung eines ausländisch-fortschrittlichen Alltags zu verdrängen.

Gerade die um Combas zweiseitige Zeichnung von der Sterbestunde des ersten bürgerlichen Monarchen in der spanischen Geschichte versammelten Kommentare und Chroniken zeigen an, daß unter jener Illusion der Alltäglichkeit weiterhin mentale Strukturen das Handeln und Denken orientierten, die einer vor-bürgerlichen Epoche zuzuordnen sind. So motivierte der Tod des Monarchen Gebete, die nicht nur auf sein individuelles Seelenheil bezogen waren, sondern auch auf die Zukunft der

Nation. Noch immer also galt ihr Schicksal als Teil kosmologischer Fügung – jedenfalls nicht als kollektive Aufgabe, deren Gelingen ein Glaube an das Geschichtsgesetz des Fortschritts garantiert hätte:

... el tristísimo dia 25 de Noviembre, en que el magnánimo Alfonso XII ha entregado su espíritu al Altísimo, cuando por su juventud y su viril entereza era legítima esperanza de la patria. ¡Inexcrutables arcanos que la humana mirada no puede penetrar, ni vislumbrar el pensamiento! ¡Que el Todopoderoso conceda descanso eterno al infortunado Príncipe! ¡Que no niegue tampoco su protección á esta España sin ventura![88]

Gerade in der Angst vor der Zukunft nach dem Tod Alfonsos XII. objektiviert sich Zeit als eine für die Spanier um 1885 immer noch statische Erfahrungsprämisse. Denn gerade weil man die Geschichte noch nicht als einen Prozeß der Veränderung erlebte, drängte sich die Angst vor neuem und fortgesetztem nationalen Unglück auf. Denn der kaum ein halbes Jahrhundert zurückliegende Tod Fernandos VII. mit der auf ihn folgenden *Regencia* der Königin María Cristina (das war auch der Name der aus der Habsburger Dynastie stammenden zweiten Frau und Witwe Alfonsos XII.) und der zur Groteske degenerierten Herrschaft Isabels II. bot sich in geradezu fataler Weise als geschichts-typologische Gestalt für eine tragische Zukunft an. Es ist eindrucksvoll nachzuvollziehen, wie die *Crónica General* der *Ilustración Española e Americana* alle Unterschiede in den Strukturen der beiden politischen und dynastischen Situationen in weitere Parallelen oder gar zusätzliche Vorzeichen des Unheils ummünzt, die Hoffnungslosigkeit unter den Lesern verbreiten mußten:

La Historia tiene raras coincidencias: cincuenta y dos años hace que murió Fernando VII, dejando dos huérfanas de corta edad y la regencia del reino á su esposa D.ª María Cristina. Dos huérfanas deja asimismo Alfonso XII, y otra María Cristina es la regenta durante la minoría; pero existe esta vez la complicación de hallarse la Reina encinta, lo cual impide proclamar inmediatamente heredera del trono á la princesa Mercedes, en la previsión de que nazca un varón, á quien correspondería entonces la corona. Entonces disputaba los derechos á la reina Isabel su tio D. Carlos: otro D. Carlos, tio tercero de la princesa Mercedes, se considera con derecho á la herencia de la niña. Era entonces ése el único peligro de la amenazada minoría; pero riesgo tan inmediato, que cuarenta y ocho horas después de muerto el rey Fernando, estaba sublevada la Guardia Real en gran parte del reino. El peligro no es hoy tan inminente por esa parte; pero en cambio tiene la nueva minoría otro enemigo en el partido republicano, que entonces no existía en nuestra patria.[89]

In der Berichterstattung ihrer folgenden Ausgabe vom 8. Dezember 1885 kehrte die *Ilustración Española y Americana* wieder in die Alltäglichkeit des nationalen Lebens zurück; die Berichte über die Beisetzung Alfonsos XII. wirken wie das Nachhallen eines bereits glücklich überwundenen Schreckens. Immerhin präsentierte die Titelseite noch eine (diesmal von Daniel Perea stammende) Zeichnung zur ›Überführung der sterblichen Reste Seiner Majestät des Königs von Madrid in den Escorial‹ (vgl. S. 912). Vor dem Hintergrund unserer Kommentare mutet sie an wie eine Allegorie auf die spanische Gesellschaft des Jahrhundertendes, zumal wie eine Allegorie der sie kennzeichnenden Illusion von Alltäglichkeit. Durch die karge kastilische Mittelgebirgslandschaft fährt bergauf ein Zug mit dampfender Lokomotive (die nicht nur in Spanien universales Symbol des noch von keinerlei Relativierungen heimgesuchten Fortschrittsglaubens war). Eher ungerührt dumpf als verschreckt stehen allein Schafe in der Nähe des Schienenstrangs. Das Zentrum der Zeichnung jedoch bildet der vorletzte (von den auf dem Bild sichtbaren) Wagen des Zuges. Auf ihm steht, von Kränzen geschmückt, von einem Kreuz gekrönt und mit den Insignien des spanischen Königshauses versehen, der schwarze Pferdewagen, in dem Alfonso XII. aufgebahrt ist. Drei Fenster geben den Blick auf die Leiche frei. Ein livrierter Lakai steht hinter dem Leichen-Wagen und hat seine Hände an zwei Griffe auf der Hinterseite des Wagens gelegt, so als gelte es in jedem Moment aufzuspringen. Der Zug repräsentiert – für unseren Allegorie-Blick, an den 1885 gewiß niemand gedacht hätte – die ›Inszenierung (moderner) Alltäglichkeit‹, in deren Doppelungs-Struktur ja tatsächlich die wieder eingesetzte monarchische Repräsentationsform der Politik dem Modernitäts-Anspruch nicht abträglich gewesen zu sein scheint. Doch als ›*Illusion* moderner Alltäglichkeit‹ rollt der Zug durch eine Landschaft, deren archaische Ruhe von der Technik der neuen

Zeit so wenig aufgehoben wird wie die Strukturen der spanischen Gesellschaft – vorerst – von selbst-suggerierter Fortschrittlichkeit.

Man kann die von dieser Zeichnung auf der Titelseite nur durch ein Umschlagen des Papiers getrennten Anzeigen auf der Schlußseite als eine Allegorese zur unfreiwillig-allegorischen Zeichnung lesen. Wie die sterblichen Reste der spanischen Tradition im christlich geschmückten Pferdewagen und begleitet von einem Lakaien auf dem Waggon eines Zuges gefahren werden, so sind die Anzeigen der Madrider Kaufleute für die Madrider Leser der *Ilustración Española e Americana* auf einer ausländischen Druckpresse hergestellt: *Impreso sobre máquinas de la casa P. ALAUZET, de Paris (Passage Stanislass, 4)*.[90] Angeboten werden hautverjüngende Salben, Haarwuchsmittel, verdauungsfördernde Magenbitter, (in verklausulierter Formulierung) Elixiere gegen Monatsbeschwerden, Pillen gegen nervöse Leiden (Migräne, Magendrücken, Asthma, Schlaflosigkeit, Hysterie, Veitstanz, Delirium tremens, Schwindel etc.), daneben Panzerschränke, Eisbarren für die Kühlung in der Küche, eine italienische Monatszeitschrift, die Dienste einer Importfirma und Luxus-Fächer. In keiner der Anzeigen – nicht einmal unter dem Bild des exuberanten, scheinbar spanischen Luxus-Fächers – fehlt der stolze Hinweis auf ein Stammhaus oder auf eine Filiale im Ausland. Unerreicht scheint der Symbolwert des Namens ›Paris‹ gewesen zu sein, wo – hält man sich an die auf dieser Seite dem geneigten Publikum unterbreiteten Informationen – nicht nur die ›eigentlichen‹ Geschäfte waren, zu denen sich ihre Madrider Filialen verhielten wie das Abbild zum Eidos, sondern wo auch die wahre Qualität erweisenden Ehrungen verliehen wurden: *ENFERMEDADES NERVIOSAS: CÁPSULAS DEL DR. CLIN. Premiado por la Facultad de Medicina de París. – Premio Montyon. – Se hallan las VERDADERAS CÁPSULAS CLIN de Bromuro de Alcanfor en las principales Farmacias y Droguerías. CASA CLAN Y CIA – PARIS*. Ein Einrichtungsgeschäft mit Sitz im Faubourg Saint-Antoine warnt die Anzeigen-Leser und potentiellen Kunden: *No confundir esta casa que existe desde hace 45 años, con los almacenes de novedades y otras casas que venden muebles sin conocerlos porque no son fabricantes*. So als müßten diese Anzeigen eher den nationalen Unterlegenheitskomplex der Spanier als den Verkauf der angebotenen Waren fördern, wird hinzugefügt: *Se envia franco el Catálogo, pidiéndole por carta franqueada.*

In mancher Hinsicht kann – und sollte – solche Illusion der Alltäglichkeit erinnern an die ›Theatralisierung des Alltags‹ im Zeitalter Philipps II. Doch ganz gewiß wollen wir mit dieser Parallele und ihrer expliziten Hervorhebung nicht den Eindruck nahelegen, die Spanier hätten einen sozusagen nationalen Hang zum gigantischen Spektakel kollektiver Autosuggestion. Denn die Illusion der Alltäglichkeit gegen Ende des XIX. Jahrhunderts war keinesfalls eine Wiederholung der Theatralisierung des Alltags an der Wende vom XVI. zum XVII. Jahrhundert, sondern – nicht mehr und nicht weniger als – ihre mittelbare Folge. Die Theatralisierung des Alltags hatte frühneuzeitliche Subjektivität in die Enge einer restituierten religiösen Kosmologie gepreßt, weil man jene Subjektivität als eine Abweichung von göttlicher Ordnung und mithin als Sünde erfuhr. Erst als der ›Fortschritt‹ im XIX. Jahrhundert auch für die spanische Gesellschaft zu einem Gegenstand der Erfahrung – noch nicht: zu einer Prämisse der Erfahrung – geworden war,[91] entstand das Bedürfnis nach einer neuen kollektiven Autosuggestion – eben nach jener, die wir ›Illusion moderner Alltäglichkeit‹ genannt haben. Sie unterdrückte nun freilich nicht das Neue – wie die Theatralisierung des Alltags im Zeitalter Philipps II. –, sondern setzte unter dem vagen Ziel, den historischen ›Rückstand‹ Spaniens aufzuholen, geradezu hastig Modernitäts-Symbole des Auslands an die Stelle der eigenständigen Orientierungen, der nationalen Lebensformen und des nationalen Geschmacks. Vergangenheit war verdrängt und durch importierte Modernität künstlich ersetzt worden, während außerhalb Spaniens den Erfahrungen von der Zukunftsorientierung der jeweiligen Gegenwart gerade die Romantik als eine aus primärer Distanzierung erwachsene Zuwendung auf die so ›fremd‹ gewordene nationale Vergangenheit vorausgegangen war. Noch um 1885 also war es für die spanische Gesellschaft eine unbewältigte Aufgabe geblieben, sich selbst unter das Gesetz der ›Vernunft‹ zu stellen, sich selbst nach dem Gesetz der ›Vernunft‹ zu gestalten (allein dies wäre ›Aufklärung‹ gewesen) und eine in die Ferne gerückte

Vergangenheit als Wesen und noch unerfülltes Ideal der eigenen Identität zu entdecken (allein dies wäre ›Romantik‹ gewesen). Gerade im illusionären Gestus des Aufholens eines nationalen ›Rückstands‹ vertiefte sich die spannungsvolle und folgenreiche Ungleichzeitigkeit zwischen einem Selbstbild als moderner Nation und den Strukturen einer von der Zeit nicht affizierten Ordnung der Wirklichkeit.

Was aber hatte sich in der spanischen Gesellschaft, vor allem im Handlungsbereich der Politik zwischen dem Ende der Herrschaft Isabels II. und dem Tod ihres Sohns Alfonso XII. verändert? Als die Tochter Fernandos VII. mit ihrer Familie Ende September 1868, überrascht von einem *pronunciamiento*, das ausgehend von Andalusien bald die Dimensionen einer ›glorreich‹ unblutigen Revolution erlangte, Spanien über San Sebastián verließ, um sich in Frankreich in Sicherheit zu bringen, war der Thronfolger Alfonso noch nicht elf Jahre alt. So vollständig hatte die Königin ihren Beliebtheits-Vorschuß bei den Untertanen verspielt, daß die Auswirkungen einer um die Mitte der sechziger Jahre in ganz Europa spürbaren Wirtschaftskrise die zahlenmäßig weiterhin recht schwachen, aber dennoch mächtigen Industriellen-Kreise ebenso wie die Finanzleute und das Proletariat in eine – für Spanien damals noch erstaunliche – Distanz zur Krone gerückt hatten. Diese Distanz sollte folgenreich auch deshalb werden, weil eben in jenen Jahren die meisten der zuvor stets erfolgreichen Gestalten des politischen Ausgleichs von der politischen Bühne abgetreten oder gestorben waren.[92]

Unter solchen Vorzeichen hatten sich 1866 in Ostende die bis dahin nie an der Regierungsmacht beteiligten Demócratas mit dem Moderantismo und den Progresistas zu einem vagen Pakt auf Veränderung zusammengeschlossen. Mit dieser kaum dramatischen Verschiebung des Spektrums politischer Kräfte vollzog sich eine bis 1923 wirksame Weichenstellung. Im Herbst 1868 freilich, nach der Flucht der Königin, hätte niemand eine solche Zukunft zu prophezeien gewagt. Denn hinter allgemeiner Euphorie zeichneten sich sofort Spannungen im ungeregelten Zusammenspiel eines konstitutionell-monarchistisch gesinnten *Gobierno Provisional* mit den *Juntas revolucionarias* ab, die unter der Führung des aus Barcelona stammenden

Generals Prim und gestützt durch bisher von der Politik strikt ausgeschlossene Schichten auf Verwirklichung der für die erste Hälfte des XIX. Jahrhunderts charakteristischen politischen Utopien – zumindest aber auf eine föderale Staatsstruktur – drängten. Anfang 1869 fanden allgemeine Wahlen zu einer Verfassungsgebenden Nationalversammlung statt (die allerdings noch längst nicht die definitive Institutionalisierung des *sufragio universal* waren). Sie erbrachten allen politischen Gruppen parlamentarische Repräsentation und machten die Progresistas zur eindeutig stärksten Kraft. In dem Gewirr aus Interferenzen von innenpolitischen und außenpolitischen, nationalen und dynastischen Interessen nahm die nun einsetzende Suche nach einem geeigneten König durchaus komische Züge an – und hatte durchaus tragische Fernwirkungen, zu denen der Krieg zwischen Frankreich und Preußen, also auch die Gründung des Zweiten deutschen Reiches und das Schicksal der Kommune von Paris gehörten. Am Ende wählten die spanischen Politiker in Amadeo von Savoyen einen typischen Kompromißkandidaten, der tatsächlich für knapp zwei Jahre, zwischen dem 2. Januar 1871 und dem 11. Februar 1873, regierte und so die Reihe der spanischen Könige um einen neuen Namen bereicherte. Die Motive für seine frühe Resignation scheinen in gewichtigen innenpolitischen Rückschlägen gelegen zu haben, vor allem im Ausbrechen des dritten Karlistischen Kriegs im April 1872. Noch am Tag der Abdankung von Amadeo I. tagten – entgegen dem Wortlaut der Verfassung von 1869 – Parlament und Senat gemeinsam, um – *faute de mieux*, möchte man sagen – die Republik auszurufen.

Wohl kein Historiker würde bei aller nostalgischen Sympathie für die Erste Spanische Republik leugnen, daß sie in ihrer kurzen Geschichte (ebenso wie die 1931 proklamierte Zweite Spanische Republik) zu einem Experimentierraum für illusionsanfällige, politisch unerfahrene Intellektuelle wurde. Die Abfolge ihrer Präsidenten repräsentiert in symbolischer Konkretisation das Zurückgleiten der spanischen Republik zur Rechten – wie wir allerdings sehen werden: zu einer neuen Rechten. Erster Präsident der Republik war der Proudhonist Pi y Margall, der das politische Geschehen zunächst ganz auf die Bahnen utopischer Programme lenkte. Die Trennung der Kir-

che vom Staat und der Föderalismus wurden zu kaum über-
windbaren Schwellen für die Republik: schon 1873 trat Pi y
Margall zurück, weil er sich gezwungen sah, zugleich regiona-
listisch-populäre Revolten und gegen sie gerichtete Reaktionen
der ehemals Privilegierten militärisch niederzuschlagen. Pi y
Margalls Nachfolger war – für wenige Monate – der Philosophieprofessor Nicolás Salmerón, der von seinem durch rhetorische Bravourstücke berühmt gewordenen Kollegen Emilio Castelar abgelöst wurde, als er sich im September 1873 weigerte,
eine Reihe von Todesurteilen durch seine Unterschrift zu ratifizieren. Castelar seinerseits war kaum mehr als ein Symbol republikanischer Agonie. Am 29. Dezember 1874 beendete ein
pronunciamiento, das diesmal von Sagunto bei Valencia ausging, den sogenannten ›*Sexenio liberal*‹. Der neue König Alfonso XII. betrat am 9. Januar 1875 – nicht zufällig – in Barcelona wieder spanischen Boden. Er war damals siebzehn Jahre
alt.

Für ein Vierteljahrhundert – also weit über den Tod Alfonsos XII. im Jahr 1885 hinaus – wurde Antonio Cánovas del
Castillo zur beherrschenden Figur der spanischen Politik. Er
hatte in den sechziger Jahren ein Ministeramt bekleidet, während des *Sexenio* der Verfassungsgebenden Versammlung angehört und nach dem Rücktritt Amadeos I. die Vertretung der
politischen Interessen für das bourbonische Königshaus von
der abgedankten Königin übernommen.[93] Gewiß symbolträch-
tiger als diese Daten aus einer bis ins Jahr 1875 eher durch-
schnittlichen politischen Karriere ist die Tatsache, daß Cánovas
del Castillo ein Neffe von Estébanez Calderón war, dem unter
seinen Zeitgenossen berühmten Costumbristen des spanischen
Südens; auch Cánovas selbst hegte literarische Ambitionen, er
hatte zeitweilig als Präsident des *Ateneo* von Madrid fungiert
und gehörte seit 1859 der *Academia de la Historia* an. Doch
nicht nur mit solcher Affinität zur Welt von Literatur und
Bildung, auch in seinen politischen Überzeugungen war Cánovas ein typischer Repräsentant des die spanische Gesellschaft
im späten XIX. Jahrhundert prägenden, gewandelten Selbst-
bilds – und seiner Ambivalenzen. Denn einerseits erwies sich
Cánovas als der konsequenteste Legalist seiner Epoche: entgegen seinem eigenen politischen Credo, aber mit seiner Unter-

stützung fanden die ersten Wahlen nach der Wiedereinsetzung der Bourbonen im Jahr 1875 als allgemeine Wahlen statt, weil nur so der bis dahin geltenden Verfassung Genüge getan werden konnte, und niemand wies energischer als Cánovas die ehemalige Königin in die Schranken, deren früher infantile Exzentrik in ihrer senilen Metamorphose kaum an Unberechenbarkeit verlor. Aber auf der anderen Seite stand er doch nicht an, die demokratischen Institutionen im Rahmen der konstitutionellen Monarchie nach politischem Gutdünken zu manipulieren. Bald wußte jedermann, daß der regelmäßige ›Regierungswechsel‹ zwischen Cánovas' *Partido Conservador Liberal* (später nur: *Partido Conservador*) und dem *Partido Fusionista* des ›Oppositionsführers‹ Práxedes Mateo Sagasta (später: *Partido Liberal*) die dominierende Stellung von Cánovas nie wirklich tangierte.

Sein politisches Meisterstück freilich hatte Cánovas del Castillo schon vor dem Beginn der Restaurationsepoche abgelegt, und dieses Meisterstück belegt erneut die erstaunliche Nähe von ›Politik‹ und ›Kultur‹: es war die subtil auf Besonderheiten der politischen Lage in Spanien abgestimmte Erziehung des späteren Königs Alfonso XII.[94] Schon seit der Emigration hatte Isabel II. erstaunlicherweise darauf bestanden, daß die Tutoren des Prinzen »das beste Internat Europas«[95] für ihn ausfindig machen sollten. So hatte er nicht nur französische Sprache und Kultur kennengelernt, sondern auch die Schweiz und Deutschland, und war dabei ganz selbstverständlich in Kontakt mit verschiedenen Fürstenhäusern getreten. 1872 bezog Alfonso das Wiener *Theresianum*, dessen Schüler er über mehr als zwei Jahre blieb. Während dieser Zeit bildete sich am österreichischen Kaiserhof die – für Spaniens Zukunft durchaus folgenreiche – politische Überzeugung heraus, daß man in der Zukunft auf den Sohn Isabels II. – und nicht auf den *Carlismo* – zu setzen habe. Natürlich in Wien lernte der Infant Alfonso die spanische Opernsängerin Elena Sanz kennen und lieben, und gewiß war es seiner schon damals großen Beliebtheit nicht abträglich, daß diese Liaison den trivialliterarischen Traum von der Begegnung zwischen Volk und königlichem Blut erfüllte: Elena Sanz war aus einem öffentlichen Waisenhaus über eine respektable Reputation auf der Opernbühne in das Gemach des

Prinzen gelangt. Isabel II. gefiel die Romanze so wie ihren ehemaligen Untertanen, zumal sie die Favoritin des Thronfolgers aus einem Auftritt vor ihrem Kreis in Paris kannte. Gänzlich unverständlich blieb ihr hingegen seine ›offizielle‹ Neigung zu Mercedes von Orléans, der Tochter des Herzogs von Montpensier, der immerhin nach 1869 unter die Kandidaten für die Thronnachfolge – und damit unter die Konkurrenten Alfonsos – gerechnet worden war. Cánovas hingegen unterstützte diese Verbindung, welche am 23. Januar 1878 zur ersten Heirat des jungen Königs führen sollte, weil gerade solche Dominanz der spontanen Gefühle über das dynastische Kalkül zu den Attributen eines konstitutionell-bürgerlichen Monarchen gehörte; und gewiß trug der – romantische Identifikation befördernde – frühe Tod der Mercedes von Orléans nach kaum halbjähriger Ehe dazu bei, diese Erwartung aufgehen zu lassen.

Wenige Monate vor der politischen Restauration an der Jahreswende 1874/75 hatte Cánovas den Infanten in die britische Militärakademie von Sandhurst eintreten lassen – aus Bewunderung für den in Tradition begründeten Konstitutionalismus der britischen Monarchie und der britischen Politik, zugleich aber auch, um aus Alfonso ein Symbol für die Harmonisierung zweier bisher in Spanien stets antagonistischer Prinzipien werden zu lassen: des Konstitutionalismus und des Militarismus. Anläßlich seines letzten Geburtstags im Exil ließ der Infant – noch ohne zu ahnen, daß er kaum zwei Monate später König von Spanien sein würde – in der Heimat ein (selbstverständlich von Cánovas redigiertes) Manifest zirkulieren, in dem seine zukünftige politische Rolle bis ins Detail vorweggenommen war.[96] Im Gegensatz zu dem bis dahin in der spanischen Politik allgemein üblichen Stil enthielt sich der Prätendent jeglicher Angriffe auf seine politischen Gegner – aber auch jeglicher Glücksversprechungen. Er gründete den Thronanspruch sowohl auf Tradition und Legalität als auch auf die angeblich allein dem Königshaus mögliche Flexibilität bei der Lösung aller anstehenden Probleme. Vor allem aber kam Alfonso dem ehrgeizigen Wunsch der meisten Spanier entgegen, möglichst bald den ›historischen Rückstand der Nation‹ aufzuholen: *Por mi parte, debo al infortunio el estar en contacto con los hombres y las cosas de la Europa moderna; y, si en ella no alcanza España una posición digna de su historia ... culpa mía no será, ni ahora ni nunca ... Sea la que quiera mi suerte, no dejaré de ser buen español, ni como todos mis antepasados buen católico, ni como hombre del siglo, verdaderamente liberal.*[97] Ähnlich geschickt formulierte und plazierte Sätze ließen Alfonsos Rückkehr über Barcelona zu einem politischen Triumph werden: *Mi intención es la de ser rey de todos los españoles*; oder: *si consiguiese hacer de toda España un Barcelona, estoy seguro de que habría conseguido hacer de mi patria una gran nación.*[98]

Cánovas' weitsichtig-differenzierte Pläne gingen bis hin zum Tuberkulose-Tod von Alfonso XII. sozusagen ›ohne Rest‹ auf. Geschick und Glück schienen endlich mit den spanischen Bourbonen zu sein: schon 1876 konnte sich der neue König als Sieger im Karlistischen Krieg feiern lassen; er überlebte zwei Attentate (deren erstes, so als handle es sich um eine Inszenierung im Staatsinteresse, von einem katalanischen Anarchisten verübt worden war); selbst die mit Würde ertragenen Mißfallenskundgebungen der französischen Bevölkerung bei einem Besuch im Jahr 1883 (Alfonso XII. hatte zuvor an den Manövern des kaiserlich-deutschen Heeres teilgenommen) und die offiziellen Entschuldigungen der französischen Regierung brachten ihm erneut einen triumphalen Empfang in Madrid ein.[99] Auf eine Kurzformel gebracht, könnte die Antwort auf unsere Frage nach dem Strukturwandel in der spanischen Politik zwischen 1868 und 1875 lauten: im *Sexenio liberal* hatten die verschiedenen gesellschaftlichen und politischen Gruppen des Landes eine Reihe von neuen Erfahrungen gewonnen, auf die sie – in ganz diversen Richtungen – so reagierten, daß die Konstellation aus ihren Hoffnungen und Ängsten die spanische Welt bis ins XX. Jahrhundert hinein prägten. Zu ihnen gehört der Umstand, daß die Bedürfnisse des Land- und des Industrie-Proletariats nach 1868 zum ersten Mal organisierte und politisch wirksame Vertretungen gefunden hatten, die sich in sehr spezifischer Weise den verschiedenen Strömungen der internationalen Arbeiterbewegung zuordneten.[100] Noch vor der Gründung des *Partido Socialista Obrero Español* im Jahr 1879 (die kommunistische Partei Spaniens entstand erst im XX. Jahrhundert) hatte sich 1872 auf einem Kongreß in Zaragoza gezeigt, daß die spanischen Proletarier in ihrer Mehrheit zu der von

Bakunin repräsentierten Strömung des Anarchismus neigten. Dafür haben die Historiker der Arbeiterbewegung bis heute eine stattliche Reihe von untereinander teils komplementären, teils widersprüchlichen Erklärungsansätzen entwickelt, die wir hier nicht bewerten wollen.[101] Wir glauben jedoch, daß der Einfluß der spanischen Intellektuellen in diesem Zusammenhang – aufgrund einer allzu nahen Orientierung der Forschung am Selbstbild der Anarchisten – unterschätzt worden ist. Wenn es nämlich zutrifft, daß Intellektuelle die anarchistische Arbeiterbewegung mitherbeiführten, dann müßte man die Phalanx der historischen Erklärungsmöglichkeiten um eine neue Perspektive erweitern. Wir formulieren diese Perspektive in der Frage, ob nicht der – nach unserer Einschätzung – typisch spanische Habitus der Entwirklichung von Gesellschaft und Staat der anarchistischen Negation des Staats entspricht und dem anarchistischen Vertrauen auf die ›natürliche‹ Entstehung einer konfliktfreien Form des Zusammenlebens aus der Konvergenz individueller Interessen.[102] Wie dem auch sei, seit den letzten Jahren des ›Sexenio‹ war die Politik der verschiedenen Regierungen in Spanien immer auch eine Politik der Defensive gegen die Arbeiterbewegung(en) – spezifischer: eine Politik der Defensive, deren Handlungsformen bestimmt waren vom Feindbild anarchistischer Mentalität und anarchistischem Aktionismus.

Die Intellektuellen hatten ein – durchaus ambivalentes – Profil als politische Gruppe gewonnen. Für die ultramontanen Verteidiger der nationalen Traditionen blieben sie gekennzeichnet durch den ihnen (nur in den wenigsten Fällen zu Recht) zugeschriebenen Atheismus (den man in allem ›Laizismus‹ sehen wollte) und durch ihren ornamentalen Gestus in der parlamentarischen Rhetorik. Wir wollen zwei Kostproben dieses damals neuen Diskurses und seiner Faszination präsentieren. Da war einmal die für alle liberalen Fraktionen willkommene archäologische Entdeckung des *Quemadero* der Inquisition in Madrid – eben während der Debatten über die Trennung von Kirche und Staat. Diese Schädelstätte der Kirchenverbrechen mit ihren sedimentären Ablagerungen von verbranntem Ketzerfleisch steigerte die Erregung der öffentlichen Meinung gegen die katholische Kirche und trug zu einer Stärkung der atheistischen Bewegung bei.[103] Die ›fortschrittlichen‹ Redner schreckten – mit diesem Reservoir für rhetorische *inventiones* ausgestattet – vor keinem Horroreffekt zurück, um ihre Gegner ins Licht des Verbrechens zu setzen. Das Prestige des Parlamentarismus litt aber dennoch unter ihrer freudigen Bereitschaft, Wissens- und Argumentationslücken durch schwungvolle Perioden zu überbrücken. Konfrontiert mit dem Vorwurf, die Trennung von Kirche und Staat komme dem Protestantismus zugute, gab sich der berühmte Parlamentsredner Castelar als aufgeklärter Rationalist und – zugleich – als Verehrer der Gottesmutter, und er tat dies mit Worten, deren unfreiwillige Komik heutige Leser geneigt macht, den Kritiken seiner ultramontanen Kontrahenten zuzustimmen:

Yo, Srs. Diputados, no pertenesco (sic) al mundo de la teología y de la fé; pertenesco, creo pertenecer al mundo de la filosofía y de la razón. Pero si alguna vez hubiera de volver al mundo de que partí, no abrazaría, ciertamente, la religión protestante, cuyo hielo seca mi alma, seca mi corazón, seca mi conciencia; esta religión protestante, eterna enemiga de mi patria, de mi raza y de mi historia; volvería al hermoso altar que me inspiró los más grandes sentimientos de mi vida; volvería a prostrarme de hinojos ante la Virgen santa que serenó con su sonrisa mis primeras pasiones.[104].

Mit diesem Diskurs-Stil verspielten die Intellektuellen ein Prestige, das die Aufklärer in anderen europäischen Ländern zu nutzen gewußt hatten. In Spanien aber wollten sie sich – zumal nach 1875 – in der Rolle der politischen Opfer gefallen. So entstand schon bald unter den spanischen Intellektuellen die Überzeugung, daß sie ihre politische Chance noch gar nicht gehabt hätten, daß der historische Moment noch bevorstünde, in dem die nationale Geschichte durch den Sieg der Vernunft ›erlöst‹ und ihrer ›wahren Bestimmung‹ zugeführt werden könnte.

Natürlich wußte ein Cánovas del Castillo das Scheitern der epochentypischen Reform- und Revolutionsprogramme zu nutzen: es wurde zu einer wirkungsvollen Legitimation seines eigenen – kaum kaschierten – Autoritarismus. Bis heute in diesem Sinn wirkungsmächtig ist eine sonderbare Lesart der letzten Adresse Amadeos I. ›an sein Volk‹ geblieben, aus der selbst republikanisch gesinnte Spanier das – Resignation verbreitende –

Verdikt der kollektiven ›Unregierbarkeit‹ (*ingubernabilidad de los españoles*) ableiten zu müssen glaubten. Ganz offenbar bezog sich diese Interpretation auf die folgenden, von Amadeo wohl kaum als Beschreibung des Nationalcharakters gemeinten, sondern zur Charakterisierung einer spezifischen politischen Situation gebrauchten Worte:

Dos años largos hace que ciño la Corona de España, y la España vive en constante lucha, viendo cada día más lejana la era de paz y de la ventura que tan ardientemente anhelo. Si fuesen extranjeros los enemigos de su dicha, entonces, al frente de estos soldados tan valientes como sufridos, sería el primero en combatirlos, pero todos los que con la espada, con la pluma, con la palabra agravan y perpetran los males de la nación, son españoles, todos invocan el dulce nombre de la patria, todos pelean y se agitan por su bien; y entre el fragor del combate, entre el confuso, atronador y contradictorio clamor de los partidos, entre tantas y tan opuestas manifestaciones de la opinión pública, es imposible atinar cuál es la verdadera, y más imposible todavía hallar el remedio para tamaños males.[105]

Die Restauration unter der konstitutionellen Monarchie und ihre nur mehr oder weniger verfassungskonforme Politik wurden zu einem System der Interessenvertretung für den Adel, das landbesitzende Bürgertum (wie es aus den *desamortizaciones* hervorgegangen war) und die Industrie. In der erfolgreichen Bewerkstelligung und politischen Umsetzung potentieller Interessen-Konvergenzen verwirklichte sich eine erstaunliche Organisationsleistung von Cánovas del Castillo, die als Optimierung aller Möglichkeiten der konservativen Staatsführung mit der dankbaren Unterstützung aller ihrer Nutznießer rechnen konnte. Natürlich hatte diese politische Optimierung auch gesellschaftliche Konsequenzen: vor allem die wechselseitige Annäherung zwischen dem Adel und den verschiedenen Schichten des Bürgertums, welche von der allenthalben wachsenden Überzeugung befördert wurde, daß es nun auch für Spanien an der Zeit sei, zu einer ›modernen Nation‹ zu werden. Wo sich andere soziale Gruppen von dieser Dynamik erfassen ließen, wurde aus der ›Illusion (bürgerlicher) Alltäglichkeit‹ die gesellschaftliche Wirklichkeit Spaniens im späten XIX. Jahrhundert. Doch diese Wirklichkeit blieb so brüchig, wie die sie tragenden Interessen vielfältig und die sie gestaltende Ideologie ambivalent waren. Schon 1878 konstatierte der liberal-konservative Francisco Silvela – gewiß alles andere als ein konsequenter Widersacher von Cánovas del Castillo –, daß die Politik der Restauration erstaunlich leblos geblieben war:

Es fuerza confesar, porque las cosas verdaderas es inútil ocultarlas, que una de las mayores dificultades conque tropieza hoy en España toda política de altas miras y de largo alcance es la inerte docilidad de todas las clases sociales, porque no es dudoso que lo que no resiste tampoco apoye (sic.) ... el hecho indudable, visible, patente, es que una atonía inmensa y desconsoladora nos embarga, y que, a pesar del tiempo transcurrido desde que no tuvo su término naturalmente la fiebre revolucionaria, no se ha logrado vivificar signos ciertos del renacimiento de una actividad ordenada en la opinión pública, sin la cual la vida de los Gobiernos parlamentarios es insegura y por todo extremo difícil.[106]

Mehr und mehr verloren die Spanier das Vertrauen in ihre eigene Fähigkeit zur Verwirklichung parlamentarischer Politik, mehr und mehr mißtrauten sie ihren Regierungen, ohne aber gegenüber diesen – aufgrund des Selbst-Mißtrauens – Alternativen entwickeln zu wollen. Zugleich wuchs im Nebeneinander von formalem Demokratie-Anspruch und faktischem Protektionismus, von feudaler Ungleichheit und seit Jahrhunderten sedimentierten Mißständen auch die Verbitterung der Bevölkerung. Ein zentrales Symptom für diese komplexe – und langfristig explosive – Struktur des sozialen Wissens war der *caciquismo*. Seit Jahrhunderten hatte die Macht einzelner Familien und ihrer jeweiligen Häupter das Leben in den spanischen Dörfern bestimmt – und geknebelt. Aber erst als die spanische Gesellschaft zu einer ›modernen Nation‹ werden wollte, begann man, am *caciquismo* Anstoß zu nehmen.

Dies waren die Voraussetzungen, unter denen der seit den dreißiger Jahren des XIX. Jahrhunderts eröffnete, zunächst aber noch höchst instabile und prekäre Freiraum der Meinungsäußerung zu einem stabilen Rahmen intellektueller Diskurse wurde, dessen Beschränkungen weniger in thematischen Tabuzonen lagen als in seiner strikten Absonderung von der Sphäre der Macht. Was die Restauration von Cánovas, was die Konsequenzen des Sexenio für die spanischen Intellektuellen bedeuteten, konkretisiert sich in der erstaunlichen Geschichte des *Krausismo*. Zugleich aber ist die Rezeptionsgeschichte der philosophischen Werke von Carl Christian Friedrich Krause (einem Zeitgenossen Hegels, der in Deutschland nie über die Rolle und Reputation des – für einige Adepten – ›verkannten Genies‹ hinausgelangt war) das vielschichtigste Symptom für die Bedürfnisse und die Mentalität der in Spanien damals noch so schmalen Schicht gebildeter Bürger.[107] Unter dem Einfluß der idealistischen Philosophie, des Freimaurertums und gewisser Motive des utopischen Sozialismus hatte Krause – in einer vor eigenwilligen Neologismen strotzenden Sprache, die uns heute unfreiwillig komisch erscheinen will – ein komplexes und trotz seines (philosophiegeschichtlich leicht aufzudröselnden) Eklektizismus in sich ebenso kohärentes wie versponnenes ›System‹ ausgeschrieben, welches eine Fülle von Affinitäten zu Traditionen, Leitmotiven und Tendenzen des vorsichtig liberalen spanischen Denkens im XIX. Jahrhundert aufwies. Auf der ereignisgeschichtlichen Ebene historischer Rekonstruktion freilich können wir eine Kette von Zufällen verfolgen, durch die Julián Sanz del Río – Hauptprotagonist des Imports von Krauses Philosophie nach Spanien und sozusagen ›Medium‹ ihrer Transformation zum *Krausismo* – mit diesem Denken in Kontakt kam. Er war 1838 zum Doktor für kanonisches Recht promoviert und fünf Jahre später auf eine neu eingerichtete Professur für Philosophie an die Universität von Madrid berufen worden, welche ihrerseits erst in den zwanziger Jahren durch eine Verlegung der Universität Alcalá in die Hauptstadt entstanden war. Da die Berufung von Sanz in eine der politisch ›fortschrittlicheren‹ Phasen des Moderantismo fiel, kam er in den Genuß einer tatsächlich auf kulturellen Import zielenden Maßnahme der Regierung: er durfte als Stipendiat des Staats eine Bildungsreise nach Frankreich, Belgien und Deutschland unternehmen. In Brüssel machte Sanz del Río die Bekanntschaft des Rechtsphilosophen Ahrens, der ihn davon überzeugte, daß er seiner Mission durch ein Studium in Heidelberg, bei den Krause-Schülern Röder und Leonhardi (letzterer war darüber hinaus Krauses Schwiegersohn) am besten gerecht werden konnte. So durchschlagend war der Eindruck, den Krause – aus zweiter Hand – auf Sanz del Río machte, daß dieser erst 1857, viele Jahre nach seiner Rückkehr in die Heimat also, seine eigenen Vorlesungen in Madrid aufnahm und schließlich 1860 eine Adaptation von Krauses Hauptwerk ›Urbild der Menschheit‹, die den intellektuellen Dispositionen und Interessen spanischer Leser gerecht zu werden versuchte, unter dem Titel ›Ideal de la humanidad para la vida‹ veröffentlichte. Weit über die Universität hinaus war die Wirkung dieses Buchs und der Vorlesungen von Sanz del Río so stimulierend und so nachhaltig, daß Kirche und Regierung – zumal in dem von wachsender innenpolitischer Unruhe gekennzeichneten Jahrzehnt vor dem Sexenio – bald reagierten; zunächst in aggressiver Polemik, seit 1865 dann aber auch mit immer neuen Lehrverboten für die *krausistas*. Da diese Maßnahmen zu den letzten spektakulären Repressionsakten unter der Herrschaft von Isabel II. und vor der ›Revolution‹ des Jahres 1868 gehörten, rückten sie die Opfer in die Rolle von ›Vorläufern‹ des Umschwungs und der neuen Ordnung. Julián Sanz del Río starb im Jahr 1869, aber – neben zahlreichen Ministern und neben anderen das Sexenio prägenden Gestalten – hatten zwei Präsidenten der Ersten Spanischen Republik, nämlich Salmerón und Castelar, zum Kreis seiner engsten Schüler und Vertrauten gehört, und auch der Dritte im Bund, Pi y Margall, bekannte sich gerne zu Sanz del Río als zumindest einem seiner intellektuellen Anreger. So ist es denn alles andere als verwunderlich, daß die *krausistas* mit dem Beginn der Restauration erneut ihrer Lehrämter enthoben wurden, und daß Cánovas del Castillo nur gegen das Versprechen absoluter politischer Enthaltsamkeit der Gründung einer krausistischen – und mithin natürlich privaten – Bildungsinstitution, der *Institución libre de enseñanza*, staatliche Genehmigung zugestand. Ihr Aufbau und ihr allgegenwärtiger Einfluß auf neue Generationen der spanischen Intelligenz waren das Werk von Francisco Giner de los Ríos, mit dem die Geistesgeschichtsschreibung eine zweite Phase des *Krausismo* beginnen läßt. Giner erfand und repräsentierte einen Stil des Denkens und des Lebens, der den von der Macht abgesetzten Raum des intellektuellen Handelns und der intellektuellen Diskurse bis weit in das XX. Jahrhundert unangefochten beherrschen sollte.

Die Affinitäten von Krauses Philosophie zum geistigen Horizont des gebildeten spanischen Mittelstands des XIX. Jahrhunderts sind so evident, daß wir uns hier mit der Aufzählung einiger Grundzüge begnügen können, ohne immer und im einzelnen die Entsprechungen auf der Rezeptionsseite benennen zu müssen. Sein ›System‹ ist im Denken der europäischen Aufklärung fundiert, insofern es einen emphatischen Begriff der ›Natur‹ vorgibt: ›Natur‹ ist für Krause Manifestation und Präsenz Gottes. Dennoch kann dieser Grundgedanke nicht typologisch auf den Pantheismus verrechnet werden, weil das Sein Gottes die Natur überschreiten, weil Gott ›mehr‹ als die Natur sein soll (Krause spricht von ›Panentheismus‹). Ganz ähnlich verhält sich Krauses Geschichtskonzeption zum intellektuellen Hintergrund der Aufklärung: geschichtsphilosophisch im geradezu klassischen Sinn ist sein ›System‹, weil es die Menschheit auf einem aszendenten Weg zur Vollkommenheit sieht, die erreicht sein soll, wenn sie ›der Idee der Menschheit‹ innegeworden ist. In den Worten der Adaptation von Julián Sanz del Río: *Cuando sea conocida la ›idea de la humanidad‹, y se haya despertado el interés para realizarla, entonces brillará la luz de la verdad de un espíritu en otro; la sana doctrina se comunicará de un pueblo a otro pueblo; en todas partes se aunarán y entenderán los que viven de esta idea; todo lo que hoy desagrada a los hombres será reformado en la salud del todo y será convertido en nuevo vínculo de amor humano.*[108] In dieser aufsteigenden Teleologie jedoch wird dem Menschen – genauer: dem menschlichen Willen – keine konstitutive Rolle eingeräumt; ganz unabhängig von ihm soll das Ziel der Geschichte erreicht werden – so daß man zu Recht in dieser Hinsicht von Krauses ›Perfektionsdeterminismus‹[109] geredet hat. Ermöglichen die Elemente des ›Panentheismus‹ und des ›Perfektionsdeterminismus‹ – zumindest: mit geringeren Problemen als sie etwa Hegels Denken aufgäbe – eine Vermittlung mit der christlichen Kosmologie, so kamen andere Züge des *Krausismo* der in Spanien fortwirkenden Tradition einer ›Entwirklichung‹ der Instanzen ›Gesellschaft‹ und ›Staat‹ zugunsten der Position des Individuums entgegen. Obwohl die ›Idee der Menschheit‹ als Ziel der Geschichte gesetzt ist, stattet Krause das vernunftbegabte Individuum – entgegen Kants Trennung von ›reiner Vernunft‹ und ›praktischer Vernunft‹ – mit einem unbegrenzten Erkenntnisvermögen aus; die Idee der kognitiven Erfassung des ›Dings an sich‹ unterliegt bei ihm nicht der philosophischen

Kritik. Folgerichtig werden dann die aus ›freier Assoziation‹ entstandenen ›menschlichen Grundgesellschaften‹ als Voraussetzungen und Stufen des menschlichen Glücks herausgehoben: »Der Krausismus stellt ein Programm des Lebens, der freien Entwicklung, der solidarischen Einheit voller Vertrauen gegen die Herrschaft der Gräber und Toten, der steinernen Tradition, der lebensbedrohenden Skepsis«.[110] An der Stelle von ›Pflicht‹ und ›kategorischen Moralansprüchen‹ wird deshalb – und hier scheint der Einfluß des utopischen Sozialismus auf – ›Harmonie‹ zum Grundprinzip des Weltbilds und zum Zauberwort des philosophischen Diskurses.

Im *Krausismo* zur Doktrin verdichtet und als Lebensstil konkretisiert erlaubten es diese Gedanken den Intellektuellen des spanischen Mittelstands, geschichtsbewußt und fortschrittsgläubig – ›modern‹ im Sinne des XIX. Jahrhunderts – zu sein, ohne selbst den Konflikt mit der Religion und den Kampf der sozialen Klassen suchen zu müssen. Nur so versteht man die Zuversicht und Beharrlichkeit, mit der Giner de los Ríos und seine Anhänger nach dem Scheitern der Ersten Republik den langen Weg einer ›Erziehung der Nation‹ aufnahmen. Ganz ungewohnt ist uns auch der spezifische diskursive Gestus der *Krausistas*, weil er Leitmotive und Grundgedanken aus der Abgeschiedenheit fachphilosophischer Spekulation in unmittelbare Nähe zum alltäglichen Handeln rückt – ja sich als Dispositiv zur Konstituierung eines neuen Alltags versteht, wie uns etwa ein gegen Ende des XIX. Jahrhunderts in Spanien durchaus verbreiteter krausistischer Katalog von *Mandamientos de la Humanidad* belegt, aus dem wir das dreizehnte Gebot zitieren: *Debes hacer el bien no por la esperanza, ni por el temor, ni por el goce, sino por su propia bondad: entonces sentirás en tí la esperanza firme en Dios y vivirás sin temor ni egoismo y con santo respeto hacia los decretos divinos.*[111] Was uns in philosophischer Reflexion und Spekulation durchaus vertraut ist, die immanente Finalität und Normativität von Prinzipien, wirkt in diskursiver Nähe zu aktuellem Handeln grotesk, weil sich solche immanente Finalität vielleicht gerade noch syntaktisch, aber gewiß nicht semantisch und ohnehin nicht pragmatisch in eine Handlungs-Motivation umsetzen läßt. Ähnlich unbeholfen muten uns die im *Krausismo* überaus beliebten Literarisierungen des philosophischen Diskurses an, welche Proportion und Verhältnis von abstrakter Begriffssprache und punktuell illustrierender Metaphorik umkehren, so daß eben durch Literarisierung entstandene Alltags-Szenen durch einen philosophischen Kommentar – durch Allegorese – in idealistische Begrifflichkeit zurücktransponiert werden müssen. In diese doppelte – zirkuläre – Übertragung scheint das 1875 veröffentlichte Gedicht ›El Tren eterno‹ von Manuel de Revilla eingebettet zu sein:

> – ¡Alto el tren! – parar no puede.
> – ¿Ese tren a dónde va?
> – Por el mundo caminando
>   En busca del ideal.
> – ¿Cómo se llama? – Progreso.
> – ¿Quién va en él? – La Humanidad.
> – ¿Quién le dirige? – Dios mismo.
> – ¿Cuándo parará? – Jamás.[112]

Dieselbe intendierte Nähe zum Alltag (oder zu einer Illusion der Alltäglichkeit), welche solche textuellen Blüten trieb, macht den Unterschied zwischen Krausismus und *Krausismo* aus. Denn in dieser Nähe gerann der Diskurs von Krauses Philosophie zum Lebensstil der *krausistas*.[113] Gestärkt von geschichtsphilosophischer Heilsgarantie und kosmologischem Harmonievertrauen konnten die Intellektuellen des spanischen Mittelstands als *krausistas* gesellschaftliche wie politische Ohnmacht als sokratische Weisheit, Armut als philosophische Naturnähe, die Abdrängung aus der Politik in die private Erziehung als von Einsicht in die Geschichte motivierten Schritt erfahren und darstellen.

So war auch der *Krausismo* als Lebensstil Teil der Illusion von einer – spezifischen – Alltäglichkeit. Daß er noch nach 1875 in einem isolierten Raum intellektuellen Austausches polemische Reaktionen provozierte, auf die zu replizieren die *krausistas* durchaus berechtigt waren, mußte wie eine Bestätigung des kollektiven Modernitäts-Anspruchs wirken. Doch welche Modernität war die Modernität jener hochfliegenden Debatten? Viel näher als die Reformer des XVIII. und frühen XIX. Jahrhunderts kamen die *krausistas* dem Typus des Aufklärers und des *philosophe*.[114] Die eine Hälfte dieser Rolle war ihnen mit der Internalisierung von Krauses Philosophie sozusagen ›anerzogen‹; die gesuchte Nähe zum Alltag, zur Umsetzung von Erkenntnis in Praxis machte die andere Hälfte aus. Ein *philosophe* lebte freilich auch davon, sich in der Gegenposition zur ›depravierten‹ Gesellschaft zu gefallen, um so sein eigenes ›aufklärerisches‹ Handeln als Beitrag zur Herbeiführung einer glücklicheren Zukunft präsentieren zu können. Tatsächlich hatten es die *krausistas* ja als Präsidenten und Minister keineswegs verstanden, mit der in ihre Hände gelegten Macht umzugehen; doch weil sie *philosophes* waren, kam es ihnen nicht in den Sinn, das Scheitern und den Machtverlust als durch eigenes Verschulden vergebene Chance zu deuten. Vielmehr erschien der Sexenio mit wachsendem zeitlichen Abstand – paradoxerweise – immer eindeutiger als Beleg für die Behauptung, daß das philosophisch-intellektuelle, bürgerliche Spanien in der Nationalgeschichte *noch nicht* zum Zug gekommen war, daß seine Stunde noch kommen würde.

Der soziale und intellektuelle Typus des *philosophe* braucht, wie wir sehen, den *anti-philosophe*, und diesen Part spielte für die *krausistas* der ebenso streitbare wie belesene, ultramontane wie orthodox-katholische Marcelino Menéndez Pelayo. Aus seiner Zeit als Schüler von Nicolas Salmerón an der Universität von Madrid – nach dessen Rücktritt vom Präsidentenamt, aber noch vor der Wiedereinsetzung der Monarchie – wirkte ein traumatisches Erlebnis im Handeln von Menéndez Pelayo fort: er hatte den *Krausismo* im Selbstbewußtsein einer Staatsphilosophie kennengelernt und wurde nicht müde, ihm über die langen Jahre der Restauration eine erfahrene Kränkung heimzuzahlen. Am 30. Mai 1874 berichtete der Madrider Student Marcelino Menéndez Pelayo in einem Brief von folgendem Erlebnis:

Hoy, mi queridísimo Antonio, estoy lleno de temores y sobresaltos. Figúrate que el Sr. D. Nicolás Salmerón y Alonso, ex-presidente del Poder Ejecutivo de la Ex-República Española y catedrático de Metafísica en esta Universidad, entra el día pasado en su cátedra y después de limpiarse el sudor, meter la cabeza entre las manos y dar un fuerte resoplido, pronuncia las siguientes palabras, que textualmente transcribo, sin comentarios ni aclaraciones: »Yo (el ser que soy, el ser racional finito) tengo con Vds. relaciones interiores y relaciones exteriores. Bajo el aspecto de las interiores relaciones, nos unimos bajo la superior unidad de la ciencia, yo soy maestro y Vds. son discípulos. Si pasamos á las relaciones exteriores, la Sociedad exige de Vds. una prueba; yo he de ser examinador, Vds. examinandos. Tengo que hacerles a Vds. dos advertencias, oficial la una, la otra oficiosa. Comencemos por la segunda. Como amigo, debo advertirles á Vds. que es inútil que se presenten á exámen, porque estoy determinado á no aprobar á nadie, que haya cursado conmigo menos de dos años. No basta un curso, ni tampoco veinte para aprender la Metafísica.[115]

Die erste, ›offizielle‹ Ankündigung des Philosophie-Professors Salmerón war eine vage Abgrenzung des Stoffgebiets für jene Prüfung gewesen, von deren Wahrnehmung er den Studenten so drohend abriet. Menéndez Pelayo, Musterschüler und Musterknabe, hatte zunächst als Mitglied einer studentischen Delegation versucht, Salmerón umzustimmen; er rief seinen Vater, einen bildungsbeflissenen und mit beträchtlichem Einfluß ausgestatteten Gymnasialdirektor in Santander, um Hilfe an. Doch im Frühjahr 1874 konnte man an dem Professor und Staatsdiener Salmerón nicht vorbeikommen. Menéndez Pelayo legte die ihm in Madrid faktisch verwehrte Prüfung – mit mäßigem Erfolg allerdings – an der Universität Valladolid ab.

Noch als sich Menéndez Pelayo im Herbst 1878 mit zweiundzwanzig Jahren auf die *oposiciones* um einen vakanten Lehrstuhl für Spanische Literatur in Madrid vorbereitete, fürchtete er – entgegen aller Evidenz der veränderten politischen Gegenwart – den Einfluß der ›krausistischen Sekte‹ zugunsten liberalerer, beileibe nicht dogmatisch-krausistischer Konkurrenten so sehr, daß die Familie, seine akademischen Lehrer, ja sogar weltanschaulich neutrale Beobachter der akademischen Szene ernsthaft um seinen Erfolg bangen mußten, den man allgemein wegen seiner ganz außer Frage stehenden überlegenen Kompetenz wünschte und erwartete.[116] Natürlich widerlegte der Ausgang des Bewerbungs-Verfahrens seine sich zum Verfolgungswahn versteigende Besorgnis – beruhigen konnte er ihn nicht. Deshalb wohl entstand zwischen 1880 und 1882 Menéndez Pelayos monumentale *Historia de los heterodoxos españoles*, in der er, alle Nuancen und Kontraste zwischen Epochen, Gattungen, Persönlichkeiten nivellierend, die spanische Geistesgeschichte auf die Statik eines Kampfes der Orthodoxie gegen den Unglauben reduzierte. Das wahre, orthodoxe Spanien, so stand für ihn ohne weitere Begründung fest, war ein um die Fülle der antiken Kultur bereichertes Christentum (und folgerichtig geriet für Menéndez Pelayo die Renaissance zum Höhepunkt seiner enthistorisierten Geschichte); auf der anderen Seite jenes ›Kampfes‹ versammelte er antike Polytheisten und Arianer, Juden und Muslime, von seinem Geschmack abweichende Dichter der Vergangenheit und Theologen, die er vom Einfluß des Protestantismus bedroht sah, Aufklärer, Positivisten und natürlich die *krausistas*.

Der *anti-philosophe* Menéndez Pelayo kann gewiß nicht als Begründer der spanischen Nationalphilologie beerbt werden, daran ändert auch die unter den Hispanisten zur Selbstverständlichkeit gewordene Zuschreibung der disziplinären Patriarchen-Rolle auf ihn nichts; sie kommt ihm jedenfalls dann nicht zu, wenn man die intellektuelle, institutionelle und diskursive Gestalt einer ›Nationalphilologie‹ mit dem Impuls einer Neu-Entdeckung nationaler Kulturgeschichte verbinden will.[117] Vielmehr lebte in Menéndez Pelayos kosmologischem Dualismus jener Widerstand gegen geistige Überfremdung wieder auf, jene leidenschaftliche Bemühung um Kompensation des Traumas von ›intellektueller Unterlegenheit‹ oder ›historischem Rückstand‹, den schon hundert Jahre zuvor Massons *Encyclopédie*-Artikel provoziert hatte. Nicht nur die eine zeitgenössische Erscheinungsform des Unglaubens wollte er in den *krausistas* bekämpfen, er identifizierte sie auch als Vertreter eines fremden, den nationalen Traditionen verderblichen Denkens. Nicht zufällig hatte er deshalb schon 1876 mit derselben Vehemenz gegen eine negative Bestandsaufnahme der geistigen Leistungen Spaniens durch den Krausisten Manuel de Revilla reagiert, welche eigentlich nicht mehr hatte sein wollen als die Basis für eine Phase akademisch-intellektueller Erneuerung. In den Diatriben von Menéndez Pelayos' Pamphlet-Sammlung *Polémicas de la ciencia española* wurde aus Revilla ein *Mr. Masson, redivivo*, schließlich gar – sozusagen im Optativ – ein *Mr. Masson, redimuerto*.[118]

Freilich ließ sich das unhistorische geschichtliche Wissen von Menéndez Pelayo nur schwer in Argumente ummünzen. Was er Revillas Behauptung von der Nicht-Existenz einer spanischen Wissenschaft entgegensetzen konnte, war bibliographisches Material, vornehmlich Titel theologischer Traktate aus vergangenen Jahrhunderten. So besessen blieb Menéndez Pelayo von seiner apologetischen Mission und so unfähig zu jeder Distanz, daß er nicht selten als öffentliche Gestalt die bescheidenen Modernitäts-Ansprüche des konservativen Spanien kompromittierte. So scheute er sich nicht, für eine Sondernummer der Zeitschrift *El Dia* zum zweihundertsten Jahrestag von Calderóns Tod im Jahr 1881 (deren schöngeistiger Rahmen in der Idee vorgegeben war, daß alle Beiträge zu Lebzeiten Calderóns entstanden zu sein fingieren sollten) ein wahrhaft übles Pastiche beizusteuern, das einem nach Amsterdam emigrierten spanischen Juden in den Mund gelegt wurde und genußvoll berichtete, wie man einen von christlichem Gedankengut infizierten ›Glaubensbruder‹ in den Tod getrieben habe. Wenige Wochen später – und immer noch anläßlich der Festlichkeiten zum zweihundertsten Todestag Calderóns – nahm er ein gemeinsames Bankett spanischer und portugiesischer Professoren im *Retiro* von Madrid zum Anlaß für einen peinlichen Trinkspruch, der erneut die Situation einer für ihn ohne Abstriche glorreichen Vergangenheit (diesmal: der politisch-territorialen Vergangenheit) auf die Gegenwart des späten XIX. Jahrhunderts projizierte. Sein heute noch berühmtberüchtigter *Brindis del Retiro* endet mit folgenden Sätzen:

Y ya que me he levantado, y que no es ocasión de traer a esta reunión fraternal nuestros rencores y divisiones de fuera, brindo por los catedráticos lusitanos que han venido a honrar con su presencia esta fiesta, y a quienes miro y debemos mirar todos como hermanos, por lo mismo que hablan una lengua *española*, y que pertenecen a la raza *española*; y no digo *ibérica* porque estos vocablos de *iberismo* y de *unidad ibérica* tienen no sé qué mal sabor progresista. (*Murmullos*.) Sí: *española*, lo repito.[19]

Auch wegen solcher Entgleisungen bewunderten die Zeitgenossen – und zwar die *krausistas* ebenso wie die Konservativen – Menéndez Pelayo, waren *krausistas* und Konservative gerne bereit, seine Kapriolen, statt sie ernst zu nehmen, zu belächeln und als Anekdoten zu kolportieren, wie sein Studienfreund, der dem *Krausismo* nahestehende Rechtsphilosoph und Romancier Leopoldo Alas, der um das Menéndez Pelayo von

Salmerón zugefügte Trauma wußte: *hoy Pelayo vive entre los neos. Pero de seguro que tampoco está contento, porque entre ellos y él, a pesar de las apariencias, hay abismos. El mejor día se les escapa, pese a las alabanzas inmoderadas, y acaso por ellas. Se les escapará el día en que advierta que el incienso está envenenado.*[120] Vor allem aber scheint man die Breite seines Wissens bewundert zu haben, seine ganz der Mehrung dieses Wissens gewidmeten Askese (Menéndez Pelayo blieb unverheiratet, er wohnte über lange Jahre in einem engen Hotelzimmer, später in einer Bibliothek), wohl auch seine Lebensuntüchtigkeit (Menéndez Pelayo war Alkoholiker, ebensowenig wie Vergangenheit und Gegenwart verstand er es, im positiven Wissen fundierte Überzeugungen und gesellschaftlichen Takt auseinanderzuhalten). Man nahm Menéndez Pelayos Gestalt als einen Beleg für die prinzipielle Befähigung Spaniens und der Spanier zur ›Wissenschaftlichkeit‹ – wie weit man auch immer mit einer solchen Deutung fehlen mochte. Er war ein Element jener Illusion moderner Alltäglichkeit, deren Grundstruktur die Dichotomie zwischen einem Alltag der praktischen Zwecke und einer von ihm abgesetzten Welt der Kunst und des Geistes bildete.

Nicht immer bestätigte Menéndez Pelayos Handeln sein Bild in der – gebildeten – Öffentlichkeit. Als etwa die *Real Academia Española* mit dem üblichen Ritual am 7. Februar 1897 den Romancier Benito Pérez Galdós in ihre Reihen aufnahm, kam es Marcelino Menéndez Pelayo zu, auf die Antritts-Rede des neuen Akademie-Mitglieds zu antworten. Nun gehörte Galdós zwar gewiß nicht dem engeren Kreis der *krausistas* an (wiewohl er zweifellos ihrer Weltanschauung mehr Sympathie schenkte als dem ultramontanen Manichäismus Menéndez Pelayos), doch seine Romane hatten nie ein Hehl aus Galdós' Passion für die Republik, später sogar für den Sozialismus gemacht, was ihn in den Augen von Menéndez Pelayo fraglos zum *heterodoxo* machen mußte. Dennoch artikuliert sich in Menéndez Pelayos Akademie-Vortrag ›*Don Benito Pérez Galdós, considerado como novelista*‹ die Bemühung, dem Literaten Galdós gerecht zu werden, die um so aufrichtiger wirkt, als Menéndez Pelayo außerstande war, seine Einwände, ja stellenweise seinen Groll der Feierlichkeit des Festakts zu opfern. Natürlich ist dieser Akademie-Vortrag keine brauchbare Vorgabe für eine

Galdós-Lektüre in unserer Gegenwart. Aber als ein Dokument der intellektuellen Diskurswelt in der spanischen Restauration gegen Ende des 19. Jahrhunderts ist er ebenso interessant wie Menéndez Pelayos Briefe über seine Händel mit Salmerón oder wie der *Brindis del Retiro* – unter anderem auch, weil er uns zumindest eine Seite jener Kommunikationssituation vergegenwärtigt, in der sich der Roman des spanischen Realismus entfaltete.

Um das Werk von Galdós würdigen zu können, griff Menéndez Pelayo auf jene – von ihm ohne Differenzierung der historischen Epochen und der diskursiven Gattungen gehandhabten – ästhetischen Konzepte zurück, mit denen er (und beileibe nicht nur er) auch in seinen Schriften zur nationalliterarischen Tradition die Spreu vom Weizen, die Guten von den Bösen, die Orthodoxen von den Häretikern unterscheiden zu können glaubte: *No todos estos libros eran ni podían ser de igual valor; pero no había ninguno que pudiera rechazar el lector discreto: ninguno en que no se viesen continuas muestras de fecunda inventiva, de ingenioso artificio, y a veces de clarísimo juicio histórico disimulado con apariencias de amenidad. El amor patrio, no el bullicioso, provocativo e intemperante, sino el que, por ser más ardiente y sincero, suele ser más recatado en sus efusiones, se complacía en la mayor parte de estos relatos.*[121] Es fällt auf, daß der zu jeder historischen Differenzierung unfähige Menéndez Pelayo gerade den historischen Blick des Romanautors *Pérez Galdós* zu schätzen wußte und vor dem Auditorium der Akademie-Mitglieder heraushob. Auf der anderen Seite verübelte er Galdós nun gerade jegliche Objektivation politischen Engagements, weltanschaulicher Tendenz, wie sie – freilich unter umgekehrten inhaltlichen Vorzeichen – sein gesamtes eigenes Werk charakterisiert. Unübersehbar ist Menéndez Pelayos Bemühen, durch den Verweis auf Gott als einzige Instanz eines definitiven – auch ästhetischen – Urteils und durch die Trennung der ›Stimmen im Roman‹ von der ›Stimme des Autors‹ die an solchen Stellen aufkeimende Lust zur Polemik gegen Galdós zu unterdrücken:

De su tendencia digo, y no puede extenderse a más la censura, porque no habiendo hablado la única autoridad que exige acatamiento en este punto, a nadie es lícito, sin nota de temerario u otra más grave, penetrar en la conciencia ajena, ni menos fulminar anatemas que pueden dilacerar impíamente las fibras más delicadas del alma. Una novela no es obra dogmática ni ha de ser juzgada con el mismo rigor que un tratado de teología. Si el novelista permanece fiel a los cánones de su arte, su obra tendrá mucho de impersonal, y él debe permanecer fuera de su obra. Si podemos inducir o conjeturar su pensamiento por lo que dicen o hacen sus personajes, no por eso tenemos derecho para identificarle con ninguno de ellos.[122]

Selbstverständlich sah Menéndez Pelayo den Balken im eigenen Auge nicht. Indem er vielmehr den Begriff der Wirklichkeit gleichsetzte mit einem emphatischen Begriff von Wahrheit, deren Erfahrung ohne weitere Begründung als natürliche Konsequenz einer Beschränkung der Literaten auf das Repertoire literarischer Verfahren dargestellt wird, erschien – erstens (und erstaunlicherweise ausgerechnet bei Menéndez Pelayo) – die Literatur als ein der Theologie oder der Philosophie überlegener Zugang zur Wahrheit und – zweitens – all das, was der Leser Menéndez Pelayo, wie wir heute sagen würden, als Ausdruck einer von seiner eigenen abweichenden Weltsicht erlebt, als Übertreibung, als nicht referentialisierbares Beiwerk, als *exceso*. Anders – und noch einmal aus unserer Perspektive – formuliert: die ›ästhetisierte‹ galt als die ›kognitiv wahre Wirklichkeit‹. Erst damit wird nachvollziehbar, daß sich die damals in Spanien übliche Kritik des Romans und seiner *excesos* tatsächlich kognitiv (und eben *nicht* weltanschaulich) fundiert glaubte:

En las anteriores (sc.: novelas de Galdós, al contrario de las de después de 1881), siento decirlo, a vuelta de cosas excelentes, de pinturas fidelísimas de la realidad, se nota con exceso la huella del naturalismo francés, que entraba por entonces a España a banderas desplegadas, y reclutaba entre nuestra juventud notables adeptos, muy dignos de profesar y practicar mejor doctrina estética. Hoy todo aquel estrépito ha pasado con la rapidez con que pasan todos los entusiasmos ficticios. Muchos de los que bostezaban con la interminable serie de los *Rougon-Macquart* y no se atrevían a confesarlo empiezan ya a calificar de pesadas y brutales aquellas narraciones; de trivial y somera aquella psicología, o dígase psicofísica; de bajo y ruin el concepto mecánico del mundo, que allí se inculca; de pedantesco o incongruente el aparato seudocientífico con que se presentan las conclusiones del más vulgar determinismo, única ley que en estas novelas rige los actos, o más bien los apetitos de la que llaman bestia humana, víctima fatal de dolencias hereditarias y de crisis nerviosas; con lo cual, además de decapitarse al ser humano, se aniquila todo el interés dramático de la novela, que sólo puede resultar del conflicto de los voluntades libres, o bien de la lucha entre la libertad y la pasión.[123]

Die Kritik an den *excesos* der anderen findet sich ebenso häufig in den – sozusagen ›umgekehrt gerichteten‹ – Dokumenten zur liberalen Rezeption von weltanschaulich konservativer Literatur. Und so versteht es sich, daß – etwa – Manuel de Revilla die Kongruenz seines eigenen Wirklichkeitsbilds mit den Romanwelten von Pérez Galdós als ästhetische (und zugleich kognitive) – jedenfalls nicht als politisch-ideologische Leistung feierte: *Terminemos esta incompleta, aunque extensa crítica, enviando nuevamente nuestra felicitación al primero de los novelistas españoles contemporáneos, y exhortando al lector para que no deje de saborear las páginas de ese libro, tan fecundo en enseñanzas como en bellezas.*[124] Bemerkenswert an solchen Belegen ist vor allem – zumal vor dem Hintergrund der zeitgenössischen Literatur in Frankreich, England, Deutschland, Rußland – die Einsicht, daß den spanischen Romanciers die Möglichkeit und das Gelingen der Wirklichkeitserfassung noch keineswegs problematisch geworden war. Mehr als drei Jahrzehnte nach dem Erscheinen von Flauberts *Madame Bovary*, wo zum ersten Mal die Pluralität und die Interferenzen der evozierten Weltsichten nicht einmal mehr im Ansatz durch einen auktorialen Diskurs harmonisiert wurden, schien ihnen die Möglichkeit der literarischen Wirklichkeitserfassung noch garantiert, sahen sie ihre Praxis einzig von der Versuchung zur politischen ›Tendenz‹ gefährdet, ohne sich je auch nur in Ansätzen einer solchen Tendenz zu verdächtigen. Eben deshalb ist in bezug auf die realistische Literatur der spanischen Restaurationsepoche die Frage nach einer Naturalismus-Rezeption obsolet. Epistemologiegeschichtlich nämlich war die literarische Bewegung des Naturalismus – zumal in der französischen, deutschen und skandinavischen Literatur – ein später Versuch, die bloße Möglichkeit ›authentischer Wirklichkeitserfassung‹ zu retten. Emile Zola etwa war besessen von dem Wunsch, die Homologie zwischen seinen Verfahren als Romanautor und den Verfahren des naturwissenschaftlichen Experimentierens zu erweisen, weil es bis in die siebziger und achtziger Jahre des

XIX. Jahrhunderts hinein das Prestige der Naturwissenschaften verhindert hatte, daß auch sie sich der Einsicht in die Unmöglichkeit authentischer Wirklichkeitserfassung stellen mußten, an der der aus der Aufklärung ererbte Erkenntnis-Optimismus unter den Literaten und Philosophen längst gescheitert war. Auf die aufklärerische Entmythisierung des christlich-kosmologischen Weltbilds sollte eine weitere Entmythisierung, jene des rationalistischen Erkenntnisanspruchs, folgen. Da dieser Prozeß zu einem chronologischen Moment einsetzte, als in Spanien selbst die erste – aufklärerische – Entmythisierung noch längst nicht allenthalben als legitim galt, mußten die der sekundären Entmythisierung entgegengestellten Verfahren des Naturalismus von spanischen Literaten und Lesern durchgängig als *excesos* identifiziert und abgelehnt werden.[125]

Was im Selbstverständnis der realistischen Romanciers in Spanien als einziges Problem existierte, nämlich der Dualismus zwischen den (je verschieden besetzten) Polen von ›wahrer‹ und durch ›Übertreibung verfälschter‹ Wirklichkeitserfassung, bestimmte auch durchgängig die thematischen Grundstrukturen ihrer fiktionalen Welten. Immer wieder stehen sich – wie in den Romanen der französischen und englischen Aufklärer des XVIII. Jahrhunderts – Repräsentanten einer ›natürlich-authentischen‹ und Repräsentanten einer durch Vorurteile ›verblendeten‹ Wirklichkeitssicht gegenüber. Dieser Gegensatz kann dann durch verschiedene semantische Schichten der Typisierung und Konnotation vervielfältigt und semantisch überdeterminiert werden. So sind in Galdós 1878 erschienenem Roman ›*La familia de León Roch*‹ der Kontrast und die Spannung zwischen den Weltanschauungen konkretisiert in der männlichen und der weiblichen Rolle eines unglücklichen Ehepaars. Der ethische Prinzipien und moralisches Handeln in restloser Konsequenz repräsentierende León Roch ist Atheist (*filósofo y naturalista* nennt ihn der auktoriale Erzähler) und seine Frau María Egipcíaca huldigt der Frömmigkeit in spiritualistischen Privat-Zirkeln, an denen ein heutiger Leser zuweilen Spuren der Erinnerung an den Hof Isabels II. zu entdecken glaubt. Der Philosoph und Naturkundler León Roch ist ein im Geist der deutschen Wissenschaft gebildeter Ingenieur (hier stoßen wir wohl auf die historischen Ursprünge eines in der spanischen Gesellschaft bis heute geradezu mythisierten Berufsbilds, das lange Zeit durch germanophile Konnotationen gekennzeichnet blieb), seiner bigotten Gattin hingegen war als Tochter eines ebenso traditionsbeladenen wie dekadenten Adelsgeschlechts die Abscheu vor jeglicher Arbeit – zumal vor geistiger Arbeit – in die Wiege gelegt. Während León Rochs Vater das seinem Sohn vererbte stattliche Vermögen in einem mühsamen Aufstieg aus dem Vorstadt-Milieu zum Schokoladenfabrikanten erwarb, willigt María Egipcíacas Familie in deren Heirat mit León Roch nur ein, weil mit dieser Heirat die – zunächst auch nicht enttäuschte – Erwartung verbunden ist, von dem wohlhabenden Schwiegersohn ausgehalten zu werden. Daß diese mit all ihren idealtypischen Gegensätzen in der Tat überdeterminierte Ehe zum Scheitern verurteilt ist, wird wohl kein Leser je als Bruch der Wahrscheinlichkeitsnorm erfahren haben; ein Problem der Handlungs-Struktur lag hingegen darin, das Zustandekommen einer solchen Verbindung plausibel zu machen. Das scheint auch Pérez Galdós nicht entgangen zu sein: *eran dos seres divorciados por la idea en la esfera de los sentimientos y unidos por la hermosura en el campo turbulento de la fisiología.*[126] Hier stoßen wir auf den erzähltechnischen Grund, der das Thema der ›unglücklichen Ehe‹ zur großen Faszination (nicht nur) der spanischen Literatur der Restaurationsepoche werden ließ. Unter allen sozialen Beziehungen konnte legitimerweise allein die Ehe als zugleich geistige und körperliche Beziehung gelten, weshalb es allein das Thema ›Ehe‹ den Erzählern ermöglichte, trotz extremer Polarisierung in den Charakterbildern ihrer zentralen Protagonisten deren Begegnung zu motivieren. Hinzu kam, daß solche erzähltechnische Notwendigkeit mit einem von den Zeitgenossen erfahrenen Phänomen sozialen Strukturwandels im Alltag jener Epoche konvergierte: denn tatsächlich wichen die bis dahin alltäglicher Begegnung und ehelicher Verbindung entgegenstehenden Grenzen zwischen bürgerlichen Familien und adligen Geschlechtern merklich zurück seit die gemeinsamen Interessen des Adels und des Großbürgertums eine stabile politische Vertretung gefunden hatten. Es versteht sich, daß trotz dieser Faszination durch die Beziehungsstruktur der Ehe auch andere Schichten semantischer Konkretisierung dominieren konnten, ja daß es – obwohl nur vereinzelt – im spanischen Realismus des späten XIX. Jahrhunderts auch Romane gab, die ganz ohne Ehegeschichten auskamen. So konfrontierte Galdós in *Doña Perfecta* zwar ebenfalls einen dynamischen Ingenieur und eine bigotte Frau, doch die Protagonistin Doña Perfecta ist weder die Geliebte noch die Gattin von Pepe Rey, sondern die Mutter der von ihm angebeteten Rosario, und die beiden Gegenspieler repräsentieren weniger die Spannung zwischen sozialen Klassen als den Kontrast zwischen den modernen Lebensformen der Hauptstadt Madrid (wo Pepe Rey aufgewachsen ist) und der vom Klerus beherrschten Enge in der Provinzstadt Orbajosa. In *Fortunata y Jacinta* – und es ist gewiß kein Zufall, daß dieser Roman aus einer späteren Schaffensperiode von Pérez Galdós stammt, nämlich aus den Jahren 1886/87 – kämpfen zwei Frauen, die Gattin Jacinta und die Geliebte Fortunata um die Zuneigung Juanitos. Zwar vergegenwärtigen auch sie eine Spannung zwischen sozialen Klassen, aus der für dieses Mal allerdings der Adel ausgeblendet ist – es geht um den ›Mittelstand‹ (Jacinta) und das ›Volk‹ (Fortunata) –, aber mehr und mehr trat der Gegensatz zwischen ›fruchtbarer Vitalität‹ und ›sterilem Ernst‹ in Galdós' Erfahrung des gesellschaftlichen Alltags an die Stelle der Klassenantagonismen.

Daß das am Ende – angesichts einer exuberanten Fülle von Einzelwerken – erstaunlich begrenzte Repertoire narrativer Grundstrukturen und Motive weitgehend unabhängig von der Zugehörigkeit des jeweiligen Autors zum konservativen (bis ultramontanen) oder zum liberalen (bis republikanischen) Pol des für die Restaurationsepoche bestimmenden Weltanschauungs-Antagonismus gehandhabt werden konnte, und daß die schon im politischen Alltag nachlässig gespielte Inszenierung parlamentarisch-konstitutioneller Demokratie in der Welt der Literatur noch weiter entpragmatisiert war, das belegt so vollkommen, als sei sie von den Literarhistorikern erfunden, die Dichterfreundschaft zwischen Benito Pérez Galdós und dem aus einer Adelsfamilie der Provinz Santander stammenden Romancier José María de Pereda, der den Zeitgenossen als eine Galionsfigur des nationalen Traditionalismus vertraut war.[127] In der Tat hat Pereda einige seiner Bücher ganz bewußt als konservativ-katholische Repliken auf Romane von Galdós konzipiert, ohne daß er deshalb das Erzählschema von der wechselseitigen physischen Anziehung als Motiv der Ehe und vom geistigen Antagonismus als Dynamik ihres Scheiterns hätte variieren müssen. Freilich kann es uns auf der anderen Seite nicht überraschen, daß – aufs Ganze gesehen – im Werk von Pereda der Kontrast ›Stadt/Land‹ als Konkretisation der epochentypischen narrativen Basisopposition überwiegt. So liest sich der 1878 – im selben Jahr wie Galdós' *La familia de León Roch* – erschienene Roman ›*Don Gonzalo González de la Gonzalera*‹ wie eine Apologie des *caciquismo*, weil seine Handlung die Dekadenz eines kleinen Dorfs unter dem Einfluß eines – selbstverständlich: liberalen und neureichen – Provinzbürgers erzählt, dem es gelingt, sich den alteingesessenen Großgrundbesitzer und sogar den Pfarrer zu unterwerfen. Zu einem veritablen Erziehungsroman – mit gegenläufig komplementärem Erzählinhalt – geriet Pereda fast zwei Jahrzehnte später *Peñas arriba*. Widerwillig entschließt sich Marcelo, ein junger Müßiggänger aus Madrid, den wiederholten Einladungen seines Onkels, des *cacique* eines abgelegenen Dorfs in der kantabrischen Gebirgskette zu folgen. Doch bald schon lernt er Landschaft, Lebensform und Menschen der Provinz so sehr schätzen, daß er – am Höhepunkt und zugleich Ende seiner Konversion – eine ihrer Töchter freit, was ihm natürlich mit dem Erbe von Besitz und Stellung des Onkels gelohnt wird – und dem Leser zur Genugtuung eines glücklichen Roman-Endes verhilft.

Ebenso glücklich endet eine außergewöhnlich komplexe Liebesgeschichte, die der feinsinnig-gebildete Diplomat Juan Valera ersann. *Pepita Jiménez* entwirft eine Dreiecksgeschichte, zu deren Entfaltung – ganz anders, als meist bei Galdós oder Pereda – Prozesse der Bewußtwerdung von je besonderen Interessen und Bedürfnissen bei den Eck-Protagonisten gehören. Die Titelheldin ist eine junge Witwe, die – wie die Mehrzahl junger Witwen in der Literatur der Neuzeit – unmittelbar vor der Verehelichung mit einem weit älteren Mann steht, der seinerseits – und das ist nicht ganz so selbstverständlich – dem Familienstand der Verwitweten angehört. Zu erahnen ist für den gewieften Leser, daß Pepita in den Armen des Sohnes enden wird, mit dem dieser Witwer gesegnet ist. Aber man wird es als eine spanische Variante dieses Erzähl-Schemas zu schätzen wissen, daß ihr dieser Sohn zunächst als (Priester-)Seminarist während eines kurzen Ferienaufenthalts begegnet und daß man sich darüber hinaus die Geschichte aus der Rahmenfiktion von ›Nachlaß-Papieren‹ eines verstorbenen Kanonikers erreimen muß, der wiederum – und so bleibt alle potentielle Peinlichkeit ›in der Familie‹ – als Onkel des werdenden Priesters eingeführt wird. Tatsächlich erfüllen sich die guten Wünsche des Lesers für das potentielle Liebespaar, was allerdings den Literaturwissenschaftler nicht davon abhalten sollte zu fragen, wie der spanische Diplomat Valera – der übrigens unter schweren Depressionen litt, als er für längere Zeit in seiner Heimat leben mußte, – die Versöhnung der von der narrativen Basisopposition vorgegebenen Kontraste bewerkstelligte. Hier scheint dem Kleriker-Onkel aus der Rahmenfiktion die entscheidende Rolle zuzukommen. Denn da man aus seiner – durchaus sympathetischen – Perspektive die Romanze zwischen der jungen Witwe und dem scheuen Seminaristen miterlebt und den Eindruck gewinnt, daß der Onkel am Ende sogar seinen Teil zum glücklichen Ausgang beigetragen hat, konnte selbst in der Welt der spanischen Restauration das Abgehen von der vermeintlichen Priester-Berufung zugunsten ›gesunder Erotik‹ kaum als anstößig empfunden werden. Die im Vergleich zu anderen spanischen Romanciers seiner Zeit kaum zu übersehende Vielfalt und (offenbar gewollte) Inkohärenz der Erzählperspektiven, welche die Rolle des impliziten Lesers zum zentralen Element der Sinnstruktur von *Pepita Jiménez* macht und die textimmanente Erzählerrolle in eine (eher) humoristische (denn ironische) Distanz zur Handlung rückt, scheint im Fall Valeras aus einer biographisch sehr einfach zu belegenden Distanz gegenüber der restaurativen ›Illusion von Alltäglichkeit‹ entstanden zu sein. Jedenfalls läßt sich nach einer Lektüre seiner literaturkritischen Schriften die Vermutung ausschließen, daß solche Stil-Komplexität Anzeichen für von diesem Autor erfahrene Schwierigkeiten bei der Praxis der Wirklichkeitserfassung gewesen wären.

Ähnliches läßt sich, wenn auch aus ganz anderen, ja fast den entgegengesetzten Gründen, von dem 1891 publizierten Roman *Pequeñeces* des Jesuitenpaters Luis Coloma sagen – und wir beeilen uns vorab klarzustellen, daß es bei der folgenden Begründung dieser Behauptung (ausnahmsweise einmal) darum geht, eine Lanze für einen Text *gegen* den Tenor der Literatur-geschichten zu brechen, zu deren (aus durchaus löblichen Motiven erwachsenen) Gepflogenheiten es in Spanien seit Jahrzehnten (und beileibe nicht erst seit dem Ende des Frankismus) gehört, den unübersehbar für die politische Rechte engagierten Autoren des XIX. und XX. Jahrhunderts die Gütesiegel historischer Bedeutsamkeit, ästhetischen Werts und national-kultureller Kanonisierung zu verweigern. Was den in seinen Romanen objektivierten Blick des Padre Coloma auf den gesellschaftlichen Alltag von der im spanischen Realismus vorherrschenden Perspektive unterscheidet, das ist die – zumindest in *Pequeñeces* – geradezu monomane Konzentration auf eine einzige soziale Gruppe – auf die konservative Oberschicht von Madrid –, zu deren typischer Weltanschauung der jesuitische Autor keinesfalls eine Spannung empfinden konnte. Die erste Lesergeneration der *Pequeñeces* hat diese Verengung des thematischen Horizonts in die Vermutung umgesetzt, daß es sich hier um einen ›Schlüsselroman‹ handeln müßte, und als Schlüsselroman wurden die *Pequeñeces* zu einem der ganz großen spanischen Bucherfolge des XIX. Jahrhunderts. Wir wollen nun beileibe nicht bestreiten, daß es Colomas Absicht gewesen sein könnte, eine Bezugsetzung zwischen einzelnen Protagonisten seines Romans und einzelnen Persönlichkeiten der Madrider Gesellschaft nahezulegen. Bemerkenswerter scheint uns der (bewußte oder unbewußte) Verzicht auf einen die Romanhandlung strukturierenden Antagonismus von Protagonisten-Gruppen und Weltanschauungs-Typen, der dem Autor offenbar die Verpflichtung auferlegte, die für sein Erzählen notwendige Dynamik in besonderer Weise zu produzieren. Über weite Passagen der *Pequeñeces* ist die Dynamik von Colomas Erzählen die Dynamik eines kognitiven Prozesses: er ›enthüllt‹ Züge an den Repräsentanten der konservativen Oberschichten von Madrid, die ganz offenbar nicht zu den von einem Jesuiten und Romanautor mit seinen Lesern gegen Ende des XIX. Jahrhunderts in Spanien normalerweise geteilten Wissen gehörten. Anders formuliert: er führt seine fiktionalen Gestalten zunächst in Konformität mit solchen Wissenselementen ein, um sie zu variieren und zweideutig zu machen. Daß bei Coloma gerade nicht die alltagsweltlich-biographische Distanz, sondern die spezifische

Nähe zur Referenz-Welt seiner Romanhandlung eine höhere Komplexität der sinnproduktiven Verfahren erzwang, zeichnet sich schon in der überzogenen Metaphorik des Vorworts zu den ›Pequeñeces‹ ab, welche – das zeigt die schwerfällige Insistenz des Autors – seinen Lesern kaum vertraut gewesen sein kann:

Porque si tú, lector pío y candoroso, sentado a las márgenes de los arroyos de leche y miel que fertilizan la Jerusalén celestial que habitas, has creído que existe la noción del bien y del mal en todos los corazones, con la misma claridad que tú la posees en tu entendimiento iluminado por la gracia, estás en un error crasísimo. En el mundo, y en cierta clase de mundo, sobre todo, el mal suele desconocerse a sí mismo, por esa misma confusión de ideas que en todos los órdenes reina. Cuando la relajación es general, sucede en una sociedad lo que a bordo de un barco acontece: que como todo se mueve igualmente, parece que nadie camina; preciso es que alguien se detenga para que haya un punto fijo que marque el atropellamiento de los otros y el rumbo peligroso de los que siguen caminando. Jamás harás conocer a un bizco su propio estrabismo, si no le pones delante un espejo fiel que le retrate su torcida vista; porque el ojo de la cara que sirve para ver y conocer a los demás no puede, sin un milagro que equivalga a esta gracia que tú disfrutas, verse y conocerse a sí mismo. Grande y caritativa obra, por tanto, será la del libro que sirva de punto fijo para avisar a los del barco que se alejan de la orilla; que sirva de espejo fiel al bizco desdichado, para que, comenzando por conocer allí su vista extraviada, acabe por odiarla en sí mismo.
Y aquí tienes explicado de paso el porqué me detengo a veces en pormenores harto nimios, que desdeñaría como artista y a que no descendería como religioso.[128]

Was an dieser erstaunlich differenzierten Reflexion zunächst enttäuscht, das ist die Überlegenheitsgeste, mit der Coloma seine eigene Erfahrung als *punto fijo* oder als *espejo fiel* ins Bild setzt. Dennoch bleibt unübersehbar, daß Coloma – anders als etwa Pérez Galdós – darauf aus war, eine von seinen Lesern unterstellte Kongruenz ihres eigenen Wirklichkeitsbilds mit den Strukturen der ihnen gebotenen Romanwelt zu brechen. Daß dies – und mithin ein kognitiver Prozeß – tatsächlich das Motiv seines Schreibens war, belegen sowohl der Romantitel als auch das Ende des Romantextes. Der zunächst befremdliche Romantitel ›Pequeñeces‹ entpuppt sich schon bald als ›Zitat‹ aus

dem Selbstbild der Madrider Oberschichten, wo man be-
schwichtigend als ›Kleinigkeiten‹ jene Abweichungen von den
religiös begründeten Verhaltensformen interpretierte, welche
als ›Todsünden‹ anzuprangern Colomas Anliegen war. Der
letzte Absatz des Romantexts mutet dann wie eine geschliffene
narrative Einlösung dieses Erfahrungs-Programms an. In beinahe Flaubert'scher Manier beschreibt Coloma die winzige Bewegung einer Protagonistin beim Betreten der Kirche, um anschließend denselben Vorstellungs-Gegenstand noch einmal,
nun in scheinbar konnotationsfreier Beschreibung zu evozieren. Daß es damit Aufgabe des Lesers wird, ein mehrere Perspektiven synthetisierendes Bild (und darüberhinaus eine moralische Bewertung) zu bilden, deuten allein die drei auf das
letzte Wort folgenden Punkte an, mit denen das Ende des ›Textes‹ abgesetzt wird vom Ende der Lektüre:

Mas ella, dando otro paso adelante, hizo un solo movimiento, una
mera *pequeñez*, de esas que asombran a los hombres y regocijan a los
ángeles: metió la mano en la pila del agua bendita y se la ofreció con la
punta de los dedos...[129]

Es ist fast überflüssig zu erwähnen, was der Jesuit Luis Coloma
von seinen Lesern erwartete. Sie sollten die mittels Kursivie-
rung des Wortes ›pequeñez‹ auf die Protagonistin zugeordnete
Bewertung ihrer eigenen Geste dementieren, indem sie aus dem
Relativsatz ›que asombran a los hombres‹ auf eine Erotisierung
der Geste schlossen; und sie sollten die in solcher Erotisierung
vollzogene Umkehr der Spiritualisierung (oder: Ent-Körperli-
chung) einer Körper-Bewegung durch die Berührung mit dem
Weihwasser verurteilen. Daß ein Jesuit solche Profanierungen
verdammt sehen wollte, daß er also die Strukturierung der
christlichen Dichotomie ›Seele / Körper‹ in einer Hierarchie
ethischer Werte suggerierte, wird niemanden überraschen. Gerade eine allzu entschiedene und ausschließliche Zuordnung
solcher Wertungs-Suggestionen auf die religiöse Orthodoxie
läßt uns aber leicht übersehen, daß die Grundstruktur des
narrativen Faszinationstyps ›Ehe‹ (nicht nur) im spanischen
Realismus des späten XIX. Jahrhunderts eben dieselbe Werte-
Hierarchisierung vorausgesetzt, reproduziert und gewiß auch
stabilisiert hat. Denn jene Ehen zwischen Gatten mit konträren

Weltanschauungen mußten ja als Ereignis im Romangeschehen durch den Impuls körperlicher Anziehung motiviert werden; ihr stereotypes Scheitern ließ daraus eine ›*bloß* physische Anziehung‹ werden, welche die von der ›eigentlich wichtigen‹ geistig-weltanschaulichen Nähe garantierte Harmonie allemal verfehlen mußte. Die *esfera de los sentimientos puros* hatte Galdós in *León Roch* über den *campo turbulento de la fisiología* gestellt, und um auch hinsichtlich der nach der Trennung zwischen León und María Egipcíaca anstehenden ›Schuldfrage‹ jegliche (Leser-)Mißverständnisse ausschließen zu können, war das erzählerische Minimum an Liebe, welches er der frommen Protagonistin zuschreiben mußte, von vornherein auf sexuelle Erregbarkeit reduziert: *el amor de María permanecía inalterable, siempre más vehemente que tierno, y tan poco espiritual como al principio.*[130] Solche Abwertung der körperlichen Leidenschaft gegenüber der stets harmoniestiftenden geistigen Nähe und Durchdringung läßt sich als konstitutives Element der narrativen Struktur in den meisten Gesellschaftsromanen aus der frühen Phase des Schaffens von Pérez Galdós ausmachen, obwohl er sich möglicherweise nicht zu dieser Option bekannt hätte. Aber gerade solche den Intentionen und Überzeugungen der Autoren entzogene Prämissen müssen dazu beigetragen haben, daß die realistischen Romane der spanischen Restauration – über die Barrieren und Gräben der weltanschaulichen Konfrontationen hinweg – eine eigentümliche Verschränkung von ästhetischem Wahrheitsanspruch und gesellschaftlicher Wirklichkeits-Konstruktion beförderten, welche die epochale ›Illusion von Alltäglichkeit‹ stützte. Daß weltanschauliche Differenzen nun, wenigstens innerhalb einer bestimmten Toleranz-Zone, bestehen bleiben durften, war eine der Voraussetzungen für die sehr späte Genese der von Galdós und den Autoren seiner Epoche repräsentierten Romanform, bestätigte die Modernitäts-Ansprüche der spanischen Gesellschaft und verlieh den Konvergenzen in den Romanwelten von ›konservativen‹ und ›liberalen‹ Autoren eine besondere Suggestivkraft.

Wie einschneidend die Beschränkungen waren, welche diese ›wahre Wirklichkeit‹ auch den Autoren selbst auferlegte, läßt sich eindrucksvoll an den besonders markanten – und besonders komplizierten – Interferenzen zwischen der öffentlichen Rolle und dem Werk von Emilia Pardo Bazán erfahren.[131] Wie kaum eine andere Persönlichkeit aus der kulturellen Welt Spaniens in ihrer Epoche muß Emilia Pardo Bazán unter jener ›wahren Wirklichkeit‹ gelitten haben. Sie stammte aus einer galizischen Adelsfamilie und blieb – in dieser Hinsicht ein Muster an affektiver und weltanschaulicher Konformität – den Lebensformen ihrer heimatlichen Region und den konservativen Werten der nationalen Geschichte leidenschaftlich verbunden. Zugleich aber – und vielleicht in dem Bewußtsein, als letzte Nachfahrin ihrer Familie einen eigenen Beitrag zur Wahrung eines bedrohten Vermächtnisses leisten zu müssen – weigerte sie sich während ihrer Jugend und bis ans Ende ihres Lebens, diesen Beitrag in der Unterordnung als Gattin und in der Einhaltung der (zumal für Frauen der Oberschicht) verbindlichen Normen erfüllt zu sehen. Sie geriet in die Spannungen zwischen dem Patriotismus und einer (stets als Versuchung erlebten) Bewunderung für jene Gesellschaften ihrer Epoche, wo der historische Schub eines Strukturwandels in den Frauenrollen bereits eingesetzt hatte; zwischen adliger Würde und bürgerlichem Leistungsethos, zwischen den Existenzräumen der Familie und der – in Spanien spezifisch begrenzten – kulturell-literarischen Öffentlichkeit, schließlich zwischen einer geradezu enthemmten Erotik und einer zum ausschließlichen Lebensprinzip erhobenen Intellektualität als konträren Modi der Selbstbehauptung und Selbstbestätigung. Nachdem ihre Offenheit und Neugierde zu einer intensiven Auseinandersetzung mit den Romanen und romantheoretischen Programmen von Emile Zola geführt und Emilia Pardo Bazán es gewagt hatte, ihre Reaktion auf den Naturalismus 1883 in dem – sehr bald Aufsehen erregenden – Buch ›*La cuestión palpitante*‹ festzuhalten, trennte sich ihr Gatte von einer Frau, die nicht nur den ersten Schritt getan hatte, um durch Arbeit eine öffentliche Gestalt zu werden, sondern damit auch – für immer – das Amoralismus-Verdikt gegen den Naturalismus mit ihrem Namen verband. Es ist für sie bezeichnend, daß Emilia Pardo Bazán dennoch auf der einen Seite bereit war, dem Wunsch ihres ›realitätsbewußten‹ Mannes entsprechend, vor der Gesellschaft weiterhin das Bild ehelicher Harmonie zu wahren, und daß auf der anderen Seite für sie, die nun unter der Notwendigkeit stand, ihre Bildung, ihre intellektuelle Neugierde und ihren Selbstbehauptungswillen zur Bestreitung des Lebensunterhalts einzusetzen, die Rolle der arbeitenden Frau zur großen Faszination der Romane und zur unabschließbaren Herausforderung der Existenz wurde. Als Erzählerin erfand sie keine arbeitende Frau ohne symptomatische Abstriche an Weiblichkeit, sozialem Status und moralischem Anspruch. Zunächst muß ›Arbeit‹ in der semantischen Ökonomie der Romane von Emilia Pardo Bazán stets von dem (für sie gewiß unermeßlich hohen) Preis des Verlusts spanischer Identität ausgeglichen werden, und dennoch zeigt sich am Ende regelmäßig, daß die – bei ihr immer – intellektuelle Arbeit der Frauen nicht mehr ist als eine (vermeintlich unauffällige) Strategie, um den Hafen der Ehe (möglichst mit einem adligen Spanier) zu erreichen. Sobald aber die Pardo Bazán ihren gebildeten und (gegen den Widerstand der Gesellschaft) arbeitenden Protagonistinnen die Ehre der spanischen Identität beläßt und darüber hinaus weder ihre Kompetenz noch ihre Motivationen in Frage stellt, zieht die Bedeutungs-Ökonomie ihrer Romane die physischen Aspekte der Weiblichkeit – die Schönheit und die erotische Ausstrahlung der Protagonistinnen – in Mitleidenschaft. Nicht umsonst verballhornt die Familie von María Fé, der sympathischsten und tüchtigsten aller arbeitenden Heldinnen im Werk der Emilia Pardo Bazán, ihren Taufnamen in den gehässigen Rufnamen ›Feíta‹ – dem sich die so Verspottete nie widersetzt.

Daß es der Autorin nicht gelingen will, die Variationen dieses Erzählmotivs zu einem auch für sie selbst ideologisch annehmbaren Kompromiß zu bringen, zeigt uns, wie unfreiwillig Doña Emilia den lebenslangen Konflikt zwischen ihrer eigenen Rolle und der ›wahren Wirklichkeit‹ in der spanischen Restauration durchstand. Eben weil sie an die ›Wahrheit‹ dieses Wirklichkeitsbilds leidenschaftlich glaubte, konnte das Urteil von Emilia Pardo Bazán über den französischen Naturalismus nicht anders ausfallen als bei allen anderen spanischen Intellektuellen ihrer Epoche. Dennoch ist sie – zwar zu unrecht, aber – keineswegs zufällig als ›Hauptvertreterin des spanischen Naturalismus‹ in die Literaturgeschichten eingegangen. Denn gerade Emile Zolas pathologischer Blick auf die Gesellschaft, dessen literarische Konsequenzen auch Doña Emilia als *excesos* identifizierte und verurteilte und gegen den sie mit der ihr eigenen Vehemenz christliche Moral und einen Anspruch des spanischen Volks auf überzeitliche moralische Überlegenheit verkündete, eben jener Blick des Romanciers Zola, der nicht selten Bedürfnisse und Triebe des einzelnen gegen die Krankheiten der Gesellschaft pathetisch ins Recht setzte, muß für die Leserin Emilia Pardo Bazán eine – gewiß vorbewußte – Kompensationsmöglichkeit geboten haben, welche ihre psychische Bedrängnis milderte. Diese Deutung bestätigt sich in der widerspruchsvollen Vielschichtigkeit ihres Zola-Bildes, das immer neue Spannungen bot zwischen der Verurteilung von *excesos*, einer höchst überraschenden Identifikation mit den ›kranken‹ Roman-Gestalten und einer geradezu arroganter Verachtung für alle positiv-gesunden Helden:

En cuanto a sus defectos (sc.: los de Zola), mejor diré a sus excesos, ellos son tales y tanto los va acentuando y recargando, que se harán insufribles, si ya no se hicieron, á la mayoría. Pecado original es él de tomar por asunto no de una novela, pero de un ciclo entero de novelas, la odisea de la *neurosis* al (sic) través de la sangre de una familia. Si esto lo considerase como un caso excepcional, todavía lo llevaríamos en paciencia; pero si en los *Rougon* se representa y simboliza la sociedad contemporánea, protestamos y no nos avenimos a creernos una reata de enfermos y alienados, que es, en resumen, lo que resultan los *Rougon*. ¡A Dios gracias, hay de todo en el mundo, y aún en este siglo de tuberculosis y de anemia, no falta quien tenga mente sana en cuerpo sano!

Dirá el curioso lector: ¿según eso, Zola no estudia sino casos patológicos? No hay en la galería de sus personajes alguno que no padezca del alma ó del cuerpo, ó de ambas cosas á la vez? Sí los hay: pero tan nulos, tan inútiles, que su salud y su bondad se traducen en inercia, y casi se hacen más aborrecibles que la enfermedad y el vicio... los héroes virtuosos de Zola son marionetas sin voluntad ni fuerza. Lo activo en Zola es el mal: el bien bosteza y se cae de puro tonto. ¡Cuidado con la singularísima mujer honrada de *Pot-bouille!* ¡Pues y el sandio protagonista de *El vientre de París!* Es cosa de preferir á los malvados que al menos están descritos de mano maestra y no se duermen.[132]

Daß unsere Bezugsetzung zwischen den Facetten von Emilia Pardo Bazáns spannungsreicher Zola-Rezeption und der psychischen Kompensation ihrer leidvollen Biographie nicht im Status einer allzu riskanten Hypothese verbleiben muß, verdanken wir einer literarhistorischen Entdeckung der jüngsten Vergangenheit. Emilia Pardo Bazán und Benito Pérez Galdós standen sich nicht allein als Romanautoren derselben Epoche nahe, welche gemeinsam an die ›Wirklichkeit‹ moralischer Wertungsprämissen und an die Überlegenheit geistiger Harmonie über ›bloß‹ körperliche Anziehung glaubten; sie waren auch über Jahre in sexueller Leidenschaft einander verbunden, die sie ihrer Mitwelt mit bewundernswerter Umsicht zu verbergen wußten. Wären Emilia und Benito nicht als ›große Gestalten‹ in die Tradition der Literaturgeschichte eingegangen, so ließe kaum ein Satz ihrer 1975 zuerst veröffentlichten Korrespondenz aus den Jahren 1889 und 1890 erahnen, daß die Verfasser dieser hastigen Notizen und die semantische Belastbarkeit ihrer Sprache beständig überfordernden erotischen Reminiszenzen zu den erfolgreichsten Literaten einer ebenso prüden wie bigotten Gesellschaft gehörten. Nicht das überlegene literarische Prestige von Galdós scheint ihre Verbindung geprägt zu haben, sondern der Kontrast zwischen der exuberanten Leibesfülle der im vierzigsten Lebensjahr stehenden Emilia und dem schmächtigen Körper ihres Liebhabers, für den wenig später ein mitleiderregendes Siechtum beginnen sollte. Eine andere Lesart jedenfalls lassen Zeilen wie die folgenden kaum zu:

Esta mañana al leer tu cartita, se me derretía el corazón de cariño. Ayer pasé soñando contigo toda la noche. Y ya ves si necesitaré hacerme violencia para tratarte con amor y para apretarte con delirio. ¿Quieres que te diga la verdad? Siempre me he reprimido algo contigo por miedo a causarte daño físico; a alterar tu querida salud. Siempre te he mirado (no te rías ni me pegues) como los maridos robustos a las mujeres delicaditas y tiernamente amadas, que tienen con ellas *ménágements* (sic). Por lo demás, y autorizada y rogada por ti, lo fácil y lo agradable para mí es hacerte mil zalamerías. A eso me inclina no sólo el cariñazo que te tengo, sino mi condición de gallega arrulladora y mimosa. Verás cuantas tonterías hago y digo. ¿Apostemos a que vas a reirte?
Pánfilo de mi corazón: rabio también por echarte encima la vista y los brazos y el cuerpote todo. Te aplastaré. Después hablaremos tan dulcemente de literatura y de Academia y de tonterías. ¡Pero antes te morderé un carrillito!

Mono, dormirás estos días. Dios quiera que si. No pienses mucho, no.[133]

Nun ist die Tatsache einer solchen Beziehung eigentlich nicht der Rede wert, und man würde ein Spanien-Klischee perpetuieren helfen, wenn man behauptete, daß die Emilia und Benito fesselnde Passion in der Restaurationsepoche eine staunenswerte Ausnahme gewesen sei. Wirklich erstaunlich ist das klare Bewußtsein der Liebenden von dem Sachverhalt, daß so erfahrene Körperlichkeit eine echte Umkehrung jener Wertehierarchie war, zu deren ›Wirklichkeit‹ sie als Schriftsteller beitrugen: *Si, yo me acuesto contigo y me acostaré siempre, y si es para algo execrable, bien, muy bien, sabe a gloria, y sino, también muy bien, siempre será una felicidad inmensa, que contigo y solo contigo se puede saborear, porque tienes la gracia del mundo y me gustas más que ningún libro. Yo si que debía renunciar a la lectura y deletrearte a ti solo.*[134] Emilia und Benito spürten, daß ihre Leidenschaft, die als Leidenschaft des Körpers ›Treue‹ in den langen Phasen räumlicher Trennung nicht fordern konnte, einfach nicht mit der gesellschaftlichen Moral zu vermitteln war, ja nicht einmal in einem Spannungsverhältnis zu dieser Moral stand. Darauf antworteten sie mit ironischen Akten ihrer Entwirklichung: *Ante la moral oficial no tengo defensa, pero tú y yo se me figura que vamos un poco para nihilistas en eso.*[135]

Doch während die Distanz zum Alltag im Bewußtsein der Liebenden kaum hätte größer sein können, zwang dieser Alltag als Ort ihres sozialen Lebens Emilia und Benito oft eine Nähe von sexueller Leidenschaft und moralischer ›Wirklichkeit‹ auf, die grotesk – im terminologisch-prägnanten Sinn des Begriffs – scheint. Emilia hatte im Zug eine ihrer Tanten auf einer Wallfahrt nach Lourdes begleitet. Sie hatte jenen Gegenzug nicht mehr erreicht, dessen Ankunftszeit in Madrid Voraussetzung der Abmachung ihres nächsten *tête-à-tête* mit Benito war; und sie schob die Schuld auf ihre Tante, die sich allzu lange beim Kauf von Rosenkränzen aufgehalten hätte. In langen Stunden des Wartens verflochten sich in ihren Tagträumen Erinnerungen und Phantasien an die Sinnlichkeit religiöser und sexueller Gefühle:

Mi vida: en este momento acabo de perder el tren que debía llevarnos a España: lo perdí por causa de mi tía que a última hora se puso a comprar rosarios...

Es necesario que nos veamos, y además lo deseo mucho.

Acaso podamos llegar el martes, pero por la tarde. En ese caso te avisaré por un billetito.

Soy tu rata, que te ama y está rabiando con este contratiempo.

De esta vez no he tenido aquí la emoción religiosa acostumbrada. ¿Por qué será?

Un momentito la tuve, pero después... voló.

Te quiero con toda mi alma.[136]

Solche Erlebnisse haben sicher Reflexe in den Werken von Emilia Pardo Bazán und Benito Pérez Galdós hinterlassen. Denn die Romane des spanischen Realismus waren Teil einer ›Illusion von Alltäglichkeit‹, welche die Körper entwirklichte. Wenn wir die Körper hier überhaupt in eine Beziehung zu den Texten gesetzt haben, so deshalb, weil es verstehen hilft, wie Emilia Pardo Bazán und Benito Pérez Galdós als öffentliche Gestalten problemlos erwartungskonforme Rollen spielen konnten, und – allgemeiner – warum man ›in der Wirklichkeit‹ der Restaurations-Gesellschaft die uns so greifbaren Ambivalenzen, Spannungen, Widersprüche weder erfahren konnte noch zu erfahren brauchte. Für Galdós freilich mögen die Spannungen in der Lebensform zu jenen Vorbedingungen gehört haben, die seine bemerkenswerte Entwicklung als Schriftsteller ermöglichten. Auf diese Entwicklung müssen wir schon deshalb eingehen, weil es zwar einerseits berechtigt ist, den bis heute populären Pérez Galdós der Gesellschaftsromane so darzustellen, daß an seinem Werk der Beitrag des realistischen Romans zum Entstehen restaurativer ›Wirklichkeit‹ vergegenwärtigt wird, weil aber andererseits eine Beschränkung auf diese Perspektive die Chance verspielte, anhand einer deutlichen Verschiebung der Formen in Galdós' Spätwerk einer Umstrukturierung jener Bedingungen auf die Spur zu kommen, unter denen die spanische Gesellschaft sich selbst erfuhr. Wie vielleicht kein anderer Autor seiner Zeit repräsentiert der alte Galdós den in Spanien so spät einsetzenden Entfaltungsprozeß des historischen Bewußtseins. Wenn man den Endpunkt dieser Entwicklung kennt, dann läßt sich retrospektiv in den poetologischen Reflexionen des jungen Galdós das Potential eines Gedankens ausmachen, der sich als Voraussetzung für die Historisierung seines Bewußtseins zweifellos deuten läßt. Der junge Galdós hatte die Weltsicht jener gesellschaftlichen Schicht, die man damals ›clase media‹ nannte, ohne jegliche Skepsis mit der ›wahren Wirklichkeit‹ identifiziert; aber er verstand diese Identifizierung von Beginn als ein Gebot der historischen Stunde:

Pero la clase media, la más olvidada por nuestros novelistas, es el gran modelo, la fuente inagotable. Ella es hoy la base del orden social; ella asume por su iniciativa y por su inteligencia la soberanía de las naciones, y en ella está el hombre del siglo XIX con sus virtudes y sus vicios, su noble e insaciable aspiración, su afán de reformas, su actividad pasmosa. La novela moderna de costumbres ha de ser la expresión de cuanto bueno y malo existe en el fondo de esa clase, de la incesante agitación que la elabora, de ese empeño que manifiesta por encontrar ciertos ideales y resolver ciertos problemas que preocupan a todos, y conocer el origen y el remedio de ciertos males que turban las familias.[137]

1873, drei Jahre nach Veröffentlichung dieser Sätze, begann Benito Pérez Galdós die Arbeit an einer monumentalen Reihe von historischen Romanen, welche in mehreren Schüben der Konzentration und der Schreibkraft während der folgenden Jahrzehnte zu einem in seinen Ausmaßen gigantischen – und dennoch unabgeschlossenen – Bild der sozialen und politischen Geschichte Spaniens von der Niederlage bei Trafalgar bis zur Restauration von Cánovas del Castillo auswachsen sollte – den *Episodios nacionales*.[138] Bestimmt war es keine subtile Untertreibung, wenn Galdós – mit schier unerträglicher Schlichtheit den Topos ›*prodesse et delectare*‹ reproduzierend – immer wieder betonte, daß diese Hinwendung zur nationalen Geschichte die Nützlichkeit der Wissensvermittlung mit dem unschuldigen Vergnügen an literarischer Lektüre verknüpfen sollte: *presentar en forma agradable los principales hechos militares y políticos del período más dramático del siglo, con objeto de recrear (y enseñar también, aunque no gran cosa) á los aficionados á esta clase de lecturas.*[139] Solche Biederkeit unterbot den Eindruck, daß die politischen Wirren und Kämpfe, die Angst vor der Ungewißheit und bedrohlichen Unsicherheit der nationalen Zukunft ein erster Schritt zu Galdós' Roman der Nationalgeschichte gewesen waren. Aber die politischen Fragen und die politischen Wünsche von Galdós müssen es jedenfalls gewesen sein, die ihm von Beginn an das Verfahren nahelegten, mentale Horizonte und zum Geschehen sich verstrickende Handlungslinien aus der Perspektive eines Roman-Protagonisten zu entwerfen, der seinerseits – zunächst – stets so konturiert war, daß man ihn problemlos als Repräsentanten einer jeweiligen sozialen Gruppe identifizieren konnte. Wenn dies in der *Primera Serie* der *Episodios* Gabriel Araceli ist, der in der Welt des Unabhängigkeitskriegs (befördert durch die Tugenden der Tapferkeit, des Muts, der Brüderlichkeit und des Patriotismus) die exemplarische biographische Linie vom Waisenkind zum General des nationalen Heeres durchläuft, so erkennen wir darin eine Reaktion von Galdós auf die konfuse Gegenwart des *Sexenio:* Spaniens Schicksal, glaubte er, müßte sich zum Guten wenden, wenn es einem neuen Mittelstand gelänge, den aufgrund seiner Kompetenz und seiner Dynamik verdienten Einfluß in der Gesellschaft zu gewinnen. Doch schon mit der (während der ersten Jahre der Cánovas-Restauration geschriebenen) *Segunda Serie,* welche ihrerseits die grausame Restauration Fernandos VII. und das darauf folgende ›ominöse Jahrzehnt‹ evoziert, wurde dieser Blickwinkel, der zunächst ja von der Struktur der Erzählsituation in Galdós Gesellschaftsromanen kaum abwich, zunehmend vage. Denn nun führte Galdós nicht nur immer neue Charaktere der Monomanie (›*locos*‹) ein, welche ein kritisches Licht auf den für ihn fatalen Hang der Spanier zur Privatisierung der Weltbilder werfen sollten; das Gemälde der Epoche Fernandos VII. war darüber hinaus in einem Konflikt zwischen zwei Protagonisten zentriert, deren Namen – Salvador Monsalud und Carlos Garrote – jede Interpretation überflüssig machen. Denn natürlich ist es das Sinnemblem von den ›zwei Spanien‹, auf das wir hier stoßen, und es muß wohl dessen schon im zweiten Jahrzehnt des Jahrhunderts einsetzende Popularität gewesen sein, welche in der *Segunda Serie* den vorher vollmundigen Optimismus des Erzählers in vielen Passagen stocken ließ.

Zwischen diesen Romanen und der *Tercera Serie* jedoch liegt der eigentlich entscheidende Umbruch der Erzählform und der auktorialen Wertungen – über ihn hinaus blieb die Einheit der

Episodios allein durch das Vorrücken auf der chronologischen Linie der Referenz-Ebene gewahrt. Die Publikation der Romane aus der *Tercera Serie* setzte im April 1898, wenige Monate vor einer nationalen Katastrophe ein, vor der Niederlage Spaniens gegen die Vereinigten Staaten im Kampf um die Kolonie Kuba, und der Pessimismus, mit dem Galdós die Restauration Fernandos VII. gezeichnet hatte, steigerte sich in der Fortsetzung der *Episodios* zu einer apokalyptischen Stimmung. Thema der *Tercera Serie* war – in erneuter Verbindung mit der Gegenwart der Roman-Produktion – der Bürgerkrieg zwischen Moderantismo und Carlismo. Als zentraler Protagonist tritt Fernando Calpena, der Sohn eines polnischen Prinzen und einer spanischen Gräfin, in den Vordergrund, doch die Sympathie des Erzählers – und was ihm noch an politischer Hoffnung verblieb – gehörte dem Opfer der Geschichte, dem spanischen Volk, dessen Blut zum Emblem der Bürgerkriegs-Darstellung wurde: *Corría el líquido por las calles, mezclándose en algunos sitios con el rojo de la sangre tan fácilmente derramada como si los cuerpos humanos fuesen odres que se vacían para volverlos a llenar.*[140] Zugleich verdichtete sich in der *Tercera Serie* das bis dahin sporadische Auftreten monomaner *locos* zum tragikomischen Narrenfest in der Szenerie des Schluß-Romans, den Galdós der Hochzeit Isabels II. widmete.

Geradezu psychiatrisch wird die Erzählperspektive in der *Cuarta Serie* und in der *Serie Final* (vom europäischen Revolutionsjahr 1848 bis hin zur Abdankung Isabels II. / vom ›Interregnum‹, mit dem der *Sexenio liberal* begann, bis zur Machtübernahme von Cánovas del Castillo), die Pérez Galdós zwischen 1902 und 1912 (acht Jahre vor seinem Tod) in wachsender physischer und psychischer Erschöpfung schrieb – einer Erschöpfung, durch die seine Imagination blasser und sein Pessimismus zu der Überzeugung wurde, in eine absurde Welt und eine absurde Geschichte geboren zu sein. Die *Cuarta Serie* legt den Ort der Rahmenfiktion ins Archiv des Marqués de Beramendi, der ›in völliger Klarheit sieht, was zu tun und was nicht zu tun wäre; der Isabel II. die klügsten Ratschläge geben, ihr die aus dem exzentrischen Verhalten erwachsenden Gefahren aufzeigen könnte. Was er jedoch nie tut. Stattdessen bleibt er im Angesicht der Königin immer ein ergebener Höfling, der mit einem feinen Lächeln noch das unsinnigste Handeln hinnimmt. Obwohl er sich über ihren Wahn keine Illusionen macht‹.[141] Zwar dringt das Erzählen der *Episodios* in der abschließenden *Serie* nicht weiter vor als bis zur Übernahme der staatlichen Macht durch Cánovas del Castillo. Aber da diese ereignisgeschichtliche Wendung ja die Strukturen der politischen Entwicklung für lange Jahrzehnte vorbestimmt hatte, erreichte die von Beginn der *Episodios nacionales* deutliche Überlagerung der je thematisierten Vergangenheit durch den Horizont der Schreib-Gegenwart nun einen Höhepunkt: der historische Roman wurde zugleich zu einem fast autobiographischen Roman. Wie der am Ende seines Lebens erblindende Galdós verbringt Tito, ein Protagonist aus der Epoche von Cánovas, seine Tage in der Enge und Dunkelheit eines Zimmers; er setzt die absurde Wirklichkeit in unendliche Distanz und läßt die Zeit ohne Grenzen von Tag und Nacht an seinem Bewußtsein vorbeiziehen.

Die Hoffnung auf das ›Volk‹ artikulierte sich in einem mythologisch gewordenen Diskurs, dessen Metaphorik an Töne politischer Prophetie erinnert, wie man sie etwa auch am Ende von Zolas Bergarbeiterroman *Germinal* findet. Doch durch die Bilder und Symbole dringt die Stimme des hilflosen Blinden Benito Pérez Galdós, der in seinen letzten Lebensjahren – schon im frühen XX. Jahrhundert also – auf Theaterbühnen und auf politischen Versammlungen der Sozialisten als ein durch seine hinfällige Lebendigkeit schaudererregendes, durch die Integrität und Dimension seines Lebenswerks pathetisches Relikt der nationalen Vergangenheit auftrat:[142]

La semilla lanzada por filósofos y pensadores no germina sino cuando cae en los cerebros y en las almas de los que más directamente soportan el mal humano, de los mal comidos y semidesnudos, de los que soportan todas las cargas y no gozan de ningún beneficio.
... mas para que de las revoluciones salga vida eficaz, es preciso que se casen y procreen la fuerza pensante y la mecánica o impulsiva.[143]

›Mythologisch‹ haben wir diese Sprache nicht allein wegen der sie charakterisierenden Bilder und Formen genannt; ›mythologisch‹ ist sie vor allem – und darin zeigt sich ein bedeutsamer Wandel in Galdós' Verhältnis zur Wirklichkeit –, weil hier die als Basis kritischen Urteilens aufscheinenden Wert-Prämissen gesetzt und nicht mehr an vorgängige Erfahrungen gebunden sind. Als Galdós das Romangeschehen von *Trafalgar* um den im Unabhängigkeitskrieg zum Mittelstand aufsteigenden Gabriel Araceli zentrierte, war für ihn die ›ästhetische Wahrheit‹ des Romans noch ganz selbstverständlich identisch mit der ›Wirklichkeit‹ gewesen. Zugleich hatte ›Wirklichkeit‹ als ästhetisch wahre Romanwirklichkeit auch den Anspruch impliziert, als normativ zu gelten. In dem Maß aber, wie der Schwerpunkt der Handlung auf Protagonisten verschoben wurde, die andere gesellschaftliche Klassen – nicht mehr nur den Mittelstand – vertraten, wie die Zentralperspektive des Erzählens sich spaltete und später auflöste, gab Galdós auch das Prinzip der Deckungsgleichheit zwischen ästhetischer Wahrheit und historischer Wirklichkeit auf. An die Stelle der Modellierung historischen Wissens zu beinahe erbaulichen Exempeln trat die Evokation der Vergangenheit als eines opaken Sinn-Raums aus Erinnerungen des Leids, wahnhaften Obsessionen und – nun endgültig – verlorenen Hoffnungen.

Diese Auflösung des textuell konturierten Sinns läßt sich zurückbinden an jene Elemente eines nur potentiellen historischen Bewußtseins, die wir am Beginn unserer Überlegungen zu den *Episodios nacionales* in einer romanpoetologischen Reflexion von Benito Pérez Galdós aus dem Jahr 1870 entdeckt hatten. Wäre historisches Bewußtsein damals schon mehr als eine bloße Möglichkeit im Denken von Galdós gewesen, dann hätte er in seiner jahrzehntelangen Arbeit an den *Episodios* vielleicht die aufsteigende teleologische Linie des Fortschritts als Darstellungsprinzip durchgehalten. Eben solche Sicherheit entging dem Autor der *Episodios nacionales,* weil eine sich immer intensivierende Sensibilität in der Perspektivierung der Vergangenheiten und in der Erfahrung der jeweiligen Gegenwarten jene Möglichkeit von Teleologie ausschloß: als Vorgeschichte bedrückender Gegenwarten konnte die Vergangenheit nicht mehr Ausgangspunkt und Durchgangsphase eines national-historischen Fortschrittsoptimismus sein. Deshalb steht am Ende der erzählten National-Geschichte – am Ende von *Cánovas,* dem letzten Roman der *Serie final,* – auch nicht das Relief einer eindrucksvollen Szenerie des Schreckens, sondern die Öde einer *epoca boba.* Auf der letzten von vielen tausend Seiten der

744

Episodios nacionales kommt *tía Clío* zu Wort, die zur grotesken Gestalt geläuterte Muse der Historiographie. Sie schläft in der Pförtnerloge der Madrider *Academia de la Historia* und bürstet Menéndez Pelayo allmorgendlich in mütterlicher Fürsorge den Rock.[144] Die Schlußworte des Romans sind die Worte des Testaments dieser Klio, die stirbt, weil man in der Gewißheit, einer *época boba* anzugehören, keine Geschichten mehr über die Geschichte schreiben kann:

»Hijo mío: Cuando a fines del 74 te anuncié en una breve carta el suceso de Sagunto, anticipé la idea de que la Restauración inauguraba *los tiempos bobos*, los tiempos de mi ociosidad y de vuestra laxitud enfermiza...

La paz, hijo mío, es don del cielo, como han dicho muy bien poetas y oradores, cuando significa el reposo de un pueblo que supo robustecer y afianzar su existencia fisiológica y moral, completándola con todos los vínculos y relaciones del vivir colectivo. Pero la paz es un mal si representa la pereza de una raza y su incapacidad para dar práctica solución a los fundamentales empeños del comer y del pensar. Los *tiempos bobos* que te anuncié has de verlos desarrollarse en años y lustros de atonía, de lenta parálisis que os llevará a la consunción y a la muerte...

Alarmante es la palabra revolución. Pero si no inventáis otra menos aterradora, no tendréis más remedio que usarla los que no queráis morir de la honda caquexia que invade el cansado cuerpo de tu nación. Declaraos revolucionarios, díscolos si os parece mejor esta palabra, contumaces en la rebeldía. En la situación a que llegaréis andando los años, el ideal revolucionario, la actitud indómita si queréis, constituirán el único síntoma de vida. Siga el lenguaje de los bobos llamando paz a lo que en realidad es consunción y acabamiento... Sed constantes en la protesta, sed viriles, románticos, y mientras no venzáis a la muerte, no os ocupéis de *Mariclío*... Yo, que ya me siento demasiado clásica, me aburro..., me duermo...«[145]

Wo Klio schläft, ruht die Geschichte; weil die Geschichte sich nicht mehr bewegt, zieht sich Klio zurück. Es wäre an den Spaniern, meinte Benito Pérez Galdós, nun selbst die Geschichte zu bewegen – und die schlummernde Klio zu wecken. Wir werden erfahren, daß diese Allegorie auch als eine Prophezeiung gelesen werden kann, die sich in der Ungeduld der spanischen Intellektuellen während der Jahre und Monate vor Ausbruch des Bürgerkriegs erfüllen sollte.

Wie die realistischen Romane aus den ersten Jahrzehnten der Restaurationsepoche, allen voran die Gesellschaftsromane und die dem nationalen Unabhängigkeitskrieg gewidmeten *Episodios nacionales* von Galdós, fundiert gewesen waren in der Prämisse einer Kongruenz von ›ästhetischer Wahrheit‹ und ›Wirklichkeit‹, so fällt in dieser resignativen Allegorie aus dem Jahr 1912 Klios Schlummer (die Unmöglichkeit, vergangene Wirklichkeit literarisch zu gestalten) mit den *tiempos bobos* zusammen. Zwischen 1870 und 1912 war die Biographie von Benito Pérez Galdós ein Prozeß politischer und künstlerischer Desillusionierung gewesen. Leopoldo Alas, ein Professor für Rechtsphilosophie an der Universität der asturianischen Provinzstadt Oviedo, der als Literaturkritiker unter dem Pseudonym ›Clarín‹ enthusiastische Besprechungen zu den frühen, noch beinahe optimistischen Werken von Pérez Galdós geschrieben hatte,[146] veröffentlichte selbst im Jahr 1884 einen Roman, der gänzlich abseits von der restaurativen ›Illusion moderner Alltäglichkeit‹ stand – ohne daß diesem Werk allerdings ein Prozeß der Desillusionierung vorausgegangen wäre.[147] Zurecht hat man immer wieder festgestellt, daß *La Regenta* von Leopoldo Alas, der bald auch als Romanautor mit dem Pseudonym ›Clarín‹ signierte, die spanische Variante im europäischen Paradigma der *Bovary*-Geschichten aus der zweiten Hälfte des 19. Jahrhunderts ist.

Ana Ozores, Claríns ›Emma Bovary‹, verdankt ihren Beinamen ›la Regenta‹ dem ehemaligen Amt ihres Mannes, Victor de Quintanar, als Gerichtsvorsteher (›Regente‹) der Provinzstadt *Vetusta* (so das fiktionale Toponym für Claríns Heimatstadt Oviedo, die sich unschwer als die Referenz zum Ort des romanhaften Geschehens erschließen läßt). In ihrer Ehe mit dem ebenso väterlich besorgten wie impotenten Mittfünfziger können sich jene Erwartungen von Ana Ozores nie erfüllen, welche die Lektüren romantischer Romane und religiöser Erbauungsschriften geweckt haben. Zwei Protagonisten scheinen der *Regenta* mögliche Auswege aus solcher Frustration zu eröffnen: Alvaro Mesía, der Präsident der liberal-dynastischen Partei von Vetusta, ist der – trotz aller öffentlichen Bewunderung – in seiner *midlife-crisis* um die Erhaltung dieses Ruhms besorgte *Don Juan* der Stadt; Fermín de Pas ist als Domherr die rechte

Hand des Bischofs und muß – am Beginn seines vierten Lebensjahrzehnts stehend – die Erfahrung verarbeiten, daß sich nicht alle Träume von einem unaufhaltsamen Aufstieg in der kirchlichen Hierarchie – weit über Vetusta hinaus – realisieren werden. Ana Ozores entscheidet sich für Alvaro Mesía. Sie tut das gegen den Rat des Konkurrenten Fermín de Pas, der in der Rolle des Beichtvaters seine neuerliche Niederlage abzuwenden sucht; dabei steht sie unter dem vielstimmig lockenden Einfluß der ›guten Gesellschaft‹ von Vetusta, die nichts sehnlicher herbeiwünscht als einen so sensationsträchtigen Seitensprung. Ohnmächtig in seiner Eifersucht, ersinnt Fermín de Pas eine Intrige von exquisit-klerikaler Komplexität, durch die der – ganz in den Ehrbegriffen des *Siglo de Oro* lebende – ältliche Gatte von Ana Ozores seiner Schande gewärtig wird. In dem unvermeidlichen Duell zwischen dem (die *Don-Juan*-Rolle in allen Situationen nur sehr provinziell interpretierenden) Liebhaber und dem (aufgrund seiner Treffsicherheit als passionierter Jäger zunächst) zuversichtlichen Gatten der asturianischen Bovary findet der leidenschaftslose Ehemann den Tod – gegen jede alltägliche Wahrscheinlichkeit, wohl aber konform mit den Leseerwartungen. Alvaro de Mesía bricht für unbekannte Zeit nach Madrid auf. Fermín de Pas weigert sich, der – wie er meint – durch eigenes Verschulden zur Witwe Gewordenen je wieder die Beichte zu hören. Als Ana Ozores, für die Vetustas Kathedrale nun zu einem Ort der Einsamkeit geworden ist, dort ohnmächtig zusammenbricht, drückt ihr ein homosexueller Kirchendiener in der letzten Szene des Romans einen Kuß auf die Lippen. Er hatte sie am Beginn der Geschichte mit einem Fernglas vom Turm der Kathedrale beobachtet. Zum Bewußtsein zurückkehrend, glaubt die *Regenta* einen Krötenbauch auf ihrem Mund zu spüren. Als Schreckensgestalt der ›guten Gesellschaft‹ ihrer Stadt war eine Kröte in ihren Alpträumen erschienen.

Der Kontrast zwischen dem Blick vom Turm auf Anas Körper und dem Kuß in der Kathedrale kann veranschaulichen, daß der Roman nicht allein das Schicksal der Titelheldin erzählt, sondern auch – und vor allem – der kognitive Prozeß einer perspektivischen Annäherung ist. Doch ebenso wie der ›Kuß‹ am Ende des Romans als Kuß in der Kathedrale – als Kuß eines

homosexuellen Mannes, als Kuß eines Kirchendieners, als Kuß
auf die Lippen eines ohnmächtigen Körpers, als ›wie die Kälte
eines Krötenbauchs‹ empfundener Kuß – alle Konturen des
Begriffs und alle von ihm denotierte Wirklichkeit verliert, so
lösen sich auch die im Text zunächst gegebenen Gestalten der
Protagonisten, der Situationen und der Stadt vor der Annäherung des auktorialen Erzählers und mithin des Leser-Blicks auf.
Die Welt des Romans ›La Regenta‹ ist bis in Einzelheiten textuell durch die Interferenz vielfältiger Diskurse verschiedener
Herkunft, narrativ durch die Konkurrenz der Meinungen, des
Wissens, der Urteile, der Absichten einer nur schwer überschaubaren Zahl von Protagonisten und wirkungspragmatisch
durch die nicht auf Linearität und Sinnkohärenz reduzierbaren
Überschneidungen immer neuer Blickrichtungen konstituiert.
Doch keiner dieser Diskurse, keine Protagonisten-Meinung,
keine Blickrichtung erweist sich im Prozeß der Lektüre als
durchgängig dominant, so daß sie von der Relativierung durch
andere Diskurse, Protagonisten-Meinungen, rezeptive Blickrichtungen ausgenommen wäre – obwohl man zunächst geneigt
ist, unter der einen oder der anderen ›Stimme‹, auf der einen
oder anderen ›Erzählebene‹ den Standpunkt und die Intention
des Autors entdecken zu wollen.

Wie eine unbequeme Störung ihres eingeschliffenen Rezep-
tionshabitus muß auf Claríns zeitgenössische Leser ja schon die
Erfahrung gewirkt haben, daß die in der Handlung der *Regenta*
gebotene Differenziertheit und Vielfalt der Protagonisten-Typen mit dem gängigen Schema einer Polarisierung in zwei
›weltanschauliche Lager‹ nicht in Einklang zu bringen war.
Statt einen für die eine oder die andere Seite vorentschiedenen
Kampf zu kämpfen, versammeln sich in der *Regenta* die Protagonisten in konzentrischen Kreisen wachsender Distanz um
Ana Ozores, um die in ihren romantischen Tagträumen ent-
rückte, in der Ehe noch unberührte und schon früh zur Waisen
gewordene Tochter eines romantisch-liberalen Vaters. Ana
Ozores ist das *objet du désir* der Provinzstadt. In einem Gesell-
schaftsroman von Pereda oder Galdós wären Ana und Alvaro
de Mesía, wären Victor de Quintanar und Fermín de Pas auf
dem Niveau der semantischen Tiefenstruktur jeweils einem von
zwei ›Aktanten‹ zuzuordnen gewesen (wir könnten diese Ak-

tanten ›Liberalismus/Progressismus‹ und ›monarchisch-nationalen/klerikalen Konservativismus‹ nennen); doch in Claríns Vetusta wirkt der Domherr intellektuell offener als der Präsident der Fortschrittspartei, scheint der pensionierte Gerichtsvorsteher weniger in die Sinnwelten der Vergangenheit verstrickt als seine junge Gattin mit ihrer liberalen Herkunft.

Welche Mentalität und welches Verhältnis zur literarischen Wirklichkeits-Konstitution objektivieren sich in solcher Differenziertheit? Nur wenig spricht dafür, die bis ans Ende des Romans durchgehaltene Verweigerung einer dominanten Perspektive als Ausdruck einer absoluten Erkenntnis-Skepsis zu deuten. Zwar hatte Leopoldo Alas zur ersten Schüler-Generation des krausistischen Pädagogen Giner de los Ríos gehört, zwar war für ihn als Literaturkritiker die Exaktheit der Wirklichkeitsbeschreibung immer ein entscheidendes Qualitäts-Kriterium gewesen; wenn man aber in der Lektüre erfahren hat, daß die Protagonisten-Typen in *La Regenta* trotz ihrer Perspektivenvielfalt – oder gerade in ihr – am Ende einen einzigen gesellschaftlichen Raum, nämlich das geschlossene Milieu von Vetusta als Fiktion evozieren, dann bietet es sich an, Claríns Werk als eine Problematisierung der restaurativen Illusion von moderner Alltäglichkeit zu verstehen, deren Wirkungspotential dadurch intensiviert wird, daß sie sich nicht zu einer Gegen-Illusion abrundet. Wer diesen Interpretations-Vorschlag akzeptiert, der kann Leopoldo Alas in der spanischen Kulturgeschichte zwischen zwei Horizonten der Erfahrung (hispanistisch: zwischen zwei ›Generationen‹) lokalisieren. Denn einerseits hatte er den weltanschaulichen Dualismus und den Erkenntnisoptimismus der Pérez Galdós, Pereda, Valera hinter sich gelassen, der so unbekümmert gewesen war, daß er nie dazu kam, Wirklichkeits-Konzeptionen in der Literatur überhaupt als Problem zu perspektivieren. Andererseits aber scheint sich Leopoldo Alas nie um die Lösung der ihm durchaus bewußten erkenntnispraktischen Schwierigkeiten bemüht zu haben, wie es jüngere spanische Intellektuelle seit dem Schock der Niederlage im Kuba-Krieg von 1898 an taten, um schon bald mit neuen Weltbildern und Denkstilarten an die Öffentlichkeit zu treten. Diesen kulturhistorischen Lokalisierungs-Versuch der *Regenta* führt der Text sozusagen ›immanent‹ mit sich; ja vielleicht ist *La Regenta* als ›Literaturroman‹[148] aus einer offenbar intendierten Vielfalt intertextueller Zitate, Verweise und Konnotationen gebaut, um sich so ›selbst‹ in ein Verhältnis zur europäischen, vor allem aber zur nationalen Literaturtradition setzen zu können. Immerhin steht genau im Zentrum der Handlung – so wie bei *Madame Bovary* die dem Mann der Titelheldin mißlingende Klumpfußoperation – eine Aufführung von Zorrillas *Don Juan Tenorio*, anläßlich derer sich die ›gute Gesellschaft‹ von Vetusta festlich gestimmt zur Kulturpflege vereint. Die Szene ist ›realistisch‹ im alltagssprachlichen Sinn des Begriffs, weil tatsächlich die jährliche Aufführung dieses Dramas zum Allerseelentag bis in unsere Gegenwart hinein ein Ritual der spanischen Gesellschaft war, von dem ein erheblicher Partizipations-Druck ausging. Wichtiger für uns ist freilich der Sachverhalt, daß gerade Zorrillas *Don Juan Tenorio* wie kaum ein anderer Text der spanischen Literatur den ›Geist‹, die Spannungen, Ambivalenzen und Bedürfnisse einer Epoche objektiviert.

Wie Clarín selbst jenes Drama und diese Epoche erfuhr, welche Einschätzung und welche Deutung er seinen Lesern nahelegen wollte, das sind Fragen, deren Beantwortung sich nicht ohne weiteres im Zentralkapitel von *La Regenta* finden läßt. Denn auch die *Don-Juan-Tenorio*-Aufführung ist polyperspektivisch gestaltet. Ana Ozores findet auf der Bühne die Welt ihrer eigenen Tagträume wieder. Ganz selbstverständlich fügt sie sich in den quasi religiösen Anspruch dieses Spiels, niemand anderes als sie *ist* Doña Inés und der fiktionale Don Juan *kann nur* Alvaro Mesía sein:

Para Ana, el cuarto acto no ofrecía punto de comparación con los acontecimientos de su propia vida..., ella aún no había llegado al cuarto acto. ¿Representaba aquello lo porvenir? ¿Sucumbiría ella como doña Inés?, ¿caería en los brazos de don Juan loca de amor? No lo esperaba; creía tener valor para no entregar jamás el cuerpo, aquel miserable cuerpo que era propiedad de don Víctor, sin duda alguna. De todas suertes, ¡qué cuarto acto tan poético! ...
Doña Inés decía:
       Don Juan, don Juan, yo lo imploro
       de tu hidalga condición...
Estos versos, que ha querido hacer ridículos y vulgares, manchándolos

con su baba, la necedad prosaica, pasándolos mil y mil veces por sus labios viscosos como vientre de sapo, sonaron en los oídos de Ana aquella noche como frase sublime de un amor inocente y puro que se entrega con la fe en el objeto amado, natural en todo gran amor. Ana, entonces, no pudo evitarlo, lloró, lloró, sintiendo por aquella Inés una compasión infinita. No era ya una escena erótica lo que ella veía allí; era algo religioso; el alma saltaba a las ideas más altas, al sentimiento purísimo de la caridad universal..., no sabía a qué; ello era que se sentía desfallecer de tanta emoción.[149]

Von Anas geradezu bedrängender Identifikation entfernt, welche die Exzentrizität ihrer Persönlichkeit gegenüber der historischen Epoche der Restauration und gegenüber der Gesellschaft von Vetusta noch unterstreicht, erscheinen die auch untereinander divergierenden (Vor-)Urteile und Reaktionen ihres Gatten und ihres zukünftigen Liebhabers. Diese beiden Formen der Rezeption gewinnen im Raum des Romans eine besondere Vielschichtigkeit, weil die Gesamtstruktur von Claríns Erzählung über die Aktualität des Theaterabends als zentraler Szene hinaus ja eine typologische Identität zwischen Alvaro Mesía und Don Juan, zwischen Victor de Quintanar und Don Gonzalo, dem Vater von Doña Inés, vorgibt, dessen Tod von der Hand des Verführers das Schicksal von Don Victor im abschließenden Duell der *Regenta* präfiguriert. Diese Korrespondenzen aktualisieren sich auch tatsächlich in den Reaktionen der zwei zukünftigen Rivalen auf das Drama, ohne daß ihnen dies als Akt der Identifikation bewußt zu werden scheint: *A don Alvaro se le antojaba muy verosímil y muy ingenioso y oportuno el expediente de sujetar a don Luis y meterse en casa de su novia en calidad de prometido. Aventuras así las había llevado él a feliz término.*[150] Einige Seiten weiter gewinnt die trivialste aller kulturbeflissenen Trivialitäten im Mund von Anas Gatten einen analogen Stellenwert: *Quintanar... expuso sus ideas en punto a literatura dramática, concluyendo como siempre con su teoría del honor según se entendía en el siglo de oro, cuando el sol no se ponía en nuestros dominios.*[151]
Wo sich Don Alvaro und Don Victor jedoch aufgefordert fühlen, ihr Verhältnis zum romantischen Geschehen auf der Bühne zu definieren, nehmen beide – entgegen der Parallelität der Romanhandlung – Distanz. Aber sie tun dies in signifikant

divergierender Weise. Der liberale Provinz-Politiker Alvaro Mesía hält Zorrillas romantische Bemühung um die Versöhnung religiöser Orthodoxie und extatischer Individualität für unmoralisch, und um deutlich zu machen, daß gerade er damit den am tiefsten in der Tradition verwurzelten Standpunkt bezieht, ohne dafür irgendeine Kompetenz des historischen oder ästhetischen Urteils geltend machen zu können, läßt Clarín Alvaro Mesía die Überlegenheit der Don-Juan-Version Molières herausstreichen, deren atheistische Grundstimmung er natürlich nicht kennt:

Aunque a don Alvaro el drama de Zorrilla le parecía inmoral, falso, absurdo, muy malo, y siempre decía que era mucho mejor el *Don Juan* de Molière (que no había leído), le convenía ahora alabar el poema popular, y lo hizo con frases de gacetillero agradecido.[152]

Ausgerechnet Don Víctor, der pensionierte Staatsdiener, der seine ästhetischen Urteile im Rekurs auf die klassischen Texte des *Siglo de Oro* zu rechtfertigen pflegt, vertritt hingegen die in der Epoche der Restauration als ›modern‹ angesehene Lösung, in der allein sich Distanznahme und Genießen vereinen und ohne Widerspruch artikulieren lassen. Er kritisiert die Dramenhandlung, wo er sie an den Normen des Alltags mißt, und er lobt ihre Schönheit, wo er sie als Kunst sieht:

Quintanar no le perdonaba a Zorrilla la ocurrencia de atar a Mejía codo con codo, y le parecía indigna de un caballero la aventura de don Juan con doña Inés de Pantoja. »Así cualquiera es conquistador.« Pero fuera de esto, juzgaba hermosa creación la de Zorrilla, aunque las había mejores en nuestro teatro moderno.[153]

Wir sehen, daß Clarín die Divergenz dieser beiden Reaktionen auf die *Don-Juan-Tenorio*-Aufführung in der Provinz vor dem Hintergrund der differenten gesellschaftlichen Rollen von Alvaro Mesía und von Víctor de Quintanar als *Chiasmus* modelliert hat. ›Moderner‹, so wird dem Leser nahegelegt, ist, ohne daß er dies wissen und wollen könnte, Víctor de Quintanar. Der Don Juan der Restaurationsgesellschaft hingegen, Alvaro Mesía, kann sich nicht einmal für den romantischen *Don Juan Tenorio* begeistern, obwohl dieser schon ein halbes Jahrhundert zuvor zur Lieblingsgestalt des Theaterpublikums geworden war. Seine Beziehung zum klassischen Typ des spanischen

Liebhabers erschöpft sich in einer geradezu ›mechanistischen‹ Kongruenz hinsichtlich der Technik ihrer Verführungsstrategien. Wenn wir uns nun am Ende fragen, welcher literarhistorische Stellenwert dieser offenbar mit großer Subtilität im Text angelegten Möglichkeit zukommt, eine vielschichtige und nuancierte Beziehung zur nationalkulturellen Tradition herzustellen, so müssen wir uns vergegenwärtigen, daß Don Víctor de Quintanar, der sich unter allen Gestalten von Claríns Roman in seinem literarischen Geschmack als der Modernste erweist – als treffsicherer Schütze, der von einem zitternden Salonlöwen im Duell durch einen Schuß in die Blase getötet wird, als impotenter Gatte, dessen Gesten väterlicher Fürsorge seine Frau nur mitleidvollen Respekt zollen kann, als Lobredner auf die Kultur und Literatur einer glorreichen Vergangenheit, der auf diese Kultur aus einer anachronistischen Perspektive blickt, – daß Víctor de Quintanar ein *neuer Don Quijote* ist.[154] Damit aber nimmt er in der Handlung von *La Regenta* auch die Stelle des (beinahe, ganz?) unschuldigen Opfers ein.

Im komplexen Kontrast zwischen dem (fahrlässig-schuldigen) angstschlotternden Sieger Don Alvaro, einem in seinen spontanen Regungen ultramontanen Provinz-Präsidenten der Fortschritts-Partei, der sich zum *Don Juan* der romantischen Literatur verhält wie eine Marionette zu einem lebendigen Menschen, im Kontrast zwischen diesem zur grotesken Gestalt abgehalfterten Idealtyp des Liebhabers und dem *Quijote* Don Víctor de Quintanar deutet sich eine Umbesetzung in der Sinngestalt der nationalen Identifikationsfigur an. Und diese Umstrukturierung kollektiver Selbstreferenz wird eine wesentliche Voraussetzung für unser Verstehen der spanischen Kultur des XX. Jahrhunderts sein. Wer mit der Differenziertheit und Subtilität literarisch-realistischer Wirklichkeitskonstitutionen außerhalb Spaniens vertraut ist, der wird geneigt sein, Claríns *Regenta* als ›europäischstem‹ aller Romane des spanischen Realismus eine Vorrangstellung einzuräumen. Aber ist Clarín innerhalb der spanischen Tradition nicht auch durch eine spezifische Naivität gekennzeichnet? Implizierte der zu seinen Lebzeiten längst eingespielte Habitus der individuellen ›Entwirklichung‹ von gesellschaftlichen Normen und gesellschaftlicher Realität nicht schon immer jenes Wissen um die Ungreifbarkeit, die Inkohärenz, die Substanzlosigkeit der Wirklichkeit, dessen Vermittlung sich Clarín mit so viel Subtilität angelegen sein ließ? Das Problem einer epistemologiegeschichtlichen Einschätzung und Verortung des realistischen Romans in Spanien, auf das wir immer wieder zu sprechen gekommen sind, kann auch nach unserer Beschäftigung mit dem Werk von Clarín beileibe nicht als gelöst angesehen werden. Es scheint sich im Gegenteil bis zur Unlösbarkeit kompliziert zu haben. Denn unser erster Eindruck, nach dem sich jene erkenntnispraktischen Schwierigkeiten, welche den funktionsgeschichtlichen Ort des realistischen Romans in Mitteleuropa markierten, für die spanischen Autoren gar nicht stellten, kann jetzt nicht mehr ohne erhebliche Differenzierungen aufrechterhalten werden. Aber auf der anderen Seite ist es erstaunlich, daß Clarín, der seinen Lesern die Garantie ›authentischer Wirklichkeitserfassung‹ verweigerte, nicht auch sein eigenes Erzählen zum Gegenstand solchen literarischen Agnostizismus machte. Muß nicht letztlich in der intellektuellen Szene Europas gegen Ende des XIX. Jahrhunderts auch seine Praxis als ›naiv‹ eingeschätzt werden, da sie doch ganz offensichtlich die Möglichkeit einer Darstellung ›von außerhalb‹ der Gesellschaft nicht problematisiert?

Mit solchen Fragen gelangen wir zu der Vermutung, daß sich vor dem Hintergrund einer spezifisch spanischen Tradition auch das ›Realismus-Problem‹ in einer ganz spezifischen Weise gestellt haben könnte. Wir spielen an auf den Gestus ›individueller Entwirklichung gesellschaftlicher Wirklichkeit‹, dessen Habitualisierung und dessen verschiedene Ausprägungen seit der Mitte des XVI. Jahrhunderts wir in den vorausgegangenen Kapiteln immer wieder thematisiert haben. Dieser Gestus eröffnet aus der Perspektive des Individuums eine prägnante Alternative bezüglich des Verhältnisses zur Gesellschaft und der von der Gesellschaft konstituierten Wirklichkeit. Man kann sich dieser Wirklichkeit entweder unterordnen oder entziehen. Man kann sein Handeln entweder an gesellschaftlichen Normen orientieren oder sich über sein Handeln zum Individuum stilisieren. Und angesichts dieser Alternative von Einstellungen zur gesellschaftlichen Wirklichkeit scheint in Spanien die Frage nicht in den Vordergrund getreten zu sein, ob eine Form der

Wirklichkeitserfahrung authentisch, adäquat oder wahr sei. So gesehen ist der Weg von den frühen Gesellschaftsromanen des *Sexenio* hin zur *Regenta* und den letzten *Episodios* des greisen Galdós nicht ein Weg wachsender Skepsis gegenüber der eigenen Erkenntnis und – allgemeiner – den menschlichen Erkenntnismöglichkeiten, sondern nichts anderes als ein neuerlicher Rückzug der Intellektuellen auf eine Position der Individualität fern von allen (am Ende des XIX. Jahrhunderts konkurrierenden) Konventionen, Normen und gesellschaftlichen Wirklichkeiten. Anders formuliert: die in Frankreich, England oder Deutschland dominierende Frage, ob Wirklichkeit im Alltag, in der Philosophie oder in der Literatur noch ›objektiv‹ zu erfassen sei, scheint in Spanien – bis hin ins frühe XX. Jahrhundert jedenfalls – zweitrangig gegenüber der Entscheidung geblieben zu sein, ob man sich gesellschaftlicher Wirklichkeit unterordnen oder ihr ›als Individuum‹ entkommen solle. Diese Reflexion erlaubt es uns auch, der erstaunlichen Aktualität der nationalliterarischen Figuren Don Juan und Don Quijote eine weitere Deutungsdimension zu erschließen. In ihrer für das XIX. Jahrhundert charakteristischen Ausprägung repräsentiert die Don-Juan-Figur (bei Clarín: Alvaro Mesía) den vor allem für die Romantiker so dringenden Wunsch, in der Gesellschaft zu leben und doch Individuum bleiben zu können. Gerade die Handlung der *Regenta* belegt nun aber, wie sehr die Überzeugungskraft dieses Rollenangebots gegen Ende des Jahrhunderts schwand. Eben deshalb trat die Don-Quijote-Figur in den Vordergrund (Quintanar bei Clarín, der in der Abgeschlossenheit seines Zimmers weilende blinde Erzähler bei Galdós). Daß solcher Individualismus an der von ihm ›entwirklichten‹ Gesellschaft scheitern mußte, scheint sein Pathos zunächst nur gesteigert zu haben. Für die spanische Geschichte aber sollte sich nicht so sehr die Attitüde des individuellen Rückzugs aus der nationalen Gesellschaft als Verhängnis erweisen wie jene – andere – ›Entwirklichung‹ von Spaniens Rolle unter den Nationen, welche zur kollektiven ›Illusion der Alltäglichkeit‹ und zur Selbstsuggestion eigener ›Modernität‹ gehörte.

Jene moderne Alltäglichkeit, an deren Inszenierung der spanischen Gesellschaft so viel lag, implizierte, daran haben wir immer wieder erinnert, die Dichotomie zwischen einer kollektiven Welt der Zwecke und einer Welt der Freizeit, der Kunst, der Erbauung, in der sich Individualität entfalten können sollte. Nun war es eine der Prämissen der zeitgenössischen Diskussion über die Funktion des Romans, daß diese Gattung – wie alle Literatur – der von Zwecken entlasteten Welt zugeordnet wurde; dabei verstand es sich, daß gerade der Roman durch diese Zuordnung nicht an einen thematischen Schwerpunkt gebunden war. Vielleicht nirgends mehr als im Spanien der Restauration hob die inhaltliche Öffnung auf die Bereiche der Arbeit, der Politik oder des Kriegs den Roman von allen anderen literarischen Diskursen ab. Ihm gegenüber stand eine *Poesie*, die sich geradezu schwelgerisch in einem Repertoire von Szenen der Privatheit erging, um stets aufs Neue zu erweisen, daß solche Privatheit nicht im Gegensatz zur gesellschaftlichen Welt stand. Ihre Bereitschaft zur ›Versöhnung‹ – genauer gesagt: zu einer allen Spannungen zuvorkommenden Harmonie – läßt uns die Mehrzahl jener Gedichte, welche die spanischen Leser in den letzten Jahrzehnten vor der Jahrhundertwende begeisterten, heute als unendlich mittelmäßig[155] empfinden. Das Ausräumen aller Spannungen zwischen Privatheit und Gesellschaft taucht die in den Gedichten evozierten Situationen in ein Licht des Niedlichen und der Rührseligkeit.

Es ist daher kein Zufall, daß einige der prominentesten Lyriker – und übrigens auch Dramenautoren – jener Zeit neben ihrer literarischen Aktivität öffentliche Ämter bekleideten, was vielleicht dazu beitrug, daß zur ›Privatheit‹ als ihrem Thema sich ein Ton unverbindlich-privaten Plauderns in ihrer Sprache gesellte. Ramón de Campoamor, der schon zu Zeiten der Königin Isabel einer der Lieblinge des poesiebeflissenen Publikums gewesen war, hatte es immerhin zum *Gobernador Civil* in den Provinzen Alicante und Valencia gebracht, und so ist es kein Wunder, daß man fast in der Prüderie der Epoche zu ersticken glaubt, wenn man sich in der Lektüre des Gedichts ›*La novia y el nido*‹ seine Version eines Themenbereichs vergegenwärtigt, den wir heute – aus wissenschaftlich-aseptischer Distanz – ›Tagträume eines pubertierenden Mädchens‹ nennen würden. Isabel, das pubertierende Mädchen, träumt (mit spürbarer Zustimmung des Autors) von der Ehe und ist doch erfreulicherweise noch so unschuldig geblieben, daß sie nicht weiß, warum ihr Blick mehr und mehr von den nestbauenden Vögeln gefesselt wird:

»¿Para qué sirve un nido?«, con sorpresa
se pregunta Isabel: cuestión obscura
que ocurre a la vaquera y la princesa,
y que una y otra de inquirir no cesa;
pero que en vano resolver procura
la que el tiempo pasó, casi en clausura,
entre el rezo, las pláticas, la mesa,
la música, el paseo y la lectura.
...
Viendo el nido y pensando en su himeneo,
lanza ardiente, a los pájaros que vuelan,
las confusas miradas que revelan
ya inocencia, ya miedo, ya deseo;
pues ya mujer, sin serlo todavía,
ante el hondo misterio de aquel nido,
en sus ojos azules se encendía
poco a poco un fulgor desconocido.[156]

Es liegt auf der Hand, wie hier das Thema vom Gegensatz und zugleich von der Harmonie der zwei Sphären des bürgerlichen Alltags konkretisiert ist. Auf der einen Seite steht die unberührte Reinheit des Töchterchens aus bester Familie; auf der anderen Seite gibt es keinen Zweifel über ihre Bestimmung zur Ehefrau und Mutter in einer standesgemäßen Heirat – und wir wissen, wie wenig die ›gute Gesellschaft‹ des XIX. Jahrhunderts bereit war, die jungen Frauen auf diese Rollen vorzubereiten. Campoamors – und seines Lesers – Blick auf die geforderte (und im Gedicht als ›natürlich‹ präsentierte) voreheliche Reinheit inszeniert sich als ein Blick der Rührung, in dem aber auch voyeurhafte Lüsternheit steckt. Für die Harmonie im Übergang von der kindlichen Unschuld zur ehelichen Pflichterfüllung – darum vor allem geht es in diesem Gedicht – steht die Natur ein: der Blick der kleinen Isabel auf die nestbauenden Vögel und ihr ›Ahnen‹ dürfen ebenso wenig zu ›Wissen‹ werden wie die Metaphern und Metonymien der onkelhaften Dichterstimme zu Konzepten. Bis hart vor die Entjungferung in der Hochzeitsnacht führt dann eine unerträglich lange Sequenz von Strophen. Genauer: bis vor die Schlafzimmertür der Jungvermählten, wo – wie anders – ein

Engelchen den plätschernden Versen endlich Einhalt gebietet, so daß am Ende der Übergang von vorehelicher Unschuld und zu ehelicher Pflicht vertrauensvoll der Imagination der Leser anheim gestellt wird:

> Aunque casi educada en un convento,
> ya sentía en su noble pensamiento
> algo más que ilusión y confianza,
> ignorancia y candor, fe y esperanza,
> pues al mirarse de su alcoba enfrente,
> del abismo de amor dulce pendiente,
> la sangre que a su rostro se arrebata
> la pone del color de la escarlata...
> Mas, ¡oh Dios del pudor!, no tengáis miedo
> que aquel resumen de la vida toda
> con su deliruio y sus misterios cuente...
> Yo quisiera contarlo, mas no puedo,
> porque sé que a la puerta donde hay boda
> »¡Silencio!«, dice un ángel; y sonriente
> pone después sobre la boca un dedo.[157]

Dieser Grad an Konformität mit den Konventionen der spanischen Restaurationsgesellschaft ist kaum zu überbieten, und wohl deshalb gehörte Campoamor zu den wenigen Autoren der Epoche, denen Clarín als Literaturkritiker kaum relativierte, ja geradezu unversöhnliche Kritik angedeihen ließ. Clarín, der ja eine fast asketisch-distanzierte Position zu jener gesellschaftlichen Wirklichkeit eingenommen hatte, mußte als unerträglich und künstlich erfahren, was für Campoamor und seine Lesergemeinde als innerster Bereich menschlicher Natur gelten sollte: *Hay algo de artificio en el pequeño poema, algo que no excluye la belleza, pero que al cabo nos obliga a echar de menos la naturaleza como Dios la hizo. ¿Querrá creer usted, señor Campoamor (no va a querer), que encuentro más naturalidad y más sencillez en algunos versos de Garcilaso y de fray Luis, a pesar del Petrarca y de Horacio y del Oriente, que en algunos pasajes de los Pequeños poemas, donde sus candorosas niñas de usted hablan con los pájaros?*[158]

Noch gequälter und peinlicher fast scheinen uns seine Strophen, wo der *Gobernador civil* Ramón de Campoamor die Intimität seines eigenen Erlebens an den Leser vermittelt und –

sozusagen als Erzähler – mit der Welt versöhnt. Das geschieht vor allem in einem Text unter dem zunächst mißverständlichen Titel ›*El Tren Expreso*‹. Das ›lyrische Ich‹ (oder wollte Campoamor, daß man die genüßlich ausgebreitete Geschichte für biographisch bare Münze nahm?) befindet sich – im Schnellzug – auf der Rückfahrt von Paris, wo es eine amouröse Enttäuschung im Lebenstaumel zu vergessen gesucht hatte: *Yo me vine a París desesperado / por no ver en Madrid a cierta ingrata.*[159] Die Szenerie der Privatheit ist insofern ›realistisch‹, als es durchaus eine Konvention für die Herren der guten spanischen Gesellschaft war, regelmäßig in Paris jenen Vergnügungen zu frönen, welche zu Hause als unannehmbare *excesos* galten. Im Abteil des Schnellzugs nun begegnet der leidlich getröstete spanische Reisende einer begehrenswert schönen Französin mit verheißungsvoll trauriger Miene. Sie befindet sich sozusagen ›auf dem Gegenzug der Gefühle‹: *voy decidida / a morir a un lugar de la frontera! / ... / ... Pues yo vine – exclamó – y hallé casado / a un hombre ingrato a quien amé soltero.* Die Dame ist charmant und tröstungsbedürftig, der Reisende galant und rekonvaleszent – wie könnten sie es in einem Gedicht jener Epoche vermeiden, sich im Rahmen des Schicklichen ihre Liebe zu gestehen, deren Erfüllung aber um ein Jahr (bis zur turnusmäßigen nächsten Parisreise des vornehmen Spaniers) verschoben wird. Das ersehnte Wiedersehen jedoch gerät tragisch: die Schöne ist an ihrem – durch eigene Entsagung nicht von neuer Liebeserfüllung getrösteten – Liebeskummer gestorben und spricht nur noch über einen Abschiedsbrief zu jenem Geliebten, den sie, ach, zu spät getroffen hat:

> Al ver de esta manera
> trocado el curso de mi vida entera
> en un sueño tan breve,
> de pronto se quedó, de negro que era,
> mi cabello más blanco que la nieve.[160]

Nun tut endlich lyrische Tröstung not. Erwartungsgemäß wird der unglückliche Liebende dem Leben in der Gesellschaft wieder zugeführt, und das geschieht zur Genugtuung des Lesers gleich auf zwei textuellen Ebenen. Einmal mit dem weiterfahrenden Zug, der sich ja – soziologisch-modern formuliert – in der ›gesellschaftlichen Zeit‹ befindet und seinen Fahrplan nicht an private Schicksalsschläge anpassen kann, so daß er den Schicksalsgeschlagenen nach Paris – ohnehin Endziel seiner Reise – bringen wird. Etwas subtiler gerät ein Kommentar des Erzähler-Ichs. Der Liebende erscheint als ›Schwerenöter‹ – so sagte man wohl im XIX. Jahrhundert – und weckt so die Vermutung, daß er, von solch ›einmaligen Schicksalsschlägen‹ ohnehin ab und an betroffen, wohl bald wieder seine *contenance* finden wird:

> Cuando, por fin, sintiéndome agobiado
> de mi desdicha al peso,
> y encerrado en el coche maldecía
> como si fuese en el infierno preso,
> al año de venir, día por día,
> con mi grande inquietud y poco seso,
> sin alma y como inútil mercancía,
> me volvió hasta París el tren expreso.

Warum hatte Campoamor gerade dieser Ballade vom – letztlich doch nur episodischen – Liebesleid den Titel ›*El Tren Expreso*‹ gegeben? Die Szenerie gab zunächst einmal gewiß willkommenen Anlaß zur Widmung an einen Dramenautor der Epoche, auf dessen Popularität selbst Campoamor eifersüchtig sein konnte: *Al ingeniero de caminos, el célebre escritor don José de Echegaray.*[161] Als gutwilliger Interpret könnte man des weiteren die – schwer zu widerlegende – Vermutung beisteuern, daß der ›Expreßzug‹ eine Metapher jenes ›modernen Lebens‹ sei, dessen Rhythmus – ›grausam und gütig zugleich‹, wie Campoamor vielleicht gesagt hätte – keine Zeit ließ zur Trauerarbeit. Jedenfalls erschloß die neue lyrische Szenerie Campoamor keineswegs neue Formen der Erfahrung und des Gefühls; jene traurige Liebe im Zug hätte ohne erheblichen Verlust auch ›hoch zu Roß‹ oder ›auf einer Kahnpartie‹ spielen mögen. Die Modernität des Expreßzugs in Campoamors Gedicht ist die Modernität eines Ornaments. Sie war so ornamental wie jener andere Zug, der die sterblichen Überreste Alfonsos XII. von Madrid zum Escorial überführte (der früh verblichene König hatte übrigens die politischen Ideen und die Verse seines Staatsrats Campoamor besonders geschätzt[162]) und so ornamental wie die gesamte ›moderne Alltäglichkeit‹ der spanischen Restaurationsepoche. Mehr als kunsthandwerkliche Form-Varianten enthielt auch eine Miniatur-Poetik nicht, mit der Campoamor seinem Werk Profil zu geben suchte.[163] Ihre ›Elementareinheit‹ war die *Humorada*, die in der jeweils denkbar kürzesten Form Lebensweisheiten, Sentenzen oder Erfahrungstatsachen präsentieren sollte. Wo solche ›Gehalte‹ mit lebhaften Inszenierungsformen vergegenwärtigt wurden – etwa in Monologen oder Dialogen –, sprach Campoamor von ›Doloras‹. ›*Pequeños poemas*‹ hießen schließlich alle nicht mehr um Lakonik bemühten Amplifikationen seiner poetischen Rede. Die Frage nach spezifischen Funktionen der verschiedenen Gedicht-Gestalten hat sich Campoamor nicht gestellt.

Gaspar Núñez de Arce überragte Campoamor zumindest mit seiner Erfolgsbilanz als Politiker – denn er brachte es nicht nur zum *Gobernador Civil* von Barcelona, sondern wurde sogar *Ministro de Ultramar*. Wie für Campoamor besetzen die – selbstredend: harmonisierten – Spannungen zwischen der Welt der Öffentlichkeit und der Welt der Privatheit auch in den Gedichten von Núñez de Arce die zentrale thematische Achse. Doch es fällt auf, daß hier der Intimität nicht mehr bloß die Zwänge und der Rhythmus eines Alltags aus pragmatischen Zwecken gegenüberstehen, sondern – pathetischer – die Kosmologie, die Weltgeschichte und die Nationalgeschichte. Berühmt wurde Núñez de Arce freilich durch seine weltanschaulich-konservativen und wortreichen Inszenierungen des Themas ›Individuum vs. Gesellschaft‹ in Bildern, welche die Unruhezeit des *Sexenio liberal* heraufbeschworen. Der Liberalismus war für Núñez de Arce ein Stadium der existentiellen Verwirrung und der das Individuum quälenden Gottesferne, aus der Blicke voll trauriger Sehnsucht auf die für ihn nur scheinbar naive Religiosität der Kindheit zurückfielen:

> Cuando recuerdo la piedad sincera
> con que en mi edad primera
> entraba en nuestras viejas catedrales,
> donde postrado ante la cruz de hinojos
> alzaba á Dios mis ojos,
> soñando en las venturas celestiales;

> hoy que mi frente atónito golpeo,
> y con febril deseo
> busco los restos de mi fe perdida,
> por hallarla otra vez, radiante y bella
> como en la edad aquella,
> ¡desgraciado de mí!, diera la vida.[164]

Der besondere Pfad hin zur Wieder-Vereinigung mit Gott, den diese allzu gekonnten Strophen vorzeichnen, verleiht der Orthodoxie eine Dynamik aus inneren Spannungen und Kämpfen, wie sie Núñez de Arce im eigenen Leben wohl nie erfahren hat. Das eben zitierte Poem *Tristezas* klingt in einem Ruf nach Erlösung aus, den – nach aller christlichen Erwartung – Gott nicht unbeantwortet lassen kann und der die Frömmigkeit mit dem Selbstbild neuer Individualität kompatibel macht:

> ¡Llegar! ¿Adónde? ... El pensamiento humano
> en vano lucha; en vano
> su ley oculta y misteriosa infringe.
> En la lumbre del sol sus alas quema,
> y no aclara el problema
> ni penetra el enigma de la Esfinge.
>
> ¡Sálvanos, Cristo, sálvanos, si es cierto
> que tu poder no ha muerto!
> Salva á esta sociedad desventurada,
> que bajo el peso de su orgullo mismo
> rueda al profundo abismo,
> acaso más enferma que culpada...

Noch einmal erweist sich hier, daß in der Literatur der Restaurationsepoche die unbezähmbaren Individuen – trotz ihres extatischen Leidens an der Gesellschaft – eben nicht mehr sterben. Núñez de Arces Versöhnungsangebot war nicht mehr als eine sehr späte Variante des *Don Juan Tenorio*, und auch seine klingenden Verse kultivieren und perfektionierten nur jene kleinen Freiheiten gegenüber den Traditionen metrischer Sprache, welche auch schon die romantischen Lyriker erschlossen hatten.

Niemand hatte es in solchem Klima weniger nötig als José Zorrilla, neue Formen, Motive oder gar Probleme zu finden. Und da der Autor des *Don Juan Tenorio* – bei aller, über die

Jahrzehnte seines Lebens noch steigenden Popularität – doch stets in Geldschwierigkeiten steckte, bemühte er sich wie kein anderer, Erbauliches aus erfüllter Dichter-Seele und mit ausladender Poeten-Hand in die Poesiealben der Prinzessinnen und Prinzen königlichen Geblüts zu schreiben oder gar den Königlichen Hoheiten selbst (nur selten erbetene) Tröstung aus dem Schatz unwiderlegbarer Lebensweisheiten angedeihen zu lassen. Den frühen Tod der jungen Doña Mercedes, Alfonsos XII. erster Gattin, etwa wollte Zorilla poetisch nicht unbedacht lassen, zumal sich ja in der Trauer des liebenden Monarchen – genauer gesagt: in der an Alfonso XII. gewandten Ermutigung, dieser Trauer trotz aller Verpflichtungen der Königs-Rolle Ausdruck zu geben – eine besonders wirkungsträchtige Chance zur Harmonisierung von Individualität und Öffentlichkeit bot:

> De la luna de miel el alborozo
> durando aún y de la boda el ruido,
> la muerte, de su sér con el destrozo,
> la hundió en la eternidad, no en el olvido.
> Lloradla sin contén y sin rebozo,
> llorad a la mujer que habéis perdido;
> que no amenguan la prez de Rey tan mozo
> las lágrimas del Rey tan buen marido.[165]

Campoamor, Núñez de Arce, Zorrilla – das waren die Barden einer Individualität, die selbst in der spanischen Restaurationsgesellschaft des späten XIX. Jahrhunderts keinen selbstverständlichen Ort mehr hatte. Deshalb ist es auch gar nicht erstaunlich, daß manchen ihrer Gedichte besonderer Erfolg erst im Rahmen öffentlicher Rezitationen zuteil wurde[166] – und dieser ›Sitz im Leben‹ läßt uns auch verstehen, warum dem Variieren in Vers- und Strophenform so deutliche Grenzen gesetzt waren.

Viel weniger Zuspruch als jene Zeitgenossen hatte ein junger Poet gefunden, der zwischen 1859 und 1870, meist in Zeitschriften, Gedichte unter dem Titel ›Rimas‹ veröffentlichte. In diesen Rimas ersetzte – und darin lag die Provokation ihrer Form – das Assonanz-Prinzip den Reim – eine Innovation, die sie für öffentliche Rezitation ohnehin unbrauchbar gemacht hätte. Aber ihrem Autor, Gustavo Adolfo Bécquer, ging es auch gewiß nicht um jene lyrisch artikulierte Individualität, die jedermann Versöhnung mit der Gesellschaft verhieß. Obwohl seine Biographie die eines Romantikers aus der ersten Jahrhunderthälfte hätte sein können, zelebrierte er ebensowenig – etwa im Stil Esproncedas – das bewundernswerte Scheitern oder den heroischen Untergang des großen Individuums. Bécquer war als Vollwaise aufgewachsen, er hatte während der fünfziger Jahre vergebens literarischen Ruhm in Madrid gesucht und sich am Ende mit Gelegenheitsarbeiten bei Zeitschriftenredaktionen, zwischen 1864 und 1868 dann mit dem Posten eines staatlichen Zensors für die Gattung ›Roman‹ zufriedengeben müssen. Natürlich war er in Liebe und Ehe durch und durch unglücklich, und selbst das wenig ehrenvolle staatliche Amt ging ihm zu Beginn des *Sexenio*, zwei Jahre vor seinem Tod, wegen seiner ultra-montanen Weltanschauung verloren. Doch Bécquer umgab seine Lebenserfahrungen nicht mit poetischem Pathos, so sehr gerade sie auch das Leiden des Individuums zum wichtigsten, ja eigentlich zum einzigen Thema seines Werks machten. Bei Bécquer werden die Ruhe, die Dunkelheit und Zeitlosigkeit des Todes zu einer herbeigesehnten Sphäre, welche oft vom Bild des nächtlich einsamen Friedhofs konnotiert wird:

> Solitario, triste y mudo
> hállase aquel cementerio;
> sus habitantes no lloran...
> ¡Qué felices son los muertos![167]

Dieses erlösende Jenseits kann man nicht mehr – wie bei Bécquers romantischen Vorgängern – lyrisch erwandern; der Tod hat auch nicht mehr die Dimension eines moralischen Gerichts – wie bei Zorrilla oder Espronceda. Von deren heroischem Trotz und von Campoamors genießerisch harmonisierendem Blick ist Bécquers lyrisches Ich gleich weit entfernt. Zum ersten Mal trat in der spanischen Literatur an die Stelle eines in religiöser Kosmologie fundierten Wissens dichterische Sensibilität als die Fähigkeit, den Dingen der alltäglichen Welt ahnungsvolle Blicke in ein unbekanntes Jenseits abzugewinnen. Eben solche dichterischen Ahnungen verheißen gleich die ersten Zeilen der *Rimas*:

> Yo sé un himno gigante y extraño
> que anuncia en la noche del alma una aurora,

> y estas páginas son de ese himno,
> cadencias que el aire dilata en las sombras.[168]

Liest man Bécquers Verse vor dem Hintergrund zeitgenössischer – und zunächst in der spanischen Gesellschaft ungleich erfolgreicherer – Poeme, so entsteht der Eindruck, daß er mit dem überlieferten Kanon der lyrischen Formen auch die existentielle Sicherheit, die – in Konformität oder Rebellion – gestalthafte Identität und mithin das Vertrauen auf Entsprechungen zwischen seiner Sprache und seinen Ahnungen verloren hatte. Aus dem neuen Verhältnis zur Sprache bildete sich ein lyrisches Ich, dessen – neue – Identität gerade darin liegen sollte, daß es keinen Rückweg zu unproblematischer Identität mehr kannte:

> Yo quisiera escribirle, del hombre
> domando el rebelde, mezquino idioma,
> con palabras que fuesen a un tiempo
> suspiros y risas, colores y notas.
> …
> eso soy yo, que al acaso
> cruzo el mundo, sin pensar
> de dónde vengo, ni adónde
> mis pasos me llevarán.

Außer den *Rimas*, die nicht reimten, schrieb Gustavo Adolfo Bécquer *Leyendas*, in denen er aus Erzählungen der lebendigen Volkstradition *poèmes en prose* machte. Bedingung für die Möglichkeit solcher Metamorphose war Bécquers schon sentimentalische Distanz zur Folklore, die er – durchaus aggressiv – assoziierte mit der Distanz zum ›satten‹ Leser jener Zeitungen, in denen die *Leyendas* erschienen: *A las doce de la mañana, después de almorzar bien, y con un cigarro en la boca, no le hará mucho efecto a los lectores de El Contemporáneo.*[169] Der Titel des so eingeleiteten Textes hieß ›*El monte de las ánimas (leyenda soriana)*‹, und er zeigt in einer ganzen Serie von Brechungen der ›Volkserzählung aus Soria‹, wie sich der Reiz dieser in Spanien neuen Poetik eben aus Distanznahmen ergab. Denn kaum ist der Zeitungs-Leser auf Distanz gesetzt, da beginnt auch die Erzählung in Distanz zum Erzähler-Ich. Alonso, ein junger Adliger aus Soria, und Beatriz, seine Cousine, die aus Paris für eine Zeit in das heimatliche Spanien gekommen ist, um

Heilung von einer Krankheit zu finden, kehren am Allerheiligentag mit der Jagdgesellschaft zum Schloß zurück. Um Beatriz zu erklären, warum die Jagd unerwartet früh ein Ende nehmen muß, erzählt Alonso eine Geschichte aus der Vergangenheit von Soria. Ein zweites Mal wird also dem Leser – nun über Beatriz als Hörerin – seine Distanz zur *leyenda* vergegenwärtigt. Auf dem *Monte de las Animas,* berichtet der junge Mann, sei vor langer Zeit von den Tempelherren ein Kloster errichtet worden, und den Anwohnern sei es verboten gewesen, im Umkreis dieses Klosters nach ihrer Gewohnheit auf die Jagd zu gehen. Bis zum Eingreifen des Königs von Kastilien aber hätten sich die Templer mit den über solche Herausforderung entrüsteten Sorianern blutige Kämpfe geliefert: *el monte quedó sembrado de cadáveres. Los lobos, a quienes se quiso exterminar, tuvieron un sangriente festín.* Seither sei der *Monte de las Animas* alljährlich zum Allerheiligentag Schauplatz eines grausigen Spektakels:

…las ánimas de los muertos, envueltas en jirones de sus sudarios, corren como en una cacería fantástica por entre las breñas y los zarzales. Los ciervos braman espantados, los lobos aúllan, las culebras dan horrorosos silbidos, y al otro día se han visto impresas en la nieve las huellas de los descarnados pies de los esqueletos. Por eso en Soria lo llamamos el Monte de las Animas, y por eso he querido salir de él antes que cierre la noche.

Im Schloß angekommen, legt sich der Schmerz des bevorstehenden Abschieds von der angebeteten Beatriz über Alonsos düstere Allerheiligen-Stimmung. Um ein Andenken an die gemeinsamen Tage bittet er die fast schnippische Cousine; und die hätte ihm – als gut romantische Protagonistin – gerne ein *blaues* Tuch geschenkt. Doch sie bemerkt, daß sie dieses blaue Tuch bei der Jagd verloren hat. Der verliebte Alonso vergißt auf seine sorianische Legende und reitet – am Allerheiligentag – auf den *Monte* zurück. Lesererwartungsgemäß wird er ein Opfer der Wölfe, und als Beatriz beim Morgengrauen in ihrer Kammer das blaue Tuch – blutdurchtränkt und zerfetzt – entdeckt, stirbt auch sie – als Opfer des Grauens:

Cuando sus servidores llegaron, despavoridos, a notificarle la muerte del primogénito de Alcudiel, que a la mañana había aparecido devorado por los lobos entre las malezas del Monte de las Animas, la encontraron inmóvil, crispada, asida con ambas manos a una de las columnas de ébano del lecho, desencajados los ojos, entreabierta la boca, blancos los labios, rígidos los miembros, muerta, ¡muerta de horror!

Uns erscheinen heute Bécquers Gesten der Distanznahme von der Gesellschaft und den Lesererwartungen eminent ›literarisch‹. Doch sie waren im Spanien der zweiten Jahrhunderthälfte gewiß keine Distanznahmen, die zurückführten zu einer Versöhnung zwischen ›Individualitätswunsch‹ und ›moderner Gesellschaft‹.

Daß im Gedicht inszenierte Exzentrizität, wie sie die lyrischen *gobernadores* und Minister gar nicht kannten, vorerst eng verbunden war mit biographischer Exzentrizität, bestätigt das Werk der galizischen Dichterin Rosalía de Castro. Die Literargeschichten haben es in die Nähe von Gustavo Adolfo Bécquer gerückt, weil auch hier die Normen des Verses, des Reimes und der Strophenform überschritten werden.[170] Bécquer war als Waise aufgewachsen und hatte sich – kurz vor seinem frühen Tod – von Frau und Kindern getrennt. Rosalía de Castro war unehelich, als die Tochter einer Dame aus verarmtem Adelsgeschlecht und eines Priesters, zur Welt gekommen, hatte ihre Kindheit und Jugend (wie Claríns Ana Osores) unter der Obhut bigotter Tanten verbracht, fand in der früh eingegangenen Ehe mit einem braven Historiker weder in Madrid noch nach der Rückkehr in die schmerzlich vermißte galizische Heimat jenes Glück, das die Literatur ihrer Zeit doch gerade Waisenkindern und natürlichen Töchtern verhieß, und starb 1885 den unpathetisch-langsamen Tod einer Krebskranken. Wie Bécquer hatte sie ihre (in galizischer Sprache geschriebenen) Gedichte – von den Kritikern unbeachtet – meist in regionalen Zeitschriften veröffentlicht, und ohne nennenswerte Resonanz blieb zunächst auch die ein Jahr vor ihrem Tod erschienene, einzige Lyrik-Sammlung in kastilischer Sprache, deren Titel mit der Nennung eines galizischen Flusses die Bindung an die Heimat aufrechterhielt: *En las orillas del Sar*. In der Nähe des Todes hatte sich die zeitlebens von Melancholie und Entsagung getönte Poesie der Rosalía de Castro verdichtet zur Klage der existentiellen Einsamkeit und der Gottesferne:

Ya que de la esperanza, para la vida mía,
triste y descolorido ha llegado el ocaso,
a mi morada oscura, desmantelada y fría,
    tornemos paso a paso,
porque con su alegría no aumente mi amargura
la blanca luz del día.

Contenta el negro nido busca el ave agorera;
bien reposa la fiera en el antro escondido,
en su sepulcro el muerto, el triste en el olvido
y mi alma en su desierto.[171]

Als 1909 in Madrid eine Gesamtausgabe der Werke von Rosalía de Castro erschien, galt – anders als in ihrem Todesjahr – die existentielle Verzweiflung schon lange als poetisches Thema. So wird verständlich, warum Rosalías Mann, Manuel Murguía, der nach dem Tod seiner Frau die von ihr geschriebenen Briefe verbrannt hatte, nun in seinem Prolog gerade eine besondere Nähe zwischen ›Leben und Werk‹ herausstellen wollte:

¿Qué se podía esperar de una mujer delicada de salud, sensible, que cada emoción la hería hondamente? Que siendo en ella tan sincera la producción literaria, reflejase con toda intensidad el estado de su alma. Así lo hizo. Poeta moderno, fruto del dolor de su tiempo, cuyas carnes herían con largas y penosas vibraciones las penas que la ahogaban y las que veía soportar, ni una sola de sus poesías dejó de ser la viva expresión de la emoción que la embargaba.[172]

Dreißig Jahre vorher wäre es Murguía wohl nicht in den Sinn gekommen, seine Frau ›poeta moderno‹ zu nennen, und vielleicht hätte er dieses Prädikat nie gebraucht, wenn die Bewunderung für einen Dichter aus Nicaragua kurze Zeit nach Rosalías Tod nicht als das Symptom für die Dichtung einer neuen Zeit hätte erscheinen lassen, was ihre Leser und die Leser Gustavo Adolfo Bécquers zunächst nur als einen Mangel an Harmonie wahrgenommen haben konnten.

Aus Chile hatte der einundzwanzigjährige Rubén Darío 1888 seinen Gedichtband ›Azul...‹ an Juan Valera, Kritiker, Akademiemitglied und Autor des Romans *Pepita Jiménez*, geschickt. Valera spürte, daß diese Lyrik über all die Techniken und Register der gegen Jahrhundertende tonangebenden französischen Symbolisten verfügte – und doch eine eigene Welt des Sinns und der Sinnlichkeit erschloß, welche an Traditionen der spanischen Dichtung erinnerte und zugleich das Erleben eines Lateinamerikaners konnotierte: *Leídas las páginas de Azul..., lo primero que se nota es que está usted saturado de toda la más flamante literatura francesa... Y usted no imita a ninguno: ni es usted romántico, ni naturalista, ni neurótico, ni decadente, ni simbólico, ni parnasiano. Usted lo ha revuelto todo: lo ha puesto a cocer en el alambique de su cerebro, y ha sacado de ello una rara quintaesencia.*[173] Rubén Daríos Poeme sollten der spanischsprachigen Lyrik ein neues Bewußtsein geben – ein Bewußtsein, das zur Poetik und zum Programm des *Modernismo* wurde. Wie kaum ein anderer Autor hat Rubén Darío einen solchen Diskurswechsel gewollt. Denn er besaß nicht nur die Fähigkeit, »die Welt in der Form äußerster Andersartigkeit zu sehen«,[174] für ihn war auch die Rolle des Dichters mit ihrer neuen Sensibilität gegenüber den Dingen der Welt eine thematische Faszination. Es sei ein Verdienst, »nicht Prediger des Grabes zu sein«,[175] hatte Rubén Darío einmal mit deutlicher Anspielung auf die spanischen Romantiker gesagt, und in *Azul...* fand sein neues Selbstverständnis eigene Bilder:

> No es tal poeta para hollar alfombras
> por donde triunfan femeniles danzas:
> que vibre rayos para herir las sombras,
> que escriba versos que parezcan lanzas.[176]

In einem der Prosagedichte von *Azul...* läßt er den ›Dichter‹ einem ›Bürgerkönig‹ entgegenschleudern: *¡Señor, el arte no está en los fríos envoltorios de mármol... El es augusto, tiene mantos de oro, o de llamas, o anda desnudo, y amasa la greda con fiebre, y pinta con luz, y es opulento, y da golpes de ala como las águilas o zarpazos como los leones.*[177] Das ›Blau‹, aus dem Rubén Darío ein Emblem des *Modernismo* machte, läßt sich von den deutschen Frühromantikern über Victor Hugo und die Symbolisten bis zur spanischsprachigen Lyrik des Jahrhundertendes verfolgen. Aber es wird nun mit Natur-Erinnerungen, Hoffnungen und einem Drängen nach Freiheit verbunden, wie sie den Europäern am Jahrhundertende fernlagen. Nicht daß Rubén Darío der Barde heroischer Erinnerungen an die Unabhängigkeitskriege gewesen wäre oder ein Ossian tropischer

Wälder – seine literarische Welt war vor allem die Welt des Pariser *fin de siècle*. Doch seine Poeme gewannen den Themen und Formeln der *Décadence* Bilder von physischer Kraft ab, die an den philosophischen Vitalismus jener Zeit erinnern. Kein größerer Kontrast ist denkbar als jener zwischen den feinen Gesichtern symbolistischer Dichter und Rubén Daríos Kopf, den García Lorca ein ›Minotaurushaupt‹ genannt hat.[178]

Gerade jenes Gedicht aus *Azul...*, dem sein Titel ›*El pájaro azul*‹ eine besondere Signifikanz gibt, beginnt in Paris: *París es teatro divertido y terrible*.[179] ›Ort der Handlung‹ im lyrischen ›Theater Paris‹ ist das *Café Plombier*, ein Treffpunkt junger Künstler natürlich, deren Liebling und Mittelpunkt *Garcín* ist: *triste casi siempre, buen bebedor de ajenjo, soñador que nunca se emborrachaba y, como bohemio intachable, bravo improvisador*.[180] Ihn, dessen Devise heißt: *Creo que siempre es preferible la neurosis a la estupidez*, haben seine Freunde ›*pájaro azul*‹ genannt, und aus dem Namen wird Garcíns fixe – psychotische – Idee, ein Vogel wohne in seinem Hirn und schlage mit den Flügeln an seinen Schädel. Doch der Alltag – und die Konventionen der zeitgenössischen Künstlernovelle – scheinen Garcín einzuholen: Sein Vater, der in diesem Kontext unvermeidliche Kaufmann ohne Kunstsinn, storniert die monatliche Überweisung. Mimí, das angebetete Nachbarstöchterlein, liegt wohl schon auf dem Friedhof; es ist Frühling; Garcín verabschiedet sich im *Café Plombier* von seinen Freunden; am nächsten Tag finden sie ihn tot in seiner Mansarde. Doch für Garcín – und das macht die Identität von Daríos Version des lyrischen Tods aus – ist der Selbstmord auch ein Akt der Lebensbejahung gewesen:

El estaba en su lecho sobre las sábanas ensangrentadas, con el cráneo roto de un balazo. Sobre la almohada había fragmentos de masa cerebral... ¡Horrible!

Cuando, repuestos de la impresión, pudimos llorar ante el cadáver de nuestro amigo, encontramos que tenía consigo el famoso poema. En la última página había escrito estas palabras:

Hoy, en plena primavera, dejo abierta la puerta de la jaula al párajo azul.

¡Ay, Garcín, cuántos llevan en el cerebro tu misma enfermedad!

Dieser *Tod in der Literatur* ist nicht mehr die Hyperbel einer Selbststilisierung im Trotz gegen die depravierte Gesellschaft. Die Konturen einer feindlichen Welt – Garcíns knausriger Vater etwa – waren zur Staffage geworden. Aber ebenso wenig war der von Darío gedichtete Tod des Garcín bloß noch ein Akt des Horrors. Alonso, Erzähler und Held in Bécquers *Leyenda*, war von den mythischen Wölfen zerfleischt worden; Rosalía de Castro hatte in dem Augenblick, da ihr von der Krankheit zersetzter Körper starb, das galizische Meer sehen wollen, das man vom Fenster ihres Sterbezimmers nicht sehen konnte;[181] Garcín aber hatte mit dem Pistolenschuß seinen Körper geöffnet, damit der blaue Vogel in eine *andere* Welt fliegen konnte.

Rubén Darío war der Dichter, der die Welt *anders* sah, anders auch als seine Vorbilder, Freunde, Zeitgenossen, die alle die Welt anders sehen wollten. Als er 1896 – nun in Buenos Aires – eine neue Gedichtsammlung veröffentlichte, spielte er in deren Titel ›Prosas profanas‹ auf Mallarmé an, der die Sonderbedeutung des Plurals von ›prose‹ (= ›Hymnen‹) genutzt hatte, um in der Widmung von ›Hymnen‹ an den Helden des dekadenten Romans ›A rebours‹ – er trug den Namen ›Des Esseintes‹ – das programmatische Oxymoron ›Proses pour Des Esseintes‹ zu prägen. Rubén Darío aber schrieb nicht mehr Hymnen auf die *fin-de-siècle*-Dekadenz, sondern Hymnen auf das – für ihn – Prosaisch-Alltägliche. Nicht nur mit Techniken der Verfremdung gewann er den Wörtern, Bildern, Erinnerungen neue Töne und Farben ab, er glaubte wieder hören und sehen zu können, was die Natur der Dinge sei: *¿Y la cuestión métrica? ¿Y el ritmo? Como cada palabra tiene un alma, hay en cada verso, además de la armonía verbal, una melodía ideal. La música es sólo de la idea, muchas veces.*[182] So war denn auch seine Sinnlichkeit – fern von den Schleiern, dem Halbdunkel, der von seiner Epoche masochistisch genossenen Schwäche – die profane Sinnlichkeit der Heterosexualität: *el perfume de tu pecho es mi perfume, eterno incensario de carne, Varona inmortal, flor de mi costilla. Hombre soy.*[183]

Der Modernismo Rubén Daríos kultivierte das im *fin-de-siècle* fast exotisch gewordene Natürliche, und eben um dieses Effektes willen mußte der in einem nicaraguensischen Dorf geborene Dichter-Minotaurus in europäischen Metropolen leben. Nach seiner Zeit in Chile, wo er *Azul...* geschrieben hatte, reiste Rubén Darío 1892 – mit diplomatischem Auftrag anläßlich des vierhundertsten Jahrestags der Entdeckung Amerikas – schon als ein berühmter Poet nach Madrid; er lernte New York kennen, wohnte seit 1893 in Buenos Aires, der europäischsten unter den südamerikanischen Metropolen, und schließlich blieb er nach der Jahrhundertwende – zusammen mit Elena Sánchez, einer spanischen Bäuerin – für viele Jahre als Diplomat und Journalist in Paris. Dennoch war Rubén Daríos Exzentrik nicht allein die Exzentrik des Südamerikaners in Europa. So wie Cadalso und Larra, wie Bécquer und Rosalía de Castro, hatte auch er Kindheit und Jugend anders erlebt, als es der Alltag seiner Heimat vorgab: »Seine Eltern trennten sich einen Monat vor seiner Geburt, und erst viele Jahre später lernte das Kind sie als seine Erzeuger kennen. Das Kind wuchs auf bei seiner Großtante mütterlicherseits, Bernarda Sarmiento de Ramírez, und deren Ehemann, dem Obersten Ramírez, der gegen den nordamerikanischen Freibeuter Walker gekämpft hatte und leidenschaftlicher Anhänger der zentralamerikanischen Einheit war; er verkörperte die Vaterfigur für das Kind Darío. Die Mutter verschwand aus seinem Gesichtskreis, und der Vater übernahm die Rolle des ›Onkel Manuel‹«.[184] Für diesen Rubén Darío war das Ende des Jahrhunderts nicht das Ende einer Welt.

Ganz anders erlebte das Anderssein der bekannteste unter seinen spanischen Adepten, Manuel Machado, der Bruder des großen Antonio Machado, als er 1899 in Paris vom ›Herbst‹, von ›schwarzen Schmetterlingen‹, ›grauen Gärten‹, ›Tagen ohne Sonne‹ und von der Schalheit der eigenen Gefühle schrieb:

> ¡Ambición! No la tengo. ¡Amor! No lo he sentido.
> No ardí nunca en un fuego de fe ni gratitud.
> Un vago afán de arte tuve... Ya lo he perdido.
> Ni el vicio me seduce ni adoro la virtud.[185]

Mit der Lyrik eines Bécquer, einer Rosalía de Castro, eines Rubén Darío und eines Manuel Machado ließ die spanische Literatur jenen provinziellen Moralismus und jenen unerträglichen Pomp hinter sich, der sie noch um die Mitte des XIX. Jahrhunderts charakterisiert hatte. Doch mit der Exzentrizität solcher Poeten setzte nun auch in Spanien ein Prozeß der Entfremdung zwischen den Texten und dem Publikumsgeschmack ein, wie er weltweit die Literatur des XX. Jahrhunderts geprägt hat. Diese Feststellung gilt selbst dann, wenn man berücksichtigt, daß sich mit Rubén Daríos Exzentrizität eine Sonderentwicklung gegenüber der Exzentrizität der Symbolisten anbahnte, welche der spanischen Lyrik in den zwanziger und den dreißiger Jahren zu einer besonderen Popularität verhalf.

Auch in Spanien war das XIX. Jahrhundert das Jahrhundert der literarischen Leser gewesen. Aber um 1890 waren in Madrid oder in Barcelona nicht die neuesten Romane – und schon gar nicht befremdlich pessimistische Gedichte – Tagesgespräch, sondern die Theaterpremieren. In der Theaterwelt des späten XIX. Jahrhunderts hatten sich bereits Publikumsbedürfnisse, Inszenierungsformen und gesellschaftliche Funktionen institutionalisiert, welche bald die neuen technischen Medien und Schau-Spiele des XX. Jahrhunderts – das Kino, das Fernsehen, der Zuschauersport – bedienen sollten. In den großen spanischen Städten war eine hektische Phase von Theater-Neugründungen und Neubauten auf den kreativen Moment der dramatischen Literatur in den dreißiger und vierziger Jahren gefolgt,[186] und ein weiterer Schub der Expansion früher Freizeitindustrie läßt sich gegen 1900 beobachten. Wie in Paris, Wien und Mailand wurde auch in Madrid und in Barcelona das Theater vor allem als *Musik*theater zum Schauplatz des bürgerlichen (oder sich bürgerlich gebenden) Lebensgefühls. Dieses Musiktheater war schon längst – wie sein Nachfolger, der Spielfilm, und wie das Fernsehen in unserer Gegenwart – kein strikt nationales Kulturphänomen mehr: die großen Sänger des Jahrhundertendes traten auf den Bühnen aller Hauptstädte – auch in New York und in Buenos Aires – auf, Verdi oder Wagner waren in Paris und Barcelona so populär wie in ihrer Heimat.

Ein interessantes kulturregionales Symptom liegt in der Tatsache, daß das Wagner-Repertoire (bis heute) Madrid nicht erobern konnte. Hier dominierten die spanischen Adaptationsformen der Operette – man faßt sie unter dem Sammelbegriff ›*género chico*‹ zusammen –, die in den beiden spanischen Metropolen entstanden waren, aber seit dem Jahrhundertende vor allem die Welt der Spektakel in Madrid prägte. Im *género chico* fanden – nach den *sainetes* des späten XVIII. und dem Costumbrismo des frühen XIX. Jahrhunderts – die ›Typen‹ der Madrider Unterschichten eine neue Bühne. Natürlich waren es immer noch sehr literarische *tipos,* welche das Theaterpublikum begeisterten und den Lesern auf den Seiten der Illustrierten – etwa in dem seit 1891 erscheinenden *Blanco y Negro* – begegneten.[187] Hunger litten diese pittoresken Figuren nicht, ihre Kinder starben kaum einmal – und schon gar nicht warfen sie Bomben auf prominente Politiker. Jenes Theater war der zentrale Ort für die Inszenierung moderner Alltäglichkeit. Denn zum einen teilte es ja Repertoire-Elemente und Publikums-Lieblinge mit dem bewunderten Ausland, ersetzten seine Autoren mehr und mehr den historischen Bilderbogen des romantischen Theaters durch eine stilisierte Darstellung der gegenwärtigen Gesellschaft. Darüberhinaus wurde die den modernen Alltag begründende Dichotomie zwischen der Welt der Zwecke und einer vom ›Reich der Kunst‹ okkupierten Freizeit nirgends so konkret und überzeugend erfahrbar wie eben im Theater. Ähnlich den Romanautoren stellten sich die Theaterschriftsteller seit der Jahrhundertmitte ganz bewußt auf neue Publikumsbedürfnisse ein, und wie die erfolgreichsten Lyriker ihrer Zeit bekleideten viele Dramenautoren hohe Staatsämter: Ricardo de la Vega leitete die *Sección de Bellas Artes* im Erziehungsministerium, Adelardo López de Ayala brachte es zum Minister und 1879 sogar zum Parlamentspräsidenten, José Echegaray, zunächst Professor für Mathematik und Physik, wurde im Sexenio liberal mehrfach zum Minister ernannt, und 1905 erhielt er – zur internationalen Überraschung und unter dem Spott der spanischen Intellektuellen – den Nobelpreis für Literatur. All diese Namen verband man in Spanien mit einer Form des Schauspiels, die sich – getragen vom Enthusiasmus der Zuschauer – den anspruchsvollen Namen ›*alta comedia*‹ gab.[188] Das Programm der *alta comedia* verstand sich – wie hätte es in der zweiten Hälfte des XIX. Jahrhunderts anders sein können? – als eine Annäherung an die bürgerliche Wirklichkeit (eine Annäherung freilich, die als Beitrag zur Inszenierung von Bürgerlichkeit wirksam wurde). Solcher ›Realismus‹ konzentrierte sich mehr auf die inneren Konflikte der dramatischen Personen als auf ihre Kämpfe mit der Gesellschaft. Schließlich kam die

774

Sprachform der *alta comedia* ganz jenen Erwartungen entgegen, für die Literatur und Kunst ›die schönere Seite des Lebens‹ waren: die Autoren kehrten zur Versform zurück und erschlossen Schauspielern wie Publikum den Genuß gekonnter Deklamation.

In der Phase des Übergangs vom romantischen Drama zur *alta comedia* fand den stärksten Applaus beim Madrider Publikum ein Stück, welches das alte Motiv vom ›Theater im Theater‹ auf eine Weise aktualisierte, die wir als eine Themen-Exposition zur Funktionsgeschichte der *alta comedia* lesen können. Das von Manuel Tamayo y Baus verfaßte Schauspiel ›*Un drama nuevo*‹ ersetzte in jenen Passagen, wo ›Theater im Theater‹ gespielt wurde, den Prosatext durch Verse, und es führte das Publikum in die Welt Shakespeares. Ein erfolgreicher Schauspieler im reifen Alter hat Schwierigkeiten mit der Rolle des tragischen Liebhabers, weil er sich in glücklicher Ehe mit seiner jungen Frau verbunden fühlt. Ein Theater-Rivale weckt jedoch – von Berufsehrgeiz gepackt – ersten Argwohn und provoziert die unvermeidliche Katastrophe, als er während einer Aufführung dem – vermeintlich nur auf der Bühne gehörnten – Ehemann einen Brief zuspielt, durch den die vagen Ängste aus seinem ›wirklichen‹ Leben Gewißheit werden. So brach – auf der Bühne des Madrider *Teatro de la Zarzuela* im Jahr 1867 – die Trennung zwischen ›Theaterwelt‹ und ›wirklicher Welt‹ vollends zusammen. Der wirklich gehörnte Ehemann bringt in einem – von der Handlung des Theaters im Theater subtilerweise vorgesehenen – Duell auf der Bühne den wirklichen Liebhaber seiner Frau wirklich zur Strecke. Doch nach dem Ende der Vorstellung in der Vorstellung wird der Mörder aus Liebe ermordet auf der Straße gefunden. Da tritt Shakespeare an die Rampe, um das Madrider Publikum – alle mit allen versöhnend – zu bitten: *Rogad por los muertos. ¡Ay, rogad también por los matadores.*[189]

Was *Un drama nuevo* offenbar nach der Absicht seines Autors von Stücken wie *Don Alvaro* oder *Don Juan Tenorio* abheben sollte, war die Verlagerung des Konflikts zwischen Gesellschaft und Individuum in die Sphäre des individuellen Innenlebens. Uns beeindruckt freilich eher die strukturelle Parallele zwischen der Nähe von ›wirklichem‹ Eifersuchtsdrama und Theater-Eifersuchtsdrama einerseits und andererseits zwischen inszenierter Alltäglichkeit und der Darstellung solcher Alltäglichkeit auf der Bühne. Tatsächlich hat das Madrider Theater in den Jahrzehnten um 1900 oft Auswirkungen auf die Politik gezeitigt, so daß seine Autoren bald schon solche Effekte ganz bewußt suchten. Als etwa 1886, im Jahr der vaterlosen Geburt des späteren Alfonso XIII., ein General nach einem republikanischen *pronunciamiento* gefangengesetzt und zum Tode verurteilt worden war, schrieb der Journalist Marcos Zapata einen leicht als Schlüsselstück identifizierbaren *Episodio histórico* unter dem Titel ›*La piedad de una reina*‹. Ort des dramatischen Geschehens war Stockholm im Jahr 1660, wo die Thronregentin – gegen den Rat ihrer Minister – einen zum Tode verurteilten Putschisten vor allem deshalb begnadigte, weil sie in der Wiege des Thronfolgers einen anonymen Bittbrief gefunden hatte. Den Ministern der spanischen Regentin María Cristina muß – angesichts der vom Tod Alfonsos XII. heraufbeschworenen Zukunftsängste – diese Parallelisierung zwischen dem politischen Alltag und der Welt des Theaters allzu nahegegangen sein: sie verboten kurzerhand die dramatische *Piedad de una reina*.

Und sie gaben so (dem relativ liberalen) José Echegaray Gelegenheit, sein wortreiches Pathos auch auf der politischen Bühne zugunsten der ›Freiheit des Theaters‹ zu entfalten. Gerade er war der Meister jener Dramaturgie der *alta comedia*, mit der Spannungen des politischen Alltags in Wortwechseln auf der Bühne entschärft wurden. 1881 hatte er mit dem Stück *El gran Galeoto* Publikum und Kritik zu solchen Begeisterungsstürmen hingerissen, daß er nicht zögerte, die bald erscheinende Buchausgabe seinen Zuschauern zu widmen:

Á TODO EL MUNDO
dedico este drama, porque á la buena voluntad *de todos*, y no á méritos mios, debo el éxito alcanzado.

Á todos, si; al *público*, que con profundo instinto y alto sentido moral, comprendió desde el primer momento la idea de mi obra, y la tomó cariñosamente bajo su proteccion; á la *prensa*, que tan noble y generosa se ha mostrado conmigo y que me ha dado pruebas de simpatía que jamás olvidaré...

Á todos debo y á todos doy en estas desaliñadas frases prueba humilde pero sincera de mi profunda gratitud. JOSE ECHEGARAY[190]

Der Erfolg des *Gran Galeoto*, für den sich Echegaray hier mit gekonnter Bescheidenheit bedankte, scheint auf einem paradoxalen Strukturphänomen beruht zu haben, das europäische Gesellschaften seit dem XIX. Jahrhundert charakterisiert:[191] je anonymer und ähnlicher die Verhaltensschemata werden, an denen sich Interaktionspartner orientieren, desto mehr ist ihnen daran gelegen, sich als unverwechselbare Individuen zu sehen, und desto mehr glauben sie sich in Distanz zur Gesellschaft – bis hin zu jenem Extrem, wo das Wort ›Gesellschaft‹ und seine Synonyme in der alltäglichen Sprachnorm pejorative Konnotationen annehmen.

›Galeoto‹ war die spanische Version für den Namen jenes Ritters, der in der Artussage Königin Guénièvre mit ihrem Liebhaber Lancelot bekannt macht, und dieser Name war im Spanischen des XIX. Jahrhunderts zu einer der zahlreichen Bezeichnungen für die Rolle des Kupplers geworden. ›Der große Kuppler‹ in Echegarays Erfolgsstück war ›die Gesellschaft‹. Schon diese kurze Erklärung des Titels läßt uns vermuten, daß es im *Gran Galeoto* – wie im *Drama nuevo* und wie überhaupt in den meisten Stücken der *alta comedia* – um das klassische Dreiecksverhältnis zwischen dem alternden Gatten, seiner (meist gegen ihren Willen) verführerischen jungen Frau und jenem (vom potentiellen zum ehebrecherischen Liebhaber werdenden) Junggesellen geht, dessen Konjunkturen in der europäischen Literatur seit Molière affektive und juristische Folgen gesellschaftlichen Strukturwandels bilanzieren. Das in der *alta comedia* konstitutive Dreieck verweist – wie die ›unglücklichen Ehen‹ der zeitgenössischen Romane – auf eine für die Restaurationszeit charakteristische Hinwendung vieler (oft finanziell ruinierter) Repräsentanten des spanischen Adels auf die reichsten Familien der *clase media*.[192] José Echegaray hatte den in seiner Trivialität genialen Einfall, die alltäglichen Frustrationen seiner Zuschauer zu entwirklichen, indem er sie auf der Bühne zu Erfindungen des ›großen Kupplers Gesellschaft‹ machte – mit dem sich niemand identifizieren wollte. Der junge Ernesto wird von Don Julián an Sohnes statt aufgenommen und in seinen dichterischen Talenten gefördert. Mit Teodora, Don Juliáns reizender Frau, leben die beiden Männer in Unschuld und Ehrbarkeit so lange zusammen, bis der Neid der Madrider Gesellschaft diese Harmonie zerstört. Entnervt von immer heftiger lodernden Gerüchten, die seine Familienehre zu gefährden beginnen, stellt Don Julián einen der zahlreichen Verleumder im Duell und wird auf den Tod verletzt. Dieser Tod steigert nun die Introspektionsfähigkeit des neuen Duos – man gesteht sich selbst und wechselseitig Liebe ein –, aber trotz der gewachsenen Bewußtseinstransparenz und obwohl Don Juliáns Familie die Beziehungen zu dem jungen Beinahe-Paar abbricht, erreichen die beiden unbefleckt das Ziel des Dramenendes. Keine verläßlichere Garantie für solche Unschuld konnte man einem spanischen Theaterpublikum im späten XIX. Jahrhundert kredenzen als Ernestos Anrufung seiner verstorbenen Mutter: *la sombra de mi madre posa en tu frente inmaculada un beso.*[193]

Da das Stück laut Theaterzettel in der *época moderna; año 18...*, *en Madrid* spielte, konnten eifersüchtige Ehemänner, unbefriedigte Gattinnen und spätromantisch-feurige Liebhaber unter Echegarays Zuschauern die Botschaft des Autors auf sich beziehen. Sie sollten sich unschuldig fühlen dürfen und diese Unschuld als ein ebenso hohes wie leicht erlangbares Gut zu schätzen wissen – für alle anderen Gefühle durften sie getrost ›die Leute‹ verantwortlich machen. Das war der *alto sentido moral,* für dessen ›liebevolle Beschützung‹ sich Echegaray in seinem Vorwort ans Publikum bedankte. Wenn es je einer Zuschauerin oder einem Zuschauer an Verständnis gebrach, so bot ein kunstvoller Prosa-Prolog die nötige Zurüstung. In ihm ließ Echegaray die drei Figuren des Dreiecks am Rande des Motivs vom ›Theater im Theater‹ balancieren, denn dort sucht Don Julián, der gastfreundliche Hausherr und Mäzen des Dichters Ernesto, seinen Schützling im *gabinete de estudios* auf. Ernesto hat Schreibschwierigkeiten: *La idea está aquí: bajo mi ardorosa frente se agita,*[194] und damit das Publikum weiß, wer das Sagen hat, betritt Don Julián mit einfühlsam-scheuen Fragen den Kreißsaal der Poesie: *¿Trabajando aún? ... ¿Estorbo?* Bald schon müssen alle Zuschauer erfaßt haben, daß Ernesto jene poetischen Preßwehen bevorstehen, in denen aus seiner Liebe zu Don Juliáns Frau Teodora ein Theaterstück werden sollte, – nur Ernesto, Don Julián und Teodora selbst ahnen den Zusammenhang nicht. Und eben darin lag die – heute komische –

›Tragik‹ auf den Bühnen der spanischen Restauration: *niemand* wußte, wie sehr *alle* Theater spielten.

Führen wir uns noch eine weitere Variante zu Gemüte. In *Consuelo,* einer *alta comedia,* die drei Jahre vor dem *Galeoto* das Madrider Publikum begeisterte, war die Titelheldin mit einer – aus der Sicht des Publikums: einfachen – Alternative konfrontiert. Ein armer, aber zuverlässiger Jugendfreund wirbt ebenso um sie wie ein reicher, aber egoistischer Großkaufmann. Weil sich die Zuschauer sicher gewesen sein müssen, daß sie sich anders als Consuelo entschieden hätten – nämlich für den armen Jugendfreund –, sahen sie es wohl als eine gerechte Strafe an, daß ihr der reiche Großkaufmann bald nach der Heirat Hörner aufsetzte. So waren die weniger begüterten Zuschauer getröstet, die Ehemänner, welche sich eine Geliebte leisten konnten, gerechtfertigt, und die betrogenen Ehefrauen wußten, daß sie sich nicht zu beklagen hatten. Deshalb hat denn auch Consuelo nicht – wie Echegarays (und Ernestos) Teodora – das Anrecht auf den bestrickenden Tagtraum, ihre ›unbefleckte Stirn‹ empfange den kühlen Kuß irgendeiner verstorbenen Mutter. Im Gegenteil: nicht nur bricht der verschmähte Jugendfreund seine Beziehung zu Consuelo ab, der Kummer über ihr gerechtes Schicksal bringt auch ihre eigene Mutter ins Grab.

Mehr Inhaltsangaben zu den *altas comedias* wollen wir dem geneigten Leser dieser Literaturgeschichte nicht zumuten. Aber – noch ein letztes Mal – sollten wir uns die Frage stellen, warum wir über alles, was die *alta comedia* ausmacht: über das ›Theater im Theater‹ und seine Parallelität mit der ›Illusion von Alltäglichkeit‹, über eine ›Gesellschaft‹ im Aktanten-Status des ›Sündenbocks‹, über die literarische Entwertung des Reichtums und die ihr korrespondierende Vergoldung der Armut, warum wir über all das kaum ohne Ironie sprechen können, während unsere Reaktionen mindestens respektvoll, oft sogar ehrfürchtig sind, wenn wir auf ganz ähnliche Sinnstrukturen und Funktionen in Dramen von Calderón, Cervantes oder Lope de Vega stoßen. Es besteht Anlaß zu betonen, daß dies eine ernstgemeinte Frage ist, und ich möchte sogar behaupten, daß – im Innersten seines Berufsgewissens – jeder Literaturwissenschaftler weiß, wie schwer ihre Beantwortung ist. Zunächst einmal gibt es ja vorab ›Richtwerte‹ für das ästhetische Urteil über einen Echegaray oder über einen Lope de Vega. Aber was nehmen wir Echegaray – darüberhinaus – übel? Daß er dazu beitrug, die Elends-Erfahrungen eines historischen Momentes zu verdrängen oder zu sublimieren? Gilt das weniger für die Klassiker? Bedenkenswerter – und erheblich komplexer – wäre ein Antwort-Versuch, der berücksichtigte, daß die Theatralisierung des Alltags seit der Mitte des XVI. Jahrhunderts Subjektivität weder bloß verdrängte noch bloß inszenierte, daß sie ihr vielmehr auch Freiräume ihrer Entfaltung sicherte. Aber haben wir deshalb schon mehr Respekt vor dem Vorsatz Philipps II., die Welt in göttlicher Ordnung zu halten, als vor dem Drang der Restaurationsgesellschaft, ›modern‹ zu sein? Jedenfalls muß die – selbstkritische – Frage gestattet sein, ob es nicht einfach zum Berufs-Habitus der Literarhistoriker gehört, die Ansprüche ihres moralischen (moralisierenden) Urteils umso höher zu schrauben, desto näher der zu beurteilende Kasus an ihre Gegenwart rückt. Und wer erwartet von uns überhaupt ein Urteil über die *alta comedia*?

Der literarhistorische Schritt von José Echegaray und Adelardo López de Ayala hin zum Dramaturgen Benito Pérez Galdós jedenfalls vermittelt – vorerst noch – ein ähnliches Gefühl der Erleichterung wie der Schritt von Campoamor zu Bécquer: man vollzieht ihn als einen Schritt hin zu besseren Ufern der spanischen Literatur. Warum wir die Illusion der Alltäglichkeit, in der die *alta comedia* ihren Part spielte, als unerträglich verlogen empfinden, läßt uns gerade der Blick auf die Dramen von Galdós verstehen. Denn Galdós und seine Protagonisten traten – schlicht, aber entschlossen – für Aufrichtigkeit und gegen Falschheit an die Rampe.[195] Als er sich 1892 zum ersten Mal, wie vor ihm schon so viele erfolgreiche Romanciers des europäischen XIX. Jahrhunderts, entschloß, eine Bühnenversion zu einem seiner Romane zu schreiben, wählte Galdós bezeichnenderweise als Vorlage den Roman *Realidad*. Denn *Realidad* bot sich für eine Replik an die Dreiecksgeschichten der *alta comedia* an: hier war der reiche Orozco – Neuauflage der positiven Galdós-Helden vom Schlag eines León Roch – Opfer einer unglücklichen Ehe, und als ebenso ungewöhnlich muß es das Publikum erfahren haben, daß Federico, der verarmte Adlige, nicht nur Liebhaber von Orozcos Frau, sondern auch noch dessen Busenfreund war. Immerhin hat dieser Federico so viel Ehre im Leib, daß er den Angeboten des gehörnten Orozco widersteht, ihm aus der finanziellen Bredouille zu helfen. Zugleich ist er aber blind genug, von den milden Gaben einer kaum mit zeitlichen Gütern gesegneten Seelenfreundin zu leben, während er aus Standesdünkel die Verheiratung seiner Schwester mit einem – in Belohnung seiner Ehrlichkeit aufstrebenden – Buchhalter zu verhindern sucht. Bei so viel Prinzipienfestigkeit mußte der Fortgang der Dramenhandlung Federico in einen Freitod treiben, mit dem er sich seinen Gläubigern entzog und den posthumen Respekt Orozcos gewann. Orozco selbst – das ist die Titel-*Realidad* – verlangt Aufklärung von seiner Frau und verzeiht ihr, sobald er sich moralisch berechtigt glaubt, sie fürderhin zu verachten. Das ist nun wieder eine jener ›gerechten Strafen‹, die uns heute so penetrant erscheinen wollen. Immerhin lassen *Realidad* und die folgenden Dramen von Pérez Galdós ahnen, wie drängend das Bedürfnis nach Selbst-Aufrichtigkeit war, das die restaurative Illusion der Alltäglichkeit hatte entstehen lassen. Die Titelheldinnen jener um die Jahrhundertwende entstandenen Stücke von Pérez Galdós verfuhren auch allemal klüger bei der Gattenwahl und ›realistischer‹ bei der Einschätzung ihrer eigenen gesellschaftlichen Situation als die der *alta comedia*. *Mariucha*, die im gleichnamigen Drama 1903 das Rampenlicht erblickte, entschließt sich – obwohl Tochter eines Adelshauses – ihren Lebensunterhalt selbst zu verdienen (mit ehrbarer Arbeit, versteht sich), und sie tut das – anders als die Romanprotagonistinnen einer Emilia Pardo Bazán – nicht, indem sie auf vage Ansprüche zur Verwirklichung ihrer Individualität pocht, sondern weil sie sich keine Illusionen über den wirtschaftlichen Ruin ihrer Sippe macht. Dies befähigt sie wiederum zu der – besonders verdienstvollen – Entscheidung für die Ehe mit einem *carbonero*. Die zwei Jahre ältere Titelheldin *Electra* entscheidet ›richtig‹ zwischen dem Ehe-Werben von Máximo (Ingenieur, Witwer, Liberaler) und der ihr von Pantoja (Kleriker, Fanatiker) auf der Bühne angetragenen Versuchung, den Schleier zu nehmen. Vielleicht war es ganz einfach die Gewohnheit, Mythen-Zitate in den Titeln literarischer Texte durch direkten Gegenwartsbezug zu entschlüsseln, welcher gerade *Electra* zu einem großen Paradigma für die politische Wirksamkeit des Theaters werden ließ. Wie die zu Beginn des XIX. Jahrhunderts unvermeidliche *Elvira* muß das Publikum *Electra* als eine allegorische Repräsentation Spaniens verstanden haben, denn Electras Bühnen-Entscheidung für ihren liberalen Bewerber brachte eine latente Unzufriedenheit mit den 1901 regierenden konservativen Politikern zum Siedepunkt: die Historiker deren Ablösung durch die progressistischen Konkurrenten als Folge der von *Electra* ausgelösten Publikumsunruhen an. Nun wissen wir, wie wenig sich damals bei solchen Regierungswechseln in Spanien veränderte, und sollten deshalb die ›politische Sprengkraft‹ des Dramas von Pérez Galdós nicht überbewerten. Letztlich gehörte auch ein solcher Skandal – ebenso wie fünfzehn Jahre zuvor die Polemik um *La piedad de una reina* – zur Inszenierung moderner Alltäglichkeit. Selbst Marcelino Menéndez Pelayo, der damals bereits eine Symbolfigur des ultramontanen Geistes war, soll zu den begeisterten Zuschauern der *Electra*-Uraufführung gehört haben.[196]

Auf der anderen Seite kann man nicht übersehen, daß sich die Dramenautoren des letzten Jahrzehnts vor 1900 anschickten, die aus der Illusion moderner Alltäglichkeit erwachsenden Probleme auf der Bühne anders als ihre Vorgänger – nämlich immer mehr auf Kosten adligen Standesdünkels und neubürgerlicher Arroganz – zu lösen. Jacinto Benavente, der 1896, dreißigjährig, mit *Gente conocida* ersten Theater-Lorbeer erntete, hatte wie Echegaray das in Spanien mit so hohem Sozialprestige ausgestattete Studium eines *Ingeniero de caminos* hinter sich gebracht, doch für ihn sollte die Berührung mit der Welt des Schauspiels und der Schriftstellerei den Abschied von einer bürgerlichen Karriere bedeuten. Gerade vor dem Hintergrund dieser biographischen Fakten ist es bezeichnend, daß der Titel seines ersten Erfolgsstückes – ›Gente conocida‹ – den Zuschauern nicht mehr eine Distanznahme von der gesamten Gesellschaft suggerierte, sondern Kritik allein der Oberschicht angedeihen ließ. Ein Heiratsprojekt – die Faszination des Themas ›Ehe‹ schlug auch die neuen Dramenautoren in Bann – zwischen zwei jungen Vertretern des Hochadels scheitert, weil der lebensfrohe Duque de Garrellano (den vom Theater vorgegebenen Standespflichten konform) sein Vermögen in der Beziehung zu einer sechzehn Jahre älteren Witwe verschleudert hat. Mit bewundernswerter Lebenstüchtigkeit ausgestattet, gelingt es dieser Witwe nun, Ehefrau eines reichen Kaufmanns zu werden, der seinerseits nicht abgeneigt wäre, den Duque mit seiner in England erzogenen unehelichen Tochter Angelita zu verheiraten. Man kann sich vorstellen, daß nicht wenige der Zuschauer dieses Projekt – im Alltag zumindest – für eine überaus glückliche Lösung gehalten hätten. Doch das Theater der Jahrhundertwende versagte ihnen – im Namen der ›Aufrichtigkeit‹ – solche Wunscherfüllung. Wie Mariucha und Electra spielt die uneheliche Angelita, die ja auch gar nicht zur ›gente conocida‹ gehört, das verlogene Spiel nicht mit. Sie will sich erst binden, wenn sie liebt; und von solch erfreulichen Vorsätzen läßt sie sich nicht einmal durch die Drohung der Stiefmutter abbringen, beim Vater ihre Abordnung in ein Kloster zu erwirken.

Der Bühnenkonflikt verlagert sich hier von der Spannung zwischen eingebildeten Adligen und ethisch hochstehenden Kaufleuten (Ingenieuren, Fabrikanten) in die Nähe eines (Pseudo-)Klassenkampfes zwischen Oberschicht und Unterschicht. Den Durchbruch für diese Tendenz zum ›Sozialdrama‹ hatte schon 1895 Joaquín Dicentas Arbeiter-Rührstück *Juan José* erreicht. Vielleicht ist Dicentas Lebensweg – noch mehr als das erfolgreichste seiner Dramen – repräsentativ für eine neue Exzentrizität der Literaten gegenüber der Restaurations-Gesellschaft, die vorerst freilich eine theatralisch exaltierte Exzentrizität blieb.[197] Er war der Sohn eines früh verstorbenen Husaren-Leutnants, konnte aber mit Stolz darauf verweisen, daß man ihn selbst – wie nicht wenige romantische Poeten – von der Militärakademie verwiesen hatte. Die Einführung in die Madrider *Bohème,* wo er sich bald einen Namen als feuriger Liebhaber ohne Standesvorurteile und als trinkfester *trasnochador* machte, mag er seiner Mutter verdankt haben, die Manuel Tamayo y Baus, dem Liebling des Theaterpublikums vergangener Tage, in treuester Freundschaft verbunden war. Sie sorgte jedenfalls dafür, daß das erste Stück des hoffnungsvollen Sohns unter dem schönen Titel ›El suicidio de Werter‹ 1888 im *Teatro de la Princesa* aufgeführt wurde. Der ›neue Werther‹ des Versdramas tötet in einem Duell den Liebhaber seiner Mutter (!), verliert dadurch die Zuneigung seiner Verlobten und kann also nicht umhin, sich selbst das Leben zu nehmen. Damit auch niemand die Nähe von ›Literatur und Leben‹ übersähe, ließ Dicenta seinen Helden ein Bild von Werthers Freitod malen, das sich vom Ende des Stückes her als wahrlich grausige Prophezeiung erwies. Als Dicenta 1895 mit *Juan José* auf der Bühne gegen das Los der Armen protestierte und das Publikum der Hauptstadt zu Stürmen der Begeisterung hinriß, hatte er auch in seinem eigenen Alltag eine durchaus kämpferische Rolle übernommen. Die Entrüstung der Schauspieler des *Teatro de la Comedia* über seine Liaison mit der Flamenco-Tänzerin Amparito de Triana hätte um ein Haar die Aufführung verhindert; und daß er als Autor in sozialistischen Zeitschriften hervorgetreten war,[198] galt für den Großteil der Zuschauer kaum als Empfehlung. Eines dieser Blätter übrigens trug jenen Namen ›*El País*‹, den die heute bedeutendste spanische Tageszeitung bei ihrer Gründung aufgriff. Das *País* von Dicentas Epoche hatte sich der neuen Aufrichtigkeit verschrieben. *Allí se dice la verdad a son de truenos, de tambores y trompetas*, berichtete Rubén Darío 1899 voller Bewunderung.[199]

›Mit Donner, Trommeln und Trompeten‹ brachte auch Dicentas Drama *Juan José* die Überzeugung an den Mann (und die Frau), daß das Leben der Armen Erfahrungen barg, welche die costumbristischen Genreszenen des *género chico* ausgespart hatten. Dicenta machte die *tipos* zu Charakteren des Sozialdramas, die literarischen ›Armen‹ zu Proletariern – immer noch *literarischen* Proletariern allerdings. Juan José, der Haupt-Literatur-Proletarier, lebt mit der ebenso attraktiven wie lebensfrohen Rosa zusammen. Unglücklicherweise (und notwendigerweise für den Beginn der Handlung) verliebt sich sein *patrón* Paco in Rosa, so daß eine Konfrontation der sozial ungleichen (aber gleich anziehenden) Kandidaten unvermeidlich wird und ebenso unvermeidlich zur Entlassung von Juan José führt. In diesem Moment bestünde für Juan José, wäre er ein Held im *género chico*, die Chance, das vergleichsweise sorgenfreie Leben eines Zuhälters zu führen, wenn Rosa mit seinem Einverständnis den Avancen Pacos nachgeben könnte. Als echter Literatur-Proletarier entscheidet er sich – zunächst – für die edle Armut, später – folgerichtig – für den Diebstahl (dem freilich in der

Literatur seit *Robin Hood* mildernde Umstände eingeräumt werden). Doch die ›gute Gesellschaft‹ im Drama des Jahrhundertendes ist eine Gesellschaft ohne Herz. Juan José kommt hinter Gitter, und dort muß er erfahren, daß der ebenso böse wie reiche Paco bei Rosa am Ziel seiner schmutzigen Begierden angelangt ist. Rollenkonform bricht er aus der *Cárcel modelo* von Madrid aus, bringt Paco zur Strecke und schont auch das Leben der ehemals geliebten Rosa nicht. Aber weil er doch kein vollblütig-romantischer Held ist, nimmt sich Juan José selbst *nicht* das Leben. Vielmehr verweigert ihm Dicenta sowohl die Flucht als auch den Selbstmord, um dem Publikum so eindringlich als möglich zu verdeutlichen, daß man den literarischen Proletariern neben dem Besitz auch die Erfüllung ihrer Liebe verweigert:

JUAN JOSÉ. – ¡Huir!... ¿Y *pa* qué voy a huir?... ¿Qué libro con huir?... ¡La vida! ¡Mi vida era esto ..., y lo he mat*ao*![200]

Man kann den Plot von *Juan José* kaum ohne Ironie nacherzählen. Dabei darf Dicenta gewiß nicht das Verdienst streitig gemacht werden, nach einem literarischen Jahrhundert des neubürgerlich-romantischen Narzißmus und der costumbristischen Verniedlichung als erster spanischer Autor vom Leid der Proletarier geschrieben zu haben, von einem Leid, das nun in der Literatur auch noch den Hoffnungsschimmer königlicher oder himmlischer Gerechtigkeit verloren hatte. Aber gerade weil *Juan José* einen so wichtigen Themen- und Funktionswandel in der spanischen Literatur markiert, nimmt das Stück auch vorweg, was die – am Ende: selbstzerstörerischen – Verirrungen der neuen, sozialpolitisch engagierten Literatur waren.

Daß Rosa Pacos Geliebte geworden ist, erfährt Juan José im Gefängnis durch den Brief eines Freundes. Doch er kann diesen Brief nicht selbst lesen; und selbst als er ihm vorgelesen worden ist, vermag Juan José die Briefworte ›Paco vive con Rosa‹, die stellvertretend zum Objekt seines animalischen Hasses werden, nicht zu unterscheiden von der Unterschrift des Absenders, seines Freundes Andrés. Im so beginnenden Monolog läßt Dicenta seinen Titelhelden nun erkennen, was – für den Autor – die Wurzel allen Übels ist, nämlich, wie man heute sagen würde, ›die Ungleichheit der Bildungschancen‹:

JUAN JOSE. (*con desesperación.*) ¡Con Paco!... ¡Y no hay duda!... No la puede haber. Tengo la prueba; ¡y está escrita!... La tengo aquí, ¡aquí!... (*Mirando la carta que conserva en la mano. Desdobla la carta.*) Aquí es donde pone: »¡Rosa vive con Paco!...« (*Recorre la carta con los ojos.*) Lo pone, sí; pero ¿dónde lo pone?... ¿En qué cara?... ¿En qué sitio?... (*Revolviendo la carta en todos los sentidos.*) ¿Será en éste? ¿Será más arriba?... (*Con amargura desesperada.*) ¡No sé! (*Con sarcasmo doloroso.*) Parece que estos garrapatos malditos juegan al esconder con mi pesadumbre, y me dicen: Aquí está eso de que Paco vive con Rosa; pero ¿a qué no sabes en dónde esta? ¿A qué no lo encuentras?... (*Con angustia y cólera.*) ¡Y no lo encuentro! (*Con profunda amargura.*) ¡Dios mío, qué desgracia tan grande la de los que nacen como yo!... ¡Ni a leer aprenden! No les enseñan; y cuando llega un instante así, en que con cuatro rayas de tinta le tiran a uno el mundo sobre la cabeza, se ve uno *privao* hasta del último consuelo, del único que le queda ya: ¡Buscar esos renglones y tragárselos con los ojos, y apretujarlos con los *deos,* y atravesarlos con los dientes!... ¡Con qué placer retorcería yo, y mordería yo esos cuatro palabras: ¡Rosa vive con Paco! ¡Nada más que ésas! ¡Esas solas!... ¡Y no puedo!... ¡No puedo!²⁰¹

Wohl weil 1895 selbst in Madrid kaum jemand mehr einem Arbeiter die Alphabetisierung vorenthalten wollte, war Dicentas Erfolg so einhellig. Das ist die Stärke und die Schwäche dieses Sozialdramas – des Sozialdramas überhaupt? Immerhin können wir eine Vielstimmigkeit des enthusiastischen Kritiker-Chors beobachten,²⁰² denn vor dem Hintergrund des allenthalben geweckten Mitleids gab *Juan José* den verschiedenen politischen Couleurs Gelegenheit, je spezifische Gründe für ihre Wertschätzung geltend zu machen. *El País* stellte die Bedeutung seines Redakteurs Dicenta heraus, und warb so für das eigene Programm kompromißloser Aufrichtigkeit: *Joaquín Dicenta es un revolucionario sempiterno, un enemigo formidable y sincero de todas las mentiras.* Miguel de Unamuno, der 1895 noch für ein in Bilbao erscheinendes Blatt mit dem unzweideutigen Namen ›La Lucha de Clases‹ schrieb, unterstrich den Anspruch seiner Jugendjahre, Sozialist – oder wenigstens doch: ein Sympathisant des Sozialismus – zu sein, und schon dabei zeigte er jene Vorliebe für paradoxale Formulierungen, mit denen er Jahrzehnte später auch seine Distanz zum Sozialismus markierte: *El drama del señor Dicenta es bueno artísticamente por revelar la esencia de la vida social de hoy en uno de sus aspectos, por ser resplandor de la verdad, por revelarnos la honda significación del mundo.* No es bueno por tener tesis socialista, sino que tiene tesis socialista por ser bueno. Die *Ilustración Española y Americana* hingegen ließ die Harmonie ihrer Illustrierten-Welt nicht durch eine politische Stellungnahme ins Ungleichgewicht geraten. Ihr Redakteur pries *Juan José* ›als literarisches Werk‹, was angesichts der von Dicenta gepflegten Dramatik aus ›Donner, Trommeln und Trompeten‹ nur um den Preis einer expliziten Negation der inszenierten Klassen-Widersprüche möglich war: *Así acababa ese drama hermoso, legítimo, de pasión, sin tesis ni problemas en su interés pasional a no ser que la sociedad alarmada quiera buscar el problema en las mismas entrañas del conflicto dramático, tan posible en todas las esferas sociales.* In diesen Sätzen aus der *Ilustración Española y Americana* wird deutlich, wieviel die neuen Autoren – vom Rande der Restaurations-Gesellschaft her – erreicht hatten. Die Erfahrungs-Perspektiven von ›Literatur‹ und ›Leben‹ begannen sich zu trennen, man mußte es nun ausdrücklich sagen, wenn Erfahrungen aus dem Alltag ›literarisch‹ gesehen werden sollten. Dieses intellektuelle Klima der spanischen Jahrhundertwende, in dem die Illusion moderner Alltäglichkeit brüchig wurde, aber noch nicht wirklich durch eine neue Illusion ersetzt war, wollen wir uns anhand eines Falls von ›Alltag und Literatur in der spanischen Provinz‹[203] vergegenwärtigen.

César Real y Rodríguez war ein erfolgreicher junger Advokat in der Stadt Salamanca, die schon damals den Glanz ihrer akademischen Tradition weitgehend aufgezehrt (und noch kaum erneuert) hatte – und doch als Hauptstadt einer für ihre Viehzucht berühmten Provinz ansehnlich leben konnte. ›*Arte, saber y toros*‹ heißt nicht zufällig die Devise des Stadtwappens. Die Frau von César Real y Rodríguez hatte genügend Landbesitz geerbt, um es ihrem Mann zu ermöglichen, seine juristischen Talente in einem ruhigen Kanzleibetrieb sparsam einzusetzen. Don César verbrachte seine Tage im *casino*, improvisierte auf dem häuslichen Piano und frönte seinem Lieblingstraum, dem Traum, ein Schriftsteller zu sein. Weil man aber auch in Salamanca um 1900, wenn schon, ein ›moderner‹ Schriftsteller sein wollte, agierte er gleich auf zwei mehr oder weniger literarischen Schauplätzen. Er gründete zusammen mit einigen Freunden eine Wochenzeitschrift, der man den furchtgebietenden Namen ›*La Tizona*‹ (das ist der Name des vom epischen Cid geschwungenen Schwertes) gab, um aller Welt kund zu tun, daß man – in voller Unabhängigkeit von allen Parteien – eine scharfe Klinge in der politischen Tagesdiskussion zu schlagen gedachte. Für einige Zeit gab die *Tizona*, so wenig man sie auch außerhalb der ›guten Gesellschaft‹ von Salamanca lesen mochte, für César Real y Rodríguez (wohl noch mehr als seine Kanzlei) die Illusion von einem ›bürgerlichen Alltag der Zwecke‹ ab. Doch das war nur die eine Seite seines Schriftstellertums (dessen Unterlegenheit gegenüber literarhistorisch kanonisierten Zeitgenossen zu erweisen vielleicht gar keine leichte Aufgabe wäre). Auf der anderen Seite verschrieb er sich – die Doppelstruktur des ›modernen Alltags‹ nachvollziehend – den literarischen Musen. 1902 veröffentlichte er als dritten Band einer *Colección Calón*, zu deren Autoren auch Miguel de Unamuno zählte, unter dem Titel ›*Frivolidades*‹ eine Sammlung kurzer Texte, deren Auftakte eins ums andere Mal an modernistische *poèmes en prose* erinnern – um dann stets in den moralisch urteilenden Unterton der Gattung ›Essay‹ umzuschlagen. Im *Prólogo* zu den *Frivolidades* war einem gewissen M. R. Blanco-Belmonte der *Modernismo*-Pastiche besser gelungen:

Hoy como ayer sigo siendo un amador de la poesía oculta de las cosas, un apasionado de las nonadas deliciosas que son perfume de la vida, un frívolo que encuentra ó cree encontrar placer supremo en lo que se ha convenido en llamar *Frivolidades*.

Frivolidades son las notas inteligentemente recogidas por César Real.

La burbuja del amor, el centelleo de la belleza femenina, el vapor de la ilusión postrera que se desfleca, y las irisaciones y los tornasoles de la Eva moderna, han inspirado este libro...

Lo que ayer hice, hace hoy César Real, cortando las flores del jardín de su juventud ¡flores embalsamadas por el bálsamo de la ilusión! y depositándolas entre las hojas del libro de su vida...[204]

Der Autor der *Frivolidades* selbst hatte erhebliche Schwierigkeiten, diesen Gestus literarisch-genießender Distanz durchzuhalten. Nur solange er sich ganz allgemein in der Rolle des vornehm blasierten Kenners mondäner Etikette präsentierte, gelang auch ihm der modernistische Diskurs. Aber mit jeder Annäherung an einzelne Situationstypen jener bewunderten Welt, brach die textinterne Selbstinszenierung zusammen, weil César Real y Rodríguez sich – offenbar aus Furcht vor der Rolle des Gehörnten – moralisch ereiferte:

La mujer admite la etiqueta en los paseos y en las visitas; pero puede decirse la *sufre* en los bailes.

Ahí es donde la encuentra más ridícula y más impropia.

Empieza ella dando una gran prueba de confianza al hombre que la elige para bailar, permitiendo que, con la disculpa de la música, la estreche el talle, la oprima la mano é inspire el aire que exhala fatigada por el vértigo de un vals.

Sin embargo, la etiqueta, que también se impone á las palabras, no permite al hombre más que dedicar algunas frases ›cortadas á patrón‹ á la mujer que aceptó su brazo, si no tiene amistad con ella.

¿No es rarísimo tal contraste?[205]

Ebenso seltsam war gewiß des Autors Oszillieren zwischen mondän-modernistischer Distanz und provinzieller Moralfürsorge. Wir finden es wieder, wo sich Don César auf dem Feld des *género chico* versuchte. Sein *Sainete lírico de costumbres salmantina*, das am 25. Januar 1901 im *Teatro del Liceo* von Salamanca aufgeführt wurde (und noch im selben Jahr auch in Buchform erschien), hatte einen Doppeltitel: ›*Un hombre corrido / La fiesta de la Salud*‹. Der *hombre corrido* hieß Camilo, sollte sechsundzwanzig Jahre alt (und ›zum Beispiel Rechtsanwalt‹) sein. Obwohl (oder weil) als Hausherr einer *casa rica puesta con mucho lujo*[206] standesgemäß verheiratet, wagt er anläßlich der *Fiesta de la Salud* in einem Dorf der Provinz Salamanca eine Eskapade mit der schönen Clara, die als Verkäuferin in der Damenoberbekleidungsbranche arbeitet. Daß Camilo am Ende des *sainete* wieder in ehelicher Treue mit der ehrbaren Luisa vereint sein wird, und daß Clara – reumütig – dem armen (aber wahrhaft verliebten) Ramón die Heirat verspricht, versteht sich. Doch Ramón bricht die Normen der Rollenfächer des *género chico*: denn er ist weder mit altüberlieferten Tugenden der literarischen Bauern ausgestattet, noch besitzt er die überlegene Wendigkeit eines Figaro. Vielmehr erscheint Ramón so auf der Bühne, wie es den Ängsten eines bürgerlichen Provinz-Don-Juan entsprochen haben muß. Er ist ein Tölpel, der Camilo ab und an Schläge androht, aber am Ende Claras Hand nur der Intervention von Damen aus der ›guten Gesellschaft‹ verdankt: denn denen ist an penibler Einhaltung der Standesgrenzen gelegen.

Die Frage, ob sich mit solchen Brüchen in den literarischen Talentproben von César Real y Rodríguez die Unmöglichkeit der Inszenierung eines modernen Alltags in der spanischen Provinz der Jahrhundertwende anzeigt, oder ob sie nicht auch schon Indiz für die neue moralische Aufrichtigkeit einer Generation sind, welche die Restaurations-Epoche überwinden sollte, ist kaum zu beantworten. Ins Auge fällt jedenfalls, daß César Real y Rodríguez die Selbstinszenierung in der Rolle des *Tizona*-Redakteurs (vor der nationalen Katastrophe des Kuba-Kriegs im Jahr 1898) viel problemloser gelang als die vom *Modernismo* und vom *género chico* vorgegebene Distanziertheit (nach der Jahrhundertwende). In der ersten Nummer der *Tizona*, die am 7. November 1897 erschien, hatte er den Soldaten, die Kuba vor der Flotte der Vereinigten Staaten beschützen sollten, poetische Grüße gesandt:

> Reciban un fuerte abrazo
> que la Tizona os manda,
> los bravos hijos del pueblo
> que pelea por la Patria.

Ob er sich vorstellte, daß je ein Exemplar der *Tizona* nach Kuba gelangen würde? Ob er glaubte, daß den ›tapferen Söhnen des Volkes‹ an den *abrazos* einer *tertulia* im Casino von Salamanca gelegen sein konnte? Dieser Gruß ist freilich kaum erstaunlicher als die Illusion der *Tizona*-Redaktion, die politischen Auseinandersetzungen der Hauptstadt beeinflussen zu können. In den Grüßen nach Kuba klingt dieselbe Verniedlichung der physischen Wirklichkeit eines modernen Krieges an, die zwei Monate vor der Kapitulation der spanischen Kuba-Flotte einen Journalisten von *Blanco y Negro* in Erinnerung an patriotische Heldentaten den Sieg über das amerikanische Heer prognostizieren ließ:

Hablen los pesimistas cuánto quieran del disparatado combate entre una nación pobre y desangrada y otra robusta y poderosa, todo esto es decisivo cuando entran como factores en la lucha sólo el dinero o lo que el dinero representa, como son los barcos de combate; pero consideremos los ejércitos en tierra firme, y aquí ya no valen el dinero ni los blindajes, sino el valor y la disciplina...

No es esta la primera vez que comparo al soldado de Cuba con el soldado de Flandes, y creo que la semejanza de ambos alcanza aun al aspecto de sus figuras. No encaja con menos gallardía el sombrero de paja sobre las sienes del soldado actual que encajaba el chambergo de fieltro en la cabeza del arcabucero de Maestrich y de Breda...[207]

1898 mußte man eine auratische Vergangenheit heraufbeschwören, um noch für wenige Wochen die Illusion der Ebenbürtigkeit mit einer mächtigen Nation der Gegenwart zu retten. Doch das Weltbild und das Lebensgefühl, die das spanische XIX. Jahrhundert ausgemacht hatten, waren schon vor der nationalen Demütigung durch die Flottentechnologie der Vereinigten Staaten zu einem Horizont der Erinnerung verblaßt.

1893 war José Zorrilla, der Autor des *Don Juan Tenorio*, gestorben. Anstelle eines Nachrufs veröffentlichte *Blanco y Negro* den Bericht von einem letzten Gespräch mit dem allerseits verehrten großen Romantiker: *así, mientras dure la lectura de mis humildes líneas, obsesionados por una dulce ilusión nacida del cariño al gran poeta, creeremos todos ¡aun yo mismo, que las vertí de la pluma, que Zorrilla se encuentra aún entre nosotros!*[208] Daneben erschienen in Faksimile Zorrillas Antworten auf den damals nicht nur in Spanien und nicht nur bei Journalisten überaus beliebten Fragebogen ›*Declaraciones íntimas*‹. Noch einmal war in Zorrillas Greisen-Schrift mit ihren altmodisch-ausladenden Initialen jenes Zeitalter präsent, in dem ein narzißtischer Kult des Individuums und eine schon durchaus bürgerlich-pragmatische Zweckrationalität ihre wolkige Synthese gebildet hatten:

Manjares y bebidas que prefiero	Las ostras de Ostende ..., los solomillos de ternera y corzo, el queso de Burgos, el vino de Chianti y el café.
Lo que quisiera ser	Tonto y rico, y no, como soy, tonto y pobre.
Lo que más detesto	Las mugeres literatas, desde Safo hasta ...
Reforma que creo más necesaria	La de no dejar à la política bastardear la Religión.

Cómo quisiera morirme . . .   De repente, para no cansar á nadie.
Rasgo principal de mi carácter .   Haber llegado á viejo sin dejar de ser
                                      muchacho...

Wie gesagt: Zorrilla weilte nicht mehr unter ihnen, als die Illu-
strierten-Leser seine um Humor und Orthodoxie gleichsam bemühten Antworten lasen und wohl ahnten, daß mit ihm das
Sterben einer Epoche begonnen hatte.

Cánovas del Castillo starb am 1. August 1897 in Santa
Agueda, einem kleinen Seebad der Biscaya, wo er seinen kurzen
veraneo zu verbringen pflegte, unter den Kugeln eines französischen Anarchisten. Wenn man Comba, der 1897 noch immer
für die *Ilustración Española y Americana* die Rolle des Photore-
porters präfigurierte, glauben darf, dann trafen diese Kugeln
Cánovas, während der auf einer Parkbank die Tageszeitung
studierte.[209] Und wenn man den Recherchen des Staatsanwalts
im Prozeß gegen den Attentäter Thomas Ascheri ebenso viel
Vertrauen zu schenken bereit ist, dann kommt man zu dem
Schluß, daß der Vater der politischen Restauration in Spanien
Opfer eines politischen Racheakts – Opfer anarchistischer Solidarität und anarchistischen Gerechtigkeitssinns? – geworden
war. Denn Cánovas del Castillo trug die politische Verantwortung für grausame Folterungen, mit denen man 1896 in Barcelona einer Gruppe von Anarchisten Geständnisse über den
Hergang eines Bombenattentats auf die Teilnehmer einer Ma-
rienprozession abgepreßt hatte. Diese ›Geständnisse‹ wurden
zur Grundlage für die Vollstreckung einer fünffachen Todes-
strafe: *He cumplido con mi deber y estoy tranquilo*, soll Ascheri
bei seiner Festnahme, gegen die er keinen Widerstand leistete,
gesagt haben: *He vengado a mis hermanos*. Doch noch ließ die
spanische Gesellschaft, zumindest die ›gute Gesellschaft‹, von
ihrer Harmonie-Obsession nicht ab. *Blanco y Negro* bedauerte
vor allem die Einwohner von Santa Agueda, deren ruhiger Alltag durch den Schuß auf Cánovas del Castillo jäh unterbrochen
worden sei: *Calcúlese el horror que en la tranquila población
produjo el terrible crimen.*[210] Die Nation war gerne bereit, sich
von einer ›schönen‹ Predigt des Erzbischofs von Madrid-Alcalá
beruhigen zu lassen und den Verlust von Cánovas del Castillo
so schnell zu vergessen, wie man die Leichen der fünf exeku-
tierten Anarchisten vergessen hatte:

El sermón, que duró una media hora, produjo en el auditorio verdadera emoción por su elocuencia, por su pensamiento y por la bellísima forma en que fue pronunciado...

Al llegar a la tumba, materialmente cubierta de flores, el clero entonó sus preces, se llenó la formalidad de reconocer el cadáver, lo cual verificaron el general Azcárraga, varios ministros y personas de la familia del ilustre finado, bajando inmediatamente el féretro a la cripta, donde quedó depositado a las ocho y media en punto de la noche.

Die Leichen der namenlosen *hijos del pueblo*, die ein Jahr später in Kuba ihr Leben verloren, kehrten nie mehr in die Heimat zurück. Doch sie blieben in der Erinnerung ihrer Zeitgenossen viel länger gegenwärtig als die erschossenen Körper der fünf Anarchisten und des Ministerpräsidenten Cánovas del Castillo. Denn zum Anliegen einer neuen Generation von Intellektuellen sollte es werden, aus ›literarischer Aufrichtigkeit‹ auch eine Aufrichtigkeit gegenüber der nationalen Geschichte und ihren Opfern zu machen. Freilich ahnten auch diese wahrheitsbesessenen Intellektuellen nicht – oder wollten sie es bloß nicht ahnen? –, wie hoffnungslos abgeschieden vom Mutterland die ›Söhne des Volkes‹ und ihre stiefväterlichen Generäle gefallen waren. Daß die spanische Flotte vor Kuba *gänzlich abgeschnitten* von Europa operiert hatte, konstatierte im Jahr 1911 ein preußischer Seerechts-Spezialist:

Der Umstand, daß Spanien über keine unabhängigen Kabelverbindungen mit seinen westindischen Kolonien und dem Kriegsschauplatz gebot und das lange geplante Seekabel zwischen dem Mutterlande und Kuba nicht rechtzeitig geschaffen hatte, wurde ihm von vornherein verhängnisvoll, ja, das fehlende Kabel kostete Spanien geradezu seine Flotte, den Krieg und seine Stellung als Kolonialmacht. Denn gleich zu Beginn des Feldzugs gelangten infolgedessen zwei überaus wichtige Telegramme, die der spanische Marineminister Bermejo an den Höchstkommandierenden der vor Martinique kreuzenden spanischen Flotte, den Admiral Cervera, aufgab, nicht an ihre Adresse, weil sie von den Amerikanern abgefangen und natürlich unterdrückt wurden. Das wurde Cerveras und seiner Flotte Verderben, denn die erste Depesche sollte dem Admiral mitteilen, wo er Kohlen einnehmen könne, und die zweite sollte ihn ermächtigen, nach Spanien zurückzukehren, wozu damals noch Zeit gewesen wäre. Da Cervera diese Nachrichten nicht erhielt und nunmehr ohne Instruktionen blieb, sah er sich genötigt, mit seinem Geschwader Santiago auf Kuba anzulaufen, von wo es für ihn kein Entrinnen mehr gab und wo die dereinst so stolze spanische Seemacht am 3. Juli 1898 ein wenig rühmliches Ende fand.[211]

Wenn schon das lebenserhaltende Seekabel nicht gelegt worden war, so stand Spanien doch wenigstens in der Unterhaltungs-Technologie den anderen Nationen kaum nach. 1897 bereits war dort zum ersten Mal ein Film gezeigt worden, und er hatte den Titel ›*La salida de la misa del XII en el Pilar*‹.[212] Wenn die neue Intellektuellen-Generation ihre Wahrheit nicht in Regionen gesucht hätte, wo für Seekabel und Filmprojektoren kein Platz war, dann wäre sie vielleicht durch jenes Film-Datum zu der Illusion verführt worden, Spanien sei ein in technologischer Modernität gerüstetes Land. Denn auch in Frankreich lief nicht eher als 1897 der erste Film. Er hieß: *Sortie des ouvriers d'une usine.*

Illusion der Desillusionierung

Ein Jahr nach der Ermordung von Antonio Cánovas del Castillo und einundsechzig Jahre nach dem Freitod von Mariano José de Larra nahm sich am 29. November 1898 Angel Ganivet in Riga das Leben. Er war 1865 in Granada geboren worden, und er hatte kurz vor dem Tod noch seine Ernennung zum spanischen Konsul der lettischen Stadt Riga erlebt, die damals im Zarenreich lag. Ganivet ertränkte sich in der Düna, die in Riga eine Breite von achthundert Metern erreicht. Man liest, daß die Motive des offenbar unglücklich verheirateten Diplomaten ›Liebeskummer‹ oder (falls ›Liebeskummer‹ nur ein Euphemismus des späten XIX. Jahrhunderts ist) die Angst vor ›progressiver Paralyse‹ gewesen seien. Wie Larra wurde Ganivet *als Opfer* zu einer nationalen Symbolfigur,[213] und wie im Fall Larras machte diese Form der Kanonisierung das persönliche Motiv für Ganivets Selbstmord vergessen. Denn weil er 1897 unter dem Titel ›*Idearium español*‹ ein Buch veröffentlicht hatte, das einen Therapievorschlag für das dekadente Spanien als Umwertung der spanischen Geschichte präsentierte, galt es als ausgemacht, daß er als Opfer des am Tiefpunkt seiner Krise angelangten Vaterlands gestorben sein mußte. Anders als Larra jedoch ist Ganivet nicht als Repräsentant einer Epoche in das historische Wissen eingegangen, sondern als – die Zeitgenossen durch sein Schicksal moralisch verpflichtender – *Vorläufer* einer kollektiven Erneuerungsbewegung. Deshalb konnte man Ganivets Tod in heimatferner Einsamkeit – ebenso wie das Sterben der spanischen Matrosen vor Kuba – der Nation als so etwas wie eine ›Vernachlässigung ihrer Mutterpflichten‹ vorwerfen und zugleich (Ganivets Biographie erneut großzügig außer acht lassend) behaupten, daß der ›ungeliebte Sohn‹ vorher räumlichen Abstand von der Heimat genommen hätte, um mit ungebrochenem Patriotismus erkenntnisfördernde Distanz zu Spanien zu gewinnen. In einem anläßlich der Ganivet-Gedenkfeier des Madrider *Ateneo* im Januar 1921 vorgetragenen Gedicht klang das so:

> Apenas de la vida gustó el porqué y el modo,
> y aún tuvo tiempo para pensar y verlo todo
> con profética claridad.
> Se rasgó las antiguas solemnes vestiduras
> y, precursor angélico de las razas futuras,
> vio de su Patria la verdad.
>
> La Patria. El ansia crítica, descarnada y severa,
> pero desnuda como el mártir de la hoguera,
> que es todo amor y expiación;
> para surgir más nueva, autocreada y viva,
> igual que surge en forma de rosa sensitiva
> la purificación.
>
> Como tenía a España tan metida en su entraña,
> no podía vivir en la caduca España
> del contenido medieval.
> ¡La empeñaba ese viso que a los viejos espejos!
> y por verla más joven, situó de más lejos
> su proyección espiritual.
> Y ella, donde las nieblas y los lagos helados
> borraron los risueños paisajes encantados
> del arrayán y del ciprés,
> donde dejó, con una tristeza reflexiva,
> sangrar, como fontana de amor, su llaga viva
> bajo el cielo finlandés.[214]
> Como tutor amante, que ausente y vigilante,
> se sintiese morir al esfuerzo gigante

que a la doncella ha de salvar,
se fue desmoronando su robustez humana...[215]

Weil die Intellektuellen Angel Ganivet – und sich selbst – als
liebende Söhne einer unwürdigen Mutter sehen wollten, wurde
der Plan, seine Leiche von Riga nach Granada zu überführen,
bald nach 1900 zu einem Anliegen von höchstem – und aus der
historischen Distanz: durchaus erstaunlichem – symbolischen
Gewicht. Der zitierte Ganivet-Hymnus etwa setzte ein mit der
Widmung: *A... cuantos ilustres escritores trabajaron porque los
restos de Angel Ganivet reposasen en España.* Im Ganivet-Kult
mögen die affektiven Ambivalenzen jener jungen Kritiker zu
Tage getreten sein, die nach 1898 nicht mehr bereit waren,
mitzuwirken bei der Erhaltung einer Illusion moderner Alltäglichkeit. Denn den für die spanischen Romantiker noch ganz
selbstverständlichen transzendentalen Horizont einer Versöhnung von gesellschaftlichen Ansprüchen und individueller Exzentrizität hatten sie verloren, und umso mehr mußte ihnen an
Akten gelegen sein, mit denen sie auch sich selbst zu Opfern
und zu wahren Söhnen des Vaterlands stilisieren konnten. Aber
offenbar wollten sie sich mit der Heimkehr von Ganivets Leiche auch bestätigen, daß das Vaterland unter ihrer Kritik und
Fürsorge wieder auf dem Weg seiner positiven Identität geraten
war. Ohne die Möglichkeit einer jenseitigen Erlösung schlug
der Gestus der Selbst-Marginalisierung also in den Wunsch um,
die Versöhnung zwischen der eigenen Individualität und dem
Vaterland über den Weg einer Umgestaltung des Vaterlands zu
erreichen.
Als Ganivets Leiche endlich nach Spanien zurückkehrte,
herrschte dort seit zwei Jahren der General Miguel Primo de
Rivera als Diktator von Alfons' XIII. Gnaden. Verloren waren
die Hoffnungen, die Farce des Restaurations-Parlamentarismus
durch Reformen zu einer moralisch legitimen Form der nationalen Politik zu machen. Am 28. März 1925 widmeten Studenten und Professoren der Universität Madrid in der *Estación del
Norte* den sterblichen Überresten von Ganivet einen Gedenk-
akt. Ebenfalls Studenten und Professoren hatten Miguel Primo
de Rivera seit seiner Machtergreifung im Jahr 1921 immer wieder brüskiert und provoziert; sie sollten 1930 eine entschei-

796

dende Rolle bei seinem erzwungenen Rücktritt spielen. Unter diesen Voraussetzungen konnte die ›Rückkehr‹ von Ganivet als Opfer des alten und als Vorläufer des neuen Spanien weder bloß zur liebevollen Aufnahme eines ›verlorenen Sohns‹, noch zum Erweis für eine erfolgreiche Wandlung des Vaterlands werden. Man nutzte den lange herbeigesehnten Augenblick, um die Diktatur öffentlich ins moralische Unrecht zu setzen, und konnte dabei auf die Mitwirkung einer schon zu Lebzeiten kanonisierten Symbolfigur aus der Welt der Universität zählen. Miguel de Unamuno, der Ganivets Bekanntschaft 1890 anläß- lich von *oposiciones* in Madrid gemacht hatte (bei jenen *oposiciones,* die Unamuno seinen Lehrstuhl für Gräzistik an der Universität Salamanca einbrachten und den abgewiesenen Ga- nivet veranlaßten, die diplomatische Laufbahn einzuschlagen) und der bis zu Ganivets Tod einen Briefwechsel mit seinem Generationsgenossen geführt hatte (der letzte Brief Unamunos ist auf den 20. November 1898 datiert,[216] hat Ganivet also wahrscheinlich nicht mehr erreicht), Unamuno, der mit seinen Essays und Büchern, aber auch als streitbarer Rektor der Uni- versität Salamanca eine Galionsfigur der nationalen Erneue- rungsbewegung geworden war und es schließlich erreicht hatte, von Primo de Rivera ins Exil auf die Kanarischen Inseln ge- schickt zu werden, – dieser Exilant Unamuno hatte noch ein- mal einen Brief an den Heimkehrer Ganivet verfaßt, der natür- lich auch ein Brief an die Studenten und seine Kollegen in Madrid war, in dem er die Fortführung seines Kampfes gegen den Diktator an die im Vaterland Verbliebenen delegierte:

¡Pobre amigo Ganivet! Vuelven tus huesos a reposar sobre los huesos, sobre la roca de España – más nuestra hija que nuestra madre –, viviendo y soñando yo, tu amigo y compañero de buen combate, fuera de ella para mejor servirla… Deberían no haberte traído hasta que ese tu solar, nuestro solar, sustentase a un pueblo libre, hasta que sobre tu huesa granadina pudiese sonar, renonando al pie del Mulhacén, la voz de la verdad, hoy proscrita de España… Y ahora, cuando tus huesos son recibidos por un pueblo degradado por el vasallaje, yo, tu amigo de la juventud radiante y esperanzosa, te saludo desde mi destierro. Porque hoy en tu patria, Angel, no puede vivir digno el que no se allane cobarde a silenciar la verdad y a no denunciar la injusticia.[217]

Was schon der Hymnus auf den toten Ganivet angedeutet hatte, nämlich die Umkehr des Verhältnisses zwischen der Nation als Mutter und ihren Söhnen, maßten sich Unamuno und viele andere Intellektuelle seiner Zeit ohne weiteres an. Aus dem romantischen Selbstgenuß am Leiden in der Gesellschaft war die Überzeugung der Intellektuellen geworden, über Gesellschaft und Nation zu stehen, Gesellschaft und Nation gestalten zu dürfen. Mit dem Glauben, daß dies ihre historische Mission sei, und mit der *Illusion,* daß sie eine solche Aufgabe erfolgreich bewältigen könnten, ersetzten Unamuno und seine Generation die Illusion von der modernen Alltäglichkeit Spaniens. So wurde aus der Illusion von Alltäglichkeit die *Illusion der* – politisch erfolgreichen – *Desillusionierung.*

Von der *Estación del Norte* wurde Ganivets Leiche in feierlicher Prozession durch Madrid zur *Estación de Mediodía* geleitet. Es kam zu einem Handgemenge zwischen den akademischen Ganivet-Verehrern und den von der Regierung aufgebotenen Polizisten, als diese – in provozierender Absicht oder unter dem Druck der republikanischen Provokation? – in den Ruf *›¡Viva el Rey!‹* ausbrachen. Am 30. März 1925 übergab Angel Ganivets Familie in einem Festakt auf dem Friedhof von Granada seine sterblichen Überreste an die Stadtverwaltung, deren Versammlungssaal als Ruhestätte vor der Einbettung in die vaterländische Erde gedient hatte. Das Protokoll jenes Festakts berichtet nicht von Reden oder Hymnen. Im Mittelpunkt stand die Identifikation der Leiche Ganivets durch einen Jugendfreund, der mittlerweile Rektor der Universität Granada geworden war:

Al efecto, fue cortado el precinto en lacre del Consulado de España en Riga que ligaba el ataúd de aluminio y procedióse a desoldar dicho ataúd, y abierta que fue su tapa y puestos de manifiestos los restos por el ilustre Rector de esta Universidad Doctor Don Fermín Garrido Quintana, fueron reconocidos, certificando de que en efecto los restos son los del malogrado Ganivet, que fue íntimo amigo suyo y que así lo acreditan las prominencias frontales muy acusadas, el desarrollo y conformación del cráneo y el cabello castaño oscuro al mismo adherido; la dentadura, completa, con su marcado prognatismo; una señal en la frente cicatriz de una pedrada que recibió siendo niño en las »guerillas« con las de la parroquia de la Virgen, tan notablemente descritas en su trabajo »La derrota de los greñudos«, y por último, y como dato decisivo, la señal de la osteomielitis de los adolescentes que padeció en la tibia derecha. Afirma igualmente que el estado de conservación en que se encuentran los restos obedece al agua del mar en que murió Ganivet.[218]

Wenn man die Photographien von jenem 30. März 1925 betrachtet, welche eben den Augenblick der Leichen-Identifizierung festgehalten haben, so versteht man das gebannte Erstaunen der um Ganivets geöffneten Sarg versammelten Gemeinde: das Profil des siebenundzwanzig Jahre zuvor ertrunkenen Nationalhelden ist dort nicht weniger genau abgebildet als die Gesichter jener, die ihn überlebt hatten. Und auch ohne die Auskunft des Protokolls, daß über Ganivets Grab in Granada *por suscripción nacional* ein Mausoleum errichtet werden sollte, bliebe doch kein Zweifel, daß man hier das Ritual einer neuen Bürgerreligion begangen hatte. Unwillkürlich stellen sich Assoziationen mit dem populär-nationalen Messianismus ein, mit mythischen Gestalten wie Barbarossa oder dem portugiesischen Rey Sebastião, die, in der Ferne gestorben, zurückkehren sollten, wenn die Not des Vaterlands am größten wäre, um eine neue Herrschaft der nationalen Größe zu errichten. Natürlich hätten die Studenten und Professoren auf der Madrider *Estación del Norte* wie die Stadträte von Granada eine solche Interpretation empört von sich gewiesen. Doch wir haben uns an die Tatsache zu halten, daß das ›Wunder‹ der messianisch-unversehrten Präsenz von Ganivets Körper der krönende Abschluß seiner Rückkehr in die Heimat wurde. Im Rückblick waren die nationale Schmach von 1898 und der Tod derer, die man aus der Distanz der Jahre als Opfer beweinen und verehren konnte, zum Garanten für die wahrhaft religiöse Hoffnung auf eine glorreiche Zukunft geworden. Diese Zukunftshoffnung und die sakralen Akte ihrer Beschwörung aktualisierten die Spannung und vertieften die Kluft zwischen den ›zwei Spanien‹. Hier war ein romantisches Verhältnis zur Nationalgeschichte gewachsen, welches der deutschen Romantik aus dem frühen XIX. Jahrhundert viel näher stand als den spanisch-romantischen Tiraden von *Don Alvaro* oder *Don Juan Tenorio*.[219]

So sah die aus Ekel vor allen kollektiven Selbst-Lügen und aus pathetischer Nüchternheit im Angesicht nationaler Erniedrigung geborene – *romantische* – Wirklichkeit der *Generación del 98* aus. Daß man die Existenz dieser Autorengruppe heftig bestritten hat, folgt – einmal ganz abgesehen von dem Mißverständnis, das historiographischen Totalisierungskonzepten einen ›substantiellen‹ Wirklichkeitsstatus anmuten will – gerade aus der besonderen Struktur ihrer Intellektuellen-Mentalität. Die Mitglieder einer Generation, die nichts mehr fürchtete als fadenscheinige Kollektiv-Illusionen, die nichts mehr haßte als die (bestehende) Gesellschaft, mußten verstört reagieren, sobald man sie anders denn als Individuen sehen wollte. Daß sich der Name ›Generación del 98‹ erst gut ein Jahrzehnt nach dem Jahr 1898 in den Diskursen der spanischen Intellektuellen abzeichnete, spricht gewiß *nicht* gegen die deskriptive Prägnanz und die interpretatorische Reichweite des Begriffs. Wenn man liest, wie der Duque de Maura, ein zeitgenössischer Literaturkritiker, in einer Polemik mit Ortega y Gasset 1908 die ›neuen‹ Intellektuellen charakterisierte – *generación nacida intelectualmente a raíz del desastre; patriota sin patriotería; optimista, pero no cándida, porque las lecciones de la adversidad moderaron en ella las pasiones y exaltaciones de la fe juvenil*[220] –, wie José Martínez Ruiz (der damals schon als ›Azorín‹ signierte) 1913 in einer von *ABC* veröffentlichten Artikelserie feststellte: *en la literatura española, la generación del 1898 representa un renacimiento,*[221] dann lernen wir aus der Genese des Begriffs verstehen, wie ein neues Bewußtsein sich zwischen 1898, dem Jahr der Niederlage (dem Endpunkt einer über Jahrhunderte verfehlten Nationalgeschichte), und der Hoffnung auf eine neue spanische Republik konstituierte, die sich erst 1931 erfüllen sollte.

Allen (längst steril gewordenen) Debatten über die Legitimität des Epochenbegriffs ›Generación del 98‹ entgegen kann man also behaupten, daß nur wenige Totalisierungskonzepte aus der neueren europäischen Kulturgeschichte ähnlich gut motiviert gewesen sein dürften. Denn im Geist jener Generation begegneten sich nicht nur die Horizonte nationaler Vergangenheit und nationaler Zukunft; ihre Konvergenz führte auch zu einer Sinngestalt, wie sie es zuvor im Verhältnis der Spanier zu ihrer Geschichte nie gegeben hatte. All ihre Bemühungen um Vergegenwärtigung und Analyse der Vergangenheit wurden von der *Generación del 98* dem Begehren unterstellt, daß die nationale Zukunft *anders* sein sollte (man verstand sich selbst als *la otra España*[222]), wobei man ›wußte, daß man nicht wußte‹, noch wissen konnte, wie das ›neue Spanien‹ aussehen sollte.

Dieser profunde Wandel in den Formen der Erfahrungsbildung mündete wohl auch deshalb in einen markanten Umschlag der intellektuellen Diskurse, weil sich in der Szene der politischen, akademischen und öffentlich-gebildeten Institutionen während der beiden Jahrzehnte vor und nach der Jahrhundertwende eine wahre ›Wachablösung‹ vollzogen hatte. 1890 war das allgemeine Wahlrecht eingeführt worden. 1891 starb Campoamor und 1893 Zorrilla. Als 1897 Cánovas del Castillo Opfer eines Attentats wurde, veröffentlichte Manuel Azaña, der in den dreißiger Jahren zur Galionsfigur der Zweiten Republik werden sollte, seinen ersten Artikel in einer kleinen Zeitung von Alcalá de Henares. 1898, im Jahr der Niederlagen von Kuba, Puerto Rico und den Philippinen, im Jahr des Selbstmords von Angel Ganivet, erschien die erste Nummer der *Revista moderna*. 1899 starb Emilio Castelar, einer der herausragenden politischen Köpfe der Ersten Republik und der Restauration. Ein Jahr später wurde zum ersten Mal in der spanischen Geschichte ein Ministerium für Erziehungsfragen eingerichtet. 1901 starb Clarín, und ein Jahr später beendete die Thronbesteigung des sechzehnjährigen Alfonso XIII. die *Regencia* von María Cristina, der Witwe Alfonsos XII. 1903 starb neben Sagasta, dem ›liberalen‹ Widerpart von Cánovas del Castillo, auch Silvela, der nach 1897 versucht hatte, in die Fußstapfen von Cánovas zu treten; 1905, im Jahr der Gründung der Tageszeitung *ABC,* starb der Romancier und Literaturkritiker Juan Valera, ein Jahr später José María de Pereda, und 1907 wurde die *Junta para la ampliación de estudios* gegründet, welcher die spanische Wissenschaft viele ihrer erstaunlichen Fortschritte und Leistungen in den nächsten Jahrzehnten verdanken sollte. 1910 schließlich begann in Madrid die ebenso brillante wie kurze Geschichte der *Residencia de estudiantes,* in der das Klima krausistisch-idealistischer Pädagogik zum zentralen Bildungserlebnis einer Pléiade junger Spanier wurde, denen die nationale Schmach von 1898 bereits ›Vorgeschichte‹ war.

Natürlich ist die intellektuelle Leistung der *Generación del 98* beileibe nicht zu reduzieren auf den ›ideologischen Konsens‹ oder gar die ›wohl abgestimmte Doktrin‹ einer im Reifungsprozeß befindlichen Jugendbewegung. Wenn wir auf den folgenden Seiten die Einheit eines Diskurses – oder genauer: eines Interdiskurses[223] – herausarbeiten wollen, dann meinen wir ein Ensemble von Problemkonstellationen, in dem sich die gewandelten Erfahrungsprämissen der spanischen Intellektuellen niederschlugen, ein Repertoire sprachlicher Gesten, das den einschlägigen Antworten und Problemlösungen Gestalt gab, und eine spezifische Topographie von Orten und Medien der Kommunikation, welche den Rahmen für die Inszenierung des neuen Diskurses abgab. Die vielleicht wichtigste Vorentscheidung für diese Epochenwende in der Geschichte der spanischen Kultur fiel mit der Herausbildung einer besonderen Faszination, unter der sich die politisch-parlamentarischen Reaktionen auf die Niederlage des Jahres 1898 vollzogen. Nicht auf den hoffnungslosen technologischen Rückstand der spanischen Armee konzentrierten sich die Kritiken der Abgeordneten und Minister, nicht auf die ›rachitische‹ Wirtschaft der Nation oder auf die Scheinhaftigkeit der politischen Institutionen, sondern – so wie der verzweifelte Proletarier in Dicentas *Juan José* – auf den *Bildungsrückstand der spanischen Gesellschaft,* besonders auf die Tatsache, daß um 1900 nicht weniger als dreiundsechzig Prozent aller Spanier Analphabeten waren.[224] Zielscheibe für die in ihrem moralischen Legitimitätsbewußtsein kaum zu erschütternden Attacken der Intellektuellen waren die klerikalen Bildungsinstitutionen und eine Professorenschaft, deren geistige Borniertheit in der Tat groteske Züge angenommen hatte. Im Rückblick auf unsere Datenübersicht zur Generationenablösung zwischen 1890 und 1910 müssen wir aber festhalten, daß auch der spanische Staat erstaunlich schnell auf diese Diagnose der nationalen Dekadenz reagierte.

Noch flexibler war das Madrider *Ateneo,* jene aus (mehr oder weniger) liberaler Tradition geborene bürgerlich-öffentliche Bildungsinstitution, die nun in eine glanzvolle Etappe ihrer Geschichte eintreten sollte.[225] Zwar gehörten dem Direktorium des Ateneo im Jahre 1898/99 noch Gestalten der Restaurations-Vergangenheit wie José Echegaray, Marcelino Menéndez Pelayo und Eugenio Silvela an, doch unübersehbar ist im Vortragsprogramm der Jahrhundertwende die Dichte von Themen sozialpolitischen Einschlags, deren kritische Komponente meist aus einer Rekonstruktion der Genese von gegenwärtigen Institutionen entwickelt wurde. Dem geradezu emblematischen Titel ›El Porvenir Internacional de España‹ steht komplementär eine Analyse über *El régimen municipal en la Edad Media* gegenüber (sie kündigt ein in den folgenden Jahrzehnten zentrales Forschungsgebiet der spanischen Geschichtswissenschaft an); *Las aguas de España* galten jetzt als ebenso diskussionswürdig wie *La medicina social relacionada con los sanatorios de pobres*. Noch bemerkenswerter ist die Tatsache, daß sich die Mitglieder des Ateneo damals zum ersten Mal – im wahrsten Sinn des Wortes – auf den Weg machten, um mit Unterstützung der *Sociedad de Excursionistas de Madrid* eine ›andere‹ Version der spanischen Geschichte in den Provinzen zu entdecken – dort wo man die Nationalidentität noch unversehrt glaubte. Es gab Vorträge über präromanische Architektur, über die Geschichte von Ciudad Rodrigo und Avila, über ›Kunst und Brauchtum‹ in Valladolid, Carrión und Palencia, Reisen in die Provinz Burgos und eine *Excursión por la España árabe*. Schon 1896 hatte das Ateneo von Madrid eine neue, den staatlichen Hochschulen angenäherte Branche seines Vortragsbetriebs eingerichtet, die *Escuela de Estudios Superiores*. Ihre Funktion beschrieb der damalige Präsident Sigismundo Moret bei der Eröffnungssitzung am 22. Oktober 1896 in folgenden Worten:

Es preciso que todo hombre que piense y sepa algo encuentre aquí (sq.: en la ›Escuela‹) atractivo y llamamiento, y vea que por su cooperación en esta obra le es fácil lo que ha sido imposible aún a grandes personalidades por su solo esfuerzo individual: influir en la dirección de la cultura de su época, en cuya amplia esfera comprendo, naturalmente, las Universidades y Escuelas de provincia, las cuales más aún que las que en Madrid radican, necesitan se las llame y traiga a ese Centro superior, pidiendo a cuantos fuera de la capital cultivan la ciencia su valiosa cooperación.[226]

In soziologischen Begriffen heißt das: schon vor 1898 wollten sich die *ateneistas* der – wie sie glaubten: nationalen und moralischen – Verpflichtung stellen, Insuffizienzen des staatlichen

Bildungssystems bei der Verbreitung und Aneignung neuen Wissens zu kompensieren. Doch wenn wir beobachten, daß die neuen *cátedras* im Ateneo erst nach 1898 in ihren Themen zu konvergieren begannen, so wird deutlich, was die für das Handeln der Intellektuellen bedeutsame, unmittelbare Wirkung des Epochenjahrs war: erst die nationale Katastrophe gab einem diffusen Bedürfnis nach Kritik und nach Reformen eine entschiedene Blickrichtung auf Angriffspunkte und Ziele.

Umso erstaunlicher ist es, daß schon unmittelbar nach der Jahrhundertwende die Veranstaltungen der *Escuela de Estudios Superiores* im Programm des Ateneo ihre Sonderstellung verloren und offenbar bald im Sande verliefen. Der Diskurs der *Generación del 98* hatte an der Stelle von Poesie und Romanen, an der Stelle von öffentlich-liberalen Diskussions-Zirkeln und *tertulias* seine Gattung – den Essay – und sein Medium – die Presse – gefunden. Wohl kaum eine andere Publikation erschließt uns in ähnlicher Vielfalt und Prägnanz den neuen Schnittpunkt von Medium, Gattung und politisch-gesellschaftlichem Anliegen wie die Wochenschrift *Alma Española,* deren erste Nummer am 8. November 1903 in Madrid erschien. Ihr Publikumserfolg war während der ersten Monate ihres (dann doch nur eineinhalbjährigen) Bestehens überwältigend. Schon in der dritten Nummer sah sich die Redaktion unter der Überschrift ›Gratitud‹ zu folgendem – narzißtischen – Offenbarungseid berufen:

Inmensa es la (sc.: gratitud) que debemos al público, que con su acogida extraordinaria, sin precedente en la Prensa española, nos coloca en situación tan comprometida que, por lealtad, hemos de confesar. La instalación de nuestros talleres, no obstante disponer de magníficas máquinas de las casas Albert y Koenig & Baüer (sic), obedecía á cálculos modestos de una tirada no superior á 30 000 ejemplares. Aparecer nuestro primer número, agotarse á los pocos momentos, reproducirse la edición y agotarse nuevamente, y llegar en el número segundo á una tirada de 68 000 ejemplares, son éxitos que, francamente, no tuvieron jamás cabida en la fantasía editorial del más ambicioso periodista español.[227]

Doch kehren wir zu der ersten Nummer von *Alma Española* zurück. Den programmatischen Leitartikel hatte Benito Pérez Galdós geschrieben, und man kann darin gewiß ein Symptom für die Bereitschaft und das Bedürfnis der Redaktion sehen, sich selbst in die Tradition der – vergleichsweise verhaltenen – Gesellschafts- und Staats-Kritik der Restauration zu stellen. Auf der anderen Seite belegt Galdós' Deutung des Zeitschriftennamens ›*Alma Española*‹ als Emblem nationaler Identitätssuche, wie sehr der Nestor des spanischen Realismus – bei allem Verdruß seiner späten Lebensjahre – doch bereit war, sein Engagement neuen politischen und national-romantischen Zielen zu unterstellen:

Aprendamos, con lento estudio, á conocer lo que está muerto y lo que está vivo en el alma nuestra, en el alma española. Aprendámoslo aplicando el oído al palpitar de estos enojos que reclaman justicia, equidad, orden, medios de existencia. Apliquemos todos los sentidos á la observación de los estímulos que apenas nacen se convierten en fuerzas, de los desconsuelos que derivan lentamente hacia la esperanza, de la gestación que actúa en los senos del arte, de la industria, de la ciencia... Observemos cómo el pensamiento trata de buscar los resortes rudimentarios de la acción, y cómo la acción tantea su primer gesto, su primer paso.[228]

Die Angst vor neuen Illusionen, anders formuliert: der Drang, die aus veränderten Prämissen kollektiver Erfahrung erwachsenden Hoffnungen in neuen Strukturen des Alltags Wirklichkeit werden zu lassen, lenkte die Aufmerksamkeit des alten Pérez Galdós – und nach ihm die Aufmerksamkeit vieler Autoren der *Generación del 98* – auch auf die (wie sie stets betonten: notwendige) Grundlage eines ›anderen‹ politischen Handelns, auf die menschliche Physis. So entstand eine Bedürfniskonstellation und ein Diskurs, der den Ton sozialistischer Manifeste mit Anklängen an die Philosophie des Vitalismus verband:

Tengamos propósito firme de adquirir vida robusta y de creer con todo el vigor y salud que podamos. Declaremos que es innoble y fea cosa el vivir con media vida, y procuremos arrojar del alma todo resabio ascético. Ninguna falta nos hacen sufrimientos ni martirios que no vengan de la Naturaleza por ley superior á nuestra voluntad. Lo primero que tiene que hacer el alma remozada es penetrarse bien de la necesidad de evitar á su cuerpo los enflaquecimientos y desmayos producidos por ayunos voluntarios ó forzosos. Detestamos el frío y la desnudez; anhelamos el bienestar... Creemos que la pobreza es un mal y una injusticia, y la combatiremos dentro de la estricta ley del ›tuyo y mío‹.

Niemand freilich erhoffte die Erfüllung solcher Forderungen vom bestehenden Staat. Die Metapher von der ›Wiedergeburt‹ des neuen Spanien – ›*regeneracionismo*‹ nannte man um die Jahrhundertwende die aus der nationalen Katastrophe erwachsene Reformstimmung – meinte eine Wiedergeburt des Vaterlands aus der eigenständigen Bemühung ihrer Söhne, weil man die Nation als eine ›erschöpfte Mutter‹ erlebte:

… es incalculable el número de los que han aprendido á subsistir sin acercar sus labios á las que un tiempo fueron lozanas ubres, y hoy cuelgan flácidas: los españoles han crecido; comen, ya no maman. Aceptamos al Estado como administrador de lo nuestro, como regulador de la vida de relación; ya no lo queremos como principio vital, ni como fondista y posadero, ni menos como nodriza.

So trat am Ende – und dies nicht nur bei Pérez Galdós – an die Stelle der ›Nahrung der Tradition‹ die ›Nahrung der Bildung‹. Deshalb hat man zurecht den *Regeneracionismo* – trotz all seiner Begeisterung für das ›Volk‹, trotz all seiner Sorge um die Physis der Spanier – als einen ›verspäteten Idealismus‹ kritisieren können: *Como el agua á los campos, es necesaria la educación á nuestros secos y endurecidos entendimientos.*

Eben diese Spannung zwischen einem immer neuen Aufbruch zur Erkundung der materiellen Seiten des nationalen Lebens und dem Einmünden – dem Rückfall? – in idealistische Diskurse charakterisiert die Zeitung *Alma Española*. Zwei Seiten nach dem Leitartikel von Benito Pérez Galdós folgte in ihrer ersten Nummer eine Reportage von Joaquín Dicenta über das Leiden der Bergleute in den asturischen Kohlenminen. Das im Titel ›*Alma Española*‹ konnotierte Programm eines Vordringens in die Tiefe des ›nationalen Wesens‹ – durch alle Illusionen und Verblendungen der jüngeren Vergangenheit hindurch – war hier schon in der Überschrift – ›*En el fondo de la mina*‹ – konkretisiert, wobei Christian Franzen – königlich-spanischer Hofphotograph und regelmäßiger Mitarbeiter von *Alma Española* – dem dramatischen Erlebnisbericht von Dicenta mit acht Photographien über die proletarische Arbeit unter Tage eine Dimension erschreckender Sinnlichkeit gegeben hatte. Die Unmittelbarkeit des photographischen Bilds suggerierte Dicenta denn auch eine Assoziation mit dem Film, über die er seinen Lesern das Bergwerk als Alptraum vergegenwärtigen konnte:

Tengo la visión infame agarrada á los sesos. Mi cerebro es á un tiempo escenario y espectador de un horrible cinematógrafo. Este cinematógrafo reproduce, con la rápida sucesión de sus cuadros, pozos amenazadores, recorridos por jaulas de hierro, donde el agua de las filtraciones golpea y la sombra de las paredes rompe y la llama de los candiles toma aparencias de fuego fatuo; galerías negras, que un aire apestado recorre y una arena fangosa tapiza; gigantescos tubos de piedra, al fondo de los cuales oscilan figuras humanas cortando á golpe de pico el mineral...[229]

Zweifellos stand Dicenta, der in den neunziger Jahren für eine Zeitschrift mit dem Namen ›Germinal‹ geschrieben hatte, unter dem Eindruck von Emile Zolas Analysen über die Milieus proletarischer Arbeit. Mit Zola teilte er das Verdienst, den ebenso kultivierten wie politisch gutwilligen Lesern solche Welten ohne die versöhnlichen Farben costumbristischer Genremalerei nahegebracht zu haben. Aber – anders als bei Zola – ging die Hoffnung auf ein Ende der Arbeiterqualen nur als flüchtiger Gedanke des Journalisten in diese Reportage ein, als ein Gedanke zudem, den keine Idee eines revolutionären Prozesses mit der beschriebenen Gegenwart verband: *aún oigo la detonación formidable de los barrenos, á cuyo impulso sentí bambolearse la mina como si fuera á caer, como si hubiese llegado el instante de que la humanidad, torturada por ella, tomara su desquite...*[230]

Dies war die eine Seite der in *Alma Española* erfaßten spanischen Welt, die in der dritten Nummer – unter dem ebenso generationentypischen wie heute schwer verständlichen Titel ›Crímenes españoles... Ambiente y personajes‹ – mit der Milieuschilderung der (sexuell motivierten) Mordtat eines *cacique* aus Estremadura und in der vierten Nummer mit einer (erneut von Dicenta verfaßten) Reportage über Pfandleihhäuser weiter ausgemalt wurde, die sich aber schon ab dem vierten Heft zu neu-costumbristischen Brauchtums-Fresken (›Alma andaluza‹, ›Alma asturiana‹ etc.) abmilderte. Für die andere Seite der Welt von *Alma Española* können wir eine Kolumne unter dem Titel ›La España nueva‹ anführen, die mit dem Porträt des Erfinders Torres Quevedo einsetzte: *hoy acomete la solución del problema de dar dirección á los globos y la de construir el ›Telekino‹, aparato destinado á transmitir fuerza á distancia sin en-*

lace material alguno. Bald wurde diese Rubrik abgelöst von der Serie *Juventud triunfante – autobiografías,* wo junge Intellektuelle (unter ihnen als erster der heute unter dem Namen ›Azorín‹ in den Literaturgeschichten kanonisierte José Martínez Ruiz) das Wagnis unternahmen, ihren öffentlichen Erfolg durch Selbstpräsentationen zu antizipieren oder herauszufordern. Wenn man in der zweiten Nummer von *Alma Española* acht – wiederum von Christian Franzen photographierte – Porträts von *Celebridades españolas* betrachtet, so gewinnt man den Eindruck, daß die Metamorphose der Kolumne ›La España nueva‹ zu ›Juventud triunfante‹ so etwas wie eine ›Notlösung mangels Masse‹ war. Denn neben dem – tatsächlich weltberühmten – Histologen Ramón y Cajal und neben Joaquín Costa, dessen Analysen der spanischen Landwirtschaft eine Haupt-Vorgabe für die Reformprojekte des *Regeneracionismo* geworden waren, begegnen einem dort nur intellektuelle Galionsfiguren der Restaurationsepoche wie José Echegaray, Marcelino Menéndez Pelayo oder Juan Valera. Doch nichts charakterisiert auf der anderen Seite so sehr die – in der spanischen Geschichte neue – Zukunftsobsession dieser Zeitschrift mit dem romantischen Namen ›Alma Española‹ wie die Leserumfrage: *¿A su juicio, dónde está el porvenir y cual debe ser la base del engrandecimiento de España?* Die Antworten fielen kaum überraschend aus, weder im Hinblick auf die Positionen der befragten Prominenten, noch in ihrem gemeinsamen intellektuellen Horizont. *Instaurarse omnia in Christo,* empfahl ein Bischof. Nicolas Salmerón, der als Symbolfigur des *Krausismo* einer der unglücklichen Präsidenten der Ersten Republik gewesen war, schrieb kurz und bündig: *La instauración de la República.* Idealistisch, ein wenig feministisch und – vor allem – schon ganz im Ton der neuen Zeiten fügte Emilia Pardo Bazán hinzu: *En la instrucción entera y general estendida* (sic) *a todas las clases y sin diferencia entre los sexos.*[231]

Unser Blick auf das Ateneo von Madrid und auf die Zeitschrift *Alma Española* als Paradigmen für den neuen spanischen Intellektuellen-Diskurs hat selbstverständlich auch einen ersten Eindruck von den einschlägigen Problemhorizonten und sprachlichen Gesten vermittelt. Um diesen Eindruck zur nötigen Prägnanz bringen zu können, wollen wir nun zunächst versuchen, semantische Grundstrukturen des Diskurses der *Generación del 98* und die Umrisse von Rollen der Selbstpräsentation bei ihren Protagonisten darzustellen. Wir tun dies vorerst ohne Rückgriff auf weitere Zitate, weil dieser Diskurs und diese Rollen – wie schon angedeutet – gewiß keine homogene Doktrin, sondern eher einen komplexen Horizont kommunikativer Möglichkeiten konstituierten.[232] Kern des Diskurses der *Generación del 98* war ohne Zweifel eine neue Faszination des Themas vom *Verhältnis zwischen Spanien und Europa*. Die schon lange steril gewordene Alternative zwischen dem Festhalten an den spanischen Traditionen und der Ausrichtung am Modell Europa wurde in ein Verhältnis der Komplementarität überführt. Die Öffnung auf Europa und die Orientierung an Europa sollten nun konvergieren mit einer neuen Interpretation der spanischen Geschichte, die von dem Bestreben getragen war, das Geschichtsbild der Traditionalisten wie die restaurative Illusion der modernen Alltäglichkeit desillusionierend zu durchbrechen. Der ersehnte Zielpunkt solcher Identitätssuche war, so selten das auch explizit artikuliert wurde, gewiß ein ›noch unbekanntes Spanien‹ – jedenfalls ein Spanien von erstaunlicher, ihm selbst noch gar nicht bewußter Modernität.

Schon in der spezifischen Motivation für solche umweltoffene Identitätssuche war eine zweite Basisopposition im Diskurs der *Generación del 98* wirksam: der Gegensatz zwischen einer *Tiefensicht von nationaler Geschichte* und einem *oberflächlichen Bild der Tradition*, dem man seine Abhängigkeit von Standesinteressen und seine von intellektueller Trägheit begünstigte Kontinuität vorwarf. Auf dieser semantischen Ebene wird deutlich, daß der für das kollektive Selbstbewußtsein der Spanier so wichtige Mythos von den ›zwei Spanien‹ – mit einer Gestalt von höherer Komplexität – ins XX. Jahrhundert gelangt war. Dort ging er in eine dritte Basisopposition ein, durch die eine Unterscheidung von zwei Phänomenbereichen etabliert wurde, auf die sich die nationale Identitätssuche fürderhin konzentrieren konnte. Das authentische – aber noch weitgehend unentdeckte – Spanien wollte man im ›*Volk*‹ finden (was immer die Referenzen dieses Prädikats waren), während die – untereinander durchaus heterogenen – Konkretisierungen des ›unauthentischen‹ Spanien, für dessen Offenbarungseid man die Ereignisse des Jahres 1898 ansah, mit der ebenso plastischen wie in ihrer Referenz vagen Metapher des ›marasmo‹ bezeichnet wurden.

Die – unendlich variierbaren – Positionen, welche die Autoren des frühen XX. Jahrhunderts in diesem diskursiven Raum beziehen konnten, ergaben sich vor allem aus den jeweiligen Proportionen zwischen dem Engagement für die nationale Identitätssuche und der Bereitschaft zur Öffnung auf das moderne Europa. Wer im Ausland nach Innovationen und Orientierungen suchte, für den war der *marasmo* eine Groteske und der ›oberflächliche‹ Blick auf die spanische Geschichte eine Parodie seiner selbst, während die Konzentration auf das ›andere Spanien‹ seine Gegen-Diskurse und Gegen-Mächte zu einem nationalen Verhängnis dämonisierte. Solche Tendenzen und Positionen konnten durch verschiedene Rollen der Selbstpräsentation konturiert werden. Viele Protagonisten der *Generación del 98* verstanden sich – nicht selten aufgrund ihrer Bildungserfahrungen in der krausistischen *Institución libre de Enseñanza* – als Aufklärer. In der einsamen Reflexion sahen sie die Voraussetzung, aber auch die Legitimation dafür, vor die spanische Nation zu treten, um ihr Werk der Desillusionierung und der Neuorientierung zu betreiben. Freilich hatten sie aus der spanischen Romantik auch einen Hang zur Selbststilisierung als einsame, von der Gesellschaft geschmähte Individuen geerbt, in die der aufklärerische Missionseifer jederzeit umschlagen konnte. Vermischt mit dem – von den *modernistas* inspirierten – Ehrgeiz, die ehrbare Gesellschaft zu schockieren,[233] konnte aus dem individualistischen Rückzug das Gefühl einer Affinität zum Anarchismus werden. So weit wollte – etwa – ein Miguel de Unamuno nicht gehen, weshalb er über viele Jahre zwischen der Versuchung zu anarchistischer Selbststilisierung und der Betonung seiner von jeder Gruppenzugehörigkeit freien Individualität schwankte:

... mis lecturas de economía (más que de sociología) me hicieron socialista, pero pronto comprendí que mi fondo era y es, ante todo, anarquista. Lo que hay es que detesto el sentido sectario y dogmático en que se toma esta denominación. Ese dinamitismo me produce repugnancia... Un Bakunin me parece un loco peligroso. El anarquismo de un Ibsen me es simpático, y más aún el de un Kierkegaard, el poderoso pensador danés de quien ante todo se han nutrido Ibsen y Tolstoi.[234]

Solche Verzerrungen vorgegebener Rollen-Identitäten werden wohl erst dann historisch verstehbar, wenn man einsieht, daß in den öffentlich-diskursiven Gesten der *Generación del 98* die Attitüde des aufklärerischen *philosophe* mit einer romantischen Stimmung konvergierte, da nun auch die spanischen Intellektuellen in ein sentimentalisches Verhältnis zur nationalen Geschichte eintraten. Man war begierig, in der Vergangenheit und auf dem ›Antlitz des Volkes‹ die Züge eines besseren Vaterlands abzulesen, aber man wünschte nicht, daß dieses gegenwärtige Vaterland, zu dessen ›Vätern‹ sich die neuen Intellektuellen selbst ernannt hatten (oder auch: an dessen dürren Mutterbrüsten sie nicht länger darben wollten), je wieder in den verlorenen Glanz einer Weltmacht eintreten sollte. Das neue Spanien würde ein anderes Spanien sein, und keine Zukunftshoffnung verdrängte je die – eben sentimentalische – Melancholie über den Verlust vergangener Größe. So war die Nation im Intellektuellen-Diskurs nach 1900 *zugleich* eine ›geschwundene bessere Welt‹ und eine ›zukünftige bessere Welt‹.
Mit ihrer radikal gewordenen Kritik am traditionalistischen Spanien der eigenen Gegenwart und mit jenem neuen ›historischen Bewußtsein‹ hatten die Intellektuellen auch den beruhigenden Glauben verloren, daß exaltierter Individualismus am Ende doch immer noch mit religiöser Orthodoxie zu vereinbaren wäre. Nun war auch die Gottessuche zu einer Aufgabe, Verpflichtung, Obsession des Individuums geworden, die im Extremfall – darin ähnlich dem neuen Verhältnis zum Vaterland – in die Manie umschlagen konnte, daß man Gott selbst erschaffen habe oder erfinden müsse. Deshalb tauchte – neben vielen anderen Faszinationen aus der spanischen Kultur des XIX. Jahrhunderts – auch der Moment des Todes unter neuen Vorzeichen im Diskurs der *Generación del 98* auf. Er war jetzt zum einen die stets drohende Vernichtung einer menschlichen Existenz, die ihre transzendentalen Sicherheitsgarantien aufgegeben hatte, eine Bedrohung, der man trotzig – aber manchmal doch recht halbherzig – vitalistische Aphorismen entgegensetzte. Aber der Tod war auch jener – erhoffte – Augenblick

geworden, in dem sich Gotteszweifel und Gottessuche zur Erfahrungs-Gewißheit wenden würden. Gerade diese letzte Facette der komplexen neuen Intellektuellen-Rolle läßt uns ahnen, daß Versöhnungsangebote wie das des *Don Juan Tenorio* – und mit ihnen Don Juan als nationale Identifikationsfigur – nicht mehr nur in einer Krise, sondern ganz im Abseits standen – sozusagen auf der Seite des *marasmo*. Don Juan erschien von nun an in Essays und Romanen als Symbol einer kollektiven Lebenslüge, welche zu verdammen man sich stets beeilte, um den eigenen Anspruch auf befreiende Desillusionierung vertreten zu dürfen. Ganz abgesehen aber von den je verschiedenen Wertungen, die sie aus solcher Lektüre ableiteten, interessierten sich viele unter den (zunächst selbsternannten) neuen Mentoren der spanischen Nation für den (Selbst-)Lügner Don Juan, der in seinem diesseitigen Leben alle moralischen Bindungen hinter sich gelassen hatte – und für eine Leserschaft, die sich von solcher Amoralität faszinieren ließ. So hatte Unamuno für den anhaltenden Publikumserfolg von Zorrillas *Don Juan Tenorio* eine bündige Erklärung bereit: *Y cree en ese cielo para descargarse de responsabilidad.*[235] Etwas distanzierter, aber ausgehend von derselben Deutungsperspektive, charakterisierte Ramiro de Maeztu das Weltbild, welches er für die Prämisse der *Don-Juan*-Begeisterung hielt:

Pero si los deberes no tienen fundamento; si no existe Acreedor con derecho a exigirnos el pago de las deudas; si no hay deudas y la felicidad es la suprema ley, derramemos la energía a capricho, porque esto es el placer, y proclamemos ... y finalmente que Don Juan tiene razón.[236]

In den Drang, die *Don-Juan*-Figur aus dem sozialen Wissen zu eliminieren (dessen geheime Komik freilich darin lag, daß er sich am Ende nur als eine neue Variante in die Geschichte der ›Arbeit am Don-Juan-Mythos‹ einschrieb), scheint die bewußt desillusionierende Lektüre erst später umgeschlagen zu sein, nämlich nach 1930, als die geistigen Gefechte zwischen den ›beiden Spanien‹ erneut zur Allegorie eines erbitterten (und nun in seiner Gefährlichkeit weit unterschätzten) politischen Antagonismus geworden waren. Freilich war es in den dreißiger Jahren längst nicht mehr die doppelte Unaufrichtigkeit des großen Verführers, an der man Anstoß nahm – dafür war die Hoffnung, eine ›andere‹ und ›authentischere‹ Wahrheit zu finden, wohl schon allzu verbraucht. Man mokierte sich darüber, daß Don Juan nie ein Kind gezeugt hatte, und spielte, zunächst ironisch, diesen neuen Sinnhorizont in das Bild eines physisch defizienten Don Juan hinüber: *¿Y hasta qué punto... es supérfluo para la especie este Don Juan, varón de lujo, que no se cura de acrecentar la prole de Adán? ¿Responde este Don Juan, como el onanista y el homosexual, a una corriente maltusiana? A esta opinión se inclinan muchos, sobre todo los padres de familia, abrumados por la fecundidad de su casto lecho.*[237] 1940 schließlich, in der Bitterkeit seines Pariser Exils, wollte der Schriftsteller-Arzt Gregorio Marañón dem mythologischen Don Juan – so wie vielen anderen Figuren aus der spanischen Geschichte – einen Krankenschein ausstellen. Dabei überbot er eine psychiatrische Fach-Konvention, welche hysterische Erlebnisunfähigkeit an der literarischen Figur des Don Juan illustriert, indem er auf die Homosexualitäts-Anklage verwies, der Don Juan de Tassis, (wie er glaubte, das historische Vorbild für Tirso de Molinas Titelhelden) ausgesetzt gewesen sein sollte: *Gran número de personas conocidas de Madrid fueron inculpadas de homosexualidad. Desde criados y bufones de las casas aristocráticas, hasta los mismos señores de éstas. Uno de ellos era Don Juan de Tassis... Tirso de Molina tuvo, pues, delante de los ojos, un modelo perfecto de Don Juan. Un Don Juan con todas sus glorias y todas, hasta la última de sus miserias.*[238]

Geschichtliche Signifikanz gewinnt diese Destruktion des *Don-Juan*-Mythos aber erst, wenn man die komplementäre Ausgestaltung der *Don-Quijote*-Figur zur Repräsentation der nationalen Identität mitbetrachtet – ja man kann behaupten, daß der heute in der gesamten westlichen Kultur vertraute (und sogar lexikalisierte) ›Don Quijote‹ sich überhaupt erst im Diskurs der *Generación del 98* herausbildete. Voraussetzung für solche Aneignung war eine geistige Ent-Eignung, mit der man Distanz zwischen den Schöpfer Cervantes und Don Quijote, seine Schöpfung, setzen wollte. Auch hier gab Miguel de Unamuno die Generationen-Parole aus: *Todo consiste en separar a Cervantes del Quijote y hacer que a la plaga de los cervantófilos o cervantistas sustituya la legión sagrada de los quijotistas.*[239]

Daß Don Quijote bald zur nationalen Identifikationsfigur geworden war, bestätigt übrigens eindrucksvoll die engagierte Gegenstimme von Ramiro de Maeztu, der in *Alma Española* am 13. Dezember 1903 vor den von ihm befürchteten Folgen des anstehenden *Quijote*-Gedenkjahrs 1905 warnte: *Guardemos el Quijote para nuestras fiestas íntimas; pero seamos altruistas ya que nuestra decadencia nos permite serlo, y no pretendamos convertir en libro vital de España ese libro de abatimiento y de amargura.*[240]

Aber warum wurde – so plötzlich – mit einer Vehemenz über Cervantes' Romanhelden diskutiert, die den Eindruck erweckt, man habe das Schicksal der spanischen Nation mehr von der *Quijote*-Deutung abhängen sehen als von der Reform der Wirtschaft, von der Lösung politischer Konflikte und den Klassenantagonismen? Gewiß liegt eine Antwort in der vom *Quijote*-Roman gebotenen Pluralität simultaner Sinnhorizonte. Eben weil sie nicht eine Dominanz in Richtung der einen oder anderen Interpretationsperspektive festlegte, konnten die spanischen Intellektuellen des frühen XX. Jahrhunderts ihre Probleme und ihre Situation in der Figur des Don Quijote vorgeformt finden – ob nun die Suche nach nationaler Identität oder die Öffnung auf Europa ihr vordringliches Anliegen war, ob es ihnen um die Wahrung von Traditionen oder um den Fortschritt ging. Und weil es darüber hinaus zu ihrem kulturellen Habitus gehörte, die eigene Individualitäts-Obsession auf den Begriff der Nation zu projizieren, konnten sie im Ritter von der traurigen Gestalt nicht nur den Vorläufer ihrer eigenen Existenzform entdecken, sondern auch ein Emblem Spaniens. Das galt besonders hinsichtlich der seit Jahrhunderten bestehenden Komplementarität zwischen alltagspragmatischer Nüchternheit und kollektiven Illusionen, welche Miguel de Unamuno zu einer ›Tragödie‹ zu stilisieren nicht müde wurde: *Aparéceseme la filosofía en el alma de mi pueblo como la expresión de una tragedia íntima, análoga a la tragedia del alma de Don Quijote, como la expresión de una lucha entre lo que el mundo es, según la razón de la ciencia nos lo muestra, y lo que queremos que sea, según la fe de nuestra religión nos lo dice.*[241] Die Pluralität der Sinnhorizonte – in der Individualität, in der nationalen Identität, in der Gestalt Don Quijotes – konnte aber auch Ausgangspunkt für eine neue (und zukunftsträchtige) Richtung des historischen Rückblicks werden, mit der an die Stelle des Mythos von der Verteidigung der Christenheit als nationaler Mission Spaniens ein Bild von der kulturellen Pluralität im spanischen Mittelalter trat. In den Worten Angel Ganivet:

Todos los pueblos tienen un tipo real o imaginado en quien encarnan sus propias cualidades; en todas las literaturas encontraremos una obra maestra en la que ese hombre típico figura entrar en acción, ponerse en contacto con la sociedad de su tiempo y atravesar una larga serie de pruebas donde se aquilata el temple de su espíritu, que es el espíritu propio de su raza. Ulises es el griego por excelencia... Nuestro Ulises es don Quijote, y en don Quijote notamos a primera vista una metamorfosis espiritual. El tipo se ha purificado más aún, y para poder moverse tiene que liberarse del peso de las preocupaciones materiales, descargandolas sobre un escudero; asi camina completamente desembarazado, y su acción es una inacabable creación... Don Quijote no ha existido en España antes de los árabes, ni cuando estaban los árabes, sino despues de determinada la Reconquista. Sin los árabes, don Quijote y Sancho Panza hubieron sido siempre un sólo hombre...[242]

Ganivets *Quijote*-Faszination verpflichtet uns zu einer weiteren Differenzierung: die mit dem geistigen Klima im Spanien der Jahrhundertwende kompatible Pluralität simultaner Sinnhorizonte war der Roman von Cervantes, nicht sein Held ›Don Quijote‹. Wenn es um den Protagonisten selbst ging, dann traten die Niederlagen Don Quijotes in den Vordergrund und wurden in einer Welt simultaner Sinnvielfalt zu moralischen Triumphen umgewertet. Das genau war die Botschaft von Unamunos 1906 erschienenem Roman-Essay ›*Vida de Don Quijote y Sancho*‹, der sich stellenweise fast wie ein Gebet an den neu geformten Nationalhelden liest: *Así a nosotros, tus fieles, cuando más vencidos estemos, cuando el mundo nos aplaste y nos estruje el corazón y la vida, y se nos derritan las esperanzas todas, danos alma, Caballero, danos alma y coraje...*[243] Anlaß zu solchen Umwertungen bot die logische Unvereinbarkeit zwischen dem Programm radikaler nationaler Selbstkritik und dem Wunsch, eine neue nationale Glorie in der Dimension der *intrahistoria* zu entdecken. Unter all den Niederlagen Don Quijotes kam vor diesem Hintergrund der unerhörten Liebe zu Dulcinea besondere Bedeutung zu, weil bei diesem Motiv die

Kanonisierung Don Quijotes – zumindest latent – auch immer schon den Abschied vom *Don-Juan*-Mythos vollzog. Unamuno hat daraus die folgende Szene gemacht:

¡Cuánto daría por haber presenciado un encuentro entre Don Quijote y Don Juan y haber oído al noble caballero de la locura, al que anduvo doce años enamorado de Aldonza, sin atreverse a abrirle el pecho, lo que le diría al rápido seductor de Doña Inés! Tengo para mí que quien lograse penetrar en el misterio de ese encuentro – porque no me cabe duda que Don Quijote y Don Juan se encontraron alguna vez – y acertase a contárnoslo tal y como fue, nos daría la página acaso más hermosa de que se pudiese gloriar la literatura española... Y sé algo más, y es cuál fue la ocasión en que se encontraron nuestros dos hidalgos. Y es que Don Juan iba a seducir a la sobrina de Don Quijote, a la modosita y casera y archijuiciosa sobrinita, la cual, si se escandalizaba de las cosas de su tío, se habría derretido de gusto al oír los requiebros del otro.[244]

Subtiler und vielleicht auch schon distanzierter inszenierte der Romancier Ramón Pérez de Ayala im Jahr 1926, als man eigentlich schon daran gewohnt war, viel respektloser mit Don Juan umzugehen, die Ablösung der beiden Nationalmythen. Titelheld seiner Romane ›Tigre Juan‹ und ›*El curandero de su honra*‹, die schon im Titel ironisch-pathetisch auf Tirso de Molina und Calderón bezugnahmen, war Juan Guerra Madrigal. ›*Tigre* Juan‹ läßt ihn Pérez de Ayala von seiner Umwelt nennen, weil ihr der Held mit der schroffen Attitüde eines Misanthropen begegnet. Doch die Bedeutungen seiner Familiennamen (›Krieg‹ und ›Hirtenlied‹) entwerfen jene problematische Identität, auf die ein modernes Individuum – zumindest im Roman – unbestreitbaren Anspruch hat. Wie man nun leicht erraten kann, birgt die rauhe Schale des ›Tiger Juan‹ den weichen Kern eines ›neuen Don Quijote‹: er kann jener jungen Dame, um deren Hand er zunächst im Namen seines Neffen wirbt, die eigene Liebe erst gestehen, nachdem man ihn von einem Trauma befreit hat, zu dem ein vermeintlicher Ehebruch seiner – inzwischen verstorbenen – Frau geworden war. Doch ›Tiger‹ ist er auch dann noch nicht, als er, amateur-psychotherapeutisch gestärkt, eine neue Ehe mit der ehemals von seinem Neffen angebeteten Herminia eingegangen ist. Vielmehr leidet er zunächst unter romanesk-mythologischem Wiederholungszwang, da er sich einredet, Herminia habe sich einem Provinz-Don-Juan ergeben, und er wird zum ›Quacksalber seiner Ehre‹, als er sich in perfekt stoischem Stil-Gestus – durch Aufschneiden der Pulsadern in der Badewanne – das Leben zu nehmen versucht. Am Ende aber siegen eben ›das Leben‹ und die Distanz des Mythen-Fortsetzers von den Schimären der klassischen Literatur. Herminia rettet ihren Gatten, nutzt die Gunst dieser Stunde, um ihm zu gestehen, daß sie schwanger ist, und weil ein werdender Vater – jedenfalls aus der Perspektive von 1926 – in keiner Hinsicht ein neuer Don Juan sein kann,[245] bringt sie nun auch endlich ohne Bedenken ein vollbrüstiges Liebesgeständnis ein: *Toma mi vida, dueño mio. Toma mi vida, que es tuya.¿Cómo viviré sin tí? ¡Socorro! Salen a mi señor, que es todo mi amor. Saquen la sangre de mis venas y viértanla en las suyas…*[246] Tiger Juan / Don Quijote, so bilanziert der aufmerksame Leser, ist der wirklich ideale Liebhaber, der Don Juan ›im guten Sinne der Männlichkeit‹, ohne deswegen seine Quijote-Identität zu verlieren.

Im Blick auf die frenetische Identitätssuche der spanischen Intellektuellen zu Jahrhundertbeginn sollte man aber nicht übersehen, daß diese ebenso komplexe wie literarisch artistische ›Lösung‹ eine Unfähigkeit anzeigt, Traditionsbestände der Nationalkultur über Bord zu werfen. Ein Don Quijote, der – auch wenn er es nicht weiß – die Frauen fasziniert, verliert an semantisch-narrativer Prägnanz und als nationale Identitätsfigur an Orientierungswert. Und so löste sich das affektive und intellektuelle Feuer der *Quijote*-Interpretationen in eher unverbindlichen Floskeln der spanischen Gebildeten und – schlimmer – in philologischer Pedanterie auf. An Ortega y Gassets *Meditaciones del Quijote* entdecken wir nur noch hochgeistige Unverbindlichkeiten: *Es, …dudoso que haya otros libros españoles verdaderamente profundos. Razón de más para que concentremos en el* Quijote *la magna pregunta: Dios mío, ¿qué es España?.*[247] Es bedarf dann nur geringer Literarhistoriker-Bosheit, um als tautologische Antwort auf Ortegas Frage das klangvolle Finale eines *Quijote*-Vortrags zu lesen, den Manuel Azaña im Mai 1930 im Club Femenino Español gab: *Con ninguna obra de ningún otro poeta sucede lo mismo. La identidad del* Quijote *y España es única.*[248]

Solches Trivial-Werden der Mythen-Applikationen als Resultat eines Interpretationsprozesses, der sich unendlich machen will, bedeutet natürlich nicht, daß alle Sinn-Angebote, die aus jener ›Arbeit am Mythos‹ hervorgegangen sind, das Stigma der Trivialität tragen müßten. Wir haben die Geschichte der Ablösung des *Don-Juan*-Mythos durch den *Don-Quijote*-Mythos in ihren Grundzügen nachgezeichnet, weil wir glauben, daß sie paradigmatisch für die Geschichte des Diskurses der *Generación del 98* ist. Auch er wurde in dem Maß reiterativ und unscharf, wie das spanische Publikum der zwanziger und dreißiger Jahre nicht wahrhaben wollte, daß sich seine Autoren schon überlebt hatten. Folgenreich für die spanische Geschichte war dieses Ausbleiben einer Historisierung zum ersten, weil sie endgültig aus der Entschlossenheit zur Desillusionierung eine *Illusion der Desillusionierung* werden ließ; zum zweiten, weil aus der vom Diskurs der *Generación del 98* ermöglichten Kombinatorik der Leitmotive und kommunikativen Rollen ein Themenhorizont hervorgegangen war, der die intellektuelle Welt Spaniens jetzt nicht mehr nur ausfüllte, sondern mehr und mehr abschloß. Wir wollen auf den folgenden Seiten die wichtigsten dieser Leit-Themen Revue passieren lassen und die Gelegenheit nutzen, einigen Gestalten aus der spanischen Kulturgeschichte des frühen XX. Jahrhunderts etwas Profil zu geben. Dabei lassen wir die wahrhaft scholastischen Debatten zu der Frage außer Acht, ob der eine oder andere dieser Autoren mit Recht der *Generación del 98* – oder nicht eher der einen oder anderen jener ›Nachfolgegenerationen‹, welche die Kulturhistoriker ersonnen haben, – zuzuordnen sei. Denn der Diskurs der *Generación del 98*, das ist unsere Haupt-These, beherrschte die intellektuelle Produktion und Diskussion in Spanien bis zum Ende des Bürgerkriegs. Er überlebte sich allzulange.

Die Suche nach der ›bisher verdeckten‹, ›wahren‹ Nationalidentität war – in der Nachfolge von Angel Ganivet – *das* existentielle Anliegen für Unamuno, Azorín und Antonio Machado. Den neuen Namen für jene Faszination und Hoffnung (die als Aneignung nationaler Tradition schon allein deswegen auch ein Traditionsbruch war, weil sie eine Öffnung auf Europa für die Bedingung eigenen Gelingens hielt), das Programmwort ›*intra-historia*‹, hatte Miguel de Unamuno erfunden: *el porvenir de la sociedad española espera dentro de nuestra sociedad histórica, en la* intra-historia, *en el pueblo desconocido, y no surgirá potente hasta que le despierten vientos o ventarrones del ambiente europeo.*[249] Exemplarisch für Unamunos Denken ist das sanfte Gleiten der Metonymien und semantischen Kontiguitäten: das ›innere‹, ›eigentliche‹ Wesen der Nation soll man in der nationalen Geschichte suchen, aber die Geschichte als Feld jener Suche kann ersetzt werden durch das noch ›unbekannte Volk‹. An der Stelle, die das ›Volk‹ bei Unamuno übernimmt, finden wir (etwa bei Ganivet) die geologischen Formationen der Iberischen Halbinsel und später – etwas leichter nachvollziehbar –, vor allem bei Azorín und Antonio Machado, die kastilische Landschaft. In der schon mehrfach zitierten Aufsatzsammlung ›*Clásicos y modernos*‹ aus dem Jahr 1913, wo den Ort von nationaler Geschichte, spanischem Volk, geologischen Formationen und kastilischer Landschaft die nationale Literatur der Vergangenheit und Gegenwart besetzt, besprach Azorín unter dem Titel ›*El paisaje en la poesía*‹ Antonio Machados ein Jahr zuvor veröffentlichte Gedichtsammlung ›*Campos de Castilla*‹: *Sus paisajes no son más que una colección de detalles. Y, sin embargo, en esos versos sentimos palpitar, vibrar todo el espíritu del poeta.*[250] Was Azorín in seiner Beflissenheit, die Tradition der spanischen Landschaftsdichtung zu dokumentieren, außer Acht ließ, war ein Gestus der Neu-Entdeckung und Umwertung, den Antonio Machado in *Campos de Castilla* Gedicht für Gedicht vollzogen und nachvollziehbar gemacht hatte. Denn die kastilische Landschaft war für Machado, den Sevillaner (wie für Unamuno, den Basken) zunächst eine Wüstenlandschaft gewesen, die – etwa in ihrer bitteren Winter-Kälte – allein mit dem Körper erlebt wird. *Campos de Soria* heißt ein Gedicht auf die abgelegene Provinzstadt, in die es den Französischlehrer Machado verschlagen hatte, in der er sich im Sommer 1909 mit der sechzehnjährigen Leonor Izqierdo Cuevas verheiratete und in der seine Frau drei Jahre später starb:

CAMPOS DE SORIA

Es la tierra de Soria árida y fría.
Por las colinas y las sierras calvas,

verdes pradillos, cerros cenicientos,
la primavera pasa
dejando entre las yerbas olorosas
sus diminutas margaritas blancas.

La tierra no revive, el campo suena.
Al empezar abril está nevada
la espalda del Moncayo;
el caminante lleva en su bufanda
envueltos cuello y boca, y los pastores
pasan cubiertos con sus luengas capas.[251]

Diese ›Entdeckung‹ Sorias im Text – eine Facette der ›Erfindung‹ von Spaniens *intra-historia* – war allein noch kein ›neues Sehen‹ und keine Umprägung alter Wertungen. Die Monotonie von Kälte, Kargheit, Weltferne brachte Soria dem Leser bloß in Erinnerung. Die Saatfelder sind grau, selten sieht man das Grün, die Bäume stehen weit auseinander. Die Menschen und Tiere bewegen sich langsam, wie Blei ist die Weite der Ebene. Soria taucht auf als eine – gar nicht romantische – Ruine mittelalterlicher Vergangenheit:

Muerta ciudad de señores,
soldados o cazadores;
de portales con escudos
de cien mil linajes hidalgos,
y de famélicos galgos,
de galgos flacos y agudos,
que pululan
por las sórdidas callejas,
y a medianoche ululan,
cuando graznan las cornejas!

¡Soria fría! La campana
de la Audiencia da la una.
Soria, ciudad castellana,
¡tan bella! bajo la luna.

Wer sich faszinieren läßt von Machados Versen, der hat den Hiat zwischen den kargen Beschreibungen der kargen Landschaft und der in der letzten Zeile angerufenen Schönheit Sorias selbst mit Bildern gefüllt – und hat selbst die kastilische Landschaft neu entdeckt. Viel großzügiger als Antonio Machado

bedienen Azoríns Landschafts-Essays ihre Leser. *Un pueblecito –*
Riofrío de Avila, ›dem großen Dichter Antonio Machado von
seinem Freund Azorín‹ gewidmet, beginnt im herbstlichen Madrid, auf der alljährlichen Buchausstellung. Und die alten Bücher im altgewordenen Jahr schaffen die Stimmung und den
Wunsch, den Herbst der Natur in den Bergen westlich von
Madrid zu erleben: *¡Dias melancólicos, íntimamente melancólicos del otoño! Estos días son los días gratos, profundos, armónicos, de las altas mesetas castellanas. Los días de Guadarrama y
de Gredos. Los días en que el sentido del paisaje castellano se
une al sentido hondo de los clásicos.*[252]
Wenn es denn so etwas wie ›die Erfüllung‹ literarischer Suche
nach nationaler Identität gegeben haben sollte, dann erfährt
man sie bei Azorín und vor allem bei Antonio Machado intensiver als in den wortreichen *Quijote*-Interpretationen eines Ortega oder eines Azaña. Denn Erfahrung und Ausbildung von
Identität heißt immer auch Erfahrung eines Identitäts-Mangels;
sie setzt eine Zurückhaltung voraus, die dem ›Vaterland‹, dem
›Volk‹, der ›Nation‹ die Zuschreibung von Werten und Prädikaten verweigern kann. Das genau war die Stärke der (neuen
und um die Jahrhundertwende jungen) spanischen Historiker,
mit der sie den damals schon zum National-*Polígrafo* glorifizierten Marcelino Menéndez Pelayo überboten und mit der sie
eine neue Etappe der spanischen Geschichtsschreibung begründeten.[253] Besessen vom Trauma des ›Rückstands‹ der spanischen Wissenschaft hatte Menéndez Pelayo Autorennamen,
Buchtitel und Daten kumuliert, um nicht weniger als die nationale Ehre durch den Erweis der internationalen Ebenbürtigkeit
der spanischen Kultur zu retten. Wo immer ihm dies mangels
Masse nicht gelingen wollte, betrieb er mit staunenswerter
Energie die Abwertung solcher kulturellen Phänomene, die
sich in der spanischen Geschichte nicht auffinden ließen. Als
hingegen der Philologe und Literarhistoriker Ramón Menéndez Pidal, der nach seinen Lebensdaten zur *Generación del 98*
gehörte, im Jahr 1910 eingeladen wurde, in Oxford und an
einer Reihe nordamerikanischer Universitäten sein neues Bild
von der kastilischen Epik des Mittelalters vorzustellen, trat er
gerade nicht in Konkurrenz mit der damals auf diesem Feld
dominierenden Theorie des Franzosen Bédier, dessen mono-

manes Anliegen der Aufweis des Kunstwerk-Charakters aller Epen war. Menéndez Pidal hingegen sprach vom ›Leben der Überlieferung‹ in einer Vielfalt von Textvarianten und begründete so gerade durch die Ausblendung des Kunstwerk-Aspekts ein neues Interesse an der spanischen Kultur des Mittelalters: *Ésta, como ninguna otra, puede esclarecer, según creo, el problema de la poesía popular y de la epopeya, que hoy está tan discutido.*[254] Analoges gilt für die bis in unsere unmittelbare Vergangenheit reichende Debatte zwischen den Historikern Claudio Sánchez Albornoz und Américo Castro, deren Ausgangspunkt ein Artikel war, den Sánchez Albornoz unter dem Titel ›*España y Francia en la Edad Media. Causas de su diferenciación política*‹ in der sechsten Nummer von Ortega y Gassets *Revista de Occidente* 1923 veröffentlicht hatte. Bei allen bis zur Polarisierung getriebenen Divergenzen gab es für Sánchez Albornoz und Castro doch einen gemeinsamen Ausgangspunkt in der nationalgeschichtlichen Betrachtung. Erst vor dem Hintergrund der von keinem der beiden Kontrahenten bestrittenen Beobachtung, daß die Strukturen mittelalterlicher Feudalität auf der Iberischen Halbinsel nur rudimentär entwickelt gewesen wären, kamen die beiden zu ihren – entgegengesetzten – Einschätzungen der Bedeutung islamischer und jüdischer Kultur für die spanische Geschichte bis ins XX. Jahrhundert. Mit solchen neuen Identitätsbestimmungen trat das Geschichtsbewußtsein der Spanier in seine moderne Phase ein. In ihrer Konzentration auf das Problem der nationalen Identität bildete die neue spanische Geschichtswissenschaft auch eine nationale Differenzqualität der Verfahren aus: Rekonstruktion der Geschichte nämlich war jenen Historikern immer – ganz selbstverständlich – Vergegenwärtigung der Vergangenheit. So wurde das ›Wiedererwecken‹ – ›*resucitar*‹ – zu einem Gestus des *regeneracionismo*.

Jahrzehnte später, im Vorwort zu einer Anthologie frühneuzeitlicher Romanzen, auf die als Nachfolge-Tradition der mittelalterlichen Epen sich Menéndez Pidals Begriff vom ›Leben der Überlieferung‹ anwenden ließ, präsentierte er das (auf höchstem editionstechnischen Standard erstellte) Textcorpus eben in diesem Sinn: *Yo me encuentro así que soy el español de todos los tiempos que haya oído y leído más romances. Las versiones que agradan mi imaginación tan llena de recuerdos tradicionales, las que me gusta repetir, las que doy aquí al público, creo que son una partecilla de la tradición*...[255] Die nach 1908 veröffentlichte dreibändige *Cid*-Edition hatte Menéndez Pidal mit Photographien von den geschichtswissenschaftlich identifizierten Schauplätzen der Epenhandlung ausgestattet: *Las fotos las hice yo mismo, con dos* kodacs *que tenía, uno grande y otro chico. Entonces había que hacerlo así, no se ampliaba el clisé... aquí empezó mi afición histórica. Empezó con estudios directos y apasionados.*[256] Die materiellen Reste der *Cid*-Vergangenheit begegnen uns in Menéndez Pidals Bildern unkommentiert-unmittelbar – so wie die Ruinen der Stadt Soria in Antonio Machados Gedicht.

Das für die Entbergung nationaler *intra-historia* typische Pathos war vor allem ein Effekt der radikalsten kritischen Amplitude im Diskurs der *Generación del 98*, nämlich der Kritik an der Restaurationsepoche. So wie sich Vergegenwärtigung des Vergangenen als ein Beitrag zum ›Leben der Tradition‹ verstand, dominierten in der kritischen Perspektive die Metaphern von ›Tod‹ und ›Krankheit‹ so deutlich, daß Kulturkritik zur Pathographie geriet. Die Geschichte der nationalen Nahvergangenheit als Krankengeschichte zu schreiben, das war das Anliegen (und die Stärke) der Romanciers Pío Baroja und Vicente Blasco Ibáñez. Wenn es überhaupt im Blick auf die Geschichte der spanischen Literatur Sinn macht, von Naturalismus-Anklängen zu sprechen, dann im Blick auf ihr Werk, dessen Erzähl- und Analysestrukturen sich allerdings weniger unter dem Einfluß Zolas herausbildeten als unter der zu Beginn des XX. Jahrhunderts für spanische Intellektuelle unvermeidlichen Zersetzung restaurativer Alltags-Visionen.[257] Baroja ging so weit, in dieser Zerstörung eine historische Mission seiner Generation zu sehen (was allerdings kaum ernsthaftere Konsequenzen hatte als Unamunos – und Barojas eigener – Anspruch auf den Ehrentitel des ›Anarchisten‹): *El intelectual burgués va demoliendo la casa vieja e incómoda; el obrero va poniendo los cimientos de la casa del porvenir. – La misión de la intelectualidad burguesa no es otra: destruir.*[258] So starben einmal mehr die Protagonisten spanischer Romane farbige Tode. 1894, in Blasco Ibáñez' *Arroz y tartana*, traf

die literarische Zerstörungswut eine valencianische Kaufmannsfamilie, die auf einer Welle rasch wachsenden Reichtums
dem frevelhaften Ehrgeiz anheimgefallen war, ihre kleinbürger-
liche Identität zu verleugnen. Unübersehbar ist die Bemühung
des Autors, im Stil Zolas, mittels proliferierender Metaphorik
zwischen dem Tod des Helden und dem Bankerott seiner
Firma eine Suggestion wechselseitiger Bedingtheit zu stiften:

Al anochecer murió Juanito. La válvula vieja y gastada que parecía
mugir dentro de su pecho fue aminorando lentamente el fatigoso movimiento. Cesó el estertor, como si se cerraran los escapes de aquella
locomotora que sonaba a lo lejos...
    ¡Qué aspecto el de *Las Tres Rosas!* Parecía la tienda un ser animado
que acogía la desgracia con un gesto de resignado dolor. La puerta
estaba sin adorno. Sólo algunas fajas y tiras de pañuelos obscuros
pendían de los balcones, balanceándolas el aire como sogas de ahorcado. El escaparate tenía un aspecto de vetustez y abandono; el polvo
de tres días sombreaba los vivos colores de las telas; y hasta
el emblema de la casa, aquel maniquí vestido de labradora, parecía
mirar al través de los cristales la extensa y alegre plaza con ojos de
muerto.[259]

Mit *Arroz y tartana* ist der Valencianer Blasco Ibáñez zum
Romancier seiner Vaterstadt geworden, ohne sich – wie das
auch im XX. Jahrhundert noch lange Zeit gängig blieb – in
costumbristischer Beschaulichkeit einzurichten. Noch ›autobiographischer‹, näher an den Erfahrungen und Frustrationen
seiner Generation liegen die Erzählungen von Pío Baroja, vor
allem der 1911 erschienene Roman ›*El árbol de la ciencia*‹. Es ist
die Lebensgeschichte eines jungen Mannes aus gutbürgerlicher
Madrider Familie, der – wie Baroja selbst – Medizin studiert
und sich – aus einem Gefühl moralischer Verpflichtung dem
›Volk‹ gegenüber – entschließt, Landarzt zu werden, um in
einer Kleinstadt ›zwischen Kastilien und Andalusien‹ bald all
seine Illusionen in Ekel eben gegenüber dem ›Volk‹ umschlagen
zu sehen. Andrés Hurtado, so heißt Barojas literarischer Dop-
pelgänger, geht nach Madrid, heiratet eine mehr durch ihre
Intelligenz als durch ihre Schönheit bemerkenswerte Modistin,
findet stilles Glück in einer – ›vernünftigen‹ – Ehe und nimmt
sich – entschlossener als Baroja – das Leben, als Lulú, seine
Frau, bei einer Totgeburt stirbt. *El árbol de la ciencia* enthält

den Lesern kaum eines der charakteristischen Motive aus dem Diskurs der *Generación del 98* vor – freilich erscheinen sie ohne Ausnahme in vitalistisch-motivierter Negation. Das beginnt mit der Eingangsszene, Andrés Hurtados erstem Studientag in einem Milieu geistiger Borniertheit, aus dem die Selbstzufriedenheit der Professoren und die tumbe Bewunderung ihrer Studenten alle Ansätze moderner Wissenschaft verbannt haben; die Perspektive findet ihre Fortsetzung in der Gestalt des Vaters Hurtado, dem Archetypen des auf Repräsentation bedachten *señorito* aus der Restaurationszeit, aber auch in der Welt der Provinz, wo Bigotterie, Prostitution und Alkoholismus zu einer bedrückenden Synthese zusammenwachsen, und sie erreicht ihren Höhepunkt in Andrés Hurtados selbstquälerischer Depression während der Monate von Lulús Schwangerschaft: *La religión y la moral vieja gravitan todavía sobre uno*, sagt sich Andrés Hurtado, *no puede uno echar fuera completamente el hombre supersticioso que lleva en la sangre la idea del pecado.*[260] Andrés hat Angst vor der Geburt des Kindes und vor dem Leben, weil er sich selbst – eben diese Erfahrung interpretiert der zitierte Satz – für den Sproß einer biologisch dekadenten ›Rasse‹ hält und sich deshalb der Welt der Wissenschaft verschrieben hat. Lulú hingegen, seine zunächst seelenverwandte Frau, macht – wie viele Protagonistinnen in den Romanen Emile Zolas – unter den physiologischen Auswirkungen der Schwangerschaft eine Metamorphose des Charakters durch, welche sie von Andrés entfremdet: *Andrés notaba que ya le quería de otra manera; tenía por él un cariño celoso e irritado; ya no era aquella simpatía afectuosa y burlona tan dulce; ahora era un amor animal. La naturaleza recobraba sus derechos. Andrés, de ser un hombre y lleno de talento y un poco* ideático *había pasado a ser su hombre.*[261] Baroja läßt Andrés mit seinen düsteren Ahnungen – *sentía que aquella ventana sobre el abismo podía entreabrirse* – recht behalten. Das fatale Ende der Handlung bestätigt nur seine Position aus einer langen Diskussion mit seinem Onkel im Zentrum des Romans. Iturriuz, dem Onkel, werden – leicht vergröberte – vitalistische Aphorismen à la Nietzsche in den Mund gelegt, während Andrés, auf Kant schwörend, sich zum Advokaten idealistischer Wahrheitssuche macht. Wieder einmal hängt hier alles – bis zu dem von Baroja intendierten Verständnis des Romantitels – von einer *Quijote*-Interpretation ab. Denn die Illusion des letzten Ritters, so vernimmt der überraschte Leser, sei eine zum Leben notwendige Voraussetzung; Wahrheitssuche und Erkenntnis hingegen nähmen den Intellektuellen die zum Leben notwendige Unbefangenheit:

– En esto estoy conforme – dijo Andrés –. La voluntad, el deseo de vivir, es tan fuerte en el animal como en el hombre. En el hombre es mayor la comprensión. A más comprender, corresponde menos desear. Esto es lógico, y además se comprueba en la realidad. La apetencia por conocer se despierta en los individuos que aparecen al final de una evolución, cuando el instinto de vivir languidece. El hombre, cuya necesidad es conocer, es como la mariposa que rompe la crisálida para morir. El individuo sano, vivo, fuerte, no ve las cosas como son, porque no le conviene. Está dentro de una alucinación. Don Quijote, a quien Cervantes quiso dar un sentido negativo, es símbolo de la afirmación de la vida. Don Quijote vive más que todas las personas cuerdas que le rodean, vive más y con más intensidad que los otros. El individuo o el pueblo que quiere vivir se envuelve en nubes como los antiguos dioses cuando se aparecían a los mortales. El instinto vital necesita de la ficción para afirmarse. La ciencia entonces, el instinto de crítica, el instinto de averiguación, debe encontrar una verdad: la cantidad de mentira que se necesita para la vida.[262]

Um eine Apologie für die Illusion moderner Alltäglichkeit geht es Baroja hier nicht. Ausgerechnet *Blanco y Negro,* die zu Beginn der neunziger Jahre erweckte Stimme der Restaurationsmentalität, wird zum Emblem für jene Lebensform, die Andrés Hurtado am meisten verabscheut: *La hija ... del secretario era de una cursilería verdaderamente venenosa; tocaba el piano muy mal, calcaba las laminitas* de Blanco y Negro *y luego las iluminaba, y tenía unas ideas ridículas y falsas de todo.*[263] Illusionszerstörung war Barojas Anliegen, doch indem er dieses Prinzip – darin illusionsloser als Ganivet oder Unamuno – auch auf das eigene Denken anwandte, gelangte er über einen halbverdauten philosophischen Vitalismus in die Nähe eines mit kruder Milieutheorie überzogenen Sozialdarwinismus: *La inteligencia, la fuerza física, eran también menores entre la gente del pueblo que en la clase adinerada. La casta burguesa se iba preparando para someter a la casta pobre y hacerla su esclava.*[264]

›Lichtgestalten‹ erfand Baroja nicht. Allenfalls ließ er einen Kollegen von Andrés Hurtado im Angesicht von dessen Leiche murmeln: *había en él algo de precursor*.[265] Gewiß hätte Baroja – als Arzt und Gesellschafts-Pathologe in Zolas Nachfolge – die Krankengeschichte und Diagnose für die spanische Nation unterschrieben, mit der schon bald ein heute vergessener Autor die damals Gestalt gewinnenden Leitbegriffe der *Generación del 98* fixierte:

… reduciendo aquí a conclusiones el resultado de los estudios clínico-sociológicos que de practicar acabamos, procuraré proyectar clara y compendiosamente el cuadro completo de la actual patografía española; esto es, hablando en términos corrientes y molientes, de los males que padecemos… He aquí ese cuadro:

Austracismo. Enfermedad primaria e inicial.

Cesarismo. Con esta morbosidad empiezan las derivaciones del mal fundamental y primario. Consiste en la sustitución de los múltiples y varios poderes, ya generales, ya locales, del organismo nacional fisiológico y sano… por un solo poder general, central y discrecional.

Despotismo ministerial. Degeneración del cesarismo.

Caciquismo. Degeneración del despotismo ministerial.

Centralismo. Denteropatía o perturbación secundaria al cesarismo consistente en la absorción de las fuentes particulares de vida orgánica por la función central…

…

Parálisis de la evolución… Es fácil comprender su gravedad e importancia. Cortada la vida nacional al empezar el siglo XVI, detenidas todas sus funciones, obstruida la corriente de la energía espontánea, han tenido que producirse, y en efecto se han producido, hondos trastornos. He aquí los más notables:

Idiocia… somos un pueblo *idiota*, esto es, que no ha evolucionado, que no ha progresado, que no se ha movido de su siglo XVI, mientras la corriente de la historia ha avanzado en torno suyo con ímpetu indomable…

Psitacismo (de *psitaccus*, papagayo o cotorra). Síntoma morboso de la idiocia. Todo un mundo revelado y expresado mirando a nuestra sociología presente…

Atrofia de los órganos de la vida nacional… En la mayor parte de los casos la atrofia ha llegado hasta la extinción y pérdida del órgano…

Incultura, Ideologismo, Vagancia, Pobreza, Moral bárbara, Irreligiosidad decadentista, Incivilidad regresiva. Múltiples efectos morbosos, determinados en los varios tejidos, elementos y órganos sociales por las lesiones y trastornos primarios y secundarios, tanto de origen *austracista* como de origen *idiótico,* antes descritos.[266]

Gerade weil er im historisch-kulturellen Milieu seiner Zeit keinerlei Originalität beanspruchen kann, haben wir diesen Text so ausführlich zitiert. Die Kritik an der Pervertierung demokratischer Grundprinzipien war hier nicht gleichbedeutend mit der dringenden Forderung nach ihrer Durchsetzung. Denn was der spanischen Spanien-Kritik im frühen XX. Jahrhundert ihre Identität gab, das war nun plötzlich eine obsessive Angst vor jeder Selbsttäuschung, die dazu führen konnte, daß man die eigene Gesellschaft für unfähig hielt, den Prozeß ›bürgerlicher Reformen‹ nachzuvollziehen. So stimmten denn Autoren wie Pío Baroja den Ruf nach einem *buen tirano*[267] an, der bald, weil die Pathologie-Metaphern zu Zentralbegriffen zeitgemäßer Denkungsart wurden, in den Traum von der Erlösung durch einen *cirujano de hierro*[268] überging.

Doch das war nur die eine – vorerst mehr selbstquälerische denn antidemokratische – Kehrseite der spanischen Spanien-Kritik. Bei Autoren wie Joaquín Costa oder Ramiro de Maeztu überwog der Glaube an die Fähigkeit zur Modernisierung nach dem Vorbild Mitteleuropas und Englands jenen Pessimismus, den vor allem die jungen Intellektuellen zunächst in den Katastrophen des Jahres 1898 bestätigt gesehen hatten. Schon lange zuvor hatte Costa als Lehrer an der *Institución libre de enseñanza* und als Initiator von Modellversuchen der Landreform in Aragón, in Puerto Rico und Cuba auf die Zukunft gesetzt. Von ihm stammten besonders pointierte Formulierungen, die rasch begriffliches Gemeingut wurden – so die Metapher von der *doble llave al sepulcro del Cid para que no vuelva a cabalgar.* Costa war im ersten Jahrzehnt nach 1900 wohl der populärste politische Redner jenes ›neuen Spanien‹, das sich von der pseudoliberalen Hälfte der restaurativen Staatsform längst nicht mehr repräsentiert fühlte. Ganz anders als Baroja machte er die erhoffte Interessenkonvergenz der intellektuellen Elite und des ›Volkes‹ zu seinem Lieblingsgedanken und scheute sich nicht, seinen Hörern das verklärte Bild eines Europa zuzumuten, dessen gegenwärtiger Realität er all das als Leistungen zuschrieb, was im Blick auf Spanien seine sehnlichsten Wünsche waren. So in einem Vortrag, den Costa 1901 anläßlich der *Juegos florales* in jener Stadt Salamanca hielt, deren ›gute Gesellschaft‹ dem *Sainete lírico* von César Real y Rodríguez applaudierte und wohl auch schon begann, auf den eben ernannten Rektor seiner Universität, Miguel de Unamuno, und seine beginnende nationale Reputation stolz zu sein: *Fortalezcamos el vínculo nacional y demos al propio tiempo testimonio de cristianos y de previsores, de hombres justos y de hombres de honor, ocupándonos de las clases trabajadoras y desválidas, en el mismo grado siquiera en que se preocupan de ellas en Europa, con ser allí menor la necesidad.*[269] Solchem Reformgeist und solcher Orientierung an Europa hätte Ramiro de Maeztu gewiß zugestimmt; doch wichtiger als sozialpolitisches Engagement war ihm die Verkündigung der moralischen Wertetafel des Kapitalismus. ›Kapitalismus‹ und ›Sozialismus‹ markierten im Diskurs der *Generación del 98* zunächst keine Gegenbegriffe, unterschieden waren die Vertreter der einen und der anderen Richtung eigentlich nur durch die Setzung je verschiedener Prioritäten im Modernisierungsprozeß. Für Maeztu – welcher Apologet des Kapitalismus hätte bis heute je anders geredet? – waren die Initiativen des Unternehmergeistes, die Zirkulation des Kapitals und das Leben der Börse die sichersten Garanten sozialer Wohlfahrt: *¡Pobres de ánimo son los poetas que no acierten a cantar la epopeya del dividendo y del negocio, cuando es tan tentador el empeño de transformar nuestro romanticismo hueco en práctico entusiasmo!*[270] Diese solche Priorität ließ ihn mit Ungeduld auf die nationale Identitätssuche in der *intrahistoria* reagieren, welche aus der Perspektive seines radikal teleologischen Fortschrittsdrangs vom rückständigen *costumbrismo* der Poeten und vom *tradicionalismo* der ultramontanen Politiker gar nicht mehr zu unterscheiden war: *como si la belleza de las calles rectas y de la fábrica, y de la máquina, y de la Bolsa no fuera de un orden anterior y superior a la de la tortuosa callejuela medieval, en cuanto aquella representa la eterna hermosura del movimiento y la otra el agrado pasajero que en los dias de tristeza nos produce la calma.*[271] So verstehen wir, warum für Ramiro de Maeztu die Kanonisierung des Ritters von der traurigen Gestalt zur nationalen Identifikationsfigur ein Alptraum war. Denn der

›Geist Don Quijotes‹, daran half auch die phantasie- und projektionsreichste Interpretation nicht vorbei, mied nichts mehr als die ›geraden Straßen‹. Zudem war Don Quijote ja auch das Emblem jenes Nationalismus geworden, der sich – ohne Mühe und ohne Gewissensbisse – in der Entwirklichung kollektiver Sinnhorizonte und kollektiv motivierter Pflichten konstituierte.

Als die *Real Academia de Ciencias Morales y Políticas* 1908 ihre Preisaufgabe zu dem Thema ›*Obstáculos que se oponen en España al desarrollo de las iniciativas individuales y sociales*‹ ausschrieb, siegte ein Jurist namens Gustavo La Iglesia y García mit einem Text, dessen Titel eine kaum überbietbare Kondensation des Zeitgeistes war: ›*El Alma española – ensayo de una psicología nacional*‹. Auch die Therapie, welche er dem Vaterland verschrieb, war alles andere als originell. Man solle den *caciquismo* abschaffen, für eine die physische Gesundheit der Landbevölkerung garantierende Ernährung sorgen und den Bauern nicht länger die ihnen zustehende Bildung vorenthalten. Die nationale Apathie müsse überwunden und – wie anders? – durch Willensstärke ersetzt werden. Die kollektive Willensschwäche (›*voluntades muertas*‹) aber sei eine Auswirkung jenes quijotesken Individualismus, auf den seine Landsleute allzu großen Wert legten:

En España no puede haber más doctrina que el *individualismo*, ni más tipo que el ingenioso Hidalgo, saliendo por ahí, señero y solo, á desfacer entuertos, y resignándose de mal talante á la compañía del buen Sancho. Si Don Quijote se decide, al fin, á provistarse de un escudero, es porque el huésped le ha demostrado la ineludible necesidad de acomodarse de dineros y de camisas, cosa que á él no se le había occurrido en su caballeresco entusiasmo. Pues bien: de semejantes fruslerías, dinero y camisas prescindiría muy gustoso todo español si no se terciase la pícara casualidad de que sin dinero se muere de hambre y de que sin camisa se muere de fríd.[272]

Daß der Individualismus bei den Aposteln der Modernisierung als Synonym für die – angeblich typisch spanische – ›Willensschwäche‹ zur Sprache kam, zeigt einmal mehr, daß sich die Individualitäts-Rolle in Spanien weniger über einen Kampf mit der Gesellschaft herausbildete, als in dem – stets aus subjektiver Perspektive vollzogenen – Gestus ihrer Entwirklichung. Damit versteht man auch, warum für eine Generation von Intellektuellen, die sich selbst – sozusagen ›vorsätzlich‹ – alle apriorischen Gewißheiten der Religion und der sozialen Konvention versagte, der Verzicht auf solche potentiellen Objekte der Entwirklichung umschlagen mußte in ein Gefühl der Entwirklichung eigener Individualität. Daß die Gesellschaft Wirklichkeit war – und für alle Spanier dieselbe Wirklichkeit – hatte noch für einen Galdós oder eine Pardo Bazán zu sehr als Gewißheit gegolten, als daß sie auf diese Gewißheit eine Reflexion oder gar einen Roman verschwendet hätten. Galdós konnte die Welt der Restaurationsepoche auf vielen tausend Seiten kritisieren oder – im letzten *Episodio nacional* – in die Groteske hinüberschreiben, ohne daß Kritik und Groteske das Bewußtsein von der Substantialität seines Gegenstandes und seines eigenen Blicks auf diesen Gegenstand tangiert hätten. Deshalb ging in Spanien um die Jahrhundertwende die kollektive Entsubstantialisierung der erlebten Wirklichkeit *schlagartig* in eine Entsubstantialisierung der Individualität über, während in anderen europäischen Literaturen – denken wir etwa an die Geschichte des französischen Romans zwischen Flauberts *Madame Bovary* und Prousts *Recherche* – Entsubstantialisierung der Welt und Fiktionalisierung des Autors Ergebnisse eines langwierigen historischen Prozesses waren. In Spanien wurden ein neuer – experimenteller – Romantyp und die ihn begleitende poetologische Reflexion zu einem intellektuellen Ort, an dem sich die Autoren um die Restituierung ihrer entwirklichten Individualität mühten. Wir wollen daher die These wagen, daß die spanische Kultur von der Tradition eines substantiellen kollektiven Wirklichkeitsbegriffs deshalb nicht Abschied nahm, weil sie sich ganz auf das Individuum – nicht die Gesellschaft – konzentrierte.

Diese Überlegungen sollten hinführen zum Verständnis des Sachverhalts, daß im Diskurs der *Generación del 98* Philosophie der Individualität, Romanpoetologie und Reflexion über den Wirklichkeitsbegriff eine einzige, in sich homogene Faszination bildeten. Eine Erzählung des alten Galdós zeigt uns, wie erstaunlich schnell der realistische Roman nun seine Autoren in eine Zone von neuen Strukturen brachte. Als Galdós im Sommer 1909 ein Buch mit dem Titel ›*El caballero encantado*‹

schrieb, muß er sich unter der Verpflichtung gefühlt haben, in gewandeltem intellektuellen Klima seine Praxis der Gesellschaftskritik um eine normative Dimension, eine Dimension der Utopie zu erweitern. Dazu aber reichte das Erzählschema von den Leiden des fortschrittlich gesinnten Ingenieurs, von der Hypokrisie und Behäbigkeit ultramontaner Advokaten oder Kleriker nicht mehr aus. Galdós griff deshalb – sich selbst aus der Rolle des auktorialen Erzählers kommentierend – auf Quevedos *Sueños* und die dort vollzogene Fiktionalisierung des spätmittelalterlichen Schwarzkünstlers Enrique de Villena zurück[273] – auf ein schon durch sein Alter ehrwürdiges Modell. Er läßt den unvermeidlich bösen aristokratischen Protagonisten (der diesmal ›Don Carlos de Tarsis‹ heißt) von einem der Zauberei ergebenen Freund in einen armen kastilischen Bauern verwandeln. So erfährt – und erleidet – Don Carlos de Tarsis, was seine eigene Lebensform bei anderen bewirkt. Und als er ›gereinigt‹ in seine angeborene Gestalt und ererbte Position zurückkehrt, schreibt er nach eigener *regeneración* das Programm der *Regeneración* auf das Banner seines weiteren Lebens.

Natürlich hatte der neue spanische Roman mehr zu bieten als allein diesen fast an Calderón erinnernden Schritt zur Allegorie, der bemerkenswert ja nur als Schritt des *alternden* Galdós und als ein Beleg für die Notwendigkeit einer Variation in der Erzähltechnik ist. 1923, als die erste Nummer der *Revista de Occidente* erschien, beherrschten denn auch ganz andere Verfahren die Erwartungen der spanischen Leser. Es waren die Verfahren einer neuen Autorengeneration, die Galdós' Prestige auf einen Tiefpunkt gelangen ließen:

Visto Galdós a la luz de ahora, resulta desminuído. Vemos en él, como en casi todos los intelectuales culminantes del período Regencia, la falta de ese centro de gravedad intelectual que se llama sentido crítico, o, con más exactitud, autocrítico. Este defecto los alejó de los hombres del 98, que acaso pecaron de lo contrario, y más aún de la actual generación ensayista, arbitraria pero emancipada.[274]

Fernando Lázaro Carreter hat im Blick auf Texte von Unamuno, Valle-Inclán, Baroja und Azorín das Jahr 1902 als ein Epochenjahr in der Geschichte des spanischen Romans gedeutet. Was der Rezensent der *Revista de Occidente* einen neuen ›espíritu autocrítico‹ nannte, beschreibt Lázaro als ›subjecti-

vismo‹ und ›conciencia individual‹.[275] Gemeint ist mit beiden Begriffen die Einbeziehung der Romanproduktion in die Romanfiktion, mithin auch jene ›Entwirklichung des Romanautors‹, in der wir ein Symptom für eine Krise der Individualitätsrolle sehen. Ein Paradebeispiel für diese (letzte von uns thematisierte) Faszination der *Generación del 98* ist Unamunos 1914 veröffentlichter Roman *Niebla*. Den Bruch mit der Tradition des Realismus mußten Leser, Kritiker und Literarhistoriker nicht erst aus der Retrospektive konstatieren (oder konstruieren); er war von Unamuno intendiert und schon mit dem Titel ›*Niebla*‹ angekündigt, der auf ein Verschwimmen der Wirklichkeits-Konturen hinweisen sollte. Unamuno erfand denn sogar einen neuen Gattungsnamen, ›*nívola*‹, mit dem er – in Abhebung von ›*novela*‹ – einen Sprung in der Geschichte des Romans markieren und (durch den Anklang an den Titel ›*Niebla*‹) als historisches Verdienst für sich reklamieren wollte. Nach diesem Kommentar wird man die Handlung des Romans ›*Niebla*‹ zunächst einmal erstaunlich konventionell finden. Augusto Pérez, der uns als Typ mittlerweile vertraute junge Mann mit Vermögen und ohne Aufgabe im Leben, verliebt sich in die Klavierlehrerin Eugenia Domingo del Arco, und diese affektive Wirklichkeit erlöst ihn fürs erste von einem protoexistentialistischen Gefühl der Entwirklichung seiner Individualität. So setzt er entschlossen alle ihm zur Verfügung stehenden Mittel – vor allem die ökonomischen – ein, um Eugenia einem charakterlosen Don Juan mit Namen Mauricio abspenstig zu machen. Schließlich treibt Mauricios Zynismus die begehrte Eugenia tatsächlich in Augusto Pérez' Arme. Doch wie viele ihrer Vorgängerinnen überlegt es sich Eugenia – schon in dramatischer Roman-Nähe zur Hochzeit – noch einmal anders. Augusto hat also kurz vor dem Ziel seine *novia* verloren und wird aufs Neue von Existenzproblemen heimgesucht. Am Rande des Selbstmords, mit dem ein romantischer Held in solcher Situation sein Leben zu einem Kunstwerk gemacht hätte, reist er zu dem berühmten Miguel de Unamuno nach Salamanca, der sich damit, frei von jeder falschen Bescheidenheit, zum ›Ratgeber für alle Lebenslagen‹ stilisiert. Doch Unamunos Roman-Antwort auf die Frage nach der Tunlichkeit des Freitodes reißt Augusto Pérez – zur Überraschung der Leser – aus seiner Lethargie. Diese Frage, so der in die Romanfiktion hineingezogene Autor, bestehe eigentlich gar nicht mehr, da er den Roman des Augusto Pérez bereits zu Ende geschrieben und eben mit dessen Selbstmord habe enden lassen.

Bis zu diesem Punkt der Handlung bleibt die Autorenrolle Zentrum der Wirklichkeit. Doch nun holt der perplexe Augusto Pérez zum Gegenschlag aus und erinnert – fiktionsimmanent: perfiderweise – dabei an Unamunos nur wenige Jahre zurückliegenden Versuch, die Wirklichkeit der *Quijote*-Figur von Cervantes' Autorenschaft unabhängig zu machen. Wir zitieren den Kulminationspunkt des hitzigen Dialogs zwischen Protagonisten und Autor:

– Bueno, pues no se incomode tanto si yo a mi vez dudo de la existencia de usted y no de la mía propia. Vamos a cuentas: ¿no ha sido usted el que no una, sino varias veces, ha dicho que don Quijote y Sancho son no ya tan reales, sino más reales que Cervantes?
– No puedo negarlo, pero mi sentido al decir eso era...
– Bueno, dejémonos de esos sentires y vamos a otra cosa. Cuando un hombre dormido e inerte en la cama sueña algo, ¿qué es lo que más existe, él como conciencia que sueña, o su sueño?
– ¿Y si sueña que existe él mismo, el soñador? – le repliqué a mi vez.
– En ese caso, amigo don Miguel, le pregunto yo a mi vez, ¿de qué manera existe él, como soñador que sueña, o como soñado por sí mismo? Y fíjese, además, en que al admitir esta discusión conmigo me reconoce ya existencia independiente de sí.
– ¡No, eso no! ¡Eso no! – le dije vivamente.[276]

Augusto Pérez stirbt – im Roman –, und er stirbt nicht zufällig an einem allzu schweren Abendessen nach jenem Gespräch mit Unamuno, in dem die Wirklichkeit des Geistigen so exaltiert bejaht worden war. Für Miguel de Unamuno aber – den fiktionsexternen Unamuno – scheint vorerst mit dieser ›Lösung‹ die Wirklichkeit seiner eigenen Existenz in anspruchsvoll-individualistischer Weise gesichert gewesen zu sein. Anders jedenfalls ist kaum zu erklären, daß er eben dieses Spiel seit 1914 vor seinen Lesern eins ums andere Mal neu inszenierte. Besonders wirkungsvoll geriet ihm das Kaleidoskop von Romanfiktion und existentieller Wirklichkeit in ›*Cómo se hace una novela*‹, wo er – im politischen Exil schreibend – seine steile biographische Karriere zur Symbolfigur des nationalen Protests gegen die Diktatur des Generals Primo de Rivera als einen Prozeß individueller Verwirklichung erzählt.

Dieser Text erschien 1926 – zunächst in französischer Sprache –, und gerade ein Jahr zuvor hatten anarchistische Intellektuelle, die Herausgeber der *Revista Blanca*, im Hochgefühl ihrer eigenen Philanthropie und mit beträchtlichem Erfolg eine Romanserie, ›La novela ideal‹, auf den Markt gebracht. Sie repräsentiert gegenüber Unamuno den anderen Pol in der spanischen Romangeschichte des frühen XX. Jahrhunderts – aber auch die *Novela ideal* wirkt, wenn man die Erzählverfahren betrachtet, wie eine Praxis existentieller Verwirklichung durch Romanschreiben.[277] Zwischen 1925 und 1938 erschienen immerhin um die achthundert *Novelas ideales,* und die Verkaufszahlen der einzelnen Romane schwankten zwischen zehntausend und fünfzigtausend Exemplaren. Bald schon stammte die Mehrheit ihrer Autoren aus dem Leserkreis, der sich vor allem aus Sympathisanten der anarchistischen Bewegung konstituierte. So entstand ›in Heimarbeit‹ eine Romanwelt, in der alle Leser-Wünsche Leser-Wirklichkeit wurden – einmal ganz abgesehen von der durch solche Autorenschaft vermittelten Genugtuung, zur ›Erziehung des Volkes‹ und zur ›Erbauung der anarchistischen Brüder und Schwestern‹ beigetragen zu haben. Das Idealschema des Ideal-Romans präsentierte einen ebenso jungen wie schönen Anarchisten (Proletarier oder Intellektuellen), der im Kampf mit den Repräsentanten der perfiden Gesellschaft (vorzugsweise mit Aristokraten, ›Reichen‹, Geistlichen) ein in die Fänge des Verderbens geratenes Opfer (am besten eine schöne Arbeiterin) vor dem definitiven Verlust der Moral rettet. Auch das war eine Version des allgegenwärtigen Gedankens von der *regeneración,* vielleicht seine zugleich simpelste und wirkungsvollste Version.

Außerhalb der anarchistischen Glaubensgemeinschaft freilich war jene Hoffnung auf Erneuerung, welche das Katastrophenjahr 1898 zusammen mit der Entschlossenheit zu radikaler Selbstkritik auf den Plan gerufen hatte, schon bald in ›Ungeduld mit der Nation‹, ja in Defaitismus umgeschlagen. Denn obwohl das von Cánovas ersonnene und durchgesetzte politische System sich seit seinem Tod in einer Dauerkrise (mit markanten Phasen der Intensivierung während der Jahre 1909 und

1917) befunden hatte, war politisch nichts zum Besseren verändert worden. Im Gegenteil: unter dem Druck einer Öffentlichkeit, die erschrocken war von der Unfähigkeit des Heeres, Aufstände in den nordafrikanischen Territorien Spaniens niederzuschlagen, und ermutigt durch die Machtergreifung Mussolinis im Herbst 1922, nahm Alfonso XIII. das *pronunciamiento* des Generalkapitäns von Cataluña, Miguel Primo de Rivera, am 13. September 1923 offenbar mit Erleichterung als ein politisches Faktum hin. Der *cirujano de hierro* war erschienen, und es ist nicht verwunderlich, daß der Ton des von Miguel Primo de Rivera unterzeichneten – für ein echtes *pronunciamiento* unerläßlichen – Manifests vom 13. September 1923 viele Anklänge an eine bestimmte Ebene im Diskurs der *Generación del 98* aufweist:

Ha llegado para nosotros el momento... de recoger las ansias, de atender el clamoroso requerimiento de cuantos amando la Patria no ven para ella otra salvación que libertarla de los professionales de la política, de los hombres que por una u otra razón nos ofrecen el cuadro de desdichas e inmoralidades que empezaron el año 98 y amenazan a España con un próximo fin trágico y deshonroso. La tupida red de la política de concupiscencias ha cogido en sus mallas, secuestrándola, hasta la voluntad real. Con frecuencia parecen pedir que gobiernen los que ellos dicen no dejan gobernar... y llevaron a las leyes y costumbres la poca ética sana, el tenue tinte de moral y equidad que aún tienen; pero en la realidad se avienen fáciles y contentos al turno y al reparto y entre ellos mismos designan la sucesión... No tenemos que justificar nuestro acto, que el pueblo sano demanda e impone.[278]

Die nationale Ungeduld, mit der Primo de Rivera als einer für ihn günstigen Disposition rechnete, war, wie wir wissen, auch eine Ungeduld vieler Intellektueller, welche allerdings von der Militärdiktatur – wo überhaupt – nur für kurze Zeit beschwichtigt werden konnte. Im Blick auf die kulturellen Zeitschriften der zwanziger Jahre wird allerdings deutlich, daß *eines* der Ziele, um die es der *Generación del 98* gegangen war, damals schon erreicht war: Spanien stand am Beginn einer glanzvollen Phase seines Geisteslebens, welche vor allem ›Selbstkritik‹ und ›Öffnung auf Europa‹ herbeigeführt hatten. Ein neues nationales Selbstbewußtsein manifestierte sich – genau so deutlich wie das für den verdrängten kollektiven Minderwertigkeitskomplex der Restaurationsgesellschaft der Fall gewesen war – selbst in der Zeitschriftenwerbung. Auf der letzten Seite von *España – Semanario de la vida nacional* vom 10. Juni 1922 lesen wir etwa den folgenden, ironisch auf die Vergangenheit Bezug nehmenden Werbespruch:

> El jabón de afeitar
> en barras de la
> Perfumería Gal
> solamente tiene UN DEFECTO
> ¡ES ESPAÑOL…![279]

Das wachsende kulturelle Selbstbewußtsein wirkte als eine Triebfeder der politischen Ungeduld. Am 1. Januar 1921 hatte Luis Araquistáin in derselben Zeitung einen Leitartikel mit dem vielsagenden Titel ›*Año nuevo, vida vieja en España*‹ veröffentlicht. Von der *conciencia de mortalidad* war dort die Rede, von der *vejez de la vida española*, und selbst der neuen Generation von Intellektuellen attestierte der Autor: *la juventud no acaba de madurar y casi ni de florecer*. Das Crescendo der Ungeduld gipfelte in Sätzen, die uns eine fatale Spannung zwischen kollektivem Zeitbewußtsein und nationalem Strukturwandel ahnen lassen: *En la política española sobra el calendario: se ha parado el tiempo, es decir, los hombres han perdido la conciencia de su transcurso. Es la misma hoy que ayer, que hace cincuenta años, y cuando se quiere inferir el futuro del presente, se tiene la sospecha de que será la misma dentro de otros cincuenta.*

Zu den Intellektuellen, die sich in solcher Stimmung nicht mehr allein auf die Wirksamkeit ihres kulturellen Beitrags zur Nationenbildung verlassen wollten, sondern dem Bedürfnis nachgaben, selbst in den politischen Alltag einzugreifen, gehörte Manuel Azaña, dessen Biographie Teil und herausragendes Exempel zu jener Geschichte vom ›Glanz und Elend der politisch engagierten Literaten‹ ist, die zu erzählen wir mit unserer Skizze vom geistigen Horizont der *Generación del 98* begonnen haben. Azaña übernahm im Januar 1923, neun Monate vor dem Militärputsch also, die Leitung der Zeitschrift ›*España*‹. Er war 1880 in Alcalá de Henares zur Welt gekommen, in jener längst zur provinziellen Marginalität abgestiegenen Stadt, aus der auch Cervantes stammte und in welcher der Kardinal Cisneros im frühen XVI. Jahrhundert die Vorgängerin der Universität Madrid gegründet hatte. Die Familiengeschichte der Azañas im XIX. Jahrhundert[280] liest sich wie eine Romanversion zu dem tragikomischen Part des Liberalismus in der spanischen Geschichte. Manuel Azañas Vater war 1880 Bürgermeister von Alcalá gewesen. Doch Vater und Mutter des späteren Präsidenten im Madrider Ateneo und in der Zweiten Republik starben noch während seiner Kindheit. Das Familienvermögen reichte immerhin aus, um für Manuel Azaña eine standesgemäße und in ihren Inhalten typische Bildung zu sichern: er wurde Schüler des traditionsreichen Augustinerinternats im Escorial, war aber auch schon sehr früh beeindruckt von den Lehren eines Giner de los Ríos und von ihrer Verwirklichung im Erziehungsstil der *Institución libre de enseñanza.* Während der letzten Jahre des XIX. Jahrhunderts begann Manuel Azaña, dilettierend noch, erste Beiträge in einer heute vergessenen Zeitschrift mit dem Titel ›*Brisas del Henares*‹ zu veröffentlichen, die in Alcalá erschien. 1900 promovierte er an der juristischen Fakultät der Universität Madrid mit einer Arbeit unter dem Titel ›*La responsabilidad de las multitudes*‹, auf die wir noch zu sprechen kommen werden. Als Stipendiat der 1907 gegründeten *Junta para la ampliación de estudios* studierte er ab 1911 Öffentliches Recht in Paris, und aus jener Zeit datierte sein Enthusiasmus für die politischen Schriften von Jean-Jacques Rousseau. 1913, im Jahr seiner Rückkehr nach Madrid, vollzog Azaña den Schritt vom Engagement für die nationale Kultur zum politischen Alltag in dreifacher Weise: er wurde *secretario* des Ateneo (und füllte diese Aufgabe bis 1920 aus); er gehörte – gemeinsam mit seinem späteren Intimfeind José Ortega y Gasset – zu den Gründungsmitgliedern einer *Liga de Educación Política;* er stellte sich zum ersten Mal – zunächst noch in Alcalá – einer Wahl zu politischen Ämtern. Aber erst im Weltkrieg machte sich Manuel Azaña einen Namen in der spanischen Öffentlichkeit: durch Vorträge und Zeitungsartikel trat er als der herausragende Kopf des frankophilen Lagers im neutralen Spanien hervor – dessen König übrigens kein Hehl aus seiner Sympathie für die andere Seite der Kriegführenden machte. Daß Azaña nun definitiv zur Prominenz der spanischen Intellektuellen gehörte, bestätigt sich in der Tatsache, daß 1920 ein liberaler Parlamentsabgeordneter ihn und Cipriano Rivas Cherif mit der Leitung der monatlich erscheinenden literarischen Zeitschrift ›*La Pluma*‹ betraute, die aus den Diäten für sein politisches Amt finanziert wurde. Gewiß war *La Pluma* eine Publikation der kulturellen Öffentlichkeit, doch Azañas Leitartikel zur ersten Nummer zeigt, daß er schon 1920 Literatur als eine Kondensationsform der politischen Stimmung erlebte:

LA PLUMA no es otra torre de marfil, como se usaban – de alquiler las había – hace años; lejos de eso, sueña con adquirir una difusión proporcional al ímpetu de que nace. Si LA PLUMA vive, la unidad de su obra será más que aparente y mostrará esa faceta de la sensibilidad española actual, que, al adoptar el modo literario, enfrena los retozos del temperamento y ve en la sobriedad, pureza de líneas y claridad, los estigmas inconfundibles de la obra del talento acendrado por la disciplina.[281]

Mit der Übernahme der Redaktion von *España* erweiterte Azaña bald – und dies wird nun schon als Schritt einer konsequenten Entwicklung verstehbar – die politische Reichweite seines Engagements. So konnte er zu einem der gefürchteten Kritiker der Militärdiktatur werden, ohne doch auf der anderen Seite seine kulturellen Ambitionen aufgeben zu müssen. Zwischen 1926 und 1929 fiel eine Phase der intensiven Beschäftigung mit der Biographie und dem Werk des Romanciers Juan Valera, aus der neben einer Reihe von Artikeln auch jene kommentierte Ausgabe des Buchs *Pepita Jiménez* hervorging, deren Neuauflagen in der Reihe ›*Clásicos castellanos*‹ bis heute Azañas Namen tragen. Solches Doppel-Engagement erklärt, warum der große Literat Ramón del Valle-Inclán – der in seinen politischen Überzeugungen Karlist war – 1930 den Liberalen Manuel Azaña für das Amt des Präsidenten im Ateneo von Madrid vorschlagen konnte, ein Amt, von dem damals jedermann wußte, daß ihm überragender Einfluß auf die spanische Politik zukam. Azaña nutzte diese Chance vor allem mit einer Serie brillanter Vorträge, unter denen die Eröffnungsrede zum Ateneo-Jubiläums-Jahr 1930/31 (›*Tres generaciones del Ateneo*‹) herausragte. Dort gelang es ihm, seine Version von der Geschichte der spanischen Kultur und Literatur im XIX. und frühen XX. Jahrhundert zu einer fast zwingenden Motivation für die Übernahme politischer Verantwortung durch die Intellektuellen zu machen. Ohne solche Reden und ihre Wirkung weit über Madrid hinaus wäre Azaña gewiß nicht im Frühjahr 1931 Kriegsminister des ersten republikanischen Kabinetts und später Präsident der Zweiten Republik geworden.

Azañas Karriere ist nicht nur wegen ihrer zeittypischen – paradigmatischen – Bewegung von der Kultur zur Politik bemerkenswert. Wir müssen auch herausstellen, daß sie als alleinige Leistung seines Intellekts ein Symptom für die Bewunderung war, die man der Bildung, der Geistesschärfe und der Rhetorik eines Mannes entgegenbrachte, der weder durch Besitz noch durch Beziehungen noch durch die Anziehungskraft seines Körpers zu fesseln wußte – und der niemanden anders denn mit den Mitteln der Vernunft fesseln wollte. An diesen Azaña vor allem erinnern sich bis heute seine Zeitgenossen:

La cabeza de Azaña era cabeza de tribuno y de mesa presidencial. También cabeza cenobial de celda. (Un carnaval, Azaña se disfrazó con traje de cardenal, con veste inquisitiva.) Para disimularla en la calle, en la tremenda calle democrática, la travestía con un flexible, un sombrero blando, mediocre, indiferente.

El cuerpo de Azaña vestía hopalanda. Vestía unas haldas sacerdotales. Vestía amplia toga de foro grecolatino. Tuvo un día que quitarse ese ropaje esbelto, abundante y largo, y se quedó como se quedan los cuerpos de los canónigos al quedarse de paisano: despistados, torpes, gruesos, excesivos, tímidos, y sin saber qué hacer ni cómo andar. Sus pantalones, casi siempre arrugados, plisados por el sedentarismo y el olvido del cuerpo, le denunciaban siempre ese fenómeno sacerdotal. Azaña lo aprovechó para ejemplarizar sobre la democracia, sobre lo democrático y lo ejemplar que resulta en la República llevar arrugas en el rostro y en el traje...

Los brazos de Azaña solían caer siempre a lo largo del cuerpo, relajadamente, como hechos de trapo y sin músculos, con bamboleo inmóvil de muñeco, enseñando el dorso laxo y blando de las manos.

La voz de Azaña era clara y fría. Como una fuente. Claridad pertinaz, metálica. Tan metálica que se acercaba en cuchillo, y se clavaba en los cuellos y en los costados. Apuñalaba. Fría y honda.[282]

Wenige Monate nachdem Azaña die Leitung von *España* übernommen hatte, in den Wochen um den Staatsstreich von Miguel Primo de Rivera, trat sein Feind und Generationsgenosse

José Ortega y Gasset mit der ersten Nummer der *Revista de Occidente* auf den Plan. In diesem Projekt waren Familiengeschichte und intellektueller Horizont eine bemerkenswerte Synthese eingegangen: Ortegas Bildungserlebnisse stammten vor allem aus seiner Studienzeit in Marburg, und er wußte mit diesem Pfund in der schüchternen akademischen Welt Spaniens so gut zu wuchern, daß der zynische Azaña 1920 in seinem Tagebuch notierte: *Como prometió aprender en seguida el alemán, le hicieron catedrático.*[283] Die andere Voraussetzung, welche Ortega zum erfolgreichen Zeitschriftenherausgeber prädestinierte, war die prominente, ja zeitweilig dominante Position, die sein Vater als Verleger in der Welt der spanischen Tages- und Wochenpresse eingenommen hatte. Bei aller wechselseitigen Antipathie der Herausgeber ist nicht zu übersehen, wieviele gemeinsame Züge – bis hin zum Layout und der Graphik – die Zeitschriften Azañas, *La Pluma* und *España*, und die *Revista de Occidente* aufwiesen. Auch mit ihrem politisch-kulturellen Programm war die *Revista de Occidente* eine Synthese zwischen dem kulturellen Engagement von *La Pluma* und der politischen Schärfe von *España*. Unter dem Eindruck eines sich beschleunigenden Strukturwandels der intellektuellen und der politischen Welt glaubte Ortega, in dieses Geschehen eingreifen zu müssen, wobei es ihm – entschiedener noch als Azaña – um die Fortführung der bereits zur Tradition gewordenen ›Öffnung auf Europa‹ ging:

En la sazón presente adquiere mayor urgencia esta afán de conocer ›por dónde va el mundo‹, pues surgen dondequiera los síntomas de una profunda transformación en las ideas, en los sentimientos, en las maneras, en las instituciones. Muchas gentes comienzan a sentir la penosa impresión de ver su existencia invadida por el caos. Y, sin embargo, un poco de claridad, otro poco de orden y suficiente jerarquía en la información les revelaría pronto el plano de la nueva arquitectura en que la vida occidental se está reconstruyendo. La *Revista de Occidente* quisiera ponerse al servicio de ese estado de espíritu característico de nuestra época. Por esta razón, ni es un repertorio meramente literario, ni ceñudamente científico.[284]

So schwer es uns heute fällt, die Faszination nachzuvollziehen, welche Ortega y Gasset als Philosoph auf seine Zeitgenossen – in Deutschland sogar bis zur Jahrhundertmitte – ausübte, so bewundernswert ist die Leistung, mit der er die *Revista de Occidente* in kurzer Zeit zu einer der herausragenden intellektuellen Zeitschriften ›des Abendlands‹ machte.[285] Schon im ersten Jahrgang der *Revista de Occidente* publizierten dort – neben Ortega – Pío Baroja, Gerardo Diego, Ramón Gómez de la Serna, Juan Ramón Jiménez und Antonio Machado. Daneben erschienen ein Originalbeitrag des Marburger Psychiaters Ernst Kretschmer, der damals noch längst nicht im Zenith seines späteren Weltruhms stand, und die erste einer Reihe von Übersetzungen besonders wichtiger Texte des Soziologen Georg Simmel. In ausgezeichneten Besprechungen informierte die Redaktion ihre Leser über die neuesten Bücher von François Mauriac, Jean Cocteau und Bertrand Russell. Selbstverständlich wurden in jenem großen Jahrzehnt der Konvergenz künstlerischer Innovationen und kunsttheoretischer Reflexionen[286] auch kubistische Malerei und surrealistische Dichtung zusammen mit ihren psychoanalytisch und phänomenologisch fundierten Theorien diskutiert.

Bei der Lektüre solcher Beiträge aus der *Revista de Occidente* fällt nun eine spezifische Rezeptionsschwelle auf, für die wir Äquivalente in der Praxis der zeitgenössischen spanischen Maler und Dichter wiederfinden. Was in Spanien kaum einmal akzeptiert wurde, war die Auflösung der figuralen und semantischen Gestalten, wie sie etwa Surrealisten und Kubisten vorgaben: es war das Verlassen der Subjekt-Perspektive, welches die spanischen Intellektuellen nachzuvollziehen nicht bereit waren. Ortega y Gasset gab dem Abschied von Gestalt und Subjektivität einen Namen, der zugleich Verweigerung gegenüber diesem Schritt konnotierte. Dieser Name ist auch der Titel eines von Ortega 1925 publizierten Essays: ›*La deshumanización del arte*‹. Die kulturgeschichtliche – und in einem weiteren Sinn auch politische – Bedeutung solcher Verweigerung rechtfertigt ein erneut besonders ausführliches Zitat aus diesem Text:

Lejos de ir el pintor más o menos torpemente hacia la realidad, se ve que ha ido contra ella. Se ha propuesto denodadamente deformarla, romper su aspecto humano, deshumanizarla. Con las cosas representadas en el cuadro tradicional podríamos ilusoriamente convivir. De la Gioconda se han enamorado muchos ingleses. Con las cosas representadas en el cuadro nuevo es imposible la convivencia: al extirparles su aspecto de realidad vivida, el pintor ha cortado el puente y quemado las naves que podían transportarnos a nuestro mundo habitual. Nos deja encerrados en un universo abstruso, nos fuerza a tratar con objetos con los que no cabe tratar humanamente. Tenemos, pues, que improvisar otra forma de trato por completo distinto del usual vivir las cosas; hemos de crear e inventar actos inéditos que sean adecuados a aquellas figuras insólitas...

Se dirá que para tal resultado fuera más simple prescindir totalmente de esas formas humanas – hombre, casa, montaña – y construir figuras del todo originales. Pero esto es, en primer lugar, impracticable. Tal vez en la más abstracta linea ornamental vibra larrada una tenaz reminiscencia de ciertas formas ›naturales‹. En segundo lugar – y esta es la razón más importante –, el arte de que hablamos no es sólo inhumano por no contener cosas humanas, sino que consiste activamente en esa operación de deshumanizar. En su fuga de lo humano no le importa tanto el término *ad quem*, la fauna heteróclita a que llega, como el término *a quo*, el aspecto humano que destruye. No se trata de pintar algo que sea por completo distinto de un hombre, o casa, o montaña, sino de pintar un hombre que se parezca lo menos posible a un hombre, una casa que conserve de tal lo estrictamente necesario para que asistamos a su metamorfosis, un cono que ha salido milagrosamente de lo que era antes una montaña, como la serpiente sale de su camisa.[287]

Zwar hatten auch spanische Poeten in der Nachfolge des *Modernismo* und in Auseinandersetzung mit der französischen Avantgarde Gedichte und – vor allem – Manifeste verfaßt, die zu einem Abschied von den semantischen Gestalten drängten. Doch der *Creacionismo* oder der *Ultraísmo*, wie diese Bewegungen genannt sein wollten, blieben am Rande des öffentlichen Interesses und haben in der Geschichte der spanischen Literatur und der spanischen Malerei kaum produktive Fortsetzungen gefunden. Warum dies so war, ist eine Frage, auf die zu antworten Ortega y Gasset sich nicht einmal bemühte. Doch aus einer kulturtypologischen Retrospektive liegt die Lösung dieses Problems auf der Hand. Der ›Abschied von den Gestalten‹ war für die französischen, italienischen, deutschen Avantgardisten eine Reaktion auf die Erfahrung ihrer (vermeintlichen?) Isolierung in der modernen Gesellschaft; es ging um einen Akt der Verweigerung, um den Unwillen, bei der Konstitution von gesellschaftlichen Wirklichkeiten mitzuwirken, auf die die Künstler keinen prägenden Einfluß mehr zu haben glaubten. Die spanische *Generación del 98* hingegen hatte gerade die Entdeckung und Gestaltung einer neuen Wirklichkeit zu ihrem aufklärerischen Programm gemacht, und wir haben gesehen, daß ihre Entschlossenheit, ›in die Wirklichkeit‹ einzugreifen, und ihr Vertrauen, dazu fähig und berufen zu sein, zwischen 1898 und 1920 kräftig gewachsen waren. Hinzu mag die aus der besonderen Geschichte der Subjektivität in Spanien resultierende Angst gekommen sein, daß die – in Ortegas Worten: entmenschlichende – Teilnahme an der surrealistischen Auflösung der Wirklichkeit unweigerlich auch zu einer Auflösung der Individualität führen würde.

Eben solches Selbstverständnis objektivierte sich 1927 in der Neuentdeckung des Barockpoeten Luis de Góngora anläßlich der Dreihundertjahresfeier seines Todes, an der heute zur Weltliteratur gerechnete – damals junge und selbst in Spanien kaum bekannte – Lyriker wie Federico García Lorca, Rafael Alberti, Vicente Aleixandre teilhatten. Deshalb nennt die Hispanistik diese Poeten ›*Generación del 27*‹. Wenn wir nun nicht die *Generación del 27* durch eine Kapitelgrenze von der *Generación del 98* abgesetzt haben, dann deshalb, um noch einmal die These zu unterstreichen, daß der in Spanien um die Jahrhundertwende dominierende intellektuelle Diskurs die Dimensionen der Diskussion und die Möglichkeiten kultureller Produktion bis hin zum Bürgerkrieg vorgab und absteckte. Eine erste Motivation für das neue Interesse an Góngora scheint darin gelegen zu haben, daß man sich mit ihm von der Restaurationsepoche und ihrem Vordenker Marcelino Menéndez Pelayo distanzieren konnte, der eben Góngora in den schärfsten Tönen abgeurteilt hatte, weil er den spirituellen Wert – und ganz explizit auch: die semantische Kohärenz – von Góngoras Texten bestritt. Die große Pionierleistung des Jahres 1927 war denn auch der von Dámaso Alonso mit einer ›Übersetzung‹ von Góngora-Gedichten in die spanische Sprache des XX. Jahrhunderts angetretene Gegenbeweis. Unter Góngoras sprachlicher Artistik, so konnte man sich nun bestätigen, waren durchaus semantische Gestalten zu entdecken, aber zu solcher Entdeckung bedurfte es einer intellektuellen Kraft, um die genau man sich den Poeten und Literaturkritikern des späten XIX. Jahrhunderts überlegen fühlen wollte. Der Erweis der Überlegenheit allerdings beschränkte sich nicht auf die ›Übersetzungen‹; Gerardo Diego etwa schrieb Góngora-Nachdichtungen im sprachlichen Gestus der zeitgenössischen Lyrik, aber unter strikter Beachtung der von Ortega y Gasset markierten Grenze der *deshumanización*. Und so sahen dann Paraphrase und Nachdichtung im Verhältnis zu einer Passage aus Góngoras Gedicht ›*Fábula de Polifemo y Galatea*‹ aus:

Su aliento humo, sus relinchos fuego, / si bien su freno espumas, ilustraba / las columnas Etón que erigió el griego / do el carro de la luz sus ruedas lava, / cuando, de amor el fiero jayán ciego, / la cerviz oprimió a una roca brava, / que a la playa, de escollos no desnuda, / linterna es ciega y atalaya muda.
(*Luis de Góngora*)

Con su aliento hecho todo humo y sus relinchos fuego, aunque con el freno lleno de espumas, ilustraban o iluminaban ya Etón y los otros caballos del sol las columnas de Hércules, que erigió este héroe griego en el estrecho de Gibraltar, sitio donde el carro solar lava en el océano, al ponerse, sus ruedas. Estaba, pues, ya el sol, todavía ardoroso, inclinado hacia occidente y próximo a la puesta, cuando Polifemo, el fiero gigantazo, se sento, oprimiéndolo con su peso, sobre lo alto de una brava roca, que a la playa, erizada de escollos, le sirve – aunque sin luz – de faro, y – aunque sin emitir señales – de atalaya.
(*Dámaso Alonso*)

Desde el plano sincero del diedro / que se queja al girar su arista viva / contempla el amador – nivel de cedro – / la amada que en su hipótesis estriba / y acariciando el lomo del instante / disuelve sus dos manos en menguante.[288]
(*Gerardo Diego*)

Das Verharren vor der *deshumanización* als Grenze künstlerischer und literarischer Produktion zeigt, daß die Popularität der spanischen Kultur unseres Jahrhunderts oft gerade in Phänomenen begründet ist, die man aus der Perspektive eines allzu schematischen Vergleichs als Symptome eines historischen Rückstands einstufen müßte. Mit dem Festhalten an der semantischen Gestalthaftigkeit der Texte vermieden die spanischen Dichter jenes Trivialwerden surrealistischer Sinn-Entgrenzung, welches den Literaten-Kreis um André Breton damals schon in eine Dauer-Krise geführt hatte. Ramón Gómez de la Serna, der wie kein anderer spanische Variante der surrealistischen *happenings* auf dem Rücken der nationalen Kulturtradition zu inszenieren wußte und als ungekrönter Intellektuellen-König in der ›Höhle‹ des Madrider Cafés Pombo residierte,[289] sammelte und veröffentlichte sprachliche Lapsus als *faits divers* der alltäglichen Rede und erfand für sie den Namen ›greguería‹. Als langjähriger Gast in Gómez de la Sernas *tertulia*, hat Werner Krauss die *Greguería* – so gut es überhaupt geht – definiert: »Die literarische Waffe zur Auflösung aller Zusammenhänge – mochten sie nun logisch verknüpft sein oder rhetorisch verbunden oder durch die Konvention eines Stoffes gefügt – das ist die Greguería, das Prinzip der Atomisierung, Ramóns ureigener Fund. Die Greguería bildet die Urzelle seiner Sprachbewegung. Sie zerstört zugleich die Einheit des Gedankens. Sie ist ein logisch unartikulierter Schrei, in dem die Dinge zum Protest gegen die lange an ihnen geübte Gewalttat rühren. Der Schrei der Greguería ist frenetischer Kampfruf, der schon den Sieg des chaotischen Anfangs einer neuen Ordnung verkündet... Greguería galt... auch für das erste Grunzen der Ferkel beim Austritt aus der Höhle des Mutterleibes, und insofern bedeutet es den verworrenen Schrei aus dem Unbewußten der Dinge. Ihre prägnante Form fordert die Verwerfung jeder Möglichkeit einer systematischen Gedankensprache. Die Greguería reflektiert die moderne Welt am Rande der Selbstwiderlegung aller verzweifelten Synthesen.«[290]

So wenig wie die gegenüber jedem Übersetzungsversuch resistenten Greguerías oder wie García Lorcas *Poeta en Nueva York* sind die Gemälde eines Dalí oder eines Picasso ohne das reflektierte Festhalten am Prinzip der Gestalthaftigkeit denkbar. In einer Deutung von Picassos Ereignisbild ›*Guernica*‹ (die so beeindruckend ist, daß sie selbst einen Renegaten von der Bedeutsamkeit kulturwissenschaftlichen Interpretierens überzeugen könnte) hat Max Imdahl unter dem Leitbegriff ›*Ausdrucksfiguration*‹ gezeigt, wie gerade in der Verweigerung des Schritts zur Gegenstandslosigkeit die wichtigste Voraussetzung für eine unvergleichliche Bild-Wirkung liegt: »Die Ausdrucksfiguration ist nicht deutende Gestaltung eines in der natürlichen Sichtbarkeitswelt vorgegebenen oder überhaupt vorkommenden Figürlichen, wohl aber – in notwendiger Abweichung von aller morphologischen Gesetzmäßigkeit der Leibestektonik – Provokation, Erschütterung, Aufruhr. Nichts Figürliches, sofern es in der natürlichen Welt sichtbar sein kann, sieht aus wie die Ausdrucksfiguration Picassos, es ist vielmehr die Ausdrucksfiguration selbst, die wie aus eigener Vollmacht das Figürliche hervorbringt.«[291]

Am 10. Juni 1926, zwei Wochen vor seinem vierundsiebzigsten Geburtstag und knapp ein Jahr vor den Góngora-Feiern der jungen Poeten in Madrid und in Córdoba, starb in Barcelona ›gestärkt mit den Sterbesakramenten‹ der Architekt Antoni Gaudí Cornet. Der alte Mann war drei Tage zuvor auf seinem allabendlichen Weg von der Baustelle der Votivkirche ›*La Sagrada Familia*‹ zur Vesper im Oratorio de San Felipe Neri von einer Straßenbahn angefahren worden, und zu spät, um Gaudís Leben nach diesem Unfall noch erhalten zu können, war ärztliche Hilfe eingetroffen. Wegen seiner bescheidenen Kleidung hatte man zunächst nicht bemerkt, daß es sich bei dem Unfallopfer um einen der – damals schon – prominentesten Männer Kataloniens handelte. Gaudís Name kann nicht fehlen, wenn von der Weltgeltung spanischer – kastilischer, katalanischer, andalusischer etc. – Kultur im XX. Jahrhundert die Rede ist. Doch die Umstände seines Todes lassen uns ahnen, daß manche von jenen spanischen Künstlern und Literaten, die wir heute verehren, weil ihre Werke wie eine Ahnung von anderen Welten in unsere Welt hineinragen, sich wie Fremde in den Kulissen des jungen XX. Jahrhunderts bewegten. Und es beeinträchtigt die Faszination ihrer gestaltbewußten Modernität nicht, wenn wir auch in ihr den Nachhall vergangener Epochen entdecken. Gaudí jedenfalls, an dessen Bauformen sich die Architekten unserer Gegenwart orientieren, ist der gewiß bedeutendste Repräsentant der *Renaixença* gewesen, jener in vieler Hinsicht der *Generación del 98* vorausgreifenden Bewegung einer sentimentalischen Annäherung an die kulturelle Vergangenheit und Identität Kataloniens, von der schon zu Beginn dieses Kapitels die Rede war.[292] In seiner Jugend, während der siebziger und achtziger Jahre des XIX. Jahrhunderts, wollte er – als *regeneracionista* – ein hitziger Feind des Klerus und – wenigstens – ein feuriger Sympathisant des Sozialismus sein. Doch eben als *regeneracionista* entdeckte Gaudí für sich die islamischen und die christlichen Elemente an den mittelalterlichen Baudenkmälern seiner Heimat, und mit dieser Aneignung der Vergangenheit veränderten sich sein Leben und seine Arbeit. Aus dem Antiklerikalen wurde ein Apostel der Liturgiereform, dessen Alltag immer mehr von mystischer Frömmigkeit erfüllt war; bald schon nahm Gaudí keine Aufträge für Profanbauten mehr an, und die letzten Jahrzehnte seines Lebens verschrieb er allein der Arbeit an der Kirche *La Sagrada Familia*. Er war – im frühen XX. Jahrhundert – zu einem mittelalterlichen Baumeister geworden, der sakralen Raum einzig aus der Imagination entstehen ließ und den Gedanken an einen Abschluß des Werks der *Sagrada Familia* aus dem Horizont seiner Erwartungen verlor. Wie für die jungen Historiker und Philologen seiner Zeit war es auch für Gaudí vorrangiges Ziel, die kulturelle Tradition durch ihre Fortsetzung lebendig zu erhalten.

Gleich jenen spanischen Poeten und Malern, die erst nach seinem Tod berühmt wurden, schuf Gaudí eine Welt neuer Formen, die wir als Variationen zu den Formen der Überlieferung und der Natur erfassen können. Wenn man durch den *Parque Güell* geht, ein Areal von künstlichen Landschaften und naturhaft-archaischen Gebäuden, das Gaudí an der damaligen Peripherie von Barcelona für einen Großindustriellen entwarf, dann wird die Wahrnehmung der Augen beständig irritiert von dem Zweifel, ob man ein der Architektur angepaßtes Gelände oder eine vollkommen dem Gelände angeschmiegte Architektur sieht. Es gibt die griechische (und ägyptische) Vergangenheit zitierende Säulen, die unter der Last eines unbehauenen (oder in künstlicher Weise natürlichen) Steinquaders in eine unwahrscheinliche Schräge ausgewichen zu sein scheinen; und es gibt Gartenmauern, die vorgeben, Gischt des Erdreichs zu sein. Neben der Tür des Hauses aber, das der Architekt im Parque Güell bezogen hatte, stößt man auf ein ausladendes Weihwasserbecken.

In die Portale der *Sagrada Familia*, die uns ganz selbstverständlich jene Fülle und Freiheit der Formen entgegenstellen, an die sich die Architekten unserer Zeit mühsam herantasten, hat Gaudí lateinische Worte aus der Liturgie hineinkomponiert. Und wer seine Skizzenblätter und Modelle studiert, der fühlt einen den eigenen Körper vermittelten Elan immer wieder zurückgebeugt durch eine Obsession der Bezugsetzung zwischen den Formen und den Symbolhorizonten einer uns fremd gewordenen Frömmigkeit. Noch immer sehen wir Gaudís Werk als eine Anweisung auf die Zukunft. Aber das Leben, aus dem jene Gärten, Häuser und Kirchen entstanden, war schon im Jahr 1926 Teil der Vergangenheit. Deshalb ist Gaudí auch in seinem Tod Symbolfigur für eine epochale Erfahrung, zu der uns die spanische Kultur des frühen XX. Jahrhunderts führt: der alte Mann, der auf seinem Weg zum Abendgottesdienst von einer Straßenbahn angefahren und dabei tödlich verletzt wird, ist Antizipation und Allegorie zum *Tod von Kunst und Literatur* in der Alltagswelt unserer Gegenwart.

Als Vorgeschichte zum Tod von Kunst und Literatur im Spanischen Bürgerkrieg wollen wir die *Biographie von Miguel de Unamuno* erzählen.[293] Sie läßt uns verstehen, wie sich die Welt der Intellektuellen in der Illusion, zentraler Teil des gesellschaftlichen Alltags geworden zu sein, vom Alltag entfernte. Unamuno war achtzehn Jahre jünger als Joaquín Costa und zwölf Jahre jünger als Antoni Gaudí, ein Jahr älter als Angel Ganivet und sechzehn Jahre älter als Manuel Azaña. Wie Pío Baroja und Ramiro de Maeztu stammte er aus dem Baskenland: er war am 29. September 1864 in Bilbao geboren worden. Gewiß ist er nicht im Milieu restaurativer Träume von nationaler Modernität aufgewachsen. Denn Unamunos Vater war Bäcker, und wie so viele Spanier seiner Zeit hatte er vor der Heirat – erfolglos – versucht, in Mexiko ein Vermögen zu erwerben. Als der Vater starb, war Miguel de Unamuno sechs Jahre alt, doch in der Erziehung des Sohns wirkte seine Fürsorge fort. Er hatte –

erstaunlicherweise – eine kleine ›Bibliothek‹ von vierhundert oder fünfhundert Bänden zur Geschichte, Philosophie, Politik und Naturwissenschaft[294] hinterlassen, aber auch ein bescheidenes Vermögen, aus dem unter anderem die Ausbildung seines Sohnes Miguel bestritten werden konnte. Was wir über Unamunos Kindheit und Jugend erzählen können, stammt überwiegend aus eigenen Erinnerungs-Schriften, mit denen er die Mitwelt in späteren Jahren keinesfalls sparsam bedachte. So sind denn der Anspruch, schon bald von der Insuffizienz seiner Lehrer bitter enttäuscht gewesen zu sein, und die heroisch gefärbten Berichte von religiösen Seelenkämpfen wohl vor allem ein Indiz für das kaum überbietbare Bedürfnis nach Individualitäts-Stilisierung beim erwachsenen Unamuno. Wie konventionell aber seine Welt war, zeigt die Anekdote von Unamunos geistlicher Berufung und ihrem raschen Ende. Eines Tages, so erzählt Unamuno, habe er nach dem Empfang der Kommunion die Bibel aufgeschlagen und, ohne auf den Text zu blicken, seinen Finger wahllos auf eine Stelle gelegt,[295] wo er las: »Gehet hin und lehret alle Völker.« Das war der Augenblick der Berufung. Doch bald, so erfahren wir weiter, habe er sich zu einem neuerlichen Gottesurteil entschlossen – wohl weil er damals schon das junge Mädchen kannte, das später seine Frau werden sollte. Wieder öffnete er nach dem Meßbesuch an einer beliebigen Stelle das Neue Testament und fand dort den folgenden Vers aus dem Johannes-Evangelium: »Er antwortete ihnen: Ich habe es euch jetzt gesagt. Habt ihr es nicht gehört? Was wollt ihr jetzt abermals hören?« Gerade dieser Zufall einer Bestätigung der Berufung zum Priesteramt zwang ihn, meinte Unamuno, selbst zu entscheiden. Die Entscheidung fiel gegen den Zölibat, mit dem vor allem man im späten XIX. Jahrhundert den Beruf des katholischen Priesters identifizierte.

Ab 1880 studierte Miguel de Unamuno an der *Facultad de Filosofía y Letras* der Universität von Madrid. So wie Barojas Romanheld Andrés Hurtado will auch er hier die Borniertheit seiner Professoren von Beginn verachtet und eigenständig substantiellere intellektuelle Orientierung gesucht haben. Später behauptete Unamuno, die deutsche Sprache bei der Lektüre von Hegels *Logik* sozusagen ›induktiv‹ gelernt zu haben (dieselbe Geschichte erzählte er über Kierkegaard und das Dänische, Ibsen und das Norwegische, Tolstoj und das Russische), und er verängstigte später seine eigenen Schüler mit der immer wieder fallenden Bemerkung, am Anfang eines geisteswissenschaftlichen Studiums habe die Lektüre sämtlicher Werke von Kant und von Hegel im deutschen Originaltext zu stehen.[296] Es ist dann schon erstaunlich, daß ein angeblich so polyglotter und universal belesener junger Mann seinen Doktorgrad ausgerechnet mit einer Arbeit zum Thema ›*Critica del problema sobre el origen y prehistoria de la raza vasca*‹ erwarb. Doch in der Zuwendung zur Geschichte einer spanischen Kulturregion und mit dem Versuch, das bisher nur vage Wissen zu diesem Thema auf eine neue, ›positive‹ Grundlage zu stellen, gehörte Unamuno – sozusagen – schon 1884, im Jahr seiner Promotion, der *Generación del 98* an. ›Herausragend‹, wie es noch heute in der spanischen Notenskala heißt, muß Unamuno übrigens weder als Student gewirkt haben noch bei seinen sieben Jahre währenden Bemühungen, als *opositor* einen Lehrstuhl zu gewinnen. Auch das war – gerade im Gegensatz zu den beherrschenden intellektuellen Figuren der Restaurationsepoche – ›generationentypisch‹ (wenn es auch gewiß nicht intendiert, wie seine Bewunderer später glauben machen wollten). Um Professuren für Baskische Sprache, für Logik und Psychologie, für Ethik, Metaphysik und Latein bemühte er sich erfolglos. Als man Unamuno endlich im Jahr 1891 die *cátedra* für Griechische Philologie in Salamanca zuwies, gehörten sein Lehrer Menéndez Pelayo (aber wessen Lehrer war Menéndez Pelayo nicht gewesen?) und der (offenbar für Nebenrollen in kulturgeschichtlichen Anekdoten besonders geeignete) Juan Valera dem *tribunal* an. Unter spanischen Gebildeten hat eine solche akademische Patenschaft übrigens eine doppelte Bedeutung: große Figuren im *tribunal de oposiciones* präsentiert man – retrospektiv, versteht sich – gerne als Verheißung einer großen Zukunft; wo die Paten zuvor als Lehrer des *opositor* erscheinen, will man aber auch nicht selten – boshaft – suggerieren, daß sein Erfolg mehr Gründe als den der erwiesenen Kompetenz hatte. Letzteres kann für Unamuno als Klassischen Philologen getrost angenommen werden, doch es hinderte ihn keinesfalls, seine stets exzentrischen Meinungen in den sprachwissenschaftlichen Debatten der Jahrhundertwende zum besten zu geben.[297]

Am 13. Juli 1891 jedenfalls wurde Unamuno in sein Professorenamt an der Universität Salamanca eingeführt. Am 31. Januar desselben Jahres hatte er Concepción Lizárraga geheiratet, jene Jugendliebe, der er es verdanken wollte, nicht der geistlichen Berufung anheim gefallen zu sein. ›Mi santa costumbre‹ nannte Unamuno seine Frau später, und natürlich war das, so wichtig wie er sich nahm, als Ehrentitel gemeint. Die Stadt Salamanca und die Ehe mit Concepción Lizárraga wurden für Unamuno Proszenium und Hintergrund einer eigentlich abgelegenen Bühne, auf die er von nun an – bis 1936 – die Blicke der spanischen Öffentlichkeit immer wieder zu lenken wußte. Diesen Erfolg verdankte er wohl weniger der Originalität von Rolle und Handlung als einer anderen Originalität, mit der er (oft allzu) Generationentypisches als *exzentrische Individualität* zu stilisieren verstand. Unamuno war öffentlich stets so ›anders‹, wie auch bald die gebildeten Leser je nach der Konjunktur der intellektuellen Moden ›anders‹ sein wollten. Deshalb trat er in Zeitungsartikeln von aktualistischer Thematik und philosophischer Gravität, die er bald mit wachsendem Erfolg in der Hauptstadt veröffentlichte, zunächst als ›Sozialist‹ hervor (er muß an einen Sozialismus à la Dicenta gedacht haben), und Zeit seines Lebens präsentierte er sich darüberhinaus als ›Anarchist‹ (wobei er die Gefahren einer allzu konkreten Referentialisierung geschickt vermied). Dem Individualismus-Effekt zuliebe machte Unamuno etymologische Spekulationen und etymologisch motivierte Wortkreationen zu einem Markenzeichen seines Stils, der auf Leser des späten XX. Jahrhunderts wie eine Heidegger- oder Derrida-Parodie wirkt. Seine Exzentrizität zelebrierend, kritisierte er, der ja Kant und Hegel im Original gelesen haben wollte, die Borniertheit der salmantinischen Professoren-Kollegen in der kleinen Öffentlichkeit seiner Stadt und in der großen Öffentlichkeit der nationalen Tagespresse – und wurde doch im Jahr 1900 von demselben Kollegen zum Rektor der Universität Salamanca gewählt.

Äußerlich präsentierte sich Unamuno als ein ganz den höheren Sphären des Geistes geweihter Asket: er trug schwarze, allenfalls grau-blaue Anzüge über einer Weste, die bis zu seinem langen Hals zugeknöpft war und nur einen spitzen Hemdenkragen herausragen ließ (manche vermuteten, es sei sein

Ehrgeiz, wie ein protestantischer Pastor auszusehen – und noch das wäre im Spanien der Jahrhundertwende eine Provokation gewesen[298]). Obwohl ihn jeder Kellner kannte (und manche alten Kellner in Salamanca noch heute von ihm erzählen), verlangte Unamuno mit seiner Fistelstimme feierlich *un vaso de agua pura,* wenn er im Café auf der Plaza von Salamanca Platz nahm, um die sich stets rasch versammelnde Hörerschaft mit einem Monolog zu beglücken. Vor allem aber war ihm daran gelegen, daß die Nation seinen – natürlich asketischen – Tagesplan kannte: früh am Morgen (weil das die Studenten in Spanien noch weniger schätzen als anderswo, aber für ein untrügliches Anzeichen akademischer Ernsthaftigkeit halten) gab er zwei Stunden Kolleg an der Universität. Von dort schritt er zum nahen Rektorat, um handschriftlich die Amtskorrespondenz (und gewöhnlich auch den einen oder anderen Zeitschriftenartikel) zu schreiben. Nach dem Mittagessen im Familienkreis, das ebenfalls unspanisch früh eingenommen wurde, machte er sich, die Plaza überquerend, auf einen (wie er stets betonte: der Reflexion gewidmeten) Spaziergang hin zur nördlichen Peripherie von Salamanca. Doch Unamuno hatte es gerne, wenn man ihn ansprach. So ließ er sich auch bereitwilligst in die nachmittäglichen Konversationsrunden der bürgerlichen Herren im *casino* hineinkomplimentieren, so kompromißlos dann auch die Worte wirkten, mit denen er gerade diese wahrhaft nationale Form der Geselligkeit in seinen Zeitungsartikeln anprangerte. In den späten Lebensjahren, als Unamuno so prominent geworden war, daß kaum ein Intellektueller an der damals noch mit verkehrstechnischen Mühen verbundenen Verpflichtung vorbeikam, den »Heros des spanischen Geistes« in Salamanca aufzusuchen (so drückte kein geringerer als der junge Federico García Lorca seine Bewunderung für Unamuno aus), wurde dieses Programm um das Zeremoniell eines fast täglichen Empfangs erweitert: auf der Treppe des Rektoratsgebäudes erwartete Miguel de Unamuno – das jüngste Monument der Stadt Salamanca – seine Besucher. Und Verehrer wie Journalisten warteten gespannt, was der – meist provozierende – Gruß sein würde, mit dem er die *contenance* des Ankömmlings prüfte.[299]

Seinen Status als laizistischer Papst des nationalen Geisteslebens unterstrich Unamuno also wirkungsvoll durch die Kultivierung der Provinz-Marginalität. Doch auch bei seinen regelmäßigen, stets von ostentativen Gesten des Unwillens begleiteten Besuchen in Madrid geriet ihm der Part des ›Königs ohne Hauptstadt‹ so überzeugend, daß sich Ortega y Gasset – einer der glühendsten Verehrer Unamunos, aber eben auch einer seiner wenigen Konkurrenten im Wettstreit um die Krone der Selbststilisierung – in seiner Gegenwart stets in die Hinterzimmer der *Revista-de-Occidente*-Redaktion zurückzog. Mehr Stehvermögen hatte glücklicherweise Ramón Gómez de la Serna, dem wir die folgende Erinnerung an einen solchen Auftritt verdanken:

La última vez que le vi fué en la redacción de la *Revista de Occidente*, en la tertulia que todas las tardes tenía José Ortega y Gasset. De cuando en cuando aparecía por allí don Miguel. Venía del pueblo, con una vieja zamarra azul sobre la que caía caspa de su pelo blanco, esa caspa de los viejos que ya es ceniza.

– ¿Muchos días, don Miguel?

– Una semana... He venido a presidir unas oposiciones...

La verdad era que lo que quería él era asomarse a la capital, justificar el viaje ante sus hijos y de paso ganarse unas pesetas de dietas como componente del tribunal. La última vez que íbamos a verle todos... fué un día de últimos de junio del 36. Unamuno había llegado sin sombrero – era sinsombrerista de verano – y se le veía dispuesto a bromear, a esparcirse, a inventar una teoría. Se sentó como se sientan los vivos muertos, con las manos cruzadas sobre el pecho en reflexión de contriciones. Sus ojos miraban de soslayo aprovechando sus grandes gafas de montura de oro – nada de montura de carey – y nos reconocía como a discípulos que no van nunca por clase, sonriéndonos como si nos dijese: »¡Hacen ustedes bien!«

Don José desaparecía cuando venía don Miguel, y se iba al fondo de la Revista.

– Pero, don José, ¿qué le pasa que se va cuando llega Unamuno?

– Es que no puedo resistir al que quiere hablar él solo.

El viejo no se dió nunca cuenta de esa ausencia. Ortega le admiraba, pero no pudo con ese abuso del pronombre en primera persona...

– ¿Y qué tal la plaza de Salamanca? – le preguntó alguien.

– Toda de oro... Hay más oro en ella que en los sótanos del Banco de España... El sol y la piedra salmantina componen oro viejo, y sus medallones son las más grandes onzas que hay en el Tesoro.

Unamuno oteaba desde su asiento la verdad de su pueblo lejano, como si llegase a su nariz el olor a horno y tenería que tiene Salamanca. Parecía venir a la capital para descansar de la fuerza atmosférica del pueblo castellano.

– Vengo ahora más a menudo a Madrid – dijo en medio de un nuevo silencio don Miguel –, porque huyo de mi estatua... No saben lo que es tener una estatua erigida en vida...¡ Además es tan tétrica! El vestido en negro y la cabeza en blanco... Es como si pasase en figura de cera a la posteridad![300]

Die Themen jener Artikel, mit denen Unamunos Aufstieg zu nationalem Ruhm in den neunziger Jahren begann und von denen eine Auswahl 1902 in Buchform unter dem Titel ›En torno al casticismo‹ veröffentlicht wurde, markierten mit einer unter seinen Zeitgenossen unerreichten Sicherheit der Formulierungen die Kritik an der Restaurationsgesellschaft und das Programm einer Öffnung auf Europa als komplementäre Elemente im Diskurs der *Generación del 98*. Erst nachdem sich Unamuno mit diesen Schriften als ›Stimme von nationalem Gewicht‹ profiliert hatte, geriet er unter die Faszination des Themas von der ›(Un)Wirklichkeit des Individuums‹, die wir bereits erwähnt haben. Auch zu dieser Entwicklung in seinem Werk lieferte Unamuno dem Publikum eine biographisch-existentielle Referenz. Sein 1896 geborener Sohn Raimundo Jenaro litt unter Meningitis, war psychisch und intellektuell retardiert und starb 1904. So schrieb der Vater von Raimundo Jenaro – bald auch der Vater der *Generación del 98* – eine Szene, in der das alltägliche Erlebnis der Leiden eines todgeweihten Kindes, das ihm den philosophischen Gedanken an den Tod als Grenze des Lebens auferlegte, umschlug in eine ihn ergreifende Angst vor der Entwirklichung seiner eigenen Existenz: Unamuno, heißt es dort, bricht in heiße Tränen aus und flüchtet für dies eine Mal in die offenen Arme seiner Frau. *¡Hijo mío!* rief Doña Concepción Lizárraga de Unamuno mit einem Pathos, das ihren Gatten tief beeindruckte.

Miguel de Unamuno hatte sein Thema gefunden. Die Bücher *La vida de Don Quijote y Sancho* (1905), *Del sentimiento trágico de la vida en los hombres y en los pueblos* und *El espejo de la muerte* (1913), ›*Niebla*‹ (1914), *Abel Sánchez* (1917), *El Cristo de Velázques* (1920), *La tía Tula* (1921), *L'agonie du christianisme* (1925) und ›*Cómo se hace una novela*‹ (1926) oszillierten zwischen der durch Angst vor Vernichtung seiner eigenen Existenz motivierten Gottessuche und der Hybris des Philosophen und Poeten, der sich selbst an die Stelle Gottes setzen wollte. Bemerkenswert ist, daß Unamuno in seinem Philosophieren nie diese beiden Pole überschritt. Etwa mit seinem Zeitgenossen Edmund Husserl den Schritt von der Frage nach dem ›Ding an sich‹ hin zu den (wirklichkeits-konstituierenden) Prozessen der menschlichen Sinnbildung zu vollziehen, war nicht nach seinem Geschmack – und wäre es wohl schon allein deshalb nicht gewesen, weil die Phänomenologie von einem durchaus unpathetischen intellektuellen Habitus geprägt war. Weniger selbstverständlich ist die Absenz der Psychoanalyse in Unamunos Werk, zumal sie nach dem Ersten Weltkrieg auch in Spanien keinesfalls mehr unbekannt blieb. In seiner Fixierung auf die ›Entwirklichung des Individuums‹ ersann Unamuno nämlich Romanfiguren, die wir heute kaum noch rezipieren können, ohne freudianische Deutungsangebote zu assoziieren. Joaquín Sánchez etwa, der ›Kain‹ im Roman *Abel Sánchez*, ist entlang seiner gesamten fiktionalen Biographie besessen vom Haß auf seinen Bruder Abel, weil dem Bruder als hochbegabtem Maler die Verehrung des Publikums und die Herzen der Damen zufliegen, während Kain/Joaquín als Arzt hart um eine kleine bürgerliche Reputation ringen muß. Zum Zweck der Selbsttherapie stiftet Joaquín die Ehe zwischen seiner Tochter und Abels Sohn, um dann doch in der Liebe des Enkels Abelín zu seinem Bruder erneut dessen überlegenes Charisma anerkennen zu müssen. Ein wenig Milde gewährt der Autor dem düsteren Helden Joaquín erst am Ende: Abel stirbt den Herztod in der Erregung über eine heftige Auseinandersetzung mit dem Bruder, so daß dieser sich über die Erfüllung seiner Mordwünsche freuen kann – ohne doch ob solchem Gelingen – juristisch angreifbar zu werden.

Gertrudis, die Titelheldin von *Tía Tula,* hat, fest in den Klauen neurotischer Angst vor dem Verlust der Jungfräulichkeit, ihre Schwester in die Ehe mit Ramiro getrieben, von dem sie weiß, daß er viel lieber in ihrem reinen Bett schlafen würde. Doch bald übernimmt sie die Rolle der Erzieherin einer rasch entstehenden Neffen- und Nichten-Schar, um sich wenigstens jene Form der Befriedigung zu gestalten, welche Psychotherapeuten heute leicht ironisch ›Mitrauchen‹ nennen. Unamuno läßt Ramiros Gattin und Tulas Schwester jung sterben, so daß die Tante erneut den Kitzel fast legitimer Versuchung durchlebt, sich dann aber doch für die Wiederholung des Entsagungs-Spiels entscheidet. Diesmal wird die Hausangestellte Manuela Ramíros Gattin und Tulas Opfer. In der zweiten Roman-Runde freilich stirbt nicht nur Manuela an den Folgen einer Schwangerschaft; der schicksalswütige Erzähler bringt nun auch Ramiro zum Tode. Endlich, da die Grabesnähe Ramiro schon erotisch unterkühlt hat, wagt es Tula, ihren eigenen Körper an Ramiros – für die Jungfräulichkeit ungefährlich gewordenen – Körper zu schmiegen. Und da es ohnehin zu spät geworden ist, ringt sie sich sogar bis zum Hauch einer Selbstkritik durch:

Los ojos de Gertrudis se hincharon de lágrimas.
– ¡Tula! – gimió el enfermo abriendo los brazos.
– ¡Sí; Ramiro, sí! – exclamó ella cayendo en ellos y abrazándole.
Juntaron las bocas y así estuvieron, sollozando.
– ¿Me perdonas todo, Tula?
– No, Ramiro, no; eres tú quien tiene que perdonarme.
– ¿Yo?
– ¡Tú! Una vez hablabas de santos que hacen pecadores. Acaso he tenido una idea inhumana de la virtud. Pero cuando lo primero, cuando te dirigiste a mi hermana, yo hice lo que debí hacer. Además, te lo confieso, el hombre, todo hombre, hasta tú, Ramiro, hasta tú, me ha dado miedo siempre; no he podido ver en él sino el bruto. Los niños, sí; pero el hombre... He huído del hombre...
Y poco después, cogido de una mano a otra de Gertrudis, y susurrando: »¡Adios, mi Tula!«, rindió el espíritu con el último huelgo Ramiro. Y ella, la tía, vació su corazón en sollozos de congoja sobre el cuerpo exánime del padre de sus hijos, de su pobre Ramiro.[301]

Mit Wirkung vom 13. August 1914, zu Beginn des Ersten Weltkriegs also, wurde Unamuno von der Regierung seines Amtes als Rektor der Universität Salamanca enthoben. Anlaß zu dieser in jeder Hinsicht unglücklichen Maßnahme muß die damals neueste Facette in Unamunos öffentlicher Individualitäts-Inszenierung gewesen sein, eine – der generationentypischen Frankophilie komplementäre – Germanophobie, welche man wohl als Provokation des germanophilen Königs und vor allem als eine Belastung des spanischen Neutralitäts-Status erlebte. Unamuno wurde mit einer raschen Kanonisierung zur zentralen Symbolfigur am Horizont der nationalen Politik reich entschädigt.[302] Jetzt hatte er die Chance, im folgenden Jahr seine Ernennung zum Dekan abzulehnen, und 1920 sicherte er sich durch die Annahme seiner Wahl zum Prorektor einen Posten, mit dem er für eventuelle weitere Stufen auf dem Weg der politischen Martyrologie erreichbar blieb.

Auf dieses ›Angebot‹ Unamunos ging Miguel Primo de Rivera schon sehr bald nach seiner Machtergreifung ein. In einem Brief hatte Unamuno Alfonso XIII. einen ›königlichen Gänserich... mit weniger Hirn als eine Heuschrecke‹ genannt. Am 21. Februar 1924 erreichte ihn das Dekret seiner Exilierung auf die Insel Fuerteventura. Unamunos Sinn für die Arbeit am eigenen Mythos erfüllte erneut die Erwartungen des Publikums. Frühmorgens am Tag seiner Abreise aus Salamanca hielt er noch Kolleg; damit niemand auf den Gedanken kommen könnte, eine Zeit der Entspannung stünde ihm bevor, ließ er jedermann wissen, daß er nur drei Bücher – das Neue Testament in griechischer Sprache, die *Divina Commedia* und die Dichtungen Leopardis – in sein Gepäck nehmen konnte. Vor dem Übersetzen nach Fuerteventura weigerte er sich in Cádiz, seine Hotelrechnung zu zahlen: *Que paguen los que me obligan a viajar. Yo no.*[303] Noch heute erinnert in Fuerteventura eine Monumental-Statue an die vier Monate, während derer das Exil von Miguel de Unamuno die Blicke der Nation auf die kahle Insel im Atlantik zog.

Unamuno selbst scheint vor allem das Vergessen-Werden und eine drohende Begnadigung durch die Diktatur gefürchtet zu haben. Mit einem Vertreter der französischen Tageszeitung *Le Quotidien* kam er überein, die Hauptrolle in einem publikumswirksamen – und also vom *Quotidien* finanzierten – Flucht-Abenteuer zu übernehmen. Deshalb ignorierte er seine drei Tage vor dem für die Flucht vereinbarten Datum eingehende Begnadigung. Er ließ sich nach Las Palmas bringen, reiste von dort auf einem holländischen Schiff nach Cherbourg und kam am 28. Juli 1924 in Paris an, wo man ihm einen Empfang bereitete, mit dem er endgültig ins Rampenlicht des Weltruhms trat. Symptomatisch für Unamunos nun international strahlende

Aura ist der kurze Prolog zu einem ansonsten erstaunlich kritischen Artikel, den Ernst Robert Curtius 1926 für die Februar-Nummer der *Neuen Rundschau* verfaßte:

Der Dichter in der Verbannung – das ist eine der Situationen, die wir als typisch für den lateinischen Stil der Geschichte finden. Elegisch bei Ovid, heroisch bei Dante, theatralisch bei Victor Hugo, wiederholt sie sich aktuell bei Miguel de Unamuno. Als Primo de Rivera im März 1924 den Sechzigjährigen nach der kanarischen Felseninsel Fuerteventura verschickte, schob er ihn damit, gewiß unabsichtlich, in das grelle Licht der Öffentlichkeit. Die Weltpresse hallte wider von Empörung. Geistige Antipoden wie d'Annunzio und Romain Rolland fanden sich im Protest. Von heute auf morgen war Unamuno eine europäische Figur geworden.[304]

Früher als irgendein anderer spanischer Intellektueller hatte Unamuno gespürt, daß Primo de Riveras Empfindlichkeit gegenüber arroganten Gesten aus dem akademischen Milieu eine Achillesferse des Militärdiktators war. Und tatsächlich überlegen konnte sich Unamuno gegenüber Primo de Rivera, der gerne mit schwerfälligen Botschaften im Stil militärischer Tagesbefehle vor die Nation trat, besonders als Genie öffentlicher Selbststilisierung fühlen. Diesen Vorteil nutzte er gnadenlos und ohne Skrupel in der Wahl seiner Verbündeten. So zog Unamuno knapp ein Jahr nach der Apotheose seiner Ankunft in Paris in ein Hotel der französisch-spanischen Grenzstadt Hendaye um, die dadurch rasch zum Wallfahrtsort spanischer Dissidenten wurde. Selbstverständlich setzte er sein Spiel der Provokation in der internationalen Presse fort, und darüberhinaus wußte er, daß Exilzeitschriften mit seinen Beiträgen nach Spanien geschmuggelt und daß seine Briefe – vor allem im Studentenmilieu – tausendfach kopiert wurden. Als Primo de Rivera zu Beginn der Weltwirtschaftskrise die Unterstützung von Heer und Krone verlor und endlich am 28. Januar 1930 sein Rücktrittsgesuch einreichte, feierte die spanische Öffentlichkeit das Ende der Diktatur auch – fast möchte man sagen: vor allem – als einen Triumph der Beharrlichkeit und des Mutes von Miguel de Unamuno, als einen Triumph des ›Geistes über den Soldatenstiefel‹.

Doch Unamunos Strategie der permanenten Provokation hatte nicht nur eine kollektive Euphorie mit gefährlichen Folgen für den politischen Realitätssinn der spanischen Intellektuellen zur Folge. Es war ihm auch gelungen, den andalusischen General, der im Grunde nicht mehr bewirkt hatte als einen Aufschub für das Ende des Restaurationsstaats, zum faschistischen Machthaber zu dämonisieren. Daß Miguel Primo de Rivera das Zeug für diese Rolle keineswegs mitgebracht hatte, erkannte selbst Trotzki, dessen Kommentare zur spanischen Politik sich ansonsten vor allem durch die Unbekümmertheit auszeichnen, mit der er immer neue Projektionen zu Papier brachte. Am 21. November 1930 schrieb Trotzki: *Das Regime Primo de Riveras war keine faschistische Diktatur, denn es stützte sich nicht auf die Reaktion der kleinbürgerlichen Massen. Glauben Sie es nicht, daß als Resultat des gegenwärtigen zweifellos revolutionären Aufstiegs in Spanien, bei weiterer Passivität und Unfähigkeit der proletarischen Avantgarde als Partei, Bedingungen entstehen können für den echten spanischen Faschismus?*[305] Geradezu sympathisch klingt die Erinnerung des – sonst wohl kaum einer Sympathie für die Militärs verdächtigen – Luis Buñuel an die Bonhomie, mit der Miguel Primo de Rivera bemüht gewesen war, sein Ansehen in studentischen Kreisen aufzubessern:

Madrid era todavía una ciudad pequeña, la capital administrativa y artística. Se andaba mucho para ir de un lado a otro. Todo el mundo se conocía y cualquier encuentro era posible. Una noche llego al »Café Castilla« con un amigo. Veo que han puesto biombos para aislar una parte de la sala, y el camarero nos dice que Primo de Rivera irá a cenar allí con dos o tres personas. Efectivamente, llega, manda quitar los biombos inmediatamente y, al vernos, dice:
– ¡Hola, jóvenes! ¡Una copita![306]

Nun ist uns natürlich nicht an einer Ehrenrettung für den plumpen General gelegen. Wir wollen vielmehr zeigen, daß Miguel de Unamuno, indem er sich in politischen Provokationen den Boden für die ›Wirklichkeit‹ seiner Individualität sicherte, durch die öffentliche Wirkung dieser Individualitätsstilisierung ganz erheblich zu einer fast grotesken Überschätzung der politischen Macht von Intellektuellen beitrug (und auch dazu, daß die Frage nach anderen Strukturen und Problemen, an denen die Diktatur gescheitert sein mochte, erst gar nicht gestellt wurde). Als Miguel Primo de Rivera Spanien verließ, verabschiedete der Bür-

germeister der Stadt Hendaye den großen Ex-Emigranten Unamuno mit einem festlichen Bankett, und der Heimkehrer ließ
sich über San Sebastián und Bilbao nach Salamanca chauffieren –
nicht ohne Ort für Ort den Massen zu predigen, die seinen Wagen jubelnd umringten. »Am 12. Februar 1930 aber schmückte
sich die Stadt Salamanca in Weiß – gleich einer Braut in freudiger
Erwartung ihres Geliebten, der nach sechs Jahren der Trennung
zu ihr zurückkehrt«, so lesen wir in dem – übrigens immerhin
nach Francos Tod geschriebenen – Buch einer enthusiastischen
Unamuno-Biographin.[307] Die von ihr festgehaltenen Worte, mit
denen der heimgekehrte Unamuno die dichtgedrängten Mitbürger vom Balkon seines Hauses begrüßt haben soll, klingen freilich trivial:

Dentro de unos días ... hace seis años que me arrancaron de mi hogar,
de mi Salamanca y de entre vosotros. Seis años que he llevado con-
fiando, hay que decirlo así, más en mí que en vosotros. Y al cabo de
estos seis años esperando, he querido volver, aprovechando este margen de libertad, no toda la que precisamos y pedimos, porque la que
falta ya la conquistaremos – *los aplausos le interrumpen* – yo en estos
seis años – *continúa una vez restablecida la calma* – aunque cuento
seis más de vida, creo que he vuelto el mismo. No sé si los que aquí
dejé seguirán siendo los mismos o habrán cambiado. Pero afortuna-
damente ha surgido una juventud que ha venido a hacer aprender a sus
maestros, y a los demás a tener virilidad y hombría.
  Dicen que la Iglesia estima como uno de los mayores crímenes, la
simonía. Hay también simonía universitaria cuando se conceden grados a cambio de mercedes.
Han ... sido ... estos seis últimos años, seis años de cobardía en el
pueblo, y de más cobardía en los que gobernaron. Nos falta el paso
definitivo, para entrar en la normalidad, en la nueva vida, donde se
acaben los pronunciamientos. ¡Quien trajo el último, que lo pague![308]

Nichts als Gesten exaltierter Individualitäts-Stilisierung finden
wir in diesen Worten: Unamunos Stolz auf seine Individualität
als in allen Fährnissen des Exils unwandelbare Wirklichkeit;
das seine sokratische Weisheit konnotierende Lob an die Jugend; die Ermahnung des ›Volkes‹; den Seitenhieb auf die in
seiner Abwesenheit schwankend gewordene akademische Moral der Kollegen und schließlich die absurde Forderung, die
Promotoren des Staatsstreichs von 1923 möchten ihre Schuld
bezahlen und so den ersehnten Schritt in eine republikanische

Zukunft ermöglichen. Unamuno hatte wohl jedes Gefühl für die Distanz zwischen seiner persönlichen Situation und der ›Lage der Nation‹ verloren.

Während der Monate bis zur verfassungsmäßigen Gründung der Zweiten Spanischen Republik im Frühjahr 1931 und während der Jahre bis zum Ausbruch des Bürgerkriegs am 18. Juli 1936 öffnete sich eine immer weitere Kluft zwischen öffentlicher Unamuno-Verehrung und Unamunos Unfähigkeit, politisch – und das heißt: über den Horizont der eigenen Individualität hinausblickend – zu handeln. Er wurde als parteiloser Kandidat in das neue Parlament gewählt und rief (ohne dazu beauftragt zu sein) vom Balkon des Rathauses auf der Plaza von Salamanca vor seinen geistigen Söhnen die Republik aus. Die Übergabe der neuen republikanischen Fahne (in den Farben rot/gelb/violett) an die Studenten nutzte er einen Tag später, um diese zum pünktlichen Besuch der Lehrveranstaltungen anzuhalten. Er wurde zum Präsidenten des *Consejo de Instrucción Pública* ernannt und versuchte ausgerechnet in diesem Amt, die Kanonisierung des *castellano* zur einzigen Nationalsprache zu betreiben. Wieder eingesetzt in die Würde des Rektors – und nun auf Lebenszeit – erflehte er ›im Namen Ihrer Majestät, der Spanischen Nation von Gott Erleuchtung für den Dienst an der gemeinsamen Mutter‹. Und er verdutzte selbst seine glühendsten Verehrer, als er nach einer Kundgebung der faschistischen Falange in Salamanca ein freundliches Gespräch mit dem Parteigründer José Antonio Primo de Rivera führte, mit dem Sohn seines Todfeindes Miguel Primo de Rivera. Nach dem Putsch der Militärs am 18. Juli 1936 unterzeichnete der Rektor Unamuno einen ominösen *Mensaje de la Universidad de Salamanca a las Universidades del Mundo, acerca de la Guerra Civil*. Dort belehrte er die internationale akademische Welt, daß die Aufständischen der Verteidigung ›unserer christlichen Kultur des Abendlands‹ verpflichtet waren und daß diese Kultur ›von Vernichtung durch östliches Gedankengut‹ bedroht sei. Doch sein letzter – vielleicht nicht nur aus exaltiert individualistischer Perspektive – *tragischer* Auftritt stand Miguel de Unamuno noch bevor.[309]

Am 12. Oktober 1936 beging die Prominenz des ›nationalen‹, das heißt: des aufständischen Spaniens den *Día de la raza* im

Paraninfo, dem für festliche Anlässe reservierten zentralen Hörsaal der Universität Salamanca. Unamuno, dem bis dahin gefügigen Hausherrn, hatte man den Vorsitz bei dieser Feier überlassen. Geladen war neben anderen kirchlichen Würdenträgern, der aus Katalonien stammende Bischof von Salamanca; Francisco Franco ließ sich durch seine Frau vertreten. Als Festredner fungierte General Millán Astray, der martialische (und einarmige) Gründer der spanischen Fremdenlegion. Anläßlich des *Día de la raza* hielt er es für angemessen, von Katalanen und Basken als ›Krebsgeschwulsten am Körper der Nation‹ zu sprechen, um anschließend, an alte Hoffnungen appellierend, den Faschismus als einen ›entschlossenen Chirurgen ohne Gefühlsduselei‹ zu apostrophieren, der bald ›durch einen Schnitt ins Fleisch des Volkes‹ für Heilung sorgen würde. Begeistert – oder pflichtbewußt – antworteten die anwesenden Mitglieder der Falange auf solch mitreißende Versprechungen mit Millán Astrays Wahlspruch *¡Viva la muerte!* Wenn man überhaupt nach der Bedeutung dieser drei Worte fragen will, dann wird man vor dem ideologischen Hintergrund des spanischen Faschismus (eines Faschismus aus zweiter Hand) vermuten, daß ein Hochruf auf den Tod ausgebracht wurde, um zu suggerieren, erst in der Gefahr des Krieges, erst ›im Angesicht des Todes‹ sei die volle Erfahrung des Lebens zu vollziehen. Es handelte sich um eine – trivialisierte – Formel des philosophischen Vitalismus. Bei dem greisen Unamuno aber muß Millán Astrays Parole die alten Ängste vor der Entwirklichung, ja der Vernichtung seiner Individualität geweckt haben. Und ein letztes Mal behauptete er diese seine Individualität, indem er sich ›anders‹ verhielt, als es seine faschistische Umwelt am *Día de la raza* erwartete. Unamuno stand langsam auf, um das Wort zu ergreifen:

Estáis esperando mis palabras. Me conocéis bien, y sabéis que soy incapaz de permanecer en silencio. A veces, quedarse callado equivale a mentir. Porque el silencio puede ser interpretado como aquiescencia. Quiero hacer algunos comentarios al discurso – por llamarlo de algún modo – del general Millán Astray que se encuentra entre nosotros. Dejaré de lado la ofensa personal que supone su repentina explosión contra vascos y catalanes. Yo mismo, como sabéis, nací en Bilbao. El obispo... lo quiera o no lo quiera, es catalán, nacido en Barcelona. ...

Pero ahora... acabo de oír el necrófilo e insensato grito, ›Viva la muerte‹. Y yo, que he pasado mi vida componiendo paradojas que excitaban la ira de algunos que no las comprendían, he de deciros, como experto en la materia, que esta ridícula paradoja me parece repelente. El general Millán Astray es un inválido. No es preciso que digamos esto con un tono más bajo. Es un inválido de guerra. También lo fue Cervantes. Pero desgraciadamente en España hay actualmente demasiados mutilados. Y, si Dios no nos ayuda, pronto habrá muchísimos más. Me atormenta el pensar que el general Millán Astray pudiera dictar las normas de la psicología de la masa. Un mutilado que carezca de la grandeza espiritual de Cervantes, es de esperar que encuentre un terrible alivio viendo cómo se multiplican los mutilados a su alrededor.

Der andere Redner des Tages replizierte mit einer schlichten Variante seines Wahlspruchs: *¡Abajo la inteligencia! ¡Viva la muerte!*, und Unamuno griff auf das in Jahrzehnten erarbeitete Repertoire seiner vielfältigen Rollen zurück, um neuerlich zu antworten:

Este es el templo e la inteligencia. Y yo soy su sumo sacerdote. Estáis profanando su sagrado recinto. Venceréis porque tenéis sobrada fuerza bruta. Pero no convenceréis. Para convencer hay que persuadir. Y para persuadir necesitaríais algo que os falta: razón y derecho en la lucha. Me parece inútil el pediros que penséis en España. He dicho.

Die Augenzeugen berichten, daß beklemmendes Schweigen eintrat. Dann nahmen ein Professor für Kirchenrecht und Francos Frau Unamuno in ihre Mitte und geleiteten ihn aus dem *Paraninfo*. Er hatte endlich von den Massen und vom menschlichen Körper gesprochen. Aber er hatte noch immer – als Priester des Geistes – verächtlich von der Physis gesprochen. Nach dieser letzten Rede kehrte Unamuno in sein Haus zurück und verließ es nicht mehr bis zu seinem letzten Lebenstag. Am 31. Dezember 1936 fand man ihn tot in einem Ohrensessel sitzend. Die Glut des winterlichen Kohlebeckens unter dem Tisch hatte die Gummisohle seines Hausschuhs angesengt.

Vor Unamunos Beisetzung soll es zwischen Falange-Mitgliedern und denen, die sich für Unamunos Schüler hielten, zu einem Streit um die Ehre gekommen sein, seinen Sarg zum Grab tragen zu dürfen.[310] Offenbar fand man einen Kompromiß, denn beide Seiten glaubten wohl aufrichtig an Unamunos

Größe. Auf dem Grabstein stehen vier versöhnliche Zeilen aus seiner eigenen Dichtung. Es sind Zeilen des von ihm so genannten ›tragischen Lebensgefühls‹:

> Méteme, Padre Eterno, en tu pecho,
> misterioso hogar,
> dormiré allí, pues vengo deshecho
> del duro bregar.

Das war ein Bild im Stil der von Unamuno kreierten Gesten der Selbstinszenierung. Allzu ›modern‹ stellten sich im Vergleich dazu die von Unamuno enttäuschten linken Intellektuellen sein Innenleben vor: *posee en la médula de su individualismo exacerbado la fría crueldad que es peculiar a los grandes tiburones del océano financiero*.[311]

Tod der Literaten

Mit der Rede von Miguel de Unamuno am *Día de la Raza* 1936 haben wir *einen* historischen Erzähl-Bogen abgeschlossen, der vom exaltierten Individualismus der spanischen Romantiker über die in der Restaurationsgesellschaft gehegte Illusion moderner Alltäglichkeit hinführt zu einer Welt, in welcher der Individualismus, wie er aus der Konvergenz von Aufklärer- und Romantiker-Rolle am Ende des XIX. Jahrhunderts entstanden war, eine quijoteske Ambivalenz aus komischen und heroischen Zügen anzunehmen schien. Aber wir können dieses Kapitel so kaum beenden, obwohl wir schon ein erstes Mal am Ende des abgesteckten Zeitraums angelangt sind. Wir werden noch einmal bis in die Jahre des Ersten Weltkriegs zurückkehren, um die andere Seite der großen Epoche moderner spanischer Kultur zu vergegenwärtigen. Bisher hatten wir uns vor allem auf das konzentriert, was in jener Kultur schon seit etwa 1920 unzeitgemäß gewesen war. Deshalb stand der vorausgehende Abschnitt unter der Überschrift ›*Illusion* der Desillusionierung‹. Wir wollten zeigen, wie spanische Intellektuelle von der Jahrhundertwende an in einer Wendung gegen die kollektive Inszenierung bürgerlicher Modernität sich zugleich als ›Aufklärer‹ und als ›Romantiker‹ stilisierten. ›Aufklärer‹ waren sie in ihrem Engagement für die *regeneración* der Nation, im

Vertrauen auf die Möglichkeit, desillusionierend ›die Realität‹ erkennen zu können, und schließlich in ihrem Festhalten an semantischer und räumlicher Gestalthaftigkeit. Als ›romantisch‹ sehen wir ihr (in Spanien damals noch neues) sentimentalisches Verhältnis zu ›Geschichte‹ und ›Volk‹ an wie ihre Obsession, verschwimmende Wirklichkeitshorizonte in Selbstreflexion und Individualitäts-Obsession zu retten. Solch ›rettende Individualität‹ verstand sich als eine Individualität der Affekte und des Intellekts. Was unserer Geschichte aber bisher fehlt, ist eben jenes ›Andere‹ eines gewandelten Alltags, das die neue Individualität so unzeitgemäß machte und am Ende Literaten wie Literatur tötete.

Als ausschlaggebend für die Mentalitätsgeschichte des XX. Jahrhunderts – und nicht nur in Spanien – sehen wir die Eliminierung der überlieferten Wirklichkeitsdimension aus der Mehrzahl der sozialen Teilsysteme an. Immer weniger wurde *die* Wirklichkeit ›gesucht‹, um erkannt, akzeptiert oder verändert zu werden; immer mehr – und vor allem: immer bewußter – wurden vielfältige Wirklichkeiten angenommen und handelnd geschaffen. Dazu daß diese Umstellung so erstaunlich rasch – und von so erstaunlich wenigen bemerkt – vonstatten ging, trugen gewiß die neuen technischen Kommunikationsmedien erheblich bei. Sie begannen, Meinungen, Wissensstrukturen, Wirklichkeiten zu produzieren, die kein Individuum erfunden hatte, und wurden damit immer unabhängiger von den Individuen. Kollektiver Sinn war als technisch produzierter Sinn bald der Verfügung der Individuen entzogen. Was man spätestens seit den zwanziger Jahren allenthalben als eine Zuwendung zum Körper erlebte, war der diesen Verlust positivierende Diskurs. Doch der Diskurs der Zuwendung zum Körper gewann den Menschen die Möglichkeit subjektiver Verfügung über den Körper nicht zurück.[312] Wenn man unter dieser Perspektive den Faschismus, den Industrialisierungs-Schub jener Jahre oder die Krise der Weltwirtschaft seit 1929 betrachtet, dann drängt sich der Eindruck auf, daß menschlicher Intellekt und menschliche Physis einerseits stärker denn je als entzweit erfahren wurden, aber andererseits auf kollektiver Ebene als ›Ideologie‹ und ›Menschenmaterial‹ in neue Beziehungen wechselseitig funktionaler Optimierung gerückt waren. Unamunos lebensgefährliche Rede im Paraninfo der Universität Salamanca zum *Día de la raza* mag ein Symptom für die tragikomische Orientierungslosigkeit durchgeistigter Individualität in der Welt der dreißiger Jahre gewesen sein.

Körperlichkeit – je verschieden bewertet als ›bloße‹ oder ›reine‹ Körperlichkeit – war eine Faszination, unter der bald auch die Intellektuellen der *Generación del 98* standen. Nicht zufällig ließ Antonio Machado seinen Juan de Mairena (jene Fiktion des Weisen in der modernen Welt, über die Machado die in melancholischer Weise optimistische Alltagsphilosophie seiner späten Jahre artikulierte) dort an Miguel de Unamuno denken, wo Mairena sich über die neue Körperlichkeit lustig machte:

Para crear hábitos saludables..., que nos acompañen toda la vida, no hay peor camino que el de la gimnasia y los deportes, que son ejercicios mecanizados, en cierto sentido abstractos, desintegrados, tanto de la vida animal como de la ciudadana. Aun suponiendo que estos ejercicios sean saludables – y es mucho suponer –, nunca han de sernos de gran provecho, porque no es fácil que nos acompañen sino durante algunos años de nuestra efímera existencia. Si lográsemos, en cambio, despertar en el niño el amor a la Naturaleza, que se deleita en contemplarla, o la curiosidad por ella, que se empeña en observarla y conocerla, tendríamos más tarde hombres maduros y ancianos venerables, capaces de atravesar la sierra de Guadarrama en los días más crudos del invierno...

Todo deporte, en cambio, es trabajo estéril, cuando no juego estúpido. Y esto se verá más claramente cuando una ola de ñoñez y de americanismo invada a nuestra vieja Europa«.

Se diría que Juan de Mairena había conocido a nuestro gran don Miguel de Unamuno, tan antideportivo, como nosotros lo conocemos...[313]

Gewiß rief gerade die Sierra de Guadarrama, wo Machado/ Mairena seine ›Schüler‹ ihren Körper und ihren Geist in humanistischer Einheit erfahren sehen wollte, eine Erinnerung an den Idealismus des alten Jahrhunderts wach. Denn über die Sierra de Guadarrama hatte ein halbes Jahrhundert zuvor, von philosophisch-pädagogischem Enthusiasmus beseelt, Giner de los Ríos als Gründer der *Institución libre de enseñanza*, deren Schüler Machado gewesen war, seine Eleven geführt. Und eben Antonio Machado hatte sich als Bewunderer Unamunos und

Erfinder des ›Weisen‹ Juan de Mairena wohl schon immer in der neuen Welt der städtischen Massen einsam gefühlt. So jedenfalls sahen ihn seine Freunde:

> En Rosales, adonde en esta noche de verano voy a escuchar la banda municipal, dirigida por el popular maestro Villa, entre el gentío inmenso allí congregado, encuentro a Antonio Machado sólo y vestido de luto. Su perfil pálido y serio resalta sobre las caras congestionadas del público. El poeta acaba de quedarse víduo de una mujer joven, linda y amada, con la que su dicha conyugal ha sido muy breve.
>
> Me acerco a el con la circunspección que su dolor impone y hablamos un momento entre los trompetazos ensordecedores de una partitura wagneriana. El autor de *Soledades* me habla con su laconismo habitual y su gesto también habitual de dejadez, más acentuado, de su tragedia, sin incurrir en patetismos vulgares.
>
> Tampoco yo me atrevo a prodigarle vulgares consuelos. Nos separamos con un expresivo apretón de manos y dejo discretamente al poeta viudo, perdido anónimamente entre la muchedumbre, que lo ignora. Sólo, pálido, vestido de negro, como cualquier hombre que ha perdido a su mujer...[314]

Der ›ausdrucksvolle Händedruck‹ drückte Gefühle aus, über die Machado leichter Gedichte schrieb. Und ganz Ausdruck des Nicht-Körperlichen ist Antonio Machados Körper auch auf einem – zurecht berühmt gewordenen – Porträt-Photo von Alfonso Sánchez aus dem Jahr 1930 (vgl. S. 914).[315] Das empfindet der Betrachter, weil Antonio Machados Körper dort jene *dejadez* hat, jene Nachlässigkeit, in der man damals das Symptom für eine leidenschaftliche Zuwendung auf das Innenleben zu sehen gewohnt war. Machado war 1930 fünfundfünfzig Jahre alt, doch sein Körper und sein Gesicht in der Photographie sind viel älter. Der Körper ist dick und gedrungen, man spürt, wie er sich in den schwarzen Anzug aus allzu warmem Tuch drängt. Die Krawatte ist so gebunden, als sei das Machados erster Krawattenknoten gewesen, und sie paßt schlecht zu dem Stehkragen, den man um 1930 kaum mehr trug. Darüber ruht – halslos – der massige Kopf mit einem zu kleinen Hut, der unpassend modisch wirkt. Ein aufgedunsenes Gesicht ruht zwischen dem Stehkragen und dem Hut, so aufgedunsen, daß man nicht weiß, ob die Mundwinkel lächeln oder von Resignation sprechen. Die Augenlider halten mühsam die kleinen Augen offen, und die

Backen hängen schwer. Wieviel dieses ödematöse Gesicht mit den leeren Gläsern zu tun hat, frage ich mich, die vor Antonio Machado auf dem Tisch in der *Bar* stehen, wo ihn Alfonso Sánchez photographiert hat. Machado scheint zu schwitzen, oder ist er nur unrasiert? Ein noch heißer Madrider Sommerabend in diesem schwarzen Anzug? Und dann die Hände von Antonio Machado. Sie haben zu tun mit dem Gesicht, denn feingliedrig sind sie bestimmt nicht, eher geschwollen. Aber ›Kinderhände‹ will man sie auch nicht nennen – schon deshalb nicht, weil sie übereinander auf einem Stock liegen, der etwas zu kräftig für den Spazierstock eines Flaneurs wirkt. Dort wo seine rechte Hand aus dem Ärmel kommt, hat Antonio Machado vergessen, die Manschette zu schließen. Über dem rechten Arm steht ein Spiegel, in dem man verschwommen das Brustbild eines Kellners in mittlerem Alter sieht. Er ist berufs- und epochenmäßig gekleidet, schwarz-weiß mit Fliege und die Haare nach hinten gesträhnt. Wohl nur die Brillantine hält sie dort fest. Neben dem Spiegel schließlich, in der linken oberen Ecke der Photographie, ist ein Telefon an der Wand angebracht.

Als Pío Baroja am 17. Mai 1926 in der Casa del Pueblo von Madrid eine kulturhistorische Retrospektive präsentierte, die nach dem schon damals sehr beliebten Generationen-Schema angelegt war, nannte er neben dem Sport als ein zweites Identitätsmerkmal der jüngsten Generation ihre Fähigkeit, technische Apparate zu bedienen. Sport und Mechanik konvergierten vor 1930 allenthalben im Bild des mit seinem Flugzeug verwachsenen Piloten:

El aviador es como el *summum* del deportista. Tiene que tener la cabeza fuerte, los nervios de acero. No puede ser un hombre distraído, ni un místico, ni un fantástico; no puede ser un hombre sensual, devorado por un espejismo voluptuoso; tiene que apoyar los pies en la realidad, tener las manos en el volante, y, llegado el caso, ser valiente, ejecutivo, frío y rápido. El gusto por el deporte, por las excursiones, por el alpinismo, ha ido dando el temple a la juventud, y este temple aumenta por días.[316]

Einer dieser sportlichen *jóvenes* war Luis Buñuel, der im Jahr 1925 seine Studien in Madrid abgeschlossen hatte:

Fué también en la Residencia donde cobré afición a los deportes. Cada mañana, con calzón corto y descalzo, incluso con el suelo cubierto de escarcha, corría por un campo de entrenamiento de la Caballería de la Guardia Civil. Fundé el equipo de atletismo del colegio, que tomó parte en varios torneos universitarios, y hasta practiqué el boxeo amateur. En total, no disputé más que dos combates. Uno lo gané por incomparecencia del contrincante y el otro lo perdí por puntos en cinco asaltos, por falta de combatividad. En realidad, yo no pensaba más que en protegerme la cara. Cualquier ejercicio me parecía bueno. Hasta escalé la fachada de la Residencia.[317]

Die Entdeckung des Körpers, über die sich Antonio Machado wunderte, die Pío Baroja beschrieb, und an der Luis Buñuel teilnahm, war gewiß kein Privileg der neuen Intellektuellen. Auch die Leserinnen von *Blanco y Negro* waren längst nicht mehr jene Töchter aus guter Familie, die ihre Blässe kultivierten und ihre voreheliche Langeweile mit dem Abpausen von *láminas* vertrieben. In den Illustriertenausgaben aus den späten zwanziger oder den dreißiger Jahren entdeckt man Annoncen für Sportkleidung und sogar für Sonnenöl. So etwa auf der Innenseite des Titelblatts in *Blanco y Negro* vom 15. Juli 1934: *UNA MORENAZA. Es una preciosa chiquilla que está ›haciendo la revolución‹ en una de nuestras más concurridas playas norteñas. ¿Y sabéis, queridas lectoras, cómo logra ese irresistible encanto? Pues, sencillamente, a que sabe ponerse la piel deliciosamente bronceada con JUGO DE LOTO INTEA.* Auf der nächsten Seite wird für einen Sirup geworben, dessen Hersteller behaupten, er beseitige die Symptome von Anämie. Das Deckblatt des Photo-Teils (*Noticiario Gráfico*) zieren acht zu einer Collage-Rosette gebündelte Photographien. Die drei obersten Bilder, jene also, die den Blick des Lesers einfangen, sind Sport-Photographien: in der Mitte ein Tennismatch, links der Start zu einem Pferderennen, rechts die Strafraumszene aus einem Fußballspiel. Als Superstars des *Noticiario Gráfico* aber figurieren – unangefochten – kühne Pilot(inn)en und Rennwagenfahrer. Sie liefen um 1930 selbst den Fußballprofis, *toreros* und Filmschauspielern den Rang ab.

Angesichts dieser Sport-Begeisterung ist es nicht verwunderlich, daß schon im Sommer 1934 die Berliner Olympischen Spiele von 1936 ins Zentrum der Erwartungen rückten, und bei der Lektüre der Kolumne ›*Los deportes en el mundo*‹ fragt man sich – zumal in Erinnerung an ein damals unmittelbar bevorstehendes Kapitel spanisch-deutscher Geschichte – ob der so unerträglich abgegriffene olympische Diskurs damals wirklich noch zu überzeugen vermochte: *el tesón y preparación de atletas y técnicos germanos, pueden hacer de los Juegos próximos el esfuerzo supremo y magnífico de una humanidad consciente que odia la guerra y sabe hacer de las luchas de la paz, las más nobles ideales entre los pueblos de la tierra.* Übrigens bestätigen die einschlägigen Handbücher, daß wir nicht zufälligen Einzelbeobachtungen aufsitzen, wenn wir auf solche Anzeichen einer nun auch populären Entdeckung des Körpers verweisen. Besonders bemerkenswert für Spanien sind zwei Beobachtungen. Zum einen die Tatsache, daß eine Fußball-Liga, welche alljährlich die nationale Meisterschaft ausspielte, dort erst vergleichsweise spät – nämlich 1928 – gegründet wurde, während eben diese Liga nur wenige Jahre später – also sehr früh – den Schritt zum Berufssport vollzog. Noch wichtiger für unsere These ist aber der Sachverhalt, daß jene Jahre, in denen der Sport für die Spanier ins Rampenlicht der Öffentlichkeit und der Medien rückte, bis heute auch als *edad de oro del toreo* gelten.[318]

Das Interesse an den neuen Kommunikationsmedien galt damals weltweit – ebenso wie ihren Protagonisten und ihren Inhalten – ihrer Technologie. *Blanco y Negro* präsentierte wöchentlich eine *Sección Radiotelefónica*. Am 15. Juli 1934 berichtete man dort unter dem Titel ›*Progresos de la Teleautografía*‹ über die jüngste Errungenschaft der deutschen Technik, über das Funkbild. Sie wurde, wie jede technische Innovation jener Zeit, als Ankündigung weiterer Fortschritte gedeutet: *No cabe duda de que la teleautografía o telefotografía (como la llaman otros) es como la antesala de la radiofotografía, y ésta, a su vez, de la radiovisión* – gemeint ist das Fernsehen, für das tatsächlich am 22. März 1935 in Berlin der erste regelmäßige Programmdienst eingerichtet wurde. Nun darf man freilich nicht glauben, daß die spanische Presse und die spanischen Autoren das Thema der Kommunikationstechnik erst um 1930 entdeckt hätte. Was ihr Publikum offenbar von den Lesern der *Generación del 98* unterschied, war eine neue Eindimensionalität in der Begeisterung für die Fortschrittssymptome. Rubén Darío hingegen hatte 1913 dem Röntgengerät eine – zumindest – ambivalente Erzählung gewidmet. *La extraña muerte de Fray Pedro* handelt von einem Mönch, der die beschauliche Seelenruhe seines Klosterlebens verloren hat, weil er von heißer Begierde nach nichts Geringerem als einem Röntgenapparat besessen ist. Noch überraschender fällt die vom Erzähler gelieferte Motivation von Fray Pedros Wunsch aus: der Mönch möchte – mit einem Röntgengerät – nachweisen, daß sich Jesus Christus wirklich in den geweihten Hostien befindet. Ein bitteres Ende läßt nicht lange auf sich warten: der Teufel (wer sonst?) bringt dem aus Glaubenseifer technikbegeisterten Mönch die heiß ersehnte Maschine. Fray Pedro stiehlt eine geweihte Hostie aus dem Tabernakel der Klosterkirche und wird am Morgen nach diesem Gottesraub auf dem Boden seiner Zelle tot aufgefunden. Als der eilends herbeigebetene Bischof die Leiche inspiziert, macht man eine – nun auch den Leser – verwirrende Entdeckung:

– Ha visto su Reverencia esto? – dijo su Señoría Ilustrísima, mostrándole una revelada placa fotográfica que cogió del suelo, y en la cual se hallaba con los brazos desclavados y una dulce mirada en los divinos ojos, la imágen de Nuestro Señor Jesucristo.[319]

Als Machado/Mairena etwa zwanzig Jahre später das Kino *un invento de Satanás para aburrir el género humano*[320] nannte, dachte er gewiß nicht mehr – wie Rubén Darío 1913 – an einen Teufel mit Bocksfuß, aber er sprach doch aus einer Perspektive, die unzeitgemäß geworden war. Das übrigens verband Machado mit großbürgerlichen Damen wie der Mutter von Luis Buñuel, die »1928 oder 1929«, als ihr Sohn vage von dem Projekt sprach, einen Film zu drehen, reagierte *como si yo le hubiera dicho: ›Mamá, quiero ser payaso‹.*[321] Schon um 1920, so erzählt Buñuel später, hatte ein stetig wachsender Publikumszuspruch zumindest in Madrid zur Eröffnung zahlreicher Lichtspielhäuser geführt. Unzeitgemäß an Antonio Machados Kommentar war also allein schon die Prämisse, daß das neue und doch bereits sehr populäre Medium überhaupt noch einer Legitimation durch die Intellektuellen bedürfte oder sich noch unter die von Literaten formulierte Bedingungen stellen ließe: *El cine no era todavía más que una diversión. Ninguno de nosotros pensaba que pudiera tratarse de un nuevo medio de expresión, y mucho menos, de un arte,*[322] bemerkt in (selbst-) ironischer Retrospektive Luis Buñuel. Für unsere Vermutung eines funktionalen Zusammenhangs zwischen den technischen Medien und der Entdeckung des Körpers ist es nun besonders aufschlußreich, daß Antonio Machados Vorbehalte gegen das Kino motiviert waren durch dessen Assoziation mit einer Körperlichkeit, in der er die definitive Erniedrigung des Menschen sah: *El cinematógrafo... nos muestra la gran ñoñez estética de un mundo esencialmente cinético, dentro del cual el hombre, cumbre de la animalidad, revela, bajo su apariencia de semoviente, su calidad de mero proyectil.* Als Bedingung seiner ästhetischen Legitimität und als Gegengewicht zu der von ihm angeblich beförderten ›animalischen Körperlichkeit‹ wollte Machado dem Film – naiv genug – eine strikte Beschränkung auf den ›Informationswert‹ verordnen: *hay que exigirle, como a la fotografía, que nos deje enfrente de los objetos reales, sin añadirles más que movimiento, cuando lo tienen, reproducido con la mayor exactitud posible.*

Hier kommt die Rede auf die ›wirklichen Dinge‹, weil Antonio Machado eine Entthronung des Subjekts als Instanz der Erfahrungsbildung durch die technischen Medien befürchtete – und also Distanz zwischen ›Welt‹ und ›Medium‹ setzen wollte. Die Intellektuellen der jüngeren Generation hingegen sprachen von ›den Dingen‹, weil sie eine solche Distanz zwischen sich und der Dingwelt als schon gegeben empfanden, weil sie – so können wir vermuten – die Dichotomisierung zwischen ›Geist‹ und ›Körper‹, zwischen ›Intellekt‹ und ›Materialität‹ bereits vollzogen hatten. Diese Entzweiung mußte freilich keineswegs als ein Verlust erfahren werden. Denn jene Professionalität (wie wir heute sagen würden), die Pío Baroja – auch durchaus selbstkritisch – an der Jugend der Sportler und Piloten bewunderte, scheint ja gerade aus solcher Distanz hervorgegangen zu sein: *empieza a haber ingenieros que prefieren hacer obras de ingeniería que no versos o comedias, y médicos que prefieren también un estudio clínico a ecuaciones sobre la vida o a libros que se ocupen de ontología médica.*[323] Ein Pío Baroja gewiß fremdes literarisches Äquivalent zum neuen klinischen Blick war die Dingpoesie. Juan Ramón Jiménez, einer der wenigen spanischen Autoren, die solche Dichtung zu schreiben verstanden, bestaunten seine Freunde um 1920 vor allem ob der Konsequenz, mit der er sich seiner poetischen Berufung hingab. So als hätte er ein Zeichen exaltierter Distanz zu den Dingen (und zum eigenen Körper) setzen wollen, verbrachte er ganze Jahre seiner Jugend in Sanatorien – am Ende sogar im Haus seines Arztes:

Una enfermera, discreta, pulcra y sigilosa, nos guiaba hasta el departamento que allí ocupaba el poeta... Una habitación medianamente grande, con ventanas al jardín, confortable como un cuarto de hotel caro, en la que había luz encendida... Todo pulcro, elegante, correcto. Y en aquel marco de selección, el poeta, pulcro, correcto también, joven, fino, pálido, serio y triste, con unos grandes ojos negros y melancólicos..., teniéndonos la mano suave y pálida, lacia, en un gesto de fría cordialidad, con una sonrisa que dejaba ver sus dientes blanquísimos de no fumador.[324]

Diese Selbststilisierung ging restlos auf in dem Programm, das Juan Ramón Jiménez 1916 im Vorwort zu der Gedichtsammlung ›Diario de un poeta reciencasado‹ formuliert hatte: *La depuración constante de lo mismo, sentido en la igualdad eterna que ata por dentro lo diverso en un racimo de armonía sin fin y de reiteración permanente.*[325] Wenn schon der Titel des Buchs vor dem Hintergrund dieser Poetik stutzig macht, so gewiß noch mehr die Tatsache, daß es tatsächlich so etwas wie das Tagebuch einer Hochzeitsreise war. Juan Ramón Jiménez hatte am 2. März 1916 eine Hispano-Amerikanerin aus New York geheiratet und anschließend mit seiner jungen Frau die Ostküste der USA bereist. Doch der poetische Blick blieb auch als Blick auf eigenes erotisches Erleben ein Blick aus der Distanz. Nirgends ist sie erstaunlicher, deutlicher – und historisch typischer – als in einem Prosagedicht unter dem Titel ›Physical Culture‹:

¡Al campo nevado con la joven primavera! ¡Qué gusto llevarla en el taxi, desnuda, a sus *sports,* con este frío! ¡Así está de dura y viva! Todo lo contagia, pasando callada, de su alegría. Lo morado de su carne se le trueca, con el sol, en rosas.[326]

Solche Distanz zu den Dingen und den Körpern war nicht immer eine resignierende oder gar zynische Abwendung vom menschlichen Alltag. Als im Oktober 1935 Pablo Neruda, da-

mals chilenischer Konsul in Spanien, ein philosophisch-poeto-
logisches Programm für die erste Nummer seiner Zeitschrift
Caballo verde para la poesía verfaßte, kam er schon im ersten
Satz auf diesen Blick aus der Ferne zu sprechen: *Es muy conveniente, en ciertas horas del día o de la noche, observar profundamente los objetos en descanso.*[327] Die Dichter sollten nicht mehr
in die Gesichter der Menschen sehen, um dort den Ausdruck
ihrer Stimmungen oder gar ihrer Seelen zu finden; die Menschen, meinte Neruda, könnten präsent werden durch die Spuren, die ihr Handeln in der Materialität der Dinge hinterließ:
*Las superficies usadas, el gasto que las manos han inflingido a las
cosas, la atmósfera a menudo trágica y siempre patética de estos
objetos, infunde una especie de atracción no despreciable hacia
la realidad del mundo. La confusa impureza de los seres humanos se percibe en ellos, la agrupación, uso y desuso de los materiales, las huellas del pie y los dedos, la constancia de una atmósfera humana inundando las cosas desde lo interno y lo externo.*
Neruda nannte die Poesie dieser ›Dinge‹ ›poesía sin pureza‹,
und wir ahnen, daß hinter seinem Ideal das Gegenbild einer
unrettbar geistig gewordenen Poesie ohne Welt-Erfahrung
stand. Wie anders hätte er sonst von den ›Qualen des Dichters‹
geschrieben, wo es um dessen Erkennen eben der Dinge ging:
*De ellos se desprende el contacto del hombre y de la tierra como
una lección para el torturado poeta lírico.*

Das, worunter Neruda litt, war damals für andere die Formel
einer strahlenden Zukunft. Wo das Bewußtsein der Menschen
in Distanz zu den Dingen und noch zu ihrem eigenen Körper
gerückt war, da konnten die aus subjektiver Verfügung gelösten
Körper als gefügige Masse, als ›Menschenmaterial‹ geformt und
gehärtet werden. All das sah im Jahr 1933 von den Rängen des
Berliner Stadions der enthusiastische Blick eines spanischen Faschisten auf die vorbeidefilierende Hitlerjugend:

Desde el palco de honor vemos el imponente espectáculo del Stadium
adornado de miles de banderas; en la pista hay ya algunos miles de
muchachos en correcta formación. El desfile continúa, y bajo nuestro
palco, en que está la entrada a la pista, penetra un torbellino juvenil,
que en correctas formaciones, va a buscar su sitio de ubicación; las
formaciones siguen, muchachas vestidas de blanco con ramilletes de
flores, los muchachos de uniforme pardo, corporaciones femeninas

que visten también el uniforme pardo, todos van tomando el mismo camino, y después de efectuar un círculo por la pista, se ubican en el sitio destinado.[328]

In jener Welt, wo sich der Faschismus ausbreitete und wo den Menschen mit der Verfügung über ihre Körper die Dimension der Ethik verloren ging, gab es für Aufklärer und Romantiker, für ihre ›tragischen‹ Kämpfe um Individualität kaum noch Raum. Die großen spanischen Literaten waren über lange Jahre Zeitgenossen dieser Welt, ohne sie – bewußt – zu erfahren und ohne sich auf sie einzustellen. Ihre Hilflosigkeit gegenüber einer dramatisch gewandelten Wirklichkeit – wie sie uns etwa in Antonio Machados Kommentaren über Sport und Kino scheinbar sympathisch-antiquiert begegnet – war schon lange auch die Folge einer Ratlosigkeit gegenüber dem (damals so genannten) ›Phänomen der Masse‹ gewesen – und sie deutet voraus auf das horrende Ende der Geschichte, die wir auf diesen Seiten erzählen. Im Sommer 1909 hatte das Gerücht, daß nach einer Niederlage des spanischen Heeres in den marokkanischen Territorien neue Rekrutierungen unter den Arbeitern von Barcelona bevorstünden, dort einen grauenhaften Ausbruch kollektiver Gewalttätigkeit ausgelöst. Diese Gewalt richtet sich vor allem gegen das Leben von Klerikern, Mönchen und Nonnen, das den Unterprivilegierten seit Jahrhunderten als Verkörperung aller Repressionen und Leiden gegolten hatte.[329] Etwa siebzig Klöster, Pfarrhäuser und Kirchen wurden in Brand gesetzt; man zwang greise Nonnen, sich vor aller Augen auszuziehen und trieb sie die Straßen der Großstadt entlang; man holte Leichen aus den Grüften der Klosterkirchen; überall glaubten die Aufständischen auf Folterkammern des religiösen Wahns zu stoßen und gaben sie zur öffentlichen Besichtigung frei. Was in den Berichten des Sommers 1909 an jenen Schrecken erinnert, der im späten Mittelalter um sich gegriffen hatte, wo immer die gestatteten Exzesse des Karnevals über ihre zeitlichen Grenzen schlugen, müssen wir im Blick auf das Spanien des beginnenden Jahrhunderts politikgeschichtlich deuten: jene Greuel waren die Schande eines Staates, der sich als Illusionstheater inszenierte – in Ignoranz und in unendlicher Entfernung von den Bedürfnissen der breitesten Gesellschaftsschichten. Doch jenes System überlebte sein Krisenjahr. Die Regierung suchte einen Schuldigen und preßte in diese Rolle – ohne juristisch stichhaltige Beweise – den Pädagogen Francesc Ferrer i Guardia. Er wurde am 13. Oktober 1909 an derselben Stelle exekutiert, wo die anarchistischen Opfer des Jahres 1896 ihr Leben verloren hatten. All das ging dann bald unter dem milden Namen ›*Semana trágica*‹ in das Gedächtnis der Spanier und – bis heute – in die Geschichtsbücher ein. Der Name ist ein Beleg für die Blindheit und die Harmonisierungs-Wut derer, welche die Pflicht gehabt hätten, nach den Gründen der *Semana trágica* zu forschen. Denn ›tragisch‹ – schicksalhaft, unvorhersehbar, unverdient – war nichts an jener Woche gewesen.

Gerade weil der Name ›*Semana trágica*‹ sie vermied, gehört die Geschichte der Begriffe ›*pueblo*‹, ›*muchedumbre*‹, ›*masa*‹, die wir im vorausgehenden Kapitel begonnen hatten und nun wieder aufnehmen, zu diesen Ereignissen. Denn sie sind Symptome für die Unmöglichkeit, die neuen sozialen Wirklichkeiten aus der Perspektive der überkommenen Intellektuellen-Rollen zu erfahren. Erinnern wir uns: vor 1850 wurde das Prädikat ›*nación*‹ verwendet, wenn man sich auf die Gesamtheit der Gesellschaft vor dem pathetischen Hintergrund ihrer Geschichte und ihrer Traditionen bezog. Der Plural ›*pueblos*‹ zeigte gesellschaftliche Gruppen in ihrer Position als Untertanen gegenüber dem König, während mit dem Singular ›*pueblo*‹ entweder der neue Gedanke vom ›Volk als Souverän‹ evoziert oder ein vager Bezug auf die ›Unterschichten‹ genommen wurde. Wenig später finden sich die ersten spanischen Belege für ein unvermitteltes – das heißt: nicht durch vorgängige Reflexionen, Gesetze oder Theorien strukturiertes – Erleben des Phänomens ›Masse‹. Diesem Erleben gab zunächst vor allem das Prädikat ›*muchedumbre*‹ semantische Gestalt. In einem *cuadro* von der Romería de San Isidro heißt es bei dem Costumbristen Ramón de Mesonero Romanos: *la inmensa muchedumbre, precipitándose al camino, formaba una no interrumpida cadena hasta el sitio en que yo estaba.*[330] Schon Larra hatte mit dem Begriff der ›Volksmenge‹ die Gefahr – oder die Hoffnung? – unvorhersehbarer Bewegung assoziiert und wohl deshalb über sie mit physikalischen Metaphern wie über Prozesse der Materie gesprochen:

Cae una palabra de los labios de un perorador en un pequeño círculo, y un gran pueblo, ansioso de palabras, la recoge, la pasa de boca en boca, y con la rapidez del golpe eléctrico un crecido número de máquinas vivientes la repite y la consagra, las más de las veces sin entenderla, y siempre sin calcular que una palabra sola es a veces palanca suficiente a levantar la muchedumbre, inflamar los ánimos y causar en las cosas una revolución.[331]

Die politischen Wechselbäder des *Sexenio liberal* sollten die Blicke und die Begriffe schärfen. In einer Ateneo-Rede des Jahres 1872 reagierte Cánovas del Castillo auf das Erlebnis der Masse – statt nur zu beschreiben und zu kommentieren, wobei er das bis dahin übliche, so enorm vage Konzept vom ›*pueblo bajo*‹ ganz entscheidend präzisierte: *¿Cómo han de faltar* (sc. las clases cultas) *sin riesgo, en estos pueblos modernos, que entrega a la merced del proletarismo cada día el constante ejercicio del sufragio universal?*[332] Hier bezeichnet das Substantiv ›*proletarismo*‹ ein politisches Kollektiv-Subjekt und stellt zugleich seine Legitimität in Frage. Doch das war nur die eine Seite der von den Ereignissen der Ersten Republik bewirkten Verschiebung in diesem Begriffsfeld. Auf der anderen Seite erschienen nun die Prädikate ›*proletariado*‹, ›*pueblo*‹, ›*masas populares*‹ – und zwar typischerweise dann, wenn man von den politischen Rechten und Ansprüchen gesellschaftlicher Gruppen sprach, deren Schicksal sich der Staat neuerdings angelegen sein ließ – oder lassen sollte: *no existe ya una sola opinión pública, sino que hay una burguesía fundada sobre la dominación y la explotación de las masas populares por una minoría y otra obrera fundada sobre la Justicia, la Verdad y la Moral.*[333] Diese Polarität in der Verwendung identischer Prädikate – sie lag zwischen einer aus beginnender Angst der Konservativen geborenen Aggressivität und dem allzu guten Gewissen der Liberalen – können wir begriffsgeschichtlich ohne nennenswerte Veränderungen bis hin zur Jahrhundertwende verfolgen. Noch beim jungen Unamuno – und vergessen wir nicht: er wollte sich als Sozialist verstanden wissen – sind ›*pueblo*‹ und ›*masa*‹ Synonyme – und stets wahre Ehrentitel: *La paz armada no es, después de todo, más que en provecho de los dueños del suelo patrio y un medio de excluir del trabajo grandes masas de hombres, disponiendo de una reserva y un ejército contra el pueblo.*[334] So schrieb der

Unamuno des Jahres 1895. 1909 – gerade 1909 – hatte er nicht nur die Perspektive seiner Bewertung umgekehrt, deutlich wurde auch, daß Miguel de Unamuno die Gewalttätigkeit der Massen als eine Bedrohung für sein eigenes Leben erfuhr. Und um der Masse als politischem Subjekt jene politisch-moralische Legitimität abzusprechen, die er ihr eineinhalb Jahrzehnte zuvor gravitätisch konzediert hatte, sprach Unamuno jetzt von ihrer ›Hirnlosigkeit‹: *Y como yo creo que la gran batalla es por conquistar el respeto al hombre, el respeto a la individualidad, yo, por mi parte, cargo sobre la masa, cargo sobre la muchedumbre microcéfala y anónima. ¡Qué me respeten! Así aprenderán a respetar a todo individuo, a respetarse a sí mismos como individuos.*[335]

Dieser von Angst motivierte Umschlag der Bedeutung ist ein für die spanische Geschichte des XX. Jahrhunderts entscheidendes Symptom. Jenes ›Volk‹, das als Masse seine physische Gewalt manifestiert hatte, konnten und wollten die individualistischen Intellektuellen nicht mehr in ihre geistige Obhut nehmen. Seither sprachen viele von ihnen in zwei Begriffen vom ›Volk‹. Wenn sie sich als Aufklärer inszenierten, dann lebte in den Diskursen der Intellektuellen ein der Fürsorge bedürftiges und für allerlei Lehren empfangsbereites ›Volk‹ fort; als pessimistische Zeitkritiker aber verurteilten sie die ›Massen‹, die sie mit Gewalt und Hirnlosigkeit gleichsetzten. Freilich waren die Attacken eines Unamuno nur ein Vorspiel zu dem berühmtberüchtigten Buch von der *Rebelión de las masas*, das José Ortega y Gasset 1929, unmittelbar vor der Katastrophe an der Wall Street und zwei Jahre vor der Ausrufung der neuen Republik, veröffentlichte. Er scheint sich seine Furcht vor jenen Zeitgenossen von der Seele geschrieben zu haben, die auf die Befriedigung ihrer physischen Bedürfnisse pochten, ohne zur Legitimation solcher Forderungen geistige Qualitäten aufweisen zu wollen. Ortegas Entrüstung war freilich weit subtiler formuliert als Unamunos Polemik. Denn er betonte (als ob er gewußt hätte, was zu verbergen war), daß das Prädikat ›Masse‹ nicht als ein Synonym zu ›Proletariat‹ verstanden werden sollte: *Por ›masa‹ ... no se entiende especialmente al obrero; no designa aquí una clase social, sino una clase o modo de ser hombre que se da hoy en todas las clases sociales, que por lo mismo representa a nuestro tiempo, sobre el cual predomina e impera.*[336] All die anderen – bis dahin mehr oder weniger gleichbedeutenden – Prädikate nahm Ortega y Gasset (mit je nuancierten Vorschlägen zu ihrer positiven Verwendung) aus dem Diskurs der Verurteilung aus. Was ihn an den ›Massen‹ beunruhigte, kam vor allem von der Beobachtung, daß sie sich nicht jener Struktur der Selbstkontrolle (der Selbstkasteiung, des Narzißmus) unterwarfen, welche seit Jahrzehnten die Identität des intellektuellen Individuums ausgemacht hatte: *Esto nos lleva a apuntar en el diagrama psicológico del hombre-masa actual dos primeros rasgos: la libre expansión de sus deseos vitales, por tanto, de su persona, y la radical ingratitud hacia cuanto ha hecho posible la facilidad de su existencia. Uno y otro rasgo componen la conocida psicología del niño mimado.*[337] Offenbar ist hier von ›verwöhnten Kindern‹ die Rede, weil jene sozialen Gruppen, die man als ›Kinder‹ brauchte, um sich selbst zum ›väterlichen Aufklärer‹ stilisieren zu können, seit Jahrhundertbeginn solch väterlicher Fürsorge immer mehr entlaufen waren. Doch der *niño mimado* ist die schwächere von zwei Metaphern, die Ortega den ihm verhaßt gewordenen Massen überstülpen wollte. Subtiler und perfider war die Rede vom ›Massenmenschen‹ als einem *señorito satisfecho*. Denn die Form ›señorito‹, die (in Spanien bis heute nicht gänzlich ausgestorbene) Anrede eines Untergebenen an seine Herrschaft, war damals schon längst zu einem Pejorativ der politischen Sprache geworden, mit dem man vor allem die *latifundistas* treffen konnte. Deshalb bestärkte und stabilisierte die Metapher vom *señorito satisfecho* Ortegas Beteuerung, daß er – um es paradoxal zu formulieren – mit dem Prädikat ›masas‹ nicht die Massen meinte. Und doch lag die Pointe der Formel darin, gerade diejenigen ›señoritos‹ zu nennen, denen er kategorisch das Recht auf Herrschaft, ja sogar auf Selbstbestimmung absprach. Ortegas Buch vermag noch heute, mehr als sechzig Jahre nach seiner ersten Veröffentlichung, Aggressionen zu wecken. Und doch ist die *Rebelión de las masas* für uns historisch bedeutsam, weil sie zeigt, daß selbst ein Autor, der das Programm einer ›Öffnung auf Europa‹ wahrhaft perfekt eingelöst hatte, außerstande war, sich auf neue Strukturen des Wissens und neue Formen des Handelns einzustellen. Es entspricht deshalb nun schon unseren Erwartungen, daß sich Ortega – wie Unamuno, Machado und Baroja – auch von der neuen Körperlichkeit irritieren ließ und sie mit den *masas*, dem *señorito satisfecho* assoziierte: *Por otra parte, cabría aprovechar más detalladamente la anterior alusión al ›aristócrata‹, mostrando cómo muchos de los rasgos característicos de éste, en todos los pueblos y tiempos, se dan, ... en el hombre-masa. Por ejemplo: la propensión a hacer ocupación central de la vida los juegos y los deportes; el cultivo de su cuerpo – régimen higiénico y atención a la belleza del traje; falta de romanticismo en la relación con la mujer; divertirse con el intelectual, pero, en el fondo, no estimarlo.*[338]

Ereignisse wie die *Semana trágica* hatten zu einer Entfremdung zwischen den selbsternannten Aufklärern und denen geführt, die sie so gerne aufgeklärt hätten. Darauf konnte man als Intellektueller irritiert-aggressiv reagieren – wie Unamuno oder Ortega y Gasset. Eine klügere – oder wenigstens doch: sympathischere – Möglichkeit der Verarbeitung lag im Verzicht auf das Amt eines ›Lehrers der Nation‹ und auf das Prädikat ›*masas*‹. Der fiktionale Juan de Mairena wurde nicht müde, diesen doppelten Verzicht zu zelebrieren – und soviel Bescheidenheit hat Antonio Machado posthum den gut gemeinten Ehrentitel eines ›*poeta del pueblo*‹[339] eingetragen (mit dem er versehentlich und bezeichnenderweise dann doch wieder in die Position einer Lehrer-Autorität eingesetzt wurde):

Nosotros no pretenderíamos nunca educar a las masas. A las masas, que las parta un rayo. Nos dirigimos al hombre, que es lo único que nos interesa; al hombre en todos los sentidos de la palabra: ... Pero el hombre masa no existe para nosotros. Aunque el concepto de masa pueda aplicarse adecuadamente a cuanto alcanza volumen y materia, no sirve para ayudarnos a definir al hombre, porque esa noción físico-matemática no contiene un átomo de humanidad... Imaginad lo que podría ser una pedagogía para las masas. ¡La educación del niño-masa! Ella sería, en verdad, la pedagogía del mismo Herodes, algo monstruoso.[340]

Mit demselben Problemhorizont – aber weitgehend unter Aussparung des Prädikats ›*masas*‹ – hatte sich im Jahr 1900 Manuel Azaña anläßlich seiner juristischen Doktorarbeit beschäftigt. Auch Azaña sah die ›Massen‹ als ein Ergebnis des im XIX. Jahrhundert enorm beschleunigten Geschichtsprozesses an, der aus den ›Nationen‹ und ›Völkern‹ allenthalben ›die Plebs‹ (›*las ple-bes*‹) habe hervorgehen lassen. Diese ›Plebs‹ will Azaña nun einerseits als politisches Subjekt anerkennen (wenn er von ihren ›Errungenschaften‹ und ›Beschlüssen‹ redet); andererseits spricht aber auch er von der unerhörten ›Erregbarkeit‹ und von den ›Greueln‹ der Masse, die es ihm dann doch wieder unmöglich machen, sie als Kollektiv-Subjekt zu erfahren. Solche Ambivalenz steht für das Scheitern einer ›aufgeklärten‹ Konzeption der Politik, die aus der Gleichsetzung von individueller Interaktion mit den Beziehungen und Spannungen zwischen sozialen Gruppen entstanden und (nicht nur in Spanien) eben aufgrund dieser Gleichsetzung unhaltbar geworden war. Doch anders als dreißig Jahre nach ihm Ortega y Gasset und anders auch als Antonio Machado verstand sich Azaña zunächst als einen distanzierten Beobachter, der nach Identität und ›Charakter‹ der Massen fragte, bevor er gegen sie oder für sie Stellung nahm: *La presencia de estos hechos es tal vez la que ha despertado la afición a semejantes estudios, que ya por su parte encierran bastante interés para atraer la atención del filósofo, pues no hay nada más fecundo en sorpresas para el ánimo del hombre de ciencia que el examen detenido del modo de ser de las muchedumbres.*[341] In der Attitüde eines Philosophen entdeckte Azaña, daß es der Mangel einer den Massen bewußten Identitäts-Gestalt ist, welche diese vom Individuum unterscheidet: *La muchedumbre es efectivamente lo heterogéneo e inorgánico por excelencia.*[342] Hier setzte sein juristisches Plädoyer gegen Massen-Bestrafungen und Massen-Exekutionen an. Den Verzicht auf solche Maßnahmen wertete Azaña – nun wieder vom Modell einer Interaktion zwischen Individuen ausgehend – als einen ›Vertrauensvorschuß‹, und mit ihm verband er die Hoffnung, daß die ›Masse‹ wieder zum ›Volk‹ werden möchte: *Los fusilamientos en masa, al ahogar en sangre los crímenes de las muchedumbres, no producen más efecto que un terror malsano que a la postre se convierte en odio hacia los que le han causado, y el pueblo, lejos de ver en el poder que le gobierna un guía y su defensa natural, ve sólo en tales casos un delincuente más que a mansalva se entretiene en causar tremendos e irreparables daños.*[343]

Wir sehen, daß der von den Prädikaten ›*multitud*‹, ›*muche-*

dumbre‹ und ›masa‹ bezeichnete Begriff bei aller Polarität der jeweiligen Wertungen immer wieder als Symptom für das Scheitern eines aufgeklärt-liberalen Weltbildes interpretierbar ist, während der Begriff ›pueblo‹ ebenso konstant gerade die Illusion der Aufklärer durchscheinen läßt, mit den verschiedenen gesellschaftlichen Gruppen so interagieren zu können wie mit Individuen. Unabhängig davon, ob sie der einen oder der anderen Einstellung zuneigten, hielten sich die Intellektuellen für berufen, die Welt zu verbessern, das Schicksal der Nation in die Hände zu nehmen – und dies in einer historischen Situation, da sich die geistige Elite des Landes als unfähig erwies, ihr Selbstverständnis auf eine neue Erfahrung von Wirklichkeit einzustellen. Als Literaten freilich, entlastet von der selbst auferlegten (oder angemaßten) Verpflichtung, Vorgaben für *kollektives* Handeln zu stiften, haben dieselben spanischen Intellektuellen in den zwanziger und dreißiger Jahren mit einer Sensibilität auf die Krise des westlichen Bildes vom Menschen und der Gesellschaft reagiert, die Ihresgleichen sucht. An – chronologisch – erster Stelle ist hier der Name von Ramón María del Valle-Inclán zu nennen, den man nach seinen Lebensdaten (1869-1936) der *Generación del 98* zuordnen könnte. Tatsächlich war er schon seit der Jahrhundertwende mit Erzählungen, Romanen und Gedichtbänden modernistischer Prägung zu einer Symbolfigur im Literatenmilieu geworden. Doch seit etwa 1920, als Valle-Inclán begann, Texte für das Theater zu schreiben, entwickelte er eine Sprach- und Darstellungstechnik, die – trotz aller Begeisterung seiner Zeitgenossen – wohl erst in den vergangenen Jahrzehnten ihren Sitz im Leben gefunden hat.[344] In seinen *Esperpentos* (das Wort bedeutet im Deutschen ›Ungereimtheit‹, aber auch ›Vogelscheuche‹) brach Valle-Inclán mit allen Bemühungen um die Rettung des geistigen Subjekts und zog statt dessen seine Zuschauer hinein in einen Wirbel der Dinge und Körper: *Si nuestro teatro tuviese el temblor de las fiestas de toros sería magnífico. Si hubiese sabido transportar esa violencia estética, sería un teatro heroico como la Ilíada. A falta de eso, tiene la antipatía de los códigos, desde la Constitución a la Gramática.*[345]

Während ein Miguel de Unamuno Romane, Dramen und Gedichte aus dem Überhang seiner Ich-bezogenen Reflexionen in die Nähe eines philosophisch-moralischen Diskurses her-übergeschrieben hatte, lebte Valle-Incláns *violencia estética* aus der Materialität von Szenen, die er dem Publikum als Produkt eines neuen Verfremdungs-Gestus präsentierte: *Los héroes clá-sicos reflejados en los espejos cóncavos dan el Esperpento. El sentido trágico de la vida española sólo puede darse con una estética sistemáticamente deformada.*[346] Auch wenn Begriffe wie ›Verfremdung‹ und ›*sentido trágico de la vida*‹ zunächst den Verdacht wecken mögen, auch in den *Esperpentos* gehe es am Ende um die Reflexion, lag Valle-Incláns epochale Leistung in einer Transposition des Themas von der ›Identität Spaniens‹ auf die menschliche Physis, auf eine groteske Körperlichkeit, die an Autoren des XVII. Jahrhunderts – vor allem an Quevedo – erinnert. *España es una deformación grotesca de la civilización europea* – diesen Satz spricht in dem 1920 veröffentlichten Text *Luces de Bohemia* der Dichter Máximo Estrella. Statt nach Vor-bild-Figuren für ihn in der Madrider Bohème der Jahrhundert-wende Ausschau zu halten, kann man die These wagen, daß Máximo Estrella und sein ›grotesk-tragisches‹ Schicksal im *Esperpento* den Autor verkörpern. Denn Ramón María del Valle-Inclán gehörte mit seinem wallend-weißen Bart, seiner in weite Gewänder gehüllten, bis zur Unwirklichkeit abgemager-ten Gestalt, seiner Brille (deren Gestell an jene Brillen erinnert, die man auf Kirchenfenstern des Spätmittelalters, aber auch auf Portraits von Quevedo entdeckt) und *ohne* seinen linken Arm (der nach einem Kaffeehaus-Streit amputiert worden war) als eine groteske Figur zur Szenerie der *Calle de Alcalá*, wo sich vor allem in den zwanziger Jahren Künstler und Intellektuelle dem Publikum der Passanten präsentierten. Aber Valle-Inclán war auch für einige Jahre Direktor der spanischen Kunstakade-mie in Rom gewesen. Deshalb kann Máximo Estrella, Valle-Incláns *Esperpento*-Äquivalent, von seiner Dramen-Umwelt als ›größter Dichter Spaniens‹ gefeiert werden, und ist doch zu-gleich blind und alkoholabhängig. Estrella versetzt seinen Man-tel im Pfandleihhaus, weil er die letzte Hoffnung für das Über-leben seiner Frau, seiner Tochter und seiner selbst auf den Kauf eines Lotterieloses setzen will. Er versäuft die wenigen Peseten, die ihm noch bleiben, mit Don Latino, einem Parasiten, dem Máximo Estrella keinen Widerstand, ja nicht einmal mehr

Überlebensinstinkt entgegensetzt; er wird verhaftet und auf Veranlassung des Innenministers, seines Jugendfreundes, nicht nur begnadigt, sondern gleich auch mit einer Rente ausgestattet. Schließlich fällt auf sein Lotterielos der Hauptgewinn. Doch bevor ihnen dies alles bekannt wird, haben sich die Frau und die Tochter von ›Spaniens größtem Dichter‹ das Leben genommen – und Máximo ist in der Nacht nach seinem Ausflug vor der eigenen Haustür gestorben. Dieses Geschehen, das in einer Zusammenfassung ›tragisch‹ wirken kann, bildet im *Esperpento* eine Sphäre des Grotesk-Makabren. Máximo Estrella jedenfalls will ohne Bedauern seinen schmutzigen Körper verlassen:

MÁXIMO ESTRELLA se tiende en el umbral de su puerta. Cruza... un perro golfo que corre en zig-zag. En el centro, encoge la pata y se orina. El ojo legañoso, como un poeta, levantado al azul de la última estrella.

MAX. – Latino, entona el gori-gori.
DON LATINO. – Si continúas con esa broma macabra, te abandono.
MAX. – Yo soy el que se va para siempre.
DON LATINO. – Incorpórate, Max. Vamos a caminar.
MAX. – Estoy muerto.
DON LATINO. – ¡Que me estás asustando! Max, vamos a caminar. Incorpórate, ¡no tuerzas la boca, condenado! ¡Max! ¡Max! ¡Condenado, responde!
MAX. – Los muertos no hablan.
DON LATINO. – Definitivamente, te dejo.
MAX. – ¡Buenas noches![347]

Diese Welt der Körper ist eine groteske Welt. Und daß Máximo Estrella, ›der größte Dichter Spaniens‹, geradezu genüßlich das *¡incorpórate!* seines Kumpanen überhört, paßt zu einer für den *Esperpento* typischen Entzweiung zwischen der grotesken Bühnen-Welt der Körper und der Perspektive der Toten, welche für Valle-Inclán die einzige Perspektive der Erkenntnis war: *Mi estética es una superación del dolor y de la risa, como deben ser las conversaciones de los muertos al contarse historias de los vivos.*[348] Valle-Inclán mag seinen abgemagerten, versehrten Körper als einen lebenden Anspruch auf dieses Privileg der Toten erlebt haben. Literatur-Kenner sind es gewohnt, solche

Todessehnsucht als Protest gegen je bestehende Welten zu deuten. Wenn es denn ein Protest war, so scheint er im Spanien Valle-Incláns diejenigen kaum beunruhigt zu haben, die Todessehnsucht als Todesbringer erfüllen konnten. In einem Interview, das die Gattin des jungen Generals Francisco Franco im Mai 1928 der Zeitschrift *Estampa* gab, lesen wir:

– ¿Cual es el mayor defecto que encuentra a su marido?
– Que le gusta demasiado Africa y estudiar unos libros que no comprendo.
– ¿Y qué opina de su carácter?
– Que para mí, indiscutiblemente, es el mejor.
– ¿Le gusta la literatura?
– Me gusta mucho el teatro de Benavente y las novelas de Alarcón.
– ¿Sabe el autor predilecto de su esposo?
– Valle-Inclán. Vea todas sus obras en la biblioteca.[349]

Federico García Lorca war neunundzwanzig Jahre jünger als Ramón María del Valle-Inclán, und er starb – wie Valle-Inclán – 1936, im Jahr des Militärputschs gegen die Zweite Republik, in dem Jahr auch, dessen letzter Tag der Todestag von Miguel de Unamuno werden sollte. Doch García Lorcas Tod ließ seine Freunde ungläubig, verstört, verzweifelt zurück, weil er für sie das Bild sinnlich-gegenwärtigen Lebens gewesen war. *Su vida y su personalidad superaban con mucho a su obra,*[350] sagte Luis Buñuel nur wenige Jahre vor seinem eigenen Tod: *De todos los seres vivos que he conocido, Federico es el primero ... Me parece, incluso, difícil encontrar alguien semejante. Ya se pusiera al piano para interpretar a Chopin, ya improvisara una pantomima o una breve escena teatral, era irresistible. Podía leer cualquier cosa, y la belleza brotaba siempre de sus labios. Tenía pasión, alegría, juventud. Era como una llama.*[351] Fast bei all seinen Freunden verband sich in der Erinnerung die Gestalt des Dichters Lorca mit der Musik, mit jener Ausdrucksform, in der menschlicher Intellekt sich nie vom Körper ablöst.[352] Noch 1938 war er so für Luis Cernuda gegenwärtig:

La sensualidad, esa cualidad primordial del poeta, latía poderosamente en él. Se puso al piano. No tenía lo que se dice buena voz. Más tarde he oído en boca de cierta cantante algunas de esas viejas canciones populares que él mismo le enseñó. Nadie les ha sabido dar el acento, la energía, la salvaje tristeza que Federico García Lorca les comunicaba.

No era guapo, acaso fuese todo lo contrario, pero ante el piano se transfiguraba; sus rasgos se ennoblecían, revistiéndose de la pasión que sin elevar la voz, subrayándola fielmente con la del piano que también manejaba, fluía desde el verso y la melodía. Había que quererle o que dejarle; no cabía ya término medio. Esto lo sabía él y siempre que deseaba atraer a alguien, ejercer influencia sobre tal o cual persona, se ponía al piano o le recitaba sus propios versos.[353]

Doch Federico García Lorca, der für seine Mitwelt die Faszination des Lebens war, sprach in seinen Gedichten und in seinen Dramen so oft vom Tod wie Valle-Inclán. Vielleicht wurde Lorca das erst bewußt, als er 1929/1930 für einige Monate in New York lebte, offiziell eingeschrieben als Student an der Columbia University. Denn in seinem dort entstandenen Gedichtzyklus ›Poeta en Nueva York‹ bewegen sich alle Erlebnisse und alle Texte hin auf den Tod – der ein anderer Tod war als der Tod in Valle-Incláns *Esperpentos*. Der sechste Teil des Buchs hat den Titel ›Introducción a la muerte‹, und er beginnt mit dem Gedicht ›Muerte‹. Dort ist der Tod nicht das Frei-Werden vom Körper (oder gar ein Modus der Erkenntnis), sondern – im Gegensatz zu allem Leben – das erlösende Identisch-Werden mit der Materie:

> ¡Qué esfuerzo!
> ¡Qué esfuerzo del caballo por ser perro!
> ¡Qué esfuerzo del perro por ser golondrina!
> ¡Qué esfuerzo de la golondrina por ser abeja!
> ¡Qué esfuerzo de la abeja por ser caballo!
> . . .
> Y yo, por los aleros,
> ¡qué serafín de llamas busco y soy!
> Pero el arco de yeso,
> ¡qué grande, qué invisible, qué diminuto!,
> sin esfuerzo.[354]

Man findet diese Bewunderung und Sehnsucht nach den Dingen, die oft bis zur Bewußtheit der Erfahrung verdichtet ist, allenthalben bei Lorca. Die Welt New Yorks, die Welt des Todes – die *Danza de la Muerte* – ist das Identisch-Sein der Materie mit sich selbst:

> Era el momento de las cosas secas,
> de la espiga en el ojo y el gato laminado,

del óxido de hierro de los grandes puentes
y el definitivo silencio del corcho.
. . .
Desfiladeros de cal aprisionaban un cielo vacío
donde sonaban las voces de los que mueren bajo el guano.
Un cielo mondado y puro, idéntico a sí mismo,
con el bozo y lirio agudo de sus montañas invisibles . . .[355]

Poeta en Nueva York erschien in Spanien erst vier Jahre nach
García Lorcas Tod. Schon gegen Ende seines Lebens, 1934, als
Lorca, der in wenigen Jahren zum populärsten Gegenwarts-
Dichter der spanischen Sprache geworden war, eben von einer
triumphalen Reise nach Buenos Aires zurückkehrte, reiste er
nach Santander, um eine Corrida mit seinem Freund, dem Torero Ignacio Sánchez Mejías, zu erleben. An jenem Tag wäre
Sánchez Mejías »beinahe von einem Stier zu Tode gestoßen
worden . . . Die Freunde feierten die Rettung des Stierkämpfers,
aber bei seinem nächsten Auftritt, in Sevilla, ereilte ihn der Tod.
In der überfüllten Arena wurde er vom Stier schwer verletzt
und starb eine Stunde später im Krankenhaus«.[356] Federico
García Lorca schrieb den *Llanto por Ignacio Sánchez Mejías*. Er
hat vier Teile, deren erster mit den Worten ›*La cogida y la
muerte*‹ überschrieben ist:

A las cinco de la tarde.
Eran las cinco en punto de la tarde.
Un niño trajo la blanca sábana
a las cinco de la tarde.
Una espuerta de cal ya prevenida
a las cinco de la tarde.
Lo demás era muerte y solo muerte
a las cinco de la tarde.[357]

Der Kalk, mit dem das Blut des Freundes bedeckt wurde, war
schon bereitgestanden – so als habe man Blut und Tod erwartet.
Dieses Blut steht als vergehendes und vergangenes Leben im
zweiten Teil des *Llanto – La sangre derramada –* den Stieren
gegenüber: *Los toros de Guisando, / casi muerte y casi piedra.*
Das Vergehen des Lebens aber will das Auge nicht sehen:

¡No me digáis que la vea!
No quiero sentir el chorro
cada vez con menos fuerza . . .

Der dritte Teil des *Llanto* heißt *Cuerpo presente*. Dort breitet sich die Ruhe des zur Materie zurückgekehrten Körpers aus:

> Aquí no canta nadie, ni llora en el rincón,
> ni pica las espuelas, ni espanta la serpiente:
> aquí no quiero más que los ojos redondos
> para ver ese cuerpo sin posible descanso.

Es folgt, was im *Poeta en Nueva York* ausgeblieben war: *Alma ausente*. Der tote Körper ist als Materie ein anonymer Körper geworden; nur im Gedicht – wie es heißt: im Gesang, im lebendigen Gesang – bleibt er der Körper des Freundes. Doch der, weiß Lorca, war hungrig nach dem Tod. Und so besingt er die Schönheit seines Körpers:

> No te conoce el toro ni la higuera,
> ni caballos ni hormigas de tu casa.
> No te conoce el niño ni la tarde
> porque te has muerto para siempre.
> . . .
>
> No te conoce nadie. No. Pero yo te canto.
> Yo canto para luego tu perfil y tu gracia.
> La madurez insigne de tu conocimiento.
> Tu apetencia de muerte y el gusto de su boca.
> La tristeza que tuvo tu valiente alegría.
>
> Tardará mucho tiempo en nacer, si es que nace,
> un andaluz tan claro, tan rico de aventura.
> Yo canto su elegancia con palabras que gimen
> Y recuerdo una brisa triste por los olivos.

All das ist fast eine Umkehrung der *Esperpento*-Welt von Valle-Inclán: der Tod ist bloße Körperlichkeit – nicht mehr Distanz zum Körper; er ist das Stumm-Sein, das Anonym-Werden – nicht mehr die Erkenntnis aus der Distanz. So können wir auch die Dramen aus Lorcas letzten Lebensjahren lesen: wo in *Bodas de sangre* oder in *La casa de Bernarda Alba* die Begierde nach dem fremden und dem eigenen Körper die Ordnung des alltäglichen Lebens zerstört, da wird das Leben zum ersehnten Tod. Gerade in Buenos Aires, wenige Wochen vor dem Tod seines Freundes Ignacio Sánchez Mejías, hatte Lorca vom Theater als einem ›Fest des Körpers‹ gesprochen: *Hay que presentar la fiesta del cuerpo desde la punta de los pies, en danza, hasta la punta de los cabellos, todo presidido por la mirada, intérprete de lo que va por dentro. El cuerpo, su armonía, su ritmo, han sido olvidados… Hay que revalorizar el cuerpo en el espectáculo. A eso tiendo.*[358] Solches Theater des Körpers sah Lorca präfiguriert im Todes-Spektakel der *corrida*, und die *corrida* im Ritual der Eucharistie: *la liturgia de los toros, auténtico drama religioso donde, de la misma manera que en la misa, se adora y se sacrifica a un Dios.*[359]

1933 war in Madrid jenes Stück uraufgeführt worden, in dem Lorcas Mythologie von Körper und Tod ihre dichteste und verwirrendste szenische Form fand. Schon der Titel klingt wie Magie: *Amor de Don Perlimplín con Belisa en su jardín. Aleluya erótica en cuatro cuadros.* Die Handlung des ›erotischen Halleluja‹ ist eine Umkehrung des im Aufklärungs-Theater abgenutzten Motivs vom *Sí de las niñas.* Don Perlimplín, der *viejo*, läßt sich mit der jungen, schönen Nachbarin Belisa verheiraten. Schon in der Hochzeitsnacht brennt Belisas Körper in der Umarmung eines jungen Mannes, der unsichtbar bleibt. Als sich am Ende Don Perlimplín tötet, tut er das, weil er selbst jener unsichtbare, von Belisa begehrte junge Mann war. Auch hier ist die Erfüllung physischer Begierde zugleich der Schritt zum erlösenden Tod. Weil der unerotische alte Don Perlimplín zugleich der uneheliche nächtliche Liebhaber war, stirbt er in der Gewißheit, daß Belisa, die ihrem Liebhaber nicht untreu werden kann, auch ihn, den *viejo*, nicht vergessen und verraten wird. Für Luis Buñuel war solches Theater seines Freundes unerträglich. Als Lorca ihm und Salvador Dalí in der Bar des *Hotel Nacional* aus dem Manuskript von *Don Perlimplín* vorlas, unterbrach ihn Buñuel: *Basta, Federico. Es una mierda.*[360] Die Aufführung des Stücks verließ Buñuel vor dem Ende. Er selbst glaubte, daß es seine eigene Begegnung mit dem französischen Surrealismus gewesen war, die ihn von Lorcas Werk entfernte. Doch viel mehr trennten Federico García Lorca und Luis Buñuel vermutlich die Medien, der Abstand zwischen Text – ob Dramen-Text oder Gedicht-Text – und Film. Bei ihrer Arbeit am Drehbuch für den Film *Un chien andalou* wollten Buñuel und Dalí nur eine Regel anerkennen: *no aceptar idea ni imagen alguna que pudiera dar lugar a una explicación racional, psicológica o cultural. Abrir todas las puertas a lo irracional.*

No admitir más que las imágenes que nos impresionaran, sin tratar de averiguar por qué.[361] Vielleicht wäre Lorca – denken wir an *Introducción a la muerte* oder *Cuerpo presente* – bereit gewesen, diesen Vorsatz mit Buñuel und Dalí zu teilen. Doch wer über Sprache spricht und sich sprachlich ausdrückt, für den muß der Verzicht auf die Sinndimension eine Metapher bleiben. Der Illusion einer Präsenz der Dinge, der mit sich selbst identischen Dinge und Körper, kommt das Medium ›Film‹ viel näher als der Text. Jene berühmte Bild-Sequenz aus dem *Chien andalou*, in der eine Rasierklinge einen Augapfel zerschneidet, kann, sprachlich evoziert, nicht denselben Ekel und dieselbe Angst vor der Verstümmelung des eigenen Körpers wecken, mit denen der Film sein Publikum bedrängt. Das gilt auch für den Film *Las Hurdes*, den Buñuel 1934 drehte. *Las Hurdes* sind eine Region des ländlichen Elends, der verendenden Tiere, der verwachsenen Menschen und der schwachsinnigen Kindergesichter. Sie liegt dort, wo die Provinz Salamanca an Estremadura grenzt. Schon für die Intellektuellen der zwanziger Jahre waren *Las Hurdes* zur ›brennendsten Wunde‹ Spaniens, zur Metonymie der nationalen Dekadenz geworden.[362] Buñuel hatte von dieser »Hölle« (wie er später sagte), durch eine wissenschaftliche Dokumentation mit politisch-strategischer Absicht erfahren. Sein Freund, der Anarchist Ramón Azín, hatte ihm versprochen, einen Film über Las Hurdes zu finanzieren, wenn er in der Lotterie gewänne. Und dieser Gewinn stellte sich tatsächlich ein – wenn auch die bescheidene Gewinn-Höhe Buñuel äußerste Sparsamkeit bei seiner Arbeit auferlegte.[363] *Las Hurdes* war ein Stummfilm, für den Buñuel zunächst nicht viel mehr erntete als die höfliche Anerkennung weniger Kritiker. Wenn man ihn heute sieht, fühlt man sich in eine ferne, archaisch-grausame Welt versetzt, die eine Welt der Dinge auch dort bleibt, wo man die Menschen von *Las Hurdes* auf der Leinwand sieht. Noch 1982 erinnerte sich Luis Buñuel an ein Ereignis des Jahres 1920, das Teil der Faszination spanischer Intellektueller durch das Thema vom Tod als Eingang in die Welt der Dinge war, obwohl es sich auf dem *Las Hurdes* entgegengesetzten Pol der Gesellschaft abgespielt hatte:

Un extraño suicidio que se produjo en Madrid hacia 1920, cuando yo vivía en la Residencia, me fascinó durante mucho tiempo. En un barrio que se llama Amaniel, un estudiante y su novia se dieron muerte en el jardín de un restaurante. Se sabía que estaban apasionadamente enamorados el uno del otro. Sus familias, que se conocían, mantenían excelentes relaciones. Cuando se le practicó la autopsia a la muchacha, se descubrió que era virgen. En apariencia, no existía ningún problema, ningún obstáculo para la unión de aquellos dos jóvenes, ›los amantes de Amaniel‹. Se disponían a casarse. Entonces, ¿por qué aquel doble suicidio? No aportaré gran luz sobre este misterio. Pero acaso un amor apasionado, sublime, que alcanza el nivel más elevado de la llama, es incompatible con la vida. Es demasiado grande, demasiado fuerte para ella. Sólo la muerte puede acogerlo.[364]

Man kann den Tod im Film zeigen und die Angst vor dem Tod vergegenwärtigen – aber weil der Tod das Ende des Bewußtseins ist, kann das menschliche Bewußtsein ihn selbst nicht imaginieren, kann die menschliche Sprache nicht über seine Erfahrung reden.[365] Aus der Obsession der *Generación del 98*, die Wirklichkeit mit der Verwirklichung des Lebens als Individuum zu retten, war nach 1930 bei vielen spanischen Autoren ein Lebens-Gefühl der Todes-Sehnsucht geworden. Doch sie glaubten weiterhin an ihre Texte und boten die Texte – wie seit jeher – als Instrumente zum Eingreifen ins Leben an. Bald wurde der Aufklärer-Literat Manuel Azaña Präsident der Republik. *El porvenir será nuestro como obra del pensamiento, del trabajo, de la energía,*[366] hatte er im November 1930 prophezeit. Am 21. August 1931 empfing er noch als Kriegsminister General Francisco Franco, den er wegen eines Verdachts auf republikfeindliche Umtriebe beschatten ließ. Heute, fünfzehn Jahre nach Francos und fünfzig Jahre nach Azañas Tod, liest man die einschlägige Tagebuchnotiz des republikanischen Kriegsministers wie eine Vorhersage wider Willen auf das, was Spanien 1931 als tödliche Zukunft bevorstand. Azaña glaubte, Francos Spiel durchschaut zu haben. Doch als er erfuhr, daß Franco ihn selbst durchschaut hatte, schlug sein Gefühl der Überlegenheit in aufrichtige intellektuelle Bewunderung um. Und Azaña unterließ es, zu handeln:

He recibido muy bien al general. Le digo que me dio un disgusto con su proclama y que no la pensó bien. Pretende sincerarse, un poco hipócritamente. Le aconsejo que no se deje traer y llevar por sus amigos y admiradores, porque en la vida pública no se es lo que uno quiere, sino lo que los demás se empeñan en hacer de uno. Hace protestas de lealtad, y aunque le han buscado, ha dicho que respeta al régimen constituido, como respetó a la monarquía. Me hace una gran defensa de la Academia General, que he suprimido, contra la que había muy mal ambiente en el ministerio.

Como yo le dejo entrever que cambiando las circunstancias del momento, me sería grato utilizar sus servicios, me responde con una sonrisita: »¡Y para utilizar mis servicios me ponen policía que me sigue a todas partes en automóvil! Habrán visto que no voy a ninguna parte.«

(En la Dirección de Seguridad han hecho, pues, una tontería. Le dije a Galarza que vigilaran lo que hacía este general, y se les ocurre ponerle detrás un auto, con tres agentes. Esta tarde le he dicho a Galarza que se lo quite).[367]

Dieser Manuel Azaña, der es vom Präsidenten des Ateneo zum Kriegsminister und schließlich zum Präsidenten der Republik brachte, ohne eine Welt verstehen zu lernen, die sich nicht ohne weiteres von Reflexion und Vernunft beherrschen ließ, war nur ein besonders markanter Einzelfall. Es gab kaum einen spanischen Intellektuellen, kaum einen spanischen Dichter, der nicht in der Zweiten Republik und im Bürgerkrieg seine Kräfte – seine ›Feder‹ – der ›guten Sache‹ (auf der einen und der anderen Seite) zur Verfügung gestellt hätte; der nicht als Autor an der einen oder anderen von zahllosen politisch-kulturellen Zeitschriften mitgewirkt hätte, die in jenen Jahren so rasch (und mit grenzenlosem Optimismus) an die Öffentlichkeit traten, wie sie ihr Erscheinen einstellten oder ihre Redaktionen umgruppierten. Noch das Engagement der Intellektuellen im politischen Leben stand auf tönernen Füßen. *Denn das alltägliche Leben sahen sie ästhetisch:* als im Individuum zu rettende Wirklichkeit (wie Unamuno), als eine Szenerie grotesker Körper (wie Valle-Inclán), schließlich auch (wie García Lorca) als eine quälende Entzweiung des Körpers von der Welt der Dinge.

Am 15. April 1933 erschien die erste Nummer der Zeitschrift *Cruz y Raya.* In ihr konkretisierte sich das Vorhaben junger Katholiken, die so unübersichtlich gewordene Welt aus dem Glauben – aus dem Glauben an Gott und die Zukunft – und aus einer neuen Geistigkeit (›*espiritualidad*‹) zu verstehen: *Precisa-*

mente, la razón más pura de ser de esta revista, la que la inspira y nos impulsa, quizás consista en esto: en nuestra viva voluntad de católicos para esclarecer bien las cosas; para darles, a cada una, el lugar que le corresponda, en la vida como en el pensamiento.[368] Zwei Monate später gaben Rafael Alberti und María Teresa León die erste Lieferung von *Octubre* heraus. Alberti, einer der Poeten des Jahres 1927, hatte sich schon in den letzten Monaten der Militärdiktatur von Miguel Primo de Rivera zu einer bewußt politischen Poesie hin orientiert; und von einer Reise, die ihn Ende 1932 nach Berlin (wo er intensive Kontakte zur Redaktion der *Linkskurve* aufnahm) und in die Sowjetunion führte, war er als überzeugter und nicht selten dogmatischer[369] Kommunist zurückgekehrt. Das Leitmotiv von *Octubre* läßt uns nachvollziehen, wie sehr sich – nicht nur – Rafael Alberti und María Teresa León nach einem Wissen sehnten, das die Welt wieder transparent machen sollte: *OCTUBRE está contra la guerra imperialista, por la defensa de la Unión Soviética, contra el fascismo, con el proletariado.*[370] Die sowjetischen – und die wenigen spanischen – Arbeiter, welche man auf den Photographien von *Octubre* sieht, haben denn auch den fröhlich-hoffnungsvollen Blick derer, welche die Zukunft als ihr Eigentum ansehen. Doch photographiertes Glück schlug die Leser offenbar kaum in Bann: nach sechs Nummern stellte *Octubre* im April 1934 ihr Erscheinen ein.

Wie ernst es María Teresa León und Rafael Alberti mit ihrem Einsatz für Republik und Kommunismus war, sehen wir an ihrem zweiten Zeitschriften-Projekt, dessen Geschichte im August 1936 – motiviert vom Militärputsch am 18. Juli desselben Jahres – begann. Der Name der neuen Zeitschrift war ›*El mono azul*‹. Er konnte einmal auf den blauen Overall der Arbeiter bezogen werden, für den sich viele Intellektuelle der dreißiger Jahre begeisterten. Doch ›*mono azul*‹ bedeutete primär ›blauer Affe‹ und konnotierte so jene jugendliche, freche, herausfordernde Attitüde, die sich linke Intellektuelle gerne als Gegengift zur Sklerose des Dogmatismus verschreiben. In diesem Sinn jedenfalls wollte Rafael Alberti sein neues Engagement verstanden sehen:

sale ahora
de papel, pues sus papeles
son provocarle las hieles
a Dios Padre y su señora.
¡A la pista,
pistola ametralladora,
mono azul antifascista!

¡Mono azul!: salta, colea,
prudente como imprudente,
hasta morir en el frente
y al frente de la pelea. (Ya se mea
el general más valiente.)

Die folgende, letzte Strophe wirkt heute rührend – im pathetischen und im ironischen Sinn des Wortes. Alberti besingt das
›Gewehr‹ der Intellektuellen – ein mit Tinte gefülltes ›Gewehr‹ – und er scheint wirklich geglaubt zu haben, daß das
Schreiben eine Waffe gegen den Bürgerkrieg sein könnte:

¡Salud!, mono miliciano,
lleno, hinflado, no vacío,
sin importarle ni pío
no ser jamás mono-plano.
Tu fusíl
tambien se cargue de tinta
contra la guerra civil.

Auch Antonio Machado, der in den dreißiger Jahren mit seinem Respekt vor ›dem Volk‹ und seinem Vertrauen auf ein
›gutes Ende‹ zum Nestor der republikanischen Poeten geworden war, gründete eine Monatszeitschrift. Sie hieß ›*Hora de
España*‹, hatte den Untertitel ›*Ensayos, poesía, crítica – al servicio de la causa popular*‹ und erschien seit Januar 1937 in Valencia, ab Ende 1938 in Barcelona, wohin die Regierung der Republik vor dem nationalen Heer geflüchtet war. Als Herausgeber
von *Hora de España* ging Antonio Machado ganz in der Rolle
des Weisen auf, in den *Consejos, sentencias y donaires de Juan
de Mairena*. Vielleicht konnte er nur so seine Sehnsucht nach
Zukunftshoffnung in einer Zeit stillen, wo die lyrische Form,
um die er den Diskurs der *Generación del 98* Jahrzehnte vorher

bereichert hatte, schon längst unzeitgemäß geworden war. Der *Propósito* am Beginn der ersten Nummer von *Hora de España* ist jedenfalls genauso ›rührend‹ wie Albertis Gedicht über den *Mono azul:*

Y es forzoso que ... vengan ... publicaciones que, desbordando el área nacional, puedan ser entendidas por los camaradas o simpatizantes esparcidos por el mundo, gentes que no entienden por gritos como los familiares de casa, hispanófilos, en fin, que recibirán inmensa alegría al ver que España prosigue su vida intelectual o de creación artística en medio del conflicto gigantesco en que se debate.[371]

Empfinden wir, die Hispanisten und die Hispanophilen des späten XX. Jahrhunderts, noch ›Freude‹ über die Gedichte und Nachrufe, über die offenen Briefe, politischen Kommentare und Rezensionen der *Hora de España*? Wenn man Buñuels Film *Las Hurdes* sieht, Bilder von wehrlos zerbombten spanischen Städten und den *desfile* des Nationalen Heers durch Madrid nach Ende des Bürgerkriegs, dann kommt einem die Frage , in welcher Welt einer leben mußte, um auf ›tintengeladene Gewehre‹ und die ›Freude der Hispanophilen‹ zu setzen. Oder denken wir an die Photographien des andalusischen Poeten Miguel Hernández, der Ziegen gehütet hatte, als die anderen zukünftigen Dichter zur Schule und auf die Universität gingen. Er war sechsundzwanzig Jahre alt, als der Bürgerkrieg ausbrach, und mit einem jugendlichen Funken der Begeisterung – mit einem Pathos, das für uns schon zur Physiognomie einer alten Welt gehört – rezitierte er seine Gedichte vor den schlecht bekleideten und unzureichend bewaffneten Soldaten in den Schützengräben des republikanischen Heers. Ist es wirklich nur ein halbes Jahrhundert her, daß man glaubte, so gegen die Gewalt der Bomben und Panzer einen Krieg gewinnen zu können?

Federico García Lorca war einer der ersten gewesen, die Gefallen an den Gedichten von Miguel Hernández gefunden hatten.[372] Vielleicht spürte er, daß auch für Hernández die Sehnsucht nach dem Körper eine Todessehnsucht war:

> Entonces, el anhelo cresciente, la distancia
> que va de hueso a hueso recorrida y unida,
> al aspirar del todo la imperiosa fragancia,
> proyectamos los cuerpos más allá de la vida.

Im Krieg, als Miguel Hernández dieses Gedicht mit dem Titel ›Muerte nupcial‹ schrieb, trat noch einmal die andere Seite der Erotik hervor, unterlag noch einmal die Todessehnsucht der Lebensbejahung:

> Pero no moriremos. Fue tan calidamente
> consumada la vida como el sol, su mirada.
> No es posible perdernos. Somos plena simiente.
> Y la muerta ha quedado, con los dos, fecundada.

Nach der Kapitulation wurde Miguel Hernández von der Polizei der Sieger festgenommen. In der Haft starb er an Tuberkulose. Seinen Tod begleitete weder Erotik noch Lebensbejahung: *Por medio de un aparato punzante que me colocó en el costado, después de mirarme nuevamente por rayos X, salió de mi pulmón izquierdo, sin exagerarte, más de un litro y medio de pus en un chorro continuo que duró más de diez minutos.*

Es gibt ein ganzes Repertoire von Standard-Antworten auf die Frage, warum die Zweite spanische Republik scheiterte. Manche behaupten, der Bruch mit der feudalen Vergangenheit sei nicht entschlossen, nicht konsequent genug vollzogen worden. Andere meinen gerade, man sei die Reformen zu schnell und zu kompromißlos angegangen. Im Frankismus wurde aus dem Mythos von der *ingobernabilidad de los españoles* eine willkommene Legitimation für die Diktatur. Auch auf die politische Naivität der Professoren-Republik verweist man. Seltener auf die Tatsache, daß die Zweite Republik in einem historischen Moment ausgerufen wurde, da kaum eine Gesellschaft und kaum eine Staatsform – auch die seit Jahrhunderten bewährten nicht – vor den fatalen Folgen der Weltwirtschaftskrise verschont blieb. Läßt man in der Lektüre einschlägiger Geschichtsbücher die Ereignisse der Jahre zwischen 1931 und 1936 an sich vorbeiziehen, dann fällt vor allem auf, daß es den Politikern nicht gelang, konturierte Wirklichkeiten zu schaffen. Die politische Rechte wie die politische Linke, *élite* wie *masas*, verstrickten sich in einem beständig komplexer werdenden Gewirr von Gruppierungen, Strategien, Aktionen. Es gab anarchistische Aufstände gegen linksbürgerliche und sozialistische Regierungen; Rivalitäten zwischen rechtsbürgerlichen Politikern, faschistischen Sektierern und putschbereiten Militärs; es gab eine Landreform und eine Land-Gegenreform, und doch wuchs die Arbeitslosigkeit, kam es im Oktober 1934 zu Arbeiter-Revolten in Asturias und Katalonien. Unter diesem Klima der Gereiztheit und der Konfusion konnte die Volksfront aus ihrem Wahlsieg im Februar 1936, der eigentlich eine stabile politische Situation hätte verheißen müssen, kein Kapital schlagen. Eher nahm die allgemeine Unsicherheit zu, und wenn man Dokumente aus dem spanischen Frühsommer 1936 liest, so sieht man nicht nur – das sagen die Texte explizit –, daß die Furcht vor dem Bürgerkrieg umging; die Furcht war – auf beiden politischen Seiten – vermischt mit der Ungeduld, das Spiel des Parlamentarismus zu beenden, um mit physischer Gewalt kollektiv verbindliche Wirklichkeit durchzusetzen.

Wie sehr man die *Gewalt* allenthalben ersehnte, das führte schon den Zeitgenossen eine Debatte in den *Cortes* am 16. Juni 1936 vor Augen. José María Gil Robles, Christdemokrat und eine der Galionsfiguren der bürgerlich-konservativen Regierung vor der Wahl im Februar 1936, hatte den Ministern der Volksfront vorgeworfen, trotz aller Vollmachten, die sie sich selbst gegeben hatten, das im Land herrschende Chaos nicht verringert zu haben. Man antwortete, daß die Attentate, Schießereien und Kirchenbrände Akte der Provokation seitens der Rechten und des Heeres seien. Dann sprach José Calvo Sotelo, ein monarchistischer Abgeordneter, der mit nur zweiunddreißig Jahren von Miguel Primo de Rivera zum Minister ernannt worden war und als einer der brillantesten Redner unter den Feinden der Volksfront galt. Er behauptete, daß es keinen Vertreter des Heeres gäbe, der zu einem Staatsstreich bereit sei: *Si lo hubiera sería un loco, lo digo con toda sinceridad, aunque considero que también sería loco el militar que al frente de su destino no estuviera dispuesto a sublevarse en favor de España y en contra de la anarquía, si ésta se produjera.*[373] Den letzten Satz von Calvo Sotelos Intervention wollten seine Antagonisten als Aufruf zum Putsch verstehen. Wer aber auf Calvo Sotelos Seite stand, wollte die Antwort des Parlamentspräsidenten als Aufruf zum Mord hören: *Me es lícito decir que, después de lo que ha hecho su señoría hoy ante el Parlamento, de cualquier cosa que pudiera occurir, haré responsable ante el país a su señoría.* Knapp einen Monat später, am frühen Morgen des 13. Juli

1936, drang ein Trupp der *Guardia de asalto* in Calvo Sotelos Wohnung ein – angeblich mit dem Auftrag, ihn zum nächsten Polizeirevier zu bringen. Etwa zweihundert Meter von seinem Haus entfernt wurde Calvo Sotelo im Polizeiwagen erschossen; man fand seine korpulente Leiche auf der Müllkippe des *Cementerio del Este.*

Sein Tod wurde zur Legitimation für den fünf Tage später vollzogenen Militärputsch gegen die Zweite Republik. Kurz nach der Ermordung Calvo Sotelos wurde der Sohn von Francisco Largo Caballero, einem militanten kommunistischen Minister im neuen Kabinett, entführt und blieb für lange Jahre von seiner Familie getrennt. Das muß an jenem 18. Juli geschehen sein, als General Francisco Franco Bahamonde in Marokko der legitimen Regierung den Krieg erklärte: *Una vez más el Ejército, unido a las demás fuerzas de la nación, se ha visto obligado a recoger el anhelo de la gran mayoría de españoles que veían con amargura infinita desaparecer lo que a todos puede unirnos en un ideal común: ESPAÑA.*[374] In zwei aufeinanderfolgenden Absätzen dieser Kriegserklärung wurden private Radiosender verboten und die von der Konstitution verbrieften Rechte des Individuums aufgehoben:

Art. 13. Queda prohibido, por el momento, el funcionamiento de todas las estaciones radioemisoras particulares de onda corta o extracorta, ...
Art. 14. Ante el bien supremo de la Patria quedan en suspenso todas garantías individuales establecidas en la Constitución...[375]

So wie viele Spanier hatte Luis Buñuel den Tag der Revolte mit Ungeduld erwartet. Doch als aus den Träumen von der Revolution die Wirklichkeit der Gewalt geworden war, fand sich Buñuel enttäuscht und hilflos: *La violenta revolución que íbamos sintiendo ascender desde hacía unos años, y que yo personalmente tanto había deseado, pasaba bajo mis ventanas, ante mis ojos. Y me encontraba desorientado, incrédulo.*[376] Buñuel begann, den enragierten Individualismus der Anarchisten zu hassen, ihren Haß auf alle Institutionen zu verachten. Bald assoziierte er ›Anarchismus‹ mit physischer Schwäche und intellektueller Inkompetenz, mit der Gewißheit, daß die Putschisten im Bürgerkrieg siegen würden:

Pese a mis simpatías teóricas por la anarquía, yo no podía soportar su comportamiento arbitrario, imprevisible, y su fanatismo... En Barcelona mismo – un ejemplo entre otros –, liquidaron (sc.: los anarquistas) al director y a los ingenieros de una fábrica metalúrgica, para demostrar que la fábrica podía funcionar perfectamente en manos sólo de los obreros. Fabricaron un camión blindado y lo mostraron, no sin orgullo, a un delegado soviético. Este pidió una ›parabellum‹ y disparó, perforando sin dificultad el blindaje.[377]

Luis Buñuel verließ Madrid im September 1936 mit dem Auftrag, sich der Pariser Botschaft der Spanischen Republik zur Verfügung zu stellen. Er verließ Madrid rechtzeitig, denn er überlebte den Bürgerkrieg. Nur wenige Literaten, wenige *hombres de pluma,* wie Buñuel sie nannte, sahen den Bürgerkrieg so wie er, der Filmregisseur: weitgehend distanziert von seinen eigenen politischen Überzeugungen, als eine Realität der physischen Vernichtung.

Eine der universal-historischen Dimensionen des spanischen Bürgerkriegs ist der Tod der Literaten, das Ende aller Hoffnungen, die sich mit dem alten Rollenideal des ›Aufklärers‹ verbanden – vielleicht der Tod der Literatur. Dies ist ein Horizont, an dem sich im historischen Rückblick die Unterschiede zwischen den politischen Lagern verwischen, denn sie sind Unterschiede des Sinns. José Antonio Primo de Rivera, der Sohn des Diktators und Generals Miguel Primo de Rivera, wurde am 18. November 1936 in Alicante zum Tode verurteilt und am 20. November 1936 aufgrund dieses Urteils in Alicante erschossen. Er war bei seinem Tod dreiunddreißig Jahre alt. Am 29. Oktober 1933 hatte er mit einem Festakt im *Teatro de la comedia* von Madrid die faschistische *Falange* gegründet, die spätere Staatspartei des rechten Spanien. José Antonio (so wird er bis heute – durchaus nicht nur von Faschisten – genannt) hatte Jurisprudenz studiert und 1925 in Madrid eine Anwaltskanzlei eröffnet. Freunde und Feinde bestätigen, daß er im Beruf peinlich darauf bedacht war, nicht von der Position seines Vaters zu profitieren. Die politische Passion von José Antonio begann nach der Abdankung und dem Tod von Miguel Primo de Rivera. Er kämpfte in den turbulenten Monaten vor der Proklamation der Zweiten Republik einen quijotesken Kampf für das Andenken seines Vaters, der in der kollektiven Euphorie des politischen

Aufbruchs zur Symbolfigur jener Vergangenheit geworden war, die man für immer vergessen und überwinden wollte. Ein Pamphlet mit dem Titel ›La hora de los enanos‹, das José Antonio am 16. März 1931 in *ABC* veröffentlichte, läßt spüren, daß ein geradezu zwanghaftes Streben nach Reinheit die leidenschaftliche Verteidigung seines Vaters wie die haßerfüllten Attacken auf die Intellektuellen motivierte:

Aquí están los ridículos *intelectuales*, henchidos de pedantería. Son la descendencia, venida a menos, de aquellos *intelectuales* que negaron la movilidad de la tierra y su redondez, y la posibilidad del ferrocarril, porque todo ello pugnaba con las *fórmulas*. ¡Pobrecillos! ¿Cómo van a entender – al través de sus gafas de miopes – el atisbo aislado de la luz divina? ...

Aquí están los murmuradores, los envenenados de achicoria y nicotina, los *snobs*, los cobardes, los diligentes en acercarse siempre al sol que calienta más...

Aquí están todos. Abigarrados, mezquinos, chillones, engolados en su mísera pequeñez. Todos hablan a un tiempo. No se hizo nada. Se malgastaron los caudales públicos. Las victorias militares acaecieron bajo el mando de aquel caudillo como pudo acaecer otra cosa. Todo fue suerte o mentira. Y, antes que nada, ese Gobierno no fue un Gobierno *inteligente* (¡santa palabra para deslumbrar a los tontos!); gobernó para España, a la española, no al gusto de la decena de los elegidos. Prefirió prescindir de solemnidades hipócritas mejor que falsificarlas.

Los enanos han podido más que el gigante. Se le enredaron a los pies y lo echaron a tierra. Luego, le torturaron a aguijonazos. Y él, que era bueno, sensible, sencillo; él, que no estaba acorazado contra las miserias; él, que por ser muy hombre (*muy* humano) gozaba y padecía como los niños, inclinó su cabeza una mañana y no la alzó mas.[378]

Defender la sagrada memoria de mi padre[379] – das war fast alles, was José Antonio Primo de Rivera an Programmvorstellungen zu bieten hatte, als er sich bei Parlaments-Nachwahlen im Oktober 1931 – erfolglos – um einen Sitz in den Cortes bewarb. Liest man die zahllosen Reden und Zeitungsartikel, die José Antonio in den folgenden Monaten verfaßte, so findet man ihn auf der Suche nach einem politischen Diskurs, der sein – im Ursprung gar nicht politisches – Problem fassen konnte. Im Dezember 1931 leitete er das Vorwort zu einer Dokumentation über das Bild seines Vaters in der ausländischen Presse mit einem Zitat aus der *Rebelión de las masas* von José Ortega y Gasset ein, um zu zeigen – und der rhetorische Kunstgriff ist beeindruckend –, daß man auch diesem Buch jeden Respekt verweigert hätte, wenn sein Autor Miguel Primo de Rivera gewesen wäre.[380] Und er sprach – wie es Unamuno, Baroja, Maeztu ein Jahrzehnt vorher getan hatten – vom *ambiente tonto y raquítico* vor dem Staatsstreich von 1923, in dem die Machtergreifung durch seinen Vater eine *afirmación de salud* gewesen sei. Vor diesem Hintergrund wirkt José Antonios Begeisterung für Mussolini und sein Engagement bei der Gründung der Zeitschrift *El Fascio* im März 1933 wie eine beinahe notwendige Etappe seiner Verstrickung in die Politik. Die Ausrichtung an diesem Vorbild wurde unübersehbar bei José Antonios Rede anläßlich des Aktes der Falange-Gründung. Einer ihrer Kernsätze heißt: *Que desaparezcan los partidos políticos.*[381] Doch auf der anderen Seite hat man den Eindruck, daß der italienische – und in gewissen Nuancen auch der deutsche – Faschismus für José Antonio und die *Falange* Instanzen blieben, die einer von spezifisch spanischen Gegebenheiten geprägten Bewegung der politischen Rechten lediglich ihre öffentliche Form vorgaben. Im Detail erweisen sich die Reden und Schriften José Antonios immer als Auseinandersetzungen mit Diskursen der spanischen Kultur und Politik des frühen XX. Jahrhunderts. Einer jener Schatten, von denen sich José Antonio nicht lösen konnte, war Ortega y Gasset. Am Ende der Parteigründungsrede griff er den Begriff des ›señorito‹ auf, dem Ortega eine so spezifisch neue Prägung gegeben hatte. Deutlich auf Ortega bezogen und darüber hinaus dem Vorwurf begegnend, daß der junge spanische Faschismus seine Anhänger nur aus den Oberschichten rekrutiere, wollte José Antonio seine Bewegung als Elite – eben im Sinn von Ortega y Gasset – darstellen:

Yo quisiera que este micrófono que tengo delante llevara mi voz hasta los últimos rincones de los hogares obreros, para decirles: sí, nosotros llevamos corbata; sí, de nosotros podéis decir que somos señoritos. Pero traemos el espíritu de lucha precisamente por aquello que no nos interesa como señoritos; venimos a luchar por que a muchos de nuestras clases se les impongan sacrificios duros y justos, y venimos a luchar por que un Estado totalitario alcance con sus bienes lo mismo a los poderosos que a los humildes. Y así somos, por que así lo fueron siempre en la Historia los señoritos de España.[382]

Noch tiefer war José Antonio vom Diskurs der *Generación del 98* geprägt, der ihm auch die Worte für die Apologie seines Vaters vorgezeichnet hatte. Während in den Jahren der Zweiten Republik zu den ideologischen Hauptzielen der Parteien auf der Linken der Bruch mit der Vergangenheit gehörte, und während ein tumber Traditionalismus die Behauptung des wirtschaftlichen und des sozialen *status quo* propagierte, lag den Rednern der Falange daran, eine intellektuelle Variante des Identitäts-Problems, nämlich die Frage nach der historischen Identität Spaniens lebendig zu erhalten: *Hemos empezado por preguntarnos qué es España. ¿Quién la vio antes que nosotros como unidad de destino?... Así, empezando por preguntarnos qué es España, nos forjamos todo un sistema poético y preciso que tiene la virtud, como todos los sistemas completos, de iluminar cualquier cuestión circunstancial.*[383] Was immer eine ›Schicksalseinheit‹ sein mag, mit der *Generación del 98* teilte José Antonio neben der Faszination durch die Identitätsfrage auch die Gleichsetzung der National-Identität mit der eigenen Identität – und das hieß für ihn: mit der Identität seiner ›Bewegung‹. Deshalb wurde der Stil ihrer Selbstpräsentation als nationaler Stil zu einem zentralen Anliegen für die Falange:

Entraña y estilo, he ahí lo que compone a España. Ahora se nos habla mucho contra el estilo; se nos dice que nadie que hizo nada grande se dio cuenta de que tenía un estilo. ¿Y qué importa que no se diera cuenta? Lo importante era tenerlo; en eso, el estilo es como lo que Goethe llamaba la idea de su existencia: es la forma interna de una vida que, consciente o inconscientemente, se realiza en cada hecho y cada palabra.[384]

Doch José Antonio Primo de Rivera, den eine Obsession der Reinheit seiner Familien- und Standesehre zum Faschisten gemacht hatte, halfen sein Stil und seine Reflexionen über die Nationalidentität in den politischen Eruptionen des Jahres 1936 so wenig Gedichte, Essays und Zeitschriften seinen Antagonisten, den republikanischen Dichtern, halfen. Am 15. März 1936 wurde er in Madrid verhaftet, nachdem man eine Bombe in der Wohnung von Largo Caballero gefunden hatte. Da seine Beteiligung an diesem Attentats-Versuch nicht nachzuweisen war, lautete die Begründung der Festnahme auf ›unerlaubten Waffenbesitz‹. Am 5. Juni 1936 wurde José Antonio in das Gefängnis von Alicante verlegt, weil die Regierung Aktionen der Falange zu seiner Befreiung fürchtete. Dort machte man ihm jenen Prozeß, der in die Martyrologie der spanischen Rechten eingegangen ist. Und dort schrieb er am Tag vor seiner Hinrichtung ein Testament, das bemerkenswert ist, weil es dem Tod alle Prädikate der Größe und jegliche Dimension der Sinnhaftigkeit verweigert. Statt zu prophezeien, daß sein Tod die zukünftige Größe der Falange begründen werde, wünschte sich José Antonio, daß der Sieg seiner ›Bewegung‹ eines Tages die Einsicht ermögliche, wie sinnlos und wie unnötig dieser Tod gewesen sei: *Si la Falange se consolida en cosa duradera, espero que todos perciban el dolor de que se haya vertido tanta sangre por no habérsenos abierto una brecha de serena atención entre la saña de un lado y la antipatía de otro.*[385] José Antonio Primo de Rivera war im Angesicht des Todes von der Sehnsucht erfüllt, weiter leben zu dürfen. Und er wußte, wie unromantisch es war, so sehr am Leben zu hängen:

No me hice responsable de todo ni me ajusté a ninguna otra variante del patrón romántico. Me defendí con los mejores recursos de mi oficio de abogado, tan profundamente querido y cultivado con tanta asiduidad... Para mí, aparte de no ser primer actor en cuanto ocurre, hubiera sido mostruoso y falso entregar sin defensa una vida que aún pudiera ser útil y que no me concedió Dios para que la quemara en holocausto a la vanidad como un castillo de fuegos artificiales.[386]

Doch für den Sinn, den José Antonio in seinem Tod nicht sehen konnte, sorgten andere. Ein von Francisco Franco unterzeichneter Tagesbefehl vom 16. November 1938 (sic) lautete: *El ejemplo de su vida, decisivamente consagrada a que fuese posible la grandeza de España por la honda y firme comunidad de todos los españoles, y el ejemplo de su muerte, serenamente ofrecida a Dios por la Patria, le convierten en héroe nacional y símbolo del sacrificio de la juventud de nuestros tiempos.*[387] Vorschrift wurde es mit demselben Tagesbefehl, daß an allen spanischen Kirchen eine Namensliste der ›in diesem Kreuzzug Gefallenen‹ angebracht wurde; sie hatte überall mit dem Namen José Antonio Primo de Rivera zu beginnen. Noch heute kann man diese Inschriften – blaß geworden – an manchen spanischen Kirchen sehen.

Wir wissen, daß auch Federico García Lorca zu Beginn des Bürgerkriegs – drei Monate vor José Antonio Primo de Rivera – erschossen wurde. Als Lorca wenige Tage vor dem Ausbruch des Bürgerkriegs von Madrid nach Granada zu seinen Eltern und Geschwistern reisen wollte, machten sich die Freunde Sorgen. Sie hätten sich solche Sorgen wohl auch um jeden anderen Bekannten machen müssen, denn daß Lorca aufgrund seiner von der Republik finanzierten Arbeit mit dem Studententheater *La Barraca* als politisch kompromittiert galt, ist eher unwahrscheinlich. Ob die Freunde an Federico eine Todessehnsucht ahnten, ob man die Gegenwart des Todes überhaupt in den Texten seiner letzten Lebensjahre wahrgenommen hatte? Für Luis Cernuda verklärte sich das Alltägliche in der Erinnerung an die letzte Begegnung mit Lorca:

Pero fué en mi casa donde le vi por ultima (sic) vez. Era por la noche. Habíamos estádo (sic) en una de esas tabernitas cuyo viejo ambiente, característico de las pobres costumbres españolas, tanto le gustaba. Luego charlamos hasta bastante tarde; por el balcón abierto no entraba ya ningún rumor. Debían ser las tres de la madrugada, y al darse cuenta de lo avanzado de la hora se levantó precipitadamente, él que nunca se apresuraba ni se descomponía. Me dijo que no quería que le alcanzara el amanecer en la calle; tenía una expresión de inquieto recelo – refiero esto tal como lo vi entonces –. Salimos; le acompañé por las interminables escaleras oscuras; nos despedimos en la calle que tenía sus faroles apagados, y se marchó rápido en busca de un taxi, huyendo de la luz del amanecer, como si esa primera claridad lívida y descompuesta no anunciara una nuvea vida sino una muerte; tránsito entre tinieblas y luz que los hombres no pueden contemplar sin riesgo. Pensaba encontrarle pocos días más tarde. Yo me marchaba a París y debíamos reunirnos en casa de unos amigos como despedida. Llegó ese día y por la mañana ocurrió la muerte de Calvo Sotelo. Al anochecer estuvimos comentando el suceso mientras aguardábamos a Federico García Lorca. Alguién entró entonces y nos dijo que no le esperásemos porque acababa de dejarlo en la estación, en el tren que salía para Granada.[388]

Lorca hatte mit dem Entschluß zu dieser – sonst für ihn stets üblich gewesenen – Reise lange gezögert[389] (auch weil man ihm ein Reise-Stipendium zum Besuch der Sowjet-Union angeboten hatte). Das Haus seiner Eltern in der Nähe von Granada war mittlerweile Zufluchtsort für eine Reihe von Republikanern und Sozialisten geworden, die der Verfolgung durch die von den Putschisten beherrschte Stadtverwaltung zu entkommen suchten. Auch Federico García Lorca wurde von einem Polizeitrupp verhört, allerdings nicht als der große Dichter, sondern als Sohn des Besitzers einer *huerta,* in der man politische Feinde versteckt glaubte. Beunruhigt zog Lorca nach Granada um, in die Wohnung der befreundeten Familie Rosales, deren Söhne zu den Honoratioren der örtlichen Falange gehörten. Am Nachmittag des 16. August 1936 wurde er im Haus der Rosales von eben der *Guardia de asalto* verhaftet, die im republikanischen Madrid einen Monat zuvor den Politiker Calvo Sotelo festgenommen hatte. Federico García Lorca war anscheinend von diesem Beginn seines Todes nicht überrascht, so unwahrscheinlich die Festnahme gerade im Haus seiner falangistischen Freunde auch sein mochte. Dennoch begann er den Weg in den Tod nicht gefaßt oder gar heroisch:

Ramón Ruiz Alonso dijo: »Tiene que acompañarme al Gobierno Civil, pero es sólo para tomarle unas declaraciones«. Federico se puso blanco. Era como un muñeco, y todas las mujeres de la casa comenzaron a llorar. García Lorca subió a vestirse a su habitación, y los demás esperamos en el patio… Le acompañó la tía Luisa. Al salir ya vestido de su habitación, ella le preguntó: ›¿Quieres algo, necesitas algo?‹ Y él le contestó: ›Sí.‹ Y entrando en la sala con ella, se pusieron de rodillas ante el Corazón de Jesús y rezaron juntos el *Credo* y el *Señor mío Jesucristo*… Federico se agarró a mi brazo y entramos en el coche.[390]

Was mit García Lorca im *Gobierno Civil* geschah, ist nicht bekannt. Ein Augenzeuge will gesehen haben, wie er mit Handschellen die Treppen des Gebäudes hinunterging. Wahrscheinlich hat man ihn zum Exekutionsplatz auf einem Hochplateau zehn Kilometer nördlich von Granada gebracht und dort am frühen Morgen des 17. August 1936 (zugleich mit einem Volksschullehrer, zwei Tagedieben und zwei *toreros*) erschossen. Reste seines Körpers sind nie gefunden worden. Es wäre allzu optimistisch, wenn man glaubte, seine Mörder hätten sich vor dem *Dichter* Lorca gefürchtet oder gar seine Exekution als ein Fanal an die Adresse der republikanischen Intellektuellen angeordnet.[391] Mitglieder der Familie Rosales vermuten heute, daß die Verhaftung von Federico García Lorca eine gegen sie selbst gerichtete Intrige aus der kleinen rechten Welt der Stadtverwaltung war. Vielleicht eine Demonstration der Gewalt gegen die *señoritos* in der Falange – gegen die *señoritos* überhaupt?

Antonio Machado war der Regierung der Republik von Madrid nach Valencia gefolgt und mit ihr 1938 nach Barcelona geflüchtet. Im Januar 1939 entkam er wie Tausende anderer Spanier unter winterlichem Regen über die Grenze nach Frankreich. Der korpulente, früh gealterte Dichter soll sich unterwegs auf seine achtundachtzigjährige Mutter gestützt haben. Als beide am 29. Januar 1939 in dem Küstenstädtchen Collioure ankamen, so wird berichtet, fragte Antonio Machados Mutter: *¿Llegaremos pronto a Sevilla?* Machado war in Sevilla geboren worden, und er starb am 22. Februar 1939 in Collioure, zwei Tage vor seiner Mutter. Beide hatten sich nicht mehr von den Strapazen der Flucht erholt. Während der Tage in Collioure träumte Antonio Machado davon, daß die Sowjetunion ihn – den ›Dichter des Volkes‹ – aufnehmen würde. Sein Todestag war der Aschermittwoch des Jahres 1939, und auf dem Sterbebett in dem Zimmer einer kleinen Pension soll er, schon delirierend gestammelt haben: *Merci, madame; merci, madame...* Machados wahrscheinlich letztes Gedicht heißt *Otro clima*, und wenn man seinen Anfang liest, glaubt man, daß er verstanden hatte, was ihm und den anderen Dichtern zustieß:

> ¡Oh cámaras del tiempo y galarías
> del alma! ¡Tan desnudas!
> – dijo el poeta –. De los claros días
> pasan las sombras mudas.
> Se apaga el canto de las viejas horas
> cual rezo de alegrías enclaustradas...
>
> Calló el poeta, el hombre solitario,
> porque un aire de cielo aterecido
> le amortecía el fino estradivario.
> Sangrábale el oido...[392]

Nach seinem Tod fand Antonio Machados Bruder in der Anzugtasche einen Zettel, auf dem unverbesserlich poetische Worte standen: *Estos días azules y este sol de la infancia...* Darin kann ich keinen Anlaß zu der Hoffnung sehen, daß

Dichtung den Krieg – oder was immer – überwinde. Vielmehr beeindrucken mich die Bilder von der Todesangst des verhafteten Federico García Lorca und von der Gebrechlichkeit des flüchtenden Antonio Machado mehr als sämtliche Wörter, die beide Dichter hinterlassen haben. In diesen Szenen starb all das, was Literatur und Literaten seit Jahrhunderten hatten sein wollen. Und danach gab es keine rauschenden Dichter-Beerdigungen mehr zu feiern.

Der Tod der Literaten im spanischen Bürgerkrieg war ein Tod der Literatur – nicht nur für Spanien. Denn die Faszination zahlloser Intellektueller der dreißiger Jahre durch den spanischen Bürgerkrieg war auch eine Folge der Hoffnung gewesen, daß in der Zweiten spanischen Republik – endlich – eine Gesellschaft den Dichtern ›einen ihnen gebührenden Platz einräumen‹ könnte. Mittlerweile haben wir uns daran gewöhnt, daß auch der Tod der Literaten ein unpathetischer, physischer, trivialer Tod ist. In diesem Sinn schrieb am 30. Oktober 1940 der *Comisario Jefe* der *Dirección General de Seguridad* von Figueras in der Provinz Gerona an Max Horkheimer in New York:

Muy Señor Mío: En contestación a su carta del 11 actual, referente al Doctor en Filosofía Don BENJAMIN WALTER, particípole que éste señor entró en España por Port-Bou, por la montaña el 25 septiembre último a las 20 horas con una autorización de Entrada para los E.U. expedida por el Consulado Americano en Marsella y visado español de tránsito para Portugal; manifestando dicho señor que había salido de Francia clandestinamente por carecer de autorización y que venía andando desde Banyuls (Francia) y que había cogido una insolación y se encontraba bastante enfermo. En vista de ello pasó a hospedarse a un Hotel e inmediatamente fué visitado por un Médico de Port-Bou, cuyo facultativo certificó que dicho Sr. Walter padecía una congestión cerebral y catarro bronquial que le obligaba a guardar cama. El mismo Médico anterior, certifica que don Benjamin Walter ha fallecido a las 22 horas del día 26 del mismo mes a consecuencia de una hemorragia cerebral. Dicho señor no prestó ninguna declaración.[393]

Wahrscheinlich hat Walter Benjamin in dem vom *Comisario* erwähnten Hotel eine Dosis Morphium genommen, um sein Leben zu beenden. Manche glauben, daß er am 26. September 1940 ohne Schwierigkeiten die spanische Grenze zur Durchreise nach Portugal hätte überschreiten können. Einen Tag vor-

her hatte er von der spanischen Grenzstation aus ein Telefonge-
spräch mit dem amerikanischen Konsulat in Barcelona geführt,
wo Benjamins Freunde diesen Anruf angekündigt hatten. Doch
vielleicht war die Person am anderen Ende der Leitung davon
nicht in Kenntnis gesetzt worden.[394]

Los poetas contemporáneos *(Gemälde von Antonio María Esquivel)*

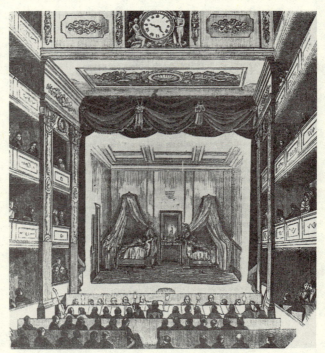

Innenansicht des Teatro de la Cruz *in Madrid (Kolorierter Kupferstich von Casariego)*

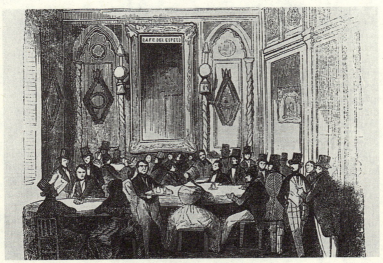

Das Café del Espejo *(Kupferstich von Casariego)*

Öffentliche Rede im Ateneo von Madrid (1871)

›Die letzten Augenblicke Seiner Majestät des Königs Alfonso XII.
Nach der Natur gezeichnet von Comba‹

Überführung der sterblichen Überreste des Königs Alfonso XII. von
Madrid in den *Escorial*

Die Calle de Alcalá *in Madrid (1920)*

Die Tertulia de Pombo *(1932)*

913

Photographie von Antonio Machado im Café de las Salesas *(Dezember 1933)*

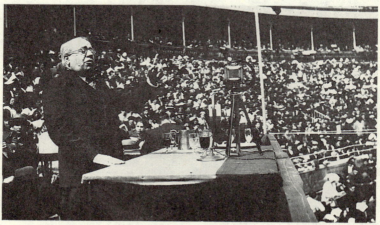

Ansprache von Manuel Azaña am 28. September 1930 in der Plaza de Toros *von* Madrid

Die Ausrufung der Republik am 14. April 1931

Der General des ›nationalen‹ Heers, Gonzalo Queipo de Llano, während einer seiner täglichen Radioansprachen

Die baskische Stadt Guernica nach dem Bombenangriff der Legion Condor

Die Verteidigung Madrids im Bürgerkrieg

Eheschließung zwischen republikanischen Milizionären im Oktober 1936

*Julián Besteiro verkündet den Beschluß des Nationalen Verteidigungs-
rates, den Widerstand Madrids gegen die Truppen Francos zu beenden*

Internierungslager für spanische Flüchtlinge an der spanisch-französischen Grenze gegen Ende des Bürgerkrieges

1939-1987

Das Bürgerkriegsende führte zur räumlichen Trennung zwischen den zwei Gruppen der überlebenden spanischen Intellektuellen. Vor allem in Frankreich und Lateinamerika lebten die Anhänger der Republik von der Hoffnung auf internationale ›humanistische Solidarität‹ und von dem (sich nach 1945 ein letztes Mal intensivierenden) Glauben an baldige Rückkehr. Währenddessen fühlte sich in Francos ›neuem Staat‹ eine junge Garde von Falangisten zur Aufgabe einer geistigen Erneuerung der Nation berufen. Auf beiden Seiten stellte sich erst gegen Ende der vierziger Jahre die Erfahrung ein, daß der Bürgerkrieg den Führungsansprüchen aller Intellektuellen – unabhängig von ihrer politischen Orientierung – ein Ende gesetzt hatte. Die Exilanten mußten erleben, daß ihr Schicksal nur noch als ein Appendix der zum ›Nebenschauplatz‹ reduzierten spanischen Nation angesehen wurde, und erfuhren, wie schwer es war, unter dem Banner ihres ›Humanismus‹ nationalkulturelle Identität zu wahren. Auch die falangistischen Intellektuellen wurden in einer Sphäre neu-ultramontaner Gleichgültigkeit, wie sie von der sich konsolidierenden frankistischen Macht ausging, zu einem bloßen Relikt der Vergangenheit. Als Phase selbstgewisser Unangefochtenheit in der Innenpolitik und einsetzender außenpolitischer Rehabilitierung markierte die Wende zu den fünfziger Jahren den Höhepunkt von Francos Herrschaft – und angesichts des Schweigens von Exil und Falange-Intelligenz – einen kulturellen Tiefpunkt in der spanischen Geschichte. Jenes ›Spanien ohne Probleme‹ war ein Spanien der ruhenden Diskurse. Während die spärlich werdende National-Literatur innerhalb und außerhalb des Landes immer noch den Bürgerkrieg mit zahllosen Facetten in der kollektiven Erinnerung hielt und manche Autoren begannen, sich sogar auf die eben mit Mühe überwundene Nachkriegszeit nostalgisch zurückzuwenden, erschienen erste Manifestationen einer neuen, religiös motivierten und technologisch orientierten ›individuellen Tüchtigkeit‹. Zeitgleich mit ihnen trat eine Generation des politischen Protests auf die – offiziell geschlossene – politische

Bühne. Für keine dieser Positionen war das Fortleben der Bür-
gerkriegsfronten mehr ein Ziel: von der Staatsmacht (in Maßen)
unterstützt und (in Maßen) toleriert, entwickelte sich vielmehr
aus beiden Tendenzen, die untereinander in scharfer Opposition
stehen wollten und doch konvergierende Wirkungen hatten,
jene ›andere‹ spanische Gesellschaft, die zum Erstaunen der
Weltöffentlichkeit nach Francos Tod im Jahr 1975 reibungslos in
die westlichen Systeme der Politik und der Wirtschaft eintreten
konnte. In Jahrzehnten ›ohne Ereignisse‹ hatte sich ein säkula-
rer Einstellungs-Wandel vollzogen: auch in Spanien waren nun
Individualität und Gesellschaft in ein Verhältnis produktiver
Spannung getreten. ›Literatur‹ freilich hat für die Welt des spä-
ten XX. Jahrhunderts, in der Spanien längst eine ›normale Na-
tion‹ geworden ist, nur noch eine sehr diffuse mediale und funk-
tionale Identität. Sie ist Teil (längst nicht mehr ›Gegenüber‹)
eines Geflechts aus vielfältigen Alltagswelten, für deren Wirk-
lichkeitsstatus wir noch keine Konzepte haben und dessen Zeit-
horizonte kaum mehr mit den Erfahrungsmustern aus der ›lite-
rarischen Tradition‹ in Einklang zu bringen sind.

Humanistischer Konturenschwund

Zur Scheidelinie zwischen Tod und Leben wurde die Pyre-
näengrenze 1939. Aber schon während des ersten Bürgerkriegs-
monats, im Juli 1936, hatte es die republikanische Regierung
einigen besonders prominenten Intellektuellen ermöglicht, aus
Madrid ins Ausland zu entkommen. Zu ihnen gehörten José
Ortega y Gasset, Ramón Menéndez Pidal, Juan Ramón Jiménez, Gregorio Marañón, Ramón Gómez de la Serna, Américo
Castro, Azorín, Pedro Salinas, Jorge Guillén.[1] Als dann Anfang
1939 die Besetzung Kataloniens durch die nationalen Truppen
als unabwendbares Schlußkapitel des Bürgerkriegs bevorstand,
flohen in einem monatelang anhaltenden Strom, so heißt es,
vierhunderttausend Spanier über die Grenzstationen La Jun-
quera, Port Bou, Puigcerda oder auf anderen Wegen nach
Frankreich. Hunderttausend von ihnen sollen bis Oktober
1939 in das selbsternannte ›Neue Spanien‹ zurückgekehrt sein.
Was dieser Exodus für das intellektuelle Leben des Landes be-

920

deutet haben muß, wird anhand einer weiteren Zahl deutlich: unter den Flüchtlingen befanden sich ungefähr hundert von den zweihundertfünfzig Universitätsprofessoren, die am Ende des Bürgerkriegs noch in Spanien lebten.[2]

Die französischen Behörden trennten die Männer der Emigrantenfamilien von den Kindern, Frauen, Greisen und wiesen sie in Lager ein, welche die einschlägige spanische Historiographie ›campos de concentración‹ nennt. Es mag symptomatisch sein – und es ist jedenfalls nicht frei von Ironie –, daß die Franco-Regierung nach dem Ende des Zweiten Weltkriegs in einer Protestnote gegen die einseitige Schließung der französisch-spanischen Grenze eben die Behandlung der spanischen Flüchtlinge in diesen Lagern als einen Verstoß gegen die Konventionen gutnachbarlicher Beziehungen zwischen den Nationen verurteilte.[3] Außerhalb der Lager sind Antonio Machado und (1940 in Montauban) Manuel Azaña gestorben. Unter den Emigranten fanden die gelernten Arbeiter meist in der französischen Industrie Beschäftigung, während von denjenigen, die bis zur Okkupation Frankreichs im Jahr 1940 dort weder ein Auskommen erlangt noch das Nachbarland verlassen hatten, manche – etwa der republikanische Politiker Largo Caballero – in deutsche Konzentrationslager verschlagen wurden. So mußten Tausende von Intellektuellen ihre Flucht fortsetzen; sie begannen, an der Peripherie des vom beginnenden Zweiten Weltkrieg überzogenen Europa eine spanische Diaspora zu bilden. Wohin sie gingen und gehen konnten, das hing oft von Zufällen ab, welche sich aus den Rivalitäten zwischen verschiedenen Gruppen in der rasch entstehenden Szene der spanischen Emigrantenpolitik ergaben. Juan Negrín, der letzte Ministerpräsident der Republik, lebte zunächst in London. Auch Belgien und die Schweiz wurden Orte des spanischen Exils. Eine Anzahl von Mitgliedern und Sympathisanten der Kommunistischen Partei Spaniens fanden in Moskau Aufnahme. Zu ihnen gehörte Dolores Ibárruri, die leidenschaftliche politische Rednerin mit dem Beinamen ›La Pasionaria‹, deren Sohn als Soldat der Roten Armee im Krieg gegen die Wehrmacht fallen sollte. In den Vereinigten Staaten ergaben sich aufgrund des Aufstiegs der Hispanistik zur populärsten Fremdsprachenphilologie für zahlreiche spanische Intellektuelle im Lauf der vierziger Jahre Arbeits- und Überlebensmöglichkeiten an den Universitäten: Américo Castro lehrte in Princeton und San Diego, Pedro Salinas an der Johns Hopkins University, Jorge Guillén am Wellesley College, Tomás Navarro Tomás an der Columbia University, José Montesinos an der University of California/Berkeley, Joan Corominas an der Universität von Chicago, Francisco Ayala an der City University of New York; Juan Ramón Jiménez arbeitete an der Universität von Puerto Rico, der er später seine Privatbibliothek vermachte; Claudio Sánchez Albornoz, der Historiker, begründete eine für die akademische Geschichte Argentiniens bedeutsame Historikerschule in Buenos Aires. In fast allen mittel- und südamerikanischen Ländern, von Kuba über die Dominikanische Republik, Venezuela, Kolumbien, Ecuador, Chile bis Uruguay, haben spanische Intellektuelle Spuren ihrer Arbeit hinterlassen. Doch zu einer wirklichen ›zweiten Heimat‹ für die spanisch-republikanische Emigration wurde vor allen anderen Ländern Mexiko.[4]

Seit Beginn des Bürgerkrieges hatte die mexikanische Regierung die Republik mit diplomatischen Interventionen, aber auch mit Waffenlieferungen unterstützt. 1937 wurden fünfhundert Kinder aus militärisch bedrohten Gebieten auf Einladung des mexikanischen Präsidenten, General Cárdenas, in Mittelamerika aufgenommen. Als ein Arbeitszentrum für die ersten emigrierten Intellektuellen ließ er 1938 die *Casa de España* gründen, aus der – unter dem neuen Namen ›*Colegio de México*‹ – eine heute prominente akademische Institution wurde. 1940 schließlich beschloß die mexikanische Regierung besondere Erleichterungen zum Erwerb der Staatsbürgerschaft für spanische Emigranten, und diese Maßnahme macht verständlich, warum während der folgenden Jahre mehr als fünfzehntausend Exilspanier in Mexiko eine neue Existenz aufbauen konnten. Über die Beweggründe von so viel Solidarität sind sich die Historiker nicht einig, und ihre langfristigen Auswirkungen (vor allem im Sektor der freien Berufe) lösten durchaus Proteste bei der mexikanischen Mittelschicht aus. Fest steht jedenfalls, daß all diese Maßnahmen zu einem wichtigen Faktor für die außenpolitische Identität Mexikos werden sollten – als einziges westliches Land hat Mexiko erst nach Francos Tod und nach der Herstellung des klassischen Parlamentarismus wieder diplomatische Beziehungen zu Spanien aufgenommen. Aus diesen Ereignissen sind längst obligatorische narrative Stationen in der Geschichte des republikanischen Exils geworden. An ihrem Beginn steht der 13. Juni 1939, als 1599 spanische Flüchtlinge an Bord des französischen Schiffs *Sinaia*, das ehemals islamische Pilger nach Mekka transportiert hatte, in Mexiko ankamen. Was den Flüchtlingen diese Überfahrt bedeutet haben muß, vergegenwärtigt ein Detail: sie hatten die Decks und die Gänge des Schiffs nach den Namen von Madrider Stadtvierteln und Straßen benannt. Die Kabinen erster Klasse hießen ›*Barrio de Salamanca*‹, das Oberdeck ›*Calle de Alcalá*‹.[5]

Bis hierher konnten wir mit einigem Anspruch auf Plausibilität eine ›Geschichte der spanischen *Literatur*‹ weitererzählen – so als sei es selbstverständlich, die Geschichte einer Institution *weiter*zuerzählen, als deren *Ende* wir den Tod der Schriftsteller im spanischen Bürgerkrieg aufgefaßt hatten. Denn eben der Exodus der republikanischen Intellektuellen läßt sich als Epilog zur Geschichte des Bürgerkriegs verstehen. Aber ist dann nicht wenigstens der Epilog zur spanischen Literaturgeschichte notwendig auf die Episode des Exils begrenzt? Zunächst will ich – präzisierend – daran erinnern, was mit der Rede vom ›Tod der Literatur im Spanischen Bürgerkrieg‹ gemeint war. Sie bezog sich auf das tödliche Ende der vom aufklärerischen Denken gehegten Illusion, daß die Intellektuellen berufen und fähig seien, über das Medium ihrer Diskurse, über die ›Literatur‹ also, eine bessere, glücklichere oder gar menschlichere Gesellschaft herbeizuschreiben. Vielleicht war nie zuvor die Anziehungskraft dieser Illusion so groß gewesen wie in den wenigen Jahren der Zweiten spanischen Republik und des Spanischen Bürgerkriegs, und eben aus dieser Faszination hatte ein Optimismus gelebt, dessen Blindheit sich als tödlich für die Literatur und die Literaten erwies. Doch offenbar ist das halbe Jahrhundert unseres Abstands zum Spanischen Bürgerkrieg die notwendige Voraussetzung für ein solches Fazit. Denn bei den Emigranten etwa, die im Sommer 1940 Aufnahme in Mexiko fanden, war nicht allein der Glaube an die politisch-humanitäre Macht der Literatur ungebrochen; kaum der Todesgefahr entkommen, überlasteten sie das, was sie ›kulturelle Arbeit‹ nannten, mit dem bizarren Vertrauen, sie könnte die Rückkehr in die Heimat und die Übernahme der politischen Macht bewirken. Verständlicher wirkt auf uns zunächst die Erwartung der falangistischen Intellektuellen, nach dem Sieg – vermeintlich ›ihrem‹ Sieg – des frankistischen Heeres im Bürgerkrieg nun die Mission einer ›geistigen Wiedergeburt Spaniens‹ übernehmen zu dürfen. Heute können wir sehen, daß diese Gewißheit kaum weniger illusionär war als die Träume der Emigranten. Den Prozeß der Intellektuellen-Desillusionierung zu vergegenwärtigen, ist die *erste Aufgabe* der nun folgenden Seiten. Und weil es sich dabei ja um zwei, unter ganz verschiedenen Bedingungen stehende Prozesse der Desillusionierung handelt, ist das letzte Kapitel meiner Geschichte der spanischen Literatur durchaus mit der These vereinbar, daß *die* Literatur, nicht nur die spanische Literatur, Opfer des Bürgerkriegs geworden war. Die Agonie des historisch verspäteten – und deshalb national spezifischen – Sendungsbewußtseins der spanischen Intellektuellen diesseits und jenseits des Atlantik ist aber auch ein Symptom für den weit bedeutsameren Sachverhalt, daß die nationale Identität Spaniens heute, gegen Ende des XX. Jahrhunderts, weitgehend nivelliert ist. Spanische Geschichte und spanische Kultur sind in die Normalität der ›westlichen Welt‹ eingeschert. Diese Geschichte vom Ende der nationalen Geschichte als Partikular-Geschichte nachvollziehbar zu machen, ist die *zweite verbleibende Aufgabe* meines Buchs.

Dabei ergeben sich besondere Darstellungsprobleme. Sollte es nämlich zutreffen, daß Spanien im letzten halben Jahrhundert ein westliches Land ›wie jedes andere‹ geworden ist und diese Entwicklung ihre Artikulation vor allem in der langen Agonie – historisch verspäteter – Intellektuellen-Hoffnungen fand, dann geht es – historiographisch – darum, die vielleicht profundeste Veränderungsphase einer tausendjährigen Geschichte ohne die Orientierungs- und Gliederungs-Marken ›herausragender Ereignisse‹ zu erzählen. Denn Spaniens Geschichte seit 1939 ist – auf den ersten Blick – eine undramatische Geschichte. Daß ich angesichts dieser Schwierigkeit nicht auf ein – sich neuerdings wachsender Beliebtheit erfreuendes – narratives Muster zurückgreife, welches Spaniens ›Normalisierung‹ der vermeintlichen politischen Genialität des Francisco Franco zuschreibt, versteht sich. Die ›Normalität‹ in den westlichen Gesellschaften des späten XX. Jahrhunderts bedeutet, daß ›das Leben‹ als ein durch vielfältige Kommunikations-Medien vermitteltes Leben erfahren wird. Die – geschichtsphilosophische – Frage, ob diese Erfahrung ›tatsächlich‹ eine Innovation in den menschlichen Lebensformen ausmacht, braucht uns vorerst nicht zu beschäftigen. Ein – zweites – Darstellungsproblem jedoch entsteht dadurch, daß mittlerweile die über Jahrhunderte aus der Dichotomie ›Literatur/Leben‹ konstituierte Identität des Mediums ›Literatur‹ diffus wird.[6] Statt ›dem Leben‹ gegenüber zu stehen, auf ›das Leben‹ zu wirken, ›das Leben‹ zu reflektieren, erscheint die Literatur jetzt – gemeinsam mit anderen Diskursen und anderen medial geprägten Erlebnisformen – als ein Teil des Lebens. Noch weniger als in den vorausgehenden Kapiteln können wir uns deshalb auf die (ohnehin problematischen) Ergebnisse einer Kanonbildung verlassen, aus der sich so etwas wie eine extensionale Definition von ›Literatur‹ ergeben hatte. Die historiographischen Selektionsentscheidungen werden also in diesem Schlußkapitel noch prekärer – und dies nicht, jedenfalls nicht allein deshalb, weil, wie man in vergleichbaren Situationen apologetisch festzustellen pflegt, im XX. Jahrhundert allzu viel Literatur gedruckt wurde oder weil uns gar ein für bündige Selektionsentscheidungen ›notwendiger‹ historischer Abstand noch fehlte.

Wenigstens macht es uns angesichts so vielfältiger Probleme die (narrative) Rückkehr zu den spanischen Emigranten der Jahre 1939/1940 in Mexiko leichter, die Fortsetzung ihrer Geschichte mit dem Sachverhalt aufnehmen zu können, daß gerade für sie Begriffe wie ›Kultur‹ oder ›Literatur‹ durchaus unproblematisch geblieben waren. Bereits in Paris war unter dem politischen Einflußbereich von Juan Negrín und vor allem auf Initiative von José Bergamín, dem Herausgeber der Zeitschrift *Cruz y Raya*, im März 1939 eine *Junta de Cultura Española* gegründet worden.[7] Ihre Mitglieder hatten als Passagiere der *Sinaia* Mexiko erreicht, wo sie einen Verlag (›Seneca‹) und im Februar ihre eigene *Casa de Cultura* eröffneten: *La Junta de Cultura Española representa la voluntad de asegurar la propia fisonomía espiritual de la cultura española, favoreciendo su natural desarrollo y, consecuentemente, la de unir y ayudar en sus trabajos a los intelectuales españoles expatriados.*[8] Als ein weiteres Instrument zur Verwirklichung solch hehrer Mission entstand die Zeitschrift *España Peregrina,* von der neun Ausgaben (mit einer Auflage von etwa zweitausend Exemplaren) erschienen, bevor ihre Publikation Ende 1940 – wohl aus finanziellen Gründen[9] – eingestellt werden mußte. So wie die neue *Casa de Cultura* am Vorbild der während der Schlußphase des Bürgerkriegs zeitweilig von Antonio Machado geleiteten *Casa de Cultura* in Valencia ausgerichtet war, richtete José Bergamín *España Peregrina* unübersehbar am Modell seiner eigenen Zeitschrift ›*Cruz y Raya*‹ aus – und an Antonio Machados *Hora de España.* Deshalb ist es auch kaum überraschend, daß für den Diskurs von *España Peregrina* schier unendliche Ketten semantischer Kontiguität zwischen ohnehin schon abstrakt-unverbindlichen Begriffen charakteristisch wurden, die sich um das – offenbar noch immer nicht ganz verbrauchte – linksrepublikanische Lieblings-Konzept ›*pueblo*‹ schlangen:

Por eso nosotros, intelectuales españoles, herederos en el espíritu de los afanes de nuestro pueblo, participantes de la voluntad española de alzarse hasta un mundo en que luzca en todo su esplendor la dignidad del ser humano, proclamamos públicamente nuestra decisión de no perdonar esfuerzo ni sacrificio que pueda conducir al triunfo de la causa universalizada de España en su territorio y en el orbe.[10]

Die spanischen *Intellektuellen,* so können wir paraphrasieren, sollen (mit welchem historischen oder moralischen Recht auch immer) das spanische *Volk* beerben; sie repräsentieren den Willen *Spaniens,* und der Wille Spaniens wird als *Menschheits*anliegen identifiziert. Doch mit der Sequenz ›spanische Intellektuelle/Wille Spaniens/Menschheit‹ ist diese Kontiguitätskette noch längst nicht abgeschlossen. In der letzten Ausgabe rief *España Peregrina,* eine historisch-typologische Identität zwischen der Epoche der Kolonialisierung und der eigenen Gegenwart postulierend, zur Vereinigung der *spanischen Emigranten* mit den *Mexikanern* auf, nicht ohne wiederum die Phalanx der hehrsten und allgemeinsten Menschheitswerte als Bezugspunkt solcher Fusion zu benennen:

Para que a través de nosotros la vida triunfe dando libertad al ser, abriendo las compuertas de la conciencia, transformando la sociedad de hombres y pueblos, caminando hacia la universalidad en una vanguardia destacada al modo como eran vanguardia de España y del mundo aquellos hombres que en 1492 encerraban las carabelas descubridoras. No es otro el contrato que entonces celebró tácitamente España con el Nuevo Mundo.[11]

Angesichts solcher Sätze sehnt sich der Leser nach prägnanzstiftenden Gegenbegriffen, wie sie der Diskurs von *España Peregrina* höchstens konnotierte – und zwar vor allem dann, wenn er die Emigranten (und mit ihnen die ›Mutter Spanien‹) als Opfer erscheinen ließ:

La época universal, que abre en la historia *el holocausto de la Madre España,* señala sin duda el tiempo de vuestra madurez en que habéis de desarrollar lo que os es peculiar y definitivo, la esencia del Nuevo Mundo que continentalmente os diferencia y caracteriza. Entre vosotros nos hallamos movidos por un mismo designio histórico, consagrados a una empresa similar de mundo nuevo. Aquí está nuestra voz, nuestra verdad, nuestro horizonte. Llevamos un mismo camino. ¡Ojalá nos hermanemos en una sola marcha![12]

Man sieht, wie semantische Oppositionen über die Stufen ›Ähnlichkeit/Einigkeit/Brüderlichkeit‹ in einem Horizont des allgemein Humanitären aufgingen. Es lag in der Konsequenz dieser unendlich wiederholten Diskurs-Bewegung, daß das allgemein Humanitäre am Ende in das ›Sein‹ (an sich) überführt wurde: *lindamos ya con un concepto más elevado consciente de libertad, con una moral más compleja y precisa, con una justicia por fin comprensible para la conciencia humana, con la directa vecindad del ser.*[13] Nichts hätte aber für das Überleben der spanischen Kultur im Exil vernichtender sein können als dieser Hang zur semantischen Kontiguität und zur Abstraktion. Denn schon die Sprachgemeinschaft zwischen Spaniern und Lateinamerikanern – so dankbar sie auch von den Flüchtlingen erlebt wurde – war eine latente Bedrohung für das Überdauern kultureller Identität: sie allein hätte es gefordert, zunächst kulturelle Differenzen erfahrbar zu machen. Daß gerade dieser Versuch nicht einmal unternommen wurde, mag hinter den – vordergründig – ökonomischen Motiven die Erklärung für das Scheitern von Exilzeitschriften wie *España Peregrina* und vor allem für das Scheitern der kulturellen Mission der Emigranten sein.

Zur gleichen Einsicht führt die ganz andere Geschichte der zeitgenössischen, ebenfalls in Mexiko verlegten Zeitschrift ›Ro-

mance – Revista Popular Hispanoamericana‹. In ihrem Redaktionskomitee arbeiteten von Beginn spanische und mexikanische Intellektuelle zusammen, sie wurde mit mexikanischem Kapital finanziert und soll zunächst ein erstaunlich breites Publikumsinteresse geweckt haben.[14] Wie *España Peregrina* war *Romance* am Modell von Antonio Machados *Hora de España* ausgerichtet, am Programm der Annäherung und Solidarisierung zwischen den ›Intellektuellen‹ und den ›Massen‹ (dem ›Volk‹) über das Medium der Kultur. Das von den Herausgebern mit Antonio Machado geteilte Bedenken, hinter diesem Programm möchte sich eine autoritäre Attitüde des Belehrens verbergen, spricht deutlich aus den Motti, mit denen die beiden ersten Nummern von *Romance* überschrieben waren: ›*La cultura no se hereda ni se transmite: se conquista*‹ (1. Februar 1940) und ›*Siempre que advirtáis un tono seguro en mis palabras, pensad que os estoy enseñando algo que creo haber aprendido del pueblo (Sentencias de Juan de Mairena). Antonio Machado* (15. Februar 1940).

Tatsächlich verdoppelt die Geschichte von *Romance* nur die Erfahrung des Identitätsverlusts, dem allzu humanitäre – und allgemeine – Konzepte von ›Kultur‹ unterliegen müssen. Horizont der so gut gemeinten Vermittlungs-Bemühung war seit der ersten *Romance*-Nummer die Weltkultur – von Leo Tolstoj und Thomas Mann über die zeitgenössische mexikanische *pintura mural* bis hin zu einer *Crónica de Nueva York* und einem halb kritischen, halb enthusiastischen Bericht über die neuesten Hollywood-Produktionen. Doch im thematischen Zentrum der Zeitschrift stand unübersehbar die *spanische* Kultur in ihrer ganzen ›historischen Tiefe‹. Schon die Titelseite der ersten Nummer von *Romance* nahm Bezug auf den fünften Todestag von Valle-Inclán; ein Text von Unamuno öffnete den Weg zu einer politischen Sicht auf Goyas Malerei bis hin zur Lyrik des Fray Luis de León und den *coplas* des Arcipreste de Hita. In der sechzehnten Ausgabe der Zeitschrift hingegen tauchte unter dem Bolívar-Zitat ›*Un pueblo ignorante es instrumento ciego de su propia destrucción*‹ und neben Madame de Staël, Alphonse Daudet, sowie einem gegen die Ansprüche der Nazi-Kultur verteidigten Friedrich Nietzsche als einziger Repräsentant spanischer Kultur José Ortega y Gasset auf – und zwar lediglich am Rande eines Essays über die Konkurrenz zwischen philosophischem und literarischem Diskurs. Nach dem Erscheinen dieser Nummer wurden die spanischen Emigranten unter den Redaktionsmitgliedern von *Romance* ausgebootet – sie führten dies selbst auf die Intrigen vermeintlich eifersüchtiger mexikanischer Kollegen zurück.[15] Noch einmal kann man sich fragen, ob die Exilanten dazu nicht – mindestens – beigetragen hatten durch jene Preisgabe der Identität spanischer Kultur, mit der sie ihre Zugehörigkeit zur ›Menschheitskultur‹ erkaufen zu müssen glaubten.

Selbstverständlich beschränkten sich die Aktivitäten der spanisch-republikanischen Emigranten nicht auf das Abfassen kulturpolitischer Programmschriften und auf Gesten kultureller Vermittlung. Vor allem *España Peregrina* reproduzierte schon bekannte und lancierte neue Literatur-Texte. Doch auch diese Sektion der Zeitschrift war beherrscht von einer Tendenz zur Auflösung semantischer Prägnanz und historisch-pragmatischer Konkretheit. In der ersten Nummer von *España Peregrina* war Federico García Lorcas Gedicht ›*Grito hacia Roma*‹ aus dem *Poeta en Nueva York* abgedruckt. Ein Motiv für diese Reproduktion mag die damals schon als sicher geltende Annahme gewesen sein, daß Lorca während des Bürgerkriegs von der politischen Rechten ermordet worden sei. Wenn bei hinreichender Bereitschaft zur Allegorese – oder anders formuliert: angesichts einer Bereitschaft, alles historisch Konkrete in den Horizont übergreifender Menschheitsprobleme zu stellen – ließ sich selbst Lorcas aggressive Individuellen-Klage über die Metropole New York als Antizipation von Leiden der Opfer des Bürgerkriegs deuten:

> Manzanas levemente heridas
> por finos espadines de plata,
> nubes rasgadas por una mano de coral
> que lleva en el dorso una almendra de fuego
> peces de arsénico como tiburones
> tiburones como gotas de llanto para cegar una multitud,
> rosas que hieren
> y agujas instaladas en los caños de la sangre,
> mundos enemigos y amores cubiertos de gusanos
> caerán sobre ti.[16]

Wo der Rezipientenblick unscharf genug geworden war, um Federico García Lorcas Leiden an New York in die Leiden der Bürgerkriegsopfer übergehen zu lassen, da konnte man am Ende *jede* Exil-Situation aus der Geschichte mit dem mexikanischen Exil der republikanischen Spanier identifizieren. In der siebten Nummer von *España Peregrina* etwa findet sich das polternd-pathetische ›Fragment‹ *España libre* aus der Feder von José Manuel de Heredia, einem der Poeten des spanischen Exils in der Epoche Fernandos VII.:

> ¡Ignominia fatal!, ya conmovido.
> Arde mi corazón en viva saña.
> ¿Quién el bárbaro fue, mísera España,
> que a extremo tan fatal te ha reducido?
>
> ...
>
> ... tus hijos fueron
> Los que anhelando por mandarte esclava,
> La cadena execranda te pusieron,
> El yugo ignominioso te cargaron.[17]

Losgelöst von den spezifischen Referenzen des frühen XIX. Jahrhunderts glitt solch wuchtiger Diskurs in die Zonen unverbindlicher Menschheitspoesie. Hier genau lag aber das Problem der um 1940 aktuellen Emigranten-Lyrik: sie konnte entweder Zeugnis für individuelles Leid sein (und unter dieser Perspektive betrachtet teilen viele ihre Texte ein spezifisches Pathos mit anderen Dokumenten aus der ›Geschichte der Besiegten‹) oder sie mußte, um im Exil-Land Resonanz zu finden, die Konkretheit akuter Erfahrung umsetzen in die fatale Abstraktheit ›allgemein-menschlicher‹ Situationen. Rafael Albertis gegen Ende der vierziger Jahre geschriebenes Gedicht *Retornos frente a los litorales españoles* repräsentiert mit der Fülle autobiographischer Reminiszenzen, welche durch den Blick auf Spaniens Küsten von Bord eines Schiffes ausgelöst werden, die eine, allzu partikulare Seite dieser Alternative.[18] Bei León Felipe kehrt der allgemein-europäische Topos vom Meer als Gegenpol und zugleich Metonymie der individuellen Einsamkeit und Trauer zurück:

Si hay una luz que es mía,
aquí ha de reflejarse y rielar,
en el espejo inmenso de mis lágrimas,
en el mar,
en el mar.[19]

Eine ähnliche Alternative kennzeichnet den Horizont der im Exil entstandenen spanischen Erzählungen und Romane. Weil die prägenden Erfahrungen der Autoren kaum einmal Erfahrungen aus der Welt ihrer Exilländer waren, waren sie entweder – wo immer sie Szenen aus ihrer ›Heimat‹ evozierten – auf die Bereitschaft ihrer neuen Leser zur Allegorese angewiesen oder sie wählten selbst schon eine allegorische Ausdrucksform, die dann rasch in prekäre Nähe zum philosophischen Diskurs rückte. Allzu philosophisch geriet so vielleicht der 1950 veröffentlichte Roman ›La bomba increíble‹ von Pedro Salinas als eine Reaktion auf jenen Menschheits-Schock, den die Detonation der ersten Atombombe am Ende des Zweiten Weltkrieges ausgelöst hatte. Er beschreibt die Leiden der Bürger eines Zukunftsstaates, deren Existenz auf die kriegsorientierten Prinzipien wissenschaftlich-technischer Vernunft reduziert werden soll. In den zwischen 1943 und 1951 erschienenen drei Teilen von Max Aubs Laberinto mágico hingegen werden der Spanische Bürgerkrieg und seine Vorgeschichte aus dezidiert republikanischer Perspektive erzählt, aus einer Perspektive also, an deren ethischer Legitimität außerhalb Spaniens ohnehin kaum ein Leser zweifeln konnte – weshalb dieser Roman zum Thema eines nationalen Schicksals wohl am ehesten eine Rezeption als Parabel zum übergreifenden Problem des Verhaltens von Menschen in Katastrophensituationen nahelegte. Solche Bürgerkriegsromane immerhin scheinen – weil sie zugleich ein historisches Interesse weckten und mit einer bestimmten Typologie von Protagonisten der Identifikationsbereitschaft ihres Publikums entsprachen – bis weit in die fünfziger Jahre hinein eine intensive (internationale und spanische) Leserfaszination gebunden zu haben.

Zu einem veritablen Bestseller wurde Ramón José Senders Réquiem por un campesino español aus dem Jahr 1950, eine im Exil geschriebene, zwischen Roman und Novelle stehende Erzählung, welche prägende Wirkung bei einer neuen spanischen

Lesergeneration erlangte. Möglicherweise hatte Sender einen Punkt der Optimierung zwischen historischem und psychologischem Roman getroffen. Aus der Perspektive eines Dorfpriesters, der sich auf die Totenmesse für den Titelhelden vorbereitet, schildert er die in der frühen Phase der Bürgerkriegs kulminierende Biographie eines ›spanischen Bauern‹. Als der junge Paco – gegen den Willen seiner kirchenfernen Familie – den Priester als Ministrant auf dem Weg zur Spendung der Sterbesakramente im Haus der Dorfärmsten begleitet hatte, war sein Mitgefühl mit den Entrechteten geweckt worden. Dieser dominante Zug in Pacos Charakter hatte ihn bei Beginn des Krieges zu einem der aktiven Rebellen gegen den über die Bauern herrschenden *Duque* werden lassen. Doch aus der Stadt kamen bewaffnete *señoritos* – mit deutlichen Zügen eines falangistischen Stoßtrupps – und unterdrückten grausam den Aufruhr. Nur Paco gelingt es, ihnen zu entgehen – er verschanzt sich außerhalb des Dorfes. Von Pacos Feinden bedroht, verrät der Priester dessen Versteck, und unbeeindruckt von dem Versprechen, sein Leben zu schonen (mit dem die *señoritos* dem Priester diesen Verrat abgekauft haben) töten sie Paco. *Al menos,* mit diesem Selbstgespräch des nicht zum Märtyrer gewordenen Geistlichen endet das Buch, *nació, vivió y murió dentro de los ámbitos de la Santa Madre Iglesia ... y pensaba aterrado y enternecido al mismo tiempo: Ahora yo digo en sufragio de su alma esta misa de réquiem, que sus enemigos quieren pagar.*[20] In der Ambivalenz der Lektüremöglichkeiten, welche diese Erzählung gegenüber der inneren Ambivalenz des Geistlichen und der Mörder eröffnet, die eine Totenmesse für ihr Opfer bezahlen, liegt wohl ihre besondere Stärke – oder zumindest die Voraussetzung für ihren großen Erfolg. Denn man kann das *Réquiem* einerseits als Entlarvung klerikaler und kirchlicher Hypokrisie lesen. Andererseits steht aber auch der ›tragischen‹ Rezeptionsweise nichts – oder jedenfalls nur wenig – im Weg, die den Mördern und vor allem dem Priester-Verräter den gleichsam ›mildernden Umstand‹ eines Handelns in der Konsequenz eigener moralischer Überzeugungen konzedierte.

Dem humanistischen Konturenschwund wie dem Zwang zu Allegorie und Allegorese sind jene Intellektuellen des spanischen Exils wohl am ehesten entgangen, welche bald Distanz nahmen vom Thema und von der existentiellen Situation des Heimatverlustes. Der 1923 geborene Jorge Semprún kämpfte in der französischen *Résistance* gegen die deutsche Besatzung, und er veröffentlichte, bereits zu einem gerade von Intellektuellen vielgelesenen Autor der französischen Sprache avanciert, 1963 den autobiographischen Roman *Le grand voyage*. Dort wird die Erfahrung seiner Deportation von Compiègne nach Buchenwald verdichtet zu einem Pläydoyer für die Weigerung, das Grauen jener Phase in der europäischen Geschichte und die Motive seiner Urheber verstehen zu wollen. In den Vereinigten Staaten schrieb Américo Castro sein erstmals 1948 publiziertes Buch ›*España en su historia*‹, und in Buenos Aires entstand die fünf Jahre später erschienene Replik ›*España – un enigma histórico*‹ von Claudio Sánchez Albornoz. Castro und Sánchez Albornoz setzten im Exil die lange vor dem Bürgerkrieg in Spanien begonnene wissenschaftliche Arbeit fort – und haben, davon war bereits die Rede, mit ihrem polemischen Dialog aus der Ferne die letzte Phase der obsessiven Diskussion um die ›historische Identität Spaniens‹ beherrscht. Besonders bemerkenswert ist die Beobachtung, daß die beiden Kontrahenten ihre lebenslangen Reflexionen *nicht* unmittelbar mit der aktuellen politischen Situation in Spanien nach dem Bürgerkrieg koppelten, obwohl doch gerade ihr gemeinsames Thema dies nahegelegt haben muß. Selbst Sánchez Albornoz, der von 1962 bis 1970 der republikanischen Exilregierung vorstand, nahm solche Distanz explizit im Vorwort seines Hauptwerks für sich in Anspruch:

No pretendo brindar ninguna panacea curativa de los males de mi patria. Me daré por satisfecho si el aldabonazo suscita en España y en el mundo hispano nuevos estudios y nuevas meditaciones en torno al gran interrogante; si doy temas de reflexión y de investigación a las nuevas generaciones de historiadores peninsulares y americanos; y si llego a todos los hispanos de una y otra orilla del Atlántico, con una explicación de nuestro pasado común, una centella de esperanza hacia el mañana.[21]

Das zitierte Buch trägt die Widmung: *A la República Argentina, para mí, segunda España.*

Wohl keiner unter den Spaniern, die ihr Land in den Jahren des Bürgerkriegs verlassen mußten, hat die internationale Kultur in der zweiten Hälfte des XX. Jahrhunderts so nachhaltig beeindruckt und mit Gesten, Formen, Inhalten aus der spanischen Tradition beeinflußt wie der schon im vorausgehenden Kapitel häufig zitierte Luis Buñuel. Exemplarisch ist der Fall seines Exils nun deshalb, weil gerade er, der die mexikanische Staatsbürgerschaft erwarb, ohne in Mexiko ein ›Spanien jenseits des Atlantik‹ zu suchen, sich nie in die Starre eines engagierten und ebenso konsequenten Antifrankismus treiben ließ: *Me sentía tan poco atraído por la América Latina que siempre decía a mis amigos: »Si desaparezco, buscadme en cualquier parte menos allí«.*[22] So beginnt das einschlägige Kapitel in seinen Memoiren, um dann die Übersiedlung nach Mexiko im Jahr 1946 auf die dreifache Zufallskonstellation zurückzuführen, die sich ergab aus dem Angebot, in Mexiko einen Film zu drehen, dort die Bekanntschaft eines prominenten Ethnologen zu machen und schließlich bei der Abwicklung der bürokratischen Formalitäten mit der Hilfe eines ehemaligen Adjudanten rechnen zu können. Nur wenige Seiten danach erwähnt Buñuel – scheinbar kommentarlos – den bis zur Beleidigung gesteigerten Protest engagierter Exilspanier in Mexiko anläßlich seiner Entscheidung, in den frühen sechziger Jahren den Film ›Viridiana‹ in Spanien zu drehen. Die öffentliche Aufführung von *Viridiana* wurde dort am Ende von der Zensur untersagt, und angesichts des von dieser Entscheidung ausgelösten Skandals soll auch Franco den Film (›sogar zweimal‹, sagt Buñuel) gesehen haben: *según lo que me contaron los coproductores españoles, no encontró en ella nada muy censurable (a decir la verdad, después de todo lo que había visto, la película debía de parecerle bien inocente). Pero rehusó revocar la decisión de su ministro ...*[23] Was Buñuel als Regisseur durch diese genußvoll auf Widersprüche fixierte Distanz gewann, war die Freiheit zur Uneindeutigkeit. Und daß er so frei war, sich diese Freiheit zu nehmen, muß wohl zu tun gehabt haben mit seiner Skepsis gegenüber jeglichem Glauben an die Segnungen der Kultur:

Nunca he sido un adversario fanático de Franco. A mis ojos, no representaba al diablo en persona. Incluso estoy dispuesto a creer que evitó que una España exangüe fuese invadida por los nazis. Aún en lo que le afecta, dejo lugar a una cierta ambigüedad. Lo que me digo ahora, mecido por los sueños de mi inofensivo nihilismo, es que el

mayor desahogo económico y la cultura más desarrollada que se encontraban al otro lado, en el lado franquista, hubieran debido limitar
el horror. Pero no fué así. Por esta razón, a solas con mi Dry-Martini,
dudo de las ventajas del dinero y de las ventajas de la cultura.[24]

Buñuels Werk gewann Konturen, weil er auf eine ›politische
Mission‹ verzichtete und deshalb nicht gezwungen war, die in
Vieldeutigkeit angelegte Identität seiner Filme einer Festlegung
auf Eindeutigkeit zu opfern, wie sie sich aus der Kopplung mit
›politischer Moral‹ unweigerlich ergeben hätte. Wer aber, wie
Luis Buñuel, dem unendlich guten Willen der Exilkultur seinen
Enthusiasmus verweigerte und sich deshalb einen gelassenen
Blick auf das Spanien der frankistischen Ära gestattete, konnte
in die prekäre Situation geraten, als Apologet des Faschismus
abgelehnt zu werden.

Da dieses Kapitel Buñuels Doppelperspektive übernimmt,
stellt sich die Frage, ob – und wie – man solcher Kritik entgehen kann. Alles wird von der Konsequenz abhängen, mit der
die Distanz gegenüber dem Schema ›das eine Spanien und das
andere nicht‹ bewahrt werden kann. Dabei setzen wir voraus,
daß das Ziel einer erneuten – und in sich natürlich berechtigten –
moralischen Verurteilung des Frankismus keinen argumentativen Aufwand mehr rechtfertigt. Trotzdem wirkt bis heute jener
Gestus der Anbiederung peinlich, mit dem ein Ramón Gómez
de la Serna – ›Ultraist‹ der ersten Stunde und Bürgerkriegs-
flüchtling des ersten Monats – 1940 in der falangistischen Illustrierten *Vértice* seinen Entschluß zu rechtfertigen suchte, bei
aller Beistimmung für das Spanien der Sieger in der Distanz,
nämlich in Argentinien, zu bleiben:

Estoy aquí, permanezco aquí porque con cierto prestigio, conseguido
a través de muchos años, aclaro las posibilidades de grandeza en que
ha entrado España. Llego a toda América por los correos aéreos. Soy
el vigía particular. Es necesario ser aquí el español que no se va pudiendo irse, porque aclara lo que sucede ahí, lejos, sólo trazando con el
dedo en el horizonte del mar las altas tribunas que presiden los desfi-
les, los elevados palios (...). Desde mi ventana penitencial soy el ino-
fuscado y tengo la verdadera perspectiva de España. Enamorado de la
perspectiva que se obtiene desde aquí, encuentro mi misión en este
conseguir una mejor copia del vuelo, de la expresión y del paisaje
poético de España y mostrárselo a los americanos.[25]

Ganz im Gegensatz zu Gómez de la Serna legte sich José Ortega y Gasset während der letzten fünfzehn Jahre seines Lebens radikale politische Enthaltsamkeit auf – bis zu seinem Tod im Jahr 1955 veröffentlichte er nicht ein Wort an politischer Stellungnahme mehr –, aber er verließ mit seiner Rückkehr von Argentinien über Portugal nach Spanien die Position der räumlichen Distanz.[26] Schweigende Präsenz allein kreiert freilich auch schon eine Rolle des politischen Protests – und deshalb konnte es Ortega nicht vermeiden, einen Part auf der politischen Bühne des Frankismus mit-zuspielen. Es kursierten – für die Machthaber jedenfalls nützliche – Gerüchte über Pläne, Ortega zum Minister zu ernennen.[27] Umgekehrt gab seine Anwesenheit in Spanien Franco die Gelegenheit, bei einer Neujahrsansprache wenige Monate nach Ortegas Tod diesen als Relikt des republikanischen Freimaurertums (und das hieß für Franco, wir werden darauf zurückkommen: als Ausbund des Bösen und Anti-Spanischen) zu identifizieren.[28]

Während also Ortega y Gasset 1945 nach Madrid zurückgekehrt war (ohne freilich seine Wohnung in Portugal aufzugeben), reiste Negrín als Ministerpräsident der Exilregierung von London nach Mexiko, wo im August 1945 das Exil-Parlament zusammentrat.[29] Nachdem die neugegründeten Vereinten Nationen wenige Wochen zuvor Francos Spanien aus der Gemeinschaft der Völker ausgeschlossen hatten (Ende 1946 sollte allen Mitgliedsstaaten der UNO ein Abbruch diplomatischer Beziehungen mit Spanien nahegelegt werden), war das Jahr nach dem Ende des Zweiten Weltkriegs der historische Augenblick der konkretesten – und zugleich der letzten konkreten – Hoffnungen auf eine Wiedereinrichtung der Republik. Negrín trat zurück, zu seinem Nachfolger wurde der Chemie-Professor José Giral gewählt, der schon bald den Sitz der Exilregierung nach Paris verlegte. Doch so viel Moral wie in der Euphorie des Weltkriegs-Endes können sich Politiker auf internationaler Bühne langfristig nicht leisten – und eben deshalb wurden die auf Moral fundierten Hoffnungen der Exil-Republikaner schon bald zu Illusionen, ja zu Obsessionen der Marginalisierten. Im Jahr 1948, da die sozialistische und die monarchistische Fraktion der Emigranten mühsam einen Anti-Franco-Pakt zustande gebracht hatten, ließ Franco mit Don Juan de Borbón, den die

Monarchisten auf den Thron zurückbringen wollten, eine Vereinbarung über die Erziehung seines Sohnes Juan Carlos in Spanien aushandeln. 1950 wurde der Boykottbeschluß der UNO gegenüber Spanien aufgehoben, und nur ein Jahr später waren Mexiko und Jugoslawien die einzigen Länder, welche weiterhin an der ausschließlichen Anerkennung der Exilregierung festhielten. Deren Schattenexistenz überdauerte zwischen absoluter Machtlosigkeit und absoluter Überzeugung von der eigenen welthistorischen Legitimität den Frankismus.

Als Ergebnis offenbar umständlicher Debatten gab die Exilregierung am 21. Juni 1976, sechs Tage nach den ersten Parlamentswahlen der neuen politischen Ära Spaniens, sieben Monate nach Francos Tod und vierzig Jahre nach den Parlamentswahlen von 1936 ihre Selbstauflösung bekannt: *Las instituciones de la República en el exilio ponen así término a su misión histórica que se habían impuesto. Quienes las han mantenido hasta hoy se sienten satisfechos porque tienen la convicción de haber cumplido con su deber.*[30] Schon am 18. März desselben Jahres hatte Mexiko seine diplomatischen Beziehungen zur Exilregierung aufgehoben. Daß der letzte Botschafter der Exilregierung in Mexiko vor der Presse jenen Tag ›den traurigsten Tag seines Lebens‹[31] nannte, kann niemand verstehen, der ausschließlich auf die *politische* Geschichte des spanischen Exils blickt.

Strangulierter Faschismus

Am 1. April 1939, jenem Datum, unter dessen Tagesbefehl Franco als *Generalísimo* der ›nationalen‹ Streitkräfte den Bürgerkrieg für beendet erklärt hatte, war ein denkwürdiges Telegramm im Hauptquartier von Burgos eingegangen:

Levantando nuestro corazón al Señor, agradecemos sinceramente, con V. E., deseada victoria católica España. Hacemos votos para que este queridísimo país, alcanzada la paz, emprenda con nuevo vigor sus antiguas y cristianas tradiciones, que tan grande le hicieron. Largos sentimientos efusivamente enviamos a Vuestra Excelencia y a todo el noble pueblo español nuestra apostólica bendición. *Papa Pío XII.*[32]

Umgehend antwortete der Empfänger:

Intensa emoción me ha producido paternal telegrama de Vuestra Santidad con motivo victoria total de nuestras armas que en heróica cruzada han luchado contra enemigos de la religión, de la Patria y de la civilización cristiana. El pueblo español, que tanto ha sufrido, eleva también, con Vuestra Santidad, su corazón al Señor, que le dispensó su Gracia, y le pide protección para su gran obra del porvenir, y conmigo expresa a Vuestra Santidad inmensa gratitud por sus amorosas frases y por su apostólica bendición, que ha recibido con religioso fervor y con la mayor devoción hacia Vuestra Santidad. Francisco Franco, Jefe del Estado Español.

Aus weiter Distanz zu einer – chronologisch nahen – Zeit, da es Menschen gegeben haben muß, welche den Inhalt solcher Sätze wörtlich und ernst nahmen, wirken diese beiden Telegrammtexte zunächst vor allem komisch. Diese Komik erwächst aus einer Reihe von Spannungen. Aus der Spannung zwischen dem Ritual eines apostolischen Segens, für das Wörter nicht wegen ihrer Bedeutung, sondern wegen der immer neu und immer gleich von ihnen konstituierten Form wichtig sind, und dem vom Medium ›Telegramm‹ suggerierten Drang, Wörter zu sparen;[33] aus der Spannung zwischen dieser zunächst gesuchten Orientierung am ›Telegrammstil‹ und dem Hinübergleiten beider Texte in die Wort-Exuberanz religiöser und diplomatischer Rituale (so benutzt Pius XII. im ersten Satz die Abkürzung ›V. E.‹, um sie im Schlußsatz durch ›*Vuestra Excelencia*‹ zu ersetzen, während Francos verbale Sparsamkeit zunächst vor allem die bestimmten Artikel ausklaubt, ohne am Ende auch nur die redundantesten Adjektive zu unterdrücken); schließlich sind – zumindest aus der Perspektive katholischer Frömmigkeit – die Distanz zwischen den Kommunikationspartnern eines Telegramms und ihre vom Segensritual vorausgesetzte körperliche Kopräsenz kaum zu vereinbaren. Für Francisco Franco, das zu belegen wird in diesem Kapitel noch reichlich Gelegenheit sein, war der Segen des Papstes gewiß nicht allein als ein Zug auf dem Schachbrett internationaler Diplomatie wichtig; aber ebenso sicher lag ihm die vom Telegramm auferlegte körperliche Entfernung zum Spender des Segens und die vom ›Telegrammstil‹ vorgegebene rhetorisch-ideologische Kargheit des Diskurses: *Intensa emoción me ha producido pa-*

*ternal telegrama de Vuestra Santidad con motivo victoria total
de nuestras armas ...*

Nichts wäre hingegen den jungen Intellektuellen der *Falange*
ferner gelegen als eben ›Telegrammstil‹. Sie erfanden in Nachahmung und Nachfolge von José Antonio Primo de Rivera eine
neue – die spanische – Variante des faschistischen Diskurses.
Die Frage, ob *Falange* tatsächlich eine faschistische Bewegung
gewesen sei, ist eine gänzlich überflüssige Frage, auch deshalb,
weil sie bald unter dem (leicht verständlichen) Interesse des
offiziellen Spanien stand, nach dem Ende des Zweiten Weltkrieges auf Distanz zu den – faschistischen – ›Achsenmächten‹
zu gehen. Schon 1938 hatte Pedro Laín Entralgo, der in den
achtziger Jahren Präsident der *Real Academia Española de la
Lengua* werden sollte, in diesem Sinn ein Programm für seine
Generation formuliert: *La obra de nuestra generación se halla,
juntamente, en conseguir la grandeza* actual *de España dando
forma nueva al espíritu de su* pasada *grandeza.*[34] Warum Form
und Stil (vor allem) den jungen Vertretern der Falange so wichtig wurden,[35] läßt sich anhand von Laín Entralgos Auseinandersetzung mit Martin Heidegger verstehen. Zwar begrüßte er
ausdrücklich Heideggers Kritik an der Entwicklung der europäischen Kultur seit der Frühen Neuzeit, aber zugleich forderte
er doch auch, nicht bei solcher – intellektueller – Liquidation
haltzumachen: *La trágica grandeza de Heidegger está en haber
liquidado, de modo ontologicamente válido, pero sin ulterior
superación, el ciclo cultural que arranca del humanismo rena-
centista.*[36] Vor diesem Hintergrund – der Bejahung einer radikalen Kritik nach-mittelalterlicher Kultur und der Forderung,
den alten Geist in neuen Formen zu gestalten – wird verständlich, warum schon 1938 im Bereich des nationalen Spanien eine
Comisión de estilo ins Leben gerufen wurde und warum zu den
ersten Gründungen der neuen *Delegación Nacional de Prensa y
Propaganda* seit dem Kriegsjahr 1936 eine typographisch
ebenso aufwendige wie anspruchsvolle Kulturzeitschrift mit
dem Namen *Jerarquía* gehörte, von der bis Ende 1938 vier
Nummern erschienen.[37] Als Ort der Reflexion und des Experiments für eine falangistische Kunst, die sich auf die ›neue For-
mung des Geistes der Vergangenheit‹ verpflichtet hatte, erlangte *Jerarquía* in vielen Beiträgen eine philosophische Dichte

und insgesamt eine graphische Qualität, die es uns verbieten, sie vorschnell unter dem negativ wertenden Prädikat ›faschistische‹ Kultur‹ abzutun. Dies wäre schon allein deshalb allzu undifferenziert, weil zu den Redakteuren von *Jerarquía* junge Falangisten wie Luis Rosales, Pedro Laín Entralgo, Dionisio Ridruejo oder Gonzalo Torrente Ballester gehörten, die noch in unserer Gegenwart – Jahrzehnte nach ihrer Abkehr vom Faschismus – zu den bedeutendsten Repräsentanten der spanischen Literatur gerechnet werden.

Herausgeber der Zeitschrift war der Priester Fermín Yzurdiaga Lorca aus der für ihren ultramontanen Geist bekannten Provinz Navarra. Er vor allem kultivierte einen singulären Klassizismus der Ortographie (emphatisch gebrauchte Wörter begannen fast immer mit Majuskeln), der Typographie (in Großschreibung wurde ›U‹ regelmäßig durch ›V‹ ersetzt), des extensiven Zitierens lateinischer Texte und des Gebrauchs von Begriffen, welche die kaiserliche Epoche der römischen Antike zumindest konnotierten (*PARA DIOS Y EL CESAR* liest man in monumentalen Buchstaben auf der jeweils neunten Seite der vier Nummern von *Jerarquía*). Dennoch war *Jerarquía* nicht einfach eine kuriose Publikation. Es ist beispielsweise unübersehbar, daß die hier entwickelte Ästhetik in einer durchaus differenzierten Auseinandersetzung mit der Poetologie der spanischen zwanziger Jahre entstanden war – und ›Auseinandersetzung‹ darf dabei keineswegs mit ›Ablehnung‹ verwechselt werden.[38] Zwar schob man immer wieder pauschal dem politischen Liberalismus (oder gar dem Kommunismus) die Verantwortung für die ›Dekadenz‹ von Gegenwartskunst und Gegenwartsliteratur zu, aber polemisch vorgetragene Argumente gegen Autonomie und Gegenstandslosigkeit der Kunst wie die folgenden wären ja auch für Ortega y Gasset oder die Dichter des Jahres 1927 durchaus denkbar gewesen:

Y el arte gritó a su vez: »¿Sólo yo voy a ser esclavo?« No; seré yo mismo, romperé todas las cadenas; seré arte puro. Y se divorció de la idea, de la tradición ... El poeta se convirtió en forjador de ritmos sin sentido. ¿Por qué la inspiración iba a estar sujeta a la sindérisis?[39]

Fragmentación als Überschreitung und Brechung von Grenzen der Gestalthaftigkeit auf der einen und *captación pasajera de fotografía*[40] auf der anderen Seite – waren schon lange vor dem Bürgerkrieg (und auch für republikanisch engagierte Literaten oder Maler) absolute Grenzen gewesen, zwischen denen die Werke Raum für Artikulation und Entwicklung fanden. Ins Extrem gesteigerten *individualismo*[41] hatten nicht erst die faschistischen Intellektuellen überwinden wollen; und mit *deshumanización*[42] als Gegenbegriff zur eigenen Position kritisierten sie ein von Ortega y Gasset populär gemachtes Konzept.

Eine signifikante Negation mindestens stand freilich zwischen der Poetik von *Jerarquía* und jener der *Generación del 27*. Die falangistische Ästhetik griff nämlich erneut Menéndez Pelayos Kritik an Góngoras barocker Sprache auf: *agónicamente, la cultura española del siglo XVII a partir de Góngora, se ha convertido en letra muerta.*[43] Es war eine unserer zentralen Thesen im vorausgehenden Kapitel gewesen, daß die jungen spanischen Poeten der zwanziger Jahre in Góngoras Lyrik eine Sprachkunst bewunderten, die das Prinzip der Verfremdung ins Extrem treibt, ohne aber je die Grenze einer bei aller Komplexität noch identifizierbaren semantischen Gestalthaftigkeit zu brechen. Zehn Jahre später wurde im Kanon der jungen Falangisten Garcilaso an die Stelle Góngoras gerückt. *Jerarquía* inaugurierte eine Woge neuer Hochschätzung und lyrischer Imitationen jener spanischen Dichter des XVI. Jahrhunderts, die für die kastilische Sprache die Formen der italienischen Renaissance-Poesie angeeignet hatten – und diese klassizistische Mode wurde im Frühjahr 1943 mit der Gründung der poetischen Zeitschrift ›Garcilaso‹ zur Institution.[44] Die Ersetzung Góngoras als poetologischer Leitfigur durch Garcilaso zeigt an, daß die Kontinuität zwischen der großen spanischen Kunst der zwanziger Jahre und der falangistischen Ästhetik vor allem in der gemeinsamen Ablehnung eines *arte deshumanizado* lag. Was die ›positiven‹ literarischen Werte anging, so trat an die Stelle der – wenn man so sagen kann – moderaten Negativität des Verfremdungs-Prinzips ein vollmundiger Traditionalismus in Weltbild und Formen. *Toda mi gran tarea procuré hacerla bajo la austera moral de la Obra Bien Hecha,*[45] verkündete José María Pemán, der Verfasser eines Bürgerkriegsepos mit dem vielversprechenden Titel ›El Poema de la Bestia y el Angel‹. Und zurückgewandt auf das, was für ihn ›Glanz und Elend‹

einer lyrischen Vorgängergeneration gewesen sein muß, führte er weiter aus:

La poesía ha salido de este episodio adelgazada de formas y enriquecida de matices como nunca. Esto por fuera que por dentro el pensamiento adiestrado en la dura gimnasia de la intuición, ha alcanzado su máximo coeficience de elasticidad. El leñador ... tiene sus músculos tensos, ágiles y ejercitados como nunca. Sólo falta el bosque; es decir, el objeto; la cosa digna sobre qué operar ... Ha logrado el poeta un verbo presto y ágil; ha forzado hasta los últimos límites el poder captador de la intuición; pero con todo este armamento echa ahora de menos un objeto, un Ser, un algo digno de ser capturado por esa intuición y expresado por ese verbo. El poeta empieza a comprender que no hay poema sin servidumbre a un objeto externo, de cuya pequeñez o magnitud la obra participa o se lucra. Empieza a comprender que hay que retornar, en todo, al orden y a la jerarquía.[46]

Derselbe José María Pemán versuchte sich auch in einem 1939 uraufgeführten lyrischen Drama, *La Santa Virreina*, an der Umsetzung des ästhetischen Programms von den ›neuen Formen für den Geist der Vergangenheit‹. Die Inkaprinzessin Zuma will ihrer Herrin, der Vizekönigin von Peru, das Leben mit einem aus Chinarinde gebrauten Heiltrank retten. Dabei gerät sie ungerechterweise in Verdacht, der Vizekönigin als Giftmischerin nach dem Leben getrachtet zu haben, und kann sich – zunächst – gegen diese Anklage kaum verteidigen, da sie durch einen Schwur gebunden ist, das Wissen um die therapeutische Kraft der Chinarinde nicht preiszugeben. Doch zum Beweis ihres Vertrauens trinkt die Herrin aus dem vermeintlichen Giftbecher, an dem sie unweigerlich gesundet. Niemandem kann entgehen, daß diese Handlung als eine *Allegorie* der Vereinigung ›amerikanischer Natur‹ und ›europäischer Kultur‹ im ›Geist Spaniens‹ zu verstehen ist. Und wir sehen, daß moralischer Anspruch und weltanschauliches Engagement – bei Republikanern im Exil wie bei Falangisten in Spanien – ähnliche Diskursformen hervorbrachte.

Grundlage der nationalspezifischen Ästhetik, mit der wir uns anhand der Zeitschrift *Jerarquía* vertraut machen, ist freilich eine Ideologie, die man ihrerseits kaum von ihrem Vorbild, dem italienischen Faschismus, unterscheiden kann. ›Jugend‹, ›Fruchtbarkeit‹, ›Unruhe‹ bilden die eine Seite des Begriffs- und

Wertereportoires. Ihr steht gegenüber eine Mystik des Todes, die man Spanien als Wiedergeburt der Mystik des XV. Jahrhunderts zu inszenieren versuchte.[47] Von der Spannung zwischen ›Jugend‹ und ›Tod‹ führt dann zwar keine bruchlose semantische (oder gar argumentative) Kontinuität hin zum Begriff einer ›nationalen sozialen Revolution‹, aber die Vermischung und Überblendung all dieser ideologischen Konzept-Horizonte macht den eklektischen Charakter des Faschismus in Italien wie in Spanien aus. Und gerade die Falangisten scheinen die ›nationalsyndikalistische‹ und ›sozialrevolutionäre‹ Komponente ihrer Weltanschauung sehr ernst genommen zu haben:

La verdad es que ni el ser comunista es la única manifestación posible de la libertad espiritual del proletario, ni el totalitarismo fascista sofoca esta libertad. Recoger la voluntad proletaria revolucionaria, integrarla en el punto de vista nacional y adscribirla a una tarea universal supraclasista, no es ahogar sino ennoblecer la personalidad del proletario, es hacerle dejar de ser ›proletario‹ para convertirlo en productor y ciudadano: es dar ›realidad concreta‹ a su libertad espiritual.[48]

Die Diskurse der *Falangistas* und ihre Konfigurationen lassen sich, wie gesagt, von denen der italienischen *Fasci* kaum unterscheiden. Allenfalls sind die historischen Konnotationen, welche der spanische Faschismus suchte und ausspielte, reichhaltiger, da er mit dem Begriff ›*Imperio*‹ auf das spanische Weltreich der Frühen Neuzeit *und* auf den römisch-antiken Geschichtshorizont Bezug nehmen konnte. So faßte man den Plan, in lateinischer *und* in spanischer Sprache eine *Inscripción Imperial* zum ewigen Gedenken an den ›Sieger des Bürgerkriegs‹ zu errichten:

Nunca en la Historia de Hispania hubo tiempos y hechos como los que nos toca vivir, salvándonos Dios Nuestro Señor, el Sumo Emperador, por medio de nuestro *Imperator* – mando militar – y *Principe* – el primero entre todos, comenzando por el sufrir –, nuestro *Caudillo* – palabra medieval, de Principe – FRANCO ...[49]

Ganz im Gegensatz zu Benito Mussolini spielte Francisco Franco solche Rollen, die ihm der faschistische Diskurs anbot, (wenn überhaupt) ganz ohne Enthusiasmus. Darin gewiß lag eine politisch höchst relevante – nicht ideologische, aber historische – Besonderheit des spanischen Faschismus.

Wenige Monate nach der ersten Nummer von *Jerarquía* prä-

sentierte die *Delegación Nacional de Prensa y Propaganda* die
ganz offenbar am elegant-anspruchsvollen Geschmack eines
Oberschichtenpublikums orientierte Illustrierte ›*Vértice*‹ mit
dem Untertitel ›*Revista Nacional de Falange Española Tradi-
cionalista y de los J.O.N.S.*‹[50] Wer diese (übrigens vergleichsweise langlebige) Zeitschrift (die letzte Nummer erschien 1946)
las – und kaufen konnte –, das erahnt man, wenn man eine ihrer
Ausgaben – zum Beispiel die März/April-Nummer 1940 – auf-
schlägt und zunächst auf einen äußerst umfangreichen Anzeigenteil stößt. Ein Jahr nach dem Ende des Bürgerkriegs, in
einer Zeit, an die sich die ältere Generation der Spanier heute
bloß als eine ›Epoche des Hungers‹ und der Mangelkrankheiten
erinnert, präsentierte das erste Inserat – ganzseitig und mit drei
Photographien – die touristischen Freuden des bevorstehenden
Sommers:

> Temperatura ideal y clima sano de una
> tierra llena de belleza, brinda a sus visi-
> tantes
>
> Santander
> soberbios panoramas al mar y de mon-
> taña, hermanados en el esplendor de su
> bahía sin rival
>
> El Sardinero
> sus playas rientes, encanto del espíritu y
> manantiales de salud para el cuerpo fati-
> gado por el trabajo
>
> Santander
> fiestas mundanas y populares, distraccio-
> nes, deportes
>
> Santander
> hará deliciosas sus vacaciones de verano.

Daß unter den Anzeigen in *Vértice* mit weitem Abstand Inse-
rate für Weinkellereien (nicht weniger als zwanzigmal) und für
Banken (neunmal) herausragen, paßt zu dem von der Santan-
der-Anzeige auf der zweiten Seite geweckten Eindruck. Ob der
Verkauf edler Weine mit solcher Reklame erheblich zu fördern
und die Einlagen kapitalkräftiger Bankkunden deutlich zu stei-

gern waren, können wir aus dem Anzeigenteil von *Vértice* natürlich nicht mit Gewißheit schließen. Jedenfalls muß es den Inserenten lohnend erschienen sein, ihre graphische Präsenz in der offiziellen Illustrierten der *Falange* zu sichern, und jedenfalls belegen die Anzeigenseiten von *Vértice*, daß diese Zeitschrift ein Medium der ›Oberschichtenkommunikation‹ war. Wer sonst hätte 1940 in Spanien an Seidenstrümpfe und Pelzmäntel gedacht, an eine Bar amerikanischen Stils in der ›sprichwörtlich provinziellen‹ Stadt Albacete und an das Hotel *Andalucía Palace* in Sevilla, an Kölnisch Wasser und an Kosmetikkoffer? Solchen Lebensstil prägen – und repräsentieren – sollten wohl auch die aufwendig bebilderten Innenseiten von *Vértice*. Eine der Perspektiven, unter denen diese Illustrierte redigiert wurde, ist von der Formel ›*el reconstruir de autenticidades españolas*‹[51] prägnant beschrieben: man konnte sich über die Tradition der *mantilla* und über eine neue *mantilla*-Mode informieren, über die Geschichte des Begriffs ›flamenco‹ und seine historisch sich wandelnden Referenzen oder auch über die Triumphe der spanischen Tänzerin Mariema, die – obwohl angeblich Liebling des französischen Publikums – ihre spanische Identität (so kann man am ehesten das Wort ›raza‹ übersetzen) weder verleugnen konnte noch verleugnen wollte.[52] Die Eleganz, mit der hier *autenticidades españolas* vorgeführt wurden, hatte nichts Provinzielles, sondern ging wie selbstverständlich über in die photographische Präsentation der internationalen Frühjahrsmode und der neuesten, noch nicht aufgeführten Spielfilme aus Spanien *und* Hollywood.[53] Schließlich nahmen auch Bildberichte über Rituale des Heeres und der *Falange* breiten Raum ein. Zu diesen Ritualen gehörten in der März/April-Nummer von *Vértice* im Jahr 1940 eine von Franco abgenommene Truppenparade und die (damals offenbar außergewöhnliche) Nacht-Beleuchtung von Madrid zum ersten Jahrestag des Bürgerkriegsendes. Einen großen Bericht wert war auch die *Gran Concentración* der *Falange* in Valencia – ein Abbild nationalsozialistischer Reichsparteitage mit etwas weniger akkurat formierten Menschenreihen und Menschenblöcken. Der einschlägige Bild-Kommentar geriet unüberbietbar bündig: *Por la magnitud de esta concentración y por la importancia de los discursos pronunciados, puede calificarse el acto de Valencia*

*como el más importante de los acontecimientos políticos acae-
cidos en la paz.* In eleganter Parteiuniform (mit dem auf
Schwarz-Weiß-Aufnahmen leider nur schwach kontrastieren-
den blauen Parteihemd) waren abgelichtet der Außenminister
(und Franco-Schwager) Serrano Súñer, der Propagandachef
(und Lyriker) Dionisio Ridruejo und Miguel Primo de Rivera,
der Bruder des Parteigründers.

Neben *Vértice* übernahm zwischen 1940 und 1950 die zunächst von *Jerarquía* vorgezeichneten Diskurse und Funktionen die Zeitschrift *Escorial*.[54] Wie wohl kein anderes Dokument vergegenwärtigt die Entwicklung von *Escorial* den Prozeß
der kulturpolitischen Marginalisierung und der intellektuellen
Austrocknung, dem *Falange* während der vierziger Jahre unterliegen sollte. Zunächst waren der Redaktionsstab von *Escorial*
und sein politisch-ideologisches Ziel weitgehend identisch mit
denen der kurzlebigen *Jerarquía*. Pedro Laín Entralgo und
Dionisio Ridruejo fungierten als Herausgeber, deren Kompetenzen penibel durch die Titel ›director‹ und ›subdirector‹ hierarchisiert waren; als ›Redaktionssekretär‹ firmierte Luis Rosales – und neben den genannten Namen tauchten von Beginn
sehr häufig die des Altphilologen Antonio Tovar und des Lite-
raturkritikers Antonio Marichalar auf, die beide wesentliche
Rollen in der intellektuellen Geschichte der *Falange* während
der vierziger Jahre spielen sollten. *Una propaganda en la alta
manera, ya que no hay propaganda mejor que la de las obras, y
obras de España – propias de Escorial – serán las del espíritu y de
la inteligencia para las que abrimos estas páginas,*[55] schrieb Laín
Entralgo im *Manifiesto editorial* der neuen Zeitschrift – und wir
sehen, daß sich auf der Rechten unter dem Wort ›propaganda‹
eben jenes ungebrochene Vertrauen auf die politische Funktion
der Kultur artikulierte, das auch im Diskurs der Exilanten allgegenwärtig war.

Nach wenigen Jahren der offiziellen Existenz von Francos
Spanien war der faschistisch-intellektuelle Diskurs allerdings
bereits so exzentrisch geworden,[56] daß man die Wiederaufnahme von liberalen Diskursen und Positionen aus den zwanziger Jahren nicht mehr mit scharfer Polemik kaschieren mußte,
und dies war eine Entwicklung, welche *Escorial* (zunächst fast
unmerklich) von *Jerarquía* abrückte und mit Publikationen wie

España Peregrina verband. Im Ton ihrer Beiträge freilich bemühten sich die Autoren von *Escorial* vorerst weiter, eine religiös-austere, ja geradezu sakramentale Feierlichkeit beizubehalten, welche – ganz anders als die Identifikation mit dem ›Volk‹ im Geiste Antonio Machados – eine Intention national-verantwortungsbewußter Belehrung konnotierte. Nicht ohne Grund suchte man zu erweisen, daß sich in dem eigenartigen Konzept der ›*verticalidad*‹ ein Grundzug des Nationalcharakters kondensierte.[57] Denn die Gesellschaft der Zukunft sollte in ›Ständen‹ (›*estamentos*‹) strukturiert sein,[58] getragen vom Bewußtsein ihres jeweiligen ›Rangs‹ und herausgenommen aus dem Wandel historischer Veränderung. Dennoch stoßen wir im ersten Jahrgang von *Escorial* auf Beiträge namhafter Autoren, die nicht zur *Falange* gehörten oder bereits Abstand von der Staatspartei genommen hatten: zu ihnen gehörten Ramón Menéndez Pidal, Xavier Zubirri (ein Theologe und Philosoph aus der Schule Ortegas) und Pío Baroja. Im Rahmen dieser – noch vorsichtigen – Horizontöffnung konnte immerhin der Anschluß an die Denktradition der Generation von 98, konnte die Suche nach der *intrahistoria* wieder zum Programm werden. Als erstes Dokument in der Rubrik ›*Textos ejemplares*‹ von *Escorial* finden wir eine Reflexion von Angel Ganivet über *Política africana*. Insgesamt geriet freilich der neue Blick auf die nationale Geschichte viel diffuser als bei den Intellektuellen der Jahrhundertwende, weil er natürlich nicht jene prägnanz-stiftende Kritik des offiziellen Geschichtsbildes übernehmen konnte, an der Unamuno und seinen Zeitgenossen so sehr gelegen war. Allen bekannten Epochen der Kultur auf der Iberischen Halbinsel – von der klassischen Antike über Mittelalter und *Siglo de Oro* bis hin zur Romantik – widmete der erste Band von *Escorial* Beiträge.

Doch sehr bald scheint das Bedürfnis nach einer Zuwendung auf die außerspanischen geistigen Strömungen der eigenen Gegenwart über den Willen zur erneuten Konzentration auf die kulturelle Nationalgeschichte dominiert zu haben. So präsentierte bereits der Jahrgang 1943 Artikel von Martin Heidegger und Ricarda Huch und stellte dem Publikum nicht nur phänomenologische Philosophie, sondern auch die ihr affine neue Tradition des angloamerikanischen Romans vor, wie sie die

Namen von Virginia Woolf, James Joyce und William Faulkner repräsentierten. Unsere bisherigen Beobachtungen zu *Escorial* treffen auch auf die seit 1941 publizierte *Revista de Estudios Políticos* zu,[59] wo das Werk von Soziologen, Ökonomen und Staatsrechtlern wie Wilfredo Pareto, Werner Sombarth, Carl Schmitt und Max Weber (vor allem mit seinen Reflexionen über das Phänomen des politischen Charismas) im Zentrum der Diskussion standen. Was wir typologisch (und etwas grob) den ›konservativen Liberalismus‹ – etwa eines Max Weber – nennen könnten, markierte eine zweifellos schwer überschreitbare Grenze an dem von den falangistischen Intellektuellen eröffneten geistigen Horizont. Doch im Vorgriff auf die spanischen Entwicklungen der kommenden Jahre läßt sich feststellen, daß schon aufgrund dieser maßvollen Durchbrechung eines selbstgenügsamen Provinzialismus die fortschreitende politische Marginalisierung einer Zeitschrift wie *Escorial* in Spanien unvermeidlich war.

»Ende 1940 oder Anfang 1941, während Spanien eine Nachkriegsphase der Blutbäder und der Verelendung erlebte und während der europäische Krieg zum Weltkrieg entbrannte, schrieb General Franco in der Abgeschlossenheit seiner militärischen Kommandozentrale eine Erzählung mit dem Titel ›Raza‹. Er gab ihr, indem er das Schwergewicht auf Dialoge und Beschreibungen legte, eine an Filmdrehbücher erinnernde Form und ließ keinen Zweifel daran, daß er die Umsetzung in einen Film wünschte«.[60] Die Uraufführung des Films *Raza*, der zur erklecklichen Zahl der in jenen Jahren vom spanischen Staat finanzierten Bürgerkriegsfilme gehört, fand anläßlich eines Empfangs für das Diplomatische Korps in der Nacht vom 5. zum 6. Januar 1941 statt.[61] Damals wurde ›Jaime de Andrade‹ als Name des Drehbuchautors angegeben. Doch fast ein Vierteljahrhundert später, am 26. Februar 1964, gab Francisco Franco in einem Antrag zur Aufnahme in die *Sociedad General de Autores de España* – wohl aus finanziellen Gründen – seine Autorschaft offiziell preis.[62] In den Monaten um die Uraufführung von *Raza* veröffentlichte Francisco Xavier Conde (der in den siebziger Jahren spanischer Botschafter in der Bundesrepublik Deutschland werden sollte) am *Institutio de Estudios Políticos* ein Buch unter dem Titel ›Espejo del caudillaje‹, in dem für

Francos politische Herrschaft und ihre faschistisch-ideologische Stilisierung zum ›Führertum‹ mit Hilfe des Konzeptes ›Charisma‹ eine staatsrechtliche Basis erarbeitet werden sollte:

El criterio específico del caudillaje es el primer principio de legitimidad inmanente que está a su base. Ese principio esencial es el carisma ... El carisma, en sentido inmanente, es una cualidad considerada como excepcional, en virtud de la cual se cree que él que la posee es capaz de desplegar potencias extraordinarias y es portador de valores ejemplares. El término carisma está esencialmente vinculado a una situación extraordinaria, fuera del común, de lo cotidiano. El carisma genuino es fé en el héroe, convicción emocional del valor de una manifestación de orden religioso, estético, político; fé revolucionaria que mueve desde dentro; energía, potencia creadora de historia como fuerza fundacional de nuevas arquitecturas políticas. El poder carismático anuncia, revela, crea, impone una nueva tabla de valores, nuevos mandamientos, obliga a cambiar radicalmente las posiciones espirituales y la conducta.[63]

Daß Francisco Franco über so lange Jahre – darin von Mussolini und Hitler gänzlich verschieden – seine Autorschaft am Drehbuch von *Raza* nicht nutzte, um die seiner Rolle unterstellte universale Genialität unter Beweis zu stellen, läßt ahnen, daß die auf seine Person abgestellte ideologische Produktion oft ins Leere lief. Das Drehbuch von *Raza* erweist darüber hinaus, daß Franco nichts weniger war (und wohl auch nichts weniger sein wollte) als der Initiator radikaler Positionsveränderungen im Denken und Handeln. Es gab eine an der Wende von den dreißiger zu den vierziger Jahren von falangistischen Intellektuellen ausgeschriebene spanische Variante faschistischer Ideologie; es gab – bis in die Monate nach Francos Tod im Jahr 1975 – eine lange Kette national folgenreicher politischer Handlungen, der wir den Namen ›Frankismus‹ geben können; *aber eine ›frankistische Ideologie‹ hat nicht existiert*. Der ›Frankismus‹ hat die Ideologie der *Falange* niemals adaptiert und niemals für sich beschlagnahmt.

Das Drehbuch zu *Raza* ist nicht mehr als eine mühsam auf Nationalidentität stilisierte spießbürgerliche Militär-Schwärmerei, artikuliert vor dem Horizont spezifischer Daten und Sachverhalte aus der spanischen Geschichte. José Churruca, der Held des Films, stammt (wie Francisco Franco[64]) aus Galizien;

er ist Sproß einer Familie, deren kleinen Stolz die Zugehörigkeit ihrer männlichen Mitglieder zur nationalen Marine ausmacht. Sein Vater ist 1898 (vor Kuba natürlich) gefallen, und seiner Mutter, die nebenbei ihre Witwen-Reinheit bewahrt, gelingt es unter großen Opfern und in schweren Zeiten, den vier Kindern eine standesgemäße Erziehung zu bieten. Der jüngste Sohn des vor Kuba gefallenen Helden wird sich im Bürgerkrieg als Priester mit väterlicher Fürsorge der Waisenkinder annehmen. Seine einzige Tochter heiratet einen Berufssoldaten, dessen weltanschauliche Festigkeit und Einsatzfreude in der nationalen Stunde der Wahrheit ihre Probe nicht ganz besteht (ohne daß er zum Verräter wird). Ein weiterer Sohn, Pedro, läßt schon im Knabenalter als Tierquäler und egoistisch über sein Taschengeld wachender Bruder Schlimmes befürchten und frequentiert dann auch tatsächlich während seines Studiums in Madrid das Ateneo, wird Republikaner und schlägt so sehr aus der Art der Familie, daß der Drehbuchautor nicht umhin kann, ihn in einem Streitgespräch von seinem ›guten Bruder‹ José als ›masón‹[65] verurteilen zu lassen. Zwar darf Abel/José gegen Ende des Films erfahren, daß Kain/Pedro unmittelbar vor dem Tod seinen lebenslangen Verblendungen abgeschworen und diese bereut hat – aber den Bürgerkriegs-Tod kann Pedro die poetische Gerechtigkeit nicht ersparen. José hingegen, der schon immer ein exemplarischer Sohn seiner Mutter, der Kirche und folglich auch der Nation gewesen war, wird im Sommer 1936 von den unmenschlichen Republikanern gefangengenommen und sinkt unter den Kugeln eines Erschießungskommandos zu Boden. Doch die Schergen der Republikaner haben schlecht gezielt, weil just im Moment der Exekution von José Churruca ein Angriff der nationalen Luftwaffe ihre Hände erzittern ließ. So kann sich Josés von Freunden in ein Madrider Bürgerhaus geborgene vermeintliche ›Leiche‹ als lebendig erweisen. Diese freudige Entdeckung darf eine vornehme junge Dame namens Marisol machen, die der Drehbuchautor natürlich für die spätere Würde an der ehelichen Seite von José Churruca prädestiniert. Besonders bewunderungswürdig ist aber die Geschicklichkeit, mit der es Marisol gelingt, den verbliebenen Hauch des Lebens in Josés Körper zu identifizieren, ohne diesen Körper zu berühren:

Marisol (ha sacado, rápida, de su bolso un espejito que lo aproxima a los labios del mártir, exclama, *mostrándolo con alegría*): ¡Vive! ¡Vive todavía! ¡Tano! ¡Tano! ¡Un médico! (Rectifica pronto, acongojada.) ¡No, no! Lo matarían de nuevo ... Anda, Tano, ¡pronto! ... ¡Hay que buscar uno de los nuestros! Mira, en la Castellana, 12, vive el doctor Gómez, dále esta tarjeta mía. (Escribiendo en ella): »Venga, por Dios!« Vete pronto. (Le entrega un billete.) Toma un coche. (Dirigiéndose a la mujer.) ¿Tiene usted yodo?[66]

Kaum wieder auf den Beinen, entkommt José Churruca dann aus dem republikanischen Madrid, um sich ins nationale Heer einzureihen und bis zum glorreichen Tag des *Desfile de la Victoria* dort Sieg um Sieg zu erringen. Das unvermeidliche *happy end* kommt massiv. Marisol bedarf noch ermutigender Instruktionen seitens ihrer Großmutter, bevor sie die schamhafte Befürchtung überwindet, Josés offensichtliche Zuneigung möchte bloß in Dankbarkeit motiviert sein – aber dann schließen sich die Liebenden in die Arme. Unter den Zuschauern des *Desfile* befinden sich aber auch schon die Kinder der einzigen Tochter des Marinehelden von 1898, in deren kindlichen Wünschen just an jenem Tag zum ersten Mal der Traum aufkeimt, als Soldaten zur See zu fahren. All dies vollzieht sich in einem Szenarium, das individuelles wie kollektives Glück umfaßt:

Desfile brillante de la caballería, de las masas de piezas artilleras, mientras en los aires el trepidar de los potentes motores llevan (sic) hacia lo alto todas las miradas. Los pájaros de acero dibujan en el cielo el nombre del Caudillo de España. Y palmotea el niño, entusiasmado ante tanta grandeza, y pregunta a su madre, alborozado:

EL NIÑO: ¿Cómo se llama esto?

Duda ella, antes de responderle, y el almirante acude solícito en su ayuda.

EL ALMIRANTE: Tu abuelo lo llamó los almogávares.[67]

So wie der Drehbuchautor Franco seinen Namen unter einem Pseudonym verbarg, nennen nun auch die Protagonisten – angesichts der Fülle von Angeboten für eine Identifikation mit José Churruca: die Mitglieder *seiner* Familie – den Namen ›Franco‹ nicht. An seiner Stelle gibt der mit der Familie befreundete Admiral dem fragenden Enkel seines Waffenbruders Churruca – und bietet der Drehbuchautor seinem Publikum – eine Definition des Substantivs ›almogóvar‹, mit der schließlich auch der Filmtitel ›Raza‹ erläutert wird:

Sí, los almogóvares, que en nuestra historia fueron la expresión más alta del *valor de la raza:* la flor de los pueblos del Norte, lo más heroico de la legión romana, lo más noble y guerrero de las estirpes árabes, fundidos en el manantial inagotable de nuestra raza íbera. No olvides que cuando en España surge un voluntario para el sacrificio, un héroe para la batalla o un visionario para la aventura, hay siempre en él un almogóvar.[68]

Dieser Begriff von ›raza‹ hat mit dem biologischen Rassismus des XIX. Jahrhunderts wenig zu tun – daß er auf die ›Helden‹ ganz verschiedener Völker und Traditionen angewandt wird, rückt ihn in eine unter den politischen Konstellationen des Jahres 1941 signifikante Distanz zum ›Rassen‹-Begriff des deutschen Nationalsozialismus. *Raza* kann man vielmehr als eine neue Antwort auf die damals schon mindestens ein halbes Jahrhundert alte Frage nach der spanischen *intrahistoria* verstehen. Diese wird nun identifiziert mit einer im Strom der Geschichte konstanten nationalspezifischen Tapferkeit, als deren Inkarnation sich – diskret, über die Kontiguitätskette ›*almogóvar/caudillo/Franco*‹ – der (damals noch ungenannte) Drehbuchautor empfiehlt. Nationalgeschichte als Familiengeschichte und nationale Identität als Berufung auf eine ›Authentizität‹, die so nebulös blieb, daß man sie mit dem Prädikat ›*raza*‹ benennen konnte, ohne sich zu kompromittieren – viel mehr an ›Ideen‹ läßt sich den Reden Francisco Francos nicht entnehmen. Gänzlich unbestimmt war die Seite der ›positiven Werte‹ schon in einem Interview geblieben, das er der Tageszeitung *La Vanguardia Española* am 1. Januar 1939 – des bald bevorstehenden Siegs im Bürgerkrieg gewiß – gegeben hatte:

– Permítame, mi General, que ponga fin a mis preguntas; su tiempo es precioso: quisiera unas palabras finales dirigidas a los españoles, una invocación …
– Puede usted decir, como resumen de esta entrevista, que yo aspiro a ser el Caudillo de todos; que no me interesan las parcialidades banderizas; que lo nacional llena mi espíritu; deseo que cuantos españoles amen a España trabajen por ella con el máximo fervor y con la mayor satisfacción del ánimo. España, si sabemos unirnos todos, puede dar al mundo la sorpresa de un ideal nuevo. El mío es que todos los valores auténticos se pongan al servicio de la patria; pero sin ambiciones, sin bajas codicias, limpios de rencores: abierta el alma a todas las ilusiones y a todas las esperanzas.[69]

So unbeirrbar, schlicht und vage wie seine Worte zur nationalen Identität waren auch Francos Gedanken zur Nationalökonomie. Den diskursiven Ort von *raza* und *valor,* den Ort des ›Authentischen‹, nahm dort eine kaum je spezifizierte Anspielung auf *materias primas* ein, deren über vier Jahrzehnte ununterbrochene Wiederholung selbst bei Franco-Gegnern bis heute fortwirkende Überzeugungs-Spuren hinterlassen hat: *En este punto sí que no admite límites mi optimismo, o, por decir mejor, mi seguridad. España tiene capacidad económica sobrada ... La riqueza y la independencia de una nación dependen de las materias primas con que cuente.*[70]

Freilich hatte der Glaube an die *materias primas* für die Spanier unvergleichlich schmerzlichere Auswirkungen als die kleinen Träume von *raza* und *valor.* Denn während Begriffe der Nationalidentität in einer bald auf wenige dürre Rituale reduzierten Staatspropaganda leerliefen, konkretisierte sich aus dem Mythos der *materias primas* (bei unübersehbarer Applikation des Begriffs ›Familienhaushalt‹ auf den Staatshaushalt) eine Wirtschaftspolitik der nationalen *Autarkie,* mit der Franco der internationalen Isolierung nach 1945 trotzen wollte. Schon im Herbst 1939 war dieses Programm festgeschrieben worden in einem Dokument mit dem vielsagenden Titel ›*Fundamentos y directrices de un plan de saneamiento de nuestra economía, harmónico con nuestra reconstrucción nacional‹:*

El problema más grande que se presenta a la economía española es el desnivel desfavorable de nuestra balanza de pagos con el extranjero ... Este desnivel permanente y visible de nuestro comercio en todo lo que va de siglo ... encierra tal gravedad para nuestra economía, que el suprimirlos (sic) tiene que constituir la directriz principal de nuestra política económica, ya que, de otro modo, se produciría el fenómeno de que la riqueza nacional continuase agotándose en esta sangría suelta de centenares de millones que anualmente marcha a vigorizar la economía de los países exportadores ...
Como se ve, existe un campo favorable para atacar el problema de nuestra balanza comercial, ya que España nos ofrece tierras magníficas para ser regadas; montes para su repoblación y cantidad de materias primas transformables con que resolver nuestro problema, aumentando al mismo tiempo los bienes nacionales y las fuentes de trabajo.[71]

Das Dogma dieser Wirtschaftskonzeption gab einer drastischen Reduktion der Importe unhinterfragt über zwei Jahrzehnte den Vorrang vor dem Ziel einer Export-Steigerung. Wirtschaftliche Belebung scheint man sich vor allem von einer ›Sozialpolitik‹ versprochen zu haben, die bezeichnenderweise unter dem Leitbegriff einer ›*redención de los humildes*‹[72] stand, wobei das während der vierziger Jahre in Spanien häufig gebrauchte, ursprünglich religiöse Konzept der ›*redención*‹ stets auch den diffusen Gedanken einer ›politischen Umerziehung‹ (eben als ›Erlösung‹ von bösen Einflüssen) konnotierte. Daß die wirtschaftliche Sanierung aber – vor allem in Krisenzeiten – auf Kosten der *clases humildes* ausgetragen wurde, zeigte die seit Ende 1945 betriebene *Batalla contra la Codicia,* die vom Staat als ›*batalla a los precios*‹ eingeläutet wurde und in die Erinnerung der Spanier als ›Hungerepoche‹ eingegangen ist. Als Redner in dieser Kampagne zeigte selbst der sonst wortkarge Franco rhetorische Spontanität:

Llevamos un siglo viviendo del Rey mago, viviendo del Poder central, arrastrándonos ante el Estado para lograr concesiones. Y hemos de liberarnos de ello con el esfuerzo de nuestro trabajo cotidiano, con la buena voluntad y la honradez de todos. Y os digo esto porque vamos a empezar la batalla y necesito para ella de la juventud, del Municipio, de los concejales; una batalla contra la codicia, una batalla contra los precios ... *(Los aplausos y vítores entusiastas interrumpen a Su Excelencia largo rato, oyéndose voces de ¡Muy bien! ¡Muy bien!).* Pero muy bien con la boca y con el corazón. Hemos de renunciar todos a la codicia, porque en España hay muy pocos que no sean estraperlistas, y nosotros queremos ... *(nuevamente es interrumpido con grandes aplausos).* Nosotros queremos que se venda barato. Y vamos a dar la batalla contra los precios, a revalorizar las pesetas de todos ...[73]

Rhetorische und ideologische Anspruchslosigkeit mag eine Stärke des Frankismus in der politischen Praxis gewesen sein, weil so diese Praxis stets kompatibel blieb mit der diffusen ›Alltagsvernunft‹ einer sich konstituierenden Mittelschicht – und weil so kaum Erwartungen oder Maßstäbe gesetzt wurden, die mit den vom Staat alltäglich dekretierten Alltagsrealitäten konfligieren konnte. Wenn sich der Diskurs des Frankismus je ein wenig konkretisierte, dann waren seine Kondensationspunkte kaum faschistische Ideologeme. Vielmehr schloß er dann stets an die ultramontane nationalkatholische Tradition des spanischen XIX. Jahrhunderts an.

Zahlreiche Manifeste aus den vierziger Jahren belegen jenes Beharren auf dem nationalkatholischen Diskurs, das politisch zunächst in einer Verbannung aller anderen Religionen aus dem Raum der Öffentlichkeit wirksam wurde: *La profesión y práctica de la Religión Católica, que es la del Estado español, gozerá de la protección oficial. Nadie será molestado por sus creencias religiosas ni el ejercicio privado de su culto. No se permitirán otras ceremonias y manifestaciones externas que las de la Religión Católica.*[74] Der Rückgriff auf Marcelino Menéndez Pelayo als ideologische Vatergestalt wird besonders deutlich im Gründungsdokument des *Consejo Superior de Investigaciones Científicas*, der – so seine offizielle Mission – die Auswirkungen der Aufklärung in der akademischen Welt rückgängig machen sollte, um der spanischen Kultur erneut zu dem in der Frühen Neuzeit eingenommenen Rang der ›Universalität‹ zu verhelfen: *En las coyunturas más decisivas de su historia concentró la hispanidad sus energías espirituales para crear una cultura universal. Esta ha de ser, también, la ambición más noble de la España del actual momento que, frente a la probreza y paralización pasadas, siente la voluntad de renovar su gloriosa tradición científica. Tal empeño ha de cimentarse, ante todo, en la restauración de la clásica y cristiana unidad de las ciencias, destruida en el siglo XVIII.*[75] Eigenständiger (wenn auch nur in Maßen) war der Diskurs des frankistischen Staats allein in seinen Negationen. Bis hin zum Tod Francos wurde etwa eine schier unendliche Sequenz bald kleinlicher, bald grausamer Repressalien als Präventivmaßnahmen gegen das Gespenst einer antispanischen Verschwörung von ›Freimaurertum‹ und ›Kommunismus‹ legitimiert:

Acaso ningún factor, entre los muchos que han contribuido a la decadencia de España, influyó tan perniciosamente en la misma y frustró con tanta frecuencia las saludables reacciones populares y el heroísmo de nuestras armas, como las sociedades secretas de todo orden y las fuerzas internacionales de índole clandestina. Entre las primeras ocupa el puesto más principal la masonería, y entre las que, sin constituir una sociedad secreta propiamente, se relacionan con la masonería, y adoptan sus métodos al margen de la vida social, figuran las múltiples organizaciones subversivas en su mayor parte asimiladas y unificadas por el comunismo.[76]

An dieses Doppel-Gespenst scheint wenigstens Francisco Franco wirklich geglaubt zu haben, denn *masonería* und *comunismo* tauchen als universale Erklärungen für Fehlschläge der eigenen Politik (resistent gegenüber deren vielfältigen Richtungsänderungen) auch in Francos Gesprächen mit seinen Vertrauten, ja selbst mit den Mitgliedern seiner Familie auf. Erst aus dieser Perspektive kann man ermessen, was es bedeutete, wenn der junge José Churruca in Francos Film ›Raza‹ seinen mißratenen Bruder als ›masón‹ titulierte.

Die ideologische Dürre des Frankismus war auch deshalb – wie schon gesagt – seine Hauptstärke, weil sich aus ihr eine rhetorische Kargheit ergab, die wie ein graues Tuch des Schweigens politisches Handeln verhüllte. Als sich Franco und Hitler am 23. Oktober 1940 auf dem Bahnhof von Hendaye trafen, in jener Stadt, die gerade ein Jahrzehnt zuvor als Exilsitz Miguel de Unamunos ein spanisch-republikanischer Wallfahrtsort gewesen war, drehten sich die Verhandlungen um den von der deutschen Regierung dringend geforderten Eintritt Spaniens in den Zweiten Weltkrieg. Franco, dem wohl nie viel an den Weltherrschaftsträumen des internationalen (und noch weniger: des deutschen) Faschismus gelegen war, widerstand den Versprechungen Hitlers wie seinen Drohungen – noch 1964 sollte er sich an jenen Oktober-Tag als den schwierigsten Moment seiner politischen Herrschaft erinnern.[77] Doch im offiziellen Kommuniqué der spanischen Regierung wurde die Darstellung der dramatischen Stunden von Hendaye reduziert auf die minutiöse Aufzeichnung des Pendelns beider Delegationen zwischen dem spanischen und dem deutschen Eisenbahnwaggon, auf ein Protokoll, das anmutet wie ein mit überhöhter Laufgeschwindigkeit projizierter Stummfilm:

Saludos y presentaciones
   Al detenerse el tren en el que viajaba el Caudillo con su ministro de Asuntos Exteriores, los señores Hitler y Von Ribbentrop acompañados por las personalidades de su séquito, se dirigieron al coche ocupado por el Generalísimo Franco, y al descender éste al andén ambos Jefes de Estado cambiaron un saludo efusivo ...

En el vagón del tren especial del Führer

Una vez revistadas las fuerzas, el Führer Canciller invitó al Caudillo y a los ministros, señores Serrano Súñer y Von Ribbentrop, a subir al coche vagón de su tren especial, donde quedaron reunidos los cuatro.

Termina la conferencia

La entrevista se prolongó hasta las seis y cinco, hora en que el Caudillo y el ministro español de Asuntos Exteriores abandonaron el tren especial del Führer para trasladarse al español.

Los señores Serrano Súñer y Ribbentrop, conferencian

Media hora después volvieron a reunirse los ministros señores Serrano Súñer y Von Ribbentrop, y una vez terminada esta nueva entrevista, el señor Serrano Súñer regresó al tren especial del Generalísimo Franco.

El Führer invita al Generalísimo y a su séquito

En las primeras horas de la noche, el Führer Canciller invitó al Caudillo y a las personalidades de sus respectivos séquitos a una comida que se celebró en el coche salón del tren especial del primero ...

El Caudillo regresa a España

El Führer acompañó seguidamente al Caudillo hasta el mismo tren especial de este último que iba a emprender su regreso a España, y ambos cruzaron un saludo de despedida muy efusivo.[78]

Francos beharrlich unideologische Politik der nationalen Interessen machte seine Distanz zu den faschistischen Träumen der Falangisten augenfällig und löste Spannungen aus, welche dem Staatschef langfristig willkommene Anlässe lieferten, um nach und nach eine große Zahl von Falangisten aus Machtpositionen zu eliminieren. Seine einzige Konzession an Hitler und den spanischen Faschismus war das im Juni 1941 unterbreitete Angebot, einige spanische Freiwilligen-Divisionen auf Hitlers Rußlandfeldzug zu entsenden.[79] Widersprüchlich sind die uns überlieferten Erinnerungen an die Reaktionen der Spanier auf die Gründung der *División azul,* aber die Tatsache, daß zahlreiche Altfalangisten am Rußlandfeldzug teilnahmen, läßt erahnen, wie prekär schon 1941 ihre Hoffnungen auf die Verwirklichung einer faschistischen Politik im eigenen Land geworden waren. Prominentestes Opfer der wachsenden Divergenz zwischen Staat und *Falange* war im Sommer 1942 Francos Schwager Ramón Serrano Súner, den der *Generalísimo,* der unter dem Vorwand, für ein Handgemenge mit tödlichem Ausgang zwischen faschistischen und monarchistisch-karlistischen Stoßtrupps politisch verantwortlich zu sein, seines Außenminister-Postens enthob. Franco hat seinem Schwager gegenüber offenbar nie Gründe für diese Entlassung benannt – die Ausscheidung der faschistischen Ideologie aus dem spanischen Machtzentrum vollzog sich ohne eigenen ideologischen Horizont. In der Erinnerung Serrano Súners wurde aus der Szene seiner Entlassung durch Franco der Archetyp für eine bis 1975 nicht abbrechende Serie von Minister-Entlassungen, die gerade deshalb, weil sie sich ohne explizite Begründungen vollzogen, Francos Macht bestätigten und verstärkten:

Me dice: »Mira, Ramón, te llamo para hablarte de un asunto muy grave, de una decisión grave que he tomado«. Y, después de larga pausa, añadió: »Voy a sustituirte«. Yo le repliqué: »Hombre, ¡acabáramos! ¿Y esto es lo grave? Pero por Diós, si te he pedido ya en dos o tres ocasiones, y alguna muy formalmente, poder marcharme; ¿a qué viene todo esto? Lo único que yo quisiera pedirte ahora es que tratásemos de este asunto con la naturalidad y la sencillez con que creo nos correspondería tratarlo, y así, de paso, yo aprovechaba la oportunidad para hablarte con la máxima independencia de una serie de cosas que para tu bien sería conveniente que tratásemos«. Nervioso, impaciente, me contestó: »Mira, no, es que tengo ya al general Jordana ahí citado esperándome, que es quien te va a sustituir«. Le dije: »Adiós entonces«, y salí del despacho.[80]

Gerade die Enttäuschung über die Kälte und das Schweigen der in einem schleichenden Progreß der Entscheidungen Gestalt gewinnenden frankistischen Politik, eine Enttäuschung, die sich nicht Luft machen konnte, solange es noch vage Hoffnungen auf Ideologisierung gab, scheint die ›Literatur‹ der falangistischen Intellektuellen auf den Weg zu einer neuen Identität gebracht zu haben. Die Helden ihrer in den frühen vierziger Jahren geschriebenen Romane träumten noch immer Bilder von der national-syndikalistischen Revolution, aber mehr und mehr traten die Farben solcher Träume in eine dumpfe Spannung zur Banalität ihres Alltags, zur Individualität ihrer Liebeswünsche oder ganz einfach zu der Erfahrung ihres eigenen Illusionismus.

Das ist etwa die Stimmungslage der jungen Soldaten des Nationalen Heeres in Rafael García Serranos Buch *La Fiel Infantería* aus dem Jahr 1943, wo Selbstgespräche der Protagonisten und auktoriale Erzählerkommentare nicht selten an den zeitgenössischen französischen Existentialismus erinnern:

Ramón, en vena, adivinaba símbolos y pensaba que no era inútil la destrucción. Para después quedaría un trabajo: construir la patria y asomarla al mundo. Eso justificaba la ruina, y ya decidido fue a decir que cambiaría toda la herencia gigantesca de las catedrales góticas por el plato de lentejas del diario afán nacionalsindicalista, cuando se fijó oportunamente en que caminaba entre un enamorado y un borracho y vio que algo estaba más allá del horizonte. Se angustió entre la soledad y el mundo, entre Miguel, jovial y hermético con su nuevo amor, y el buen Matías. Entraron en la Academia y por el claustro bendito que cercaba un jardín resonaron al unísono las recias pisadas. El conspirador domingo se había acabado.[81]

Gonzalo Torrente Ballester ließ im selben Jahr den Titelhelden eines Romans die Wochen vor Ausbruch des Spanischen Bürgerkriegs in Paris erleben, wo er sich trotz all seiner rechtschaffenen Überzeugungen und seines Nationalismus in eine junge Französin verliebt, die schön und intellektuell, Adlige und Kommunistin ist. Doch nicht an der Diskrepanz der politischen Weltbilder scheitert die Liebesgeschichte, sondern an Xavier Mariños – vom Erzähler ironisch beleuchteten – Vorbehalten, eine Beziehung mit einer Frau einzugehen, die ihre Jungfräulichkeit verloren hat: *Javier imaginaba vertiginosamente actos y palabras que hubieran resuelto la escena gallarda y favorablemente: sus propios sentimientos le empujaban. Pero temía ser cursi o inconveniente, y, sobre todo, no quería comprometerse en un amor del que no estaba seguro, y que, aun estándolo, no podía aceptar, porque, evidentemente, ella había tenido un amante.*[82]

Nirgends wohl wird die Spannung zwischen zaghaft eingestandener Enttäuschung und noch nicht aufgegebener Hoffnung, nirgends wird der Zusammenhang dieser Spannung mit der politischen Entwicklung in Spanien greifbarer als in den *Cuadernos de la Campaña de Rusia* von Dionisio Ridruejo, den man in den späten dreißiger Jahren den ›spanischen Goebbels‹ genannt hatte, der aber schon 1942 zu jenen Intellektuellen

gehörte, die mit der *División azul* nach Rußland zogen, wo sie
– so paradox das heute klingen mag – die Erfüllung ihrer faschistischen Träume suchten. In Ridruejos Versen können wir die
Szenen der russischen Kriegswinterlandschaft als eine Metapher der in Spanien erkalteten Illusionen lesen und die Erinnerung an die Heimat als eine Metonymie der geschwundenen
Zukunftshoffnungen aus früheren Jahren:

> En esta llana nieve,
> en este valle, en la espesura helada,
> ¿por qué de pronto, con el aire tibio
> que marzo trae, un júbilo tan manso?
> ¿Es nuestra ya esta tierra,
> esta vida, monótona, este parco
> refugio, este peligro sin urgencia?
> Nos miramos alegres, más hermanos.
> A veces un instante la tristeza
> se tiende a nuestro lado
> y se levanta virgen, infecunda,
> con los labios amargos.
> La ausencia es perspectiva: diminutos,
> concretos, pura y fríamente diáfanos,
> dentro del corazón, en residencia
> ya acostumbrada, dulcemente aislados,
> se recrean los seres, los paisajes
> y los días amados.
> Senda en el corazón, luz en los ojos,
> tosca huella en las manos.
> Tristes, alegres, tercas, infantiles,
> jornadas de soldados.[83]

Semantische Vexierspiele wie die von der kalten Leere der Abwesenheit, welche wärmende Perspektive der Erinnerung ist,
kehren immer wieder. Auf Verse, die an Lorcas Elegie zum Tod
seines Stierkämpfer-Freundes erinnern (*He avanzado entre
muertos confundidos / como yacente mineral extraño*) folgen,
schwindende Hoffnung noch einmal zurückbeschwörend, Zeilen, in denen eine (halb-)christliche Transzendenz dem faschistischen Zerstörungskrieg Sinn geben sollen:

> Oh, mis muertos terribles; quiero haceros
> míos y vuestro soy. No sois aquellos
> sencillos camaradas de los días

peligrosos. De hierro, fuego y gloria
se arma vuestra energía ya implacable,
y si es que acaso descansáis, abiertos
como una claridad al Dios de vida,
vuestra fatiga anidará en nosotros,
vuestra pasión nos volverá a la guerra.[84]

1944, als Ridruejo das poetische Tagebuch zum bereits verlorenen Rußlandfeldzug unter dem – trotz allem – martialischen
Titel ›Poesía en armas‹ veröffentlichte, erschien auch sein *Canto
en el umbral de la madurez*, eine ›Elegie nach dreißig Lebensjahren‹. In diesem ›Gesang‹ gleiten die bis dahin zukunftser-
schließenden Horizonte des Glaubens und der Hoffnung in die
allein der Erinnerung zugängliche Vergangenheit. Nur noch
aus der Erinnerung kann jetzt Individualität als ›Unzerstörbar-
keit‹ entstehen:

Cree, espera y recuerda,
recuerda solamente, porque el recuerdo es claro,
y como piedra oculta va haciéndote en un ser indestructible.[85]

In Biographie und Poesie von Dionisio Ridruejo, der in den
sechziger und siebziger Jahren zu einer Leitfigur im politischen
Widerstand gegen den frankistischen Staat werden sollte, kon-
densieren sich fast symbolhaft die Komponenten und Stationen, welche die Generationenerfahrung der falangistischen
Intellektuellen von 1940 ausmachen. Der Blick auf Ridruejos
Gedichte gibt der Lektüre anderer lyrischer Texte aus den vierziger Jahren eine besondere historische Tiefenschärfe, ohne die
sie nicht mehr als die allzu konventionelle Poesie problematischer (bis resignierter) Individualität sind:

La vida se te va,
y tú te tiendes en la yierba,
bajo la luz más tenue del crepúsculo,
atento solamente
a mirar cómo nace
el temblor del lucero
o el pequeño rumor
del agua, entre los árboles.[86]

Pero el dolor no es manantial,
sino carne de la alegría.

961

Alegría es sentir el alma
en cada instante, nuestra y viva.
Y es, cuando más se siente el alma,
cuando la llevamos herida.[87]

Als repräsentatives Werk für das, was man ›Wiedergeburt‹ der spanischen Literatur nach dem Bürgerkrieg nennt, ist heute die Gedichtsammlung *Hijos de la ira* von Dámaso Alonso, dem Dichter-Professor und Góngora-Übersetzer von 1927, kanonisiert, die im selben Jahr erschien wie Ridruejos poetisches Tagebuch des Rußlandfeldzugs und seine autobiographische Elegie. Der ›Zorn‹ aus dem Titel des Buchs ist ein Zorn, von dessen Anlaß nicht die Rede ist und der nie in Gesten oder Handlungen des Protests umschlägt. Er ist Teil einer Existenz, die sich selbst und ihre Welt als ›Fäulnis‹ sieht:

Madrid es una ciudad de más de un millón de cadáveres
  (segun las últimas estadísticas).
A veces en la noche yo me revuelvo y me incorporo en
  este nicho en el que hace 45 años que me pudro,
y paso largas horas oyendo gemir el huracán, o ladrar los
  perros, o fluir blandamente la luz de la luna.
  . . .
Y paso largas horas preguntándole a Dios, preguntándole
  por qué se pudre lentamente mi alma,
por qué se pudren más de un millón de cadáveres
  en esta ciudad de Madrid,
por qué mil millones de cadáveres se pudren lentamente
  en el mundo.
Dime, ¿qué huerto quieres abonar con nuestra
  podredumbre?[88]

Vierundzwanzig Jahre später definierte Dámaso Alonso diese Verse als *protesta contra todo* (›*es un libro de protesta escrito cuando en España nadie protestaba. – Protesta ¿contra qué? contra todo*‹[89]) und erinnerte sich: *Yo escribí* Hijos de la ira *lleno de asco ante ... la total desilusión del ser hombre.*[90] Für uns ergiebiger als der ›Protest gegen alles‹ ist die implizite Distanznahme von zeitgenössischen Diskursen der spanischen Lyrik. Dámaso Alonso setzte sich – wie die in der Zeitschrift *Jerarquía* entwickelte Poetologie – ab von der *poesía pura* und dem *fungáceo superrealismo*, aber auch – nun im Gegensatz zur

Jerarquía-Ästhetik – von der ›thematisch weitgehend begrenzten Poesie in traditionellen Metren‹,[92] wie sie seit Ende des Bürgerkriegs (und zunächst mit offizieller Unterstützung) dominiert hatte.

Von den *Hijos de la ira* wurden damals (höchstens) siebenhundertfünfzig Exemplare gedruckt.[91] Eine unvergleichlich breitere – und wohl auch intensivere – Wirkung hatte ein neuer Romantyp, der mit den gängigen Tönen hochgestimmter Affirmation und trivialer Beschaulichkeit brechen konnte, zumal er nicht wie die Lyrik durch Gattungstraditionen an den unvermeidlich esoterischen Diskurs individueller Introspektion gebunden war. Einen mit der Gedichtsammlung *Hijos de la ira* vergleichbaren Stellenwert nimmt unter diesen Romanen *La familia de Pascual Duarte* ein, dessen Autor Camilo José Cela Ende 1942, bei Erscheinen des Buchs, ganze sechsundzwanzig Jahre alt war. *La familia de Pascual Duarte* wurde ein nationaler und (als eines der wenigen spanischen Bücher aus der Zeit nach dem Bürgerkrieg auch ein) internationaler Bestseller, obwohl die Auslieferung des Buchs – mit einiger Verzögerung: fast die gesamte erste Auflage war bereits verkauft – von der Zensur unterbunden wurde. Auf diesen und einige andere Fälle intellektueller Repression kommt eine sich selbst als ›fortschrittlich‹ verstehende Literaturgeschichtsschreibung immer wieder dankbar zurück – wohl weil sie eine willkommene Erklärung für den Eindruck bieten, daß die seit 1940 vergangenen Jahrzehnte nicht zu den glanzvollen Epochen der spanischen Kulturgeschichte gehören. Tatsächlich mußten die Autoren bis etwa 1976 mit der Zensur des frankistischen Staats wie mit einem (allerdings meist stumpfen) Damoklesschwert rechnen. Doch schon die Tatsache, daß gerade Camilo José Cela, dessen Kontakte mit dieser Zensur 1942 beileibe nicht endeten, zum wohl populärsten und darüber hinaus öffentlich geehrten Autor im faschistischen Spanien werden konnte, macht deutlich, wie inkohärent jene staatlichen Interventionen waren.[93] In einer ebenso gut dokumentierten wie gelassen vorgetragenen Studie hat M. L. Abellán aus der Vielzahl ihrer Eingriffe und aus einschlägigen offiziellen Verlautbarungen die wichtigsten Kriterien jener Zensur induziert.[94] Sie berücksichtigte zunächst und vor allem (wie es einem zwischen dem Vatikan und dem spanischen Staat 1941 getroffenen Übereinkommen entsprach) die Vorgaben des römischen Index. Prinzipiell unzulässig (aber längst nicht immer geahndet) war jegliche Kritik an der Politik der jeweiligen Regierungen Francos und (solange diese erkennbar waren) ihren ideologischen Grundlagen; als ›Kritik‹ verbucht wurden dabei auch positive Wertungen des Marxismus und aller als ›liberal‹ verketzerten Modelle politischer Praxis. Schließlich sollten – ganz abgesehen von ihren Inhalten – Schriften solcher Autoren nicht veröffentlicht werden, die als ›Feinde der Regierung‹ galten. Doch weil sie Teil der spanischen Bürokratie war, hatte auch die Zensur an deren sprichwörtlicher Desorganisation und am Phänomen des *pluriempleismo* teil. So weiß man von dem vielfach zensierten Camilo José Cela, daß er selbst als Zensor für Zeitschriften fungierte.

Was nun den Roman *La familia de Pascual Duarte* angeht, so ist gar nicht klar, was genau Anlaß für das über ihn verhängte Verkaufsverbot gewesen sein mag. Cela erzählt in der Form einer kurz vor der Hinrichtung des Ich-Erzählers und Ich-Protagonisten geschriebenen Autobiographie die Geschichte eines Bauern aus Extremadura, der den Liebhaber seiner Frau und seiner Schwester und später, nach vorzeitiger Entlassung aus der Haft, auch seine Mutter ermordet. Cela suggeriert nun, daß neben individuellen Charakterzügen vor allem ›die Gesellschaft‹, das heißt: jene Armut, Repression und Engstirnigkeit, für die im sozialen Wissen der Spanier bis heute gerade die Provinz Extremadura ein Emblem ist, als bestimmende Faktoren auf Pascual Duartes Handeln gewirkt haben mochte. Nicht zufällig beginnt deshalb der autobiographische Diskurs mit dem Satz: *Yo, señor, no soy malo, aunque no me faltarían motivos para serlo.*[95] Doch gleichrangig neben diesem ›soziologischen‹ Blick (wenn auch von den Interpreten weniger gewürdigt) gibt die *Familia de Pascual Duarte* eine ›psychopathologische‹ Perspektive vor, finden sich Passagen, die man als ›Einblicke in das Seelenleben eines Triebverbrechers‹ identifizieren könnte: *La idea de la muerte llega siempre con paso de lobo, con andares de culebra, como todas las peores imaginaciones. Nunca de repente llegan las ideas que nos trastornan: lo repentino ahoga unos momentos, pero nos deja, al marchar, largos años de vida por delante. Los pensamientos que nos enloquecen con la peor de las locuras, la de la tristeza, siempre llegan poco a poco y como sin sentir invade la niebla los campos o la tisis el pecho ...*[96] Solche ›Einblicke‹ müssen ein Publikum fasziniert haben, das sich eben noch auf ständische Ideale und überzeitliche christliche Werte eingestimmt hatte. Sie wurden von Cela dramatisch (und schriftstellerisch gekonnt) gesteigert bis zur Schlußszene von Pascual Duartes Autobiographie, dem Muttermord:

Me abalancé sobre ella y la sujeté. Forcejeyó, se escurrió ... Momento hubo en que llegó a tenerme cogido por el cuello. Gritaba como una condenada. Luchamos; fue la lucha más tremenda que usted se puede imaginar. Rugíamos como bestias, la baba nos asomaba a la boca ... En una de las vueltas ví a mi mujer, blanca como una muerta, parada a la puerta sin atreverse a entrar. Traía un candíl en la mano, el candíl a cuya luz pude ver la cara de mi madre, morada como un hábito de nazareno ... Seguíamos luchando; llegué a tener las vestiduras rasgadas, el pecho al aire. La condenada tenía más fuerzas que un demonio. Tuve que usar de toda mi hombría para tenerla quieta. Quince veces que la sujetaba, quince veces que se me había de escurrir. Me arañaba, me daba patadas y puñetazos, me mordía. Hubo un momento en que con la boca me cazó un pezón – el izquierdo – y me lo arrancó de cuajo. Fue en el momento mismo en que pude clavarle la hoja en la garganta ... La sangre salía como desbocada y me golpeó la cara. Estaba caliente como un vientre y sabía lo mismo que la sangre de los corderos ...[97]

Solche Schilderungen haben jenem narrativen Ton, auf den Camilo José Cela den spanischen Roman für einige Jahre einstimmte, den Namen ›*tremendismo*‹ eingebracht. Gewiß war der *tremendismo* ein – mittelbares – Produkt der intellektuellen Enttäuschung am Alltag des ›Neuen Spanien‹, und gewiß entsprach er nicht den Vorstellungen des Staates von ›Kultur‹ (wenn es solche Vorstellungen in der Epoche des Frankismus überhaupt gegeben hat). Aber es ist ebenso sicher, daß man ein Buch wie *La familia de Pascual Duarte* nicht als ›Sozialkritik‹ – oder gar als ›politische Widerstandsliteratur‹ – lesen *mußte*.

Als ein zweiter Klassiker des *tremendismo* gilt der Roman *Nada* von Carmen Laforet, die 1944, zum Zeitpunkt des Erscheinens, dreiundzwanzig Jahre alt war – also noch jünger als der Autor des *Pascual Duarte*. Dieses Buch ist in seiner Erzählsituation und auch in der Motivation der Handlungen durch eine bestimmte historische Rahmen-Situation längst nicht so komplex wie Celas Roman. Ich-Erzählerin ist ein junges Mädchen, das von den Kanarischen Inseln kommt, um in Barcelona Philologie zu studieren, und dort bei ihren Verwandten wohnt, in einem Mikrokosmos alltäglichen Schreckens, dessen Gestalten und Bilder selbst einem Quevedo Ehre gemacht hätten. Mit dem Roman-Titel ›Nada‹ zitierte Carmen Laforet den Titel eines Gedichts von Juan Ramón Jiménez, und die dem Roman vorangestellten Verse aus diesem Gedicht zeigen, daß es ihre Absicht war, die Geschichte einer *individuellen* Desillusionierung zu vergegenwärtigen:

> A veces un gusto amargo,
> Un olor malo, una clara
> Luz, un tono desacorde,
> Un contacto que desgana,
> Como realidades fijas
> Nuestros sentidos alcanzan
> Y nos parecen que son la verdad no sospechada ...

Andrea, die Studentin von den Kanarischen Inseln, beobachtet im Horror-Kabinett der Verwandten ein Jahr lang vor allem ihren Onkel Román, einen hochbegabten, aber am Leben gescheiterten Musiker, und ihre anderen Onkel Juan, einen Maler, der die Tage seines Lebens in Untätigkeit verstreichen läßt und dessen Jähzorn seine Frau Gloria (die sich ›eigentlich‹ zu Román hingezogen fühlt) in beständiger Panik hält. Bei Román und Juan leben ihre Schwester, die bigotte und zugleich mystisch-schwärmerische Jungfer Angustias, und ihre hinfällige Mutter, die einzige Person, der Andrea Zuneigung entgegenbringt. Die knapp dreihundert Romanseiten schildern eine Welt der permanenten Qualen, der wechselseitigen Erniedrigungen und der zügellosen Bosheit, welche – wie die Welt von Jean-Paul Sartres *Huis clos* – das Menschen-Leben aus Protagonisten-Perspektive als eine Hölle und für den Leser als eine absurde Form der Existenz erscheinen läßt. Nur ein Ereignis unterbricht die schreckliche Eintönigkeit von Andreas Studienjahr in Barcelona: ihr Onkel Román durchschneidet sich die Kehle mit einem Rasiermesser und wird am nächsten Morgen von seinen Verwandten in einer Blutlache aufgefunden. Als sie den Leichnam gesehen hat, geht Andrea ›automatisch, ohne zu wissen wie‹, in das Badezimmer, duscht sich und betrachtet ihren Körper im Spiegel. Es ist, als seien die Spanier jener Jahre ihres Körpers allein im Angesicht des Todes gewärtig geworden:

Maquinalmente, sin saber cómo, me encontré metida en la sucia bañera, desnuda como todos los días, dispuesta a recibir el agua de la ducha. En el espejo me encontré reflejada, miserablemente flaca y con los dientes chocándose como si me muriera de frío. La verdad es que era todo tan espantoso que sobrepasaba mi capacidad de tragedia. Solté la ducha y creo que me entró una risa nerviosa al encontrarme así, como si aquél fuese un día como todos. Un día en que no hubiese sucedido nada. ›Ya lo creo que estoy histérica‹, pensaba mientras el agua caía sobre mí azotándome y refrescándome. Las gotas resbalaban sobre los hombros y el pecho, formaban canales en el vientre, barrían mis piernas. Arriba estaba Román tendido, sangriento, con la cara partida por el rictus de los que mueren condenados. La ducha seguía cayendo sobre mí en frescas cataratas inagotables.[98]

›Ein Tag, an dem *nichts* geschehen wäre‹ – so wie an allen Tagen ihres Jahres in Barcelona nichts geschah hinter den grotesken Szenen jenes Soziotops, in dem Andrea lebte. Sie verläßt Barcelona, als der reiche Vater einer Freundin ihr in Madrid eine Arbeit anbietet, mit der sie unabhängig leben und dabei weiter studieren kann. Nichts hatte sie in Barcelona erlebt: *Me marchaba ahora sin haber conocido nada de lo que confusamente esperaba: la vida en su plenitud, la alegría, el interés profundo, el amor. De la casa de la calle de Aribau no me llevaba nada.*[99] *Nada* gewann den 1944 zum ersten Mal von der Zeitung *Destino* vergebenen – noch heute sehr begehrten – *Premio Nadal* für spanische Romane. Dies war die öffentliche Nobilitierung eines neuen Erzähldiskurses, der sich als unerschrockene Replik einer schrecklichen Welt inszenierte.

Ihn begannen nun auch ältere Autoren aufzunehmen wie der 1901 geborene Juan Antonio de Zunzunegui. Er schrieb *El barco de la muerte,* den ein Jahr nach Carmen Laforets *Nada* erschienenen Roman vom Leben und Tod des Beerdigungsinstitutsbesitzers Alfredo Martínez. Als eines von neun Kindern eines Tagelöhners, der bei einem Arbeitsunfall umgekommen ist, durchlebt Alfredo Martínez eine schwere Kindheit und Jugend. Er wandert, schon jung zum Pessimisten geworden, nach

Südamerika aus, wo er bescheidenen Wohlstand mit einer Schreinerei zu erwerben beginnt. Als ein Feuer diese Existenzgrundlage vernichtet, betrügt ihn eine Versicherungsgesellschaft um die Hälfte der ihm zustehenden Prämie. Alfredo Martínez kehrt in seine baskische Heimat zurück, kauft von seinem kleinen Kapital ein Beerdigungsinstitut und wird zum geldgierigen Misanthropen, der nichts mehr ersehnt als den einnahmeträchtigen Tod eines jeden seiner Mitbürger. Als in der kleinen Stadt, wo er wohnt, eine Typhusepidemie ausbricht, ahnt Alfredo Martínez sofort, daß man ihn für den Schuldigen halten wird. Die zurecht und zu Unrecht gegen ihn aufgebrachte Bevölkerung steckt sein Haus in Brand, und Alfredo Martínez stirbt einen Tod nach allen Konventionen der tremendistischen Poetik:

Una temperatura infernal calentaba ya todos los muros. Empezó a notarse achicharrado. Los tabiques se acrietaban y las plantas de los pies le quemaban. Sintió toda su vida relampagearle por el cauce del corazón. De repente, vio desfilar por las paredes como en un cosmorama trágico todos los muertos que él había atendido; pasaban amenazantes, gritadores: – ¡¡¡ a morir, a morir; ahora te toca a tí, miserable; a tí, a tí!!! ¡¡¡ A morir, a morir!!!

Se tapó los ojos, horrorizado.

Los tabiques se cuarteaban y asomaban las llamas.

Se movió como una fiera acorralada:

–¡ Morir, nunca!

Abrió el balcón y se arrojó al aire. Y huyendo de la muerte fue a la muerte.

Cayó sobre la muchedumbre enfurecida. Pasó de unas manos a otras; de unos pies a otros; de unas bocas a otras, como un pelele fúnebre.

–¡ A tirarlo a la ría! – gritó alguien.

Pero conforme pasaba de unas garras a otras, de unos pies a otros, de unas bocas a otras, iba perdiendo volumen su rota y descarada figura ...

Fueron machacándole, triturándole, repartiéndoselo en pedazos ...[100]

Die Selbstmörder, Mörder, Menschenfresser und Leichen aus dem Bürgerkrieg und den Gefängnissen Spaniens schienen hinter dem Rücken der Autoren des *tremendismo* in die banalen Handlungen ihrer Romane eingezogen.

Währenddessen wurde jenen Intellektuellen, die noch wenige Jahre zuvor mit sicher-klassizistischen Strichen die Utopie eines ›imperialen Spanien‹ entworfen hatten, die Nation und ihre Geschichte wiederum ›zum Problem‹. 1945 veröffentlichte Pedro Laín Entralgo ein (heute zur Pflichtlektüre für Studenten der Hispanistik vergilbtes) Buch über die *Generación del 98* – ein Jahr nach dem Erscheinen eines Buchs über Menéndez Pelayo, dessen Geschichtsbild in den neuerlich sich intensivierenden Debatten über die Identität Spaniens nun wieder wachsendes Interesse auf sich zog. Laín Entralgo, der später für sich das Privileg in Anspruch nehmen sollte, ›die Kultur seines Vaterlands mit *zwei* offenen Augen‹ gesehen zu haben,[101] verschrieb der Nation ein Verständnis des Wortes ›spanisch‹, das nur noch verhalten christlich war:

... la entienden de un modo vagamente cristiano (sc.: la palabra ›españolamente‹), separado muchas veces de la ortodoxía católica, mas no situado frente a ella con el criterio denegador del disidente fanático.[102]

Mit solchen Tönen kehrten auch die Namen von Unamuno, Ganivet und Antonio Machado in die Essays der Intelligentsia zurück und mit ihnen, wie schon gesagt, ›das Problem Spanien‹: *la dramática inhabilidad de los españoles, desde hace siglo y medio, para hacer de su patria un país mínimamente satisfecho de su constitución política y social.*[103] Auf die Frage nach den Gründen für solche Unzufriedenheit hatte Laín Entralgo 1949 in einem Buch mit dem kaum innovativen Titel ›*España como problema*‹ die ›geschichtsphilosophische‹ Antwort gegeben, welche schon einmal um die Jahrhundertwende gegeben worden war:

La aporía histórica que en lo sucesivo llamaremos ›problema de España‹ tiene su origen visible – a mi juicio, cuando menos – en la primera mitad del siglo XVII, cuando es vencida la europeización hispánica – la empresa de nuestro siglo XVI, el proyecto histórico de una cristiandad post-renacentista – por el reciente poderío de la europeidad moderna ... Pero España sigue en Europa, y Europa, quiero decir, la europeidad moderna, va penetrando en las almas de no pocos habitantes de esta piel de toro, porque ni en el campo ni la Historia pueden ponerse puertas.[104]

Trivialer noch als die (ihrerseits schon) altbekannte Diagnose war freilich der von Laín Entralgo nahegelegte Therapievorschlag. Ganz explizit distanzierte er sich in den letzten Zeilen seines Buchs von jeglichem Gedanken an ›eine Organisation‹ oder eine ›kollektive Unternehmung‹ – womit jegliche politische Dimension des Handelns gemeint und abgewiesen war: *Yo no os propongo sino que entréis en el angosto seno de nuestra intimidad.*[105] Mit solchem Rückzug in die Besonderheit war dann auch der Horizont des Anzustrebenden auf die ›seinen Möglichkeiten angemessene Vervollkommnung des Individuums‹ eingeschränkt.

Immerhin hatte Laín Entralgo seine sich auflösenden falangistisch-optimistischen Zukunftserwartungen in Fragen – wenn auch in altehrwürdige Fragen – umgesetzt. Zur Aufhebung dieser Fragen trat Rafael Calvo Serer, ein junger Philosophieprofessor, der bald Direktor des *Consejo Superior de Investigaciones Científicas* und später eines der Häupter des *Opus Dei* werden sollte, mit Gewißheiten auf den Plan, die zwar noch älter als Laín Entralgos Fragen waren, aber dennoch als Indiz für eine Verschiebung im intellektuellen wie im politischen Kräftefeld Spaniens nach zehn Jahren Frankismus gelten können. Noch 1949, also noch im Erscheinungsjahr von *España como problema*, präsentierte Calvo Serer, damals Herausgeber der Zeitschrift *Arbor*, eine Aufsatzsammlung, der er den Titel ›*España, sin problema*‹ gab. Schon im Vorwort machte er seine Frontstellung gegenüber Laín Entralgo explizit, indem er erklärte, daß ›die intellektuelle Leistung Menéndez Pelayos und sein konterrevolutionäres Denken die einzig feste Grundlage in der nun anstehenden Auseinandersetzung‹ seien (das Motto seines Buches stammte allerdings von Ramiro de Maeztu, dem rechten Flügelmann der *Generación del 98*), und bündig das Datum bezeichnete, seit dem es ein ›spanisches Problem‹ nicht mehr gäbe: *Por fortuna, de dos siglos en que España fué tema a discutir, hemos salido los españoles mediante un acto enérgico, tajante y claro, en 1936; desde 1939 España ha dejado de ›ser un problema‹, para adquirir conciencia de que está enfrentada con ›muchos problemas‹.*[106] Natürlich berief sich auch Calvo Serer bei der Entwicklung seiner Vorschläge zur Lösung der ›vielfältigen Gegenwartsprobleme‹ auf die nationale Geschichte und die nationalen Traditionen, doch weil er das ›nationale Wesen‹ vom ›Volksgeist‹ absetzte,[107] wurde die Traditions-Basis der

Argumentation enger, prägnanter und aggressiver als je zuvor: *Eliminadas las heterodoxias religiosas, que se convertían en heterodoxias nacionales, la reanudación y cumplimiento de nuestro destino obligaba a la nueva generación a trabajar por una cultura católica. Ante las ruinas de* la modernidad, *la generación nueva ha comprendido que sólo el catolicismo puede vertebrar a España.*[108] Der neu-ultramontane Geist freilich machte – wie ein halbes Jahrhundert zuvor der nun als ›Ahne‹ adoptierte Ramiro de Maeztu – erstaunliche Konzessionen an die technische Welt und war deshalb zu einer – eng auf Technologie begrenzten – Öffnung gegenüber Europa bereit. So formte Calvo Serers Buch ›*España, sin problema*‹ Mentalität und Programme eines technokratischen Katholizismus vor, der in Spanien seit der Mitte der fünfziger Jahre eine kaum zu überschätzende Rolle spielen sollte – ohne noch mit diesem identisch zu sein. Vorerst hatten es Intellektuelle wie Calvo Serer angesichts der seit Ende des Zweiten Weltkriegs verschärften politischen und wirtschaftlichen Isolation Spaniens noch nötig, eine Formel wie ›*españolización en los fines y europeización en los medios*‹[109] auszubalancieren mit der Überzeugung, daß die Welt gerade von Spanien eine Antwort auf das erwartete, was man um 1950 so gerne ›*die* Sinnfrage‹ nannte: *El mundo espera de los españoles una concepción de la vida que dé sentido a la técnica; por ejemplo, no que fabriquemos los mejores motores de explosión, sino que les demos la justa teoria del Estado. Y no seremos inferiores al mundo moderno, aunque no lleguemos en la técnica a la altura de quienes la crearon para destruirse.*[110]

Doch ›die Welt‹ blickte damals kaum auf Spanien. Eine 1948 in Boston veröffentlichte Repräsentativumfrage mit dem Titel ›*Last Chance – 11 questions on issues determining our destiny: answers by 26 leaders of thought of 14 nations*‹[111] präsentierte die ›Antworten‹ des mexikanischen Anthropologen Pablo Martínez, des in Spanien geborenen Philosophen Georges Santayana und sogar des deutschen Hispanisten Karl Vossler – aber kein damals in Spanien lebender Autor war berücksichtigt, obwohl eine Vielzahl von befragten Theologen gerade das intensive Bedürfnis der Zeitgenossen nach religiöser Sinnstiftung hervorhoben. So suchte am Ende selbst ein Rafael Calvo Serer nicht bloß technisches *knowhow,* sondern auch das Modell für die Versöhnung von technischer Modernisierung und katholischem Geist, wie es doch eigentlich Spanien der Welt vorlegen sollte, außerhalb der Grenzen seines Landes – um es im Nachkriegs-Deutschland, vor allem auf dem Deutschen Katholikentag 1949 in Bochum[112] zu finden. Was Calvo Serer neben der unübersehbar technikfreundlichen Politisierung des Glaubens beeindruckte, wie sie sich in der Gründung der CDU manifestierte, waren der Einfluß und das Ansehen, das ›nicht entnazifizierte Deutsche‹[113] wie Ernst Jünger, Carl Schmitt oder Martin Heidegger schon wieder genossen. Solch gemeinsame Selbst-Milde im Umgang mit der faschistischen Vergangenheit wurde zur Voraussetzung für das sich in den fünfziger Jahren vollziehende geistige und geistliche Näherrücken zwischen Spanien und der Bundesrepublik Deutschland.

Schon im Dezember 1946, als die UNO-Vollversammlung ihren Mitgliedern empfahl, die diplomatischen Beziehungen zu Spanien abzubrechen, und außer der argentinischen, der portugiesischen und der Botschaft des Vatikans die Vertretungen aller Länder in Madrid geschlossen wurden, hatte die Regierung Francos in einer an die Vereinigten Staaten gerichteten ›Note‹ dem Faschismus abgeschworen: *el pueblo español rechaza el calificativo de fascista con que ... se le apostrofa, pues el Régimen nada tiene que ver con los sistemas totalitarios por ser un Régimen que respeta las libertades fundamentales de la persona humana y en el cual el ejercicio de la autoridad se haya ajustado a normas de Derecho.*[114] Doch vorerst wurde diese – innenpolitisch kaum mehr prekäre – Distanzierung vom faschistischen Teil der nationalen Vergangenheit (an dem Franco übrigens nie sonderlich gelegen gewesen war) außenpolitisch nicht belohnt. Spanien war damals – ganz entgegen den simplen Autarkie-Plänen – abhängig von billigen Krediten und Weizenlieferungen aus dem Argentinien Juan Domingo Peróns, den Franco insgeheim für eine Marionette (natürlich) der Freimaurer hielt,[115] und für dessen (heute längst *musical*-kanonisierte) Frau Evita er im Frühjahr 1947 eine (offenbar immens teure, aber von der aller Spektakel entwöhnten Bevölkerung mit Begeisterung aufgenommene[116]) Staats-Einladung organisieren mußte. Ein weiterer Schritt auf dem Weg der Distanzierung vom Faschismus, der zugleich den definitiven Bruch zwischen

Regierung und Falange aufschob, war das im Juli 1947 verkündete Gesetz über die Nachfolge in der Staatsführung, mit dem – zunächst noch ohne einen Monarchen – offiziell die Monarchie wieder eingeführt war. Kaum ein Jahr später wurde, wie schon erwähnt, zwischen Franco und Don Juan de Borbón, dem Sohn von Alfonso XIII., ein Plan für die Erziehung des heutigen Königs Juan Carlos *in Spanien* abgestimmt. Wie der Rückweg zur Monarchie so paßte auch die neue Nähe zwischen Regierung und ultramontaner Intelligenz zu einer Politik, die Traditionsbrüche unter Traditionspflege verbarg.

In jenen Jahren des Hungers und des *nacional-seminarismo*[117] war auch die Zeitschrift *Escorial* zu einem Organ der wiederkehrenden ultramontanen Weltanschauung geworden. An ihre respektablen Anfänge erinnerte gerade noch der beibehaltene Name. Im Oktober 1949 berichtete *Escorial* ausführlichst über einen Staatsbesuch Francos in Portugal, anläßlich dessen er von der Universität Coimbra zum Ehrendoktor der Jurisprudenz ernannt wurde. Wie wenige Jahre später, als auch die Universität Salamanca Franco zum *Doctor honoris causa* machte,[118] hielt in Coimbra der Inhaber des Lehrstuhls für Römisches Recht die Laudatio, auf die Franco mit einer Dankesrede antwortete, in der er sich als Initiator einer neuen spanischen Sozialgesetzgebung präsentierte. Keinen Zweifel ließ er daran, daß diese Sozialgesetzgebung in christlicher Ethik fundiert sei:

Cuando contemplamos el panorama del Universo forcejeado por dar solución a estos problemas por los cauces capitalistas o por la via materialista de los marxismos fracasados, se siente todo el vacío de la filosofía actual en que asentar el nuevo Derecho, que para nosotros no puede ser otra cosa que la que hace siglos viene proclamando la Iglesia Católica Apostólica Romana. Hemos de volver a las fuentes puras de nuestro Evangelio para considerar el hombre como lo define el Movimiento Español y otorgarle, en consecuencia, no solo los derechos de una especulación puramente materialista, como capital humano, no se le podría discutir, sino aquellos otros superiores que le debemos en cuanto es nuestro projimo, hecho a imagen y semejanza de Dios.[119]

Jene für uns bizarre – zugleich wie ein Kompensationsangebot und ein blinder Automatismus wirkende – Überzeugung, daß ›die Welt‹ Spanien ›auf diesem Weg‹ über kurz oder lang folgen würde, die wir bereits bei Calvo Serer entdeckt haben, durch-zog auch die Reden Francos und seiner portugiesischen Gastgeber: *puedo ofrecer a vuestro estudio la obra de nuestra legislación social en marcha, y unas bases de que, sin duda, no ha de apartarse el nuevo Derecho social que, más pronto o más tarde, en el mundo se alumbre.*[120] Vier Tage zuvor hatte Franco bei einem Empfang der portugiesischen Armee versprochen: *No pasará seguramente mucho tiempo sin que les veamos venir por el camino que nosotros trillamos. Lo que hace solamente cinco años sonaba fuera de nuestras fronteras a herejía, hoy ya veis que llena el ambiente del universo.*[121] Diese Worte des *Generalísimo* waren in der Folge der Trinksprüche und Reden jenes Staatsbesuchs, in dem zwei Länder ihre Isolation als Evidenz einer quasi-transzendentalen Führungsrolle zelebrierten, ein Echo auf das vom portugiesischen Staatspräsidenten vorgegebene Leitmotiv: *yo ambicionaría que mientras que Europa cura sus heridas, fuera la Península una reserva de ideal y mansión de orden y disciplina social.*[122] Für die hier der spanischen (und der portugiesischen) Kultur verschriebene, ebenso vage wie wahnhafte Zukunftsmission gab es eine Standardformel, deren semantische Leere man noch bis in die siebziger Jahre – eher automatisch als trotzig – mit geradezu magischem Vertrauen heraufbeschwor: *Todo ello, ... bajo el dictado del Caudillo, que aspira a que, por los caminos de la cultura, España alcance el lugar que merece entre los pueblos del mundo.*[123]

Kaum einer der Ansprüche des Frankismus hat sich so vollkommen – das heißt: in so bedrückender Weise – erfüllt wie der von ›Spaniens adäquatem kulturellen Rang unter den Völkern der Welt‹. Denn das Bild, welches die nationale Kultur gegen Ende der vierziger Jahre den Spaniern (und kaum noch ›der Welt‹) bot, war ärmer selbst gegenüber der Zeit nach dem Ende des Bürgerkriegs geworden. Auch die (zweifelhaft) originelle Umdeutung des Begriffs ›raza‹ hatten nun die vollmundig-leeren Berufungen auf katholische Orthodoxie an den Rand gedrängt.[124] Für solch dünnen Aufguß aus religiösem Traditionalismus, Faschismus und einigen, mehr oder weniger persönlichen Obsessionen Francos gebrauchte man nun den in bezeichnender Weise verschwommenen Namen ›*Movimiento español*‹.[125] Was 1949 für einen historisch kurzen Augenblick

Motivation genug bot, um die geradezu althergebrachte politische Distanz zwischen Spanien und Portugal in einem hohlen Fest der Brüderlichkeit aufzuheben, war die Manie (oder die zynische Entschlossenheit), den tiefsten Provinzialismus in Kultur und Politik als einen Fingerzeig Gottes auf welthistorische Sendung zu feiern. Man mußte damals wohl Spanier sein, um für die bedrückende Enge im Alltag des portugiesischen Regierungschefs Salazar jene Bewunderung zu empfinden, die aus den Worten von Serrano Súñer spricht:

No se movía de Lisboa. No salía de San Bento casi nunca. Alguna vez iba a Santa Comba, que era su pueblo que está cerca de Lisboa, donde tenía la casa de sus padres, que era modesta. Y sus hermanas, que eran maestras cuando él ascendió al poder, maestras permanecieron a lo largo de su mandato muy extenso, hasta su muerte. Una cosa ejemplar ... Un día Salazar tuvo que ir a Oporto. Y me enteré que había ido en avión. En el primer viaje que hice allí, le dije: ›Querido presidente, está usted desconocido, volando ya‹. El se reía. ›¿Qué tal le ha parecido eso?‹ Me contestó: ›Pues nada; me senté en una butaca, vi un luminoso que decía *no fumar* y otro *apretar el cinturón*, y pensé pues aquello que he hecho toda la vida‹.[126]

Unterdessen spann Eugenio d'Ors, der in jener unwahrscheinlichen Welt als der bedeutendste spanische Philosoph galt, an schlichten Gedanken, die nachzuvollziehen man sich heute zunächst außerstande glaubt, weil es mühsam ist zu akzeptieren, daß sie meinen, was d'Ors meinte. In seinen Reflexionen gewann die in Francos Reden eher unterschwellige Körper-Phobie einen eigenen Diskurs, der gespeist wurde aus der längst verschütteten Engel-Lehre der mittelalterlichen Scholastik. D'Ors erweiterte die gängige Dichotomie von ›Körper‹ und ›Geist‹ um eine dritte Instanz, die er ›angel‹ oder ›vivir angélico‹ nannte:

Que esta vida superior, que ya podemos denominar ›vivir angélico‹, existe, es un hecho que nos obliga a admitir, en lo que ya todos hemos acabado por llamar ›inconciencia‹, dos órdenes jerárquicos. Uno, colocado debajo de la conciencia y que llamamos, como a tal, *subconsciente*. Otro, el superior a la conciencia, *sobreconsciente*, por lo tanto. Este vivir sobreconsciente escapa también a la luz de la conciencia, como el inferior. Ocurre aquí como con la luz física. Cuando falta luz, no vemos, porque la visión está comprendida, como posibilidad, dentro de ciertos límites cuantitativos. Cuando sobra luz, no vemos tampoco, porque se produce el deslumbramiento. Así, igualmente, la falta de unidad en la actividad psíquica produce la subconciencia; la sobra de unidad, la sobreconciencia.[127]

Was bei d'Ors ›Seele‹ oder (schon aus gewisser Distanz) ›Geist‹ hieß, das stellte er unter das Vorzeichen der raumzeitlichen Dimension menschlicher Existenz. ›Angel‹ hingegen wurde aus dieser Dimension herausgesetzt und markierte somit eine Instanz, die nicht nur frei von jeder Körperlichkeit, sondern auch ohne die drei Zeithorizonte existieren sollte: *se trata de encontrarle a dicha entidad ... la distinta condición en que vive, puesto que emancipada, una vez, de espacio y de tiempo y conocedora en cierta manera del futuro, mejor dicho, identificadora del presente y el futuro.*[128] Bei der Lektüre solcher Sätze ahnt man, welche ideologischen Legitimations-Chancen sich aus der in den Begriff ›Angel‹ umgegossenen Körperphobie und aus der Aufhebung von Zeitlichkeit im Zusammenhang mit dem Anspruch ergeben konnten, daß der in Spanien propagierte ultramontane Katholizismus zukünftiges Menschheitsglück vorwegnehme. Das Konzept ›Angel‹ eröffnete aber auch Möglichkeiten der metonymischen Assoziation mit jenem Körper-Verlust, den der Gebrauch moderner Technik bewirkte.

Anläßlich einer 1950 in der – ursprünglich falangistischen – Zeitung *Arriba* veröffentlichten Serie von ›Reflexionen‹ jedenfalls brachte Eugenio d'Ors seine Angelogie über die mythologische Brücke von Dädalos und Ikaros in Zusammenhang mit dem Bild des Piloten, das seit dem frühen XX. Jahrhundert wohl deshalb die Traumrolle technologischer Hoffnungen gewesen war, weil es zugleich die Überwindung und die Potenzierung menschlicher Physis konnotieren konnte.[129] Die Verästelungen solcher philosophischen Irrwege lassen uns ahnen, daß die scheinbar fundamentalistische Abstützung des politischen Traditionalismus in religiöser Orthodoxie, wie sie seit Mitte der vierziger Jahre in Spanien gängig wurde, in eine Verdünnung des Traditionalismus abgleiten konnte, in eine – ungewollte – Öffnung auf die technisierte Welt. Denn diese teilte mit der theologisierten Welt – aber eigentlich nicht mit der Tradition des Traditionalismus – die Distanz zum Körper. Vielleicht war es deshalb kein Zufall, daß die Überlegenheit des technischen

Mediums ›Kino‹ über das Theater zu einem Leitthema in den spärlichen kulturpolitischen Diskussionen jener Jahre wurde. Denn auch das Kino setzt den Körper des Schauspielers in unendliche Distanz zur physischen Präsenz des Zuschauers:

Si el teatro se limita a ser una forma expositiva de la vida interior del hombre, es de suponer que sus ensayos y novedades en este sentido, el ciego discurrir de afluentes, sean absorbidos por el cine, que se caracteriza por su gran poder de asimiliación. Y acaso en este verterse generosamente, en esta transferencia de sus cualidades, en su renunciación melancólica al predominio del público, esté su mejor gloria. Significaría que, en la carrera de relevos, que es el mundo, transmitía la antorcha encendida, con la que recorrió un largo período de siglos, a un arte más ágil y vigoroso.[130]

Escorial präsentierte damals in monatlichen *Indices* die in Spanien gehaltenen Vorträge und Konzerte, die Kunst-Ausstellungen und die Namen von ausländischen Besuchern, welche man für prominent hielt. Diese Listen bestätigen in ihrer Weise die Erfahrung, die wir aus einer Analyse der Diskurse im Spanien der späten vierziger Jahre gewonnen haben. Sofort ins Auge sticht die Dominanz eines theologischen Denkens, das zugleich ›neu‹ und – bis hin zum Ehrgeiz einer Aufhebung der Zeitdimension – ›in den Traditionen fundiert‹ sein wollte: *›¿Coinciden, se complementan o disienten la Teología tradicional y la llamada ›Nueva Teología‹, en la explicación del dogma de la divina revelación y sus fuentes?‹, ›¿Hasta qué punto es posible una teología católica nueva?‹, ›La supuesta crisis apologética y las nuevas directrices de esta ciencia‹*[131] – die Reihe solcher Vortragstitel ließe sich fast beliebig verlängern. Dazwischen entdeckt man – noch vereinzelte – Themen, welche auf die beginnende Bemühung verweisen, einen ›nationalen Rückstand‹ in Technologie und Naturwissenschaften aufzuarbeiten: *›Construcción en Suecia‹, ›La operación cesária en nuestro tiempo‹* oder *›El reumatismo en el Seguro de Vida‹*. Das Panorama wird abgerundet durch einen Vortrag des Herausgebers von *Escorial* zum Thema *›Arte de repensar los lugares comunes‹*.[132] Noch grotesker wirken die Listen der ausländischen Besucher in Spanien: *Mister Buker, de Londres, de la Unión of Rallway* (sic) *Signalmen* wurde dort begrüßt, neben einer Studentengruppe der Universität Straßburg und *José Arismendi Trujillo, director* *de ›La Voz Dominicana‹.*[133] Natürlich dominierten kirchliche Würdenträger im Verein mit den Vertretern (der zweiten oder dritten Garnitur) des europäischen Adels. Doch letztlich zeichnete sich auch in diesem *Indice* – sporadisch, aber unübersehbar – die Zukunft der fünfziger und sechziger Jahre ab. Lassen wir vorerst bloß Namen sprechen:

- De La Coruña, varios grupos de marinos norteamericanos.
- De La Coruña, el almirante jefe de la Escuadra norteamericana, almirante Connolly
- De París, el diputado del Congreso de los Estados Unidos Mr. James José *(sic)* Morphy.
- Procedente de Munich, en avión especial de la Armada norteamericana, el coronel Miller y el comandante Daffie, agregado aéreo y adjunto a la Embajada de los Estados Unidos, en Madrid.
- De París, Mr. Rimet, presidente de la Federación Internacional de Foot-ball *(sic)*
- De Wáshington, el general norteamericano W. A. Matheny.[134]

In derselben Juli-Nummer 1949, die den Besuch des FIFA-Präsidenten Jules Rimet und des amerikanischen Generals W. A. Matheny verzeichnete, präsentierte *Escorial* eine enthusiastische Rezension der Memoiren von Benito Mussolinis Witwe, wo die Rehabilitation des *Duce* in Form einer moralischen und politischen Aburteilung seiner Geliebten betrieben wurde,[135] sowie einen ausführlichen Bericht zur Versammlung der *Jefes Provinciales* der *Falange,* die in Madrid stattgefunden hatte. Wenn man die lange Liste von Vorträgen und Diskussionsthemen des *Falange*-Kongresses auf sich wirken läßt, gewinnt man den Eindruck, daß es sich dabei um ein unter den Vorzeichen der Ratlosigkeit, ja der Depression vollzogenes Ritual gehandelt haben muß. Im Vordergrund stand die beständig wiederholte – und am Ende nie beantwortete – Frage nach der *misión del falangista en la vida de la Nación.* Zahlreich waren auch die Vorschläge zur Straffung der organisatorisch-bürokratischen Struktur. Unentschieden und in sich ambivalent blieben die Stellungnahmen zu jener Entwicklung, mit der aus einer faschistischen Partei eine ›Bewegung‹ geworden war, die allzu vielfältige Stimmen und Positionen vereinigen (neutralisieren?) sollte:

Estas dificultades ... nacen de nuestra llegada al Poder en circunstancias trágicas e imprevistas, que nos han hecho ganar en volumen lo que nos hicieron perder en homogeneidad. Y esto ... es la clave del problema, la causa fundamental de todas esas dificultades, de todas esas inquietudes de muchos camaradas, cuya inquietud es precisamente la mejor demostración de su preocupación y es también el origen de esa lucha íntima, que dentro de nosotros mismos, los que ocupamos un cargo, se da entre la espontaneidad de las ideas y de los sentimientos y la reflexión que nace de la responsabilidad del mando. Y, en efecto, así vemos que mientras para unos el Movimiento y la Falange son términos sinónimos, que la Falange es el nervio, es el contenido doctrinal, es el imperativo de mando, es el cuerpo y el alma de ese Movimiento, y fuera de la Falange no existe fuerza política digna de ninguna valoración; en cambio, para otros, el Movimiento no es más que la agrupación de todas aquellas fuerzas que tomaron sobre sí la patriótica tarea de salvar a España del comunismo, y que estaban unidos solamente por la vinculación de los grandes conceptos de la Patria, del Orden, de la Religión, de la Propiedad, de la Familia, pero sin una caracterización táctica ni técnica, y con arreglo a ese concepto la Falange no es más que una de tantas fuerzas que tomaron parte en una contrarrevolución y la Falange queda diluida dentro del conjunto resultante del Movimiento.[136]

Nur eine der so zahlreichen Positionsbestimmungs-Thesen, über die man debattierte, scheint einen Konsens hergestellt zu haben: *El Movimiento no debe confundirse con el Estado, pero debe controlarlo e impulsar su labor.*[137] Für die Durchsetzung dieser Maxime freilich war es 1949 in Spanien längst zu spät. Denn eben als eine ›Bewegung‹ existierte der spanische Faschismus damals längst nicht mehr. Auf eine national-spezifische – und wenig spektakuläre – Weise war er während der vierziger Jahre gestorben an der Resonanz-Verweigerung der staatlichen Diskurse und an der Überschwemmung durch Elemente aus dem Weltbild vermeintlicher religiöser Orthodoxie.

Doppelgesichtige Ruhe

Am 15. November 1954 notierte der Generalleutnant Francisco Franco Salgado-Araujo, Vetter des Staatschefs und eben ernannter Leiter seiner *Casa Militar,* in seinem Tagebuch:

Reina absoluta calma en el Pardo y en los departamentos ministeriales. Las cacerías que actualmente se celebran en Andalucía lo absorben todo. Allí se encuentran cinco o seis ministros con sus subsecretarios, autoridades regionales, personajes que van a pedir favores, etc. etc. Como consecuencia de ello, los restantes ministros que se han quedado en Madrid aprovechan esto para disfrutar unas pequeñas vacaciones que les permitan descansar de sus fatigas ministeriales.[138]

Zwar kannte damals jeder Spanier das Genrebild vom nie verlöschenden Licht im Arbeitszimmer des *Generalísimo,* aber in den frühen fünfziger Jahren – mindestens – scheint der Staatschef in eine Sphäre politischer Ereignislosigkeit eingetaucht gewesen zu sein, in der, zwischen der austeren Dekade des Nachkriegs und der bevorstehenden (aber noch nicht erahnten) Hektik der Synchronisierung mit der internationalen Welt, die historische Zeit stillstand. Oft genug schrieb sich Francisco Franco Salgado-Araujo seine verhaltene Entrüstung über die Vielzahl der Jagdgesellschaften und Reisen zur Hochseefischerei von der Seele, mit der sein Vetter, der *Caudillo,* diese stillgelegte Zeit ausfüllte. Unterdessen kreisten die *conversaciones privadas,* welche die beiden Verwandten im *Pardo,* Francos Palast, führten, um Banalitäten. So berichtete der *Generalísimo* am 30. Dezember 1954 mit sichtlicher Zufriedenheit, daß er Don Juan de Borbón, den Thronerben, bei einem ihrer ›politischen‹ Treffen von der Legitimität der Entscheidung überzeugt hatte, José Antonio Primo de Rivera im Escorial, der Grabstätte der spanischen Könige, beizusetzen:

El conde de Barcelona (sc.: Don Juan de Borbón) expresó a S. E. su extrañeza de que José Antonio Primo de Rivera estuviese enterrado en El Escorial, sitio dedicado a ser panteón de reyes y miembros de la Casa Real (S. E. hizo grandes elogios de José Antonio, mártir de la nación y ejemplo para las generaciones venideras, y muy especialmente para la actual juventud.) Dijo: »No está enterrado en el Panteón Real, sino en la iglesia, debajo de una sencilla losa, pero que el sitio valía más que dicho Panteón por ser él destinado a la oración«. Después de una larga conversación sobre este tema, parece que S. A. quedó más convencido.[139]

Gegenüber Repräsentanten der U.S.-Marine verteidigte man mutig die enormen Investitionen für den Bau des *Valle de los Caídos,* die monumentale Grabstätte der Opfer des Bürgerkrieges, welche 1959 eingeweiht wurde: *Los americanos, que no creo que sean muy religiosos, por lo visto encuentran supérflua una obra romántica y espiritual en la que se refleja una gran religiosidad.*[140] Die höchste Aufmerksamkeit und Besorgnis aber galt der Ehe von Francos einziger Tochter Carmen mit dem eleganten (und allzu geschäftstüchtigen) Marqués de Villaverde, wobei väterliche Gefühle und politische Strategie ineinander spielten. Denn Francos Familie, zumal seine Frau, ließ sich einen Kult angedeihen, der an die Zeiten der Monarchie erinnerte und durch die öffentliche Präsentation der militärisch-kargen Lebensführung des Familienoberhaupts nur notdürftig ausgeglichen wurde. All diese Nuancen vermischten sich in dem Bericht der Zeitschrift *Letras* über die Hochzeit von Carmen Franco mit dem Marqués de Villaverde:

Carmen Franco, alta, esbelta, arrogante, españolísima de color y de rasgos, vestía un traje de impecable sencillez, cerrado escote, la cintura de avispa. Sobre el cuello un biés de donde se forma el gran manto espléndido, primor de alta costura, que se despendre por detrás de un discreto escote en pico y se extiende en un acierto total de majestuosa elegancia. Velo de tul cubriendo por entero la amplitud del manto. Sobre el pelo, recogido, una diadema de brillantes y de perlas ... El almuerzo, señorial y sin alarde. Franco como siempre el pan de ración que comen los españoles.[141]

Es ist erstaunlich, mit wieviel Verwunderung der tagebuchschreibende Generalleutnant und Franco-Vetter – als eine Figur auf dieser Bühne – konstatierte, daß die Bewohner von Madrid an einem Sonntag im November 1954 weit mehr vom Fußball fasziniert waren als von den Stadtratswahlen, für die sie ihre Stimmen abgeben sollten: *Ayer fui a votar por la mañana. Había poca animación. En cambio en Chamartín, donde fui a ver el Real Madrid-Barcelona, había ciento veinte mil personas, y este acontecimiento deportivo ocupó más a la opinión que las elecciones municipales.*[142]

1954, als Francisco Franco Salgado-Araujo zum Leiter von Francos *Casa Militar* ernannt worden war, erreichte die spanische Wirtschaft zum ersten Mal wieder das Leistungsniveau aus den Jahren vor Beginn des Bürgerkriegs.[143] 1952 war (rechtzeitig zur Geburt von Isabel Real Ramos) die Lebensmittelrationierung aufgehoben worden. Für die dazu notwendige Entspannung der Versorgungslage hatte 1951 eine Rekordernte gesorgt, deren Auswirkungen potenziert wurden durch erstmals – nach Unterbrechung von einem Jahrzehnt – gewährte Dollarkredite und durch günstige Regenfälle, welche die zahlreichen Stauseen füllten und so eine erhöhte Energieproduktion ermöglichten.[144] 1950 hatten die Vereinten Nationen ihren Boykottbeschluß gegen Spanien aufgehoben. 1953 war Spanien in die UNESCO aufgenommen worden, hatte die Regierung ein Konkordat mit dem Vatikan und ein Abkommen zur Einrichtung militärischer Stützpunkte mit den USA geschlossen. Am 15. Dezember 1955 wurde Spanien Mitglied der UNO. Die sich damals aufladenden Spannungen des Kalten Kriegs waren Voraussetzung für die Entspannung am außenpolitischen Horizont von Francos Spanien – sie verhalfen dem *Generalísimo* zu jener Ruhe und zu jenem Zeit-Stillstand, die er mit *cacerías* ausfüllte. Die Literatur jener scheinbar statischen Jahre richtete sich noch einmal auf die Vergangenheit. Senders damals im Exil geschriebene Erzählung *Requiem por un campesino español* reihte sich in eine Phalanx von Romanen ein, in denen das nationale Trauma des Bürgerkriegs erneut – aber allerseits mit höchster Bemühung um ›Distanz‹ von aller Parteilichkeit – vergegenwärtigt wurde. 1953 – wie Senders *Requiem* – erschien als erster Teil einer Trilogie der Roman ›*Los cipreses no creen en Diós*‹ von José María Gironella (1961 folgte *Un millón de muertos* und 1966 *Ha estallado la paz*). Der 1917 geborene Autor hatte den Bürgerkrieg als Erwachsener erlebt und versuchte, die zu seinem Ausbruch führenden gesellschaftlichen und politischen Spannungen in einer komplexen Symbolik des Raums zu fassen. Ort der Handlung – und metonymische Repräsentation Spaniens – ist die katalanische Stadt Gerona, in deren von jahrhundertealten Wehr- und Kirchenbauten beherrschtem Zentrum die reichen Familien wohnen. Durch eine Grenze aus Haß getrennt hausen in den Außenvierteln die Armen und Elenden. Das Roman-Gerona war nicht nur ein Symbol für Spaniens Gesellschaft, sondern auch Schauplatz und Verstehenshorizont für das Schicksal der Hauptfigur Ignacio Alvear und seiner Familie. Auslöser für die Zerstörung dieser prekären Struktur in der Flut politischer Ereignisse war, so Gironellas These, das Freiheitspathos der Zweiten Republik, das die Armen zur

Überschreitung der Grenze zwischen ihrer Welt und der Alt-
stadt, zur rächenden Zerstörung einer Welt der Privilegierten
ermutigte. Weiter ist der Abstand zwischen der als Allegorie zu
lesenden Romanhandlung und der nationalen Geschichte als
ihrer Referenzebene in Juan Goytisolos 1955 veröffentlichtem
Buch ›Duelo en el Paraíso‹. Das ›Paradies‹ ist ein Landhaus –
noch einmal in der Provinz Gerona –, wo der Kriegswaise Abel
bei seiner Großtante lebt. Er wird erschossen von einer Bande
gleichaltriger Jungen, die in einem benachbarten ›Internat‹ ver-
wahrlosen. Diese Kinder erleben sich in ihren Träumen und
Spielen zu einer Herrschaft der Grausamkeit berufen, und als
das nationale Heer die um Katalonien gestellte republikanische
Verteidigungsfront durchbricht, glauben sie, daß die Stunde
ihrer Bewährung gekommen sei. Sie exekutieren Abel, ihren
vermeintlichen Feind, der sich widerstandslos abführen läßt.

Auch für die Lyrik waren die fünfziger Jahre Ort einer Retrospektive, einer selbstbezogenen Retrospektive allerdings.
Wohl mehr als je zuvor wurden dem Lesepublikum Gedichte in
historisch wohlgeordneten Anthologien präsentiert. Zu ihnen
gehörte die 1952 von Francisco Rives herausgegebene *Antolo-
gía consultada de la joven poesía española*, deren Auswahlprin-
zipien als dem Ergebnis einer Leserumfrage entsprechend präsentiert wurden, die *Veinte poetas españoles* von Rafael Milláns
aus dem Jahr 1955, die fünf Jahre später publizierten *Veinte
años de poesía española* (von 1939 bis 1959) von José María
Castellet und, aus demselben Jahr, *Cuatro poetas de hoy* von
María de García y Fach. Der Lyriker Vicente Aleixandre veröffentlichte 1958 unter dem Titel *Los encuentros* eine Sammlung
kurzer Prosa-Porträts von (fast ausnahmslos) zeitgenössischen
Poeten, in denen seine distanzierende und oft verklärende Erinnerung an die Stelle einer Text-Begegnung tritt. Was Vicente
Aleixandre etwa über Dámaso Alonso schrieb, liest sich beinahe wie zweiundzwanzig Jahre zuvor die melancholisch-
lebendigen Nachrufe auf Federico García Lorca. Doch es ist
Dámaso Alonso, der den 1984 in Madrid verstorbenen Aleixandre mittlerweile überlebt hat:

Aquel rostro, cuya boca, cuya mejilla carnosa eran las del incipiente
goloso vital, recibía luz de unos ojos envaguecidos de interioridad. A
veces la expresión se tornaba risueña, y en esta escala concreta podía

ascender hasta lo jocundo si, en una hora propicia, rompía sobre su cabeza una granada de luz estrellada y ›dionisíaca‹. (Dionisíaco: palabra en el vocabulario del Dámaso de 1917.) ...
Volvía o se recogía a su soledad poblada, ... mientras los otros entraban al baile de la ›colonia‹ o se quedaban en el compuesto ›Tenis‹. Dámaso seguía con algún libro hasta el borde e los pinares. Allí a solas horas leyendo, cuerpo y alma se mezclaban con el limpio bando, fuerte y cierto para el que los necesitase, de los olores montaneros.[145]

Als Vicente Aleixandre 1977 der Nobelpreis für Literatur verliehen wurde, wußte man – und wußte der Preisträger selbst –, daß er diese Ehrung als Stellvertreter für eine Vielzahl von spanischen Lyrikern des XX. Jahrhunderts entgegennahm, die nicht mehr lebten. Schon 1956 war Juan Ramón Jiménez Nobelpreisträger geworden; er starb zwei Jahre später. 1963 war das Todesjahr von Luis Cernuda; 1968 starb León Felipe, 1975 Dionisio Ridruejo. Dennoch ist ihre aller Dichtung, die sich schon zu Lebzeiten der Dichter überlebt hatte, bis heute ›spanische Gegenwartsdichtung‹ geblieben.

Zuerst war der Stillstand der spanischen Zeit für das Theater ein Thema geworden. Am 14. Oktober 1949 fand im *Teatro Español* von Madrid die Uraufführung des ›Schauspiels in drei Akten‹ *Historia de una escalera* statt, dessen Autor der dreiunddreißigjährige Antonio Buero Vallejo war. ›Auf der Treppe‹ eines ärmlichen Madrider Mietshauses vollziehen sich Gespräche und Begegnungen, entstehen Beziehungen und Illusionen, welche allein Gegenstand des Stückes sind. Doch zwischen dem ersten und dem letzten Akt soll sich der Zuschauer – bei gleichbleibender Szenerie – einen Zeitabstand von dreißig Jahren vorstellen. Die Begegnungen und Beziehungen zwischen den Hausbewohnern in der einen und der anderen Generation lassen sich kaum unterscheiden, die Gespräche und Illusionen bleiben dieselben – alle Hoffnungen auf Verdrängung, auf ein neues, glückliches Leben werden von dieser Dramenstruktur dementiert. Buero Vallejo wurde schon bald mit dem *Premio Lope de Vega* geehrt, aber dennoch wollte Gonzalo Torrente Ballester als Theaterkritiker des *Escorial* der *Historia de una escalera* nicht ungeschmälerten Beifall zollen:

El señor Buero Vallejo pertenece a una generación desencantada, y ha traspasado a la comedia su propio desencanto. Laudable sinceridad, a

984

la que debemos una sensación oprimida, deprimente, que no desaparece, por mucho que recordemos la (sic) excelentes cualidades de la obra ... El señor Buero ... se preocupa de subrayar artísticamente ... la falta de solución. Y decimos *artísticamente*, porque esa hermosa y tristísima escena final, cuando los padres ven a los hijos repetir las mismas palabras e iniciar la misma situación que ellos se dijeron y vivieron treinta años antes; esa escena final, repetimos, abandona el camino de la naturalidad por el que ha transitado toda la comedia e introduce un evidente artificio, no reprochable en sí, pero que desentona en el conjunto, no sólo por su contenido, no sólo por el mal sabor de boca que deja al espectador, sino por falta de unidad estilística. Es un artificio totalmente voluntario, no exigido, en modo alguno, por la lógica de la comedia. El señor Buero lo ha querido libremente, y lo que censuramos aquí es, precisamente, el modo de sentir la vida que se revela en esa elección.[146]

Wer diese Worte genau liest, wird bemerken, daß als virtueller Gegenbegriff zu dem Adverb ›*artísticamente*‹, mit dem Torrente Ballester den Autor kritisiert, ein Konzept von ›Natürlichkeit‹ anvisiert wird, welches sich auf Stil und Struktur des Dramas bezieht – und nicht, wie man erwarten könnte, auf dessen mimetische Qualität (mithin auf eine ›außerliterarische Wirklichkeit‹). Diese Argumentation scheint auf eine historisch symptomatische Ambivalenz des Theaterkritikers von *Escorial* zu verweisen: er mußte es wohl einerseits für seine Pflicht halten, Buero Vallejos ›Pessimismus‹ zu kritisieren, aber auf der anderen Seite wollte er doch nicht so weit gehen, diesem ›Pessimismus‹ die Behauptung entgegenzustellen, daß sich der spanische Alltag 1949 in einer Phase dynamischen Wandels befand.

Das Erfolgsstück des Jahres 1952 hieß *Tres sombreros de copa*. Sein Autor, Miguel Mihura, gehörte zu den Redakteuren der damals eben gegründeten (gemäßigt) satirischen Zeitschrift *Codorniz*. Die Handlung der *Tres sombreros* ist komisch – und traurig. Als Ort dieser Handlung wird angegeben: *en Europa, en una capital de provincia de segundo orden*. Dionisio, die ein wenig groteske Inkarnation des Durchschnitts-Mittelstandsmenschen, mietet ein Zimmer in einem Hotel, wo er schon während der vorausgehenden sieben Jahre des öfteren abgestiegen ist, um nun dort die Nacht vor seiner Hochzeit mit Marguerita, einer Tochter aus mittelgutem Hause, zu verbringen.

Im Nebenzimmer streiten sich lautstark Paula, ›ein wunderbares blondes Mädchen, achtzehn Jahre alt‹,[147] und Buby Barton, der ihr Liebhaber und zugleich Direktor eines Balletts ist, mit dem Paula am nächsten Abend in der *Nuevo Music-hall* auftreten soll. Paula entkommt dem hitzigen Buby durch eine offene Zwischentür und stößt auf Dionisio, der sich, statt seinem Ärger über die nächtliche Ruhestörung freien Lauf zu lassen, voller Verlegenheit auf Paulas erste Vermutung einläßt, daß er ebenfalls am nächsten Abend in der *Nuevo Music-Hall* auftreten werde (und zwar als Hut-Jongleur: daher der Titel des Stücks). Nur halb widerwillig läßt sich Dionisio darauf ein, die Nacht vor der Hochzeit bei einem Tanzvergnügen mit Schallplattenmusik in seinem eigenen Hotelzimmer zu verbringen, wo sich die ›Künstlerinnen‹ der *Music-hall* an die Honoratioren der ›zweitrangigen Provinzstadt‹ anschmiegen. Paula verliebt sich in den schüchternen Dionisio, der auf ihre Frage, ob er je heiraten wird, eine rührende Antwort gibt: ›*Regular*‹.

PAULA.	– No te cases nunca … Estás mejor así … Así estás más guapo … Si tú te casas, serás desgraciado … Y engordarás bajo la pantalla del comedor … Y, además, ya nosotros no podremos ser amigos más … ¡Mañana iremos a la playa a comer cangrejos! Y pasadomañana tu te levantarás temprano y yo también … nos citaremos abajo y nos iremos en seguida al puerto y alquilamos una barca … ¡Una barca sin barquero! Y nos llevamos el bañador y nos bañamos lejos de la playa, donde no se haga pie … ¿Tú sabes nadar …?
DIONISIO.	– Sí. Nado muy bien …
PAULA.	– Más nado yo. Yo resisto mucho. Ya lo verás …
DIONISIO.	– Yo sé hacer el muerto y buzear …[148]

Paula küßt Dionisio, ihr eifersüchtiger Liebhaber schleicht sich an das Paar heran und schlägt Paula ins Genick, die ›mit einem kleinen Schrei‹ zu Boden sinkt. Während sie dort ohnmächtig liegt, dringt Dionisios besorgter Schwiegervater *in spe* ins Hotelzimmer ein. Vor dem Ende des lärmenden Tanzvergnügens war es seiner Tochter nicht gelungen, ihren *novio* telephonisch zu erreichen. Dionisio verstaut Paula unter seinem Bett. Er läßt sich von Don Sacramento, so heißt der erzürnte Schwiegervater, beschimpfen und legt am Ende – in aller Eile und ohne geschlafen zu haben – seinen Hochzeitsstaat an. Als er das Hotelzimmer verläßt, wagt er es nicht, sich von Paula zu verabschieden, die inzwischen hinter einer spanischen Wand in Deckung gegangen ist – er folgt, widerwillig-nachgiebig wie fast immer, dem Enthusiasmus des Hotelbesitzers, der ihn feierlich zum Hochzeitszug geleiten will:

DIONISIO. *(Mirando hacia el biombo, sin querer marcharse)* – Sí, ... ahora voy ...

DON ROSARIO. – ¡No! ¡No! Delante de mí ... Yo iré detrás hondeando la bandera con una mano y tocando el cornetín ...

DIONISIO. – Es que yo ... Quiero despedirme, hombre ...

DON ROSARIO. – ¿Del cuarto? ¡No se preocupe! ¡En los hoteles los cuartos son siempre iguales! ¡No dejan recuerdos! ¡Vamos, vamos, Don Dionisio!

DIONISIO. – *(Sin dejar de mirar el biombo)* Es que ...

PAULA. – *(Saca una mano por encima del biombo, como despidiéndose de él)* ¡Adiós ...!

DON ROSARIO. – *(Cogiéndole por la solapa del ›chaquet‹ y llevándoselo tras él)* ¡Viva el amor y las flores, capullito de azucena![149]

Nichts (und schon gar nicht ein Hotelzimmer) könne eine Erinnerung hinterlassen. Philosophischer formuliert: es gibt keine Ereignisse, und deshalb ist die Zeit nur der Raum des immer Gleichen. Das ist das Leitmotiv, die ›Moral‹ von *Tres sombreros de copa*. Zu Beginn des Stücks zeigt der Hotelbesitzer Don Rosario seinem Gast ›drei kleine weiße Lichter im Hafen‹, die er ›schon immer jedem Gast‹ gezeigt hat. Dionisio glaubt zu sehen, daß eines der Lichter rot ist. Aber diese für den Hotelbesitzer neue Entdeckung kann das Ritual nicht erschüttern:

DIONISIO. – Pues yo creo que una de ellas es roja. La de la izquierda.

DON ROSARIO. – No. No puede ser roja. Llevo quince años enseñándoles a todos los huéspedes, desde este balcón, las lucecitas de las farolas del puerto, y nadie me ha dicho nunca que hubiese ninguna roja.

DIONISIO. – Pero ¿usted no las ve?

DON ROSARIO. – No. Yo no las veo. Yo, a causa de mi vista débil, no las he visto nunca. Esto me lo dejó dicho mi papá. Al morir mi papá dijo: ›Oye, niño, ven. Desde el balcón

de la alcoba rosa se ven tres lucecitas blancas del puerto lejano. Enséñaselas a los huéspedes y se pondrán
todos muy contentos ...‹. Y yo siempre se las enseño.

DIONISIO.   – Pues hay una roja, yo se lo aseguro.

DON ROSARIO.   – Entonces, desde mañana, les diré a mis huéspedes
que se ven tres lucecitas: dos blancas y una roja ... Y
se pondrán más contentos todavía. ¿Verdad que es
una vista encantadora? ¡Pues de día es aun más
linda! ...

DIONISIO.   – ¡Claro! De dia se verán más lucecitas ...

DON ROSARIO.   – No. De dia las apagan.

DIONISIO.   – ¡Qué mala suerte![150]

Dionisio, der sich von Paulas heißen Umarmungen trennt, um
Marguerita, das Normalbild der *novia*, zu heiraten, weil man es
so von ihm erwartet, dieser Dionisio lebt in einer Welt, in der
immer schon alles erklärt und gewußt ist. Auf Fragen, die es in
dieser Welt nicht gibt, weiß er keine Antwort. Außer in der
einen Szene, wo Paula ihn fragt, ›warum sich alle Herren verheiraten‹: *porque ir al fútbol siempre, también aburre.*[151] Aber
die historische Pointe dieses Stücks findet man nicht im Text.
Miguel Mihura hatte *Tres sombreros de copa* schon im Jahr 1932
geschrieben und trotz mehrfacher Versuche kein Theater gefunden, das sich für eine Aufführung interessierte: *A mí no me
entendía nadie y, sin embargo, yo entendía a todos.*[152] Als er
1952 endlich mehr Glück hatte, waren die Komik und die Trau-
rigkeit der Handlung gar nicht einmal veraltet. 1953 wurde der
Premio Nacional de Teatro an Mihura verliehen.

Wenige Monate vor der Uraufführung der *Tres sombreros de
copa*, im November 1952, feierte im Frühjahr desselben Jahres
der Fußballclub Real Madrid das fünfzigste Jahr seines Bestehens. Fünfzigjährige Jubiläen nennt man in Spanien gerne ›Bodas de oro‹ – auch dann, wenn, wie bei einem Fußballclub, die
Metapher mangels einer Zweierbeziehung schief liegt. Unter
den zahlreichen Gratulanten zu den *Bodas de oro del Real Madrid* löste nur der zuständige Minister, José Moscardó, diese
semantische Schwierigkeit: *Al Real Madrid Club de Futbol, en
sus Bodas de Oro con el Deporte.*[153] Solche Sorgen machte sich
ein anderer Gratulant nicht, dessen eindrucksvoll exotische
Photographie nebst faksimilierter Wiedergabe eines mit holpri-

ger Schreibmaschinentype zu Papier gebrachten Glückwunsches das *Libro de Oro del Real Madrid C.F.* – nach dem signierten Photo des *Generalísimo* und noch vor dem Bild des Ministers Moscardó – zierte. ›Seine Kaiserliche Hoheit Muley el Hassam, Kalif des spanischen Territoriums in Marokko‹, pries den Fußballclub vielmehr als Träger ewiger Werte: *Me es muy grato dedicar al Real Madrid Club de Futbol con motivo de su cincuentenario, la expresión de mi cordial felicitación, no solo por los Títulos conquistados en este tiempo, sino particularmente, por haber demostrado con el ejemplo que su amor al deporte y caballerosidad, han sido su mejor ejecutoria.* Real Madrid, so konnte man einige Seiten weiter lesen, sei ›von einem Geist und einem Stil getragen – und allein als Ausdruck jenes Geistes und jenes Stils könne man die Geschichte des Clubs interpretieren‹.[154] So wie die politischen Diskurse um 1940 alle Spanier mit dem ›Neuen Staat‹, den ›Neuen Staat‹ mit der spanischen Geschichte und diese mit Gott hatten eins sehen wollen, so präsentierte sich der fünfzigjährige Fußballclub Real Madrid 1952 als Zentrum aller Identifikationen und als Mittelpunkt einer auf Ewigkeit gestellten Nationalgeschichte:

En los momentos más difíciles, el Real Madrid ha sido más español y más madrileño que nunca; en los momentos gloriosos, a España y a Madrid ha ofrecido sus glorias, y en los días venideros, a Dios se ofrece para que con su infinita misericordia lo guíe en sus destinos y le permita seguir siendo fiel a sus claros lemas, que se resumen y definen en ese color blanco de nuestro uniforme, que hemos mantenido limpio a todo lo largo y a todo lo ancho de nuestra historia; que a El, a España, a Madrid y a los madridistas ofrecemos. Leed este libro, acudid siempre a este libro, madridistas, cuando vuestro ánimo vacile ...[155]

Doch im Goldenen Buch von Real Madrid durchkreuzte diesen luftigen Diskurs der ewigen Werte der Stolz auf das 1947 eingeweihte monumentale Stadion im Stadtteil Chamartín, dessen Bewunderung damals jene über die Grenzen des Landes hinausstrebenden Blicke bannte, die unweigerlich kollektive Minderwertigkeitsgefühle ausgelöst hätten. Auf einer Seite gegen Ende des *Libro de oro* läßt das Insistieren der Bildunterschrift unter drei Photographien des *Chamartín* solche Bewunderung schon fast zu einer magischen Formel geraten:

Maqueta del magnífico Estadio del Real Madrid, en Chamartín, uno
de los mayores, de los mejores y de los más bellos del mundo ...
Vista exterior, lado Sur, del magnífico Estadio de Chamartín, propiedad del Real Madrid, con capacidad para ochenta mil espectadores, y
uno de los más bellos del mundo ...
   El magnífico campo de Chamartín, propiedad del Real Madrid C.
de F., en la tarde del partido internacional contra Suiza ...[156]

Wo immer von diesem Stadion die Rede war, verdrängte das
Crescendo der Erfolgschronik den würdevollen Diskurs einer
Historiographie der ewigen Werte. Eine steile statistische
Kurve wies nach, daß die Mitgliederzahl des Clubs von 6254 im
Jahr 1944 auf 41 490 im Frühjahr 1952 gestiegen war. Der rüh-
rige Vereinspräsident Santiago Bernabeu Yuste sah die Vereins-
mitglieder weniger als treue Gefolgschaft denn als Kunden, und
diesen Kunden versprach er steigende Service-Leistungen für
die Zukunft: *Nuestro futuro debe ser – y para que lo sea luchamos – él que permita, una vez consolidada la masa enorme de
socios, que estos dispongan de instalaciones deportivas para practicar directamente los deportes de su preferencia.* Selbst für die
in den vierziger Jahren eher mittelmäßige Ligamannschaft
stellte Santiago Bernabeu eine kühne Prognose auf: *Ha conseguido, a un lado los triunfos, tener una ›solera‹ a la que va
mezclando lo nuevo y formará una agrupación – que se está
›cociendo‹ – de una grandeza insospechada.*[157] Auch die Innenseiten des Buchdeckels waren – geradezu dramatisch – auf das
Thema historischer Veränderung abgestellt. Am Buchanfang
war eine Genreszene aus den Pioniertagen des Fußballs zu sehen, wo Spieler – beobachtet von einem einzigen Zuschauer im
Paletot – ihr Tor auf einer Wiese aufbauten. Auf der letzten
Buchseite stellt sich die Mannschaft von Real Madrid vor den
gefüllten Rängen des *Chamartín* den Kameras der Photogra-
phen, während im Vordergrund einer der Spieler dem Repor-
ter im Trenchcoat ein Interview in den Mikrophon-Trichter
spricht.
   In der Stadt des Erzrivalen von Real Madrid, des F. C. Barcelona,[158] der in jenem Jahr überlegen die spanische Meisterschaft
gewonnen hatte, richteten Kirche und Staat indessen, im Juni
1952, den XXXV. Eucharistischen Weltkongreß aus. Laszlo
Kubala, damals Starspieler des F. C. Barcelona, der zwei Jahre

zuvor mit einer Mannschaft ungarischer Exilanten nach Spanien gekommen war, ministrierte zusammen mit einem Spieler des Konkurrenzclubs R. C. D. Español Barcelona bei einer Messe unter freiem Himmel.[159] Zwei Tage später weihte Francisco Franco wie ein moderner *pontifex maximus* in einem öffentlichen Gebet die spanische Nation dem Jesus Christus des Eucharistiesakraments:[160]

Con la humildad que corresponde (sic) a todo buen cristiano, me acerco a las gradas de la Sagrada Eucaristía a proclamar la fé católica, apostólica, romana, de la nación española, su amor a Jesús Sacramentado y al insigne Pastor, Su Santidad Pío XII, cuya vida prolongue Dios para bien de su Santa Iglesia ...

Recibir (sic), Señor, esta humilde reiteración de fé y gratitud que, desde lo más profundo de sus corazones, conmigo, los españoles os ofrecen, y derramar (sic) sobre los pueblos que sufren tribulación la protección y bienes que en hora similar derramásteis sobre nuestra Patria. Y para nos, Señor, iluminar (sic) nuestra inteligencia para mejor serviros.

In den Tagen des XXXV. Eucharistischen Weltkongresses schrieb der Priester Josemaría Escrivá de Balaguer die *Nota editorial* zur achten Auflage seines Buchs ›Camino‹. Der *Camino* war 1939 zum ersten Mal erschienen, damals aber noch nicht auf sonderliches Interesse gestoßen. Es dauerte ganze fünf Jahre, bis die zweitausend Exemplare der ersten Auflage verkauft waren und eine Neuauflage nötig wurde. Mit der achten Auflage, die 1952 erschien, erreichte das Buch – abgesehen von Übersetzungen ins Portugiesische und Italienische – eine Gesamtauflage von 70 000 Exemplaren, die schon bis zum Jahr 1958 auf 376 000 stieg.[161] Noch als Studentenseelsorger und Dozent an verschiedenen kirchlichen Hochschulen hatte der 1902 geborene Autor die katholische Laiengemeinschaft des *Opus Dei* im Herbst 1928 gegründet. Doch erst mit der etwa zwanzig Jahre später einsetzenden Erfolgsgeschichte des *Camino* begann der Aufstieg des *Opus* zu einem Machtzentrum in der spanischen Gesellschaft, der seinerseits parallel zur wirtschaftlichen Modernisierung Spaniens und ihren Konsequenzen verlief. In den 999 *consejos* seines Buchs hatte sich Escrivá de Balaguer mit der Vertraulichkeit des geistlichen Gesprächs als anstachelnd-fordernder Ratgeber an seine Leser gewandt:

Lee despacio estos consejos.
Medita pausadamente estas consideraciones.
Son cosas que te digo al oído,
en confidencia de amigo, de hermano,
de padre.
Y estas confidencias las escucha Dios.
No te contaré nada nuevo.
Voy a remover en tus recuerdos,
para que se alce algún pensamiento
que te hiera:
Y así mejores tu vida
y te metas por caminos de oración
y de Amor.
Y acabes por ser alma de criterio.[162]

›Verbesserung des Lebens‹ und ›Arbeit am Selbst‹ waren Ziele, die bei aller Subjekt-Bezogenheit um die Mitte des XX. Jahrhunderts auch innerhalb der Katholischen Kirche für niemanden mehr neu wirkten. Aber neu war die Beharrlichkeit, mit der Escrivá de Balaguer im *Camino* Seite für Seite das Leben in der Gesellschaft, den beruflichen Erfolg, ja sogar den Reichtum als Felder der Bewährung für die religiöse ›Arbeit am Selbst‹ herausstellte. Ein typologisch der Tradition protestantischer Lebensführung nahestehendes Motiv wurde hier durch das (nur scheinbar sanfte) Drängen der katholischen Priesterstimme potenziert. Und diese Priesterstimme verfügte – wie die Paradiesesschlange aus dem Alten Testament – über alle Register der Überredung, vom Schmeicheln über freundschaftliche Vertraulichkeit bis zu den schmerzenden Tönen der Erpressung. Spätestens im *Consejo 973*, wo der Leser angehalten wird, nun selbst in dieser Stimme zu anderen zu sprechen, erkennt man, daß Escrivá de Balaguer mit dem *Camino* eine bestimmte Bezugsgruppe anvisierte – nämlich die nach beruflichem Erfolg strebenden männlichen Studenten:

Esas palabras, deslizadas tan a tiempo en el oído que vacila; aquella conversación orientadora, que supiste provocar oportunamente; y el consejo profesional, que mejora su labor universitaria; y la discreta indiscreción, que te hace sugerirle insospechados horizontes de celo ... Todo eso es ›apostolado de la confidencia‹.

Das Nützlichsein – in der Gesellschaft und für die Kirche – war höchstes Ziel jener fremdgesteuerten Selbsterziehung und zugleich Vorbedingung für den angestrebten Erfolg. Dabei konnte die Strenge der Selbst- und Fremderziehung bis zur Selbstverleugnung gehen. *No me seas tan ... susceptible. – Te hieres por cualquier cosa ... No te molestes si te digo que eres ... insoportable – mientras no te corrijas, nunca serás útil.*[163] Freilich wurden für das Machtstreben dessen, der zu solcher Unterwerfung bereit war, dann auch die Grenzen christlicher Bescheidenheit aufgehoben: *Si sientes impulsos de ser caudillo, tu aspiración será.*[164] Gefahren drohten am Ende nur noch von der Sinnlichkeit, deren Lockungen Escrivá de Balaguer allenthalben befürchtete und mit Versprechungen wie Drohungen im verhaltenen Ton des Beichtvaters ausmerzen wollte: *No creo en tu mortificación interior si veo que desprecias, que no practicas, la mortificación de los sentidos.*[165] Freilich finden sich Stellen, wo jenes Ideal der ›Männlichkeit‹, das durch die Abtötung der Sinne erlangt werden soll, selbst durchaus sinnliche Züge annimmt. An diesen Stellen vor allem wird deutlich, daß die Motivationskraft des *Camino* in einer Ambivalenz zwischen Selbstzüchtigung und Selbstliebe gelegen haben muß, in der dem Leser eingeflüsterten Obession, jede seiner Handlungen vor der Alternative der Selbst-Verdammung und der Selbst-Apotheose zu bewerten: *Sé recio. – Sé viril. – Sé hombre. – Y después – sé ángel.*[166]

Womit die Mitglieder des *Opus Dei* ihre spanischen Landsleute schon bald enervierten, das war der Habitus, selbst auf Aggressionen und Herausforderungen mit ausgesuchter Freundlichkeit, ja geradezu mit Dankbarkeit zu reagieren. Auch diese Haltung hatte Escrivá de Balaguer vorgeschrieben: *No digas: esa persona me carga. – Piensa: esa persona me santifica.* Oder: *Ningún ideal se hace realidad sin sacrificio. – Niégate. – ¡Es tan hermoso ser víctima!*[167] Im Grunde untersagte der *Camino* seinen Lesern jegliche Freude an jener Welt, auf die doch all ihre Bemühungen gerichtet sein sollten – außer der Freude am Schmerz der eigenen Bemühung. Anders formuliert: wer sich nicht der Gesellschaft und dem Berufsleben zuwenden wollte, wurde kritisiert, weil er nicht ›nützlich‹ war; aber jegliche Zuwendung auf die Welt und auf die Gesellschaft durfte nur erfolgen im Bewußtsein der Gefahr, vom rechten christlichen ›Weg‹ abzukommen. Man kann wohl vermuten, daß die erstaunliche Motivationskraft dieses in seiner abstoßenden Vertraulichkeit faszinierenden Buchs vor allem in der permanenten Erzeugung von affektiven Ambivalenzen lag, unter die auch noch die Arbeit im Beruf gestellt wurde. Dort sollten stets konkrete Ziele erreicht werden, aber mit der Erfüllung jeder Aufgabe zeichneten sich – in einem unendlichen Prozeß der Entgrenzung – immer neue Anforderungen ab:

Oras, te mortificas, trabajas en mil cosas de apostolado . . ., pero no estudias. – No sirves entonces si no cambias. El estudio, la formación profesional que sea, es obligación grave entre nosotros.[168]

Solche Systematisierung der Lebensführung im Wechselbad der Selbstgefühl-Ambivalenzen, verbunden mit der Dynamik von Aufgabenstellung, Selbstzufriedenheit angesichts der Aufgaben-Erfüllung und dem Vorgeben neuer Aufgaben, mutete an wie eine kapitalistisch-dynamische ›Buchführung der Seele‹, und tatsächlich nutzte Escrivá de Balaguer diese semantische Kontiguität, um unablässig das Bildfeld des wirtschaftlichen Handelns in seine *consejos* zu projizieren:

Examen. – Labor diaria. – Contabilidad que no descuida nunca quien lleva un negocio. ¿Y hay negocio que valga más que el negocio de la vida eterna?[169]

Wo immer im *Camino* von Berufsausbildung und Studium die Rede ist, nimmt die Priesterstimme entschieden Distanz von jener Wissenschafts- und Technik-Feindlichkeit, die den Katholizismus des XIX. Jahrhunderts gekennzeichnet hatte, aber selbst in Spanien nach dem Bürgerkrieg mehr und mehr – etwa in Calvo Serers *España, sin problema* – relativiert worden war. Noch viel auffälliger geriet die Positivierung des materiellen Reichtums, der lediglich an die vage Legitimitäts-Bedingung gebunden blieb, Frucht von Handlungen im Rahmen des Laien-Apostolats zu sein:

Es condición humana tener en poco lo que poco cuesta. – Eso es la razón de que te aconseje el ›apostolado de no dar‹. Nunca dejes de cobrar lo que sea equitativo y razonable para el ejercicio de tu profesión, si tu profesión es el instrumento de tu apostolado.[170]

994

Ganz offensichtlich zur Beruhigung jener Leser, in deren Erziehung Armut oder doch zumindest materielle Großzügigkeit noch als Wert gegolten hatten, setzte Escrivá de Balaguer eine substantielle Grenze zwischen Verzichten-*Können* und Verzichten, um dann mit der paradoxalen Formulierung von den ›reichen Armen‹ solche Leser zu motivieren und zu beschwichtigen, die reich waren, aber sich jederzeit des Verzichten-Könnens fähig glaubten: *No consiste la verdadera pobreza en no tener, sino en estar desprendido: en renunciar voluntariamente al dominio sobre las cosas. – Por eso hay pobres que realmente son ricos. Y al reves.*[171]

Der *Camino* und selbst das mächtige *Opus Dei* waren – bei allem Einfluß – letztlich gewiß weniger Faktoren eines grundlegenden Wandels in Mentalität und Struktur der spanischen Gesellschaft (wie man oft behauptet hat) als deren Symptome – das belegt schon die Auflagenstatistik von Escrivá de Balaguers Buch. Denn erst eine gewandelte Einstellung zum Alltag, ohne die der Erfolg des *Camino* nicht möglich gewesen wäre, leitete jene Entwicklung ein, mit der Spanien sich um den entscheidenden Schritt an andere, bis dahin ›modernere‹ westliche Gesellschaften annäherte. Das *Verhältnis zwischen Individuum und Gesellschaft,* das der *Camino* voraussetzte und potenzieren sollte, war nicht mehr die überkommene Beziehung wechselseitiger Ausschließlichkeit, in der – über Jahrhunderte der spanischen Geschichte – das Individuum die Gesellschaft und die Gesellschaft das Individuum hatte ›entwirklichen‹ können. Für die von Escrivá de Balaguer begründete und organisierte Laienbewegung war nun vielmehr der Alltag in Beruf und Gesellschaft das wichtigste Feld der Bewährung individueller Moral; und die christliche Ethik des Individuums sollte ihrerseits die Leistungen in Beruf und Gesellschaft motivieren. Während der frühen fünfziger Jahre war diese Einstellung in Spanien (zumindest außerhalb des *Opus Dei*) noch kaum ein bewußtes Programm – viel weniger konnte man ihre Auswirkungen ahnen. Möglicherweise hätte sich diese – in vieler Hinsicht ›produktive‹ – Spannung zwischen Individualität und Gesellschaft auch nach 1950 gar nicht so rasch habitualisieren und institutionalisieren können, wenn im ersten Jahrzehnt der frankistischen Herrschaft für traditionalistische und faschistische Ideologien mehr Entfaltungsraum geblieben wäre. Ein neues, sich noch in christlichem Gewand präsentierendes Ethos begann eine Gesellschaft zu erobern, in der die Zeit zum Stillstand gekommen schien und die sich selbst – wohl aus einem vagen Gefühl der intellektuellen und affektiven Leere heraus – gerade wieder intensiv ihrer jüngeren Vergangenheit zugewandt hatte. Das *Opus Dei* und Josemaría Escrivá de Balaguers *Camino* können wir aus der Retrospektive als das andere, auf die Zukunft gerichtete Spanien der fünfziger Jahre identifizieren.

Doch vorerst gab es noch wenig konkrete Anzeichen für die sich anbahnende Veränderung. Es ist bezeichnend, daß ein Boykott der Straßenbahn, mit dem die Bevölkerung von Barcelona 1951 auf eine Fahrpreisanhebung um 40 Prozent (die in Madrid nicht stattfand) reagierte, als bedeutendes Ereignis in die Geschichtsbücher eingegangen ist; daß Studentenunruhen seit Mitte der fünfziger Jahre zum Hauptproblem für Francos Innenpolitik wurden. Und man übertreibt keinesfalls mit der Behauptung, daß sich Spaniens ›Öffnung auf Europa‹ zunächst im Fußball vollzog, wo das von Santiago Bernabeu zum fünfzigjährigen Jubiläum von Real Madrid gegebene Versprechen einer *grandeza insospechada* – in wirklich ›ungeahnter‹ Weise – Wahrheit wurde. Daß zuerst der F. C. Barcelona einen Starspieler des Auslands, den Exil-Ungarn Laszlo Kubala, 1950 vertraglich verpflichtet hatte, wurde bereits erwähnt. Im Sommer 1953 gelang es Real Madrid – unter bis heute nicht ganz geklärten Umständen, an denen sich die Gemüter spanischer Fußballfans noch immer erhitzen können[172] –, dem F. C. Barcelona den aus Argentinien stammenden und damals bei einem kolumbianischen Verein spielenden Alfredo di Stéfano abzujagen. Di Stéfano entwickelte sich bei Real Madrid zum herausragenden Spieler im internationalen Fußball der fünfziger Jahre, und vielleicht ist es mehr als ein sporthistorischer Zufall, daß gerade er eine neue Einstellung zum professionellen Sport und ein neues Verhältnis zwischen dem Star und seiner Mannschaft vorlebte:

Di Stéfano fue un jugador entregado al fútbol. Ha vivido del fútbol porque antes vivió para el fútbol. De facultades privilegiadas, con un tranco poderoso en la carrera, supo cuidarlas y administrarlas. No le entrenaban solamente los entrenadores; se entrenaba él solo también, porque nadie mejor que él sabía lo que necesitaba. En Madrid adquirió desarrollo físico, cogió peso, músculo, potencia, sin perder velocidad. De técnica asombrosa – como buen argentino en su origen – pero utilizada para una acción general plena al servicio del equipo y como una explosión de su temperamento. La grandeza de Alfredo di Stéfano como jugador fue que siendo un ›divo‹, trabajaba en la ópera como corista y así estaba en todos los papeles del extenso reparto que exige un partido de fútbol.[173]

Als im Frühjahr 1955 auf Initiative der französischen Sportzeitung ›L'Equipe‹ die erste Ausspielung eines Pokals der europäischen Fußball-Landesmeister geplant und beschlossen wurde, gehörte Santiago Bernabeu zu der Avantgarde jener drei Vereinspräsidenten, welche die Idee von Anfang mitgetragen und durch eigene Initiativen gefördert hatten. Seine Pionier-Rolle auf europäischem Parkett stand in erstaunlichem Kontrast zu der damals noch kaum durchbrochenen politischen, wirtschaftlichen und intellektuellen Isolation Spaniens. Vielleicht war sie teilweise durch den Umstand motiviert, daß zum Anlaß für die Einrichtung des Fußball-Europacups der (bis dahin nicht ›beweisbare‹) Ruhm von Honved Budapest – einer Mannschaft aus einer sozialistischen Volksrepublik – wurde, das beste Fußballteam Europas zu sein.[174] Immerhin mußten damals in aller Eile durchaus ungewohnte Verhandlungen abgewickelt werden, bevor am Weihnachtstag 1955 Partizan Belgrad in Madrid zum Halbfinalspiel antreten konnte, weil Jugoslawien zu den wenigen Ländern gehörte, die noch keine diplomatischen Beziehungen mit Francos Spanien eingegangen waren.[175]

Im Juni 1956 schließlich gewann Real Madrid durch ein in der neunundachtzigsten Minute erzieltes Tor das erste Endspiel um den Fußball-Europacup gegen den französischen Meister Stade Reims in Paris. Darauf folgte bis 1960 eine ununterbrochene Serie von vier weiteren Erfolgen im Landesmeisterwettbewerb, und während dieser Jahre spielten einige der besten Fußballer der Welt bei Real Madrid – unter ihnen der Franzose Raymond Kopa, der 1956 aus Budapest geflohene Ferencs Puskás und der Brasilianer Didi, Mitglied der Weltmeistermannschaft von 1958. Euphorische Kommentare, in denen Real Madrid als ›beste Auslands-Botschaft Spaniens‹ gefeiert wurde,[176] als ›Mannschaft aus Spanien auf der Suche nach sportlichem Ruhm‹,[177] als ›Höhepunkt des europäischen Fußballs‹[178] waren damals in allen Ländern des Kontinents gang und gäbe, und noch heute sind viele Spezialisten der Meinung, daß Fußball nie schöner gespielt worden ist als von Real Madrid in den fünfziger Jahren, weil sich Einzelkönner und Mannschaft nie perfekter ergänzten. Es gehörte aber auch – nicht nur in Spanien – zu den intellektuellen Gemeinplätzen, die sozialpsychische Kompensations-Wirkung jener internationalen Fußballerfolge in einer nationalen Phase um sich greifender Streiks und wirtschaftlicher Depression seit Mitte der fünfziger Jahre herauszustellen; und die Popularität von Real Madrid bei den Spaniern mag gelitten haben unter dem Ehrgeiz zahlreicher Minister – zu denen nach 1950 auch Mitglieder des *Opus Dei* gehörten[179] –, sich öffentlich als Förderer der Meistermannschaft hervorzutun. Doch solche Vorwürfe kann man stets ebenso leicht wie dem Sport der Kunst und der Literatur machen. In Spanien erreichte der Fußball um 1960 jedenfalls eine Eleganz und eine Genialität, der – etwa – die Literaten des Landes nichts Vergleichbares zur Seite stellen konnten. Wie extrem der Kontrast zwischen diesem Glanz und dem technischen Entwicklungsstand des Landes war, das macht die Tatsache deutlich, daß erst das fünfte siegreiche Europacup-Endspiel von Real Madrid durch das spanische Fernsehen (und nur in einige wenige Städte) übertragen wurde.[180]

Vermutlich in den fünfziger Jahren verbreitete sich unter den spanischen Intellektuellen auch ein neues (und bald schon bis zum argumentativen Automatismus überstrapaziertes) Schema in der Darstellung ihres Verhältnisses zum Staat. Was immer man als Mangel, als Rückstand gegenüber der künstlerischen und wissenschaftlichen Produktion anderer Länder erfuhr, wurde auf staatliche Repression und Zensur abgebucht. Jegliche Veränderungen und ›Fortschritte‹ erschienen dann notwendig wie Folgen einer ›Liberalisierung‹ in der Kulturpolitik. Allzu selten tauchte die Frage auf, zu welchen Leistungen Kunst, Literatur, Philosophie denn ohne Repression fähig gewesen wären. Allerdings trugen auch die Reden des jungen Kultusministers Joaquín Ruiz-Jiménez, dem es angesichts des Personals im Machtzentrum nicht schwer wurde, als ›brillant‹ und geradezu ›progressiv‹ zu gelten, zur Habitualisierung dieses Schemas bei. Viel beachtet und viel zitiert wurden damals seine programmatischen Erklärungen zur Eröffnung der ersten Spanisch-Lateinamerikanischen Biennale für Bildende Künste im Jahr 1951:

Frente a la creación artística, el Estado tiene que evitar dos escollos: la indiferencia agnóstica y la intrusión totalitaria. La primera se sustrae a la Verdad y a la Belleza, la segunda las esclaviza. Entre estos dos peligros, la actitud que debe adoptarse deberá arriesgarse a una comprensíon viva e inmediata de la naturaleza del arte: el arte tiene una esfera de autonomía, la de la expresión libre del alma individual, en la que el Estado, en su propio interés, no deberá inmiscuirse.[181]

Tatsächlich waren solche Worte Anzeichen für eine Bereitschaft des Staates zur Liberalisierung, die sich ihrerseits als Teil einer Ausdifferenzierungsbewegung der gesellschaftlichen Systeme und Institutionen verstehen läßt. Doch gegen die bei den Intellektuellen so beliebte Kausalitätsannahme von ›staatlichem Nachgeben vor künstlerischem Druck‹ spricht die Beobachtung, daß Bewegungen und Werke, welche entstandene ›Freiräume‹ nutzten, oft lange auf sich warten ließen. So wurde im Bereich der bildenden Künste erst 1957 zu einem Symboljahr, dessen Manifeste und Programme sich gegen die um 1950 herrschende Lethargie stellen lassen. Im Februar 1957 rief in Madrid eine Gruppe junger Maler und Bildhauer, die sich den bezeichnenden Namen ›El Paso‹ gab, mit durchaus selbstkritischen Worten dazu auf, eben den fälligen ersten Schritt hin zu einer Veränderung der eigenen Produktion endlich zu vollziehen:

›El Paso‹ es una agrupación de artistas plásticos que se han reunido para vigorizar el arte contemporáneo español, que cuenta con tan brillantes antecedentes, pero que en el momento actual, falto de una crítica constructiva, de ›marchands‹, de exposiciones que orienten al público, y de unos aficionados que apoyen toda actividad renovadora, atraviesa una aguda crisis.

›El Paso‹ organizará una serie de exposiciones, colectivas e individuales, de pintura, escultura, arquitectura y artes aplicadas, en un vasto programa a desarrollar paulatinamente, así como también homenajes a los artistas que nos enorgullece considerar nuestros maestros. Fin primordial de nuestra tarea es la celebración de un salón anual agrupando todos los artistas, tanto españoles como extranjeros, que consideremos de interés, y la publicación de un boletín de información y divulgación de las modernas corrientes del arte contemporaneo.[182]

Solchen Gruppen und ihren Diskursen gefiel es schon bald, sich als ›systemfeindlich‹, ›ideologiekritisch‹ oder gar ›revolutionär‹ zu inszenieren; nichts hätten ihrem Selbstverständnis mehr widersprochen als eine Annäherung an das Opus Dei, dessen Repräsentanten seit Ende der fünfziger Jahre begannen, die wichtigsten Positionen im Zentrum staatlicher Macht zu besetzen. Dennoch sind aus der Retrospektive gerade die Parallelen zwischen diesen – vermeintlich antipodischen – Bewegungen in der spanischen Gesellschaft relevant. Denn beide Seiten verzichteten auf die bislang so beliebte – wenigstens rhetorische – Möglichkeit, Symptome für die ›historische Verspätung‹ Spaniens in nationale Ehrentitel umzumünzen, auf beiden Seiten stellten sich die Initiativen von kleinen Gruppen der Trägheit von Behörden und Traditionen entgegen, beide Seiten ließen den für die spanische Geschichte so typischen Habitus der wechselseitigen ›Entwirklichung‹ von Gesellschaft und Individuum hinter sich und setzten auf ›Modernisierung‹.

Was die Manifeste des Jahres 1957 für die bildenden Künste in Spanien bedeuteten, waren die 1955 organisierten *Conversaciones de Salamanca* für den Film.[183] Daß der frankistische Staat die Produktivität in diesem Medienbereich mit seltener Energie beförderte, wurde bereits erwähnt. In den fünfziger Jahren hatten sich vor allem zwei Gattungen durchgesetzt: zum einen trivialisierte Formen des *Flamenco* und anderer als ›besonders spanisch‹ geltender Regional-Traditionen (Diva jener Filme war die bis heute berühmt-berüchtigte Sarita Montiel); zum anderen Geschichten um wundersam begabte Kinder, deren Talent und deren Begnadung sich gegen alle Fährnisse des widrigen Schicksals durchsetzten (der kleine Sänger Joselito war so populär wie Sarita Montiel, und mit *Marcelino pan y vino*, der Film-Geschichte um einen von Mönchen aufgezogenen Waisenknaben, dem denkbar früh der Wunsch erfüllt wird, in die ewige Seligkeit einzugehen, erzielte das spanische Kino gar einen Welterfolg). Allerdings war auch schon 1951 ein in Spanien produzierter Film auf dem Festival von Cannes ausgezeichnet worden: er trug den Titel ›*Bienvenido M. Marshall*‹ und parodierte die – durch die politischen Entwicklungen um 1950 motivierten – Hoffnungen der Landbevölkerung auf Wirtschaftshilfe aus den USA. Es war Bardem, der Drehbuchautor dieses

Films, der bei den *Conversaciones de Salamanca* einen neuen Ton der Kritik initiierte, indem er das spanische Kino ›politisch wirkungslos, gesellschaftlich verlogen, intellektuell völlig minderwertig, ästhetisch gleich null und technisch schmalbrüstig«[184] nannte. Zu diesem neuen Gestus des Protests gehörten als Elemente, auf die plötzlich niemand mehr verzichten wollte, marxistische Begriffe und Perspektiven, deren Wirksamkeit wohl eher in der flagranten Nichtbeachtung offizieller Diskurs-Regeln und Tabus lag als in ihrer analytischen Kraft. Bardem jedenfalls ließ aufhören mit seiner Behauptung, ›daß die offensichtliche technische Schwachbrüstigkeit aus einem vorteilhaften Arrangement zwischen dem Management und der Film-Lumpenbourgeoisie, die ohne Risiko Geld verdienen will‹, hervorging. Nicht anders klangen die programmatischen Erklärungen, durch die seit Ende der fünfziger Jahre in Katalonien ›Liedermacher‹ mit politischem Anspruch die Unterdrückung der katalanischen Kultur durch den frankistischen Zentralismus, ihre *Nova cançó* und nicht zuletzt sich selbst in Szene setzten.[185] Hier vollzog sich ein aufsehenerregender Tabubruch im öffentlichen Gebrauch der katalanischen Sprache. Aber weil für niemanden zu übersehen war, daß die Forderungen nach regionaler – oder gar ›nationaler‹ – Autonomie, wie sie die ›neuen Sänger‹ artikulierten, durchaus den Interessen der wirtschaftlich mächtigen katalanischen Industrie entsprachen, setzte schon sehr bald eine heftige Diskussion ein, in der sich alles um die Unterscheidung zwischen den ›kommerziellen‹ und den ›politischen‹ Tendenzen der *Nova cançó* drehte.

Am frühesten – und wohl am reflektiertesten – wurden Modernisierungsbestrebungen und politischer Protest im Theater-Milieu laut. Mittlerweile ist jener Diskurs in der Kulturgeschichtsschreibung untrennbar verbunden mit dem Namen des 1926 geborenen Alfonso Sastre, der weniger mit Erfolgen seiner Stücke auf spanischen Bühnen berühmt wurde als durch die monotone Regelmäßigkeit, mit der ihn die Verdikte der Zensur trafen. Die Tatsache, daß Sastre 1950 sein Manifest für ein *Teatro de Agitación Social* in der von der *Falange* protegierten Zeitschrift *La Hora* veröffentlichte, wirft ein – heute gängige – Schematismen korrigierendes Licht auf den Ursprung der künstlerischen Protestbewegungen im frankistischen Spanien.

Noch 1984 sah Alfonso Sastre selbst Anlaß, auf solcher Differenzierung zu bestehen: *yo no tenía ningún punto de vista político. Nuestra rebelión era absolutamente estética. Teníamos una indiferenciación política total. Nosotros nos fuimos volviendo rojos por los golpes que nos producía el sistema. Pero no surgimos como una protesta política. Ni mucho menos.*[186] Zunächst, so Sastre, habe sich die *bewußte* Kritik beschränkt auf das Spiel mit der Ähnlichkeit zwischen den Initialen des *Teatro de Agitación Social (TAS)* und dem Namen der sowjetischen Nachrichtenagentur *›TASS‹*.[187] Erst im Prozeß der Erfahrungen mit der staatlichen Zensur und Kulturpolitik entwickelte Sastre jene Strategie, aus der sich seine historisch bedeutsame Rolle ergab. Von anderen Künstlern und ihrem kompromißbereiten Protest verschieden – im Gegensatz vor allem zu dem erfolgreichen Buero Vallejo – versuchte Sastre, die jenseits der Toleranzgrenze des Staates liegenden Räume politischen Handelns und ästhetischer Kommunikation zu markieren:

Buero Vallejo ... atacó a las gentes que hacíamos un teatro *deliberadamente imposible.* Se refería evidentemente mucho a mí ... y él decía que había que adoptarse una postura *posibilista.* A esta posición de que había que hacerse un *teatro posibilista* ... yo, entonces, contesté con un pequeño artículo en *Primer Acto* que se titulaba así: ›Teatro imposible y pacto social‹, tratando de estas posiciones y diciendo que la firma del pacto significaba entrar en un pacto irreversible, era ingresar en el conformismo, pues no había forma de romper el pacto una vez firmado ... En cuanto a la respuesta a Buero Vallejo, consistía aproximadamente en decir que no se podía hablar de un teatro posible en la medida en que la censura no tenía una estructura determinada, pues tenía una estructura muy arbitraria, y que el preconizar la realización de un teatro posible, desde el punto de vista del posibilismo, podía encerrar el riesgo de autocensura, de que nosotros le ahorráramos el trabajo a la censura, censurándonos a nosotros mismos.[188]

Gegen das Etikett des *posibilismo*, das später bestätigt schien durch seine Wahl zum Mitglied der *Real Academia de la Lengua* und durch die Aufnahme einiger seiner Stücke in das Programm des spanischen Fernsehens, mußte sich Buero Vallejo noch in den siebziger Jahren verteidigen.[189] Mehr als ein Jahrzehnt später ist es wohl an der Zeit, – jenseits solcher Positionen – zu verstehen, daß die vielleicht wichtigste Funktion des spanischen Theaters nach 1950 gerade darin lag, Diskussionen wie die zwischen Alfonso Sastre und Antonio Buero Vallejo zu ermöglichen. Die künstlerischen Protestbewegungen loteten – im Zusammenspiel der Künstler, aber auch in einer letztlich ›konzertierten Aktion‹ zwischen Künstlern und Staat – Freiräume der Modernisierung aus, die seitens der Regierungsbehörden nie wirklich abgesteckt worden waren.

Im Vergleich zu dem Engagement, das bei der Lektüre jener Diskussionen gegenwärtig wird, gerieten die Dramen selbst oft allzu allegorisch, ja akademisch. Ein Beispiel ist Buero Vallejos Stück ›*En la ardiente oscuridad*‹, das am 1. Dezember 1950 uraufgeführt wurde. Schon der Ort der Handlung legte alle intendierten Bedeutungen fest: sie spielt in einem Heim (›*institución*‹) für blinde Studenten, wo das Wort ›*ciego*‹ durch das Kunstwort ›*invidente*‹ ersetzt ist und wo das Wissen um die Blindheit unter dem Ton banaler Seinsfreude vergessen werden soll. In diese Szenerie tritt mit den Worten ›*Nada. Dejadme. Yo ... soy un pobre ciego*‹ Ignacio, der sich gegen allen institutionellen Zwang und gegen alle individuellen Widerstände weigert, über das Elend seiner Blindheit hinwegzureden.[190] Am Ende, als die verdrängungsmächtige Moral der Anstalt, von Ignacios Standhaftigkeit unterminiert, zusammenzubrechen droht, beauftragt Don Pablo, ihr Direktor, den Muster-Blinden Carlos, dessen ehemalige Freundin Juana mittlerweile Ignacio liebt, mit der Lösung des Problems: *tiene que irse. Es el enemigo más desconcertante que ha tenido nuestra obra hasta ahora. No podemos con él, no ... Es refactario a todo.* (Impulsivo.) *Carlos, piense usted en algún remedio. Confío mucho en su talento.*[191] Carlos tötet Ignacio, und die gemeinsame Blindheit der Studenten erspart zusammen mit ihrer Solidarität, die aus gemeinsamer Angst vor dem Eingeständnis dieser Blindheit entsteht, die Aufklärung der Tat. Nicht einmal ein Selbstmord Ignacios kann als gemilderte Version der Wirklichkeit akzeptiert werden: *La hipótesis del suicidio era muy desagradable. No hubiera compaginado bien con la moral de nuestro Centro.*[192] Es kommt Carlos, dem Mörder, zu, die Wiederherstellung des Ausgangszustandes in einem verzweifelten Triumphschrei zu ratifizieren: *¡No existe aquí la vista!*[193] Noch bevor sich der Theatervorhang ›langsam‹ senkt, wissen die Zuschauer auch, daß Carlos nun gestraft ist mit dem Verlust seiner Fähigkeit, die Sehnsucht nach dem Sehen zu verdrängen:

CARLOS. – ... Y ahora están brillando las estrellas con todo su esplendor, y los videntes gozan de su presencia maravillosa. Esos mundos lejanísimos están ahí, tras los cristales ... *(Sus manos, como las alas de un pájaro herido, tiemblan y repiquetean contra la cárcel misteriosa del cristal.)* ¡Al alcance de nuestra vista! ... si la tuviéramos ...[194]

Auch die Lyrik der fünfziger Jahre war in Spanien von den einsetzenden Tönen des ›politischen Engagements‹ gefärbt. Die der Vergangenheit zugewandten Klagen über individuelle Einsamkeit und existentiellen Ekel der Nachkriegszeit schienen nun im Begriff der spanischen Nation und seiner Gegenwartsversion ihren Bezugspunkt gefunden zu haben:

Oh España, qué triste pareces.
    Quisiera asistir a tu muerte total, a tu sueño completo,
saber que te hundías de pronto en las aguas, igual que un navío maldito.
    Y sobre la noche marina, borrada tu estela,
España, ni en tí pensaría. Ni en mí. Ya extranjero de tierras y días.[195]

Solche ›Kritik‹ wollte sich gerade da, wo sie lyrisch artikuliert war, als ›Wegbereiterin einer besseren Zukunft‹ zeigen, und nicht selten geriet über so guter Absicht die Poesie zum Hymnus auf jene politischen Funktionen, die sie für sich reklamierte. Da die Lyriker aber an dem Topos festhielten, demzufolge die Leidenschaft des politischen Kampfes mit der Muße als notwendiger Voraussetzung für poetische Entfaltung nicht vereinbar war, wurde ein Paradox vorübergehend zur Gattungskonvention. Die politische Lyrik feierte sich als ›politisch‹, indem sie sich die Möglichkeit, ›Lyrik‹ zu sein, absprach:

Quiero daros vida, provocar nuevos actos,
y calculo por eso, con técnica, qué puedo.
Me siento un ingeniero de verso y un obrero
que trabaja con otros a España en sus aceros.

Tal es mi poesía: Poesía-herramienta
a la vez que latido de lo unánime y ciego.
Tal es, arma cargada de futuro expansivo
con que te apunto al pecho.

> No es una poesía gota a gota pensada.
> No es un bello producto. No es un fruto perfecto.
> Es algo como el aire que todos respiramos,
> y es el canto que espacia cuanto dentro llevamos.[196]

Solche Verse haben offenbar weit über das Maß der für lyrische Texte im XX. Jahrhundert sonst üblichen Wirkung hinaus das Bewußtsein jener Spanier geprägt, die ›für den Fortschritt engagiert‹ – ›progre‹, sagte man, – sein wollten. Blas de Otero schrieb ein poetisches Testament datiert auf *Bilbao, a once de abril, cincuenta y tantos,* in dem er, der Dichter, nichts vermachen konnte, weil er in der Rolle des Erben (und im Titel des Gedichts) die *Inmensa mayoría* einsetzte. Denn für die *inmensa mayoría,* das war die Position, um deren – im Gedicht – paradoxale Festschreibung es Blas Otero ging, sei alle Poesie viel weniger wert als der innere Friede eines einzigen Menschen:

> Aquí tenéis, en canto y alma, al hombre
> Aquel que amó, vivió, murió por dentro
> y un buen día bajó a la calle: entonces
> comprendió: y rompió todos sus versos.
> ...
> Yo doy todos mis versos por un hombre
> en paz.[197]

Kaum ein spanischer Literat oder Künstler bemühte sich in jenen Jahren des Aufbruchs zu ›engagierter‹ Kritik noch im Ernst um die Vermittlung der explizit nie abgeschafften offiziellen ›Weltanschauung‹, und da die politisch Mächtigen die Instanzen der Ideologieproduktion längst dem vom *Opus Dei* vertretenen Diskurs zugewiesen hatten, konnte ihnen das auch nur recht sein. Allein der Maler Salvador Dalí hielt an den Begriffen und Metaphern fest, die ein gutes Jahrzehnt zuvor mit glühender Überzeugung eine Zeitschrift wie *Jerarquía* ihren Lesern nahegebracht hatte, und fügte sie zu Konstrukten zusammen, deren Phantastik den surrealistischen Räumen seiner Bilder nicht nachstand. Unter dem Datum des 8. Mai 1956 berichtet Dalí in seinem Tagebuch, daß er – aufgefordert, seinen 1935 veröffentlichten Text *La conquista de lo irracional* mit einer Widmung für Adolf Hitler zu versehen –, wie ein Analphabet an die Stelle der Unterschrift ein Kreuz gesetzt habe: *En efecto, Dalí, especialista en cruces (el más grande que jamás haya existido), había logrado con dos rasgos tranquilos expresar gráfica, magistral, y diría todavía mejor, mágicamente y de una manera concentrada, la quintaesencia de lo opuesto absoluto a la esvástica, la cruz dinámica, nietzscheana, gamada, hitleriana.* Und Dalí zögerte nicht, die militärische Vernichtung Hitler-Deutschlands mit dem Gegensatz zwischen ›seinem‹ Kreuz und dem Hakenkreuz zu assoziieren: *Adolfo Hitler, que debía poseer sin duda apasionadas antenas de magia, repletas de horóscopos, debió seguramente quedar aterrado durante largo rato de mi augurio, hasta que se produjo su muerte en el bunker de Berlín. Lo que sí es cierto, es que Alemania, a pesar de sus esfuerzos sobrehumanos, por el hecho de ser vencida, perdió la guerra y que fue España la que, sin participar en el conflicto, sin hacer nada, humanamente sola, con su creencia dantesca y con la ayuda de Dios, quedó en plaza a ganarla, la ganó y está en camino de ganar y continuar ganando espiritualmente esta misma guerra.*[198] Solche Sätze wären – trotz ihres Autors – des Zitierens kaum wert, wenn sie nicht genau den in den vierziger Jahren von Francos Staat vertretenen (und nie widerrufenen) Anspruch reproduzierten, Spanien sei als ›moralischer Sieger‹ aus dem Zweiten Weltkrieg hervorgegangen. 1964, als Dalís *Diario de un genio* (zuerst in französischer Sprache) veröffentlicht wurde, konnte und durfte das allein noch der frankistische Staats-Narr Salvador Dalí behaupten.

Währenddessen hatte sich im Roman, wo der *tremendismo* lange vor 1950 an die Grenze der Kombinationsmöglichkeiten zwischen einem mehr oder weniger ›existentialistischen‹ Pessimismus und politisch motivierter Sozialkritik gelangt war, das Ende des expliziten literarischen Engagements abgezeichnet. Zwar folgte Camilo José Cela gewiß seinen Erfahrungen mit der Zensur der Nachkriegszeit, als er 1951 gleich die erste Ausgabe des Romans *La colmena* in Argentinien publizierte, zwar wurde die Handlung noch einmal aus der historischen Retrospektive – genau auf das Jahr 1942, als *Pascual Duarte* erschien – erschlossen; Thema von Celas neuem Buch waren aber weder eine vergangene Welt noch deren Kritik, sondern die Erfahrung, daß die Komplexität des Alltags mit konventionellen Stilmitteln nicht mehr zu fassen war: *Mi novela* La colmena, ... *no es otra cosa que un pálido reflejo, que una humilde sombra de la cotidiana, áspera, entrañable y dolorosa realidad. Mienten quienes quieren disfrazar la vida con la máscara loca de la literatura. Ese mal que corró en las almas; ese mal que tiene tantos nombres como queremos darle, no puede ser combatido con los baños calientes del conformismo, con la cataplasma de la retórica y de la poetica.*[199] Mit dem Vorsatz, das Alltagsleben ohne die Vororientierungen literarischer Formen abzuschreiben, verabschiedete Cela den Protagonisten-Typ des handelnden, seine Welt gestaltenden Subjekts: *La vida es lo que vive – en nosotros o fuera de nosotros –; nosotros no somos más que su vehículo, su excipiente como dicen los boticarios. Pienso que hoy no se puede novelar más – mejor o peor – que como yo lo hago. Si pensase lo contrario, cambiaría de oficio.* Man hat diese Sätze aus dem Vorwort der *Colmena* – wahrscheinlich zurecht – immer wieder als Beleg für Celas prinzipiell unbescheidene Freude an der Selbst-Inszenierung zitiert. Stellt man sie in einen weiteren Rahmen als den der spanischen ›Nationalliteratur‹, dann zeigen sie lediglich an, daß nach 1950 – mit jahrzehntelanger Verspätung – auch in Spanien für den Romandiskurs die Spannung zwischen der Linearität des Erzählens und der alltagsphilosophischen Erfahrung einer Pluralität von Wirklichkeiten konstitutiv wurde. Das schier konturenlose ›Gewimmel‹ einzelner Szenen, aus denen die *Colmena* besteht und auf das der Titel Bezug nimmt, wird zwei Tagen – im Madrider Alltag des Jahres 1942 – zugeordnet. Dreihundertsechsundvierzig Personen, so hat man ausgezählt,[200] tauchen in diesen Szenen auf, verschwinden und kehren meist erst dann wieder, wenn die Erinnerungen des Lesers an sie vage geworden oder verschwunden sind. Cela selbst hat seinen Roman um einen alphabetischen *Indice de personajes* ergänzt, wo er unter den jeweiligen Personen-Namen die narrativen Bruchstücke zu runden Mini-Geschichten oder Mini-Porträts zusammenfügt. All das belegt seine Freude am diskursiven Experiment und an der – kleinen – Publikums-Provokation, denen er bis heute in einer ausufernden Produktion von Erzähltexten treu geblieben ist.

Neuland erschlossen solche ›Experimente‹ damals höchstens für manchen spanischen Leser. Noch 1955 konnte Rafael Sánchez Ferlosio den *Premio Nadal* mit dem Roman *El Jarama* gewinnen, der unter erzähltechnischer Perspektive wesentliche

Merkmale mit der *Colmena* teilt. Hier sollte die Handlung – nur mehr – einen Tag und – wiederum – eine kaum übersehbare Vielzahl von Personen erfassen. Der Tag ist ein sommerlicher Feiertag, und die Personen sind Ausflügler aus Madrid, gebündelt in eine Gruppe von Jugendlichen, die am Ufer des Flusses Jarama liegen, und in die Gäste eines Ausflugslokals. Die Indifferenz und Opakheit des Roman-Diskurses ist hier gegenüber der *Colmena* durch eine besondere Ambivalenz gesteigert: einerseits berichtet die Erzählung von einem dramatischen Ereignis, nämlich dem tödlichen Badeunfall eines jungen Mädchens, andererseits aber gewinnt dieses ›Ereignis‹ in der Vielfalt der Stimmen und Szenen keine Konturen. Wenn man von dem Leonardo-da-Vinci-Zitat ausgeht, das Sánchez Ferlosio seinem Roman voranstellte – *El agua que tocamos en los ríos es la postrera de los que se fueron y la primera de las que vendrán; así el día presente* –, dann scheint es darum zu gehen, diese Entwirklichung der Ereignis-Dimension mit einem neuen Modus des Erfahrens von ›Zeit‹ zu korrelieren: die Sinn-Gestalt des Ereignisses zerfällt angesichts der Pluralität unendlich kurzer Gegenwarten. Dieser Pluralität der Gegenwarten – und der Roman-Szenen – entspricht eine Vielfalt von Diskursen, die sich wechselseitig so weit neutralisieren, daß Leser und Kritiker, wie Sánchez Ferlosio 1965, im Vorwort zur sechsten Auflage seines Romans nicht ohne Genugtuung berichtete, dem Autor ganz selbstverständlich auch zwei in den Text montierte Zitate aus einer 1864 veröffentlichten *Descripción física y geográfica de la provincia de Madrid* zuschrieben. Besonders eindrucksvoll veranschaulicht dieses Prinzip der ›diskursiven Neutralisierung durch Diskurs-Pluralisierung‹ eine Passage vom Ende des Romans, wo der fingiert-bürokratische Formalismus des Protokolls einer Zeugenaussage über den Badeunfall in die situationsgeprägten Worte eines Richters an einen jugendlichen Zeugen und schließlich in einen halboffiziellen Ton übergeht:

... En cuya orrilla, y estimándose facultado para ello por ser estudiante en Medicina, el referido José Manuel, practicaba el idóneo reconocimiento, comprobando al instante que era cadáver. Preguntado por Su Señoría si a la vista de los hechos presenciados, le cupiese afirmar con razonable certeza tratarse de un accidente involuntario, sin responsabilidad para terceros, el declarante contestó estimarlo así.

»En ello, de leído que le fue, se afirma y ratifica y ofrece firmar.«

– Pues muchas gracias – dijo el Juez. Ya no es preciso que declare ninguno más de sus compañeros. Así que quedan ustedes en libertad, para marcharse cuando quieran.

– Pues si no desea nada más ...

– Nada. Con Dios.

– Buenas noches, señor Juez. Buenas noches.

El secretario contestó con la cabeza. Ya subía el estudiante.

– Ah, perdone; me manda usted a la joven, si tiene la bondad. La del río, ya sabe.

– Entendido. Ahora mismo, señor Juez.[201]

Früher als die zeitgenössischen Dramen und Gedichte gaben die spanischen Romane der fünfziger Jahre den Ton des expliziten politischen Engagements auf. Freilich kann man sich fragen, ob der Preis für ihre nun bald gängigen Etüden in narrativer Technik nicht ein Verzicht auf inhaltliche Identität war. Denn die Alltäglichkeit der Welten, die etwa Cela und Sánchez Ferlosio abschrieben, wurde in ihren Romanen zu einer weitgehend unspezifischen Alltäglichkeit, in der sich die Besonderheit der Milieus in der spanischen Gesellschaft der fünfziger Jahre noch nicht – oder nicht mehr – zur Erfahrung verdichtete.

Für die spanischen Verhältnisse jener Zeit ebenso ›experimentell‹ war der 1962 veröffentlichte – einzige – Roman von Luis Martín-Santos, dem damals achtunddreißigjährigen Leiter des *Sanatorio Psiquiátrico* von San Sebastián. Er trug den Titel ›*Tiempo de silencio*‹. Hier freilich werden die für Spanien zwischen Nach-Bürgerkriegszeit und beginnender ›Europäisierung‹ charakteristischen Stimmungen und sozialen Konstellationen mit einer so lässigen Brillanz und einer so ironischen Aggressivität gegenwärtig, daß gerade in der Konzentration auf Spezifisches der nationalliterarische Referenzrahmen weit überschritten ist. Übrigens markierte der Roman von Luis Martín-Santos genau den Zeitraum der ›doppelgesichtigen Ruhe‹ innerhalb der frankistischen Ära: denn die Handlung spielt 1949 in Madrid, ein Jahr vor der Aufhebung des von den Vereinten Nationen verhängten Spanien-Boykotts, also am Ende jener politischen, wirtschaftlichen und intellektuellen Isolierung Spaniens, die mit dem Ende des Zweiten Weltkriegs eingesetzt hatte, während 1962, im Erscheinungsjahr von

Tiempo de silencio, die spanische Regierung einen Antrag auf Assoziation an die Europäische Wirtschaftsgemeinschaft stellte, Manuel Fraga Iribarne, der konservative Oppositionsführer der nachfrankistischen Zeit, zum Minister für ›Information und Tourismus‹ ernannt und Laureano López Rodó, der schon bald zum Prototyp des erfolgreichen *Opus-Dei*-Technokraten avancieren sollte, in sein erstes wichtiges Staatsamt berufen wurde. Solche Maßnahmen konnte man als Eingeständnisse für das Scheitern der alten Regierungs-Konzeption von ›nationaler Autarkie‹ bewerten, die nach einem kurzen Aufschwung in der Mitte der fünfziger Jahre nun zu einer schweren Wirtschaftskrise geführt hatte. 1962 war aber für den Frankismus auch ein Jahr wachsender äußerer Herausforderungen: mit dem Zweiten Vatikanischen Konzil setzte eine Erneuerungsbewegung in der Katholischen Kirche ein und auf einer Zusammenkunft der antifrankistischen Widerstandsgruppen in München beschlossen die spanischen Exilanten, ihre Strategien mit der wiedererstarkenden Opposition im Lande abzustimmen.

All die Positionen und Perspektiven aus der Vorgeschichte dieses sich nun manifestierenden Wandels hatten die Biographie des Arztes und Romanciers Luis Martín-Santos geprägt.[202] Sein Vater war der Direktor des Militärkrankenhauses in San Sebastián gewesen und hatte sich im Bürgerkrieg staatlich anerkannte Verdienste bei der medizinischen Versorgung des nationalen Heeres erworben. Der Sohn studierte Medizin in Salamanca (von wo sein Vater stammte) und schloß diese Ausbildungsphase 1946 – als damals jüngster Arzt Spaniens – ab. Dann siedelte er nach Madrid über, um sich dem Wunsch des Vaters gemäß auf dem Fachgebiet der Chirurgie zu spezialisieren. Doch durch die Anregung seiner Madrider Lehrer, vor allem des (enttäuschten Falangisten und) Medizinhistorikers Pedro Laín Entralgo und des (den Existentialismus mit christlichen Elementen ›veredelnden‹ und deshalb in Spanien für eine ›internationale Autorität‹ gehaltenen) Psychiaters Juan José López Ibor, kam er in Berührung mit (vor allem) deutschen Denk-Traditionen und wurde – sozusagen ›zwischen Medizin und Philosophie‹ – Psychiater. Die Titel zweier Fachbücher von Martín-Santos illustrieren die für seine Entscheidung ausschlaggebende intellektuelle Konstellation: *Dilthey, Jaspers y la*

comprensión del enfermo mental (1955) und *Libertad, temporalidad y transferencia en el psicoanálisis existencial* (1964).

Die Jahre in Madrid brachten Luis Martín-Santos aber auch in Kontakt mit den Literatenzirkeln seiner Generation – durch sie entdeckte er für sich Goethe und Nietzsche, Joyce und Sartre. Zugleich setzte er seine Karriere als Psychiater gemäß den hohen Leistungs-Erwartungen fort, die er so früh geweckt hatte: schon 1949 leitete er für drei Monate die psychiatrische Klinik von Ciudad Real, 1950 verbrachte er einen Studienaufenthalt in Heidelberg und nahm am psychiatrischen Weltkongreß in Paris teil; 1951 gelang es ihm, sich in einer *oposición* für den leitenden Posten im psychiatrischen Sanatorium von San Sebastián zu qualifizieren. Während der fünfziger und frühen sechziger Jahre wurde Martín-Santos wegen politischer Aktivitäten mehrfach festgenommen (aber dies offenbar ohne negative Folgen für seinen beruflichen Status). 1962 war *Tiempo de silencio* erschienen und bei einigen prominenten Kritikern auf Anerkennung gestoßen. Ein Jahr später starb die Frau von Luis Martín-Santos an einer Gasvergiftung (ein Leitungsrohr des alten Hauses, das die beiden in San Sebastián bewohnten, war undicht geworden). Am 21. Januar 1964 verunglückte er selbst in der Nähe von Vitoria tödlich – wie Albert Camus und James Dean – bei einem Autounfall. Er war auf der Rückreise von einem Wochenende gewesen, das er mit ehemaligen Studienfreunden in Madrid verbracht hatte.

Eine undramatische Eintönigkeit, die ihre Ereignisse kontingent erscheinen läßt, teilt diese Biographie mit der Geschichte Spaniens nach 1939. Wie selbstverständlich trägt Pedro, der zentrale Protagonist in Luis Martín-Santos' Roman über das Spanien der Jahrhundertmitte, autobiographische Züge. Er erinnert aber auch an Andrés Hurtado, den (Anti-)Helden des Jahrhundertbeginns aus dem *Arbol de la ciencia* von Pío Baroja, während die kompakte Schilderung sozialer Milieus *Tiempo de silencio* in die Nähe der knapp achtzig Jahre eher entstandenen *Regenta* von Clarín rückt. Pedro stammt aus der Provinz, ist (noch nicht approbierter) Arzt und arbeitet an der Universität Madrid in einem Forschungsprojekt, das die Übertragung von Tuberkulose (anhand von Tierversuchen mit Ratten) aufhellen soll. Seine eigene Mittelmäßigkeit und die Provinzialität der wissenschaftlichen Welt, deren Teil er ist (erinnern wir uns an die Vortrags- und Besucher-Listen der späten vierziger Jahre aus der Zeitschrift *Escorial*), lassen Pedro gelegentlich Illusionen von Einladungen an amerikanische Forschungsinstitute hegen. Er wohnt in einer *pensión*, die von der Witwe eines Berufssoldaten unterhalten wird – und er setzt den unverhohlen-planvollen Bemühungen dieser Dame, ihre wohlgeformte Enkelin mit ihm zu verkuppeln, kaum Widerstand (höchstens ab und an unentschlossene Distanznahmen) entgegen.

Die Ratten für das Forschungslabor züchtet, unterstützt von seiner Familie, Muecas, der in einem Elendsviertel an der Peripherie von Madrid lebt. Muecas ist sich sicher, daß die Schwangerschaft einer seiner Töchter die Folge des inzestuös-gewaltsamen Verkehrs ist, denen er sie regelmäßig unterwirft. Er unternimmt einen Abtreibungsversuch, bei dem das Mädchen verblutet – der im letzten Moment herbeigerufene Pedro kann keine Hilfe mehr leisten. Doch sein Eingreifen ist illegal, weil ihm die Erlaubnis zur Ausübung des ärztlichen Berufs fehlt. Deshalb kann ihn Cartucho, Zigeuner, Krimineller und auf Rache sinnender Liebhaber der Tochter von Muecas, der sich ebenfalls für den Erzeuger des getöteten Foetus hält, denunzieren. Pedro taucht (in einem Bordell) unter, wird aber schon bald festgenommen und entgeht zunächst nicht der Haft – trotz vielfältiger Fürsprache seines aus einer einflußreichen Familie stammenden Freundes Matías. Erst die – gänzlich unerwartete – entlastende Aussage der Mutter des verbluteten Mädchens, die Muecas als doppelt Verantwortlichen anzeigt, bringt Pedro die Freiheit. Aus seinem Posten an der Universität wird er dennoch entlassen – und umso mehr erscheint ihm nun die Heirat mit Dorita, der Enkelin seiner Wirtin, die ihn während der Haft in rührend-naiver Weise versorgt hat, eine erstrebenswerte Lebens-Lösung zu sein. Doch als Pedro Dorita und seine (unverheiratete) zukünftige Schwiegermutter zu einem Vorstadt-Tanzvergnügen ausführt, wird Dorita von Cartucho erstochen: *le clavaba en el costado su navaja abierta, en un golpe seco y decidido que había dado más de una vez y mientras Dorita cae al suelo llenándose de sangre poco a poco encima de un charco que de noche parecía negro y que crecía, él se iba hacia afuera sin esperar ...*[203]

In der Zusammenfassung wirkt diese Handlung viel dramatischer, als sie sich auf den zweihundertvierzig Seiten von *Tiempo de silencio* liest. Denn man muß die Ereignisfolge beinahe gegen den Strich minutiöser Szenen- und Milieubeschreibungen konstruieren, deren Sprache meist die von der Lesererwartung eben diesen Milieus zuzuordnenden Diskurse variiert und verfremdet. So addieren sich die Roman-Milieus zwar zu einem ›Panorama‹, einem ›Totalbild‹ der Madrider Gesellschaft des Jahres 1949, aber zugleich bricht der in all seinen Referenzen besetzte Total-Horizont angesichts der Vielfalt von Diskursen auseinander. Die Rattenzucht des Muecas in der Elendswelt der Großstadtperipherie etwa präsentiert Luis Martín-Santos mit Tönen aus einer literarischen Genreszene englischadligen Landlebens:

Alegres transcurrían los días en aquella casa. Sólo pequeños nubarrones sin importancia obstruían parcialmente un cielo por lo general rosado. Gentleman-farmer Muecasthone visitaba sus criaderos por la mañana, donde sus yeguas de vientre de raza selecta, refinada por sapientísimos cruces endogámicos, daban el codiciado fruto purasangre. Emitía órdenes con gruñidos breves que personal especializado comprendía sin esfuerzo y cumplimentaba en el ipso facto. Vaso de fuerte bebida en mano, chasqueaba la lengua al sentir calorcillo de aguardiente en paladar. Sonoros golpes de fusta conseguía en altas botas de cuero. Conversaba después con los notables en lindes de la amplia finca. Pastor, que iba hacia su cura de almas, informado del ambiente espiritual de su poblado...

Alegres, pues, transcurrían los días del caballero, gozoso de su estatus confortable, calentado en la cama por varios cuerpos, consolado por ingestiones alcohólicas, reconfortado por la certidumbre de haber conseguido todo aquello gracias a un ingenio que le permitiera perfeccionar los métodos de captura y cría y aprovechamiento de pastos y piensos, como inteligente que era aunque no letrado, aureolado además por relaciones selectas, protecciones de otro mundo... como ... la del señor doctor que le había hablado de igual a igual, sin aparentar y sin hacer mención de las sensibles diferencias y hondos abismos que escinden las existencias de los situados a uno u a otro lado de la barrera del color.[204]

Was die Literaturkritiker gerne die ›Ironie von Martín-Santos‹ genannt haben (und wenig ist ihnen darüber hinaus eingefallen), das ist das Ernstnehmen, ja das Zitieren des Selbstbildes und des (im Fall des Muecas: tragikomischen) gesellschaftlichen Ehrgeizes der Protagonisten, das ins Groteske umschlägt, sobald es mit inadäquaten Diskursen orchestriert wird. Damit haben wir aber bereits das Grundelement jener Bedeutungsschicht von *Tiempo de silencio* identifiziert, das man die ›Sozialkritik‹ dieses Romans nennen könnte, wenn nicht der Begriff ›Kritik‹ unvermeidlich jene Instanz als gegeben voraussetzte, deren Vermeidung zum Verfahren der Ironie führt; nämlich einen ›Gegen-Standpunkt‹ zum Kritisierten, von dem aus die Kritik entwickelt und artikuliert wird.

Als ironisches (bis groteskes) Zitat des milieutypischen Selbstbildes ist auch die wohl berühmteste Szene aus *Tiempo de silencio* geschrieben, in der es um den Auftritt eines Philosophen – gemeint ist offensichtlich Ortega y Gasset – im Salon der Familie von Pedros Oberschichten-Freund Matías geht:

Pero ya el Gran Maestro aparecía y el universomundo completaba la perfección de sus esferas. Perseguidos por los siseos de los bien-indignados respetuosos, los últimos petimetres se deslizaron en sus localidades extinguida la salva receptora. Los círculos del purgatorio (que como tal podemos designar a las localidades baratas, sólo en apariencia más altas que el escenario) recibieron su carga de almas rezagadas y solemne, hierático, consciente de sí mismo, dispuesto a bajarse hasta el nivel necesario, envuelto en la suma gracia, con ochenta años de idealismo europeo a sus espaldas, dotado de una metafísica original, dotado de simpatías en el gran mundo, dotado de una gran cabeza, amante de la vida, retórico, inventor de un nuevo estilo de metáfora, captador de la historia, reverenciado en las universidades alemanas de provincia, oráculo, periodista, ensayista, hablista, el-que-lo-había-dicho-ya-antes-que-Heidegger, comenzó a hablar.[205]

Kaum einmal wird, wie wir sehen, die stilistische Isotopie solcher ›Zitate‹ durchgehalten. So wenig wie die *gruñidos breves* und die *ingestiones alcohólicas* (des Muecas) zum bürgerlichen Landroman, passen Nebenbemerkungen (des auktorialen Erzählers) wie ›*reverenciado en las universidades alemanas de provincia*‹ zum Hymnus der Salonphilosophen-Verehrung. Wo das Zitat des Selbstverständnisses der ›erlesenen Gesellschaft von Madrid‹ übergeht in die Protagonisten-Rede, werden die ›Stilbrüche im Zitat‹ ersetzt durch ›Kommentare in Klammern‹, die an Szenenanweisungen aus Dramentexten erinnern:

»Señoras (pausa), señores (pausa), esto (pausa) que yo tengo en mi mano (pausa) es una manzana (gran pausa). Ustedes (pausa) la están viendo (gran pausa). Pero (pausa) la ven (pausa) desde ahí, desde donde están ustedes (gran pausa). Yo (gran pausa) veo la misma manzana (pausa) pero desde aquí, desde donde estoy yo (pausa muy larga). La manzana que ven ustedes (pausa) es distinta (pausa), muy distinta (pausa) de la manzana que yo veo (pausa). Sin embargo (pausa), es la misma manzana (sensación) ... Lo que ocurre (pausa) es que ustedes y yo (gran pausa), la vemos con distinta perspectiva (tableau)«.

In (mindestens) einem der von *Tiempo de silencio* beschriebenen Milieus allerdings sind die Diskurs-Interferenzen Teil des zitierten Diskurses und nicht, wie sonst, vom Autor konstruierte Inkonsistenzen. Doritas Großmutter, deren ärmliche *pensión* von Martín-Santos des öfteren ironisch mit dem Prädikat der *austeridad castrense* bedacht wird, durch das Franco auf die ›militärische‹ Bescheidenheit des eigenen Lebensstils zu verweisen beliebte, Doritas Großmutter und Pedros Wirtin will in kaum-enden-könnenden Konversationen die Heldentaten ihres verstorbenen Mannes beim Kolonialheer glorifizieren und zugleich ihren gegen den widrigen Umstand der miserablen Rente durchgehaltenen ›standesgemäßen‹ Lebensstil darstellen. Doch die Anflüge pompöser Suada schlagen immer wieder in Enttäuschung, Bitternis und – dort liegt die Konvergenzlinie der beiden Extreme – in pikaresk-vitale Alltagsvernunft um:

Mi marido podía haberme dejado algo más pero no dejó sino su recuerdo, lleno para mí de encanto, con sus grandes bigotes y sus ojos oscuros y su marcialidad esquiva que nunca me permitió estar tranquila, porque él con su apostura gozaba en corretear tras las faldas, aunque más bien creo que eran ellas las que caían embobadas, pues a él no me lo imagino corriendo por ninguna; el caso es que siempre se encontraba con una en sus brazos, máxime cuando iba de uniforme que nunca dejó de gastar íntegra la masita en eso, en el adorno de su belleza y en su apostura. Además del recuerdo de su brillante estampa y de la niña (sc.: Doritas Mutter) – que ahí la tengo tan parecida a él con su apostura también y casi con su bizarría y por lástima incluso con un bozo moreno que me recuerda su bigote – me dejó la pensión del Estado para los caídos en el campo de honor y una medalla que, añadida a las trescientas venticinco con cincuenta, sigue siendo muy poca cosa para dos mujeres solas ...
Nunca me pude consolar de su pérdida y mi pobre niña tampoco

que se quedó sin sociedad por falta de quien la representara y cuando su desgracia (sc.: die Schwangerschaft mit Dorita), se quedó soltera por falta de padre o de hermano mayor que obligara al cochino del novio a dar la cara, aunque – la verdad – yo casi me he alegrado del abandono porque era un hombre imposible que la hubiera hecho desgraciada y que la hubiera hecho caer hasta lo más bajo.[206]

Die Gesamtkonstruktion von *Tiempo de silencio* legt es dem Leser nahe, diesen Diskurs und die *pensión*, in der Pedro lebt, in eine Allegoriebeziehung zum offiziellen Spanien der Jahrhundertmitte zu setzen. An einer Stelle wird aus der allegorischen Perspektive sogar ein lächerlich-rätselhaftes Symbol. Der Verzehr des samstagabendlich in der *pensión* servierten billigen Seefisches wirkte, heißt es da, gemeinschaftsstiftend – vielleicht deshalb, weil der Wert dieses Mahls (wie das Mahl beim *communio*-stiftenden Eucharistie-Sakrament?) im Kontrast zu seiner auffällig-preziösen Garnierung steht. Seine Form es ist, die man als Symbol decodieren kann: *La pescadilla mordiéndose la cola apareció sobre su plato, tan perfecta en sí misma, tan emblemática, que Pedro no pudo dejar de sonreir al verla. Comiendo esa pescadilla comulgaba más íntimamente con la existencia pensional y se unía a la mesa de mártires de todo confort que han hecho poco a poco la esencia de un país que no es Europa.*[207]

Aber so sehr ein in seinem Illusionismus grotesker Selbstbezug die Kriegerwitwe, den Salonphilosophen und den inzestuösen Rattenzüchter verbindet, so gut der Selbstbezug, symbolisch verdichtet, zum sarkastischen Nationalemblem des sich in den Schwanz beißenden toten Billigfisches werden kann – diese Art von Kritik und ihre satirischen Untertöne sind wohl nicht die wesentliche Sinnschicht des Romans *Tiempo de silencio*. Luis Martín-Santos wollte seinen Romantitel nämlich gar nicht, wie man zunächst fast selbstverständlich annehmen möchte, auf die Provinzialität, Langeweile, Ruhe in der spanischen Gesellschaft um 1950 angewandt sehen. Der Bezugshorizont, den er offenbar anvisierte, hatte zu tun mit dem traumatischen Erleben des (technologisch totalen) Zweiten Weltkriegs: *Pero ahora no, estamos en el tiempo de la anestesia, estamos en el tiempo en el que las cosas hacen poco ruido. La bomba no mata con el ruido sino con la radiación alfa que es (en sí) silenciosa, o con los*

rayos de deutones, o con los rayos gama o con los rayos cósmicos,
todos los cuales son más silenciosos que un garrotazo.[208]

Diese Sätze gehören zum Romanende, sie stehen in einem
›inneren Monolog‹ Pedros, der nach der Ermordung Doritas
Selbstvorwürfe mit der Frage einübt, ob er sich – ›voller Verzweiflung‹ sozusagen – kastrieren lassen soll und bald – im
ersten Augenblick einer Offenheit gegen sich selbst – entdeckt:
Estoy desesperado de no estar desesperado.[209] So gibt es – vom
Romanende her gelesen und aus dem Kontrast zu Pedro –
durchaus ›positive Helden‹ in *Tiempo de silencio.* Das sind jene
Protagonisten, die nicht wie Pedro in einem Individualismus
aus leeren Diskursen der Selbstzuwendung die *Materialität ih-*
res Körpers als Erlebnisdimension und über den Körper die
Fähigkeit zur *leidenschaftlichen Bindung an andere* verloren
haben. Pedro hingegen hatte schon – unmittelbar vor seiner
ersten Umarmung mit Dorita – im Katzenjammer eines frühen
Sonntagmorgens die Disharmonie zwischen seinem Bewußtsein und seinem Körper beklagt:

Pedro volvía con las piernas blandas. Asustado de lo que podía quedar
atrás. Violentado por una náusea contenida. Intentando dar olvido a lo
que de absurdo tiene la vida. Repitiendo: Es interesante. Repitiendo:
Todo tiene un sentido. Repitiendo: No estoy borracho. Pensando:
Estoy solo. Pensando: Soy un cobarde. Pensando: Mañana estaré
peor. Sintiendo: Hace frio. Sintiendo: Estoy cansado. Sintiendo:
Tengo seca la lengua. Deseando: Haber vivido algo, haber encontrado
una mujer, haber sido capaz de abandonarse como otros se aban-
donan.[210]

Anders als Pedro erfüllt Cartucho, indem er Dorita ermordet,
was er für seine Pflicht gegenüber dem verbluteten Körper der
eigenen Geliebten hält, und er entkommt, ohne daß darüber
Worte gewechselt werden: *él se iba hacia fuera sin esperar si-*
quiera a ver la cara que pondría él (sc.: Pedro) *cuando volviera*
con su gran paquete de churros y se encontrara con que la ven-
ganza había sido ejecutada, que no hay plazo que no se cumpla
ni deuda que no se pague.[211] Selbstlos, wie es Pedro nicht sein
kann, ist Dorita, deren Körper in der grotesken gesellschaftlichen Welt des Romans immer Wärme und die Erfüllung der
Sehnsucht nach Wärme bedeutet.[212] Ihre Worte »*Te quiero*«
»*Te quiero*« »*Te quiero*« »*Te quiero*«,[213] waren für Pedro an

jenem frühen Sonntagmorgen eine Gegenwart gewesen, die alles Denken verlöschen ließ und alle Einsamkeit ausfüllte: *los dos cuerpos ... tan lejanos, tan ajenos y perdidos sin que no por eso el placer más violento al hombre concedido no irradie y no le queme, a través de la distancia, allí mismo donde se refugia, en el pequeño espacio donde lo más libre de su espíritu se defiende todavía un momento para entregar luego – como una hostia a un perro negro – inevitablemente la libertad y caer rendido.*[214]
Nur bei Dorita hatte Pedro seinen Körper gespürt. Erst in seinem letzten Tanz mit ihr waren alle Gedanken, alles Zögern, alle Abhängigkeit von sich selbst verschwunden:

E iban bailando sin conocer la posición de su cuerpo en el espacio relativo a la verdadera trayectoria de la marcha sino englobados en una única unidad móvil que gira sobre sí misma, al tiempo que se desplaza alrededor de la orquesta, como un par de planetas conjuntados un par de satélites gemelos pendientes sólo el uno de la otra y la otra de él. El con la mano puesta en la cintura comprueba la calidad flexible de este talle vivo de apariencia vegetal, sin embargo humano, ella poniendo una mano en la nuca viril que está caliente e inclinada hacia delante, en esa zona en que las artes del peluquero permiten cierta desnudez de la forma muscular y ósea que expresa la inteligencia y la fuerza del varón que ellas se han conseguido y por eso les gusta poner allí la mano y palpar esa especie de carril de savia varonil por donde desciende imaginada la imágen de sí misma que da al hombre su potencia y ascienden los zumos nutritivos que permiten pensar en ella y desearla.[215]

Noch in solchen Sätzen stehen Wörter, mit denen die sprachliche Vergegenwärtigung von Wärme und Leidenschaft unterbrochen, verfremdet, in ein Restlicht der Ironie getaucht wird. Von dieser Ironie bleibt nur eine Gestalt des *Tiempo de silencio* ausgenommen. Das ist die Frau des Muecas, die Mutter der verblutenden Florita, die debile Zeugin, welche Pedro aus der Haft errettet. Auch ihr Leben hatte sich in einem *Tanz* erfüllt, an den sie sich erinnert, als sie den Weg von der Vorstadt zum Gefängnis geht, um sich zu rächen für die von ihrem Mann erlittenen körperlichen Peinigungen – und um Gerechtigkeit walten zu lassen:

En aquella tierra apenas modificada que ocupaba el hueco de su cráneo, aparecía ella misma llorando ante su hija, ella misma misma llorando ante su primitiva madre muerta, *ella misma bailando delante de la procesión del Corpus en su pueblo,* muy tiesa aunque chiquita, con una vara en la mano y un moño alto, ella misma rodeada de amigas que dicen *pelo como el de la Encarna nadie,* ella misma solicitada por el tísico de su marido que tiene sonrisa de ratón cuando todavía es joven y que abusa y la domina en una tapia de era, a la caída de la tarde, cuando ella misma se siente parte de la tierra caliente como un pan bajo el sol de julio, tan lejos de toda agua, siendo ella la única cosa fresca de la tierra y lo que él necesita para calmar la sed del cuerpo.[216]

Die Frau und das Opfer des Muecas, Pedros Retterin, die Mutter der verblutenden Florita, für deren Leben Dorita ihr Leben verliert, ist auch die einzige Gestalt des Romans, bei der eine Geste der Selbstzuwendung (anders als die pompöse Garnierung des schalen Fischgerichts in der *pensión*) eine zärtliche Geste der Zuwendung zum eigenen Körper wird. Nach dem Tod ihrer Tochter war sie es gewesen, die Pedro Schuld abgenommen und ihn getröstet hatte:

»Cuando llegué, ya estaba muerta«, fue lo primero que contra toda evidencia dijo y se puso rojo de vergüenza porque aquello no era más que una disculpa dirigida a calmar el odio de la madre. La cual no había nacido para odiar, sino que intentó consolarle: »Usted hizo todo lo que pudo«, antes de empezar a gritar, antes de arrojarse sobre la hija muerta y besar los labios que probablemente no había besado desde que – cuando era una niña – tuvieron, tras haber mamado, *el propio sabor de la propia leche.*[217]

Diese Mutter, die Luis Martín-Santos sich ›eins mit der warmen Erde‹ fühlen läßt, gerät ihm trotz solcher Worte nie zu einer peinlich mythologischen Gestalt. Ihre tierische Totenklage ist nicht rührend, sie vergeht wie das Geräusch eines Motors: *el:* »Hija«, »Hija«, »Hija«, *de la madre se había convertido en un runrún continuo de motor o de cascada que pronto deja de oírse.*[218] Mit dem Vergehen ihrer Schreie tritt die ›Zeit des Schweigens‹ ein, die eine Zeit des schweigenden Todes ist. Die Trauer des Romans *Tiempo de silencio* gilt dem, was im Leben der Menschen – nicht nur in Spanien – mit der ›Modernisierung‹ für immer gestorben war.

Unbemerkter Durchbruch

1970, im siebzehnten Jahr seiner getreu besorgten Tagebucheintragungen von den Gesprächen mit dem Staatschef, waren
Francisco Franco Salgado-Araujo, Francos Vetter und Adjutanten, immer noch die ewigen Jagdgesellschaften, die den *Generalísimo* okkupierten, ein Dorn im Auge: *Hoy he podido
despachar extensamente después de una larga temporada de
cacerías,*[219] heißt es am 2. März 1970. Doch nachgelassen hatte
Francos Bereitschaft in der Gegenwart zu leben: *He creído que
era una buena ocasión para abordar algún tema político de
actualidad, lo que pocas veces ocurre, pues si bien Franco es
aficionado a hablar mucho de las cosas antiguas, de las actuales
no le gusta hablar, sobre todo si se comenta algo de sus ministros
o de personajes políticos de primera fila.* Dennoch war es dem
Generalísimo, so sehr seine Gedanken und Gespräche nun die
Vergangenheit suchten, eher als seinem Vetter deutlich geworden, daß Spanien Jahre eines dramatischen Wandels hinter sich
gebracht hatte. Denn während der alternde Adjutant sich weiterhin im Geist der austeren Isolations-Jahre über Personal-
und Reisekosten der Ministerien beklagte, billigte Franco solche Ausgaben längst als Zukunftsinvestitionen:

Los murmuradores quieren comparar lo que ahora se hace con épocas
antiguas, cuando en aquellos tiempos los gobiernos estaban anulados y
un ministro nada tenía que hacer en Washington, Londres o París.
Nuestra actual política exterior es muy intensa y no tiene la menor
comparación con la que se hacía en épocas pasadas. Un ministro se
entera mucho mejor de lo que sucede en el mundo recorriendo las
grandes capitales y poniéndose en contacto con los ministros extranjeros, y ellos haciendo igual con nosotros. No se trata de hacer turismo,
como dicen los que todo lo critican, ya que son viajes de responsabilidad, agotadores.

Gewiß hat Franco den Prozeß der außenpolitischen Öffnung,
der wirtschaftlichen Modernisierung und der kollektiv-psychi-
schen Normalisierung Spaniens nicht behindern wollen (und
wohl kaum einmal ernsthaft behindert). Aber die von ihm benannten Motive für solche zukunftsorientierte Politik stammten noch immer aus jenem engen – und mit der Zeit leicht
grotesk wirkenden – Horizont traditionalistischer Wertnormen

und Geschichtsmythen, die schon bei seinem Regierungsantritt ein Schritt in die Vergangenheit gewesen waren. So begründete er sein Zögern angesichts der Frage, ob man politische Beziehungen zur Sowjetunion aufnehmen solle, mit dem Verweis auf die angeblich durch sowjetische Agenten im Bürgerkrieg nach Moskau gebrachten nationalen Goldreserven, von deren Rückerstattung seine Bereitschaft zur Einrichtung diplomatischer Beziehungen abhängig sei: *Tal vez eso sería un deseo de los rusos; pero lo primero que hace falta para poder tratar del asunto es que ellos devuelvan el oro que nos robaron.*[220] Den Prinzen Juan Carlos, der im Jahr 1969 offiziell als Nachfolger des Staatschefs designiert wurde, lobte er nicht etwa im Blick auf mögliche Zukunftsaufgaben, sondern wegen gelegentlicher Treuebeweise gegenüber den – im Alltag längst obsolet gewordenen – Prinzipien der ›Nationalen Bewegung‹: *las manifestaciones de Don Juan Carlos me parecen oportunas y evidencian su claro juicio acatando los principios fundamentales del Movimiento sin reserva alguna.*[221] Daß Franco schließlich – gegen die schon fast unverhohlene Kritik in der Bevölkerung und unter einigen seiner engsten Berater – hartnäckig an eine Riege aus *Opus Dei*-Ministern festhielt, begründete er mit seiner persönlichen Wertschätzung ihres Verhaltens-Stils, dessen Beschreibung aus seinem Munde wie ein Relikt aus der Epoche des Feudalismus anmutete: *Respecto a la actitud de los ministros del Opus y a lo que se dice de que se protegen entre sí y observan una conducta independiente de la que yo les deseo trazar, puedo asegurar que todo ello es falso. No pueden ser más correctos, y su lealtad al régimen y a mí es absoluta, pues ante todo son unos perfectos caballeros.*[222] 1969 kompromittierten diese ›perfekten Edelmänner‹ Francos Regierung durch einen Skandal, wie er wohl nur unter der spezifischen Konstellation einer Gleichzeitigkeit von kapitalistischem Wirtschaftsbetrieb und ständestaatlicher Mentalität entstehen konnte. Bis heute nennt man diesen Skandal den ›*Caso Matesa*‹, weil der Textilmaschinenfabrik *Matesa* (aus Pamplona, dem Zentrum des *Opus-Dei*) vom Staat nicht weniger als zehn Milliarden Pesetas an Ausfuhrkrediten gewährt worden waren, die in den Taschen prominenter *Opus-Dei*-Mitglieder verschwanden.[223] Franco reagierte mit der umfassendsten Regierungsumbildung seiner vierzigjährigen

Herrschaft – doch zur allgemeinen Überraschung (und Verbitterung) nahm die Zahl der dem *Opus Dei* nahestehenden Minister im neuen Kabinett nicht ab. Hinter dieser Entscheidung stand gewiß eine Altersstarrheit, die im Ernst zu kritisieren noch niemand wagte, aber sie war wohl auch Ausdruck von Francos Überzeugung, daß trotz allem keine Institution dem Opus Dei gleichkam in der Fähigkeit, zugleich wirtschaftliche Modernisierung zu betreiben und die Symbole einer längst vergangenen Welt zu kultivieren.

Mit aller Härte hingegen ließ Franco Polizei und Geheimdienst Jahr für Jahr gegen Studentenunruhen einschreiten, und auch hier orientierte er sich an einem denkbar einfachen und unverrückbaren Deutungsschema, das ihn selbst im Protest falangistischer Studentenorganisationen die Auswirkung kommunistischer Infiltration sehen ließ: *Hay mucho rojo que se disfraza de falangista, lo mismo que se hacen sacerdotes para poder dar así más impunidad a la propaganda comunista. No me extraña esto, dada la enorme propaganda que hace el comunismo.*[224] So wurde 1965 der Philosoph José Luis López Aranguren Jiménez, Professor für Ethik an der Madrider Zentraluniversität, seines Amtes enthoben, weil er sich – erfolgreich – bemüht hatte, durch Verhandlungen blutige Folgen einer Konfrontation zwischen den Studenten und der Polizei auf dem Campus abzuwenden.[225] Das einschlägige Gerichtsurteil vom 19. August 1965 beschuldigte Aranguren, die ihm vom Staat übertragene Aufgabe pervertiert und das der Universität von den Eltern der Studenten entgegengebrachte Vertrauen aufs Schwerste mißbraucht zu haben:

... para determinar en concreto la sanción a impedir en el presente caso ha de estarse a la gravedad que en la conducta del señor López-Arangueren supone para la juventud universitaria a la que arroja a los peligros de la acción subversiva y violenta, abusando de la posición en que le ha colocado y le mantiene el Estado de Maestro y orientador de los estudios de aquellos jóvenes y para lo que únicamente le han sido confiados por sus familiares.[226]

So unangemessen und verfälschend diese Sätze waren, sie trafen in Aranguren einen Intellektuellen, der wie kaum ein anderer die innerspanische Frankismus-Kritik der sechziger und frühen siebziger Jahre verkörperte. Daß dies noch einmal – im Vergleich zu anderen Ländern – eine sehr spezifisch motivierte Form der ›Kritik‹ war, läßt sich schon erahnen, wenn man weiß, daß Aranguren in seiner Jugend unter dem Einfluß des engagiert falangistischen Milieus der Pedro Laín Entralgo, Tovar und Ridruejo gestanden hatte, und daß er später Mitarbeiter und enthusiastischer Verehrer des Engel-Philosophen Eugenio d'Ors gewesen war.[227] Seine Madrider Vorlesungen kreisten um jenes Problem, das in Spanien erst seit dem Ende der wechselseitigen Ausschließlichkeits-Beziehung zwischen ›Individuum‹ und ›Gesellschaft‹ wirklich Aufmerksamkeit auf sich gezogen hatte, um das Problem nämlich, unter welchen Bedingungen eine Individualethik sozialethische Legitimität haben konnte. Die Diskussion konkretisierte sich damals – nicht nur bei Aranguren – vor allem in zwei thematischen Konfigurationen, die vom Staat als Tabubruch, ja als Provokation wahrgenommen wurden und deshalb für den intellektuellen Horizont in den späten Jahren der Franco-Ära charakteristisch geworden sind. Das war zum einen der Vergleich zwischen Katholizismus und Marxismus als sozialethischen Systemen; zum anderen die Diskussion von Normen des Sexualverhaltens im Blick auf seine sozialethischen Implikationen.

Um damals in Spanien als ›progressiv‹ zu gelten, genügte es, eine dieser beiden Problemkonstellationen zu thematisieren und damit die vom Staat gesetzten diskursiven Grenzen zu überschreiten. Erst wenn man das berücksichtigt, läßt sich verstehen, wie ein José Luis Aranguren zur revolutionären Figur des Intellektuellen-Protests mit kaum revolutionären Positionen werden konnte: *encubiertamente, la repulsa marxista del capitalismo es una condena moral y* El Capital *un tratado de ética social. Marx fue moralista en términos socioeconómicos.*[228] Auch Arangurens Sexualethik kulminierte in Fragen, die zu stellen ob ihrer Trivialität damals in anderen europäischen Ländern selbst für Theologen fast peinlich gewesen wäre: *En cualquier caso, lo que nos importa es esto: ¿se va poder ser católico solamente abandonando los medios anticonceptivos, o también usándolos; obedeciendo a la Encíclica o, simplemente respetándola?*[229] Mit der Veröffentlichung solcher Reflexionen setzte man nicht mehr durch als die – in Spanien durchaus nicht selbstverständliche – Legitimität von Diskussionen des Zweiten

Vatikanischen Konzils. Um Antworten auf seine vorsichtigen Fragen zu finden, brauchte Aranguren nicht bei Autoren wie (den in seinen Büchern häufig zitierten) Karl Marx oder Jean-Paul Sartre zu suchen. Es reichte aus, gemeinsam mit der Theologie des Zweiten Vatikanums an den Stand der protestantischen Theologie anzuschließen. Immerhin konnte jene Fraktion der katholischen Intelligenz, die dazu bereit war, keine ideologische Stütze des Frankismus mehr bleiben.[230]

Häufig zitierte Aranguren in seinen Vorlesungen eine Zeitschrift, die seit 1963 erschien und rasch zur Plattform des innerspanisch-öffentlichen Protests geworden war. Sie hieß *Cuadernos para el Diálogo*. ›Dialog‹ als Zentralbegriff in diesem Titel zeigt, daß die intellektuelle Öffnung der sechziger Jahre ein *vorsichtiger* Prozeß war. Denn mit der Bereitschaft zum ›Dialog‹ kritisierte man zwar auf der einen Seite implizit die Selbstgenügsamkeit und Enge des Frankismus, auf der anderen Seite aber wurde zunächst ja die Möglichkeit nicht prinzipiell ausgeschlossen, daß im ›Dialog‹ das orthodoxe Weltbild eine Bestätigung erführe. Vorsitzender im Gründungskomitee der *Cuadernos para el Diálogo* war der Ex-Minister Joaquín Ruiz-Jiménez, den Franco schon 1956 wegen seiner Kompromißbereitschaft im Konflikt mit politisch agitierten Studenten aus dem Kabinett entfernt hatte. Ruiz-Jiménez, dessen Name – so wie der Begriff des ›Dialogs‹ – zugleich Nähe und Distanznahme gegenüber dem Frankismus konnotierte, verfaßte für die Redaktion – ein Jahr nach dem Erlaß eines neuen Pressegesetzes und wenige Wochen nach der Verabschiedung eines novellierten Gesetzes zur Religionsfreiheit – im Frühherbst 1967 ein Manifest unter dem Titel ›*Los problemas políticos españoles, a examen*‹. Symptomatisch war schon die Umschreibung des selbstgesteckten Ziels:

CUADERNOS abre, de nuevo, sus páginas a quienes tengan algo que decir sobre esa reestructuración, a quienes sean capaces de decirlo con estilo humano, honrada y correctamente, dentro de los márgenes de la legislación vigente, aunque sea sin dejar de presionar sobre ellos y de postular, una y otra vez, el cambio del orden jurídico-positivo en una línea *auténticamente democrática* en todos los niveles y perspectivas, *desde lo económico a lo cultural y lo político.* Y quedan tambien invitados al diálogo – dentro del mismo estilo de respeto de las personas –

quienes sustengan actitudes antagónicas y prefieran las viejas fórmulas, o el engañoso inmovilismo.[231]

Wie bescheiden der Horizont der ›Utopien‹ noch gesteckt war, das zeigt ein im selben Heft veröffentlichter Essay zum Thema ›*El MOVIMIENTO y los españoles*‹. Er gipfelte in dem Vorschlag, die nach offizieller (aber öffentlich schon halb vergessener) Version noch immer das politische Leben Spaniens dominierende ›Einheitspartei‹ in ein ›Mehrheitsparteiensystem der Mitte‹ zu überführen, doch die Hauptargumente für eine solche Veränderung stammten aus dem von der Regierung selbst seit jeher benutzten Repertoire der politisch-sozialen Schreckensvisionen. Nur ein Mehrheitsparteiensystem, liest man, könne die Bedrohung des – gerade für Spanien so gefährlichen – Anarchismus bannen: *El mantenimiento de una ›forma‹ rígida, como la que se perfila en el reciente desarrollo, sólo puede conducir a acentuar su desfase con la ›realidad‹ y a dificultar un ajuste equilibrado entre las plurales tendencias existentes, fomentando el elemento individualista y anárquico latente en toda situación de caracteres predominantemente autoritarios.*[232] Richtinstanz der Bewertung solcher Zukunftsvisionen war für *Cuadernos* fraglos die Katholische Kirche des Zweiten Vatikanums: *Hoy día la Iglesia debe entrar en diálogo. Así lo afirmaba el Papa en su primera encíclica* Ecclesiam suam: ›*La Iglesia se hace palabra, la Iglesia se hace mensaje, la Iglesia se hace coloquio*‹.[233]

Das forciert moderne und zwangshaft optimistische (aber zugleich stets vorsichtige und echte Brüche mit der Regierung vermeidende) Milieu jener sechziger Jahre manifestierte sich in einem Sammelband, den der Romancier José María Gironella 1969 mit dem Titel ›*100 españoles y Dios*‹ auf den Buchmarkt brachte. Unter den hundert dort befragten Politikern und Wissenschaftlern, Sportlern, Schauspielern und Literaten fehlte – sieht man von Francisco Franco ab – kaum ein damals in Spanien prominenter oder populärer Name. Sie alle antworteten auf eine vom Herausgeber formulierte Serie von Fragen, deren erste lautete: ›Glauben Sie an Gott?‹ und deren vierte sich auf die vom Zweiten Vatikanum ausgehenden Veränderungen bezog. Insgesamt machen die ›Dialoge‹ deutlich, wie die *apertura* zwischen ›progressiven‹ Forderungen, zögernden staatlichen

Konzessionen und ultramontanem Grollen erlebt wurde. Marisol, eine einundzwanzigjährige Schauspielerin und ›kommerzielle‹ (wie Linke in jenen Jahren gesagt hätten) Flamenco-Sängerin durfte sich in kindfraulichen Tönen Jesus Christus als Geliebten vorstellen: *Sí, yo tuteo a Cristo y lo imagino guapísimo y que estoy enamorada de él. Cuando estoy triste le cuento todo, le digo: »Oye, me pasa esto y lo otro, a ver si me ayudas«. Y me ayuda. Es mi amigo. Sí, estoy enamorada de él.*[234] Dieses Christus-Bild, bekannte Marisol, stamme aus einem Angsttraum, in dem sie verzweifelt Arznei für ihre sterbende Mutter gesucht habe: *Y cuando me encontraba ya desesperada, al fondo de la calle larguísima, ví que se me acercaba una figura altísima, más alta que las casas. Era Cristo. Cristo joven, con túnica blanca y barba negra ... No he olvidado nunca aquel sueño. Quizá fue aquella noche cuando me enamoré de Cristo. Era altísimo, muy guapo y con barba negra.*[235] Man durfte also ›im Namen Christi‹ (halb-)ödipale Phantasien hegen, man konnte aber auch, wie der Psychiater Juan José López Ibor, den Gottesbegriff in einem verblasen existentialistischen Diskurs sich auflösen lassen, ohne den Anspruch zu verlieren, gläubiger Katholik zu sein: *El sentido de la vida no hay que preguntárselo a las estrellas ni a los espacios infinitos. Se lo ha de preguntar uno al infinito no espacial que lleva dentro.*[236] Ausgerechnet der damals von den Medien in einigen Monaten zum nationalen Heros stilisierte baskische Schwergewichtsboxer Urtain ortete Gott in dem Gefühl, ›den anderen keinen Schmerz zufügen zu dürfen‹, und gerade er glaubte, daß das physische Leben des Menschen ohne eine den Tod überdauernde spirituelle Existenz nicht möglich sei: *Sí ... tiene que haber algo que viva después de nuestra muerte. De eso estoy tan convencido que pienso de no haber el alma o el espíritu o lo que sea, tampoco existiría el cuerpo.*[237] Man erlaubte sich sogar – immerhin in der Öffentlichkeit jenes Buches – als Atheist oder Agnostiker aufzutreten. Die einzige Bedingung dafür scheint in einer milden Toleranz – oder besser: einer kleinen Bewunderung – gegenüber den Gläubigen gelegen zu haben. Diese Lizenz der *apertura* nutzte und demonstrierte der Dramenautor Miguel Mihura:

¿Cree usted en Dios?

A veces sí, y a veces, no. Lo que quiere decir que apenas soy
creyente. Nunca me he puesto a reflexionar sobre los motivos que
pueda haber para ello. Es algo intuitivo. Lo que sí que puedo asegurar
es que lamento ser así y que me parecen admirables y dignos de todo
respeto aquellas personas que creen en Dios todos los días.

¿Cree usted que hay en nosotros algo que sobrevive a la muerte
corporal?

Creo sinceramente que no. Y lo siento, porque me tengo por un
hombre bueno.

...

¿Cree usted que el Concilio Vaticano II ha sido eficaz? Desconozco
los Concilios Vaticanos.[238]

Unter der Losung der ›apertura‹ keimten auch, ein letztes Mal
wohl, alte Hoffnungen auf, die sozialrevolutionären Ideologeme aus der Tradition der *Falange* – gegen Franco – zu einer
Orientierung für die politische Zukunft Spaniens werden zu
lassen. Immer neue Versionen dieses späten Traums charakterisierten vor allem die zweiwöchentlich erscheinende Zeitschrift
›Indice‹, wo Ende 1969 etwa eine Artikel-Serie unter dem Titel
›*La Falange – Intento de un diagnóstico*‹ erschien. Man bemühte sich nachzuweisen, daß José Antonio Primo de Rivera
an der Legitimität des Militärputschs im Juli 1936 gezweifelt
hatte – um so historisch eine Distanz zwischen Frankismus und
Falange zu begründen; man strich die Vorbehalte der *Falange*
gegen Mussolini und Hitler heraus – und konnte dann sogar
den liberalen Sozialismus Jugoslawiens (besonders die philosophischen Reflexionen der damals international populären *Praxis*-Gruppe) als ein Modell für die spanische Zukunft anpei-
len.[239] Daß *Indice* seine Identität in der ständig breiter und
vielschichtiger werdenden Front der Oppositionszeitschriften
über ein Wiederanknüpfen an Traditionen der *Falange* zu definieren suchte, scheint die Regierung als ein strategisches Son-
derproblem gar nicht mehr wahrgenommen zu haben. Als Anfang 1969 – anläßlich der Niederschlagung von Studenten- und
Arbeiterunruhen – ein dreimonatiger Ausnahmezustand über
das Land verhängt wurde, gehörte *Indice* zu den ersten von der
Zensur betroffenen Zeitungen: die Februar-Nummer erschien
mit erheblich reduziertem Umfang. Doch es kennzeichnet die

heute nur noch schwer nachvollziehbare Situation jener Jahre, daß die zensierte Ausgabe von *Indice* mit einem Artikel unter dem Titel ›*La España de Franco*‹ begann, in dem sich die politische ›Linke‹ (gemeint war die falangistische Linke) zur ›natürlichen Erbin‹ des Frankismus eklärte: *El riesgo de España es él de una izquierda poco sensata, esclava de su encono contra Franco. Lo ›natural‹ es que le discuta, pero no que sea antifranquista ›demodé‹ (sic). Franco no es una figura de cera; aún vive. La izquierda que ataca a Franco sentimentalmente se tapa los ojos, yerra: tira piedras a su tejado. Una izquierda consciente ha de enfrentar este hecho crudo, que suena a paradoja: es su heredera natural.*[240]

Die Wochenillustrierte ›*Triunfo*‹ war ein Forum, in dem die Leser sogar explizit marxistische Standpunkte kennenlernen (nicht selten sogar: die Positionen der Kommunistischen Partei zu aktuellen politischen Fragen finden) konnten. Unter ihren ständigen Mitarbeitern war der Wirtschaftswissenschaftler Ramón Tamames, ein Mitglied des Zentralkomitees im *Partido comunista español*. Doch während Zeitschriften wie *Cuadernos para del Diálogo* oder *Indice* die politische Auseinandersetzung vorzugsweise auf der (wie wir gesehen haben: in Spanien damals besonders diffizilen) Ebene der ideologischen Frontenbildungen führten, entsprach es den Gattungsvorhaben einer Illustrierten wie *Triunfo* wohl eher, das gesamte Alltagsleben der Nation und seine Paradoxien zwischen offiziellem Frankismus und Identitäts-nivellierender Modernisierung als thematisches Spektrum zu besetzen. So zeichnete sich hier – und besonders in der Sektion ›*Celtiberia Show*‹ – eine neue, ironische Attitüde ab, die Distanz nahm gegenüber dem frohgemut-vorsichtigen Diskurs der *apertura*. In der ersten *Triunfo*-Nummer des Jahres 1974 findet man eine kleine Photo-Satire um einen *negociante poeta* aus Barcelona, der mit konstruktiv-kritischem Geist den Weg der offiziellen Modernisierung beschreiten will. Sein Lemma heißt: ›*Lo más importante no es donde estamos, sino en la dirección en que nos movemos*‹ (Goethe). Einer seiner Mitarbeiter trägt zur offiziell erwünschten Erneuerung bei mit einem Wahlspruch, welcher der Aufnahme in Gironellas *Cien españoles y Dios* würdig gewesen wäre: *Busqué a Dios y no lo encontré; a mí mismo y tampoco me encontré; al Prójimo y* *encontré a los tres.*²⁴¹ So konnte es auch nicht ausbleiben, daß *Triunfo* die – weiterhin sporadischen – Fußball-Niederlagen des zum ›Regierungsklub‹ verteufelten Real Madrid politisierend feierte. Im April 1974 präsentierte *Celtiberia Show* – nach einer 0:5-Niederlage des Madrider Renommierklubs gegen den F.C. Barcelona – eine Todesanzeige, die mit den Worten endete: *Se espera un descanso eterno.*²⁴²

Eine satirische Dauerkampagne begleitete das Fernsehen, von dessen einschneidenden Wirkungen auf den spanischen Alltag in den scheinbar so gegenwartskritischen *Cuadernos para el Diálogo* oder beim Gegenwartsphilosophen Aranguren so gut wie nicht die Rede war.²⁴³ Die (vom Staat organisierte) Ausstrahlung eines regelmäßigen Fernsehprogramms hatte in Spanien 1956 begonnen – also gar nicht viel später als in anderen europäischen Ländern mit weit höherem Technisierungsstandard. Doch der systematische Ausbau und – wie zumindest ›Progressive‹ unterstellten – die konsequente politische Nutzung dieses Mediums kam erst im Zuge von *apertura* und Modernisierung seit Mitte der sechziger Jahre in Gang. Zwischen 1964 und 1967 stieg die Zahl der Angestellten bei *Televisión Española* von 560 auf über 1200, und das Übertragungsnetz wurde so erweitert, daß das Programm nun endlich die gesamte Nation erreichte. Bald schon begannen die Vorbereitungen für die Ausstrahlung eines Zweiten Programms, und man schuf die rechtlichen wie technischen Voraussetzungen für eine fast vollständige Finanzierung beider Kanäle durch Werbung. Die besondere Aufmerksamkeit der Programmgestalter scheint den Kinder- und Jugendsendungen gegolten zu haben, die, um eine offizielle Formel zu zitieren, ›explizit unterhaltsam und implizit belehrend‹ sein sollten. Der Erfolg war so durchschlagend, daß der Karikaturist Chumy-Chumez für die fünfte Seite der zweiten November-Nummer von *Triunfo* im Jahr 1973 ein televisives Nationalemblem zeichnete: es war ein elegant gekleideter Spanier der älteren Generation, an dessen Körper statt des Kopfes ein Fernsehgerät angewachsen war, auf dessen Bildschirm man wiederum den – durch das Fernsehgerät substituierten – Kopf sehen konnte.²⁴⁴ Vorbehalte gegenüber der gängigen Intellektuellen-Meinung, daß das Fernsehen der entscheidende Schritt zur Total-Ideologisierung der spanischen

Nation gewesen sei, sind trotzdem angebracht. Denn zweifellos gibt es in Spanien (wie in anderen Ländern) ein spezifisches Fernseh-Verhalten, das bis heute nicht soziologisch beschrieben und noch weniger im Blick auf seine besonderen Wirkungsmöglichkeiten analysiert ist. Viele spanische Familien und die meisten *bares* lassen den Fernseher rund um die Uhr laufen, aber gerade weil er rund um die Uhr läuft, scheint das Fernsehen selten mehr als ein ›Hintergrundgeräusch‹ zu den weiterhin intensiven und lebhaften Unterhaltungen zu sein. Angesichts dieser Fernseh-Pragmatik konnte es zwar gelingen, durch eine allmähliche Verschiebung der Programmstruktur den Zeitrahmen des spanischen Alltags zu modifizieren (weil der Tageslauf für viele mit dem Programmschluß endet, bewirkte seine sukzessive Vorverlegung eine ›Europäisierung‹ des Alltags-Zeitrahmens) – doch solche strukturellen Wirkungen sind ja nicht identisch mit Veränderungen der kollektiven Meinungen und Attitüden. Vor allem der grundsätzliche Überzeugungs-Vorbehalt gegenüber allen vom Staat verbreiteten Informationen beim spanischen Publikum (zweifellos ein Erbe aus der Geschichte der wechselseitigen Ausschließlichkeits-Beziehung zwischen ›Individuum‹ und ›Gesellschaft‹) löst sich nur sehr langsam auf.

Das Fernsehen jedenfalls war – gemeinsam mit dem Fußball und der (selbst)-ironischen Thematisierung der ›kritisch politisierten‹ *progres* – Lieblingsobjekt einer satirischen Zeitschrift, die in den frühen siebziger Jahren erschien und heute dem intellektuellen Klima Spaniens im End-Frankismus ein besseres Zeugnis ausstellt als die zeitgleiche ›schöne Literatur‹. Diese Zeitschrift hieß ›*Hermano Lobo – semanario de humor dentro de lo que cabe*‹. Daß schon im Titel auf den Diskurs der vom Staat zugestandenen *apertura* mit der Formel ›*Humor – im Rahmen des Möglichen*‹ angespielt wurde, verweist auf das Hauptcharakteristikum des *Hermano Lobo*: mit der beständigen Thematisierung der restriktiven Rahmenbedingungen, unter denen die satirische Kritik anzutreten hatte, fingierte sich diese selbst als Teil des kritisierten Systems – statt sich schlicht in der Position des überlegenen (aber machtlosen) ›Beobachters von außen‹ zu präsentieren. Daher kam die Vorliebe des *Hermano Lobo* für Paradoxien. Man lachte nicht nur über Bauern, die in der Dorfkneipe den nationalen Fortschritt auf die Einführung des Farbfernsehens ›in höchstens fünf Jahren‹ hoch-rechneten,[245] nicht nur über den bürgerlichen Ehegatten, der seiner Frau mit den Worten ›Geliebte: Mund auf, Augen zu‹ einen Fernsehapparat überreichte,[246] sondern auch über den Intellektuellen, der sein luxuriös eingebundenes Buch mit Fernsehantennen versah.[247] Die Kritik am Frankismus, der den Spielraum der möglichen Kritik so eng hielt, blieb freilich der Hauptenor von *Hermano Lobo*. Er artikulierte sich in jeder Nummer mit ›sieben‹ auf tagespolitische Ereignisse bezogenen *›preguntas al lobo‹*, von denen der Wolf stets die ersten sechs mit seinen langgezogenen ›*uuuuUUUU*‹ beantwortete, um diesen ›Dialog‹ mit einer für die Jahre der frankistischen *apertura* typischen Formel als Antwort auf die siebte Frage (zum Beispiel ›*¿Cuándo desaparecerá la censura cinematográfica?*‹) zu beschließen: ›*El año que viene, si Dios quiere*‹. Mit Vorliebe spannen die Karikaturisten und Satiriker des *Hermano Lobo* Märchen, Geschichtsmythen und Kollektivsymbole aus der spanischen Tradition weiter, wie sie in jenen Jahren beispielsweise auch immer dichter in Filmen von Luis Buñuel auftauchten (vor allem in *La vía láctea* – einer entlang des Santiago-Wegs gereihten Revue von quasi-mythischen Situationen aus der spanischen Geschichte). Zu diesen Versatzstücken und Szenen gehörten die ›Konversation im Ohrensessel‹, die ›unerträgliche Lebensbejahung des beinamputierten Bettlers‹ (der sich auf einem mit kleinen Rädchen versehenen flachen Brett fortbewegt, indem er seinem Fahrzeug durch an die Hände gebundene Metallklötze Schwung gibt), das ›existentiell tiefe Gespräch der Schiffbrüchigen‹ auf einer winzigen Insel.

Doch *Hermano Lobo* lancierte auch neue Embleme, mit denen man das Pathos der politischen ›Öffnung‹ und ›Kritik‹ ironisieren konnte, längst bevor deren Ziel – die Überwindung des Frankismus – erreicht war. Einschlägige Szenen waren bevölkert mit langhaarig-bärtigen Studenten im charakteristischen *dufflecoat*, die von Ehepartnern und Kinderschar begleitet die Revolution ›nach dem Rezept *Trostky*‹ (sic) predigen wollten, von Protestmärschen unter der Führung von ahnungslosen Gemeindepfarrern oder von dynamischen Zukunftsspekulanten, die bei aller Dynamik dem alten Mythos von Spaniens Reichtum an *materias primas* aufsaßen. Bei so viel satirischem Selbstbezug der Satire war ein Horizont an politischem Ernst wohl allein noch über makabre Geschichten schwarzen Humors zu erreichen, die freilich allzu direkte Bezüge auf die spanische Gegenwart vermeiden mußten, um sich auf Distanz zum Selbstmitleid zu halten. *OPS* war das Pseudonym des Zeichners, der für *Hermano Lobo* regelmäßig solche schwarze Geschichten produzierte, in der Nummer vom 9. Juni 1973 etwa eine Sequenz mit dem Titel ›*Un dia en la vida Benito Catón*‹: unter seinem schweren Tornister gebeugt schleppt sich Benito Catón, ein glatzköpfiger Knabe, durch Kraterlandschaften hin zu dem futuristischen Betongebäude seiner Schule. Der im Stil des XIX. Jahrhunderts gekleidete Lehrer steht mit einem Beil bewaffnet vor der Tafel, auf der sieben Wörter durch Überschreibungen in derselben Weise unleserlich gemacht sind, wie sie damals die spanische Polizei zur Löschung politischer Wandparolen praktizierte. Benito Catón bietet seinem Lehrer einen Apfel an, und der Lehrer spaltet mit einer Axt seinen Schädel. In die Schädelspalte füllt er Käfer und Larven – alle Schüler haben eine grob vernähte Narbe auf Scheitelhöhe. Benito Catón kehrt nach Hause zurück und öffnet seinen Schädel, aus dem die Käfer und Larven – ins Gigantische gewachsen – herausdrängen. Sie überfallen seine Mutter und beginnen, ihren Körper/Kadaver zu benagen. Benito Catón liebkost das in seinem Schädel gebrütete Ungeziefer, als der Vater nach Hause kommt.

Sanfter waren die Bildgeschichten von Antonio Fraguas de Pablo, alias *Forges*, der sich selbst *tranquilo, apacible, bucólico y pastoril*[248] nannte. Mit einem schmalen Repertoire wiederkehrender Grund-Szenen und -Protagonisten schuf er für die spanische Gesellschaft der sechziger und frühen siebziger Jahre so etwas wie eine satirische Enzyklopädie, deren Humor auf zwei einfachen Grundprinzipien beruhte: kein Milieu entsprach den Ansprüchen seiner selbstbeschreibenden Diskurse und kein Milieu war frei von (überständigen) Relikten aus der nationalen Tradition oder von (grotesk unmotivierten) Auswirkungen der Modernisierung. Der Bauernjunge auf dem dürren kastilischen Feld ›denunziert‹ seinen ›politisierten‹ Bruder: *Padre: el Blasillo está ojeando ›Cuadernos para el Diálogo‹;*[249] die Studentin unterbricht ihr Telefonat mit Bakunin, weil sie bemerkt, wie der Vater im Ohrensessel sie hinter seiner Zeitung zu beobachten beginnt.[250] Doch Forges' Spezialität war die Satire auf den Diskurs der *apertura*. Keiner hat so zielsicher wie er die Zwittersprache aus falangistischen Ideologemen und Legitimationstiteln westlicher Demokratie aufs Korn genommen. In einer Prozession von Wahlkampfplakaten gerät die Mischung zum Delirium:

- Dedocracia orgánica
- Son muchos los proclamados y pocos los elegidos
- Bienaventurados los sordos porque al menos no se enteran
- Bienaventuraros los tuertos porque sólo ven la mitad
- Votenme por favor que me he gastado una pasta en la campaña, y está buena mi señora
- Sin prisa pero con pausa

Die Welt dieser Karikaturen, wo sich faschistische Bürokraten ›reformistisch‹ geben und Revolutionäre den Umsturz ›hinter dem Rücken‹ der faschistischen Bürokraten planen, identifiziert als exzentrisch nur noch diejenigen, die nicht ›modern‹ scheinen wollen. Das können die Bauern sein (solange sie noch nicht *Cuadernos para el Diálogo* lesen), und das sind vor allem uralte Frauen. Zwischen Damen in den Wechseljahren, die in Minirock und T-Shirt gezwängt sind, bahnen sich zwei Greisinnen in schwarzen Mänteln und unter wollenen Strickhauben mit Krückstöcken ihren Weg: *A veces me pregunto,* sagt die eine zur anderen, *si el escándalo no lo iremos dando nosotras.*[251]

Eine ›ideologiekritische‹ Analyse solcher Satiren – zumal der Satiren von Forges – müßte zu fatalen Ergebnissen führen. Denn am Ende konvergierten alle Einzelkritiken in der – freilich nie explizit gemachten – Position, daß es besser sei, nichts zu verändern, weil alle Aktionen der Veränderung hinter ihren eigenen Ansprüchen zurückblieben. Wahrscheinlich haben Zeitschriften wie der *Hermano Lobo* mit ihrer Selbstironie die Lust auf Reformen tatsächlich gedämpft, noch bevor die politische Situation Raum für einschneidende Reformen gab. Deshalb muß man ihre Wirkung mit jenem ›*desencanto*‹ genannten Illusionsverlust in Verbindung setzen, der sich in Spanien so erstaunlich rasch nach Francos Tod im November 1975 breit machte. Andererseits ist kaum zu übersehen, daß der aufgrund einer spezifischen ereignisgeschichtlichen Konstellation so rasch und geradezu dramatisch einsetzende *desencanto* die besondere Erlebnisform einer übergreifenden westlichen ›Stimmung‹ im späten XX. Jahrhundert ist. Die von der Aufklärung festgeschriebenen politischen Ziele und Utopien haben allenthalben ihre Motivationskraft verloren. Aber auch die Rückkehr zu einer ›Authentizität‹ des individuellen Lebens wirkt in paradoxaler Weise künstlich und kann höchstens noch den Greisinnen in einer satirischen Zeichnung angemutet werden. Dies gilt, um es noch einmal zu betonen, für Spanien wie für alle anderen westlichen Nationen. Bemerkenswert ist lediglich, daß man in Spanien auf ironische Distanz zu solchen Lebensformen gegangen war, noch bevor ihre definitive Institutionalisierung möglich und legal wurde.

Während jener Jahre verdrängte die in spanischer Sprache geschriebene Literatur lateinamerikanischer Autoren im Gegenwartskanon der spanischen Leser die in Spanien geschriebenen Texte. Zum Ereignis kondensierte sich jene Entwicklung 1967 mit der Veröffentlichung des Romans *Cien años de soledad* des mittlerweile zum Nobelpreisträger avancierten Kolumbianers Gabriel García Márquez. Es gab für diese Umorientierung – neben der gemeinsamen Sprache und dem mindestens seit dem späten XIX. Jahrhundert intensiven kulturellen Austausch zwischen Spanien und den lateinamerikanischen Nationen – spezifisch günstige Voraussetzungen: etwa die Tatsache, daß nicht wenige der lateinamerikanischen Autoren (mindestens zeitweilig) in Spanien lebten und ihre Bücher durch spanische Verlage publizieren ließen. Aber solche Faktoren wären wohl kaum je in einschneidender Weise wirksam geworden, wenn die damals in Spanien entstehende Literatur nicht schon durch ihr Einschwenken auf den Ton des politischen Protests viel von ihrer diskursiven Identität und ihren besonderen Funktionsmöglichkeiten verspielt gehabt hätte. Die Welt von *Cien años de soledad* hingegen war – als literarische – eine vom Alltag (in Lateinamerika wie in Spanien) verschiedene Welt, und das galt auch für die elegischen Erzählungen des Mexikaners Juan Rulfo oder die mit technischer Perfektion geschriebenen Romane des (damals) jungen Peruaners Mario Vargas Llosa. Einen vergleichbaren Boom wie für diese Bücher mit ihren Alteritätsangeboten scheint es in Spanien für die exzentrischen intellektuellen Verwirrspiele von Jorge Luis Borges (den zu zitieren damals etwa in Frankreich eine Intellektuellen-Verpflichtung war) nie gegeben zu haben.

Währenddessen konnten sich die spanischen Autoren (selbst die des europäischen Exils) kaum einmal ihrem Hang zum politischen Engagement entziehen – und damit auch nicht dem fast gleichzeitig mit der Erfüllung von (Zwischen-)Zielen einsetzenden *desencanto*. Die Stücke etwa, welche der 1932 geborene Arrabal im französischen Exil für die Bühne schrieb, waren motiviert von der traumatischen Erinnerung an seinen nach dem Bürgerkrieg zum Tod verurteilten Vater, der – zu dreißig Jahren Gefängnis ›begnadigt‹ – einen Selbstmordversuch unternommen hatte, in eine psychiatrische Anstalt eingewiesen worden und im November 1941 für immer verschwunden war.[252] Bevölkert von Polizisten, Prostituierten, kirchlichen Würdenträgern, Krüppeln und naiv-zynischen Kleinbürgern erinnert dieses Theater an die makaberen Bildergeschichten des Zeichners OPS. Doch im Gegensatz zu OPS präsentierte Arrabal seine Gestalten und Szenen voll von deutlichen Anspielungen auf Personen und Ereignisse in der spätfrankistischen Ära, so daß diese Stücke wegen des nicht ausbleibenden Aufführungsverbots der Zensur in Spanien eine besondere politische Aura gewannen. Aus dieser Position schrieb Arrabal einen öffentlichen Anklage-Brief mit Datum vom 18. März 1971 an Franco. *Trenzas de miel amarga cubriendo España de silencio baboso,*[253] das war seine leichten Ekel erregende Metapher für das vom Frankismus zum Schweigen gebrachte intellektuelle Leben, und vor diesem Hintergrund forderte er – wie so viele Spanier in jenen Jahren – die Aufhebung des politischen Autoritarismus, der Zensur, der Folterungen. Die Originalität seiner *Carta al General Franco* sollte wohl darin liegen, daß er seinen Adressaten als einen bemitleidenswerten, psychisch kranken Menschen ansprach. Eher als im Anspruch auf moralische Überlegenheit war also seine Kritiker-Rolle in (vage bleibenden) freudianischen Motiven fundiert:

> Excelentísimo Señor:
> Le escribo esta carta con amor.
> Sin el más mínimo odio o rencor, tengo que decirle
> que es Vd. el hombre que más daño me ha causado ...

Creo que Vd. sufre infinítamente;
sólo un ser que tanto sufre puede imponer tanto
en torno suyo;
el dolor preside, no sólo su vida de hombre político y
de militar, sino incluso sus distracciones:
Vd. pinta naufragios y su juego favorito es matar
conejos, palomas o atunes.
En su biografía; ¡cuántos cadáveres!: en Africa,
en Asturias, en la guerra civil, en la postguerra ...
Toda su vida cubierta por el moho del luto. Le
imagino rodeado de palomas sin patas, de guirnaldas
negras, de sueños que rechinan la sangre y la muerte.
Deseo que Vd. se transforme, cambie,
que se salve, sí,
es decir, que sea feliz por fin
que abandone el mundo de represión, odio, carcel,
buenos y malos que hoy le rodea.[254]

Arrabals ›Brief‹ profitierte vom Überleben Francos – und natürlich auch von der Abwechslung, die ein psychopathologischer Diskurs in die Monotonie der regimekritischen ›politischen‹ Positionen einbrachte. Mit Francos Tod aber vergilbten solche Texte rasch zu bloßen ›historischen Dokumenten‹. In dieser Abhängigkeit lag das Dilemma der ›antifrankistischen Literatur‹. Die öffentliche Anerkennung durch die Verleihung des *Premio Nadal* im Jahr 1983 markierte – so gesehen – das Ende von Arrabals Schriftstellerkarriere.

Schon 1966 hatte Miguel Delibes einen Roman[255] geschrieben, in dem – wie noch wenige Jahre zuvor der Bürgerkrieg und die auf ihn folgenden ›Jahre des Hungers‹ – nun die im Umbruch befindliche spanische Gesellschaft der milden Traditionalisten und der vorsichtigen Progressiven literarisch erfaßt wurde. Sein Titel, ›*Cinco horas con Mario*‹, spielt an auf die Totenwache, die María del Carmen Sotillo, die Witwe des mit neunundvierzig Jahren verstorbenen Gymnasiallehrers Mario Díez Collado beim Leichnam ihres Mannes hält. In ihrem (inneren) Monolog wird deutlich, daß Carmen an den vom Staat propagierten Werten und an dem ihnen entsprechenden nationalen Selbstbild festhält. Doch noch sind für sie vor allem der Tote und mit ihm seine intellektuell-fortschrittlichen Träume (in all ihrer Banalität) gegenwärtig:

... Mario, y ya sé que la guerra es horrible, cariño, pero al fin y al cabo es oficio de valientes, que de los españoles dirán que hemos sido guerreros, pero no nos ha ido tan mal me parece a mí, que no hay país en el mundo que nos llegue a los talones, ya le oyes a papá, »máquinas, no; pero valores espirituales y decencia para exportar«. Y tocante a valores religiosos, tres cuartos de lo mismo, Mario, que somos los más católicos del mundo y de los más buenos, que hasta el Papa lo dijo, mira en otros lados, divorcios y adulterios, que no conocen la vergüenza ni por el forro. Aquí, gracias a Dios, de eso, fuera de cuatro pelanduscas, nada, tú lo sabes, mírame a mí, es que ni se me pasa por la imaginación ...[256]

Natürlich ›gesteht‹ Carmen – schon im Morgengrauen und verzweifelt angesichts des ihr antwortenden Schweigens –, daß sie bei einer Gelegenheit (wenn man überhaupt diesen Sätzen im Rahmen der Fiktion ›glauben‹ soll) dem Ehebruch nur mit knapper Not entgangen sei. Nicht umsonst war es in den einleitenden Kondolenzszenen ihre Hauptsorge gewesen, daß die ungewohnte Trauerkleidung ihre exuberanten Brüste allzu sehr (zumindest für eine Witwe: allzusehr) betonen könnte.

Freilich wird kaum einen Leser die von Delibes vermittelte Erfahrung von der Verlogenheit der ›klassischen‹ spanischen Ehe-Moral überrascht haben. Die Bedeutung der *Cinco horas con Mario* lag wohl eher darin, daß Carmens Monolog vergegenwärtigte, wie unmittelbar – in jenen Jahren des kleinen spanischen Wirtschaftswunders – hinter allen hochfliegenden Diskursen der neuen politischen Konstellation materielle Gier auf der einen und ökonomische Naivität auf der anderen Seite standen:

Entre él, el Aróstegui, el Moyano y toda la camarilla, te han puesto la cabeza del revés, cariño, que tú al principio no eras así, no me vengas ahora. Y, luego, aquella humareda, ¡Santo Dios! ¿Puede saberse qué hacíais allí, fumando tanto rato? Arreglar el mundo, fijo, que os quitabais la palabra de la boca, madre qué voces, y total para nada, cuatro tonterías, que el dinero era astuto, que el dinero era egoísta, ya ves tú, que lo único que no decíais del dinero era la pura verdad, Mario, que es necesario, y mejor nos hubiera ido si en vez de hablar tanto del dinero os hubierais puesto a ganarlo, como yo digo. Porque tú sabes escribir, querido, te lo digo y te lo repito, lo único los argumentos, que no sé qué maña te dabas, que ni escogidos con candil, eso cuando se te entendía, que cuando te ponías a hablar de estructuras y cosas de esas me quedaba in albis, te lo prometo.[257]

Wie die Karikaturen von Forges so löst auch dieser Roman die Opposition zwischen den ›Guten‹ und den ›Bösen‹ auf. Denn so leicht es dem Leser wird, sich vorzustellen, daß eine Carmen ihrem in hohen Idealen versponnenen Mann das Leben zur Hölle machte, so läppisch stellt man sich andererseits das gravitätisch-konspirative Gehabe vor, mit dem Mario wohlfeile Rechtfertigungen für alle seiner Frau täglich zugefügten materiellen Frustrationen erfand.

Die Stärke des Buchs ist der leitmotivische Umgang mit den schalen Mythen jener spanischen Jahre der *apertura* – und des unbemerkten Durchbruchs. Zu diesen Mythen gehörte der Volks-Wagen SEAT 600 (›*Seiscientos*‹ genannt), von dem Carmen – verständlicherweise – träumte und den als Ersatz für sein Fahrrad zu kaufen, Mario – verständlicherweise – keinen zwingenden Anlaß sah: *Los niños se hubieran vuelto locos con un Seiscientos, Mario, y en lo tocante a mí, imagina, que cambiarme la vida. Pero no, un coche es un lujo, figúrate a estas alturas, cualquiera que te oiga, ...*[258] Wirklich allgegenwärtig war der Begriff ›egoísmo‹. Des ›Egoismus‹ konnte man im Namen der kollektiv inszenierten Moral all jene bezichtigen, die sich kleine, individuelle Träume erfüllten: *aunque me esté mal el decirlo, tú has tenido la suerte de dar con una mujer de su casa, una mujer que de dos saca cuatro y te has dejado querer, Mario, que así qué cómodo, que te crees, que un broche de dos reales o un detallito por mi santo ya estás cumplido, y ni hablar, borrico, que me he hartado de decirte que no vivías en el mundo pero tú, que si quieres. Y eso, ¿sabes lo que es, Mario? Egoismo puro, para que te enteres, que ya sé que un catedrático de Instituto no es un millonario, ojalá, pero hay otras cosas, creo yo, que hoy en dia nadie se conforma con un empleo.*[259] Daß die Materialisten des Alltags den Idealisten des Alltags und daß die Idealisten den Materialisten ihren ›Egoismus‹ vorwerfen konnten, macht deutlich, wie prekär die seit den fünfziger Jahren angebahnte neue Beziehung zwischen ›Gesellschaft‹ und ›Individuum‹ noch immer war. Es blieb vorerst besonders schwer, das Anderssein der anderen zu akzeptieren. So vermied es Delibes, den einen oder den anderen ›Egoismus‹ zu legitimieren. Denn die gesellschaftliche Entwicklung war trotz allem längst auf dem Weg zur Pluralität der Werte und Weltbilder.

Madrid sesenta ... Madrid de los últimos tranvías, un siglo de tranvías muriendo como esquifes en la altamar del hormigón,[260] so erinnerte sich zwanzig Jahre später Francisco Umbral an die Welt der sechziger Jahre, die schon längst zur modernen Welt der Betonarchitektur geworden war, bevor die letzten Straßenbahnen als Relikte einer fernen Vergangenheit verschwanden. Wie die letzten Straßenbahnen, so hatte sich auch die alte (und lange genug als aporetisch genossene) Frage nach der nationalen Identität Spaniens gehalten, auf die man nun – erschreckend leicht – eine immer gleiche Antwort fand, die so öde war wie Betonarchitektur: *Spanien war kaum mehr anders* – obwohl die Obsession, nach der Besonderheit Spaniens zu fragen, den Glauben an die nationale Besonderheit selbst einige Jahre überlebte. Um 1970 gab es eine letzte kurze Blüte des Identitäts-Fragespiels. Sie wurde eingeleitet von Fernando Díaz-Plajas erstaunlich erfolgreichen Essay *El Español y los siete pecados capitales,* der den katholischen Kanon der ›Sieben Todsünden‹ auf die Gegenwart der Nation applizierte, um beinahe resigniert festzustellen, daß seine Landsleute so stolz und so geizig, so ausschweifend und so zornig, so gefräßig und so faul waren wie die Bürger anderer Nationen, und daß man darüberhinaus – allenthalben – jenen Sünden (mindestens in der Welt der Literatur) auch positive Aspekte abgewinnen konnte. Bloß in der Intensität des Neides wollte Díaz-Plaja noch einen Identitäts-Rest entdecken: *Sólo hay un pecado al que cuesta encontrarle aspecto positivo. Me refiero a la envidia, que ni siquiera sirve, como en otras partes, para movilizar las energías humanas en el intento de superar al envidiado. Resulta más fácil hablar mal de él y rebajarle.*[261] Offenbar meinte Díaz-Plaja mit *envidia* jene Schwierigkeit, den Anderen als ›anders‹ zu akzeptieren und ihm die Legitimität eines Spielraums gegenüber den gesellschaftlichen Normen zuzugestehen, welche in Carmens Monolog aus den *Cinco horas con Mario* den permanenten Vorwurf des *egoismo* eingeläutet hatte. Die ›Sieben Todsünden‹ jedenfalls endeten mit einer freundlichen Ermahnung an die Spanier, mehr als bisher eine Pluralität von Meinungen und Positionen zu tolerieren: *Si de vez en cuando, sólo de vez en cuando, creyéramos que el otro puede tener razón ... y esa idea no le convirtiera automáticamente en odioso ... Bastaría.*[262]

Bald meldete sich auch der – bei diesem Thema schon längst unvermeidliche – Pedro Laín Entralgo noch einmal zu Wort, um in dem Essay ›A qué llamamos España‹ als seine Antwort auf die gegenwartsbezogene Frage eine großflächige National-Geschichtsphilosophie zu entwerfen. Die spanische Nation sei in den ersten Jahrhunderten nach ihrer frühneuzeitlichen Entstehung ›eine Begierde‹ *(una sed)* gewesen und habe sich seit dem XIX. Jahrhundert zu einem (selbstverständlich im Bürgerkrieg kulminierenden) ›Konflikt‹ verwandelt. Nun aber stehe den Spaniern zum ersten Mal wirklich die Chance offen, ihre Zukunft zu gestalten, die Nation sei ›eine Möglichkeit‹ geworden:

Ese conflicto, ¿puede ser para los españoles pura e irrevocable desesperación? No: la vida de España es tambien *una posibilidad.* Que cada cual la imagine como quiera. Yo la sueño como una suma de términos regida y ordenada por el prefijo ›con‹: una convivencia que sea confederación armoniosa de un conjunto de modos de vivir y pensar capaces de cooperar y competir entre sí; una caminante comunidad de grupos humanamente diversos en cuyo seno sean realidad satisfactoria la libertad y la justicia social y la eficaz técnica, una sociedad en que se produzca la ciencia que un país occidental de treinta o cuarenta millones de habitantes debe producir.[263]

Auch dieser Aufruf zur Konvergenz des Verschiedenen implizierte die Beobachtung, daß es den Spaniern noch an jener Toleranz mangelte, mittels derer (dies jedenfalls war der historische Traum des Bürgertums gewesen) die Instanzen ›Individualität‹ und ›Gesellschaft‹ in ein produktives Spannungsverhältnis gebracht werden könnten. Alle Hoffnungen verlagerten sich auf eine Reform des politischen Systems, während der spanische Identitäts-Diskurs von triumphalistischen über selbstquälerische nun auf versöhnliche Töne eingestimmt wurde. Schon rief Camilo José Cela zu neuem kollektivem Selbstgenuß auf, indem er mit einem *Diccionario secreto* der obszönen (und angeblich nur für eine kurze historische Spanne tabuierten) Wörter des Kastilischen im Jahr 1969 eine Sonderkompetenz der Spanier für die Sinnenlust postulierte.[264] Doch die Harmonie dieses zuversichtlichen Chorals störten jetzt schon Stimmen aus der Emigration, für die – mit oder ohne Franco – jenes ›beinahe normal gewordene‹ Spanien nicht mehr Ort der Zukunftsträume bleiben konnte.

Der 1931 geborene Juan Goytisolo hatte seit 1956 in Paris gelebt und zunächst – wie das unter Linksintellektuellen üblich war – offensichtlich darauf gesetzt, daß das noch kaum vom Kapitalismus affizierte Spanien nach einem revolutionären Ende der frankistischen Ära allen schönen Utopien von einem besseren und gerechteren Leben entsprechen würde. 1963 jedoch war er für einige Monate in seine Vaterstadt Barcelona zurückgekehrt und erlebte eine Gesellschaft, die ihre Besonderheit und das von ihm erhoffte ›Zukunftspotential‹ längst im Trivialtrubel des späten Wirtschaftswunders und des Tourismus verspielt hatte. Protokoll dieser Ernüchterung wurde Goytisolos 1966 veröffentlichtes Buch ›Señas de identidad‹. Dort gibt es eine Stimme der (›progressiven‹) Heimat, die mit wohlfeilen Schuldzuschreibungen den Ich-Erzähler zur Rückkehr lockt: *tú que has sido de los nuestros y has roto con nosotros tienes derecho a muchas cosas y a nosotros no nos cuesta trabajo reconocerlo tienes derecho a pensar que tu patria vive una existencia verdaderamente atroz lamentamos tu error pero quién le pone puertas al campo los propietarios de los cortijos andaluces ...*[265] In harschem Kontrast zu diesen Sirenenklängen steht die Resignation beim Abschied auf dem Flughafen Barcelona am Ende des Buches. Spanien hat, das ist die bündige Erfahrung des Ich-Erzählers, all jene *señas de identidad* verloren, auf die er seine Hoffnungen baute. Spanien ist das von der Sechsten Amerikanischen Flotte kontrollierte Land augenfräßiger Touristen geworden. ›Identität‹ kann ein Spanier nur noch in der Distanz zu diesem Spanien kultivieren:

> diciéndote
> nada válido puede salir de tí ni del humano caldo en que
>   vives ni de este triste tiempo
> cállate mejor
> cierra tu boca
> no prolongues por rutina la farsa irrisoria del intelectual
>   que sufrir cree y obscenamente lo proclama
> por el país y por sus hombres
> españahogándose y esas leches
> con la mirada perdida en el mar la escollera la Sexta Flota
>   Americana los depósitos de carbón los tanques de petró-
> leo las barcas de vela las gaviotas las cloacas

aléjate de tu grey tu desvío te honra
cuanto te separa de ellos cultívalo
lo que les molesta en ti glorifícalo
negación estricta absoluta de su orden esto eres
tú.[266]

Eine Epoche – eine Geschichte? – war zu Ende gegangen im zuversichtlichen und im wütenden Abschied vom national-spanischen Identitätsdiskurs. Doch noch mußten Figuren aus der schon geschlossenen Vergangenheit abtreten, damit man dieses Ende erleben konnte. 1968 starb León Felipe und 1972 Max Aub im mexikanischen Exil. 1972 starb Américo Castro und 1975 Dionisio Ridruejo. Am 20. Dezember 1973 war der Körper des Admirals Luis Carrero Blanco, dem Franco am 4. Juni desselben Jahres das Amt des Ministerpräsidenten übertragen hatte, von einer Bombe der baskischen Separatisten-Organisation ETA hochhaushoch in den Himmel von Madrid katapultiert worden, als er sich von der Morgenmesse zu seinem Amtssitz fahren ließ. Die Horrornachricht vom Tod des Vertrauten und Freundes Carrero Blanco, behaupten manche (Romantiker des Frankismus?), habe der *Generalísimo* nie verwunden. Seit dem Sommer 1974, in dessen Mitte er unbeweglich dösend auf die Spiele der Fußballweltmeisterschaft am Fernseher geblickt haben soll, befand er sich unter der Aufsicht eines ständig wachsenden Ärzteteams. Wahrscheinlich in den ersten Stunden des 20. November 1975 (vielleicht schon am Abend des 19. November) endete nach einer langen Agonie das zu lange Leben von Francisco Franco. Fünf Tage später schrieb Juan Goytisolo einen kurzen Text ›*In memoriam F.F.B. 1892-1975*‹. Dort heißt es: *En 1975 soy, como dijo el poeta Luis Cernuda ›un español sin ganas‹ – un español que lo es porque no puede ser otra cosa. El daño ha sido tambien irreparable y a él me acomodo a mi manera, sin rencor ni nostalgia.*[267] Ein ›lustloser Spanier‹ war Goytisolo allerdings auch schon zehn Jahre zuvor gewesen. Was hatte der Tod Francos noch verändern können, warum wurde er von der spanischen Gesellschaft als ein einschneidendes, dramatisches – glühend herbeigesehntes oder für ganz unmöglich gehaltenes – *Ereignis* erlebt, obwohl er viel zu spät kam, um noch ein Epochenende zu markieren?

Solange Franco lebte, war auch sein Diskurs, der einmalig

nichtssagende Diskurs des Frankismus, lebendig. Noch das Testament vom 18. Oktober 1975, mit von Parkinsonscher Krankheit bebender Hand geschrieben, wurde am Morgen des 20. November von Carrero Blancos Nachfolger, dem Ministerpräsidenten Arias Navarro, *mit tränenerstickter Stimme* vor den Fernsehkameras verlesen:

Españoles: al llegar para mí la hora de rendir la vida ante el Altísimo y al comparecer ante su inapelable juicio, pido a Dios que me acoja benigno a su presencia, pues quise vivir y morir como católico. En el nombre de Cristo me honro, y ha sido mi voluntad costante ser hijo fiel de la Iglesia, en cuyo seno voy a morir. Pido perdón a todos, como de todo corazón perdono cuantos se declararon mis enemigos sin que yo los tuviera como tales. Creo y deseo no haber tenido otros que aquellos que lo fueron de España, a la que amo hasta el último momento y a la que prometí servir hasta el último aliento de mi vida, que ya sé próximo.

Quiero agradecer a cuantos han colaborado con entusiasmo, entrega y abnegación en la gran empresa de hacer una España unida, grande y libre. Por el amor que siento por nuestra Patria os pido que perseveréis en la unidad y en la paz y que rodeéis al futuro Rey de España, don Juan Carlos de Borbón, del mismo afecto y apoyo de colaboración que de vosotros he tenido. No olvidéis que los enemigos de España y de la civilización cristiana están alertas. Velad también vosotros, y para ello deponed, frente a los supremos intereses de la Patria y del pueblo español, toda vida personal. No cejéis en alcanzar la justicia social y la cultura para todos los hombres de España, y haced de ello vuestro primordial objetivo. Mantened la unidad de las tierras de España, exaltando la rica multiplicidad de sus regiones como fuente de la fortaleza y de la unidad de la Patria.

Quisiera, en mi último momento, unir los nombres de Dios y de España y abrazaros a todos para gritar juntos, por última vez, en los umbrales de mi muerte: ¡Arriba España! ¡Viva España![268]

Alles was die geistige Wirklichkeit des Frankismus ausgemacht hatte – und das war wenig genug –, steht in diesen Sätzen. Der traditionalistische Katholizismus. Der monarchistisch gefärbte Patriotismus. Die nie ruhenden Feinde Spaniens und der christlichen Kultur. Die paternalistische Vision von der Einheit der spanischen Gesellschaft. Das vage Ziel der sozialen Gerechtigkeit. Andeutungsweise sogar – immer noch – die Überzeugung von der Fähigkeit Spaniens zur Autarkie. Doch worin lag im

Herbst 1975 die Macht solcher Worte, an die niemand mehr glaubte? Warum hatte man Francisco Franco am 7. November 1975, aus Mund, Nase und Anus blutend, vom *Pardo* zum Krankenhaus *La Paz* transportiert, wo die Chirurgen bei der sofort begonnenen Operation elf Magengeschwüre feststellten und neun Zehntel seines Magens entfernten?[269] Warum unterbrach man – für immer – die Hormontherapie eines zwergenwüchsigen Mädchens, um diese Hormone dem Rest von Francos Körper zuzuführen? Wofür die groteske Szenerie aus Technik und Magie um sein Sterbebett:

A la izquierda de la cama del agonizante había un respirador ›Engstron‹, modelo 300, que fue sustituido después por el ›Servoventilador 9000‹, de la casa Siemens, con calculadora electrónica. Sobre la cabezera, los recipientes del suero, con tres botellas goteando alineadas en un tubo e introducida la aguja en la vena del paciente. Sobre el pecho, otro cable indicando el control cardíaco a base de tres módulos de la General Electric: cardioscopo, desfibrilador y marcapasos. Otro aparato ›Saturn‹, aplicado por presión en forma de brazalete para tomar automáticamente el pulso. Un riñón artificial ›Trevenor‹, para facilitar la diálisis consistente en extraer y devolver la sangre purificada por el medio de dos tubos, y una aguja que combina una vena y una arteria, así como un telelectroencefalógrafo, para comprobar el proceso de actividad cerebral del anciano dictador.

Con el manto de la virgen del Pilar, enviado expresamente desde Zaragoza por monseñor Cantero Cuadrado, la habitación era un verdadero aposento de medios artificiales y técnicos para prolongar la existencia de Franco. Soportaba numerosas transfusiones de sangre: mas de 50 litros, y cuatro sondas, nariz, boca, uretra y recto, además del drenaje en el estómago. En cuanto a los productos consumidos, se utilizó lo más selecto de las medicinas, antibióticos, tónicos, tinturas, iones de todo tipo, etc.

La orina y excrementos eran analizados con regularidad, y la mucosa bucal atentida con tintura especial.[270]

Warum wurde die künstliche Beatmung nicht, wie sonst üblich, eingestellt, als am 19. November 1975 gegen 23 Uhr das Elektroenzephalogramm Francos Hirntod anzeigte? Für die Lebenssimulation durch maschinelle Erhaltung einiger Organfunktionen im Körper des *Generalísimo* und für die schier ins Unendliche gedehnte Vivisektion war medizinisch verantwortlich der Kardiologe Cristóbal Martínez Bordiú, Marqués de

Villaverde, Francos Schwiegersohn. Sein Vorsatz sei es gewesen, so liest man,[271] diese Lebens-Groteske bis zum 26. November 1975 fortzusetzen. Von jenem Tag an hätte das frankistische Ständeparlament seinen ultra-frankistischen Präsidenten Alejandro Rodríguez de Valcárcel für eine neue Amtszeit wiederwählen können, um der vom *Bunker* (so nannten viele Spanier damals in Anspielung auf Berlin 1945 die Animateure von Francos Körper) befürchteten Liberalisierung durch den designierten König zuvorzukommen.

Aber warum war es unmöglich, den *Bunker* auszumanövrieren, solange noch Maschinen einige Bewegungen in Francos Körper erhielten? Was hing von den Bewegungen dieses Körpers ab? Wahrscheinlich fürchtete nicht nur der *Bunker* den Umbruch des Erlebens, der nach dem Abstellen der Maschinen um die Fragmente von Francos Körper eintreten mußte. Eine Ideologie, die es kaum gegeben hatte, stand nicht zur Ablösung an, und die Strukturen des spanischen Alltags waren längst viel zu europäisch-normal, als daß für die Zeit nach Franco tiefgreifende Veränderungen auf der Tagesordnung gestanden hätten. Doch gerade weil der Durchbruch längst vollzogen, aber nie als vollzogen erfahren worden war, hatten viele Spanier Angst vor der Zukunft. Die einen mußten sich angesichts der nun unvermeidlich werdenden Ratifizierung des Umbruchs schuldig fühlen, weil sie kompromittiert waren durch ihre immer neuen Schwüre auf die Erhaltung von Francos Welt. Die anderen verloren mit dem Körper des *Generalísimo* die Zielscheibe ihrer (viel zu oft heimlichen) Angriffe und Aggressionen. Schließlich mußte mit Francos Tod auch aus den Alltagsdiskursen definitiv die Möglichkeit schwinden, Staat und Gesellschaft aus der Perspektive distanzierter Individualität und Individualität aus der Perspektive von Staat und Gesellschaft zu entwirklichen. Weil der Frankismus am Ende auf das Über-Leben von Francos Körper reduziert war, blieb nach seinem Tod – nur noch/immerhin noch – übrig, den Schritt von der erreichten Normalität zur Ratifizierung der Normalität zu vollziehen. Deshalb konzentrierte sich im November 1975 die spanische Nation auf den Körper von Francisco Franco, der wie kaum ein anderer die Körper der anderen verachtet und seinen eigenen Körper übersehen hatte.

Nachdem dieser Körper von der Erdoberfläche verschwunden und unter einer schweren Grabplatte in der Basilika des *Valle de los Caidos* verstaut war, vollzog sich der ›Übergang zur Normalität‹ problemlos und in rascher Gelassenheit. Zugleich mit dem (von wohlmeinenden ausländischen Stimmen vielfach belobigten) ›Demokratisierungsprozeß‹ veränderte sich für die Spanier *das Verhältnis zwischen Wirklichkeit und Sinn*. Bis zu Francos Tod hatte man mit den Wörtern eine Wirklichkeit beschrieben und gepriesen, kommentiert und kritisiert – die Wörter hatten wie Äußerungen der Wirklichkeit des Lebens gewirkt. Nun aber entdeckten auch die Spanier, daß man Wirklichkeit und Wirklichkeiten aus Wörtern und ihrem Sinn *machen* (oder als aus ihnen gemachte erleben) konnte. Von dieser Erfahrung ist am Ende eines 1977 publizierten Gedichts des Literaturwissenschaftlers und Lyrikers Guillermo Carnero die Rede:

> Desde el balcón
> veo romper las olas una a una,
> con mansedumbre, sin pavor.
> Sin violencia ni gloria se acercan a morir
> las líneas sucesivas que forman el poema.
> Brillante arquitectura que es fácil levantar
> igual que las volutas, los pináculos,
> las columnatas y las lógias
> en las que se sepulta una clase acabada
> ostentando sus nobles materiales
> tras un viaje en el vacío.
> Producir un discurso
> ya no es signo de vida, es la prueba mejor
> de su terminación.
> En el vacío
> no se engendra discurso,
> pero sí en la conciencia del vacío.[272]

Durch diesen Wandel von der Wirklichkeit als Leere hin zum Bewußtsein von der Wirklichkeit als Leere ist der 20. November 1975 eine Schwelle in der spanischen Geschichte. So erklärt sich die Erinnerung des (vielfach preisgekrönten) Kulturjournalisten Francisco Umbral, daß die jungen Intellektuellen und Künstler der späten sechziger und der frühen siebziger Jahre lebten, ›als gäbe es keine Diktatur mehr‹, weil sie sich auf den ›natürlichen Tod der Diktatur‹ eingestellt hatten.²⁷³ Schon in der Epoche der *Beatles* hatte man in Spanien Lyrik geschrieben, in der die evozierte Wirklichkeit gemachte Wirklichkeit war. Zu ihr gehört das Gedicht ›*La muerte en Beverly Hills*‹ von Pere Gimferrer, dem Nationalpreisträger für Lyrik des Jahres 1966:

> En las cabinas telefónicas
> hay misteriosas inscripciones dibujadas con lapiz de
>   labios.
> Son las últimas palabras de las dulces muchachas rubias
> que con el escote ensangrentado se refugian allí para
>   morir.
> Última noche bajo el pálido neón, último día bajo el sol
>   alucinante,
> calles recién regadas con magnolias, faros amarillentos de
>   los coches patrullan en el amanecer.
> *Te esperaré a la una y media, cuando salgas del cine* – y a
>   esta hora está muerta en el Depósito aquella cuyo
>   cuerpo era un ramo de orquídeas.²⁷⁴

Weil man endlich auch in Spanien die Wörter und den Sinn als vom physisch-materiellen Sein losgelöst erfahren konnte, wurde es möglich, die in der Chronologie geschiedenen Zeiten und Epochen gleichzeitig zu machen. Denn unerreichbar ist die Vergangenheit ja nicht für den Sinn und die Erinnerung der Menschen, sondern allein für ihre Körper. Nun, da die Körper und der Sinn verschiedenen Wirklichkeiten angehörten, konnte Francisco Umbral in den Wörtern seines Buchs *Trilogía de Madrid* Benito Pérez Galdós treffen und ›am selben Morgen‹ auch noch alle Westgotenkönige und alle Heterodoxen aus den Büchern von Marcelino Menéndez Pelayo.²⁷⁵ Sicherheitshalber hatte sich Umbral die Lizenz zur literarischen Demiurgen-Rolle von Fernando Lázaro Carreter, einem Professor der Literaturwissenschaft, ausstellen lassen: *Educado yo en la escuela parroqueña del socialrealismo, por lecturas y por* vividuras ..., *el cultivo de la palabra por la palabra seguía pareciéndome, quizá, pasión personal, inconfesable. Pero con la madurez y con Lázaro me han venido dos convicciones más gratificantes que beligerantes: que la literatura está en el* cómo (textual de Lázaro), *y que ya sólo nos queda la literatura. A mí y al siglo.*[276] Sinn braucht sich nicht mehr an *die* Wirklichkeit zu halten, als Stil prägt er Gestalten, die Wirklichkeit*en* sind. Weil Wirklichkeiten aus zu Stil konturiertem Sinn produziert werden, bewundert man in Spanien heute – anders und mehr denn je – die großen kulturellen Traditionen und ihre Rituale. Nichts ist dafür typischer als Umbrals Verehrung für Cayetana, die Herzogin von Alba, und die ihr gewidmete Frage: *¿Y cómo había llegado yo a que Cayetana supiese y recordase siempre que el agua, para mí, tenía que estar natural, no helada, del tiempo, hasta el punto de calentar mi copa con sus manos delgadas y como desganadas?*[277]

Wer sich in den späten Achtzigern vom *paseo* zwischen Spätabend und Frühdämmerung im Zehnminutentakt durch die *bares* von Madrid schleusen läßt, der durchläuft ein eindrucksvolles Museum epochenspezifischer Interieurs. Man stimmt Tapeten und Möbel, Gläser und *drinks* auf *fin-de-siècle* oder *roaring twenties* – und nun auch schon auf die *Beatles*-Jahre ab. In dieser Gegenwart, die historische Differenzen in Simultanität überführt, sind die Innenarchitekten und ihre Auftraggeber als Geschichtsillusionisten längst zu Spaniens eindrucksvollsten Historikern geworden. Nur ein gigantisches *revival* scheiterte. Das war am 23. Februar 1981 der Putschversuch des *Guardia-Civil*-Oberstleutnants Antonio Tejero, der Madrid in eine Bühne für die Welt verwandelt hatte, um ein Stück aus der dramatischen Gattung der *pronunciamientos* zu spielen. Bis zum zweiten Akt, der Besetzung des Parlaments, gelang die Aufführung in furchterregender Perfektion. Dann verweigerten einige Personen die Übernahme der Rollen, die ihnen Tejero zuweisen wollte. Vor allem der spanische König zeigte, daß er Gesten treuherziger Aufklärung dem Schauspiel-Stil des XIX. Jahrhunderts vorzog.

Vielleicht haben Stilbesessenheit und Alltagshistorismus (mit denen sich die heutige spanische Gesellschaft ja kaum grundsätzlich von anderen Gesellschaften unterscheidet) auch zu tun mit einer Melancholie, in der sie auf das Versiegen des Spiels von der exzentrischen Nationalidentität reagiert: *cuando – industrializada nuestra sociedad, e incorporada España a la Europa comunitaria y a la Alianza Militar del Atlántico Norte – vivimos en plena democracia, están surgiendo sobre la vieja piel*

de toro creaciones tales, que parecerían intencionadamente en-
caminandas a reafirmar los manidos clisés románticos de ›la
España eterna‹, a convalidar la proverbial España de Merimée
(sic); esto es, aquella pintoresca España, tradicional y rural, en
cuya contemplación han solido hallar deleite los ojos extranjeros
o complacida confortación los indígenas afectados de ideológicas
nostalgias.[278] Man braucht, wie gesagt, Ende 1987 kein Spanier
zu sein, um zu wissen, daß dort, wo sich Wirklichkeiten und
Identitäten fast mühelos herstellen lassen, Sehnsucht nach jener
alten ›Wirklichkeit‹ auftaucht und nicht mehr verschwindet, an
der man sich noch reiben konnte. Mit solcher Sehnsucht setzte
die hoffnungslose Verfolgungs-Jagd nach dem ›Authentischen‹
ein, der die Journalistin Rosa Montero achtundzwanzigjährig
einen 1979 sehr erfolgreichen schmalen Roman abgewonnen
hat. Er beginnt mit einem Zufall, aus dem ein Protagonist
Wirklichkeit schlagen will, während ihm die (mehr oder weniger) autobiographische Protagonistin diese Verwirklichung
verweigert. Der Zufall ist ein Anruf, bei dem sich der Mann am
anderen Ende der Leitung verwählt hat. Nach der üblichen
Aufklärung in vier Sätzen, meldet er sich ein zweites Mal:

hola, voz bonita, es otra vez ese hombre absurdo, repite su repertorio
de cortesías viejas y su programa moderadamente alcohólico, no me
gusta el vermut, dice ella, bueno, pues un zumo. Añade el hombre que
acaba de llegar de su trabajo, »porque soy aparejador, ¿sabes?«, y Ana
comprende que ha insistido esperanzado en su propia importancia,
creyendo que al decir su profesión anularía reticencias y obstáculos.
Me sorprendes, dice ella al fin, ¿por qué?, porque no entiendo tu
insistencia y se me occurren tres cosas: una, que no tienes nada que
hacer en todo el día; otra, que estás muy solo, o por último, que estás
muy aburrido, y el hombre mientras tanto niega con vigor y sonoras
protestas, y yo, continúa Ana, en cambio, tengo mucho que hacer, no
estoy muy sola y no me aburro nunca, de modo que no sigas llamando.[279]

Alle denkbaren Pfade der Authentizitätssuche und alle Mythen
der neuromantischen Authentizitätsfindung sind in Rosa Mon-
teros *Crónica del desamor* gesammelt. Der – offene – Drogen-
konsum, die – nicht immer verheimlichte – Homosexualität,
die – mutig verweigernde – Verweigerung des Streß, die – un-
entfremdet lebende – Psychiaterin, das – technologisch-aufge-

klärte – Reden über die Menstruation und – so unfreiwillig triviale – Syntagmen wie das von den *largos años de desencuentro con José María, al que tanto quiso y con el que compartió tan poco.*[280] Da darf eine Philosophie des Orgasmus, geschmackvoll und ohne Angst vor Tabus in den Rahmen einer Bettszene eingeflochten, nicht fehlen:

Suele ser con aquellos compañeros con los que mantiene una cordial, amistosa indiferencia, con los que mejor se entiende sexualmente, y por lo tanto engaña. Engaña Ana sistemáticamente a los hombres que más quiere: le produce gran placer, por supuesto, hacer el amor con ellos, pero no llega al orgasmo. Y lo finge. Follamos tan mal todos, piensa Ana.
– ¿Sabes lo que te digo? – salta de repente en voz alta –. Que lo que pasa es que el orgasmo no tiene esa tiránica importancia que le damos.
Gonzalo la mira boquiabierto, con una magdalena goteante detenida a la mitad de su camino del tazón al mordizco.
– ¿Qué?
– Que no – explica Ana con furia – que vivimos todos obsesionados por el orgasmo, hemos sustituido el orgasmo por el mismo sexo, cuando en realidad no es más que una parte de él . . . – Suspira, piensa un momento –. En esto también han tenido su parte de culpa Henry Miller y sus mujeres insaciables y tambien Wilhelm Reich con su maldito orgón.[281]

Ana, die alltagsphilosophische Frau und Heldin, arbeitet wie Rosa Montero, die Autorin, als Journalistin, und sie träumt einen (ziemlich emanzipierten) Traum vom Koitus mit dem ›unerreichbaren Soto Amón‹, dem dynamischen Herausgeber der ›großen Tageszeitung‹. Natürlich findet die vom hektischen Alltag getriebene Ana Erfüllung auch in der Schlußszene mit Soto Amón nicht, der es nachher so eilig hat, daß er das als Rache intendierte Angebot der Heldin, sie nicht mit dem Auto nach Hause fahren zu müssen, ahnungslos dankbar entgegennimmt. Nun ist – die als Romanautorin der Mittelmäßigkeit ihrer ›mittleren Heldin‹ entsprechende – Rosa Montero eine brillante Journalistin. Sie schreibt – wie Francisco Umbral – *crónicas* für *El País*. Diese Gattung kennt keine Themengrenzen. Ihre Pointe scheint darin zu liegen, auch dem flachsten Alltagsgeschehen eine Pointe – und sei es die Pointe der Pointenlosigkeit – abgewinnen zu können. Die *crónicas* suggerieren den Zeitungslesern, daß man der Wirklichkeit, die kaum mehr gestalthaft erfahren wird, weil sie in unendlich viele Wirklichkeiten zerlaufen ist, beliebig Gestalten aufprägen kann. Alles in der Welt – die Welt – kann durch die *crónica* erfahrbar und lesenswert werden. Diese Gattung und die Tageszeitung ›El País‹ geben einen Rahmen ab, in dem am Ende des XX. Jahrhunderts Traditionsstränge und Impulse aus der Geschichte der spanischen Literatur zugleich zusammen- und auseinanderlaufen.

El País ist das Emblem des neuen, nachfrankistischen, ›normalen‹ Spanien, das Sichtbar-geworden-Sein der Nachkriegsgeneration. Juan Luis Cebrián, von ›der ersten Stunde‹ bis heute Herausgeber der Zeitung, war beim Erscheinen der ersten Nummer am 4. Mai 1976, dreiunddreißig Jahre alt. *El País* hat aber auch eine spätfrankistische Vorgeschichte (und Cebrián gehörte zur Gründungsredaktion der *Cuadernos para el Diálogo*).[282] Denn ›*afán descentralizador*‹ und ›*europeismo*‹ waren um 1976 Leitbegriffe, die in ihrer Vagheit noch der eben schwindenden frankistischen Welt bedurften, um motivierende Kraft zu entfalten. Analoges gilt für das Redaktionsstatut der Zeitung, die pluralistisch, an der Grundidee der ›politischen Repräsentation‹ orientiert, ›demokratisch‹ (wie man bis 1975 stolz gesagt hätte) sein wollte. Seither beschrieb die Entwicklung von *El País* den Bogen einer normalen Triumphgeschichte ohne dramatische Gegenbewegungen oder skurrile Anekdoten. Sie verläuft in beständig steigenden Auflagenziffern, in dynamisch gestaffelten Phasen technologischer Modernisierung und in beständiger Differenzierung der redaktionellen Ressorts. Eben diese Ausdifferenzierung innerhalb *einer* Redaktion macht den Eindruck aus, daß *El País* ein Ort des Konvergierens und zugleich des Divergierens verschiedener Traditionslinien aus der spanischen Kultur ist. Selbstverständlich sieht diese Tageszeitung im Zeitalter der schnellen elektronischen Medien nicht mehr die ›Informationsvermittlung‹ als ihre Hauptaufgabe an. *El País* kommentiert und strukturiert Informationen, welche die Leser im Normalfall schon vor der Zeitungslektüre erreicht haben. Deshalb dominiert die Gattung ›*crónica*‹ in allen Teilsektoren; deshalb ist *El País* als in vielfältigen Differenzierungen und Facetten gebildetes Wirklichkeitsangebot längst *die spanische Wirklichkeit* geworden.

Am 11. Oktober 1987, das war der Tag, an dem die letzten Sätze dieses Kapitels diktiert werden sollten,[283] berichtete *El País* in einem langen Artikel mit breiter statistischer Dokumentation, daß ›die Mehrheit der Spanier mehr zu verdienen glaubt, als man ihnen zahlt‹. Wenn man das in *El País* lesen konnte, dann war diese Einschätzung ›spanische Gegenwartswirklichkeit‹. Doch wer ein *Panfleto contra el Todo* schrieb, wie es der Philosoph Fernando Savater in den späten siebziger Jahren tat,[284] um das Grundprinzip der totalisierenden Diskurse aufs Korn zu nehmen, konnte damit *El País* nicht treffen. Denn nicht in einer ›Ideologie‹ oder gar einem prägnanten ›politischen Standpunkt‹ konvergieren die immer zahlreicheren Artikel und die immer stärker differenzierten Sektionen, sondern allein in ihrer gemeinsamen Funktion, immer bewegliche und immer in Sinn strukturierte Wirklichkeiten vorzugeben. Solche Wirklichkeiten wecken weder heißen Enthusiasmus noch engagierten Protest, weil sie kaum mehr Positionen jenseits ihrer Grenzen unbesetzt lassen, wo Konsens und Dissens Raum finden könnten, um sich zu artikulieren. Auch deshalb ist *El País* ein Emblem des ›normal gewordenen‹ Spanien, das zu sich selbst im Verhältnis des *desencanto* steht. Schon 1980 sehnte sich Juan Luis Cebrián nach den späten sechziger Jahren, nach der Zeit der *Beatles* – als das international Normale für die Spanier noch eine Differenz zur nationalen Normalität hergab: *no digan sólo no al paro, al terror, a la OTAN; digan que sí a algo, caramba: hablen de felicidad y de ternura a la gente, súmense al coro ingente y universal de los Beatles cuando proclaman que todo lo que necesita este mundo es un poco de amor.*[285]

Für die letzte Seite des *País* vom 11. Oktober 1987 schrieb Francisco Umbral:

Con la liberté sólo se acaba haciendo *literatura light*, que es en lo que andan nuestros postnovísimos. El escritor necesita plomo en el ala: que le deje su señora o que le llame el juez. El *Quijote* se empieza a escribir en una carcel. La libertad no conduce a nada, como primero había descubierto Lenin ... Los gobernantes no saben lo que se buscan: con la libertad, toda crítica se queda en pingaleta intrascendente ... Con la represión justa y jurídica, la crítica se engrandece.

Natürlich sind das ironische Sätze. Aber sie sind wohl auch ernst(gemeint). Alles (Ironie und Ernsthaftigkeit, Differenz und Identität) wird zu einer Frage des Standpunkts, wo es nur beweglichen Sinn ohne Jenseits zu sich selbst gibt. Oder besser: *wäre* eine Frage des Standpunkts, wenn man diese spanische Wirklichkeit noch ›von außen‹ sehen / noch von anderen ›Wirklichkeiten‹ unterscheiden könnte.[286]

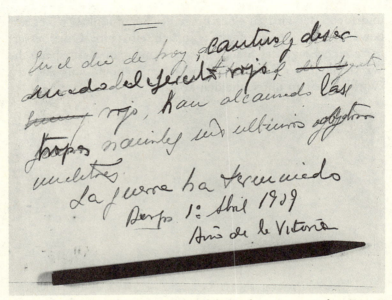

1. 4. 1939. Handschriftlicher Entwurf des Dokuments, mit dem Franco den spanischen Bürgerkrieg für beendet erklärte

Evita Perón und General Franco bei einer Kundgebung auf der Plaza de Oriente in Madrid

XXXV. Eucharistischer Weltkongreß in Barcelona 1952

Alfredo di Stéfano, der Kapitän von Real Madrid

Das Kabinett Francos im Jahr 1957

Seat 600, Symbol des wirtschaftlichen Aufschwungs im Jahr 1957

Demonstrierende Studenten und berittene Polizei am 1. Mai 1968

```
flash

    f r a n c o   h a   m u e r t o . - c i f r a .
```

Meldung von Francos Tod am 20. November 1975

Rückkehr von Dolores Ibarruri aus dem russischen Exil im Jahr 1977

Picassos Guernica (seit Oktober 1981 in Spanien im Casón del Buen Retiro von Madrid)

EL PAIS

DIRECTOR: JUAN LUIS CEBRIÁN **DIARIO INDEPENDIENTE DE LA MAÑANA** MADRID, DOMINGO 11 DE OCTUBRE DE 1987

Redacción, Administración y Talleres: Miguel Yuste, 40 / 28037 Madrid / ☎ (91) 754 38 00 / Precio: 100 pesetas. Sin suplemento semanal: 60 pesetas / Año XII. Número 3.837

El policía español que se encargará de controlar a los activistas, instalado en Argelia

La 'etarra' Mercedes Galdós detectó un infiltrado en su comando

La etarra Mercedes Galdós Arzuaga (*Itziarí*), considerada la activista más sanguinaria de la organización tras haber confesado su participación en 17 asesinatos, avisó por carta a la dirección de ETA —tras ser detenida— de que se habían producido extrañas fugas de información en la banda terrorista. La carta —en la que Mercedes Galdós se autocritica por haber resultado detenida— fue hecha llegar al jefe del aparato militar de la organización, Santiago Arrospide Sarasola, *Santi Potros*, detenido hace 11 días en Francia.

La terrorista avisa en la autocrítica, tras relatar algunos detalles de su arresto: "Como podéis comprobar, la detención es de lo más rara, por la cantidad de cosas que han salido con toda clase de detalles que sólo Txato y yo sabíamos de todos los que estábamos detenidos".

La ofensiva contra ETA, desencadenada hace 11 días, coincide con la llegada a Argel del comisario de policía español Eduardo García Martínez, de 51 años, encargado de manera oficial y en coordinación con los servicios de seguridad de ese país del control informativo de los militantes de ETA enviados por Francia.

La masiva redada de la policía francesa fue prevista hace un año por el dirigente *etarra* Txomin Iturbe, fallecido en el

do mes de febrero en accidente de tráfico en Argelia. Iturbe advirtió a sus compañeros sobre la necesidad de negociar con el Gobierno español.

"Ahora estamos en un buen momento, somos fuertes; dentro de un año, tal vez los franceses habrán expulsado a un centenar de los nuestros, luego empezarán a caer los *zulos*, el dinero y las armas, y al final ya no podremos negociar nada", explicó Iturbe.

Por otro lado, el presidente del Tribunal Constitucional, Francisco Tomás y Valiente, ha declarado que este organismo no se pronunciará antes de fin de año sobre la legislación antiterrorista.

Páginas 20 y 23

Nuevo agravamiento de la tensión en el golfo Pérsico

Las sospechas de que Irán tenga en su poder misiles antiaéreos norteamericanos Stinger, los más modernos y exactos del mundo, agravaron de nuevo la tensión en el golfo Pérsico, donde ayer volvieron a registrarse nuevas escaramuzas.

El Pentágono ha decidido abrir una investigación para esclarecer cómo obtuvo Teherán las baterías y envoltorios de misiles Stinger descubiertos en las lanchas rápidas atacadas el pasado jueves por helicópteros norteamericanos.

La tensión en la zona se mantuvo ayer con un nuevo ataque por parte de la aviación iraquí a un petrolero de bandera liberiana presuntamente al

servicio de Irán. Aviones de Irak realizaron también una incursión contra varias instalaciones petroleras del enemigo.

Entre tanto, el portahelicópteros *Guadalcanal* —la unidad aeronaval más importante que EE UU tiene en estos momentos en aguas del Golfo— recibió órdenes de levar anclas [navegaba ayer con rumbo desconocido], después del grave choque ocurrido el pasado jueves entre norteamericanos e iraníes.

Irán presentó ayer una "dura protesta" oficial a Estados Unidos por el incidente del jueves a través del embajador suizo en Teherán, que representa los intereses norteamericanos en el país.

Página 3

LLUÍS GENÉ

Vientos huracanados en Cataluña. Un fuerte temporal de viento y lluvia se abatió en la madrugada del sábado sobre Cataluña, con especial intensidad en la costa de Tarragona —en la fotografía, barcas dañadas en la Costa Dorada— y en las comarcas del Pirineo central. En Manresa, Calafell y Vilanova i la Geltrú los vientos huracanados ocasionaron importantes daños en viviendas e instalaciones industriales y hoteleras, así como en carreteras y vías férreas. Un deslizamiento de tierras provocó dos muertes en una pista forestal en Guixers, en el prepirineo leridano. En Tossa de Mar, un turista desapareció en las aguas. **Página 25**

Los errores en la declaración de la renta no son sancionables

Los errores cometidos en la declaración del impuesto sobre la renta de las personas físicas (IRPF) no pueden ser sancionados por la inspección financiera y tributaria, de acuerdo con una sentencia del Tribunal Supremo. La sentencia, que tiene valor normativo y fija doctrina para el futuro, resuelve un recurso contencioso-administrativo interpuesto por la Administración general.

Hasta ahora, Hacienda multaba con severidad los errores, aunque se tratara de un simple fallo en una operación matemáti-

ca. La reciente sentencia del Supremo considera que "una diferencia de criterio razonable respecto a la interpretación de las normas tributarias puede ser causa de la exclusión de culpabilidad". El tribunal responde así a los sucesivos recursos presentados por un contribuyente que fue sancionado en 1981 por la inspección de Hacienda de Alicante. El Supremo afirma que el ciudadano tiene derecho a la devolución del importe de la multa impuesta y a los intereses de la demora. **Página 57**

Titelseite von EL PAIS *am 11. Oktober 1987*